U0936252

司馬溫公
資治通鑑

柏杨 著

第十部

遍地血腥

饿死宫城

禽兽王朝

黄龙汤

人民东方出版传媒
東方出版社

遍地血腥

导读

五三四年，北魏帝国分裂为二：东魏及西魏。中国历史上，从没有和平的分裂，任何分裂，都会造成长期杀伐。因为，分裂后的政府，都以正统自居，自己是“真”，对方是“伪”，真伪不并立；自己是“忠”，对方是“奸”，忠奸不并存。我们称这个分裂前后的世界“遍地血腥”，只是为千万在毫无意义的内战中死去的中国人哀悼，事实上，以后的日子还要更坏。血腥之后，遍地白骨。

柏杨　一九八七·三·一五

目录

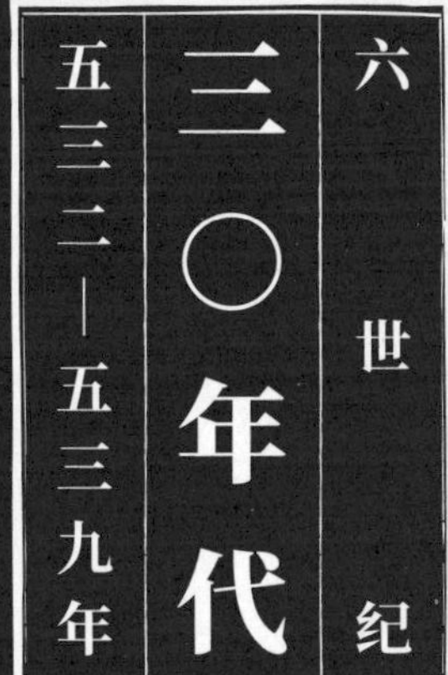

南北朝

◎ 北魏帝国分裂为东魏西魏。

◎ 沙苑战役。

◎ 十年中，北魏四个皇帝被杀。

◎ 东罗马皇帝查士丁尼与埃塞俄比亚（阿比西尼亚），缔结商业同盟，对抗波斯。

◎ 东罗马镇压“尼卡起义”，在首都君士坦丁堡屠杀三万人。

◎ 君士坦丁堡圣苏非亚教堂落成（迄今仍在）。

五三二年 壬子

南梁 中大通 四年
北魏 普泰 二年
中兴 二年
太昌 元年
永兴 元年
永熙 元年
（皇帝刘蠡升神嘉八年）

1 春季，正月一日，南梁帝国（首都建康〔江苏省南京市〕）政府任命南平王萧伟当最高指挥官（大司马）、元法僧当全国武装部队总司令（太尉）、袁昂当最高监察长（司空）。

晋封西丰侯萧正德当临贺王。萧正德竭力谄媚南梁帝（一任武帝）萧衍（本年六十九岁）的宠臣朱异；萧衍既大肆分封长子萧统的所有儿子，朱异乘势提醒萧衍：对萧正德的待遇，并不公平（萧衍尝收萧正德做儿子，几乎继承帝位，参考五二二年十二月。而现在却仅只当一个侯爵，跟其他皇子不能并列），萧衍遂特别晋封萧正德王爵。

任命太子宫右翼卫队长（太子右卫率）薛法护，当司州（州政府设义阳〔河南省信阳市〕）全权州长（牧），护送魏王元悦，返回洛阳（北魏首都，河南省洛阳市东白马寺东）。

正月五日，封太子萧纲的长子萧大器当宣城王。

2 北魏帝国反抗军政府丞相高欢，攻击邺城（河北省临漳县西南邺城镇），挖掘地道，用木柱支持，然后纵火焚烧木柱，地道下陷，城墙崩塌。

正月十七日，反抗军占领邺城，生擒相州（州政府邺城）州长（刺史）刘诞。高欢命杨愔当中央特遣政府事务秘书长（行台右丞）；当时，军国大事，十分繁多，反抗军政府的文告和命令，都出于杨愔及开府（高敖曹开府仪同三司）首席军事参议官（开府咨议参军）崔㥄（音líng〔陵〕）之手。崔㥄，是崔逞的五世孙（崔逞，参考三九七年二月）。

3 二月，南梁帝国政府封全国武装部队总司令（太尉）元法僧当东魏王（萧衍已封元悦当魏王，参考前年〔五三〇〕六月），打算送他回北魏帝国；遂任命兖州（州政府设淮阴〔江苏省淮安市淮阴区〕）州长（刺史）羊侃当作战军政官（军司马），跟元法僧联军前进。

京畿总卫戍司令（扬州刺史）邵陵王萧纶，派人到街上商店，购买锦绣绸缎及棉布数百匹，不付价款，强行赊欠；于是商店关闭，纷纷罢市。宫廷供应部主任秘书（少府丞）何智通，奏报南梁帝萧衍，萧衍责备萧纶，命他离职回家。萧纶大怒，派王府禁卫官（防阁）戴子高等，埋伏小巷，用铁槊刺杀何智通，刀刃自前胸插入，于后背穿出。何智通认识戴子高，手沾自己身上流出的鲜血，在车壁写下

“邵陵”二字，写毕气绝，于是事情被发觉。

二月十五日，撤销萧纶爵位，贬作平民，并用铁链把他锁在家里。然而，二十天后，萧衍命解除铁链；不久，萧衍再恢复萧纶爵位。

萧纶迫令小民吞食鳝鱼而死的暴行，以及被免除官爵、剥夺采邑的往事，记忆犹新（参考五二五年十二月）。正当我们认为这位王子终于受到法律制裁之时，想不到就在本年（五三二），他却忽然以京畿总卫戍司令（扬州刺史）的高贵身份，再肆暴虐。再肆暴虐的结果，跟上次一样，过了二十天之后，仍一切依旧。

很早就有圣人说过：“王子犯法，跟平民同罪。”可怜的何智通，他忍痛用自己的血写下凶手的名字，因为他认为一定可以伸冤。看了萧纶的故事，恐怕会恍然大悟，在中国历史上，在中国，王子犯法，恐怕永不会跟平民同罪，此之谓“说不准学”，我们可以用这门学问，准确无误的测出它是一个什么样的时代。

4 二月十六日，北魏帝国反抗军政府皇帝（十四任后废帝）元朗（本年二十岁），追赠十一任帝（孝庄帝）元子攸绰号武怀皇帝。

二月二十九日，元朗任命高欢（本年三十七岁）当丞相、柱国大将军、太师（上三公之一）。

三月二日，命高澄（高欢长子，本年十二岁）当骠骑大将军。

三月十三日，元朗率领文武百官，进入邺城（河北省临漳县西南邺城镇）。

颍川王尔朱兆（并州〔州政府晋阳〕州长），跟乐平王尔朱世隆（洛阳政府国务院总理〔尚书令〕）等，互相怀疑猜忌。但尔朱世隆言辞谦卑，又不断送上厚礼，向尔朱兆委曲求全，请尔朱兆前往首都洛阳（河南省洛阳市东白马寺东），允许他可以随心所欲的行事；又请洛阳政府皇帝（十三任前废帝）元恭（本年三十五岁），娶尔朱兆的女儿当皇后；尔朱兆才大为高兴，于是，连同陇西王尔朱天光（中央驻关西特遣全权政府总监〔关西大行台〕）、常山王尔朱度律，重新结盟发誓，总算恢复和睦。

骠骑大将军斛斯椿，私下对车骑大将军贺拔胜说："天下人都把尔朱帮恨入骨髓，而我们却一直是他们的部属，灭亡的日子，就在眼前，不如由我们下手铲除！"贺拔胜说："尔朱天光跟尔朱兆，天南地北，各霸一方，如果想一下子铲除干净，十分困难。如果无法一下子铲除干净，定有后患，怎么办？"斛斯椿说："这件事很简单。"于是说服尔朱世隆，征召尔朱天光等，齐赴洛阳，共同讨伐高欢。尔朱世隆不断征召尔朱天光，尔朱天光都不接受。尔朱世隆命斛斯椿亲自前往劝告，斛斯椿对尔朱天光说："高欢作乱，除非大王亲自出马，没有人能把他平定，怎么可以坐在那里，眼睁睁看着家族被屠杀消灭？"尔朱天光不得已，只好东下，向雍州（州政府设长安〔陕西省西安市〕）州长（刺史）贺拔岳，征求意见，贺拔岳说："大王家分别割据三个地区（尔朱天光割据关西〔函谷关以西〕，尔朱兆割据并州汾州〔山西省中部〕，尔朱仲远割据徐州兖州〔山东省西部及江苏省北部〕），人强马壮，高欢不过一小撮乌合之众，怎么有资格当敌人！大王家只要同心合力，就所向无敌，如果骨肉之间，互相怀疑猜忌，则想活命都来不及，怎么有力量克制别人！如果要问我的意见，我的意见是：你最好仍继续镇守关中（陕西省中部），加强基地的防卫，然后，分出一部分精锐部队，跟其他各处的大军集结会合，则进可以击溃强敌，退可以保全身家性命。"尔朱天光不同意。

闰三月八日，尔朱天光从长安（陕西省西安市）、尔朱兆从晋阳（山西省太原市）、尔朱度律从洛阳（河南省洛阳市东白马寺东）、尔朱仲远（中央驻徐州〔州政府彭城〕特遣全权政府总监〔徐州大行台〕）从东郡（河南省滑县），分别出发，在邺城（河北省临漳县西南邺城镇）会师，部队号称二十万，夹洹水（清河支流，流经河南省安阳市境。洹，音huán〔环〕）两岸，构筑营垒。洛阳政府皇帝元恭，任命长孙稚当中央特遣全权政府总监（大行台），任大军统帅。

高欢命国务院文官部长（吏部尚书）封隆之，留守邺城（河北省临漳县西南邺城镇）。

闰三月十九日，高欢率军出城，驻扎紫陌（邺城西）；总司令官（大都督）高敖曹，率家乡子弟及私人军队王桃汤等三千人，追随参与。高欢说：“你的部队全是汉人，恐怕不能担当大任，我想拨给你鲜卑士卒一千余人混合编组，你以为如何？”高敖曹说：“我所率的部队，训练已久，互相信任，前后参加过很多次战争，勇猛善战，不亚于鲜卑人。如果仓猝之间，使他们混合一起，感情不能刹时融洽，胜利时互争功劳，败退时互推责任。所以，不需要增加兵力。”

闰三月二十六日，尔朱兆率轻装备骑兵三千人，于夜晚袭击邺城（河北省临漳县西南邺城镇），直抵西门，不能攻克，撤退。

闰三月二十八日，高欢的实力，战马不满二千匹，步兵不满三万人；很显明的，人数太少，不能跟尔朱帮的人马相敌，于是转移到韩陵（邺城西南），建立圆阵；把牛驴拴在一起，留在来时路上，阻塞撤退道路，将士无路可逃，遂都抱必死决心。尔朱兆望见高欢，远远的斥责他背叛自己，高欢说：“我所以效忠你，是为了保卫皇家，而今，天子（元子攸）在哪里？”尔朱兆说：“永安冤枉害死天柱（永安是元子攸年号，用以代替直接称呼，这是中国传统的马屁术，除了用年号代表皇帝外，还用地名或官名代表当权人物。天柱，指天柱大将军尔朱荣），我不过为叔父报仇。”高欢说：“我从前亲自听到天柱（尔朱荣）说出他的谋反计划，你正站在门口，怎么能说他冤枉？而且，君王诛杀臣属，即令错误，怎么可以谈到报仇？今天，我们之间，情断义绝。”会战开始。高欢率中央兵团，高敖曹率左翼兵团，高欢的堂弟高岳率右翼兵团。高欢难以支持，尔朱兆乘机发动更强烈攻击，高欢情势更加危急，高岳率五百人骑兵，对尔朱军迎头痛击；别动部队将领斛律敦，集结会战之初被击溃的残兵败将，包抄尔朱军背后，高敖曹率一千余骑兵，自栗园（今地不详）向尔朱军拦腰突袭，尔朱兆大败，贺拔胜跟徐州（州政府设彭城〔江苏省徐州市〕）州长（刺史）杜德，就在战场上叛变，投降高欢。尔朱兆对着慕容绍宗，抚摸胸脯说：“不听你的话，到这种地步。”（慕容绍宗劝阻尔朱兆放走高欢，参考前年〔五三〇〕十二月）打算抛弃主力，率轻装备骑兵，西奔晋阳（尔朱帮基地，山西省太原市）。慕容绍宗下令军旗突然反转，指向敌阵，战斗号角齐鸣，收容四散逃命的士卒，重组大军，才向西撤退。尔朱兆回晋阳（山西省太原市），尔朱仲远回东郡（河南省滑县）。留守京师（首都洛阳）的尔朱彦伯，听到尔朱度律等战败消息，打算亲自率军保护黄河大桥，尔朱世隆不准。

尔朱度律、尔朱天光，将撤退到洛阳（河南省洛阳市东白马寺东）；总司令官（大都督）斛斯椿，对司令官（都督）贾显度、贾显智说：“今天如果不先逮捕尔朱家人，我们就死无葬身之地！”遂于夜晚在桑树下结盟，约定加倍速度，先行西返。留在京师（首都洛阳）的尔朱世隆，派他的地方军事参议官（外兵参军）阳叔渊，飞马奔往北中（黄河大桥北岸桥头城），点验逃回来的残兵败将，依照顺序收容。斛斯椿到达后，不能入城，于是编了一套理由，说服阳叔渊：“尔朱天光部下，

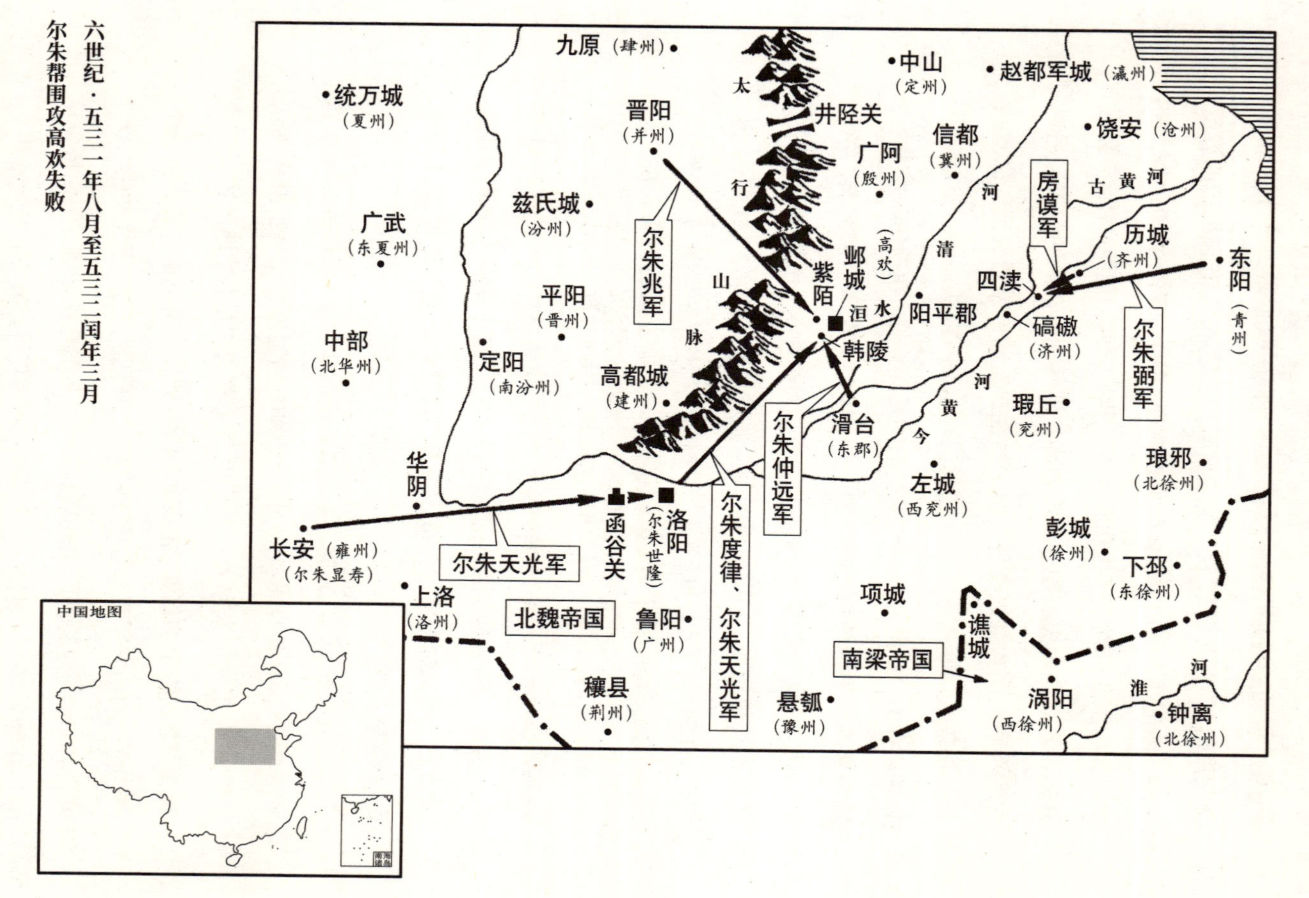

六世纪·五三一年八月至五三二闰年三月

尔朱帮围攻高欢失败

都是西部人（关西〔函谷关以西〕人），听说要到洛阳大肆抢劫，强行迁都长安（陕西省西安市），应该让我进城，先做准备。”阳叔渊相信。

夏季，四月一日，斛斯椿等进入北中，控制黄河大桥，搜捕尔朱家党羽，全部屠杀。尔朱度律、尔朱天光稍后抵达，打算攻城，正巧，大雨倾盆，昼夜不停，士卒马匹全部疲惫不堪，弓湿弦软，无法射箭，遂继续向西逃走，逃到灅波津（黄河大桥西，尔朱兆军涉浅水渡河处），被人生擒，押送给斛斯椿。斛斯椿派中央特遣政府总监（行台）长孙稚，前往洛阳，奏报皇帝元恭；另派司令官（都督）贾显智、张欢，率骑兵突袭尔朱世隆，当场生擒。尔朱彦伯当时正在宫中值班，长孙稚到神虎门（宫城西面南门）启奏：“高欢的勤王义军，已大获全胜，请诛杀尔朱帮。”元恭派随从官（舍人）郭崇，通知尔朱彦伯，尔朱彦伯狼狈出宫逃走，也被人生擒，跟尔朱世隆，一起绑赴阊阖门（洛阳城西面北头第二门）外处斩；把尔朱彦伯、尔朱世隆的人头，以及尔朱度律、尔朱天光，一并送给高欢。

元恭派立法院立法官（中书舍人）卢辩，前往邺城（河北省临漳县西南邺城镇）慰劳高欢，高欢命他晋见反抗军政府皇帝元朗，卢辩直言抗拒，高欢无法使他屈服，也就作罢。卢辩，是卢同的侄儿（卢同是元义的摇尾分子，参考五二〇年八月）。

四月八日，尔朱帮骠骑大将军、济州（州政府设碻磝〔山东省聊城市在平区西南〕）总部执行官（行济州事）侯景，投降反抗军政府皇帝元朗；元朗任命侯景当国务院执行长（尚书仆射）、中央驻南方特遣全权政府总监（南道大行台）、济州（州政府碻磝）州长（刺史）。

尔朱仲远投奔南梁帝国（首都建康）。尔朱仲远的作战司令官（帐下都督）乔宁、张子期，从滑台（河南省滑县）晋见高欢投降。高欢责备说：“你们事奉尔朱仲远，为的是从他那里享受荣华富贵。海誓山盟，有一百次之多，承诺同生共死。上次，尔朱仲远在徐州（州政府设彭城〔江苏省徐州市〕）叛变（指前年〔五三〇〕十一月攻击洛阳），你们是军中领导头目。今年尔朱仲远向南逃亡，你们却把他抛弃。事奉天子（指元子攸）不忠，事奉长官无信，一条狗、一匹马，都认识喂养它的主人，你们连狗马都不如。”遂把二人斩首。

尔朱天光进关（函谷关）讨伐高欢时，留他老弟尔朱显寿，镇守长安（陕西省西安市），而征召秦州（州政府设上封〔甘肃省天水市〕）州长（刺史）侯莫陈悦（侯莫陈，三字姓），打算一同东征。雍州（州政府长安）州长（刺史）贺拔岳知道尔朱天光此行一定失败，打算使侯莫陈悦留下来，以便二人联合对付尔朱显寿，响应高欢；可是苦于想不出办法。原州（州政府设高平〔宁夏固原市〕）总部执行官（行原州事）宇文泰，对贺拔岳说：“现在，尔朱天光仍在眼前，侯莫陈悦未必有叛变的心，如果把我们的大计划告诉他，恐怕他会吓死。不过，侯莫陈悦虽然是一军之主，其实并没有能力完全掌握部属，假设先说服他的部属，势必人人都希望留下。侯莫陈悦前进的话，无法在尔朱天光指定的限期内，抵达目的地，而后退又恐怕军心不安，发生动乱。我在那个时候，再去跟他沟通，事情就非成功不可。”贺拔岳大为高兴，即派宇文泰到侯莫陈悦军中，进行说服，果然，一切都在预料之中，侯莫陈悦遂跟贺拔岳，联合袭击长安（陕西省西安市），宇文泰率轻装备骑兵当先锋，尔朱显寿放弃城池逃走，贺拔岳等追到华阴（陕西省华阴市），生擒尔朱显寿。反抗军政府丞相高欢，任命贺拔岳当中央驻关西（函谷关以西）特遣全权政府总监（关西大行台）；贺拔岳任命宇文泰当特遣全权政府政务秘书长（行台左丞），兼总部军政官（领府司马）；事情不论大小，都交给宇文泰办理。

乐平王尔朱世隆讨伐高欢时，命中央驻齐州（州政府设历城〔山东省济南市〕）特遣政府执行官（齐州行台尚书）房谟，招募兵马，前往四渎（山东省济南市长清区西南，连接古黄河与济水之运河）；又命老弟、青州（州政府设东阳〔山东省青州市〕）州长（刺史）尔朱弼，前往乱城（今地不详），扬言北渡黄河增援，造成呼应的形势。韩陵（邺城西南）之役，尔朱兵团战败，尔朱弼返回东阳（山东省青州市），听到尔朱世隆等被诛杀消息，打算投奔南梁帝国（首都建康），为了加强团结，不断跟他的左右部属，割臂出血，缔结盟誓。作战司令官（帐下都督）冯绍隆，一向受尔朱弼宠爱信任，告诉尔朱弼说："今后同生共死，应该更割心前的血，跟大家再发更严肃的誓。"尔朱弼相信，于是集合全体部属，露出胸膛，命冯绍隆割血；冯绍隆举刀用力一推，刀尖立即刺入尔朱弼心脏，遂砍下尔朱弼的人头，呈献洛阳政府。

四月十三日，尔朱帮安东将军辛永，献出建州（州政府设高都城〔山西省晋城市〕），投降反抗军政府。

四月十八日，反抗军政府皇帝（十四任后废帝）元朗，由邺城（河北省临漳县西南邺城镇）抵达邙山（洛阳城北）。高欢认为元朗的皇家血统疏远（元朗是景穆太子拓跋晃的重孙），派国务院执行长（仆射）魏兰根前往首都洛阳，对旧有的中央政府，宣慰安抚，同时观察元恭是一个怎么样的人，有意继续拥护他当皇帝。魏兰根发现元恭神采英明，恐怕以后难以控制，于是跟高乾兄弟，和监督院宫廷监督官（黄门侍郎）崔㥄，共同建议高欢罢黜元恭。高欢集合文武百官，询问他们的意见：应该拥护谁当皇帝？没有人回答。交通部长（太仆）、鲜卑人（代人）綦毋俊（綦毋，复姓），竭力称赞元恭贤能智慧，应继续主持政府，高欢很高兴的接受他的建议，崔㥄立刻沉下脸来，说："如果说贤能智慧，应该等待我们高王（高欢）慢慢坐上宝座，广陵王（元恭原封广陵王）既是叛逆蛮虏（尔朱帮）选定的，怎么可以继续当天子！如果听

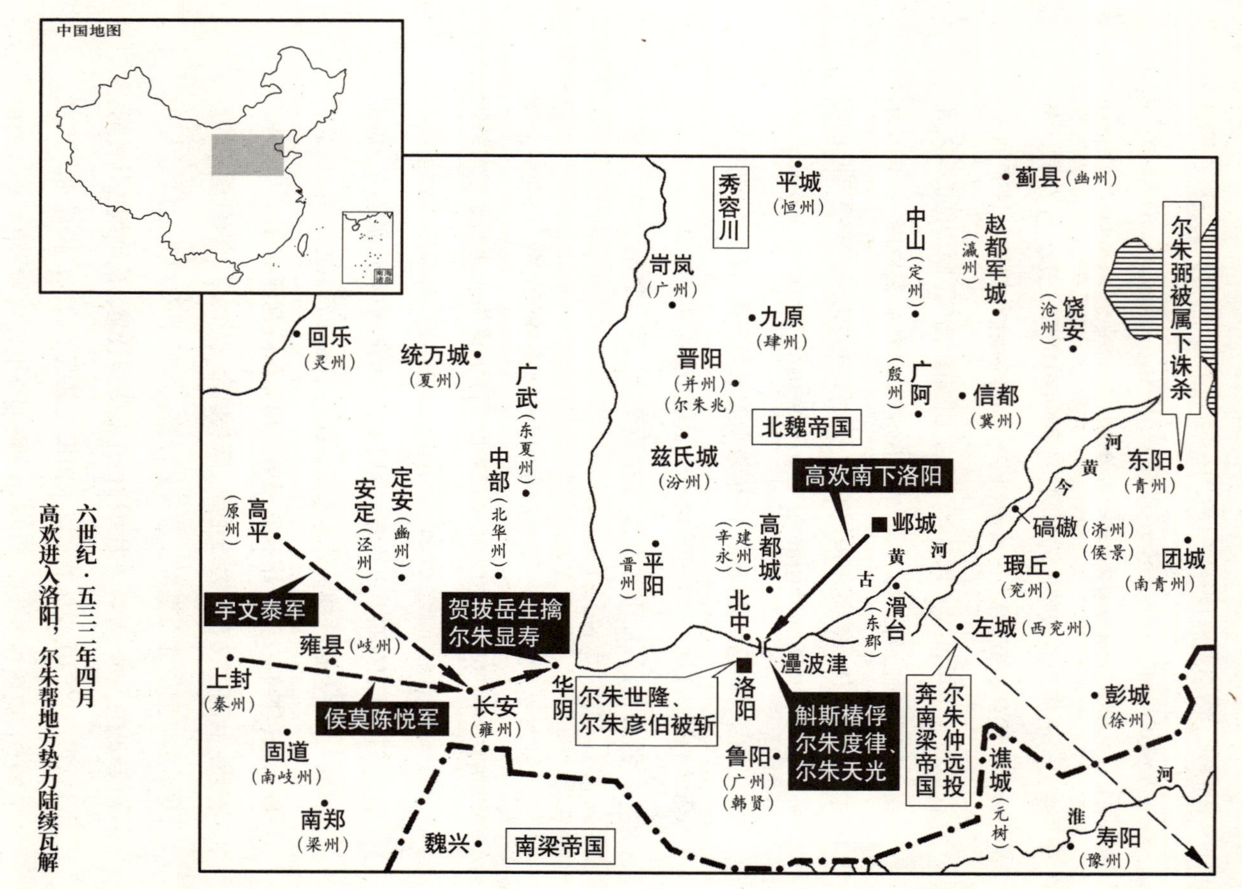

六世纪·五三二年四月
高欢进入洛阳，尔朱帮地方势力陆续瓦解

綦毋俊的话，我们反抗军又怎么可以叫义师！”高欢遂派人逮捕元恭，囚禁崇训寺。

高欢进入洛阳（河南省洛阳市东白马寺东），斛斯椿对贺拔胜说：“现在，天下权柄，握在你我之手，如果不能先行发动，控制别人，则将被别人控制。高欢刚来，除掉他毫不困难。”贺拔胜说：“他有功当代，谋害他将招来凶恶报应。这几晚我跟高欢同住，谈到当年很多往事（二人同是尔朱荣部下），对你充满感恩图报之情，何必对他在意！”斛斯椿打消念头。

高欢认为汝南王元悦，是七任帝（孝文帝）元宏的儿子，想请他回国登极（元悦时在南梁帝国），但听说元悦性情凶暴，喜怒无常，遂中途停止。

当时，亲王们纷纷逃亡，国务院左执行长（尚书左仆射）、平阳王元修，是元怀的儿子（广平王元怀，是七任帝元宏的儿子，参考四九七年八月），躲在乡下农家。高欢打算拥护他当皇帝，命斛斯椿查访，斛斯椿找到元修的亲信、编制外事务顾问官（员外散骑侍郎）、太原郡（山西省太原市）人王思政，问元修在什么地方，王思政说：“我想了解你找他的用意！”斛斯椿说：“打算拥护他当天子。”王思政才告诉他地址。解斯椿遂跟随王思政，去见元修，元修脸色大变，对王思政说：“你不是出卖我吧！”王思政说：“当然不是。”元修说：“你敢保证？”王思政说：“时局变化剧烈，谁敢保证！”斛斯椿飞马回去报告高欢，高欢派出四百名骑兵，到乡间迎接元修，护送到毡毛营帐（酋长所居），高欢向元修陈述自己的诚心，泪流满面，沾湿衣襟。元修谦让的表示自己对人民缺少恩德，高欢两次叩拜，元修也两次叩拜答礼。高欢出帐准备皇帝穿的衣服和使用的器具，请元修洗澡更换，命军警布岗，彻夜警戒。第二天凌晨，文武百官手拿马鞭，到毡毛营帐朝见。（胡三省注：“军中不能找到那么多正式官服，因之用马鞭致敬。”）高欢命斛斯椿领头上疏给元修，拥护他登上天子宝位。斛斯椿进入帐门，低头弯腰，不敢前进。元修命王思政从斛斯椿手中取过来劝进奏章，说：“我不得不称‘朕’了（秦王朝一任帝嬴政时起，皇帝自称“朕”；参考前二二一年）！”高欢遂派人替刚抵达邙山（洛阳城北）的反抗军政府皇帝（十四任后废帝）元朗，撰写诏书，让出皇帝宝座。

胡三省曰

《书经》说：“天位艰难。”又说：“不要认为平安，那个位置危险。”（“天位艰哉。”“毋安，厥位惟危。”）即令上天和民间，都乐意拥护，中央政府权柄有所归属，贤明的君王身处此境，也应该战战兢兢，恐怕自己不能胜任；元修看到劝进奏章，而竟然发出“我不得不称‘朕’了”之言，骄傲满足的气势，从心肝上冒出来，溢向四方，正人君子因之已经知道他不能有好的结局。

柏杨曰

元修在紧要关头，露出原形：“我不得不称‘朕’了！”我们虽然没有亲眼看见他的表情，但可以想象出他那副沾沾自喜的嘴脸，泄漏他的底牌，只不过是一个浅碟子，浅碟子只能装下对自己的欣赏。摆在他眼前的是，五年之内，就有四个活生生的覆车：十一任帝元子攸、十二任帝元晔、十三任帝元恭、十四任帝元朗，一个个被推上宝座，转眼之间，一个个又被人一脚踢下。元修应该警觉到他屁股底下，坐的是尖端朝上的万把钢刀。然而，浅碟子被一个“朕”字就装满了，眼睛完全看不见万把钢刀，所以他过的日子十分快活，认为高欢要靠他才有饭吃。

不过，元修虽然沾沾自喜，他的浅碟子里还总算装了一个“朕”字，一定要沾沾自喜的话，也有资格沾沾自喜。而有些更浅的碟子里，不过只装一点微不足道的东西——诸如一个官、一点钱、一点权、一点名声，就霎时满盈，这才使我们失笑。

四月二十五日，元修（本年二十三岁）在洛阳东郊，登极称帝（十五任孝武帝），恢复平城（北魏故都，山西省大同市）时代的传统古老制度，用黑色毛毡，蒙住七个人——高欢是其中之一，元修被抬到毡上，面向西方，叩拜上天，礼成之后，回到洛阳，进宫，登太极殿，文武百官上殿朝拜祝贺。然后，元修升阊阖门（洛阳城西面北头第二门），大赦，改年号太昌（之前是中兴二年，之后是太昌元年）。任命高欢当大丞相、天柱大将军、太师（上三公之一），世袭定州（州政府设中山〔河北省定州市〕）州长（刺史）。

四月二十七日，加授高澄（高欢的十二岁长子）：总监督长（侍中）、开府仪同三司（宰相级）。

最初，高欢在信都（冀州州政府所在县，河北省衡水市冀州区）兵变（参考去年〔五三一〕六月），乐平王尔朱世隆知道总监督长（侍中）、骠骑大将军司马子如跟高欢是老友，所以命司马子如出任南岐州（州政府设固道〔陕西省凤县〕）州长（刺史）。高欢进入首都洛阳（河南省洛阳市东白马寺东），征召司马子如返京（首都洛阳），当中央特遣全权政府执行官（大行台尚书），从早到晚，跟自己相伴，参与军国大事的决策，从不离开左右。广州（州政府设鲁阳〔河南省鲁山县〕）州长（刺史）广宁郡（河北省涿鹿县）人韩贤，一向受高欢欣赏，高欢进入洛阳后，凡尔朱帮所任命的官员或所封的爵位，一律撤销，只韩贤仍然保持。

中央任命前总监察官（御史中尉）樊子鹄，兼国务院左执行长（兼尚书左仆射），当中央驻东南特遣全权政府总监（东南道大行台），会同徐州（州政府设彭城〔江苏省徐州市〕）州长（刺史）杜德，追击尔朱仲远；而尔朱仲远投奔南梁帝国（首都建康），已逃出国境；遂转移目标，攻击南梁帝国镇北将军元树据守的谯城（安徽省亳州市。南梁占领谯城事，参考去年〔五三一〕十一月）。

大丞相高欢征调雍州（州政府设长安〔陕西省西安市〕）州长（刺史）贺拔岳当冀州（州政府设信都〔河北省衡水市冀州区〕）州长（刺史），贺拔岳畏惧高欢的强大，打算接受命令，单人匹马向中央政府报到。中央特遣政府事务秘书长（行台右丞）薛孝通，警告贺拔岳，说："高欢用数千人的鲜卑部队，击破尔朱帮百万雄师，实在是难以跟他为敌。可是，有些将领原来的阶级比高欢要高，有些将领本来跟他的地位相等，现在低头顺从，只是受形势所迫，心里并不甘愿。他们有的留在京师（首都洛阳），有的驻防州镇。高欢如果把他们除掉，则将大失人心，如果仍留他们原位不动，将来一定成为心腹大患。而且，尔朱兆虽然战败逃走，但仍盘踞并州（州政府设晋阳〔山西省太原市〕）。高欢对内正安抚各路英雄，对外又要抗拒强敌，怎么能离开他的巢穴，前来跟你争夺关中（陕西省中部）土地！而今，关中英雄豪杰，都倾心于你，愿意贡献他们的智慧和勇气。你把华山（西岳，陕西省华阴市南）当作城墙，把黄河当作护城壕沟，前进可以吞并山东（崤山以东），后退可以用一丸泥，封死函谷关，为什么要绑起双手，受人摆布！"话还没有说完，贺拔岳拉住薛孝通的手，说："你完全对！"遂呈递一份措辞谦卑的奏章，拒绝调职。

四月二十九日，丞相高欢返回邺城（河北省临漳县西南邺城镇），把尔朱度律、尔朱天光送到首都洛阳，斩首（被处斩的尔朱帮成员中，尔朱天光年三十七岁，尔朱世隆年三十三岁，余皆不详）。

五月三日，皇帝元修（十五任孝武帝），用毒酒把十三任帝（前废帝）元恭，毒死在监督院宫外办公厅（门下外省。元恭年三十五岁）。命文武百官追悼送殡，用特殊礼节安葬（包括用九条彩带龙旗〔九旒〕、青盖车〔銮辂〕、黄绫车〔黄屋〕、左前方竖牛尾车〔左纛〕、武装仪队〔班剑〕一百二十人；葬礼比亲王隆重）。

中央政府任命沛郡王元欣当太师（上三公之一）、赵郡王元谌当太保（上三公之三）、南阳王元宝炬当全国武装部队总司令（太尉）、长孙稚当太傅（上三公之二）。元宝炬，是元愉的儿子（京兆王元愉，也是七任帝元宏的儿子，参考四九七年八月）。丞相高欢坚决辞让天柱大将军。

五月五日，元修批准。

五月十六日，任命清河王元亶当宰相（司徒）。

总监督长（侍中）、河南郡（首都洛阳）人高隆之，本是徐家养子，丞相高欢命他当自己的义弟，高隆之遂仗恃义兄的势力，态度骄傲，对政府高级官员，欺凌侮辱；南阳王元宝炬把他揍了一顿，诟骂说："你不过一个'镇兵'（北魏帝国迁都洛阳后，留在沿边各镇人民，都编入军籍，地位低贱；参考五二三年四月），怎么敢如此猖狂！"元修因事件涉及到高欢。

六月五日，元修贬降元宝炬当骠骑大将军，不必办公，回家休息。

元修的老爹，是广平王（武穆王）元怀。政府为了避讳"怀"字，下令把十一任帝元子攸的绰号武怀皇帝，改称孝庄皇帝；祭庙称敬宗（十四任帝元朗追赠元子攸绰号武怀皇帝，参考本年〔五三二〕二月十六日）。

秋季，七月八日，元修再任命南阳王元宝炬当全国武装部队总司令（太尉）。

七月十日，丞相高欢率军西征尔朱兆，穿过滏口（太行山八陉之四，河北省武安市南）；总司令官（大都督）库狄干，穿过井陉（太行山八陉之五，河北省井陉县东北。库狄干当是从定州〔州政府中山〕出军），分别进入山西（太行山以西）。

七月十八日，元修派骠骑大将军、仪同三司（宰相级）高隆之，率步骑兵十万，跟高欢在太原（晋阳，山西省太原市）会师；遂命高隆之当丞相府参谋长（丞相军司）。高欢在武乡（山西省榆社县）扎营；尔朱兆对晋阳（山西省太原市）居民，大肆烧杀劫掠，然后放弃城池，向北逃往秀容（北秀容，山西省朔州市西北），并州（州政府晋阳）完全平定。高欢认为晋阳四方都有险要关塞，容易守卫，就在晋阳建大丞相府定居。

夏州（州政府设统万〔陕西省靖边县北白城则村〕）迁居到青州（州政府设东阳〔山东省青州市〕）的移民首领郭迁，聚众起兵，占领州城（东阳）叛变，州长（刺史）元嶷逃走。元修下诏命中央特遣政府总监（行台）侯景等讨伐，收复州城。郭迁逃奔南梁帝国（首都建康）。

中央驻东南特遣全权政府总监（东南道大行台）樊子鹄，把南梁帝国镇北将军元树，包围在谯城（安徽省亳州市），再分兵攻克蒙县（河南省商丘市）等五座城池，断绝元树的援军道路。元树向樊子鹄请求允许他率军南返，愿把去年（五三一）所占领的北魏帝国土地，全部归还；樊子鹄等承诺，并且跟元树海誓山盟。元树遂率军出城，刚走出一半，樊子鹄发动攻击，生擒元树和南梁谯州（州政府设顿丘〔侨县，安徽省亳州市〕）州长（刺史）朱文开，班师。南梁援军将领羊侃，前进到官竹（河南省商丘市东），得到元树失败消息，撤退。

九月，元树被送到洛阳（北魏首都，河南省洛阳市东白马寺东），过了一段日子，元树打算逃回南梁帝国，北魏政府遂把他诛杀。

5 九月十四日，南梁帝国政府任命最高监察长（司空）袁昂，当国务院总理（尚书令）。

6 冬季，十一月七日，冬至，北魏帝元修在圆坛上祭祀天神。

十一月十四日，元修诛杀被罢黜的十二任帝元晔（年龄不详）、十四任帝元朗（年二十岁）。

本是同根生，相煎何太急？更何况，都是天涯沦落人。元恭、元晔、元朗，虽然都当过皇帝，却都是身不由己；元修同样也是身不由己，仔细想一想，大家全属瓮中之鳖。想不到后来的一鳖，却把前来的三鳖咬死，认为自己从此可以独霸此瓮，也只有浅碟子的人，才干出这种自以为聪明的蠢事。

十一月十九日，元修任命汝南王元悦当总监督长（侍中）、最高指挥官（大司马）。

北魏政府安葬胡太后（五二八年，尔朱荣把胡太后投入黄河〔参考该年四月〕，迄今四年，尸体才算安葬，但十任帝元钊小娃尸体，却不知如何处置）。

7 南梁帝萧衍听说北魏皇家及政府，都已安定。

十二月二十一日，再命全国武装部队总司令（太尉）元法僧（南梁政府封他东魏王）当郢州（州政府设夏口〔湖北省武汉市〕）州长（刺史）。

8 北魏帝元修，因汝南王元悦，皇家血缘太近，而辈分又高（元悦是七任孝文帝元宏的儿子、元修的叔父）。

十二月二十八日，诛杀元悦。

元修下诏大赦，改年号永兴（之前是太昌元年，之后是永兴元年），不久，发现跟二任帝（明元帝）拓跋嗣登极时（四〇九年）所用的年号相同，遂再改为永熙（之前是永兴元年，之后是永熙元年。中国历史上永兴年号，出现八次：一五三年东汉王朝十一任帝刘志，三〇四年晋王朝四任帝司马衷，三五〇年冉魏帝国一任帝冉闵，三五七年前秦帝国三任帝苻坚，四〇九年北魏帝国二任帝拓跋嗣，五三二年〔本年〕北魏帝国十五任帝元修，一六二八年变民首领张惟元，一七〇六年变民首领朱文非。而永熙也有两次，前一次是二九〇年晋王朝二任帝司马衷）。

元修娶高欢的女儿当皇后，派祭祀部长（太常卿）李元忠，前往晋阳（高欢大丞相府所在，山西省太原市）致送聘礼。高欢设宴招待，谈到往事，李元忠说："从前起义的时候，轰轰烈烈，好不刺激兴奋；近来冷冷清清，没有人理会。"高欢拍掌大笑说："就是你这个人，逼我起兵。"李元忠幽默说："如果说不动你，我会另找说得动的人。"高欢说："说得动的人不怕没有，只怕难以遇到像我这样的老汉。"李元忠说："正是为了难以遇到像你这样的老汉，所以总是守着你，不肯离开。"用手拉起高欢的胡子，纵声大笑。高欢完全了解李元忠言外之意，所以对他十分尊重。

颍川王尔朱兆，撤退到秀容（北秀容，山西省朔州市西北），分别把守险要，不断派军南下抢劫抄掠。丞相高欢扬言将大举讨伐，但大军出动后，总是立即停止，前后四五次之多，尔朱兆的戒备，遂跟着懈怠。高欢揣测：明年（五三三）元旦，尔朱兆一定举行宴会，遂派司令官（都督）窦泰，率精锐骑兵，发动攻击，一日一夜奔驰三百华里，高欢则率大军主力，随后进发。

五三三年 癸丑

南梁　中大通　五年
北魏　永熙　二年
（皇帝刘蠡升神嘉九年）

1 春季，正月二日，南梁帝国（首都建康〔江苏省南京市〕）皇帝（一任武帝）萧衍（本年七十岁），前往首都建康南郊，祭祀天地；大赦。

2 北魏帝国（首都洛阳〔河南省洛阳市东白马寺东〕）司令官（都督）窦泰，突入颍川王尔朱兆大营，尔朱兆大营将领和士卒，正大摆筵席，欢度新年，游戏休息，没有戒备，忽然发现窦泰大军闯入，惊恐慌张，纷纷逃走。窦泰追击，追到赤洪岭（山西省吕梁市离石区东北），再大破尔朱兆军，尔朱兆军官兵不是投降，就是逃散。尔朱兆逃入万山丛中，发现已到绝路，命左右侍从、西河郡（山西省汾阳市）人张亮，及仆人陈山提，砍下自己人头，拿出投降，二人不忍心下手。尔朱兆乃格杀自己所骑的白马，自己在树上吊死。丞相高欢亲自主持尔朱兆丧礼，隆重埋葬。慕容绍宗带着尔朱荣的妻子（应是北乡长公主）、儿女，和尔朱兆的残余部众，晋见高欢投降，高欢因过去深受尔朱家培植，所以待她们十分优厚。尔朱兆在秀容（北秀容，山西省朔州市西北）时，左右官员都秘密向高欢表示归附，只张亮没有片纸只字，高欢十分嘉许，命他当丞相府军事参议官（丞相府参军）。

北魏政府撤销所有中央特遣政府（行台）。

3 正月二十二日，南梁帝萧衍在皇家大会堂（明堂）举行祭祀大典。

4 正月二十八日，北魏帝（十五任孝武帝）元修（本年二十四岁），追尊老爹元怀绰号武穆皇帝、嫡母冯女士绰号武穆皇后、娘亲李女士尊号皇太妃。

5 南梁帝国劳州（蛮州）州长（刺史）曹凤、东荆州（蛮州）州长（刺史）雷能胜等，献出州城，投降北魏帝国。

6 北魏帝国总监督长（侍中）斛斯椿，听到乔宁、张子期被丞相高欢诛杀消息（参考去年〔五三二〕四月），大为惊慌，遂跟南阳王元宝炬、武卫将军元毗，以及王思政，秘密建议北魏帝元修，相机排除高欢。元毗，是拓跋遵的玄孙（常山王拓跋遵参与参合陂之役，参考三九五

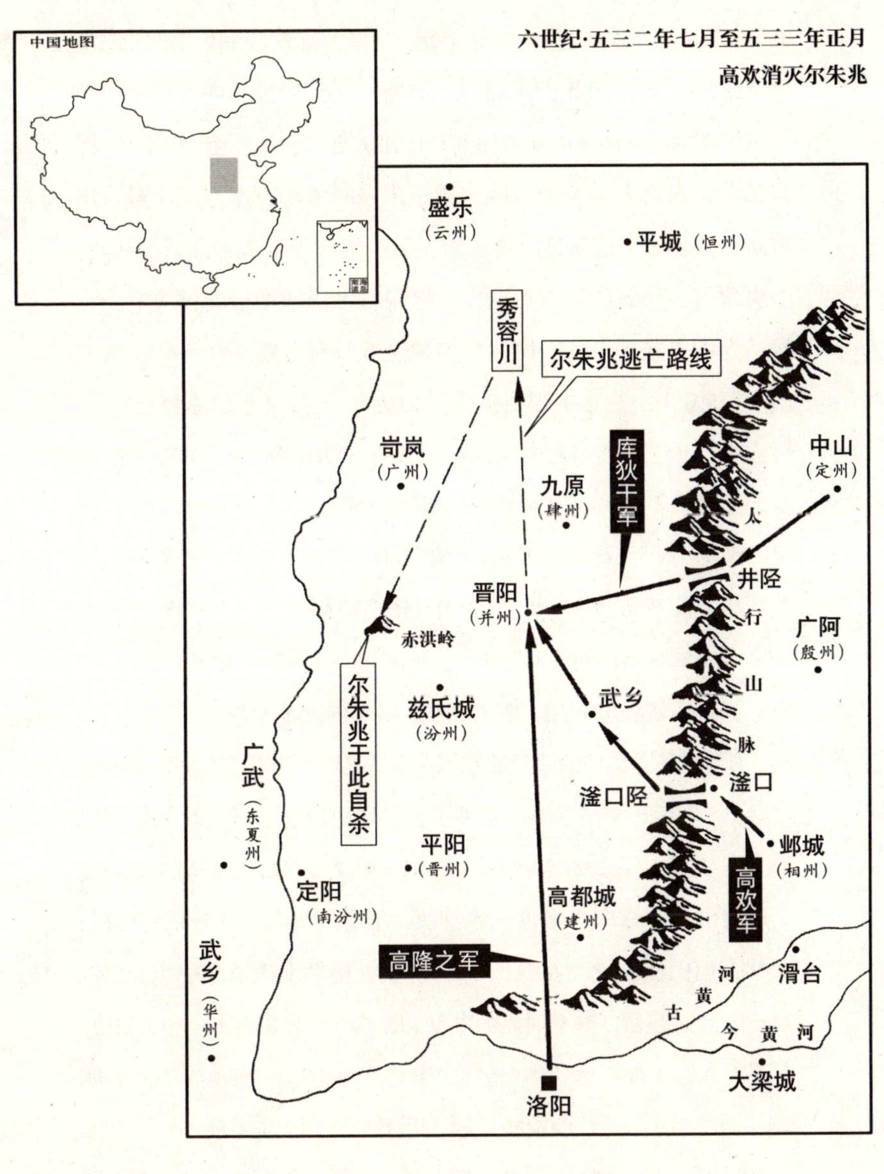
中国地图
六世纪·五三二年七月至五三三年正月
高欢消灭尔朱兆
盛乐
（云州）
平城（恒州）
秀容川
尔朱兆逃亡路线
库狄干军
中山
（定州）
岢岚
（广州）
九原
（肆州）
太
井陉
晋阳
（并州）
行
广阿
（殷州）
赤洪岭
山
武乡
兹氏城
（汾州）
脉
滏口
滏口陉
尔朱兆于此自杀
广武
（东夏州）
平阳
（晋州）
邺城
（相州）
高欢军
定阳
（南汾州）
高都城
（建州）
武乡
（华州）
高隆之军
滑台
河
黄
古
今黄河
大梁城
洛阳

年八月）。立法院立法官（舍人）元士弼，又指控高欢接到诏书时，态度毫不端庄；元修因此大不高兴。斛斯椿劝元修设立内宫司令官及内宫卫队（阁内都督、部曲）；增加武官值班人数。于是，值阁将军以下，将领多达数百人，全由从四方挑选出来的勇士充当。元修数次出宫游逛，斛斯椿都亲自指挥部署，另行组成一支战斗部队。从此，中央政府的决策和军事行动，元修只单独跟斛斯椿商讨决定。元修认为中央驻关中（陕西省中部）特遣全权政府总监（关中大行台）贺拔岳，手握重兵，乃暗中跟贺拔岳密切结合；元修又派总监督长（侍中）贺拔胜，出任三荆等七州军区司令长官（都督三荆等七州诸军事。三荆等七州：荆州〔州政府设穰城，河南省邓州市〕、南荆州〔州政府设安昌，湖北省枣阳市南〕、东荆州〔州政府设沘阳，河南省泌阳县〕、南雍州〔州政府设蔡阳，湖北省枣阳市西南〕、西郢州〔州政府设真昌，河南省泌阳县西〕、襄州〔州政府设赭阳，河南省方城县〕、南襄州〔州政府设湖阳，河南省唐河县南湖阳镇〕），兼荆州（州政府穰城）州长（刺史）。元修打算依靠贺拔胜兄弟，拒抗高欢；高欢越发不愉快。

总监督长（侍中）、最高监察长（司空）高乾，当初在信都（冀州州政府所在县，河北省衡水市冀州区），老爹逝世，军事紧急，没有时间服完三年之丧（服三年之丧，要辞掉所有官职，在家日夜哭泣）。后来，元修登极，高乾上疏请求解除官职，准他回家守丧。元修下诏准他辞掉总监督长（侍中），但仍保留最高监察长（司空）。高乾虽然上疏请求解职，总以为一定会被慰留，想不到竟被批准。既然解除总监督长（侍中）职务，遂不能入宫（“侍中”，顾名思义是“宫中侍候”，官位再高，如果不能进宫接近权力魔杖皇帝，便没有权力），政府很多决策，既不被告知，也不能参与，在家一直闷闷不乐。元修既跟高欢貌合神离，希望高乾能改变立场，效忠自己。有一天，在华林园举行宴会，宴会过后，单独留下高乾，对他说：“你家世代忠良（指自高允以来），现在更建立大功，我们相处，名分上虽是君臣，情义上却如同兄弟，最好是对天盟誓，使我们更为和睦。”热情洋溢，不容推辞。高乾说：“我把身体献给国家，怎么敢有二心。”对这件突然出现、尤其由君王主动提出的要求，仓猝之间，高乾没有任何心理准备，而且，也想不到元修会另有打算，遂没有坚决拒绝，而且也没有报告高欢。后来，元修训练内宫卫队，高乾暗中对亲信说：“主上不亲近有功勋的贤明人士，却去集结一些鲁莽闹事的小人物，不断派元士弼、王思政，来往关西（函谷关以西），跟贺拔岳举行会议；又派贺拔胜出京（首都洛阳），当荆州（州政府设穰城〔河南省邓州市〕）州长（刺史），外表看起来是跟贺拔胜疏远，事实上却是在树立党羽，使他们兄弟（贺拔岳是贺拔胜老弟）接近，希望割据帝国西部，大祸就要爆发，一定先临到我头上。”遂秘密报告高欢。高欢命高乾前来并州（州政府晋阳），面对面讨论时局，高乾因之建议高欢夺取北魏政权，高欢用袖子掩住高乾的嘴，说：“不要胡说八道，我当请求皇上恢复你总监督长（侍中）位置，监督院（门下）的事，全部交付给你。”可是，高欢屡次上疏元修，请求复任高乾当总监督长（侍中），元修屡次不准。高乾知道灾难不能避免，秘密向高欢请求派他当徐州（州政府设彭城〔江苏省徐州市〕）州长（刺史）。

二月三日，元修任命高乾当骠骑大将军、开府仪同三司（宰相级）、徐州（州政府设彭城〔江苏省徐州市〕）州长（刺史），任命咸阳王元坦当最高监察长（司空）。

7 二月二十五日，南梁帝萧衍前往同泰寺，讲解《般若经》（“般若”，智慧之意），七天才结束，听讲的有数万人。

8 本（六）世纪二〇年代之前，阿至罗部落大致归附北魏帝国（阿至罗部落本隶属高车王国，参考五二〇年九月。稍后，《魏书 · 孝静帝纪》：五四一年，北魏〔东魏〕政府封阿至罗酋长副伏罗越君子去宾〔这个姓名真够长〕，当高车王）。自从中原民变蜂起，阿至罗部落也跟着叛离。丞相高欢从中安抚沟通，阿至罗部落再度向北魏归降，有十万户人家。

三月三日，北魏帝元修下诏，命高欢当中央特遣全权政府总监（大行台），由他处理。高欢发给阿至罗部落很多粮食布匹，有人认为这是一种浪费，毫无益处；高欢不理会反对意见。后来，高欢夺取河西（陕西省北部），竟得到阿至罗部落决定性的帮助（指救曹泥及攻击万俟受洛干，参考五三六年正月及五月）。

新任徐州（州政府设彭城〔江苏省徐州市〕）州长（刺史）高乾，将前往到任，而北魏帝元修发觉他曾向高欢告密，乃下诏给高欢，说："高乾跟我私下订有盟誓，而今竟然反复无常。"高欢听说高乾竟私下跟皇帝盟誓，对高乾也大为厌恶，遂即找出高乾前后抨击时事的一些信件，加以密封，派人送呈元修。元修召见高乾，当着高欢使节的面，斥责高乾，高乾说："陛下自己先有阴谋，反而说我反复无常。人主要想给臣属戴帽子，臣属如何能免！"元修命高乾自杀（年三十七岁）。元修又下秘密指令：命东徐州（州政府设下邳〔江苏省睢宁县北古邳镇〕）州长（刺史）潘绍业，诛杀高乾的老弟高敖曹。高敖曹听到老哥噩耗后，在道路上设下埋伏，生擒潘绍业，在袍领里搜出元修的密令；高敖曹遂率十余骑兵，投奔晋阳（山西省太原市），高欢抱住高敖曹的头，痛哭说："天子（元修）诬害最高监察长（高乾）！"高敖曹另一老哥高仲密，当光州（州政府设东莱〔山东省莱州市〕）州长（刺史）。元修指令青州（州政府设东阳〔山东省青州市〕）州政府切断高仲密退路，高仲密从小路逃命，也投奔晋阳（山西省太原市）。高仲密，本名高慎，平常只用别名。

太师（上三公之一）、鲁郡王元肃（景穆太子拓跋晃的曾孙）逝世。

9 三月二十八日，南梁帝国南平王（元襄王）萧伟逝世（年五十八岁）。

10 三月二十九日，北魏帝元修任命赵郡王元谌当全国武装部队总司令（太尉），南阳王元宝炬当太保（上三公之三）。

最初，颍川王尔朱兆率军进入洛阳时（参考五三〇年十二月），纵火焚烧祭祀部音乐库（太常乐库），钟磬等乐器，全被烧光（北魏帝国的乐器，继承自五胡乱华十九国，参考四九一年十二月）。十二任帝（前废帝）元恭命主管政府机要（录尚书事）长孙稚、祭祀部长（太常卿）祖莹等，重新制造。本年（五三三），全部完成，命名《大成乐》。

青州（州政府设东阳〔山东省青州市〕）居民耿翔，聚众起兵，掠夺三齐（山东省）人民的财产。胶州（州政府设东武〔山东省诸城市〕）州长（刺史）裴粲，平日把所有时间都去高谈阔论（穷嚼蛆），从不做防御准备。

夏季，四月，耿翔突击州城（东武），裴粲左右官员报告说："盗匪要来！"裴粲说："胡说八道，哪有这种事。"左右官员再报告进一步消息，说变民军已进入城门，裴粲慢吞吞说："耿王（耿翔）到时，把他带到公堂；所有部众，分配城里各家赡养。"耿翔遂斩裴粲（年六十五岁），把人头送给南梁帝国（首都建康），投降。

五月，东徐州（州政府设下邳〔江苏省睢宁县北古邳镇〕）居民王早等，聚众起兵，击斩州长（刺史）崔庠，献出下邳，投降南梁帝国。

六月十五日，中央政府任命骠骑大将军樊子鹄，当青胶二州钦差大臣（青胶大使），指挥济州（州政府设碻磝〔山东省聊城市在平区西南〕）州长（刺史）蔡俊等，讨伐耿翔。

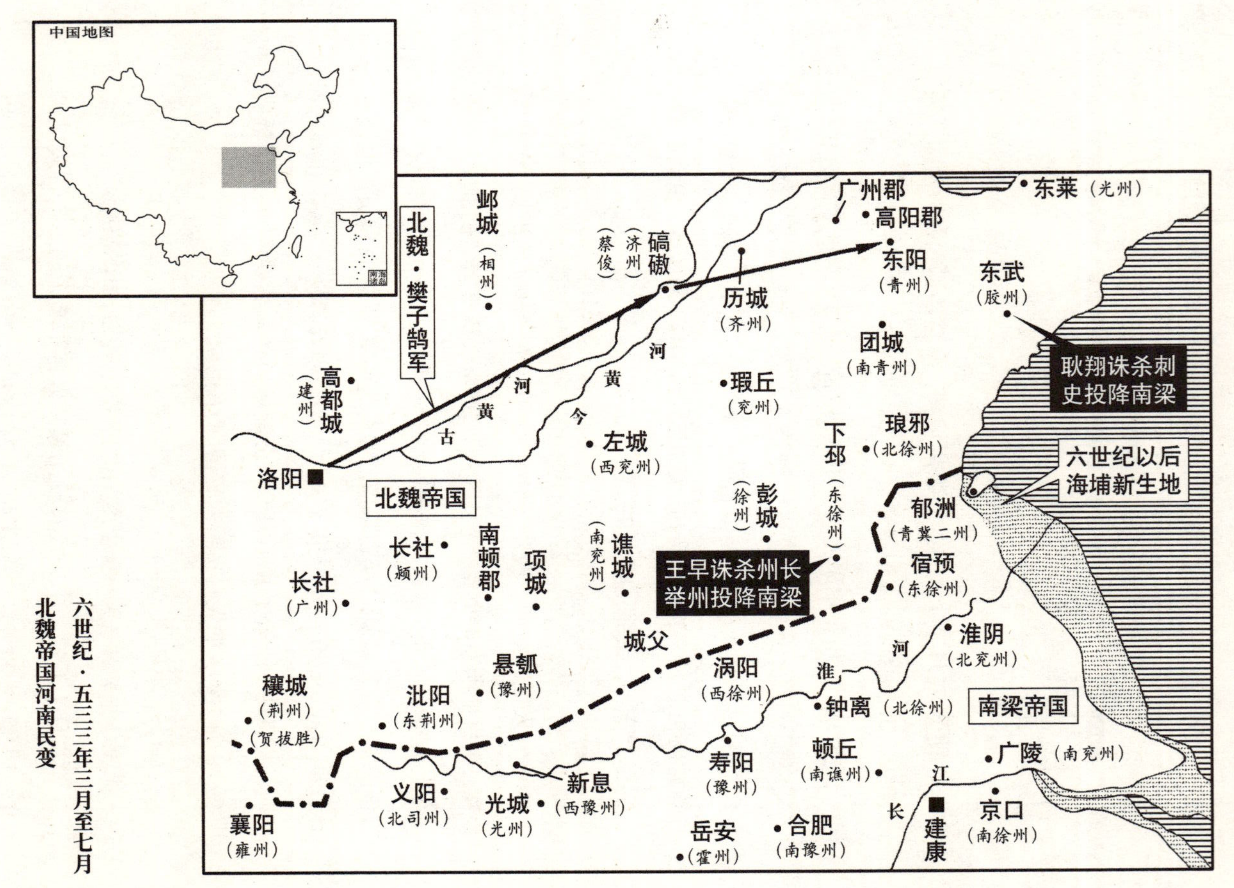

六世纪·五二三年三月至七月
北魏帝国河南民变

秋季，七月，讨伐军抵达青州（州政府设东阳〔山东省青州市〕），耿翔放弃州城，逃往南梁帝国（首都建康）。南梁帝萧衍任命耿翔当兖州（州政府设淮阴〔江苏省淮安市淮阴区〕）州长（刺史）。

七月六日，北魏中央政府任命广陵王元欣当最高指挥官（大司马），赵郡王元谌当太师（上三公之一）。

七月二十四日，任命前宰相（司徒）贺拔允当全国武装部队总司令（太尉）。

最初，中央驻关西（函谷关以西）特遣全权政府总监（关西大行台）贺拔岳，派特遣政府助理官（行台尚书郎）冯景，前往晋阳（山西省太原市）。丞相高欢听见贺拔岳的使节来到，大为高兴，说："贺拔公竟然还记得我！"跟冯景歃血结盟，誓言跟贺拔岳情如兄弟。冯景回到长安（中央驻关西特遣全权政府所在，陕西省西安市），报告贺拔岳说："高欢有无穷奸诈，不可相信。"总部军政官（府司马）宇文泰，自动请求当使节，前往晋阳（山西省太原市）观察高欢到底是一个什么样的人。高欢对宇文泰的相貌，大为惊奇，说："这个年轻人，不同平常。"打算留他下来，宇文泰一再请求准他回去报命，高欢批准，可是立刻就又后悔，派人乘驿马车紧急追捕，直到潼关（陕西省潼关县），已来不及，只好空手而返。

宇文泰抵达长安（陕西省西安市），对贺拔岳说："高欢之所以还没有夺取皇帝宝座，正由于对你们兄弟，心怀畏惧。至于侯莫陈悦之辈，不在他的眼中；你只要暗中加强准备，对付高欢，并不困难。而今，费也头手下全副武装的骑兵部队，不少于一万人；夏州（州政府设统万〔陕西省靖边县北白城则村〕）州长（刺史）斛拔弥俄突，手中兵力也有三千余人；灵州（州政府设回乐〔宁夏灵武市〕）州长（刺史）曹泥、河西（陕西省北部）难民首领纥豆陵伊利（纥豆陵，三字姓）等，每人都掌握若干部众，不知道归属哪一方面。你如果率军接近陇山（甘肃及陕西二省交界），控制他们的咽喉，使他们在你的威力下屈服，再用恩惠使他们从内心感激，就可以吞并他们的人马，增加我们的力量。西方跟氐民族、羌民族和平相处，北方安抚沙漠上游牧部落，然后率军返回长安（陕西省西安市），号召全国拥护中央政府，这是姜小白（桓）、姬重耳（文）的功勋。”贺拔岳大为高兴。再命宇文泰前往首都洛阳（河南省洛阳市东白马寺东），向北魏帝元修秘密报告这项计划，元修也大为高兴，擢升宇文泰当武卫将军，使他回去报告贺拔岳。

八月，元修任命贺拔岳当雍华二十州军区司令长官（都督雍华等二十州诸军事）、雍州（州政府设长安〔陕西省西安市〕）州长（刺史。二十州之中，可确定以下十八州：雍州、东雍州、华州、北华州、岐州、南岐州、豳州、泾州、夏州、东夏州、梁州、南梁州、东梁州、北梁州、巴州、益州、东益州、南益州。另外二州疑是西安州、灵州），元修又在心前刺出鲜血，派使节送给贺拔岳，作为盟誓凭证。贺拔岳遂率军西上，进驻平凉（甘肃省华亭市），声称放牧战马。在强大压力下，斛拔弥俄突、纥豆陵伊利，以及费也头部落酋长万俟受洛干、铁勒部落酋长斛律沙门等，都归降贺拔岳；只有曹泥依附高欢。秦州（州政府设上封〔甘肃省天水市〕）、南秦州（州政府设骆谷城〔甘肃省西和县南〕）、河州（州政府设枹罕〔甘肃省临夏市〕）、渭州（州政府设襄武〔甘肃省陇西县〕）四州州长（刺史），全到平凉（甘肃省华亭市）集合，接受贺拔岳领导。贺拔岳认为夏州（州政府设统万〔陕西省靖边县北白城则村）是边防要塞（跟高欢隔黄河相拒），打算物色一位强有力的州长（刺史）镇守，大家一致推举宇文泰，贺拔岳说：“宇文泰是我的左右手，怎么可以离开！”可是，又物色不到更好的人选，仔细考虑了很久，最后，仍是上疏北魏帝元修，推荐宇文泰担任。

八月十七日（原文误置于九月，据《魏书》改），丞相高欢上疏北魏帝

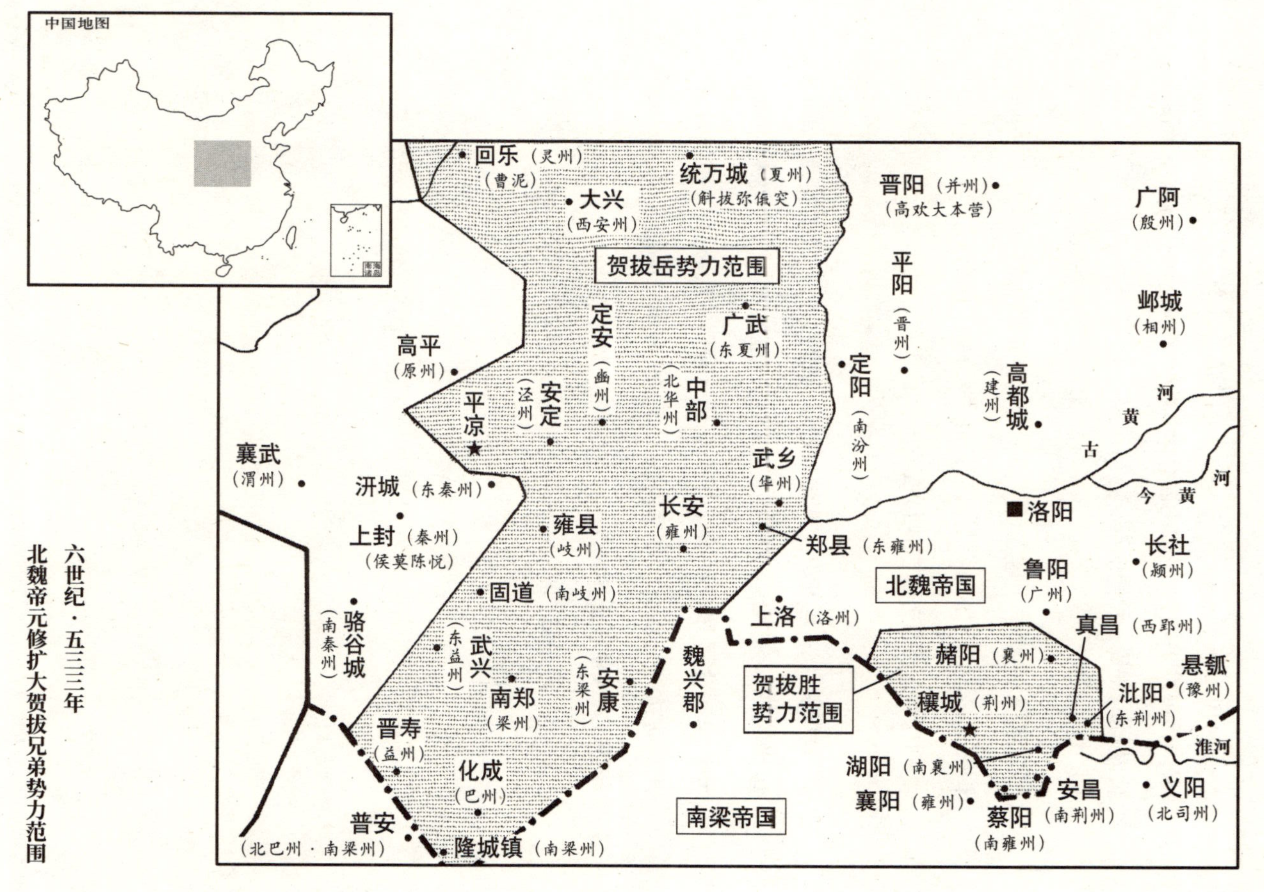

六世纪·五三三年
北魏帝元修扩大贺拔兄弟势力范围

元修，辞让王爵，元修不许。高欢再请求在采邑中分出十万户人家，转封给追随自己在信都（河北省衡水市冀州区）起兵讨伐尔朱帮建立功勋的部属，元修批准。

11 冬季，十月五日，南梁政府任命国务院右执行长（尚书右仆射）何敬容，当国务院左执行长（尚书左仆射）；国务院文官部长（吏部尚书）谢举，当国务院右执行长（右仆射）。

12 十一月九日，北魏政府任命殷州（州政府设广阿〔河北省隆尧县〕）州长（刺史）、中山郡（河北省定州市）人邸珍（邸，姓），当徐州（州政府彭城）总司令官（徐州大都督）、中央驻东方特遣政府总监（东道行台），兼国务院执行长（仆射），率军讨伐下邳（东徐州州政府所在县，江苏省睢宁县北古邳镇）变民首领王早。

十二月三日，北魏帝元修，到嵩山（中岳，河南省登封市西北）狩猎。

十二月十五日，前往温泉。

十二月二十三日，返洛阳宫。

荆州（州政府设穰城〔河南省邓州市〕）州长（刺史）贺拔胜，攻击南梁雍州（州政府设襄阳〔湖北省襄阳市〕），占领下迮戍（襄阳城北），煽动各蛮夷部落叛离南梁帝国。南梁雍州州长（刺史）、庐陵王萧续，派军迎战，不断被击败，汉水以南民心惊骇震动。贺拔胜又派军分别攻击冯翊郡（侨郡，湖北省宜城市西南）、安定郡（侨郡，湖北省南漳县）、沔阳郡（湖北省仙桃市西南）、酂城（湖北省老河口市西北），全都攻克。萧续派电威将军柳仲礼，驻防谷城（湖北省谷城县）拒抗，贺拔胜攻谷城，不能夺取，撤退。于是，汉水以南，田舍荒芜，一片萧条（一场微不足道，在史书上只淡淡几笔的战争，对人民的伤害竟然如此）。柳仲礼，是柳庆远的孙儿（柳庆远事，参考五〇〇年十一月）。

丞相高欢，对贺拔岳、侯莫陈悦二人的强大和团结，深感忧虑。事务秘书长（右丞）翟嵩说："我能挑拨离间他们的感情，教他们自相残杀。"高欢派他前往。高欢命秘书长（长史）侯景，引诱河西（陕西省北部）难民首领纥豆陵伊利投降，纥豆陵伊利拒绝。

五三四年 甲寅

南梁　中大通　六年
北魏　永熙　三年
东魏　天平　元年
（皇帝刘蠡升神嘉十年）

1 春季，正月九日，北魏帝国（首都洛阳〔河南省洛阳市东白马寺东〕）丞相高欢，进攻纥豆陵伊利所在地河西（陕西省北部），生擒纥豆陵伊利；把整个部落迁到河东（山西省）。北魏帝（十五任孝武帝）元修（本年二十五岁）责备高欢说：“纥豆陵伊利，既没有叛乱，又没有侵扰邻郡邻州，是帝国的忠臣，大王（高欢）忽然对他采取军事行动，难道不能随便派一个使节，问问中央！”

东梁州（州政府设安康〔陕西省石泉县〕）汉人及蛮夷，纷纷聚众起兵。

二月，北魏帝元修下诏，命东雍州（州政府设郑县〔陕西省渭南市华州区〕）总部执行官（行东雍州事）、丰阳（陕西省山阳县）人泉企（泉，姓），出军讨伐，完全平定。泉企世代是商（陕西省丹凤县）、洛（陕西省商洛市商州区）一带的豪门强族，三任帝（太武帝）拓跋焘曾任命他的曾祖父泉景言，当本县县长，封丹水侯，命他的子孙世袭。

二月九日，大赦。

2 二月十日，南梁帝国（首都建康〔江苏省南京市〕）皇帝（一任武帝）萧衍（本年七十一岁），主持亲自耕田典礼；大赦。

3 北魏帝国首都洛阳永宁寺的佛塔（参考五一六年十一月），失火成灾，围观的民众都失声痛哭，震动全城及深宫。

雍华二十州军区司令长官（都督雍华等二十州诸军事）贺拔岳，打算攻击灵州（州政府设回乐〔宁夏灵武市〕）州长（刺史）曹泥；派司令官（都督）武川（内蒙古武川县）人赵贵，前往夏州（州政府设统万〔陕西省靖边县北白城则村〕），询问州长（刺史）宇文泰的意见，宇文泰说：“曹泥一座孤城，跟他的盟友高欢，相隔千山万水，对他用不着担心。而侯莫陈悦（秦州〔州政府上封〕州长）过度贪心，而又毫无诚意，应该先对付他。”贺拔岳不接受（贺拔岳之急于攻击曹泥，是深恐受到曹泥与高欢的夹击，而且还念及跟侯莫陈悦之间的私人友谊，贺拔岳不是政治挂帅的绝情之辈）。于是，邀请侯莫陈悦在高平（宁夏固原市）举行高阶层会议，讨论如何行动。而就在这个时候，侯莫陈悦已被翟嵩（参考去年〔五三三〕十二月）说服，准备对贺拔岳下手。高平（宁夏固原市）会议后，贺拔岳很多次在没有卫士保护下，跟侯莫陈悦轻松的相聚，交换意见。秘书长（长史）武川（内蒙古武川县）人雷绍，警告贺拔岳不可如此疏忽，贺拔岳不理。最后，讨伐大军出动，贺拔岳命侯莫陈悦当前锋先行进发，抵达河曲（宁夏省中宁县东北，黄河弯曲处），侯莫陈悦引诱贺拔岳来自己大营，讨论军事，侯莫陈悦假装肚子疼，起身而去，他的女婿元洪景，拔刀出击，斩贺拔岳。贺拔岳左右侍卫，四散逃走，侯莫陈悦派人向贺拔岳部众宣布："我接到皇上（元修）特别指示，只诛杀贺拔岳一人，各位不要畏惧。"大家相信他的说法，都不敢乱动。可是，侯莫陈悦却突然间精神恍惚，不敢接管贺拔岳的部众；反而率领自己的军队，仓猝撤退到陇山一带，驻扎水洛城（甘肃省庄浪县）。贺拔岳部众溃散后，逃回平凉（甘肃省华亭市）；司令官（都督）赵贵晋见侯莫陈悦，请求交出贺拔岳尸体安葬，侯莫陈悦允许。贺拔岳既死，侯莫陈悦军中，互相庆贺，中央特遣政府助理官（行台郎中）薛憕，私下对他的亲人说："侯莫陈悦没有才干智慧，而竟敢谋害良将，我们就在今天注定当别人的俘虏，还有什么可以庆祝！"薛憕，是薛真度的堂孙（薛真度事，参考四九四年十二月）。

贺拔岳的部众逐渐归队，但群龙无首，各将领中，司令官（都督）、武川（内蒙古武川县）人寇洛，年纪最大，推举他统御各军，而寇洛素来缺少威望和谋略，不能促使大家团结，有自知之明，自己请求退避。赵贵说："宇文泰英明智慧，超过当世，无论远近，都诚心归附，他赏罚严明，士卒甘心效命疆场，如果派人迎接，拥护他当统帅，大事可以完成。"将领中有人打算向南征召贺拔胜（荆州〔州政府穰城〕州长，贺拔岳的老哥），有的打算向东禀告洛阳中央政府；讨论复讨论，一时不能决定。司令官（都督）、盛乐郡（内蒙古和林格尔县）人杜朔周说："远水救不了近火，今天面对如此严重的变局，除非宇文泰，没有人可以使我们渡过难关。赵贵将军的话完全正确，请准许我轻骑前往夏州（州政府设统万〔陕西省靖边县北白城则村〕），报告我们的哀痛，并且迎他西上。”大家同意，遂派杜朔周快马奔往夏州，征召宇文泰。

宇文泰接见杜朔周，立即跟将领、参谋、宾客，共同商议如何应变。前中级资政官（太中大夫）、颍川郡（河南省长葛市）人韩褒说：“这是上天赐给你的恩典，有什么怀疑？侯莫陈悦不过井里的青蛙，阁下如果前往，手到擒来。”大家认为：“侯莫陈悦现驻水洛（甘肃省庄浪县），距平凉（甘肃省华亭市）不远，如果他已经吞并贺拔公的部众，对付他就非常困难，希望按兵不动，静观变化。”宇文泰说：“侯莫陈悦既谋害大军统帅，就应该乘势进占平凉（甘肃省华亭市），却竟然退到水洛城，就可看出他是一个无能之辈。最难得到而又最容易从手指缝中溜走的，是时机，如果不早日接管大军，人心可能离散。”

夏州（州政府统万）司令官（都督）弥姐元进（弥姐，复姓），是一州最大的豪门强族，暗中准备响应侯莫陈悦。宇文泰得到情报，跟作战司令官（帐下都督）高平（宁夏固原市）人蔡佑，密谋逮捕弥姐元进。蔡佑说：“弥姐元进可能会疯狂反扑，不如直截了当诛杀。”宇文泰说：“对大事你有决断。”于是，召集弥姐元进等参加军事会议，宇文泰说：“陇西（陇山以西）盗贼（指侯莫陈悦）叛乱谋反，大家应同心合力讨伐才对，可是竟有人有相反的想法，不知什么缘故？”蔡佑身披铠甲，提刀入帐，眼如铜铃，向各将领咆哮说：“早上在一起同谋，晚上就变了心，还能算是‘人’！今天，定当砍下奸邪的头颅！”全体都俯身叩头说：“希望查明是谁！”蔡佑大声呵责弥姐元进，挥刀斩首，同时诛杀他的党羽，遂跟各将领共同盟誓，讨伐侯莫陈悦。宇文泰十分感动，对蔡佑说：“我把你当作儿子，你能不能把我当作父亲？”

宇文泰跟总部的官员，轻装飞马，奔往平凉（甘肃省华亭市），命杜朔周先率军据守弹筝峡（甘肃省平凉市西北）。当时，民心一片混乱，惊惶恐惧，纷纷逃避，军队士卒争着想乘机抢劫，杜朔周说："宇文公在为天下人民，讨伐罪魁，怎么可以帮助盗贼（指侯莫陈悦），虐待人民！"对难民加以安抚，放他们逃走，远近无不心悦诚服，宇文泰听到消息，对他嘉勉。杜朔周本姓赫连，曾祖父赫连库多汗，因逃避灾难，才改姓杜；宇文泰命他仍恢复原姓赫连，命名赫连达（赫连本是五胡乱华十九国的胡夏帝国皇族姓氏，参考四一三年三月）。

中国农民多么容易满足，只要官员的鞭子稍停一下，就充满感激。难民逃亡，只要士兵对他们不奸淫烧杀，便远近心悦诚服。太多的苦难，养成一个卑屈的族群！

丞相高欢命侯景招收贺拔岳的部众，抵达安定（甘肃省泾川县），跟宇文泰相遇，宇文泰对他说："贺拔公虽然死亡，宇文泰还在，你的目的是什么？"侯景吃了一惊，说："我不过是一支箭，身不由主，由人发射。"即行折回。

宇文泰抵达平凉（甘肃省华亭市），哭祭贺拔岳，十分哀恸，将士们既悲又喜。

高欢再派侯景与总顾问长（散骑常侍）、鲜卑人（代郡人）张华原，义宁郡（山西省沁源县）郡长、太安郡（内蒙古固阳县）人王基，前往安抚慰劳宇文泰，宇文泰拒不接受，而且打算把他们扣留，说："你们如果肯留下来，我们同享荣华富贵，不然，你们的性命，到今天为止。"张华原说："你用死亡威胁使节，我不会恐惧。"宇文泰遂送他们出境。王基回去后，对高欢说："宇文泰一代英雄豪杰，请在

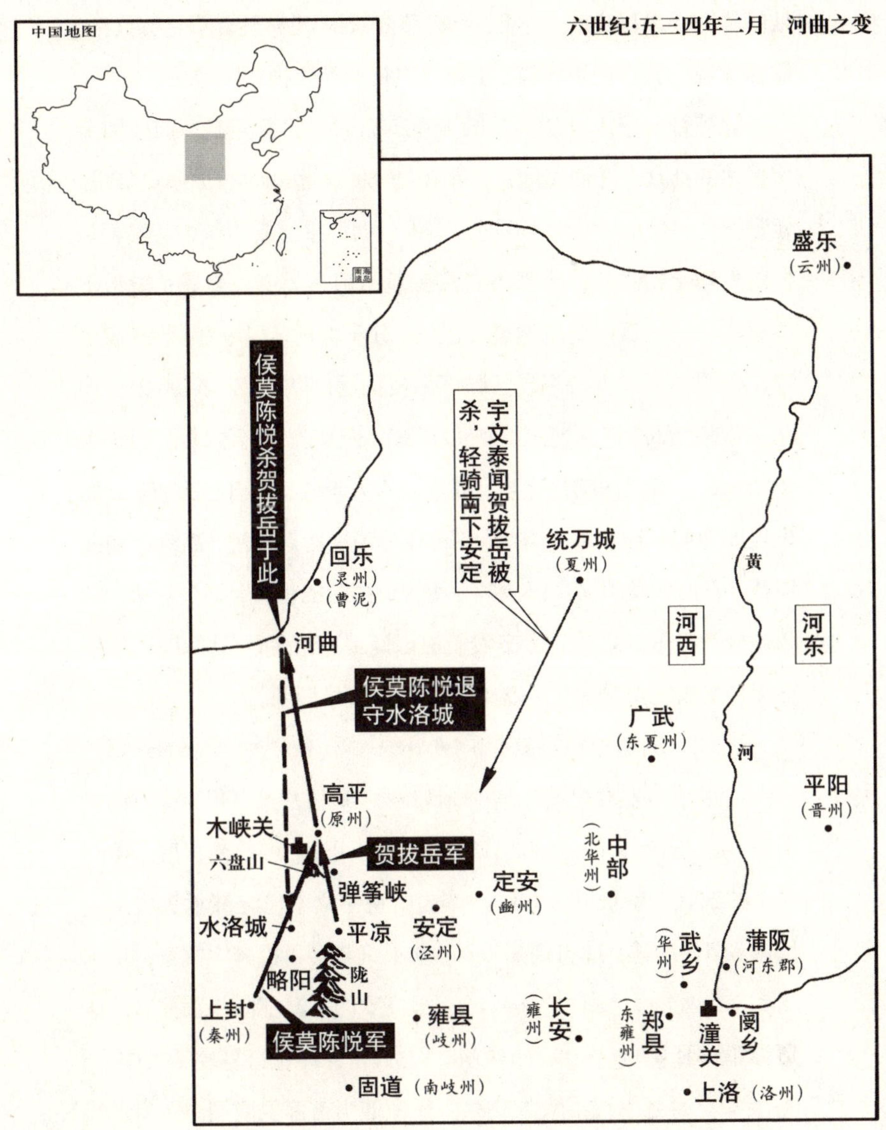
中国地图
侯莫陈悦杀贺拔岳于此
宇文泰闻贺拔岳被杀，轻骑南下安定
侯莫陈悦退守水洛城
贺拔岳军
侯莫陈悦军
盛乐（云州）
统万城（夏州）
回乐（灵州）（曹泥）
河曲
黄河
河西
河东
广武（东夏州）
平阳（晋州）
高平（原州）
木峡关
六盘山
弹筝峡
中部（北华州）
定安（豳州）
安定（泾州）
水洛城
平凉
略阳
陇山
上封（秦州）
雍县（岐州）
长安（雍州）
武乡（华州）
郑县（东雍州）
蒲阪（河东郡）
潼关
阌乡
固道（南岐州）
上洛（洛州）

他的势力还没稳定时，把他消灭。”高欢说：“你没有看见贺拔岳、侯莫陈悦？我当使用计谋，坐在这里把他们除掉。”

北魏帝元修听到贺拔岳的死讯，派武卫将军元毗，前往慰劳贺拔岳的部众，并征调他们入京（首都洛阳），也同时召见侯莫陈悦。元毗抵达平凉（甘肃省华亭市）时，军中已拥护宇文泰当统帅。侯莫陈悦既附和丞相高欢，当然不肯接受皇帝诏书。宇文泰请元毗带上奏章，声称：“贺拔岳忽然遭受谋杀，死于非命。司令官（都督）寇洛等，推选我暂时主持军政。陛下命贺拔岳部队回京（首都洛阳），现在，高欢的部队已到河东（山西省西南部），侯莫陈悦仍停留水洛城（甘肃省庄浪县）。贺拔岳部众士卒，都是西方人士，依恋自己的家乡，如果强迫他们前往京师（首都洛阳），侯莫陈悦在背后尾追，高欢在前面堵截，恐怕会发生使帝国衰败、使人民痛苦的情况，损失更大。请稍微放宽时限，容我对士卒慢慢加以说服，逐渐向东移动。”元修遂命宇文泰当总司令官（大都督），统率贺拔岳旧部。

最初，贺拔岳任命东雍州（州政府设郑县〔陕西省渭南市华州区〕）州长（刺史）李虎，当左翼总司令官（左厢大都督），贺拔岳被杀后，李虎投奔荆州（州政府设穰城〔河南省邓州市〕），建议荆州州长（刺史）贺拔胜，接收老弟的部队，贺拔胜不采纳。李虎听说宇文泰已经继承贺拔岳的位置，担任统帅，遂自荆州（州政府穰城）北返，再投奔宇文泰，走到阌乡（河南省灵宝市西。阌，音wén〔文〕），被高欢的别动部队将领捕获，送到首都洛阳（河南省洛阳市东白马寺东）。北魏帝元修正打算控制关中（陕西省中部），得到李虎，大为高兴，任命他当首都卫戍司令（卫将军），赏赐大量金银财宝，命他前往投靠宇文泰。李虎，是李歆（西凉王国二任王）的玄孙（李歆被杀事，参考四二〇年七月）。

宇文泰写信给侯莫陈悦，斥责说：“贺拔公（贺拔岳）对帝国有很大贡献，你既没有名望，又没有品德，贺拔公推荐你当中央驻陇右（陇山以西）特遣政府总监（陇右行台。此事《资治通鉴》没有记载）。高家班专权独断，你跟贺拔公一同接受皇上（元修）密旨，屡屡缔结盟约，可是你却甘愿充当国贼（指高欢）的党羽，共同危害皇家祖庙。涂到口边的血（歃血），还没有干，杀人的利刃，已经出击。现在，我和你都接到诏书，征召回京（首都洛阳），是进是退，全看你的决定。你如果东下陇山，我自然会从北道前往。你如果像老鼠一样，东张西望，不马上下定决心，那么，不久我们就要相见。”

元修征求宇文泰对于安定秦陇地区（甘肃省南部）的方略，宇文泰上疏说：“最好是征调侯莫陈悦到中央政府任职，或者命他当瓜州（州政府设敦煌〔甘肃省敦煌市〕）或凉州（州政府设姑臧〔甘肃省武威市〕）的州长（刺史）；不然的话，最后终会惹出祸事。”

原州（州政府设高平〔宁夏固原市〕）州长（刺史）史归，一向受贺拔岳的宠爱和信任，可是，河曲之变，反而效忠侯莫陈悦。侯莫陈悦派部将王伯和、成次安，率军二千人，进入原州（州政府高平）协防。宇文泰派司令官（都督）侯莫陈崇，率轻装备骑兵一千人奇袭。侯莫陈崇在黑夜掩护下，只带骑兵十人，抵达城下，其他部众，都在附近埋伏。史归看见他的人数太少，没有放在心上，毫不戒备。侯莫陈崇遂乘势突入，控制城门。高平县长、陇西郡（甘肃省陇西县）人李贤，跟老弟李远穆，在城中作为内应；于是内外夹攻，杀声震天，伏兵也发动攻击，遂生擒史归、成次安、王伯和等，送回平凉（甘肃省华亭市）。宇文泰上疏推荐及任命侯莫陈崇当原州（州政府高平）总部执行官（行原州事）。

三月，宇文泰率军讨伐侯莫陈悦，进驻原州（高平），各路兵马，集合完成。

4 夏季，四月一日，日蚀。

5 北魏帝国南秦州（州政府设骆谷城〔甘肃省西和县南〕）州长（刺史）、陇西郡（甘肃省陇西县）人李弼，建议侯莫陈悦说：“贺拔公（贺拔岳）没有罪，你却把他杀害，又不能接管安抚他的部队。而今，他们拥护宇文泰当首领，宣称为主报仇，这种声势，难以抵抗。你最好是解除兵权，向他们道歉。如果不如此，定有大祸。”侯莫陈悦拒绝。

宇文泰向侯莫陈悦发动攻击，留侄儿宇文导当司令官（都督），镇守原州（州政府高平），而亲自率军进入山区。宇文泰军纪严明，对生命财产，没有一丝一毫侵犯，人民大为欢悦。大军穿出木峡关（高平城西南），天寒地冻，落雪深达二尺，宇文泰加倍速度行军，大出侯莫陈悦意料。侯莫陈悦得到报告后，撤退到略阳（甘肃省秦安县东北），留一万人守水洛城（甘肃省庄浪县），宇文泰到达，水洛城即向宇文泰投降。宇文泰派数百名轻装备骑兵，直扑略阳（甘肃省秦安县东北），侯莫陈悦放弃略阳，退守上邽（即上封，秦州州政府所在县，甘肃省天水市），征调李弼协助抵抗宇文泰。李弼知道侯莫陈悦一定失败，秘密派人晋见宇文泰，表示愿作内应。而侯莫陈悦已放弃上邽，逃入南方山区，把守险要。李弼对侯莫陈悦的部队说：“侯莫陈公打算回秦州（州政府上封），你们为什么不收拾行装！”李弼的妻子，是侯莫陈悦妻子的姐妹，所以，大家相信他的权威，纷纷奔向上邽。而李弼已先控制城门，接待安置这些投奔的将士，献出城池，向宇文泰投降；宇文泰即任命李弼当秦州（州政府上封）州长（刺史）。当天夜晚，侯莫陈悦率军出击，而军中忽然大为惊恐，霎时间四散逃亡。侯莫陈悦性情一向猜忌，大军瓦解后，更不准左右侍从走近自己，只跟他的两个弟弟和儿子，以及参与谋害贺拔岳的智囊七八人，放弃军队，一同逃走，一连数天，东奔西跑，连自己都不知道目的地何在。左右劝他前往灵州（州政府设回乐〔宁夏灵武市〕）投靠灵州州长（刺史）曹泥，侯莫陈悦同意，遂自己骑骡，命其他的人都用步行跟随，打算出六盘山（宁夏隆德县东北），前往灵州（州政府回乐）。宇文泰派原州（州政府高平）司令官（都督）贺拔颖追捕。侯莫陈悦望见追兵，就在路边上吊自杀。

宇文泰进入上邽（上封，甘肃省天水市），延揽薛憕当记录军事参议官（记室参军），接收侯莫陈悦的仓库，金银财宝堆积得跟山一样高，宇文泰不要一针一线，全部赏赐给将领士卒。左右侍从偷了一个银瓮回来，宇文泰得到报告，立即处罚他，把银瓮打碎，赏赐给将士。

侯莫陈悦的党羽、豳州（州政府设定安〔甘肃省宁县〕）州长（刺史）孙定儿，据守州城，不肯投降，拥有部众数万人。宇文泰命司令官（都督）、中山郡（河北省定州市）人刘亮，发动奇袭。孙定儿认为宇文泰的大军距自己还远，所以没有戒备。刘亮先在州城附近一座高岭上，竖起大旗，亲自率二十名骑兵奔驰，闯进城门。孙定儿正在大宴宾客，喝酒取乐，猛抬头看见刘亮，大吃一惊，不知道如何是好。刘亮下令攻击，左右士卒遂斩孙定儿。刘亮遥指城外高岭上的大旗，吩咐两名骑兵："出去召集大军！"城中部队全都震恐顺服，不敢反抗。

最初，故"氐王"杨绍先（"仇池国"灭亡，杨绍先被擒事，参考五〇六年正月），利用北魏帝国内乱，无暇西顾，逃回武兴（陕西省略阳县），仍称"氐王"。凉州（州政府设姑臧〔甘肃省武威市〕）州长（刺史）李叔仁，被变民军生擒，氐民族部落、羌民族部落、吐谷浑汗国（青海省）侨民鲜卑民族部落，在他们所居住的地方，纷纷聚众起兵，反抗政府。东从南岐州（州政府设固道〔陕西省凤县〕），西到瓜州（州政府设敦煌〔甘肃省敦煌市〕）、鄯州（州政府设乐都〔青海省海东市乐都区〕），变民集团连跨数州，各自占领郡县，数目多到无法统计。宇文泰调李弼镇守原州（州政府设高平〔宁夏固原市〕）；夏州（州政府设统万〔陕西省靖边县北白城则村〕）州长（刺史）拔也恶蚝（拔也，复姓。蚝，音háo〔毫〕），镇守南秦州（州政府设骆谷城〔甘肃省西和县南〕）；渭州（州政府设襄武〔甘肃省陇西县〕）州长（刺史）可朱浑道元（可朱浑，三字姓），镇守渭州（既在渭州，而又镇守渭州，如非有误，当是加授军权）；命首都卫戍司令（卫将军）赵贵，当秦州（州政府设上封〔甘肃省天水市〕）总部执行官（行秦州事）；然后征收豳州（州政府设定安〔甘肃省宁县〕）、泾州（州政府设安定〔甘肃省泾川县〕）、东秦州（州政府设汧城〔陕西省陇县〕）、岐州（州政府设雍城〔陕西省宝鸡市凤翔区〕）四州的粮食，供应军需。杨绍先大为恐惧，把妻子儿女送到政府，充当人质。

夏州（州政府设统万〔陕西省靖边县北白城则村〕）总部秘书长（长史）于谨，向宇文泰建议说："你据有关中（陕西省中部）险要地区，军队勇敢，土地肥沃。而今，天子（元修）身在洛阳（河南省洛阳市东白马寺东），受一群凶恶之徒（指高欢等）的压迫，如果能够呈献你的诚心敬意，分析时局的演变及利害，请迁都关右（函谷关以西地区），则对上挟持皇帝，对下指挥群雄，用中央政府的名义，讨伐叛乱，这正是姜小白（桓）、姬重耳（文）的事业，千载难逢的时机！"宇文泰对他的意见至为欣赏。

丞相高欢听到宇文泰平定秦陇（陕西省及甘肃省南部），派使节送上厚礼，用卑微的措辞，表示愿结盟友。宇文泰拒不接受，把高欢的信加上封套，派司令官（都督）、济北郡（山东省东阿县东南）人张轨，呈献北魏帝元修。总监督长（侍中）斛斯椿问张轨说："高欢阴谋叛乱，连路上行人都知道。人心所仗恃的，只有西方（指宇文泰），不知道宇文泰比贺拔岳如何？"张轨说："宇文泰文能治国，武能平乱。"斛斯椿说："如果能像你形容的，那真是可以依靠。"

元修命宇文泰派二千名骑兵，驻防东雍州（州政府设郑县〔陕西省渭南市华州区〕），在声势上支援，同时命宇文泰率领主力，稍稍向东移动。宇文泰任命总司令官（大都督）、武川（内蒙古武川县）人梁御，当雍州（州政府设长安〔陕西省西安市〕）州长（刺史），率五千名步骑兵自平凉（甘肃省华亭市）先行东下。最初，丞相高欢派司令官（都督）、太安郡（内蒙古固阳县）人韩轨，率军一万人进驻蒲阪（山西省永济市），支援侯莫陈悦；雍州（州政府长安）州长（刺史）贾显度，派出船舶迎接。梁御派人晋见贾显度，说服贾显度归附宇文泰，贾显度遂出城欢迎梁御，梁御进入长安（陕西省西安市）。

元修任命宇文泰当总监督长（侍中）、骠骑大将军、开府仪同三司（宰相级）、关西总司令官（关西大都督），封略阳县公爵，代表皇帝行使职权（承制）。宇文泰乃任命寇洛当泾州（州政府设安定〔甘肃省泾川县〕）州长（刺史），李弼当秦州（州政府设上封〔甘肃省天水市〕）州长（刺史），前略阳郡（甘肃省秦安县东北）郡长（太守）张献当南岐州（州政府设固道〔陕西省凤县〕）州长（刺史）。南岐州原任州长（刺史）卢待伯拒绝解职，宇文泰派轻装备骑兵突击，生擒卢待伯。

总监督长（侍中）封隆之警告丞相高欢说：“斛斯椿等现在京师（首都洛阳），一定会闯出大祸。”封隆之跟国务院执行长（仆射）孙腾，争着要娶北魏帝元修的妹妹平原公主，而最后平原公主嫁给封隆之。孙腾遂把封隆之的话，泄漏给斛斯椿，斛斯椿报告元修，封隆之大为恐惧，逃回家乡（勃海郡蓨县〔河北省景县〕。蓨，音tiáo〔条〕）；高欢邀请封隆之前往基地晋阳（山西省太原市）。正巧，孙腾身带佩剑，强行入宫，同时又擅自诛杀监察官（御史），恐怕受到处罚，也逃奔高欢。中央禁军总监（领军）娄昭，因病辞职，回到晋阳（山西省太原市）；北魏帝元修遂命斛斯椿兼中央禁军总监（兼领军）；对河南（黄河以南）、关西（函谷关以西）各州司令官（都督）及州长（刺史），都改派新人担任。当时，华山王元鸷是徐州（州政府设彭城〔江苏省徐州市〕）州长（刺史），高欢命徐州总司令官（徐州大都督）邸珍，接管城防（邸珍讨伐东徐州变民事，参考去年〔五三三〕十一月）。建州（州政府设高都城〔山西省晋城市〕）州长（刺史）韩贤、济州（州政府设碻磝〔山东省聊城市茌平区西南〕）州长（刺史）蔡儁，都是高欢的党羽（参考五一九年二月）。元修下诏撤销建州（州政府高都城），借以排除韩贤；又命监察官（御史）弹劾蔡儁，而派汝阳王元叔昭接替。高欢上疏说："蔡儁对帝国有大功勋，不应夺取他的官位；汝阳王（元叔昭）品德高尚，应当大州州长；我的弟弟高琛，当定州（州政府设中山〔河北省定州市〕）州长（刺史），可以免职，由汝阳王（元叔昭）接任。"元修不同意。

五月五日（原文"丙子"，据《魏书》改），元修增设贵族子弟禁卫别动军（勋府庶子厢别）六百人，又增设骑兵军官禁卫别动军（骑官厢别）二百人。

元修打算攻击晋阳（高欢根据地，山西省太原市）。

五月十日，元修下诏戒严，宣称：御驾准备亲征南梁帝国（首都建康）。征集黄河以南各州人马，在洛阳举行盛大检阅，南自洛水，北到邙山，布满营帐，元修全副武装，跟斛斯椿亲自阅兵。

六月六日，元修下密诏给丞相高欢，说："宇文泰、贺拔胜，有背叛的阴谋，所以我表面上假装南征，事实却是在暗中对付他们。大王（高欢）应该在声势上援助。读过之后，把此诏书烧掉。"高欢上疏说："荆州（贺拔胜）、雍州（宇文泰）既然要叛离中央，我已秘密动员人马三万，横跨黄河，向西出击。又命恒州（州政府设平城〔山西省大同市〕）州长（刺史）库狄干等，率军四万，自来违津西渡黄河（渡口应在山西省河曲县南，渡河之后，就可攻击夏州〔州政府设统万城，陕西省靖边县北白城则村〕）；中央禁军总监（领军将军）娄昭等率军五万，讨伐荆州（贺拔胜）；

冀州（州政府设信都〔河北省衡水市冀州区〕）州长（刺史）尉景等率山东（太行山以东）武装部队七万、骑兵突击队（突骑）五万，南下讨伐江左（南梁帝国），全军进入紧急状态，等候进一步指示。”元修知道高欢已洞察他的阴谋，只好把高欢的奏章拿出来，交给高阶层官员讨论，打算阻止高欢行动。高欢在并州（州政府设晋阳〔山西省太原市〕）总部（大丞相府），也召集高级幕僚会议，再向元修上疏，说：“我承受陛下宠信的弄臣家奴伤害，他们从中挑拨离间，遂使陛下一夕之间，对我兴起怀疑猜忌。我如果胆敢辜负陛下，愿身受上天惩罚，子孙灭绝。陛下如果相信我这份赤心，就请下令停止军事行动，对一二谄媚分子鲨鱼群，希望能够考虑逐出政府。”

六月十六日，元修命总司令官（大都督）源子恭驻防阳胡（山西省垣曲县东南），汝阳王元暹驻防石济（河南省卫辉市东古黄河渡口），又命仪同三司（宰相级）贾显智当济州（州政府设碻磝〔山东省聊城市茌平区西南〕）州长（刺史），率豫州（州政府设悬瓠〔河南省汝南县〕）州长（刺史）斛斯元寿，向东进军，夺取济州（州政府碻磝）。斛斯元寿，是斛斯椿的老弟。被元修免职的济州州长（刺史）蔡俊，拒绝交出权柄；元修越发愤怒。

六月二十日，元修再摘录中央政府文武官员对政局所提出的意见，回答高欢的指控，命立法院立法官（舍人）温子升，撰写皇家指令，下达高欢，说：“我没有动用一尺长的兵器，安坐在那里，就当上天子，正符合俗语所形容：生我的是父母，使我尊贵的是高王（高欢）。我如果无缘无故背弃高王（高欢），计划征伐大事，我也甘愿身受上天惩罚，子孙灭绝，像你所发的誓言一样，近来因担忧宇文泰变乱，贺拔胜响应，所以下令戒严，打算跟大王互相支援。经过一段时间，而今，密切观察他们的行动，发现并没有背叛迹象。至于东南地区（南梁帝国）不肯顺服，时日已久，并不自今天开始，可是我们的户口，却减少一半，不应该再主张一切都用武力解决。我十分愚昧，不知道谄媚分子鲨鱼群是谁？不久之前，诛杀高乾（参考去年〔五三三〕三月），岂仅仅是我一个人的意思？可是大王面对高昂（高敖曹），竟忽然说他老哥冤死；人们的耳朵和眼睛，为什么这么容易欺骗？就像我曾经听说，库狄干告诉大王：‘本来打算挑选一个软弱的当君王，想不到挑选了一个年长的，竟然不肯听话，只要给我十五天时间，就可以把他废除，再另外挑选一个。’说这种话的人，应是大王面前有功勋的人物，谄媚分子鲨鱼群，怎么敢说这种话。去年（五三三），封隆之叛变逃亡；今年，孙腾也叛变逃亡，大王对二人既不加以处罚，又不押解送回洛阳（河南省洛阳市东白马寺东），如此行径，谁不奇怪？大王如果对皇家赤胆忠心，为什么不砍送两颗人头？大王在奏章上虽然强调西攻宇文泰，可是事实上，却四路大军并发，有的南下洛阳、有的东向江左（南梁帝国），说这种话的人连自己都会诧异，听到的人怎么会不惊疑。大王如果心平气和的安坐北方，我这里纵然有百万大军，也没有冒犯大王的野心。大王军旗如果指向南方，我纵然没有一匹马、没有一辆车，也打算赤手空拳，抵抗到死。我的品德本来不高，但大王既命我坐上宝座，人民没有知识，或许认为我能担当大任。假设被别人谋害，势将暴露我的罪恶；不如死在大王之手，无论被囚被辱，或被剁成粉末，都没有一点遗恨。本来希望君臣成为一体，像符信一样的密合，想不到今天疏远到如此地步。”

中军将军王思政，建议元修说：“高欢心里的想法，十分明显。洛阳不是一个理想的战场，只宇文泰效忠皇家，我们不妨前往投奔，再回故都（平城，山西省大同市），何必担心不能胜利。”元修同意，派高级事务顾问官（散骑侍郎）、河东郡（山西省永济市）人柳庆，前往高平（宇文泰驻地，宁夏固原市），晋见宇文泰，共同讨论时局，宇文泰请求迎接皇帝御驾，柳庆回洛阳后，报告元修，元修秘密询问柳庆的意见："我打算投奔荆州（贺拔胜），如何？"柳庆说："关中（陕西省中部）形势险要，宇文泰才干谋略，都可以信赖。荆州（州政府设穰城〔河南省邓州市〕）没有险要可守，南方又跟贼寇（南梁帝国）相邻，深受压迫，我愚昧的看不出那里是个好地方。"元修又问内宫司令官（阁内都督）宇文显和，宇文显和也劝元修西上。当时，元修普遍征调各州郡军队，东郡（滑台，河南省滑县）郡长、河东郡（山西省永济市）人裴侠，率领他的部众，抵达洛阳，王思政征求他的意见："而今，当权大臣擅自发号施令，皇家地位，日渐卑微，应该怎么办？"裴侠说："宇文泰受三军拥护，身居'百二'形势盛地（《史记·汉高祖纪》："秦国〔古秦国包括陕西省中部及甘肃省东南部〕，是一个地理条件极为优越的国家，有山岳河川的险要，远在中原千里之外，武装部队百万，秦国有百二。""百二"二字意义不明，可能是别的国家武装部队有一百万，秦国则有一百二十万，因山川形势，就可抵二十万雄师）。手拿利刀，怎么可以把刀柄交给别人。如果前往投奔，恐怕跟为了逃避水淹，却跳进火坑一样。"王思政说："那应该怎么办？"裴侠说："讨伐高欢，立即大祸临头；西奔宇文泰，将来后患无穷；无可奈何中，且到关右（函谷关以西），从长计议。"王思政同意，遂把裴侠推荐给元修，元修任命裴侠当左翼警卫指挥官（左中郎将）。

最初，丞相高欢认为洛阳（河南省洛阳市东白马寺东）不断受到战乱破坏，已残破不堪，打算把中央政府迁到邺城（河北省临漳县西南邺城镇），元修反对，说："高祖（七任帝元宏）定都黄河、洛水之间，作为千年万世的基业，大王既心存皇家，最好仍遵守五世纪九〇年代以后的传统。"高欢才不坚持。现在，高欢再度考虑迁都，于是派三千骑兵驻防建兴（山西省晋城市北），同时增加河东（山西省永济市）及济州（州政府设碻磝〔山东省聊城市茌平区西南〕）的军事力量，下令所控制的各州州政府，把“和籴”的存粮，全部运往邺城（河北省临漳县西南邺城镇）集中（籴，音dí〔笛〕。买入粮食称“籴”。“和籴”，顾名思义，是用商业手段买入粮食。“和籴”一词，因高欢对元修反击，而出现史书，这项制度可能由北魏帝国创设。由政府出钱向民间购买粮食，供应军需，价格由双方议定，贵则买方不买，贱则卖方不卖，所以称为“和籴”。可是不久，政府无钱〔连官员薪俸都七折八扣，甚至不给，哪有余钱购粮〕，就变质成为按户摊派，限期缴纳，人民所受痛苦，超过正式赋税）。元修再下指令给高欢，说：“大王如果有意使人心平静，消除人们的议论斥责，只要撤退进驻河东（山西省永济市）的军队，取消设在建兴（山西省晋城市北）的指挥部，把集中在相州（州政府设邺城〔河北省临漳县西南邺城镇〕）的和籴粮食退回各州，阻止增援济州（州政府设碻磝〔山东省聊城市茌平区西南〕）的军队前进，命蔡俊（济州州长）交出州长（刺史）官位，邸珍退出徐州（州政府设彭城〔江苏省徐州市〕），士卒复员，战马散入林野，人民各自从事各自的行业。如果缺少粮食，当另派人运上；则挑拨离间的人，自然张口结舌，使人猜疑和后悔的事情，自不会发生，大王安心的高卧太原（晋阳，山西省太原市），我则双手袖起来安坐洛阳。大王如果使马头朝向南方，询问九鼎的轻重（《左传》前六〇六年：楚王国六任王〔庄王〕芈侣，向北方攻击陆浑蛮夷〔河南省伊川县一带〕，兵临当时周王朝首都洛阳，周王朝二十五任王〔定王〕姬愉大为惊惶，派贵族姬满出城劳军，芈侣询问九鼎的大小轻重，姬满紧张说：‘周政府虽然衰弱，但上天眷顾他的心意，并没有改变，九鼎的大小轻重，不必打听。’三代时代〔夏商周〕，把九鼎作为传国之宝，芈侣询问九鼎大小轻重，后世遂作为谋取帝王宝座的代名词），我虽然不懂军事，但为了帝国政府和皇家祖庙，想不反抗也不可能。决定和战的权力，握在大王之手，我已无法控制。兴筑万丈高山，只因差最后一箩筐土，而竟然崩溃，希望双方都能珍惜。”高欢上疏猛烈抨击宇文泰、斛斯椿罪大恶极。

元修擢升前来首都洛阳朝见的广宁郡（山西省沁水县西）郡长、广宁人任祥，兼任国务院左执行长（兼尚书左仆射），加授开府仪同三司（宰相级）；任祥大为惊恐，放弃官位逃走，渡黄河奔往郡城备战，等待高欢大军南下。元修遂命从北方来的文武官员，或回北方，或留京师（首都洛阳），自由决定。于是发表正式文告，列举高欢罪状，征召荆州（州政府设穰城〔河南省邓州市〕）州长（刺史）贺拔胜前来洛阳。贺拔胜询问太保府秘书（太保掾）、范阳郡（河北省涿州市）人卢柔应怎么办，卢柔说："高欢犯上作乱，你应该发动可能发动的力量，增援首都（洛阳），跟高欢一决胜负，生死不悔，这是上等策略。北方增加鲁阳（河南省鲁山县）防务，南方吞并古楚王国疆土（包括今湖北省中部北部等，此时都是南梁帝国版图）；东方联络兖州（州政府设瑕丘〔山东省济宁市兖州区〕）、豫州（州政府设悬瓠〔河南省汝南县〕）；西方跟关中（宇文泰）结盟。手握百万武装部队，静观时局变化，等待机会出动，是中等策略。把三荆地区（指贺拔胜军区所辖的七个州，参考去年〔五三三〕正月），呈献给梁国（南梁帝国），请求他们庇护，则终身功名，一时都毁，是下等策略。"贺拔胜微笑，不作回答。

元修任命宇文泰兼任国务院执行长（兼尚书仆射）、中央驻关西（函谷关以西）特遣全权政府总监（关西大行台），应许把妹妹冯翊长公主嫁给宇文泰，对宇文泰大营司令官（帐内都督）、秦郡（陕西省礼泉县）人杨荐说："你回去告诉总监（宇文泰），派骑兵迎接我！"任命杨荐当直阁将军。宇文泰派前秦州（州政府设上封〔甘肃省天水市〕）州长（刺史）骆超，当总司令官（大都督），率轻装备骑兵一千人，协防洛阳；又命杨荐跟秘书长（长史）宇文测，出关迎接元修。

丞相高欢召回他的老弟、定州（州政府设中山〔河北省定州市〕）州长（刺史）高琛，命他镇守基地晋阳（山西省太原市），由秘书长（长史）崔暹当他的助手。崔暹，是崔挺的儿子（此崔暹不是五二四年七月被破六韩拔陵击败的崔暹。崔挺，参考四九六年闰九月）。高欢动员大军南下，向他的部队宣布说："我因为尔朱帮专权乱政，所以在海内倡导大义，拥护皇上（元修），赤胆忠心，人神共鉴。想不到硬被斛斯椿挑拨陷害，把赤胆忠心，当成叛逆，今天我们南下的目的，只诛杀斛斯椿一人。"命高敖曹充当前锋。宇文泰也向各州郡传递文告，列举高欢的罪行，亲自率军从高平（宁夏固原市）出发，前锋进驻弘农（恒农，河南省灵宝市东北）。贺拔胜率军北上，驻防汝水（仅出荆州边界，即不再前进）。

秋季，七月九日，元修开始计划西奔，亲自指挥大军十余万，驻防黄河大桥；命斛斯椿当前锋，在邙山北麓构筑营垒。斛斯椿请求准许他率精锐骑兵二千人，夜渡黄河，乘高欢部众行军疲劳，发动突袭。元修起初非常赞成，可是监督院宫廷监督官（黄门侍郎）杨宽，警告元修说："高欢以臣属的地位，讨伐君王，什么事做不出来？今天，一旦把军队交给别人，恐怕发生其他变化。斛斯椿北渡黄河，万一击败高欢，建立功勋，是消灭一个高欢，又生出另一个高欢。"元修遂命斛斯椿取消出击。斛斯椿叹息说："最近，荧惑星进入南斗星（胡三省注：《晋书·天文志》："南斗六星，天庙也。将有天子之事，占于斗。荧惑，罚星，入之，天子不安其位，后所谓'天子下殿走'是也。"事属天文，完全看不懂），皇上相信左右的谗言，不用我的计谋，岂不是上帝的旨意！"宇文泰接到报告，对左右说："高欢强行挥军南下（他必须在宇文泰到达洛阳之前，到达洛阳），几天时间，走八九百华里（晋阳与洛阳二地航空距离三百三十公里），正是军事家最大的忌讳，中央自应乘他们疲惫，发动攻击。可是，皇上身负天下重任，不能北渡黄河，亲自作战，只图沿岸据守。黄河长达万里，戒备十分困难，一个地方突破，大势一去不返。"即命总司令官（大都督）赵贵，当中央驻敌后特遣政府总监（别道行台），自蒲阪（山西省永济市）东渡黄河，直接攻击高欢根据地并州（州政府设晋阳〔山西省太原市〕）；另派总司令官（大都督）李贤，率精锐骑兵一千人，继续增援洛阳。

元修命斛斯椿会同中央特遣政府总监（行台）长孙稚、总司令官（大都督）颍川王元斌之镇守虎牢（河南省荥阳市西北汜水镇），中央特遣政府总监（行台）长孙子彦，镇守陕城（河南省三门峡市），贾显智、斛斯元寿镇守滑台（河南省滑县）。元斌之，是元鉴的老弟（安乐王元鉴事，参考五二四年九月）。长孙子彦，是长孙稚的儿子。高欢命相州（州政府设邺城〔河北省临漳县西南邺城镇〕）州长（刺史）窦泰，攻击滑台（河南省滑县），建州（州政府设高都城〔山西省晋城市〕）州长（刺史）韩贤，攻击石济（河南省卫辉市东古黄河渡口）。窦泰跟贾显智在长寿津（河南省滑县东北古黄河渡口）接触，贾显智和窦泰私通消息，约定投降高欢，遂率军后退；参谋长（军司）元玄发觉情况有异，飞马奔回，请求援救，元修派总司令官（大都督）侯几绍（侯几，复姓）前往，在滑台（河南省滑县）东会战，贾显智阵前叛变，投降窦泰，侯几绍遂战死。北翼警卫指挥官（北中郎将）田怙，作高欢的内应，高欢率军秘密进入野王（河内郡郡政府所在县，河南省沁阳市），元修得到情报，诛杀田怙。高欢继续南下，距黄河北岸十余华里，再派使节晋见元修，口述高欢的忠诚，元修不理。

七月二十六日，高欢率军渡过黄河。

元修召集文武官员，举行紧急御前会议，征求大家意见，有人主张投奔南梁帝国（首都建康），有人主张向南依靠荆州（州政府设穰城〔河南省邓州市〕）贺拔胜，有人主张向西依靠关中（指宇文泰），有人主张固守洛口（洛水注入黄河处，河南省巩义市东北），议论纷纷，不能决定。颍川王元斌之，跟斛斯椿在前线争权，不能占上风，就抛弃他的军队，奔回首都洛阳，编了一套谎话，报告元修说：“高欢大军已到！”

七月二十七日，元修派使节传令斛斯椿回军；遂率南阳王元宝炬、清河王元亶、广阳王元湛，在五千名骑兵保护下，出洛阳城，住宿瀍水西岸（瀍水，洛水支流）；元宝炬别墅供养的佛教和尚（南阳王别舍沙门）惠臻，携带皇帝玉玺，手拿千牛刀，在元修身旁警戒（保护玉玺，应由掌玺官；保护皇帝，应由禁卫军；二者均不见，却由一个僧侣负责，显出元修的猜忌及宫廷的混乱）。武装部队士卒知道元修将西赴关中（陕西省中部），当天夜晚，逃走的超过一半；连元亶、元湛，也都逃回。元湛，是元深的儿子（广阳王元深〔元渊〕被葛荣所杀，参考五二六年九月）。武卫将军、云中郡（内蒙古托克托县）人独孤信，单人匹马，追随元修，元修叹息说：“你离开父母，抛弃妻子儿女，‘乱世识忠臣’，岂是一句虚话！”

七月二十八日，元修动身，向西投奔长安（陕西省西安市），在崤山道中，跟宇文泰所派增援洛阳的总司令官（大都督）李贤相遇。

七月二十九日，高欢进入首都洛阳，居住永宁寺（在洛阳城内，宫城之南），派中央禁军总监（领军）娄昭等，追赶元修，请求元修东返。元修所派镇守陕城（河南省三门峡市）的长孙子彦，不能抵挡，放弃城池，逃走。高欢所属大将高敖曹率精锐轻装备骑兵，追赶到陕城以西，没有赶上。元修挥动马鞭，纵马狂奔，途中不但粮食缺乏，连米汤都没有，两三天之久，侍从官员们只有饮食涧水。好不容易逃到湖城（河南省灵宝市西，西汉王朝戾太子刘据被杀处；参考前九一年八月），有王思村居民拿馒头（麦饭）及茶水，呈献元修；元修大为高兴，命免除王思村田赋差役十年。进抵稠桑（灵宝市西北〔湖城西〕），潼关（陕西省潼关县）总司令官（潼关大都督）毛鸿宾在路旁迎接，呈献酒肉，侍从官员才得以吃饱喝够。

八月四日，丞相高欢在洛阳召集高阶层文武官员会议，高欢说：“当一个臣属，事奉主上，应改正弊端，拯救危难。如果平常日子不作规劝，皇上出京（首都洛阳）又不陪伴；太平时沉醉在争权夺利之中，紧急时则自己先行拔腿逃走，节操安在？”大家面面相觑，不能回答；兼国务院左执行长（兼尚书左仆射）辛雄说：“皇上（元修）一直跟他身旁亲信商讨大事，不允许我们参与。等到圣驾（元修）西上，如果追随，恐怕行迹又像奸党；留下来事奉大王，又责备我们不能追随。我们无论进退，都逃不出处罚。”高欢说：“你们是政府的高级官员，应该以身报国，谄媚分子马屁精当权，你们可有一句规劝皇上的话？使帝国弄到今天这种地步，谁该负责？”下令逮捕辛雄，及开府仪同三司（宰相级）叱列延庆、兼国务院文官部长（兼吏部尚书）崔孝芬、国务院法务部长（都官尚书）刘廞、兼国务院财政部长（兼度支尚书）天水郡（甘肃省天水市）人杨机、总顾问长（散骑常侍）元士弼，全部诛杀。崔孝芬的儿子、宰相府参谋指挥官（司徒从事中郎）崔猷，从小路逃到关西（函谷关以西），元修命他兼任监督院奏事官（奏门下事）。高欢推举宰相（司徒）、清河王元亶当最高指挥官（大司马），代表皇帝行使职权（承制），裁决中央政府大事，在国务院（尚书省）办公。

中央驻关西（函谷关以西）特遣全权政府总监（关西大行台）宇文泰，派赵贵、梁御，率重装备骑兵二千人，迎接元修，沿黄河西进。元修对梁御说：“黄河东流，而我西上，如果有一天能够再见洛阳，亲到皇家祖庙祭祀，都是你们的功劳。”元修和左右官员，都流泪呜咽。宇文泰备妥仪仗卫队，亲自迎接，在东阳驿（陕西省渭南市）谒见元修，宇文泰脱下官帽，泪流满面，说：“我不能阻止贼寇（指高欢）凶暴，致使圣驾流离逃亡，是我的罪过。”元修说：“你的忠心和节操，远近都知，我因缺少品德，身居高位，导致盗匪（指高欢）的侵犯，今天相见，深感惭愧。我就要把帝国托付给你，你要全力以赴！”将士一齐高呼万岁，元修遂进入长安（陕西省西安市），把雍州

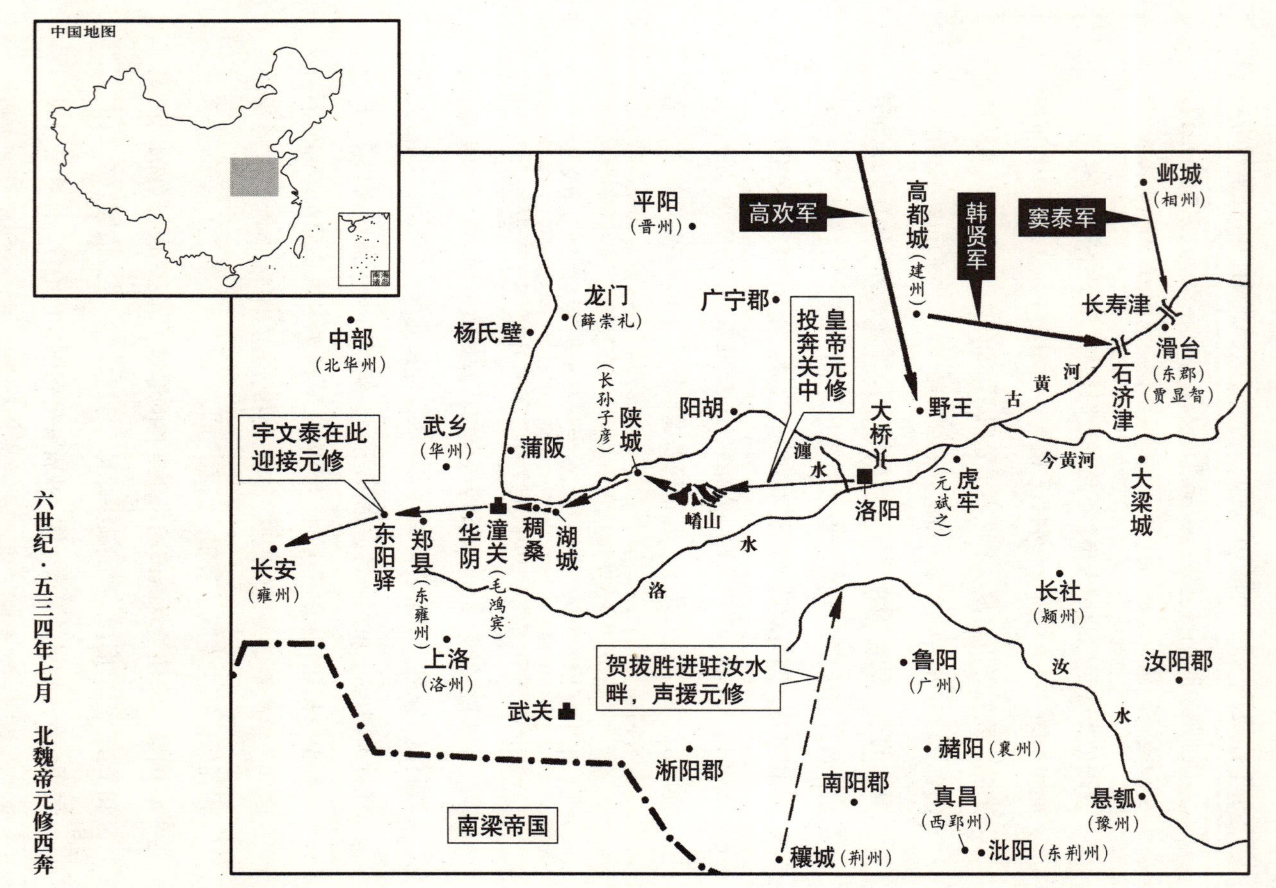

六世纪·五三四年七月　北魏帝元修西奔

州政府改作皇宫。大赦。任命宇文泰当最高统帅（大将军）、雍州（州政府长安）州长（刺史），兼国务院总理（兼尚书令）；无论政治、军事，全由宇文泰裁决。另行设立两位执行官（尚书），分别主持机要事务，由中央特遣政府执行官（行台尚书）毛遐、周惠达，分别担任。当时，帝国政府等于重新建立，一切初上轨道，两位执行官积极储备粮食，制造武器，训练人马，一切依靠他们。宇文泰娶冯翊长公主，再被任命当驸马都尉（三国时代〔三世纪〕以来，公主的丈夫，都被任命当“驸马都尉”，简称“驸马”，遂成为定例）。

6 之前，荧惑星进入南斗星，不久退出，但又再度进入，停留六十天（事属天文，完全不懂）。南梁帝萧衍，认为民间传言：“荧惑入南斗，天子下殿走！”于是，赤着双脚，走下金銮宝殿，用以化解灾变。后来听到北魏帝元修西奔，大为惭愧，说：“难道蛮虏也上应天象！”

八月九日，萧衍任命从北魏帝国游离出来的武兴王杨绍先（参考本年〔五三四〕四月），当秦州（州政府设武兴〔陕西省略阳县，杨绍先基地〕）及南秦州（州政府侨设武兴）州长（刺史）。

7 八月十一日，北魏帝国丞相高欢，亲自率军自洛阳出发，追赶北魏帝元修（元修于七月二十七日离开洛阳，高欢于二十九日进入洛阳，却迟至八月十一日，于元修已在长安组成新政府后，再出发追赶，目的当然不在追赶，而在宣传）。

八月十八日，清河王元亶下令大赦。高欢抵达弘农（恒农，河南省三门峡市）。

九月十三日，派中央特遣政府执行长（行台仆射）元子思，率领宫廷侍从，前往长安（陕西省西安市）迎接元修。

九月二十九日，进攻潼关（陕西省潼关县），攻克，生擒守将毛鸿宾，挺进到华阴长城（战国时代魏王国所筑长城，在陕西省华阴市西）；龙门（山西省河津市）司令官（龙门都督）薛崇礼献出城池，投降高欢。

荆州（州政府设穰城〔河南省邓州市〕）州长（刺史）贺拔胜，命秘书长（长史）元颖，当荆州总部执行官（行荆州事），镇守南阳（河南省南阳市），而亲自率军前往关中（陕西省中部）。推进到淅阳（河南省西峡县），得到高欢进入华阴（陕西省华阴市）情报，打算撤退。中央特遣政府政务秘书长（行台左丞）崔谦说："而今，政府瓦解，皇上（元修）流亡在外，你最好是加倍速度，日夜不停行军，到行宫（长安）朝见，然后，跟宇文泰同心合力，用大义号召天下，谁不听到风声，即行响应！如果放弃这个机会，向后退避，恐怕人心离散，失去机会，后悔已来不及。"贺拔胜不能采用，遂折返荆州（州政府穰城）。

高欢也回军，抵达河东（山西省永济市），命中央特遣政府秘书长（行台长史）薛瑜，镇守刚夺到手的潼关（陕西省潼关县）；命总司令官（大都督）库狄温，镇守封陵（山西省永济市西南风陵渡），就在蒲津（永济市西黄河渡口）黄河西岸建筑城堡；又命薛绍宗当华州（州政府设武乡〔陕西省大荔县〕）州长（刺史），守卫城池（这是高欢势力的最前线）；又命高敖曹当豫州（州政府设悬瓠〔河南省汝南县〕）总部执行官（行豫州事）。

高欢自从晋阳（山西省太原市）出发，直到现在，向北魏帝元修先后共呈递四十次奏章，元修全都不理，高欢这才返回东方，命中央特遣政府总监（行台）侯景等，率军南下，攻击荆州（州政府设穰城〔河南省邓州市〕），荆州居民邓诞等，生擒驻防南阳（河南省南阳市）的荆州总部执行官（行荆州事）元颖，响应侯景。荆州州长（刺史）贺拔胜大军抵达，侯景迎战，贺拔胜失败，率骑兵数百人，投奔南梁帝国（首都建康）。

元修仍在洛阳的时候，暗中派内宫司令官（阁内都督）、河南郡（首都洛阳）人赵刚，征召东荆州（州政府设沘阳〔河南省泌阳县〕）州长（刺史）冯景昭，率军勤王；冯景昭的军队还没有出发，元修已经西上入关（函谷关）。冯景昭集合总部文武官员，讨论如何因应，军政官（司马）冯道和，建议保护州城（沘阳），等候来自北方的命令，赵刚说："你最好是率军前往行宫（长安）。"大家呆坐在那里很久，没有人再说话。赵刚抽出佩刀，投到地上，说："你如果打算当忠臣，就请诛杀冯道和；如果打算投匪（指高欢），就请马上诛杀我。"冯景昭感动醒悟，立即率军前往关中（陕西省中部）。正在这个时候，侯景率军进逼穰城（荆州州政府所在县，河南省邓州市），东荆州（州政府沘阳）居民杨祖欢等，聚众起兵，切断冯景昭的道路；冯景昭战败，赵刚逃入蛮夷地区，死在那里。

冬季，十月，丞相高欢抵达洛阳（河南省洛阳市东白马寺东），再派佛教和尚道荣，到长安（陕西省西安市）向元修呈递奏章，说："陛下如果能从遥远的地方，赐给我一纸命令，允许仍回京师（首都洛阳），我自当率领文武百官，清扫宫殿，恭候圣驾。如果返回正位的时间，不能确定，则皇家七座祖庙，不能没有人主持祭祀；万国进贡，不能没有人接受朝拜；我宁愿辜负陛下，不愿辜负国家。"元修仍不回答。高欢乃召集文武百官及帝国元老，讨论拥护哪位皇族。当时，清河王元亶（七任帝元宏的孙儿）已俨然以皇帝自居，出入一律戒严净街（跟元修一样，又是一个浅碟子），高欢认为他不是一块材料，遂借口说："自从五二五年（九任帝元诩在位末年），皇家祖庙牌位的排列次序，十分混乱。永安（十一任帝元子攸）把孝文皇帝（七任帝元宏）当作伯父（参考五二九年二月），永熙（现任帝〔十五任〕元修）把孝明皇帝（九任帝元诩），迁到厢房（元宏本是元子攸的伯父，并没有错，但宗法社会继承关系和儒家系统的理论，却不允许称这位伯父为伯父。元修跟元诩是堂兄弟，同属一个辈分〔第九代〕，皇家祖庙中，兄弟不能并存，只好把老哥的牌位搬到西厢）。帝国大业衰败，以及皇帝在位的时间太短，都是这个原因。”遂拥护元亶的合法继承人（世子）元善见当皇帝（元善见是元修的侄儿）。高欢对元亶说：“与其拥护你，不如拥护你的儿子。”元亶大为难堪，同时又大为恐惧，于是轻装骑马南下，高欢把他追回。

十月十七日，元善见在洛阳城东北，登极称帝（〔东〕十六任孝静帝），年十一岁。大赦。改年号天平（北魏帝国从此有两个中央政府，而各以正统自居，史学家为了叙述方便，不得不把宇文泰控制地区称西魏帝国，把高欢控制地区称东魏帝国。中国境内，三国并立）。

西魏帝国（首都长安）最高统帅（大将军）宇文泰，进攻潼关（陕西省潼关县），斩东魏帝国（首都洛阳）守将薛瑜，俘虏东魏士卒七千人，返首都长安（陕西省西安市），皇帝（十五任孝武帝）元修擢升宇文泰当大丞相。东魏帝国中央特遣政府总监（行台）薛修义等，西渡黄河，占领杨氏壁（陕西省韩城市）。西魏帝国最高监察署军事参议官（司空参军）、河东郡（山西省永济市）人薛端，集结村落民众乡亲，击退东魏军，夺回杨氏壁。丞相宇文泰派南汾州州长（刺史）苏景恕进驻镇守（北魏帝国汾州州政府设蒲子城〔山西省隰县〕，五二五年稍后，州政府迁到兹氏城〔山西省汾阳市〕；西河郡此时已属东魏，西魏遂在杨氏壁暂设南汾州）。

十月十八日，西魏政府擢升信武将军元庆和，当镇北将军，率军攻击东魏帝国。

8 当初，北魏帝元修跟丞相高欢，感情破裂时，齐州（州政府设历城〔山东省济南市〕）州长（刺史）侯渊、兖州（州政府设瑕丘〔山东省济宁市兖

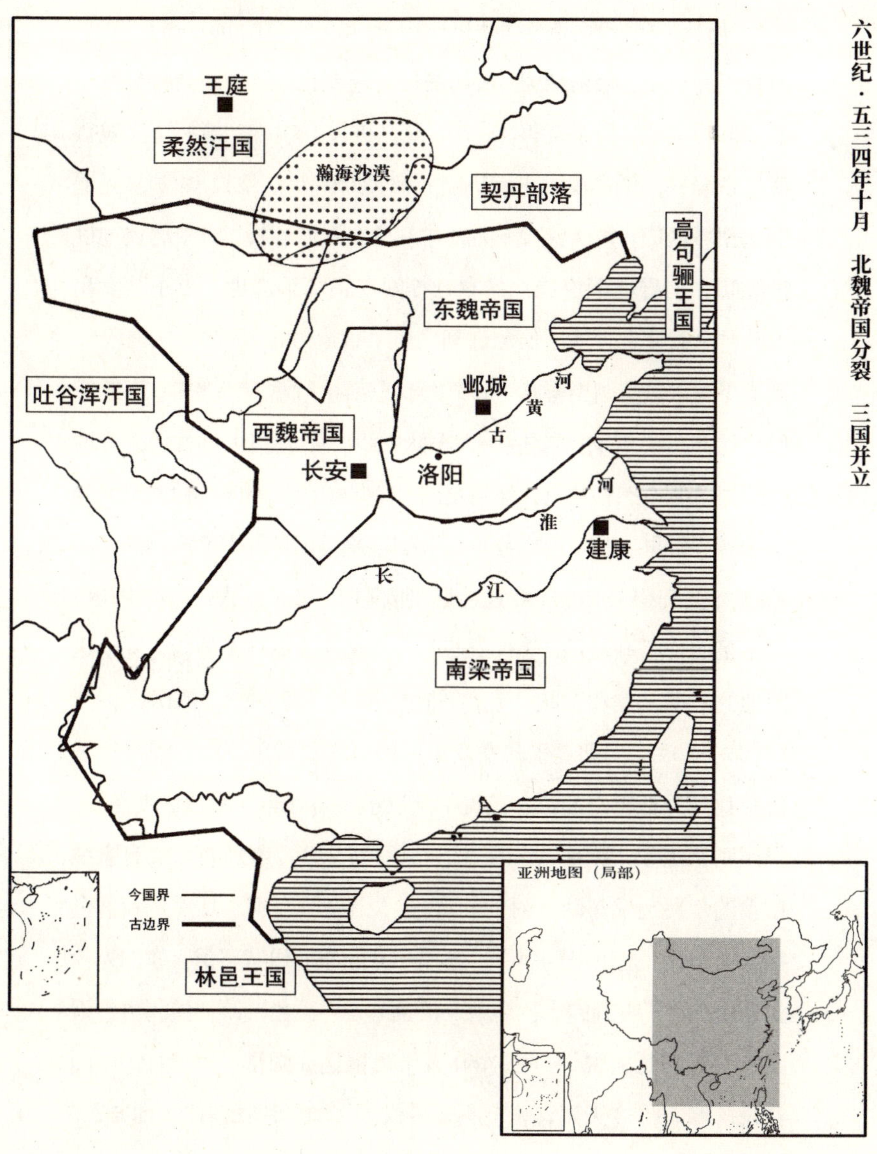

六世纪·五三四年十月　北魏帝国分裂　三国并立

州区〕）州长（刺史）樊子鹄、青州（州政府设东阳〔山东省青州市〕）州长（刺史）东莱王元贵平，秘密结盟，密切注视时局变化。只侯渊同时也派出使节晋见高欢，表示友善。后来，元修进关（函谷关），清河王元亶行使皇帝职权，任命汝阳王元暹当齐州（州政府历城）州长（刺史）。元暹抵达州城西门，侯渊犹豫不定，并不马上开城迎接。城中居民刘桃符等暗中引导元暹进城，侯渊仓猝间率领骑兵逃走，妻子儿女和卫队，全被元暹俘虏。侯渊逃到广里（山东省济南市长清区西南），正巧，元亶下令，命侯渊当青州（州政府东阳）总部执行官（行青州事）。高欢写信给侯渊，说："你不要因私人军队太少，不敢到东方就任，齐地（山东省）人民，感情淡薄，唯利是图（自战国时代以来，山东半岛人给人的印象是：懦弱而又贪财，这跟二十世纪的山东半岛人的形象，恰巧相反，民俗何时转移，是一有趣课题）。齐州（州政府历城）还能迎接汝阳王（元暹），青州（州政府东阳）岂不是照样打开城门，等你驾临！"侯渊这才前往东方，元暹也送回他的妻子儿女和卫队。元贵平拒绝移交，侯渊攻击高阳郡（山东省桓台县东），攻克，把妻子儿女及军用辎重安置城里，而自己率轻装备骑兵到外地狙击劫掠。元贵平派世子（合法继承人）率军进攻高阳，侯渊则乘虚于夜间进攻东阳（青州州政府所在城），遇到向州政府缴纳粮食的州民运输车队，对他们宣称："中央军已到，几乎把我们全都屠杀。我，是世子的属下，逃出一命回来，州城不保，你们为什么还要去！"听到的人，都抛弃粮食逃走。天色拂晓，侯渊再告诉路上早起的行人说："中央军昨天半夜抵达高阳郡（山东省桓台县东），我是前锋官，今天到这里，不知道侯公（侯渊）到底在什么地方？"城中居民惶恐惊骇，遂生擒元贵平，出城投降。（胡三省注："侯渊当年攻克韩楼，也是用这个办法〔参考五二九年九月〕，伎俩也就到此为止。"）

十月十九日，侯渊斩元贵平，把人头呈献洛阳。

9 十月二十一日，东魏政府（首都洛阳）任命赵郡王元谌当最高指挥官（大司马），咸阳王元坦当全国武装部队总司令（太尉），开府仪同三司（宰相级）高盛当宰相（司徒），高敖曹当最高监察长（司空）。元坦，是元树的老弟（元树投奔南梁帝国，后又被北魏帝国俘虏；参考前年〔五三二〕七月）。

丞相高欢认为：洛阳（河南省洛阳市东白马寺东）跟西魏帝国（首都长安）以及南梁帝国（首都建康）的边境，十分接近，决定迁都邺城（河北省临漳县西南邺城镇。之前已准备迁都邺城，参考本年〔五三四〕六月二十日）。命令下达三天后，就开始行动。

十月二十七日，东魏帝元善见从洛阳出发，四十万户居民，狼狈上路。高欢强迫文武百官交出所有马匹，职位在国务院秘书长（丞）、司长（郎）以上，而不是护驾官员的，只可以骑驴。高欢坐镇洛阳，处理善后；等到所有事情都办妥当，才回基地晋阳（山西省太原市），把京畿卫戍区（司州）改作洛州（州政府洛阳）；命国务院总理（尚书令）元弼，当洛州州长（刺史），镇守洛阳。命中央特遣政府执行官（行台上书）司马子如，当国务院左执行长（尚书左仆射），跟国务院右执行长（右仆射）高隆之、总监督长（侍中）高岳、孙腾，前往新建为首都的邺城（河北省临漳县西南邺城镇），共同管理政府。元善见下诏（高欢诏），因为从洛阳迁到邺城的移民，没有产业，生活困难，所以特发谷米一百三十万石救济。

十一月，兖州（州政府瑕丘）州长（刺史）樊子鹄，据守瑕丘（山东省济宁市兖州区），反抗东魏中央政府；南青州（州政府设团城〔山东省沂水县〕）州长（刺史）大野拔（大野，复姓），率领部众前往瑕丘，跟樊子鹄会合。

十一月十一日，元善见抵达邺城（河北省临漳县西南邺城镇），下榻位于北城的相州（州政府邺城）州政府官舍，把相州州长（刺史）改称京畿总卫戍司令（司州牧），魏郡（郡政府邺城）郡长改称首都邺城市长（魏尹）。这时候，禁卫军官兵眷属，跟从元修西迁到长安（陕西省西安市）的，不足一万人，剩下来的，高欢把他们全部迁到北方，仍照常发给薪俸，春秋两季，另行赏赐绸缎布匹缝制衣服；除了正常供应，遇到庄稼丰收，则用绸缎布匹代替谷米，而把谷米留下，由政府统筹管理。

10 十二月，西魏帝国（首都长安）丞相宇文泰，派仪同（宰相级）李虎、李弼、赵贵，攻击曹泥据守的灵州（州政府设回东〔宁夏灵武市〕）。

11 闰十二月，南梁帝国信武将军元庆和，攻陷东魏帝国濑乡（河南省鹿邑县），进驻据守。

12 北魏帝元修，闺房之内，荒淫乱伦，堂妹同他上床，不能出嫁的有三人，都封公主。平原公主元明月，是南阳王元宝炬的亲妹，也跟随元修入关（函谷关）。丞相宇文泰说服皇家各亲王，逮捕元明月，诛杀。元修大不高兴，有时弯弓拉弦，有时愤怒得擂打桌案，跟宇文泰的感情，也告破裂。

闰十二月十五日，元修饮酒，而酒中有毒，遂毒发身死（年二十五岁）。

历史上，身为帝王的人，什么时候对武装部队失去控制，什么时候就是他的末日，没有例外。元修除非拒绝高欢的拥戴，否则，命中注定他不会有好的结局。他如果乖得像只小白兔，再加上好运气，将来被赶下宝座后，还可能（也仅仅可能)寿终正寝，东汉王朝末任帝刘协就是。如果他理直气壮的仍要行使最高统治权，好像对武装部队并没有失去控制一样，他就要断送自己性命。凡是不知道，或是不服气的人，上天就会降下无情惩罚。

而且，元修积极夺权行为，也发动得太早。高欢不像尔朱荣，尔朱荣的部落结构，已是一个影子政府，一旦进入洛阳，大权立刻掌握。高欢所领导的，只不过一个拼凑的班底，所以中央大权，才落到斛斯椿之手。尔朱荣凶暴成性，随时可以翻脸，元子攸如坐针毡，早日下手，可以理解。高欢的智商，超过尔朱荣百倍，他知道他需要皇帝这块金字招牌掩护，至少在高欢在世期间，元修没有危险。

问题是，元修却自认为他的聪明可以使他突破困局。他唯一的一条生路，是亲率大军，杀入敌阵，击败高欢南下攻势，但对一个皇子皇孙而言，他们不可能亲冒乱箭飞石。所以，元修只好用小动作，刺一点心前血送给贺拔岳，争取效忠；至于给高欢下的诏书，简直每一句话都在白日说梦，高欢贫寒出身，元修富生富长，高欢百炼金刚，元修不过纨绔子弟，他跟高欢斗智，甚至竟认为高欢有可能跳进他的圈套，越发显出他不自量力。

元修最愚不可及的，是他投奔宇文泰。宇文泰之行凶，依照封建政治运转定律，在意料之中，唯一出人意料之外的是，下手竟如此快速——疾如闪电。元修之死，本无可救，但刚刚折腾，就被诛杀，则是因为他始终没有认清他所扮演的角色，认为他竟真的是一个“朕”，忘了是在别人刀口下，苟延残生。

宇文泰跟文武官员讨论皇帝的继任人选，大多数人推荐广平王元赞。元赞，是元修的侄儿。总监督长(侍中)濮阳王元顺，在另一个房间，晋见宇文泰，流泪哭泣，说：“高欢逼迫先帝（元修）逃亡，拥护年纪幼小（十一岁）的君王（〔东〕十六任帝元善见）登极，为的是希望长期当权，你最好跟他恰恰相反，广平王（元赞）年纪太小（年龄不详），不如拥护一位年长的帝王。”宇文泰遂决定拥护太宰（上公）、南阳王元宝炬（本年二十八岁。元宝炬是七任帝元宏的孙儿、京兆王元愉的儿子）。元顺，是拓跋素的曾孙（北魏帝国皇族中有三个元顺：（1）一任帝拓跋珪攻击后燕帝国首都中山〔河北省定州市〕，南安公拓跋顺在首都盛乐〔内蒙古和林格尔县〕计划自己称帝，参考三九七年二月。（2）二任城王元澄的儿子元顺，曾斥责徐纥，劝阻胡太后化妆〔参考五二五年四月〕；后来听到河阴屠杀，死在逃亡路上。（3）本年元顺，乃常山王拓跋素的四世孙。拓跋素，参考四二七年四月）。把元修暂时殡厝在草堂寺；议论资政官（谏议大夫，从四品下）宋球，号啕哭泣，口吐鲜血，汤水米粒不入口下咽，有数日之久，宇文泰因他是著名的儒家高级知识分子，对他不加惩罚。

13 北魏帝国贺拔胜在荆州（州政府设穰城〔河南省邓州市〕）州长（刺史）任内，曾经上疏北魏帝元修，推荐武卫将军独孤信当总司令官（大都督）。东魏既夺取荆州，西魏政府任命独孤信当三荆军区司令长官（都督三荆州诸军事。三荆州：荆州〔州政府穰城〕、东荆州〔州政府设沘阳，河南省泌阳县〕、南荆州〔州政府设安昌，湖北省枣阳市南〕），兼国务院右执行长（尚书右仆射）、中央驻东南特遣政府总监（东南道行台）、总司令官（大都督）、荆州（州政府穰城）州长（刺史），用以维系独孤信的忠心。

蛮夷酋长樊五能，攻陷淅阳郡（河南省西峡县），响应西魏帝国号召：东魏帝国西荆州（即荆州）州长（刺史）辛纂，打算用武力镇压，中央特遣政府助理官（行台郎中）李广劝阻说：“淅阳城外，一片荒凉，没有居民，只有淅阳一个城池；而山路曲折危险，里外都是蛮夷。

我们派出的军队太少，不能制服盗匪；派出的军队太多，则基地的防卫力量，必然大大减弱。军事行动万一不能满意，威名将受到重大打击，人心一去，连州城都保不住。”辛纂说：“怎么可以放纵盗匪，不去讨伐！”李广说：“今天忧虑的是内部团结，哪有时间去治小病！听说中央军不久就会抵达，你只要约束安抚所属郡县，加强城防工事，安抚鼓励居民。即令失去淅阳（河南省西峡县），也不值得惋惜。”辛纂不接受，派军进攻淅阳，战败，将领们乘机逃亡，不再回营。于是，城中居民秘密邀请西魏帝国总司令官（大都督）独孤信：独孤信抵达武陶（即武关，陕西省商南县西南），东魏政府派恒农郡（河南省三门峡市）郡长田八能（北魏帝国六任帝名拓跋弘，为了避讳，把弘农郡改成恒农郡），率各蛮夷军队，在淅阳郡（河南省西峡县）境抵抗独孤信，又派司令官（都督）张齐民，率步骑兵混合兵团三千人，攻击独孤信的后背。独孤信对部众说：“我们的人数，不满一千，却被前后夹攻，如果回军拦截张齐民，人民一定认为我们撤退，恐怕会四出狙击。不如直接攻击田八能，如果能把他击破，张齐民自会溃散。”遂继续挺进，击破田八能，乘胜袭击穰城（荆州州政府所在城，河南省邓州市）。辛纂出军迎战，大败奔回，还来不及关闭城门，独孤信命司令官（都督）武川（内蒙古武川县）人杨忠当前锋，飞马逼门，对守门卫兵大喝说：“大军已到，城里又有内应，你们为了保命，为什么不逃？”守门卫兵霎时间一哄而散。杨忠率军进城，砍下辛纂的人头，悬挂高竿，让人民参观，城中震恐顺服。独孤信分别出军，占领另外两个荆州（东荆州〔州政府设沘阳，河南省泌阳县〕、南荆州〔州政府设安昌，湖北省襄阳市南〕）。可是，半年之后，东魏大将高敖曹、侯景，率军突然抵达城下，独孤信的军队太少，无法抵御，遂跟杨忠一起逃奔南梁帝国（首都建康）。

五三五年
乙卯

南梁　大同　元年
东魏　天平　二年
西魏　大统　元年
（皇帝刘蠡升神嘉十一年）
（鲜于琛上愿元年）

1 春季，正月一日，南梁帝国（首都建康〔江苏省南京市〕）大赦。改年号大同。

2 同日（正月一日），西魏帝国（首都长安〔陕西省西安市〕）皇帝（〔西〕十六任文帝）元宝炬（本年二十九岁），在长安城西，登上宝座（古代帝王都在前殿登位，高欢拥戴元修登位时，改用鲜卑人传统仪式，在郊外祭拜天神后登极〔参考五三二年四月〕）。大赦，改年号大统，追尊老爹京兆王元愉绰号文景皇帝、娘亲杨女士为文景皇后。

渭州（州政府设襄武〔甘肃省陇西县〕）州长（刺史）可朱浑道元（可朱浑，三字姓），先前依附侯莫陈悦；侯莫陈悦败死（参考去年〔五三四〕四月），丞相宇文泰向他进攻，不能攻克，只好跟他结盟，撤退。可朱浑道元世代居住怀朔镇（内蒙古固阳县），跟东魏帝国（首都邺城〔河北省临漳县西南邺城镇〕）丞相高欢，友情很厚，而娘亲和老哥，又都身在邺城（河北省临漳县西南邺城镇），因此，常跟高欢书信来往。宇文泰打算再度发动攻击，可朱浑道元自问不能抵挡，遂放弃渭州（州政府襄武），率领他的部众三千户人家，西北渡过乌兰津（甘肃省靖远县西北黄河渡口），逃到灵州（州政府设回乐〔宁夏灵武市〕）。灵州州长（刺史）曹泥，用厚礼把他送到云州（州政府设盛乐〔内蒙古和林格尔县〕）。高欢得到消息，送去辎重和粮食，派人迎接南下，任命可朱浑道元当车骑大将军。

可朱浑道元抵达晋阳（高欢根据地，山西省太原市），高欢才得到十五任帝（孝武帝）元修死亡消息，上疏给现任皇帝（〔东〕十六任孝静帝）元善见（本年十二岁），请求发布讣闻，臣民改穿丧服。元善见命文武官员讨论，太学教授（大学博士）潘崇和，认为："旧君王在位时，对臣属暴虐无礼，则臣属不为旧君王穿丧服（反服）。所以，商王朝人民不哭姒履癸（夏王朝末任帝桀帝），周王朝人民不哭子受辛（商王朝末任帝纣帝）。"（《礼记 · 檀弓》：鲁国三十一任国君〔穆公〕姬显，问孔伋说："为旧君王穿丧服〔反服〕，是不是古代规矩？"孔伋说："古时候的正人君子，擢升官员时，态度虔敬；解除官员职务时，态度也虔敬，所以才有旧君王逝世，臣属穿丧服的现象。而今的正人君子，擢升人时，亲密得把他抱到膝头，解除他职务时，恨不得把他抛到深谷大海，还说什么为旧君王改穿丧服！"《孟子》：齐王国二任国王〔宣王〕田辟彊问："书上规定，臣属给旧君王穿丧服，什么情况下才如此？"孟轲说："臣属规劝的话，君王采纳实行，恩惠普及全民；臣属因故离职，君王派人引导他走出国境，并派人先到臣属居住的所在，代他安排，

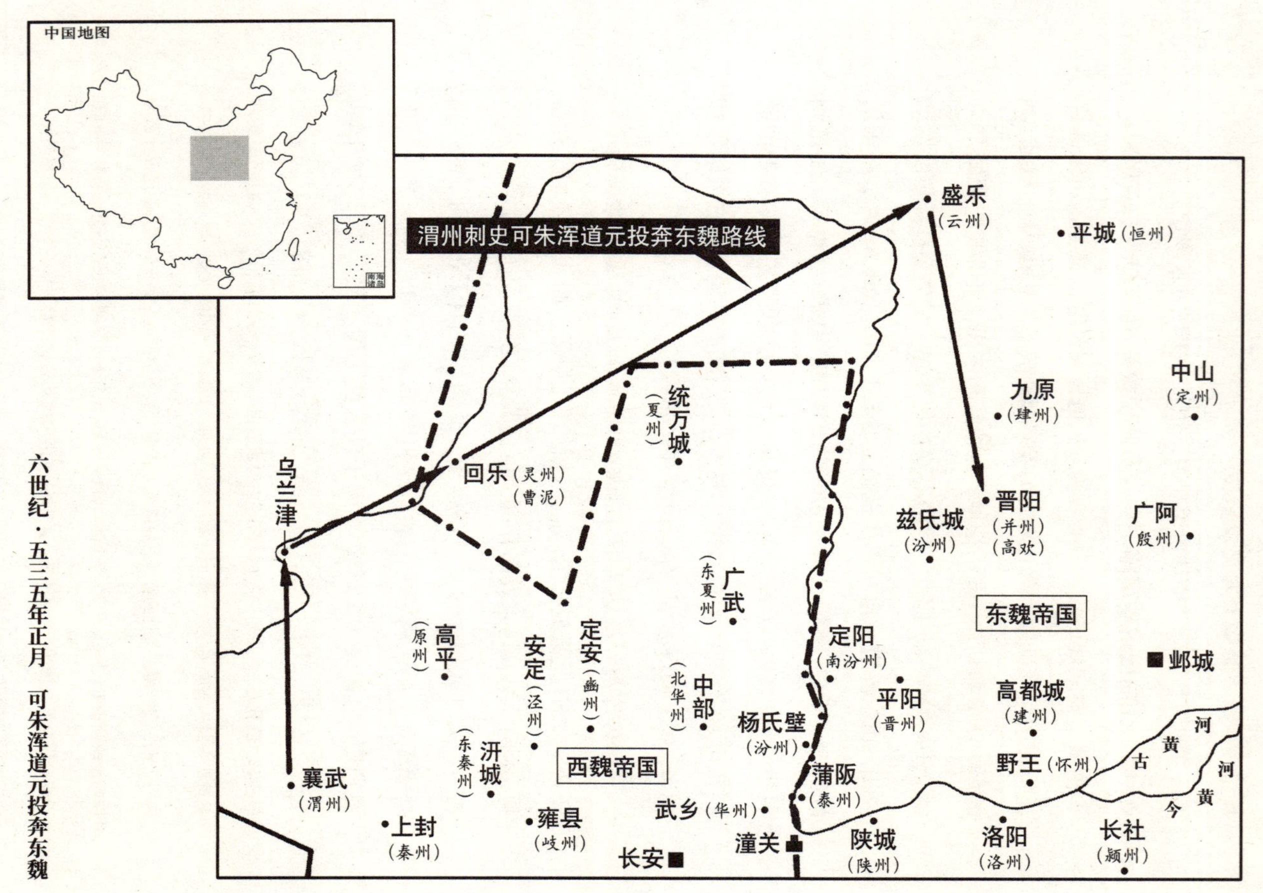

六世纪·五三五年正月 可朱浑道元投奔东魏

臣属三年仍不回国，君王才收回他的采邑，此之谓‘三项大礼’，这样的话，臣属当然为旧君王穿丧服。可是，现代的臣属，规劝的话从不被采纳，君王的恩德又不能普及全国，臣属因故离职，君王用暴力把他逮捕，又派人到他的住所，想把他杀掉；而且在他离开的当天，就把采邑收回；这种君王，只能算是强盗仇敌，对于强盗仇敌，穿什么丧服！”柏杨按：中国古书中很少有这种以平等地位评论君臣关系的话，读之耳目一新。）国立大学教授（国子博士）卫既隆、李同轨参与讨论，认为：“高皇后在去年（五三四）事变时，虽没有西奔，但也未曾正式宣布离婚（高欢把女儿嫁元修事，参考五三二年十二月），所以臣属仍应改穿丧服。”东魏政府采纳卫既隆、李同轨建议。

3 西魏帝国骁骑大将军、仪同三司（宰相级）李虎等，说服敕勒部落酋长费也头牧子（时驻陕西省最北部），联军攻击灵州（州政府回乐），凡四十天，灵州州长（刺史）曹泥投降。

正月二日，西魏帝元宝炬擢升丞相、略阳公爵宇文泰，当全国各军区总司令长官（都督中外诸军）、主管政府机要（录尚书事）、中央特遣全权政府总监（大行台）；封安定王。宇文泰坚持辞让王爵和主管政府机要（录尚书），于是，改封宇文泰当安定公爵。任命国务院总理（尚书令）斛斯椿当太保（上三公之三），广平王元赞当宰相（司徒）。

正月八日，元宝炬封原配乙弗女士当皇后（《北史·后妃传》：乙弗的先世，是吐谷浑汗国〔青海省〕的重要酋长，世居青海湖附近，南凉王国三任国王秃发凉檀因袭击乙弗部落而亡国〔参考四一四年五月至六月〕。北魏帝国消灭北凉王国后〔参考四三九年九月〕，乙弗皇后的高祖父乙弗莫环，率部归附，后裔追随七任帝元宏迁到洛阳，遂安家定居），封儿子元钦（年龄不详）当皇太子。乙弗皇后仁爱宽厚，生活节俭，从不嫉妒，元宝炬对她十分敬重。

4 变民首领、稽胡（匈奴的一支）部落酋长刘蠡升，自五二五年以来，自称皇帝，改年号神嘉，根据地在云阳谷（在山西省西部），北魏帝国边境，常受到攻击破坏，人民称为“胡荒”（胡人制造出来的灾荒）。

正月十五日，东魏帝国丞相高欢发动袭击，大破刘蠡升军。

5 东魏丞相高欢，原封勃海王；勃海世子（高欢嫡长子）高澄（本年十四岁），跟老爹的小老婆郑女士通奸。高欢从前方回到总部所在晋阳（山西省太原市），一个婢女向高欢告发，两个婢女出面作证；高欢打高澄一百军棍，把他囚禁；发怒如狂，连王妃娄昭君，也拒不见面。高欢接收北魏帝国十五任帝（孝武帝）元修的皇后尔朱英娥（尔朱荣的女儿）当小老婆，对她十分宠爱，生儿子高湝，高欢打算罢黜高澄，另立高湝当世子。高澄发现情势严重，急向国务院左执行长（尚书左仆射）司马子如求救。司马子如到王府探望高欢，假装不知道发生什么事，请求晋见王妃娄昭君，高欢告诉他原因。司马子如说：“我儿子司马消难，也跟我的小老婆通奸，这种家丑，只可以遮盖，怎么可以宣扬！王妃（娄昭君）跟你是结发夫妻，一直用她娘家的钱财，供你使用（参考五一九年二月）。你在怀州（州政府设野王〔河南省沁阳市〕）受棒打苦刑，背上血肉模糊，没有一块完整肌肤，王妃日夜守候在侧，照顾侍奉（此事《资治通鉴》没有记载）。后来，为了躲避葛荣（参考五二八年二月），一同逃到并州（州政府设晋阳〔山西省太原市〕），贫贱穷苦交加，王妃燃烧马粪，给你煮饭，亲自为你缝制皮靴，这种恩义，怎么可以忘记。皇天有眼，使你们夫妻感情和睦，女儿匹配天子（长女嫁十五任帝元修），儿子（指高澄）又继承大业。而且中央禁军总监（娄昭君的老弟娄昭，时任领军将军）建立的功勋，又怎么可以抹杀？女人（郑女士）不过一棵小草，岂值得珍惜？何况，婢女的话，不要相信。”高欢遂命司马子如重新审问。司马子如用暴烈手段，处理得干净利落，他探望高澄，斥责他说：“大丈夫为什么害怕权威，自己诬陷自己！”强迫两个挺身作证的婢女誓言她们所作的是伪证，又强迫那位挺身告发的婢女上吊而死，说她畏罪自杀，然后报告高欢说：“果然是假的！”高欢大为高兴，传见王妃娄昭君及世子高澄。娄昭君遥遥望见高欢，走一步跪下叩一个头，高澄也一面叩头一面向前爬，于是父子夫妻，相对哭泣，和好如初。高欢设筵相谢，说：“成全我们父子的，是司马子如！”送给他黄金一百三十斤。

柏杨曰

在高欢父子“和好如初”之时，我们为那三个可怜的婢女流泪。无知无识、一片纯真的少女，沦为婢女，已够悲惨，又不幸陷入主母和大少爷通奸漩涡。检举人被逼自缢，证人虽然改口，岂能再活人世。她们都是父母的爱女，只因为家没有钱，家人没有权，受人宰割。

娄昭君一代女杰，在那个半原始社会，她以富家之女的高贵身价，在一群低贱的苦工群中，委身高欢，高欢人财两得之后，才能起步，然而，贫贱夫妻的感情，一旦今非昔比，往往异化。儿子做错了事，跟娘亲何干？高欢所以迁怒老妻，只因为她是老妻而已，千年难逢的除旧换新的日子已到，不但儿子换，老婆也换，换上尔朱英娥。从娄昭君遥遥看见老公，一步一叩头，战栗恐怖表情，平日所受的折磨和痛苦，完全显露。贫贱夫妻百事哀，贫贱夫妻辛苦耕耘，成为富贵夫妻后，百事可能更哀。

6 正月十七日，西魏政府（首都长安）任命广陵王元欣当太傅（上三公之二），仪同三司（宰相级）万俟受洛干当最高监察长（司空）。

7 正月二十二日，东魏政府（首都邺城）任命丞相高欢当相国，赏赐皇帝诛杀时专用的铜斧（黄钺），和特别荣耀。高欢坚决辞让，不肯接受。

中央特遣全权政府执行官（大行台尚书）司马子如，率总司令官（大都督）窦泰、泰州（州政府设蒲阪〔山西省永济市〕）州长（刺史）韩轨等，进攻被西魏夺回的潼关（陕西省潼关县）；西魏丞相宇文泰，驻军霸上（陕西省西安市东灞河畔）。司马子如跟韩轨，回军绕道蒲津（蒲津关，山西省永济市西黄河渡口），在夜色掩护下，渡过黄河，直接攻击华州（州政府设武乡〔陕西省大荔县〕）。当时，州城整修还没有完竣，高梯、鹰架，都倚在城外，正是为敌人准备好的爬城台阶。拂晓，东魏军不费吹灰之力，攀登而入。州长（刺史）王罴还在床上睡觉，听到院子里人声喧哗，情况有异，一跳而起，光着头和身子，赤着双脚，舞动一根木棍，大吼冲出，东魏军看见，吓了一跳，急行后退。王罴追逐到东门，左右卫士和军队闻声集结，双方决战，王罴终于击败东魏军。司马子如等率军撤退（去年〔五三四〕九月，高欢命薛绍宗当华州〔州政府武乡〕州长〔刺史〕，西魏帝国不知何时收回，改派王罴）。

8 二月四日，南梁帝（一任武帝）萧衍（本年七十二岁），在皇家大会堂（明堂）举行祭祀。

9 二月五日，东魏帝国任命咸阳王元坦当太傅（上三公之二），西河王元悰当全国武装部队总司令（太尉）。

中央政府派国务院右执行长（尚书右仆射）高隆之，征调十万名民夫，拆除洛阳皇宫，把建筑材料运到邺城（河北省临漳县西南邺城镇）。

10 二月十日，南梁帝萧衍主持亲自耕田典礼。

11 东魏仪同三司（宰相级）娄昭等，进攻叛离的兖州（州政府设瑕丘〔山东省济宁市兖州区〕）州长（刺史）樊子鹄（三州结盟事，参考去年〔五三四〕十月）。樊子鹄命前胶州（州政府设东武〔山东省诸城市〕）州长（刺史）严思达，驻守东平（山东省东平县）；娄昭攻克东平；大军遂包围瑕丘（兖州州政府所在城），但很久不能攻克，娄昭决河水（洙水）灌城。

二月十二日，南青州（州政府设团城〔山东省沂水县〕）州长（刺史）大野拔，晋见樊子鹄请示公务，乘势斩樊子鹄，投降娄昭。

最初，樊子鹄因手下军队太少，把老翁和孩童都裹挟来当兵，樊子鹄既死，这些人四散逃走；各将领劝娄昭把他们全部捕杀，娄昭说："兖州（州政府瑕丘）命运不幸，无缘无故，受到蹂躏破坏，人民渴望中央军前来解救，使他们跳出火坑，而今反而受到诛杀，他们的冤苦，将向谁哭诉！"一律赦免，不再追问。

12 二月二十一日，南梁帝国司州（州政府设义阳〔河南省信阳市〕）州长（刺史）陈庆之，攻击东魏帝国，跟东魏豫州（州政府设悬瓠〔河南省汝南县〕）州长（刺史）尧雄（尧，姓）会战；陈庆之失利，撤退。

13 三月十五日，东魏政府任命高盛当全国武装部队总司令（太尉），高敖曹当宰相（司徒），济阴王元晖业当最高监察长（司空）。

丞相高欢跟变民首领、皇帝刘蠡升（时据云阳谷〔在山西省西部〕），双方同意和解，高欢更把女儿许配给刘蠡升的皇太子。刘蠡升大为高兴，相信高欢的诚意，不再戒备，高欢遂派军奇袭。

三月十五日，刘蠡升的北部王（姓名不详），眼看大势已去，砍下刘蠡升的人头，投降。残余的部众继续拥戴刘蠡升的儿子南海王（名不详）；高欢继续进攻，生擒南海王，俘虏刘蠡升的皇后、亲王、三公以及部长级以下官员四百余人，以及汉人、蛮夷族约五万余户人家。

三月二十六日，高欢从晋阳（山西省太原市）前往首都邺城（河北省临漳县西南邺城镇），朝见东魏帝元善见，把原嫁给十五任帝（孝武帝）元修当皇后的大女儿（参考五三二年十二月），再嫁给彭城王元韶。

14 西魏帝国（首都长安）丞相宇文泰，因军事行动不能停止，官员人民全都辛劳疲惫不堪，命有关单位收集古今可以因应变局的治国方案，制订二十四条新法规，奏报皇帝批准施行。

宇文泰用武功郡（陕西省武功县西）人苏绰，当中央特遣政府助理官（行台郎中），到职一年有余，对他并不重视；但特遣政府所有官员，都佩服他的才能，有什么困惑，都找他商量，请他裁决。有一次，宇文泰跟国务院执行长（仆射）周惠达讨论一件事情，周惠达不能回答，出去收集资料。出去后，告诉苏绰，苏绰为他分析解释，拟定计划，周惠达回去，报告宇文泰，宇文泰十分欣赏，问道：“谁给你贡献的意见？”周惠达告诉是苏绰，并且赞扬苏绰有辅佐君王的才干，宇文泰遂擢升苏绰当国史编撰官（著作郎）。一天，宇文泰跟政府高级官员，前往昆明池参观捕鱼，走到西汉王朝时代的仓池（仓池在西汉王朝未央宫西，池中有小岛，名渐台，新王朝一任帝王莽就死在那里；参考二三年九月）。宇文泰打听是什么地方，没有人知道，召见苏绰询问，苏绰一一回答，宇文泰大为高兴，因而问到天地万物起源，以及历代王朝兴亡事迹，苏绰回答之快，如同流水。宇文泰跟苏绰并肩骑马，慢慢往前走，走到昆明池，竟没有架设鱼网，即行返回。

宇文泰遂把苏绰留在总部谈话，直到深夜，请教治理帝国的方略。最初，宇文泰躺在那里谛听；苏绰指出政治的特质及管理的要点，宇文泰起身，穿好衣服，严肃端坐，不知不觉把双膝移近苏绰，两人一直谈到天亮，还没有谈完。次日清晨，宇文泰对周惠达说：“苏绰真是一位奇士，我正想把政府委托给他。”再擢升苏绰当中央特遣全权政府政务秘书长（大行台左丞），参与并主管机密决策，从此，宇文泰对他一天比一天更加宠爱和信任。苏绰也不辜负宇文泰的期许，开始拟订政府公文管理办法，以及政府权力作业运转规则，建立预算制度，以及确定户籍细则，后世的人差不多都承袭遵循他所制定的法规。

15 东魏政府（首都邺城）任命封延之当青州（州政府设东阳〔山东省青州市〕）州长（刺史），接替侯渊（侯渊夺取州长事，参考去年〔五三四〕十月）。侯渊突然被剥夺州长职位，心中恐惧，走到广川郡（东广川郡，山东省邹平市东），叛变，率私人军队于夜晚袭击青州（东阳）南城外郭，对各郡县大肆抢劫。

夏季，四月，丞相高欢命济州（州政府设碻磝〔山东省聊城市茌平区西南〕）州长（刺史）蔡俊讨伐；侯渊部属纷纷背叛逃走，侯渊打算南下投奔南梁帝国（首都建康），在路上被一个卖酒的人格杀，把人头送到首都邺城（河北省临漳县西南邺城镇）。

16 南梁帝国（首都建康）镇北将军元庆和（参考去年〔五三四〕十月），进攻东魏帝国（首都邺城）的城父（安徽省亳州市东南城父镇）。东魏丞相高欢派高敖曹率三万人增援项县（河南省沈丘县）、窦泰率三万人增援城父、侯景率三万人增援彭城（江苏省徐州市）。命任祥当中央驻东南特遣政府执行长（东南道行台仆射），指挥各军。

17 五月，西魏政府加授丞相宇文泰柱国大将军（正一品）。

18 南梁帝国镇北将军元庆和，率军进逼东魏帝国南兖州（州政府设谯城〔安徽省亳州市〕）。东魏洛州（州政府设洛阳〔河南省洛阳市东白马寺东〕）州长（刺史）韩贤出军抵抗。

六月，元庆和再攻南顿（河南省项城市），被东魏豫州（州政府设悬瓠〔河南省汝南县〕）州长（刺史）尧雄击败。

19 秋季，七月三十日，西魏帝国任命开府仪同三司（宰相级）念贤当全国武装部队总司令（太尉）、万俟受洛干当宰相（司徒）、开府仪同三司（宰相级）越勒肱（越，姓）当最高监察长（司空）。

20 南梁帝国益州（州政府设成都〔四川省成都市〕）州长（刺史）鄱阳王萧范、南梁州（州政府设阆中〔四川省阆中市〕）州长（刺史）樊文炽，联军包围西魏帝国的晋寿（四川省广元市西南，西魏益州州政府所在县），西魏东益州（州政府设武兴〔陕西省略阳县〕）州长（刺史）傅敬和，前往南梁军大营投降。萧范，是萧恢的儿子（萧恢，是南梁帝萧衍的老弟，参考五〇〇年九月）。傅敬和，是傅竖眼的儿子（傅竖眼，参考五〇三年十月）。

21 西魏帝元宝炬下诏，逐一列举高欢二十条罪状，誓言："我将亲统六军，会同丞相（宇文泰），扫除凶恶丑类。"东魏丞相高欢，也向西魏发布文告，指控宇文泰、斛斯椿都是叛徒，誓言："我已下令各将领，率大军百万，立即西向讨伐。"

22 东魏政府派中央特遣政府总监（行台）元晏，反击南梁镇北将军元庆和的不断北侵。

有人控告最高监察长（司空）济阴王元晖业、国务院国防部长（七兵尚书）薛琡，跟西魏帝国暗中勾结。

八月十七日，东魏帝元善见下诏逮捕二人，押送晋阳（高欢根据地，山西省太原市），交给丞相高欢处置；都被免除官职。

八月二十日，东魏政府征调民夫七万六千人，前往首都邺城（河北省临漳县西南邺城镇）兴建新的皇宫，命国务院执行长（仆射）高隆之，跟最高监察署军械军事参议官（司空胄曹参军）辛术，共同主持督促；兴筑邺城南城，长达二十五华里。辛术，是辛琛的儿子（辛琛事，参考五〇七年八月）。

23 北魏帝国内宫司令官（阁内都督）赵刚，从蛮夷居留区出来（赵刚事，参考去年〔五三四〕九月），晋见东魏帝国东荆州（州政府设沘阳〔河南省泌阳县〕）州长（刺史）赵郡（河北省赵县）人李愍，劝李愍归附西魏帝国，李愍应允。赵刚因此得以前往西魏首都长安（陕西省西安市）。丞相宇文泰任命赵刚当左最高资政官（左光禄大夫，正二品）。赵刚向宇文泰建议：把逃亡到南梁帝国（首都建康）的贺拔胜、独孤信等，邀请他们回来，共赴国难（二人南奔，参考去年〔五三四〕九月及闰十二月）。宇文泰派赵刚前往南梁帝国请求。

24 九月十四日，东魏政府任命开府仪同三司（宰相级）、襄城王元旭当最高监察长（司空）。

25 冬季，十月，西魏帝国太师（上三公之一）、上党王（文宣王）

长孙稚逝世。

秦州（州政府设上封〔甘肃省天水市〕）州长（刺史）王超世，是丞相宇文泰妻子的老哥，骄傲贪污，宇文泰奏报西魏帝元宝炬，请求依法办理。元宝炬下诏（宇文泰诏），命王超世自杀。

26 十一月五日，南梁帝国总监督长（侍中）、首都中区卫戍司令（中卫将军）徐勉逝世（年七十岁）。徐勉骨鲠正直，虽然不如范云，但也不一味逢迎别人、轻易放弃自己立场（徐勉、范云贤明，参考五〇三年五月）。所以谈到南梁帝国贤明的宰相，都称赞范云、徐勉（范云先死，徐勉又死，萧衍专任朱异，帝国遂陷险境）。

27 十一月十一日，东魏帝元善见到南郊圆形祭坛上，祭祀天神。

十一月十二日（原文“甲午”，据《魏书》改），首都邺城（河北省临漳县西南邺城镇）阊阖门（在端门内）失火。当阊阖门完工时，国务院执行长（仆射）高隆之，骑在马上远远眺望，对工匠说：“西南角高了一寸。”测量的结果，果然如此。可是宫廷库藏部长（太府卿）任忻集，自认为他的工程精巧，拒绝改正。高隆之怀恨在心，遂利用阊阖门失火，向丞相高欢诬告说：“任忻集暗中与西魏（西魏帝国）勾结，所以派人焚烧。”高欢遂斩任忻集。

28 南梁帝国北梁州（州政府设魏兴〔陕西省安康市〕）州长（刺史）兰钦，率军进攻陷入西魏帝国之手的南郑（陕西省汉中市），西魏任命的梁州（州政府南郑）州长（刺史）元罗，献出梁州投降（第九次南北大战中，南梁帝国失去梁州地区〔陕西省南部及四川省北部〕，参考五〇五年四月；如今完全收复）。

29 东魏政府任命丞相高欢的次子高洋（本年七岁），当骠骑大将军、开府仪同三司（宰相级），封太原公爵。高洋心中非常明智，可是外表看起来却有点像白痴，兄弟和其他家属，对他非常鄙视，常常嗤之以鼻；只老爹高欢觉得他不同凡俗，对秘书长（长史）薛琡说："这孩子的见识一定超过我。"小时候，高欢为了试探他所有儿子的志趣，命他们把一团乱丝理出头绪，其他儿子都埋头工作，只高洋抽出佩刀，把乱丝砍断，说："对付乱，只有斩！"又有一次，高欢命儿子们率军各自出去驻防，而命司令官（都督）彭乐，率骑兵假装是敌军，向他们发动攻击；老哥高澄等，全都恐怖发抖，只高洋率军跟彭乐格斗。彭乐脱下头盔，告诉详情，但高洋仍逮捕彭乐，呈献高欢（一派胡言，高洋本年七岁，不可能指挥军队与彭乐格斗）。

最初，中央特遣全权政府事务秘书长（大行台右丞）杨愔（音yīn〔因〕）的堂兄、岐州（州政府设雍城〔陕西省宝鸡市凤翔区〕）州长（刺史）杨幼卿，因言语正直，被十五任帝（孝武帝）元修诛杀。杨愔同事郭秀，嫉妒他的才干能力，要把他排除，恐吓他说："高王（高欢）打算把你送到皇上（元修）那里。"杨愔果然害怕，改变姓名，逃到田横岛（山东省青岛市即墨区东崂山湾口海边小岛，田横五百将士死难处；参考前二〇二年五月）。很久之后，高欢听说他还活在人世，征召他当太原公爵府（高洋）军政官（开府司马）。不几天，恢复中央特遣全权政府事务秘书长（大行台右丞）。

十二月二十二日，东魏政府对所属文武官员，依照事务的简繁、工作的多少，发给他们薪俸。

30 西魏政府擢升念贤当太傅（上三公之二），河州（州政府设枹罕〔甘肃省临夏市〕）州长（刺史）梁景叡当全国武装部队总司令（太尉）。

31 本年（五三五），南梁帝国鄱阳郡（江西省鄱阳县）变民首领鲜于琛，叛离政府，改年号上愿，有部众一万余人。鄱阳郡郡长（内史）吴郡（江苏省苏州市）人陆襄讨伐，生擒鲜于琛；处理鲜于琛的党羽，十分宽大，没有人被冤杀。民间传出歌谣说：“鲜于琛平定后，善恶分明；人民没有一个冤死，全靠陆襄救命。”

32 柔然汗国（瀚海沙漠群）可汗（十四任敕连头兵豆伐可汗）郁久闾阿那瓌，向东魏帝国（首都邺城）皇家求婚，东魏丞相高欢，把常山王（元骘）的妹妹兰陵公主，嫁给郁久闾阿那瓌（元骘世系不详）。

郁久闾阿那瓌对西魏帝国（首都长安）不断攻击，西魏政府派立法院立法官（中书舍人）库狄峙，出使柔然汗国，约定和亲——也献出公主，柔然汗国遂即停止侵扰。

五三六年 丙辰

南梁　大同　二年
东魏　天平　三年
西魏　大统　二年

1 春季，正月九日，西魏帝国（首都长安〔陕西省西安市〕）皇帝（〔西〕十六任文帝）元宝炬（本年三十岁），前往首都长安南郊，祭祀天神，改由始祖拓跋力微奉陪天神，接受祭祀（七任帝元宏在位时，四九二年正月，以一任帝拓跋珪配享天神，现在更推前二百余年。拓跋力微一七四年生，二七七年死，长命一〇四岁）。

2 正月二十二日，东魏帝国（首都邺城〔河北省临漳县西南邺城镇〕）丞相高欢，亲自率一万余骑兵，袭击西魏帝国夏州（州政府设统万〔陕西省靖边县北白城则村〕），行军途中从不停留煮饭，而只吃干粮，四天时间，即行到达（晋阳〔高欢根据地，山西省太原市〕至夏州，两地航空距离二百五十公里，中隔黄河，黄河两岸又是万山，山路盘旋曲折），把铁矛绑起来当作云梯，乘夜爬墙入城，生擒西魏任命的州长（刺史）斛拔俄弥突；高欢命他接受东魏政府任命，继续当州长（刺史），斛拔俄弥突同意，高欢把斛拔俄弥突部众五千余家，强行东迁，即行班师；留司令官（都督）张琼协防。

3 西魏帝国灵州（州政府设回乐〔宁夏灵武市〕）州长（刺史）曹泥，跟他的女婿、凉州（州政府设姑臧〔甘肃省武威市〕）州长（刺史）、普乐郡（郡政府回乐）人刘丰，再一次叛变，投降东魏帝国（曹泥被迫投降西魏事，参考去年〔五三五〕正月），西魏大军包围灵州（州政府回乐），决黄河的水灌城。仅差四尺，水就把城淹没。东魏丞相高欢，征调阿至罗部落骑兵三万人（高欢招安阿至罗部落事，参考五三三年二月），直指灵州（回乐），绕到西魏军背后，西魏军不愿腹背受敌，撤退。高欢率骑兵亲自迎接曹泥及刘丰，护送他们的部众五千户人家而回；任命刘丰当南汾州（州政府设定阳〔山西省吉县〕）州长（刺史）。

4 东魏政府（首都邺城）加授丞相高欢“九锡”（九锡，参考四年）；高欢坚决辞让，政府才中止实施。

5 南梁帝国（首都建康〔江苏省南京市〕）皇帝（一任武帝）萧衍（本年七十三岁），兴筑皇基寺（在江苏省丹阳市东），为老爹萧顺之的亡魂，祈祷佛祖赐福；命有关单位收集良好木材。曲阿（江苏省丹阳市）人弘先生（名不详），从湘州（州政府设临湘〔湖南省长沙市〕）购买巨大林木，顺长江东下；南津（南州津，安徽省当涂县西长江渡口）保安司令（南津校尉）孟少卿，为了谄媚萧衍，诬陷弘先生是强盗，处斩，巨大木材没收，用作皇基寺建材。

无论“诬以谋反”，或“诬以抢劫”，目的只不过是向上谄媚表态，以便无官有官、有官升官，如此而已。法律在豺狼手中，比没有法律，还要可怕。

二月四日，萧衍主持亲自耕田典礼。

6 东魏帝国勃海世子高澄（高欢的嫡长子），年十五岁，当中央特遣全权政府总监（大行台）、并州（州政府设晋阳〔山西省太原市〕）州长（五三三年三月，高欢受命当中央特遣全权政府总监〔大行台〕，高欢转授给儿子高澄，高欢家住晋阳，乃并州州政府所在，任何人都没有亲生儿子可靠，遂由高澄担任）。高澄请求到中央政府任职，丞相高欢不准。丞相府主任秘书（丞相主簿）乐安郡（山东省广饶县）人孙搴（音qiān〔千〕），代高澄请求，高欢才批准。

二月二十六日，东魏帝（〔东〕十六任孝静帝）元善见（本年十三岁）下诏，命高澄当国务院总理（尚书令），加授中央禁军总监（领军）、京畿总司令官（京畿大都督）。中央政府官员虽然听到过高澄的器宇见识，但总认为他不过一个少年。高澄既抵达首都邺城（河北省临漳县西南邺城镇），执法严厉，推动政令，通行无阻，没有人敢拖延耽误，内外都感到震惊敬佩。高澄任命并州州政府总务官（别驾）崔暹，当国务院并州分院政务秘书长（左丞）、文官部考选助理官（吏部郎），至为亲切信任。

柏杨曰

高欢是一代豪杰，他跟曹操一样，受到世人相当高的推崇，比起南朝那些君王，诸如刘裕、萧道成、萧衍、陈霸先之类，高欢高居天上。但是，他对儿子们的骄纵，却是大错。刘裕虽然加封儿子名号，还知道用佐理人员负实际责任，而高欢却命一个十五岁的小娃，直接掌握政权，这等于把一条毒蛇交给三岁顽童。高欢竟然不知道它的危险性，诚不可思议。只不过一缕私心，遂使眼目全盲。

国务院左执行长（尚书左仆射）司马子如，与宫廷膳食管理官（尚食典御）高季式，宴请孙搴，孙搴酩酊大醉，竟而醉死。丞相高欢亲自前往孙家祭悼，司马子如叩头，请求处罚，高欢说："你砍断我的右臂，就由你找一个接替。"司马子如推荐立法院主任立法官（中书郎）魏收，高欢命魏收当主任秘书（主簿）。魏收，是魏子建的儿子（魏子建，参考五二四年十二月）。过了些时，高欢对高季式说："你用酒灌死我的孙主任秘书，而魏收处理公文的能力，我不能满意，宰相（高季式的老哥司徒高敖曹）曾经称赞有一个人非常谨慎小心，那人是谁？"高季式遂推荐宰相府记录官（司徒记室）、广宗郡（河北省威县东）人陈元康，说："他在黑夜里都能写字，反应敏捷。"高欢召见陈元康，一见面就任命他当大丞相府人事官（大丞相功曹），主持机要；不久，升迁中央特遣全权政府法务部畿内巡察助理官（大行台都官郎）。当时，军事紧急，国家多事，可是，大小问题，陈元康全都知道。高欢有时出门，临时命陈元康跟随在马后，有一次，高欢在马上发出指令九十余项，陈元康用手指一一细数，全都记得，没有遗漏。陈元康跟人事官（功曹）平原郡（山东省聊城市）人赵彦深，一同主持机要，时人称他们"陈赵"，而陈元康的权势，远在赵彦深之上，他的性情温柔谨慎，高欢对他至为欣赏，说：“这样的人才，实在难得，是上天把他赐给我。”赵彦深是别名，本名赵隐，但一直使用别名。

丞相高欢命阿至罗部落军，进逼西魏帝国秦州（州政府设上封〔甘肃省天水市〕）州长（刺史）万俟普。高欢动员大军，在东方呼应。

7 三月七日，南梁帝国（首都建康）丹阳郡人陶弘景逝世（年八十一岁）。陶弘景学问渊博，多才多艺，喜爱研究延长寿命的方法。在南齐帝国时代，陶弘景“奉朝请”（特准参加御前会报），后来辞去“奉朝请”，在茅山（江苏省句容市东南）隐居。萧衍很早的时候，就跟他有来往交游，等到当了皇帝，对陶弘景十分礼遇厚待，每次接到陶弘景的信，都会焚香展读；屡次亲笔写信，请他到京师（首都建康），陶弘景都不肯出山，政府每有吉凶大事或出兵讨伐大事，没有一件不先行询问他的意见。一月之中，总要交换数信，当时人称之为“山中宰相”。陶弘景临死时，用诗写下遗言：“王衍任散诞／何晏坐论空／岂悟昭阳殿／遂作单于宫（王衍事参考三一一年四月，何晏事参考二四九年正月，二人都以清谈〔穷嚼蛆〕不务实际，害民误国，闻名于世）。”当时知识分子及在职官员或离职士绅，互相比赛谈论哲学玄理，不懂武略，所以陶弘景用诗表达他的忧虑（陶弘景被后世道教当作神仙供奉，十三年后的五四九年，侯景攻陷台城〔宫城〕，居住昭阳殿，以后并在昭阳殿登极称帝，道教遂坚持陶弘景有先知法术）。

8 三月十三日，东魏政府任命华山王元鸷当最高指挥官（大司马）。

9 西魏帝国任命凉州（州政府设姑臧〔甘肃省武威市〕）州长（刺史）

李叔仁当宰相（司徒），万俟受洛干当太宰（上公）。

10 夏季，四月二十五日，南梁政府（首都建康）任命骠骑大将军、开府同三司之仪（副宰相级）元法僧，当全国武装部队总司令（太尉）。

国务院右秘书长（尚书右丞）、考城（侨县，江苏省盱眙县南）人江子四，呈递"亲启密奏"，直率抨击政治上的缺失。

五月三日，南梁帝萧衍下诏回答，说："古人有句俗话，'屋顶上漏水，屋底下的人先知道。'我有过错，自己不能察觉，江子四等呈递'亲启密奏'所作批判，国务院（尚书）应时常加以检查约束，对人民有害的措施，要马上向我作详细报告。"

江子四岂敢真正直言，萧衍又岂能作一星点改过。上书下诏，一出三流野台戏。

11 五月二十八日，东魏帝国（首都邺城）全国武装部队总司令（太尉）高盛（高欢的堂叔祖父）逝世。

12 西魏帝国（首都长安）最高监察长（司空）越勒肱逝世。

秦州（州政府设上封〔甘肃省天水市〕）州长（刺史）万俟普，跟他的儿子、太宰（上公）万俟受洛干，豳州（州政府设定安〔甘肃省宁县〕）州长（刺史）叱干宝乐，首都西区卫戍司令（右卫将军）破六韩常（破六韩，三字姓），及将领三百人，投奔东魏帝国。（胡三省注："阿至罗部落军逼近，万俟普才得以行动。"）丞相宇文泰派轻装备骑兵追击，追到河北（疑指无定河以北）

一千余华里，没有追上，撤退。

13 秋季，七月一日，东魏帝国大赦。

14 南梁帝萧衍，待北魏帝国投降过来的将领贺拔胜等，十分优厚。贺拔胜请求出军攻击东魏帝国丞相高欢，萧衍不许。贺拔胜等思念家乡，打算北返，前荆州（州政府设穰城〔河南省邓州市〕）总司令官（大都督）、抚宁郡（陕西省米脂县）人史宁，对贺拔胜说："朱异最得皇上信任，言听计从，请用心跟他结交。"贺拔胜照办，萧衍果然同意贺拔胜、史宁，以及卢柔（与贺拔胜一同南奔），全都北返，并且在南苑御花园设下酒筵，亲自为他们饯行送别。贺拔胜对萧衍深为感激，从此看见无论飞禽走兽，只要向南飞或向南奔跑的，都不忍射杀。贺拔胜等走到襄城（河南省襄城县），东魏帝国丞相高欢派侯景率轻装备骑兵，中途拦击，贺拔胜等抛下船只，翻山越岭，从小路逃回西魏帝国，随从的人饥寒交加，一大半死在路上。好不容易走到首都长安（陕西省西安市），到皇宫门前请求处罚，西魏帝元宝炬拉住贺拔胜的手，唏嘘叹息，说："君王（元修）逃难，乃是天意，不是你们的错。"丞相宇文泰推荐卢柔当参谋指挥官（从事中郎），跟苏绰共同主持机要。

15 九月四日，东魏政府任命定州（州政府设中山〔河北省定州市〕）州长（刺史）侯景，兼国务院右执行长（兼尚书右仆射）及中央驻南方特遣政府总监（南道行台），率各将领进攻南梁帝国。

16 西魏政府任命扶风王元孚当宰相（司徒），斛斯椿当太傅（上三公之二）。

17 冬季，十月八日，南梁帝萧衍下令全国动员，对东魏帝国发动总攻。东魏侯景率军七万人，攻击南梁帝国楚州（州政府设楚王城〔河南省信阳市北〕），俘虏南梁任命的州长（刺史）桓和；大军向淮河推进。南梁帝国南司州（州政府设南义阳〔湖北省孝昌县〕）兼北司州（州政府设义阳〔河南省信阳市〕）州长（刺史）陈庆之，迎头痛击，侯景大败，抛弃辎重逃走。

十一月二日，南梁帝国撤回北伐大军。

18 西魏政府把皇家先祖拓跋力微的祭庙，由始祖改称太祖，把一任帝（道武帝）拓跋珪的祭庙，由太祖改称烈祖（北魏帝国对拓跋力微、拓跋珪的祭庙，已改过一次，参考四九一年闰七月）。

19 十二月，东魏政府（首都邺城）擢升并州（州政府设晋阳〔山西省太原市〕）州长（刺史）尉景当太保（上三公之三）。

十二月六日，东魏政府派使节前往南梁帝国（首都建康），请求和解；南梁帝萧衍同意。

东魏帝国清河王（文宣王）元亶（现任帝元善见的老爹）逝世（《魏书》《北史》没有《元亶传》，《国典》《典略》则说是被高欢谋杀）。

十二月十一日，丞相高欢率各军，对西魏帝国（首都长安）发动总攻；派宰相（司徒）高敖曹攻上洛（陕西省商洛市商州区），总司令官（大都督）窦泰攻潼关（陕西省潼关县）。

十二月十七日，任命咸阳王元坦当太师（上三公之一）。

20 本年（五三六），西魏帝国关中地区（陕西省中部）灾荒，发生大规模饥馑，人民互相格杀吞食，死亡十分之七八（人间惨事）。

五三七年 丁巳

南梁 大同 三年
东魏 天平 四年
西魏 大统 三年

1 春季，正月，南梁帝国（首都建康〔江苏省南京市〕）皇帝（一任武帝）萧衍（本年七十四岁），到首都建康南郊，祭祀天神。大赦。

2 东魏帝国（首都邺城〔河北省临漳县西南邺城镇〕）丞相高欢，率西征大军，驻防蒲阪（山西省永济市），横跨黄河兴造三座浮桥，打算渡河。西魏帝国（首都长安〔陕西省西安市〕）丞相宇文泰，驻防广阳（陕西省西安市临潼区北），对各将领说："匪徒（指东魏军）三路攻击，兴造黄河浮桥，目的不过表示非渡河不可。事实上是想套牢我们的部队，而使窦泰得以乘虚向西深入。高欢自从拥有武装部队以来，每次作战都由窦泰当前锋，所以窦泰手下，全是精锐，屡战屡胜，但这也就是他的致命伤，因为将士过分骄傲。我们如今袭击窦泰，一定大获全胜，只要击败窦泰，用不着攻击高欢，他自会撤退。”各将领都说：“匪徒（高欢）近在眼前，舍弃他而去远征窦泰，万一发生差错，后悔已来不及，最好的策略是：分别抵御。”丞相宇文泰说：“高欢两次攻击潼关（陕西省潼关县），我们主力从没有离开霸上（陕西省西安市东灞河畔。五三四年九月，高欢攻潼关。前年〔五三五〕正月，高欢再攻潼关）。今年大规模侵犯，一定认为我们也会跟从前一样，采取守势，心里多少有点轻视，我们就利用他们这种自我膨胀心理，向他们发动奇袭，不必担心不能攻克。盗匪（高欢）虽然兴造浮桥，但不能马上渡过。不过五天，我一定制服窦泰。”中央特遣政府政务秘书长（行台左丞）苏绰、大营军事参议官（中兵参军）鲜卑人（代人）达奚武，也都同意。

正月十四日，丞相宇文泰返回首都长安（陕西省西安市），各将领的意见仍不能完全一致。宇文泰不再谈他的计划，而询问族侄、国务院行政司长（直事郎中）宇文深，宇文深说：“窦泰，是高欢手下最强悍的大将。我们如果进攻蒲阪（山西省永济市），高欢内线防守，而窦泰外线增援，我们就会被前后夹击，处境危险。最好是派出轻装备精锐骑兵，暗中偷渡小关（潼关南禁谷），窦泰心急气躁，一定会阻截决战；高欢小心谨慎，绝不敢马上出动主力救援，我们则对窦泰猛烈攻击，必可以把他生擒。只要生擒窦泰，高欢的气势自然衰败，我们再回军向他攻击，绝对取得胜利。”宇文泰说：“这正是我的想法。”于是宣称打算退守陇右（陇山以西）。

正月十五日，宇文泰晋见皇帝（〔西〕十六任文帝）元宝炬（本年三十一岁)，然后率领军队，秘密向东挺进。

正月十七日，拂晓，抵达小关（潼关南禁谷），窦泰突然接到敌人大军逼近的情报，立即从风陵渡（山西省永济市西南，潼关对河渡口）渡河；宇文泰已进抵马牧泽（小关东北），猛攻窦泰，大破东魏兵团，几乎把所有士卒屠杀净光。窦泰羞愤交集，自杀。西魏军砍下他的人头，呈献首都长安（陕西省西安市）。高欢因黄河结冰仍然脆薄，不能在冰上行军，无法援救，只好撤除浮桥，退走；仪同（宰相级）鲜卑人（代人）薛孤延担任后卫，掩护大军撤退，整日格斗，身上被砍十五刀，自己的刀也都砍断，幸而逃出一命。宇文泰大获全胜，率军班师。

东魏帝国南路军高敖曹，从商山（陕西省商洛市东南）发动一连串攻击，节节推进，所向无敌，遂进逼上洛（陕西省商洛市商州区），郡民泉岳跟老弟泉猛略，结合顺阳郡（河南省淅川县东南）人杜窟（音kū〔枯〕）等，阴谋翻出城墙接应。西魏帝国洛州（州政府上洛）州长（刺史）泉企，得到消息，诛杀泉岳及泉猛略，杜窟逃走，投奔高敖曹。高敖曹遂用杜窟当向导，发动攻击。泉企竭力抵抗，高敖曹身中流箭，被射穿的有三处，栽到马下，死而复苏，再上战马，脱下头盔，绕城巡查军营督战。泉企坚守城池十余日，两个儿子泉元礼、泉仲遵，协助老爹誓死抵抗；泉仲遵眼被射中，不能格斗，城遂陷落。泉企被俘，押解去见高敖曹，泉企说："我已用尽我的力量，不是心甘情愿屈服。"高敖曹命杜窟当洛州（州政府上洛。东魏帝国另有洛州，州政府设故都洛阳）州长（刺史）。高敖曹伤势严重，危在旦夕，叹息说："恨我看不见我老弟高季式主持一州。"丞相高欢听到报告，立即派高季式当济州（州政府设碻磝〔山东省聊城市茌平区西南〕）州长（刺史）。

高敖曹打算继续前进，攻击蓝田（陕西省蓝田县），高欢派人通知他："窦泰阵亡，人心震恐，应迅速东返。道路太险而盗匪（西魏军）

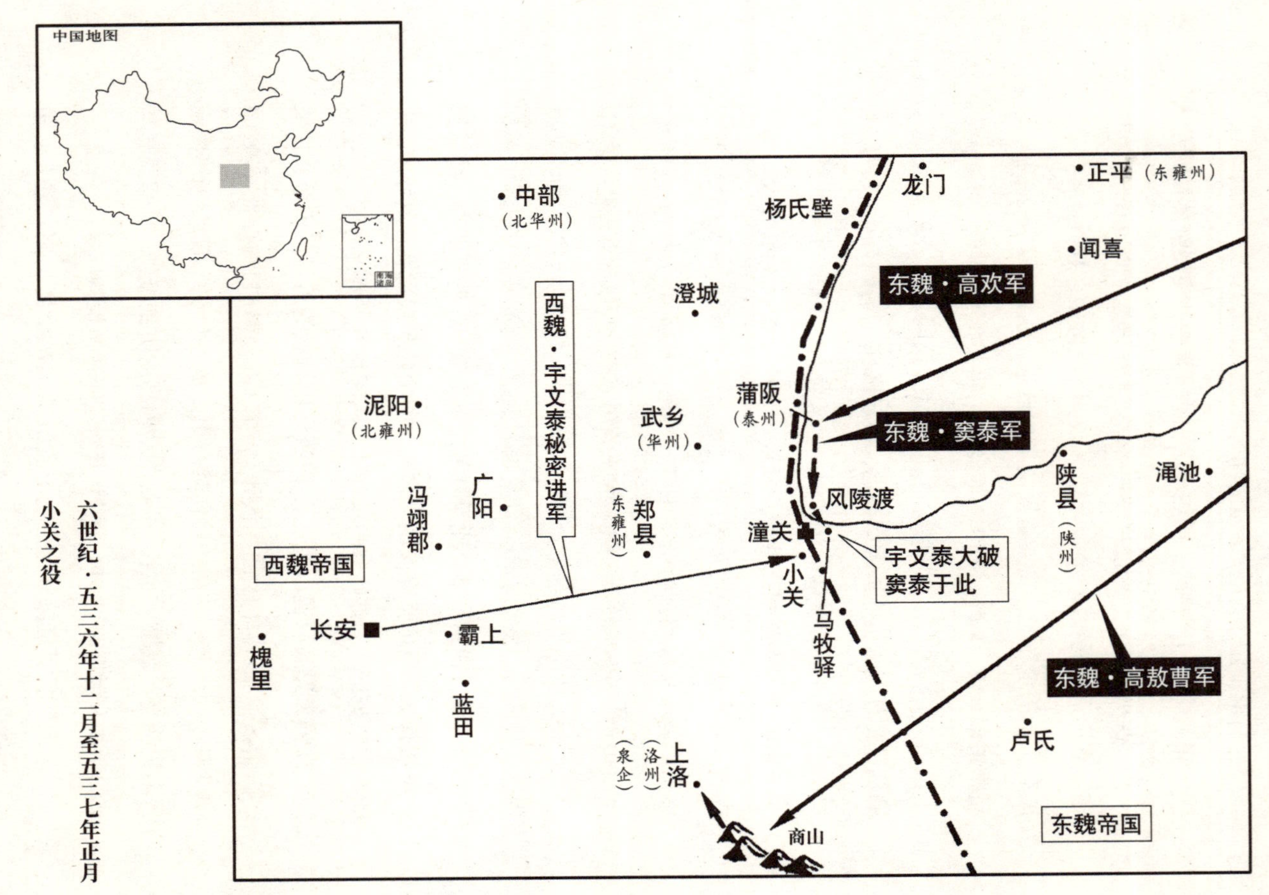

六世纪·五三六年十二月至五三七年正月
小关之役

势力又太大时，只要你一个人逃出就行。”高敖曹不忍心抛弃为他效命的部队，那等于交到敌人之手，任由敌人屠杀；于是步步为营，边战边退，终于把全部人马撤回国境。撤退时，携带俘虏泉企、泉元礼同行，泉仲遵因眼伤严重，仍留在上洛（陕西省商洛市商州区）。泉企暗中告诉两个儿子说：“我的残余生命，没有多久，你们的才干气度，足以建立功勋，不要认为我身在东方，有什么顾忌，而使节操亏损。”走到中途，泉元礼逃回。泉、杜两大家族，虽然同是当地的豪门，可是乡民们轻视杜家，而对泉家却很尊重。泉元礼、泉仲遵秘密结交英雄人物，袭击杜窋，斩首。西魏政府遂任命泉元礼当世袭洛州（州政府上洛）州长（刺史）。

3 二月二十二日，南梁帝萧衍主持亲自耕田典礼。

二月二十四日，任命国务院左执行长（尚书左仆射）何敬容当中权将军，中央军事总监（护军将军）萧渊藻当国务院左执行长（左仆射），国务院右执行长（右仆射）谢举当右最高资政官（右光禄大夫）。

4 西魏帝国槐里（陕西省兴平市）发现皇帝专用的传国玉玺，大赦。

5 夏季，四月六日（原文误置于三月，据《魏书》改），东魏帝国把七位皇帝的牌位，送进新落成的皇家祖庙（七帝：一任拓跋珪、二任拓跋嗣、三任拓跋焘、五任拓跋濬、六任拓跋弘、七任元宏、八任元恪）。大赦。

6 西魏帝国太傅（上三公之二）斛斯椿逝世（年四十三岁）。

五月，任命广陵王元欣当太宰（上公），贺拔胜当太师（上三公之一）。

六月，任命扶风王元孚当太保（上三公之三），梁景叡当太傅（上三公之二），广平王元赞当全国武装部队总司令（太尉），开府仪同三司（宰相级）武川王元盟当最高监察长（司空）。

7 东魏帝国丞相高欢，出游汾阳（汾水之北）的天池（祁连池，山西省宁武县南管涔山上），发现一块奇异的石头，上面纹路隐约呈现四字：“六王三川。”询问中央特遣政府助理官（行台郎中）阳休之，阳休之回答说：“六王，是大王的别号（高欢乳名贺六浑）；王，当然是天下之主。黄河、洛水（黄河支流）、伊水，是三川；泾水、渭水、洛水（渭水支流），也称三川。大王如果接受上天的托付，终有一天统一全国，控制关洛（陕西省中部及洛阳平原）。”高欢说：“世上的人，闲着无事，一直造谣说我要谋反，一旦听到你这番话，那还得了，不要对人乱讲。”阳休之，是阳固的儿子（阳固，参考四九五年正月）。中央特遣政府另一助理官（行台郎中）中山郡（河北省定州市）人杜弼，找到一个机会，建议高欢接受皇帝（〔东〕十六任孝静帝）元善见（本年十四岁）让位，高欢用木棍把杜弼打出。

8 东魏帝国派兼任总顾问长（兼散骑常侍）李谐，前往南梁帝国聘问，由国务院文官部考选司长（吏部郎）卢元明、中级事务顾问官（通直侍郎）李业兴当副使。李谐，是李平的孙儿（李平事，参考五〇八年八月）。卢元明，是卢昶的儿子（卢昶，参考四九四年六月）。

秋季，七月，李谐等到达建康（南梁首都，江苏省南京市），南梁帝萧衍接见，跟他们对话，李谐等反应之快，如同流水。李谐等告辞后，萧衍一直看着他们走出去，对左右侍卫说：“我今天遇到强敌，你们曾经说，北方乃野蛮之邦，没有人才，他们是从哪里蹦出来的！”当时，东魏帝国首都邺城（河北省临漳县西南邺城镇）以穷嚼蛆（清谈）闻名于世的，有李谐，以及陇西郡（甘肃省陇西县）人李神俊、范阳郡（河北省涿州市）人卢元明、北海郡（山东省昌乐县东南）人王元景、弘农郡（恒农郡，河南省三门峡市）人杨遵彦、清河郡（山东省临清市）人崔赡，都是领袖人物。李神俊，本名李挺，是李宝的孙儿（李宝朝觐北魏帝国，参考四四四年十二月）。王元景，本名王昕，是王宪的曾孙（王宪，是前秦帝国三任帝苻坚的宰相王猛的孙儿，参考三九八年正月七日）；都用别名行世。崔赡，是崔悛的儿子（崔悛，参考五三二年正月）。

当时，南北和解（指南梁帝国与东魏帝国和解），邦交恢复，使节来往，都竭力炫耀人才英俊。各国政府无论是派到外国聘问，或在本国负责接待外国使节，一定遴选当世最顶尖的人才，没有才干和不是高贵门第出身的人，永没有可能参与。南梁帝国（首都建康）的使节，每次抵达东魏帝国首都邺城（河北省临漳县西南邺城镇），邺城知识分子都会大大震动，高贵门第的年轻人，衣帽整齐，集合在一起，共同参观盛典。政府赠送给使节的礼物，十分丰富，宾馆门前车水马龙，变成闹市。欢宴使节那天，国务院总理（尚书令）高澄，常派左右官员暗中窥探，本国接待人员如果有一句话出奇制胜，高澄立刻鼓掌称赞。东魏帝国的使节到南梁帝国，情形相同。

9 西魏帝国总司令官（大都督）独孤信，及司令官（都督）杨忠，于五三四年投奔南梁帝国（参考该年闰十二月），本年（五三七），请求北返，南梁帝萧衍批准。独孤信的老爹娘亲，都在山东（崤山以东，即东魏帝国），萧衍问他愿往什么地方，独孤信说：“事奉君王，不敢为了私人亲情，而对君王不忠。”萧衍认为他义薄千秋，赠送给他的礼物，至为厚重。独孤信及杨忠都回到西魏帝国首都长安

（陕西省西安市），上疏中央政府，请求处罚。中央政府因独孤信有攻取三荆的功劳（参考五三四年闰十二月），特别擢升他当骠骑大将军，加授总监督长（侍中）、开府仪同三司（宰相级）；其他官爵，一律恢复。丞相宇文泰喜爱杨忠的勇敢，把他留在自己大营。国务院行政司长（直事郎）宇文深，建议宇文泰夺取东魏帝国恒农（当时，东魏帝国境内有二恒农郡，东郡在陕城〔河南省三门峡市〕，西郡在今河南省灵宝市东北，此处所指，应是东郡）。

八月十四日，宇文泰率李弼等十二位将领，进攻东魏帝国，任命北雍州（州政府设泥阳〔陕西省铜川市耀州区〕）州长（刺史）于谨当前锋，攻击盘豆（河南省灵宝市西），攻克。

八月二十五日，抵达恒农（陕城，河南省三门峡市）。

八月二十七日，攻克恒农（陕城）城池，生擒东魏帝国陕州（州政府陕城）州长（刺史）李徽白，俘虏东魏军八千人。

当时，黄河以北（山西省）各郡县，都归附东魏，西魏中央特遣政府政务秘书长（行台左丞）杨标，向丞相宇文泰提出夺取计划，说：他的父亲杨猛，曾经当过邵郡白水县（邵郡郡政府所在县，山西省垣曲县东南）县长，所以认识当地的英雄豪杰，请求准许他前往说服他们，献出邵郡。宇文泰同意。杨标遂跟当地豪族首领王覆怜等，聚众起兵，逮捕邵郡郡长程保及白水县县长等四人，斩首。宇文泰上疏保荐王覆怜当邵郡郡长；再派使节说服那些归附东魏帝国的各城池，十天半月之间，很多归附西魏。东魏政府命东雍州（州政府正平）州长（刺史）司马恭，镇守正平郡（山西省新绛县）。西魏最高监察署参谋指挥官（司空从事中郎）闻喜（山西省闻喜县）人裴邃（非南梁帝国之裴邃〔参考五二五年五月〕），准备进攻正平，司马恭放弃城池，逃走。宇文泰遂任命杨标当正平郡执行官（行正平郡事）。

10 南梁帝萧衍修建长干寺阿育王塔，在旧塔中找出佛祖的指甲、头发，及舍利子（尸体火化后结石）。

八月二十八日，萧衍前往长干寺，召集无碍大会。大赦（阿育王就是铁轮王。东吴帝国时代，有位尼姑曾住长干里原址，筑有一个小型佛堂，不久，被最高统帅〔大将军〕孙綝撤除，塔也全毁。东吴帝国亡后，若干和尚在原址再建寺院。晋帝国七任帝司马睿渡长江重建帝国政府，对寺院加以装修。四世纪七〇年代初叶，十四任帝司马昱在位时，命和尚安法程，再筑一个小塔，还没有筑成，安法程逝世，徒弟僧显继续完成。三八四年，十五任帝司马昌明在位时，增设“金轮桐”及“承露盘”。后来，西河郡离石县〔山西省吕梁市离石区〕匈奴人刘萨何，突然死亡，但心口仍有温暖，家人不敢入殓，七天后苏醒，说是有两个差人押解他前往西北方向，不知道走多远，走到十八层地狱，观世音告诉他：“你的尘缘还没有尽，仍将复活，出家为僧。洛阳、齐城、丹阳、会稽，都有阿育王塔，可去顶礼膜拜，就能使你平安去世，不至堕入地狱受苦。”刘萨何好像从悬崖掉下，忽然醒悟，遂投入佛门，名慧达，开始参拜各塔，到了丹阳〔晋帝国首都建康，江苏省南京市〕，不知塔在何处，登上城楼四望，看见长干里有一股奇气，遂前往礼拜，果然是阿育王塔故址，地下不断放出光芒，因此判断一定埋有舍利子〔尸体火化后结石〕，遂集合众人挖掘，约一丈有余，发现三块石碑，各长六尺，中间石碑下有一铁盒，铁盒中又有银盒，银盒中又有金盒，金盒中盛三颗舍利子和一撮头发、一个指甲；头发长达数丈。就把舍利子拿到稍北，在司马昱所建小塔西面，兴建二层塔保存，后来，又有和尚僧尚，加盖三层，就是本年〔五三七〕萧衍翻修的旧长干寺）。

11 九月，柔然汗国（瀚海沙漠群）为了向西魏帝国表示友谊，攻击东魏帝国的三堆（山西省静乐县），东魏丞相高欢迎战，把柔然军击退。

12 东魏帝国中央特遣政府助理官（行台郎中）杜弼，认为很多文武官员贪赃枉法，报告丞相高欢，请求惩罚。高欢说：“杜弼，到我面前，让我告诉你：天下官员贪赃枉法，由来已久，不从现在开始。而今，将士们的家属，都在关西（函谷关以西，像可朱浑道元、万俟普、刘丰等部队），宇文泰（西魏丞相）千方百计，引诱他们背离，人心不安，是留下来或是西回故乡，并没有不变的决定。江东（江苏省南部太湖流域）又有萧衍（南梁帝）老汉，专门讲究太平盛世的衣帽服装，和礼乐制度，中原知识分子，认为他才是中国正统。我如果加强肃清政风，建立法律尊严，毫不宽恕，恐怕武人都投奔宇文泰，文人都投奔萧衍。人才逃走一空，怎么能维持帝国不垮。你要稍稍等待，我不会忘记。”

高欢将率军出发迎击西魏帝国的进逼，杜弼请求先诛杀内部奸贼，高欢问他谁是内部奸贼，杜弼说：“就是那些掠夺人民的高官贵爵！”高欢不作回答，但下令士卒，有的箭上弓弦、有的高举钢刀、有的手握长矛，夹道排列，命杜弼在其中走过；杜弼战战兢兢，汗流浃背。高欢心平气和解释说：“箭虽上弦，却没有发射，刀虽高举，却没有砍下，矛虽握住，却没有刺出，你已经心胆都裂。而那些高官贵爵，用他的肉身去冒犯这些利箭钢刀，百死一生。虽然贪赃枉法，人格卑鄙，但他们在另一方面，却有更大的贡献，怎么可以跟普通人相比？”杜弼乃叩头道歉，承认见识不够。

高欢每次发布号令，总是派丞相府助理官（丞相属）鲜卑人（代郡人）张华原传达沟通，对鲜卑人则说：“汉人是你的家奴，男人为你耕田，女人为你织布，呈献粮食绸缎，使你吃得饱、穿得暖，为什么还要欺压他们？”对汉人则说：“鲜卑人是你家的雇工，拿你一斗粮食、一匹绸缎，为你格杀盗匪，使你过太平日子，为什么还要痛恨他们？”

当时，鲜卑人都轻视汉人，而只敬畏高敖曹。高欢向大军下达口头命令时，都用鲜卑话，但是每逢高敖曹在，高欢就用汉语。高敖曹从上洛（陕西省商洛市商州区）回来，高欢再任命他当参谋长（军司）、总司令官（大都督），统御七十六个司令官（都督）。又任命最高监察长（司空）侯景当中央驻西方特遣全权政府总监（西道大行台），跟高敖曹，以及另一中央特遣政府总监（行台）任祥、总监察官（御史中尉）刘贵、豫州（州政府设悬瓠〔河南省汝南县〕）州长（刺史）尧雄、冀州（州政府设信都〔河北省衡水市冀州区〕）州长（刺史）万俟洛，集中虎牢关（河南省荥阳市西北汜水镇），整训军队。高敖曹跟北豫州（州政府虎牢）州长（刺史）郑严祖"握槊"赌博（"握槊"是大分裂时代传入中国的一种赌博工具。据说，匈奴王的老弟，将被处死，在监狱里制作这件赌具呈献，暗示一旦孤立，必定死亡。但形式和赌法，已不可考。《魏书·尔朱世隆传》："尔朱世隆将破败时，跟国务院文官部长〔吏部尚书〕元世俊正赌握槊，忽然一声响亮，赌具全都倒立。"这是唯一残存的资料，使人猜测"握槊"可能跟"麻将""牌九"相似）。刘贵召见郑严祖，高敖曹赌兴正浓，不马上放郑严祖走，信差催促，高敖曹用枷把信差锁住。信差愤怒说："上枷容易脱枷难。"高敖曹抽出佩刀，就在枷上把人头砍下，说："有什么难！"刘贵忍气吞声，不敢计较。第二天，刘贵跟高敖曹坐在一起，有关官员进来报告："整修黄河的差役民夫，很多人淹死！"刘贵冷冷说："一个钱、一个汉（双关语："汉子""汉人"），随他们去死！"高敖曹暴跳而起，拔刀直砍刘贵，刘贵躲开，奔回他的营帐；高敖曹下令擂动战鼓，集合军队，准备攻击刘贵；侯景、万俟洛共同劝解安慰，很久才算平息。高敖曹曾经前往丞相府，门卫拒绝他进入，高敖曹用箭射击，高欢得到报告后，并没有责备。

13 闰九月二日，南梁帝国任命武陵王萧纪，当益梁等十三州军区司令长官（都督益梁等十三州诸军事），兼益州（州政府设成都〔四川省成都市〕）州长（刺史）。

14 东魏帝国丞相高欢，再一次向西魏帝国发动大规模总攻。

高欢亲率大军二十万人，自壶口（山西省吉县西黄河断崖）直指蒲津（山西省永济市西黄河渡口）；命高敖曹率军三万人，攻击黄河以南地区。当时，关中（陕西省中部）饥馑严重，西魏帝国丞相宇文泰率直属部队，不满一万人，驻防恒农（陕城，河南省三门峡市），就地征收粮食，已五十余日；听到高欢将要西渡黄河消息，遂率军入关（潼关），高敖曹即包围恒农（陕城，河南省三门峡市）。高欢的右秘书长（右长史）薛琡，向高欢建议："西方盗匪（西魏帝国）连年饥馑，之所以冒死夺取陕州（州政府与恒农郡郡政府同设陕城），不过打算搜括仓库存粮。而今，高敖曹已包围陕州，陕州存粮无法运出。我们只要在主要道路上布防，不要跟他们野战，僵持到秋季麦子收割之时，他们的人民会自然饿死，何必担心元宝炬、宇文泰不肯投降？请取消西渡黄河计划。"侯景也说："我们已展开总攻，声势强大，万一受到挫败，一时之间，难以集合。不如把主力分为两个梯次，相继进发，前一梯次胜利，后一梯次扩大战果；前一梯次失败，后一梯次增援。"高欢全不接受，遂自蒲津（山西省永济市西黄河渡口）横渡黄河。

西魏帝国丞相宇文泰，派人警告华州（州政府设武乡〔陕西省大荔县〕）州长（刺史）王罴，王罴告诉使节说："老罴正在路上卧，貉子怎么能通过！"（"罴""貉"双关语。罴，音pí〔皮〕，俗称人熊，比熊稍大，腿稍高，颈稍长。貉，音hé〔盒〕，白天躲藏，夜晚出来觅食，俗称狸，但实非狸。大分裂时代北方人诟骂南方人为"貉子""貉奴"。）高欢挺进到冯翊（故冯翊郡城，陕西省大荔县）城下，对王罴说："你为什么不早投降？"王罴大喊说："这座城就是王罴的坟墓，生在此、死在此，不要命的上来。”高欢知道不能攻克，于是渡过洛水（渭水支流，流经陕西省大荔县南），在许原（大荔县南）西郊扎营。

西魏丞相宇文泰由恒农（陕城，河南省三门峡市）撤退到渭水南岸，征调各州军队增援，都没有到达。宇文泰打算提前进攻高欢，各将领因军队人数太少，不能抵挡东魏庞大兵团，建议等高欢继续向西推进时，观察形势，再作决定。宇文泰说：“高欢如果抵达长安（西魏首都，陕西省西安市），人心一定骚动。现在乘他从远方而来，疲倦陌生，可以把他击败。”遂在渭水上建立浮桥，命士卒各带三天粮食，率轻装备骑兵，北渡渭水；军事辎重，集中在渭水之南，向西运输。

冬季，十月一日，宇文泰抵达沙苑（陕西省大荔县南），距东魏军六十华里，各将领十分畏惧，只宇文深一人祝贺。宇文泰问他缘故，宇文深回答说：“高欢在他控制的黄河以北地区，很得人民的爱戴，如果守卫疆土，我们不容易把他击破。而今，他一支孤军，远渡黄河，不是各将领盼望做出的事，只不过高欢认为失去窦泰，是奇耻大辱，所以拒绝所有规劝，坚持西征，这正是所谓的‘忿兵’，可以在一次战役中，把他擒获（此役类似猇亭之战，参考二二一年六月）。事态和道理，如此明显，怎么能不祝贺？请赐给我一个皇家符节，调动王罴的军队，阻截高欢的退路，使他们（东魏兵团）的士卒，没有一个幸免。”宇文泰派须昌县公爵达奚武当斥候，侦查东魏兵团虚实；达奚武率三个骑兵，改穿东魏军服，黄昏日暮时，前进到距东魏大营只数百步之处，下马步行，暗中听到东魏大营的口令，遂上马直入东魏篷帐巡察，好像夜间执法队，遇到犯法的士卒，往往一顿毒打。对敌人军情，完全了解之后，才安全返回。

高欢听到宇文泰大军抵达。

十月二日，高欢挥军前进。宇文泰的斥候骑兵报告：高欢大军已经逼近，宇文泰召集军事会议，商讨对策，开府仪同三司（宰相级）李弼说："他们人多，我们人少，不可以在平地决战。这里向东十华里，有渭曲之地（渭水弯曲处），应该先占领等候。"宇文泰采纳，遂背靠渭水，东西列阵，李弼当西翼指挥官，赵贵当东翼指挥官，命将士及武器，都深藏苇草之中，约定听到鼓声时方可出击。晚饭时候，东魏大军抵达渭曲，司令官（都督）太安郡（内蒙古固阳县）人斛律羌举对高欢说："宇文泰动员全国兵力迎战，目的要一决生死；好像疯狗，可能咬人。而且渭曲苇草深广，土地泥泞，无法发挥战力，不如放慢脚步，跟他在这里僵持，然后派出精锐部队，秘密袭击长安（西魏首都，陕西省西安市），宇文泰的巢穴一旦失守，用不着战斗，就能把他擒获。"高欢说："放火燃烧苇草，如何？"侯景说："应该生擒宇文泰，让人民看看他的嘴脸，如果跟士卒一起烧死，谁能相信！"彭乐斗志昂扬，要求决战，说："我们人多，盗匪（西魏军）人少，一百个活捉一个，为什么担心不大获全胜？"高欢采纳（高欢如果坚持火攻，宇文泰全军都成焦炭。斛律羌举计谋如果实行，西魏帝国可能就在这次战役中消灭。高欢老于沙场，一念之骄，招来惨败）。于是，双方主力，分别进入战场，大决战开始，东魏兵团发现西魏军士卒很少，遂争先恐后攻击，阵势行列，完全凌乱。等到短兵相交，面对肉搏，丞相宇文泰急擂战鼓，士卒精神百倍，冒死奋战；北雍州（州政府设泥阳〔陕西省铜川市耀州区〕）州长（刺史）于谨等率六路人马投入，李弼率左翼骑兵，向东魏兵团拦腰进攻，东魏兵团在中央出现缺口，西魏军继续不断的楔入，东魏兵团被分为二，西魏军乘势扩大战果，遂大破东魏兵团。李弼的老弟李标，身材短小，英勇非凡，每次跳上马背，冲入敌阵，都把自己隐藏在马鞍和铠甲之中，敌人望见，都叫：“躲开这小娃！”宇文泰叹息说：“胆量和决断如此，何必要八尺高大身躯！”征虏将军武川（内蒙古武川县）人耿令贵，杀伤很多，铠甲及护腿裤全部被鲜血染红，宇文泰说：“看他的甲裤，就可以知道他的英勇，何必再去数他砍下的人头！”东魏大将彭乐酩酊大醉，冲入西魏阵地，西魏士卒向他猛刺，小肠从伤口流出，彭乐把小肠按入腹内，上马再斗，东魏丞相高欢打算集结残兵败将，再作反扑，派张华原拿名册去各营点名，没有人应声，张华原立即折回，报告高欢说：“大家溃散，军营已空！”高欢仍不肯走，阜城侯爵斛律金说：“军心已离，不能再用，最好是火速撤退到河东（蒲阪，山西省永济市）。”高欢骑在马上，仍不肯移动（如此失败，于心未甘），斛律金扬起皮鞭拂马，高欢才乘马奔驰而去。夜晚，东渡黄河，而船舶不能泊岸（由此可知不是正式码头渡口），高欢改骑骆驼（骆驼身高），才接近渡船，爬上甲板，勉强过河。这次西征，丧失武装士卒八万人，遗弃铠甲武器十八万件。西魏丞相宇文泰追击高欢，一直追到黄河。在所俘虏的东魏士卒中，挑选二万人，强迫留下，其他全部释放。司令官（都督）李穆说：“高欢已经破胆，紧急追赶，可以生擒。”宇文泰不听，回军渭水南岸；而各州被征调的军队，才刚刚抵达，乃在沙苑战场（陕西省大荔县南），每人种植一棵柳树，展示武功。

侯景建议高欢说：“宇文泰刚刚打了胜仗，一定心骄气傲，没有戒备，请交给我二万人精锐骑兵，直接攻击他的大营，可把他擒获。”高欢把侯景的建议告诉妻子娄昭君，娄昭君说：“如果真的擒获宇文泰，侯景岂有回来的道理，得到宇文泰而失去侯景，对我们有什么裨益！”高欢才决定不采取行动。

西魏政府加授丞相宇文泰：柱国大将军（宇文泰本来就是柱国大将军，

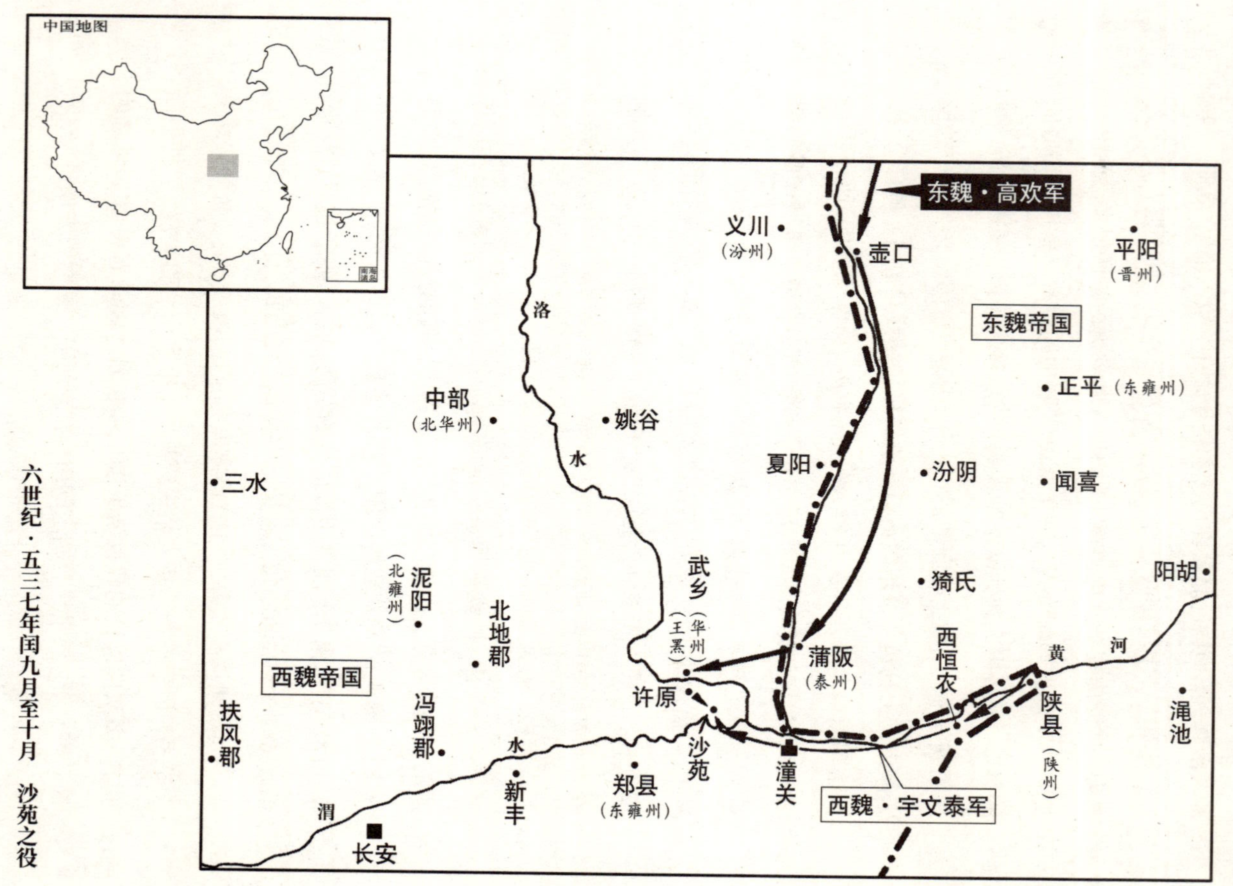

六世纪·五三七年闰九月至十月　沙苑之役

参考前年〔五三五〕五月)；李弼等十二位将领，依照各人功劳，分别晋升爵位或增加采邑(十二位将领：李弼、独孤信、梁御、赵贵、于谨、若干惠、怡峰、刘亮、王德、侯莫陈崇、李远、达奚武)。

东魏帝国总司令官(大都督)高敖曹，听到高欢失败的消息，解除陕州(州政府陕城)包围，退守洛阳(河南省洛阳市东白马寺东)。

15 十月十八日，西魏中央特遣政府总监(行台)宫景寿等，率军向洛阳挺进，被东魏洛州(州政府洛阳)总司令官(大都督)韩贤击退。州民韩木兰聚众起兵，背离东魏政府，再被韩贤击破，变民军一战士躲在群尸之中，韩贤亲自检查战果，收取铠甲武器，那战士一跳而起，举刀猛砍，韩贤的小腿被砍断，逝世。

西魏帝国再命中央特遣政府总监(行台)冯翊王元季海，会同骠骑大将军独孤信，率步骑兵二万人混合兵团，再攻洛阳，又命洛州(州政府设上洛〔陕西省商洛市商州区〕)州长(刺史)李显，进攻三荆(三荆：荆州〔州政府设穰城，河南省邓州市〕、东荆州〔州政府设沘阳，河南省泌阳县〕、南荆州〔州政府设安昌，湖北省枣阳市南〕)，复命太师(上三公之一)贺拔胜、开府仪同三司(宰相级)李弼，围攻蒲阪(山西省永济市)。

东魏帝国丞相高欢西征时，蒲阪(山西省永济市)居民敬珍，对他的族兄敬祥说："高欢逼走皇帝(元修)，天下忠义之士，都想把利刀插到他肚子上。而今又向西进攻，我打算跟你号召人民武装起义，切断他的退路，这是千年难逢的良机。"敬祥同意，立即集结乡民，数日之间，有一万余人。正巧，高欢在沙苑(陕西省大荔县南)战败，向后撤退，敬珍、敬祥率领乡民迎头痛击，格杀和俘虏很多。贺拔胜、李弼到达河东郡(郡政府蒲阪)，敬祥、敬珍率猗氏(山西省临猗县)等六县居民十余万户，归附西魏帝国。丞相宇文泰任命

敬珍当平阳郡（侨郡，山西省绛县境）郡长，敬祥当中央特遣政府助理官（行台郎中）。 110

东魏泰州（州政府蒲阪）州长（刺史）薛崇礼，镇守蒲阪（山西省永济市），总务官（别驾）薛善，是薛崇礼的族弟，对薛崇礼说："高欢有驱逐君王的大罪，我和你身为高级知识分子之一，世代承受皇家恩典（七任孝文帝元宏亲自把河东郡薛家提升为"郡姓"，参考四九六年正月），现在，大军压境，我们却仍然替高家班（东魏帝国）固守这个地方，一旦城池陷落，砍下人头，送到长安（西魏首都，陕西省西安市），上面标示'叛徒之首'，真是虽然死了，仍觉惭愧。比较起来，如果我们今天投降，要好得多。"薛崇礼犹豫不敢决定。薛善遂跟薛姓家族，砍开城门，迎接西魏大军；薛崇礼逃走，被追赶擒获。宇文泰遂进驻蒲阪，派军占领汾州（南汾州，州政府设定阳〔山西省吉县〕）、绛郡（山西省绛县）。凡参与开城密谋的薛家人，都赏赐给五等爵位，薛善说："背弃叛逆，归附正义，是臣属的正常操守，怎么可以全家大小，都受封赏！"跟他的老弟薛慎，坚决推辞，都不接受。

东魏政府晋州（州政府设平阳〔山西省临汾市〕）总部执行官（行晋州事）封祖业，放弃城池，逃走，仪同三司（宰相级）薛修义，追赶到洪洞（山西省洪洞县），劝封祖业回城镇守，封祖业不肯；薛修义就单身回州城，安抚人民，勉励军队，登城守卫。西魏仪同三司（宰相级）长孙子彦，率军抵达城下，薛修义设下埋伏，大开城门等候；长孙子彦不知道虚实，撤退。东魏丞相高欢即任命薛修义当晋州（州政府平阳）州长（刺史）。

西魏骠骑大将军独孤信返抵新安（河南省渑池县），东魏总司令官（大都督）高敖曹率军撤退到黄河北，独孤信遂逼近洛阳（河南省洛阳市东白马寺东），东魏政府洛州（州政府洛阳）州长（刺史）广阳王元湛，放弃城池，逃回首都邺城（河北省临漳县西南邺城镇），独孤信遂入洛阳，镇守金墉城（洛阳城西北角）。当初，十五任帝（孝武帝）元修西奔时（参考五三四年七月），总顾问长（散骑常侍）河东郡（山西省永济市）人裴宽，对他的老弟们说："天子（元修）既然西奔，我们不可以顺服高欢。"率家属逃到大石岭（洛阳城东南）。独孤信进入洛阳，裴宽才出来见面。当时洛阳已一片荒凉，房屋倒塌，人民逃亡，流落各地，只有河东郡（山西省永济市）人柳虬居住阳城（河南省登封市东南），裴诹之居住颍川（长社，河南省长葛市），独孤信把他们征召到洛阳，命柳虬当中央特遣政府助理官（行台郎中），裴诹之当开府仪同三司府助理官（开府属）。

东魏帝国颍州（州政府设长社〔河南省长葛市〕）秘书长（长史）贺若统，逮捕州长（刺史）田迄，献出城池，投降西魏帝国；西魏司令官（都督）梁迥，遂进入州城镇守。前任中级事务顾问官（通直散骑侍郎）郑伟，在陈留（河南省开封市东南）聚众起兵，攻击东魏梁州（州政府设大梁城〔河南省开封市〕），生擒州长（刺史）鹿永吉。前最高指挥部参谋指挥官（大司马从事中郎）崔彦穆，攻击东魏荥阳（河南省荥阳市），生擒郡长苏淑，会同广州（州政府设鲁阳〔河南省鲁山县〕）秘书长（长史）刘志，一同投降西魏政府。郑伟，是郑先护的儿子（郑先护事，参考五二八年三月）。西魏政府丞相宇文泰任命郑伟当北徐州（侨州，州政府设河北郡〔山西省平陆县〕境）州长（刺史），崔彦穆当荥阳郡（侨郡）郡长。

16 十一月，东魏帝国中央特遣政府总监（行台）任祥，率司令官（督将）尧雄、赵育、是云宝（是，姓），反攻颍川（长社，河南省长葛市）。西魏帝国丞相宇文泰，命总司令官（大都督）宇文贵，乐陵公爵、辽西郡（河北省卢龙县北）人怡峰（怡，姓）；率步骑兵二千人增援；走到阳翟（河南省禹州市），尧雄等军已距颍川三十华里，任祥主力四万人，紧随尧雄前进。西魏将领一致认为:“敌军（东魏军）太多，自己士卒太少，不可以交战。”宇文贵说:“尧雄等正是如此判断，认为我们的兵力太少，绝不敢前进。他就可以跟任祥会师，放心大胆的攻击颍川（长社，河南省长葛市），颍川可能陷落。如果贺若统被杀被俘，我们坐在这里干什么？现在进入颍川，有城池可以守卫，而又大出他们意外，一定能把他们击破。”遂强行率军进入颍川，在城外结阵等待。尧雄等不久抵达，宇文贵迎战，击败东魏政府军，尧雄逃走，赵育投降。俘虏东魏士卒一万余人，全部释放。任祥听说尧雄失败，不敢再进，宇文贵、怡峰乘胜出击，向任祥施加压力，任祥退守宛陵（河南省新郑市东北），宇文贵追到，发动攻击，任祥军大败。是云宝格杀阳州（州政府设宜阳〔河南省宜阳县西〕）州长（刺史）那椿，献出州城，投降西魏帝国。西魏政府擢升宇文贵当开府仪同三司（宰相级）；任命是云宝、赵育当车骑大将军。

17 西魏帝国司令官（都督）杜陵（陕西省西安市东南）人韦孝宽，进攻东魏帝国豫州（州政府设悬瓠〔河南省汝南县〕），攻克，俘虏东魏中央特遣政府总监（行台）冯邕。韦孝宽，本名韦叔裕，别名韦孝宽，以别名行世。

18 十一月十五日，东魏政府任命骠骑大将军、仪同三司（宰相级）万俟普（万俟，复姓），当全国武装部队总司令（太尉）。

19 南梁帝国（首都建康）农林部长（司农）张乐皋等，前往东魏帝国（首都邺城）聘问。

20 十二月，西魏帝国中央特遣政府总监（行台）杨白驹，与东魏帝国阳州（州政府设宜阳〔河南省宜阳县西〕）州长（刺史）段粲，在蓼坞（山西省永济市南）会战，西魏军失败。

西魏荆州（州政府设穰城〔河南省邓州市〕）州长（刺史）郭鸾，进攻东魏帝国东荆州（州政府设沘阳〔河南省泌阳县〕）州长（刺史）、清都（邺城，河北省临漳县西南邺城镇）人慕容俨，慕容俨坚决抵抗，日夜战斗，历时二百余日；慕容俨找一个机会出击，大破郭鸾军。当时，东魏帝国黄河以南各州，纷纷失守，只东荆州（州政府沘阳）仍然保全。

河间郡（河北省河间市南）人邢磨纳、范阳郡（河北省涿州市）人卢仲礼、卢仲礼的堂弟卢仲裕等，分别聚众起兵，占领沿海地区各城，响应西魏政府政治号召。

21 东魏帝国济州（州政府设碻磝〔山东省聊城市茌平区西南〕）州长（刺史）高季式，有私人军队一千余人、战马八百匹，铠甲武器，一应俱全。濮阳（河南省濮阳市西南）变民首领杜灵椿，等集结变民近一万人，攻城掠野。高季式派骑兵三百人征剿，第一次攻击，即生擒杜灵椿。高季式又攻击阳平（河北省大名县）变民首领路文徒等，全都消灭，于是远近升平。有人对高季式说：“濮阳、阳平，都是京畿内郡（二郡同属司州），没有皇上诏书征调，而盗匪（变民军）又没有侵犯你的州境，为什么急于派私军远征？万一失败，岂不惹祸上身？”高季式说：“你说这样的话，就是不忠。我跟帝国同安共危，怎么能在发现盗匪之后，不去讨伐？况且，盗匪知道中央不能马上发兵，又从不怀疑外州会出军攻击，乘他们没有戒备，必然可以把他们击破。即令因此受到处罚，死也无恨。”

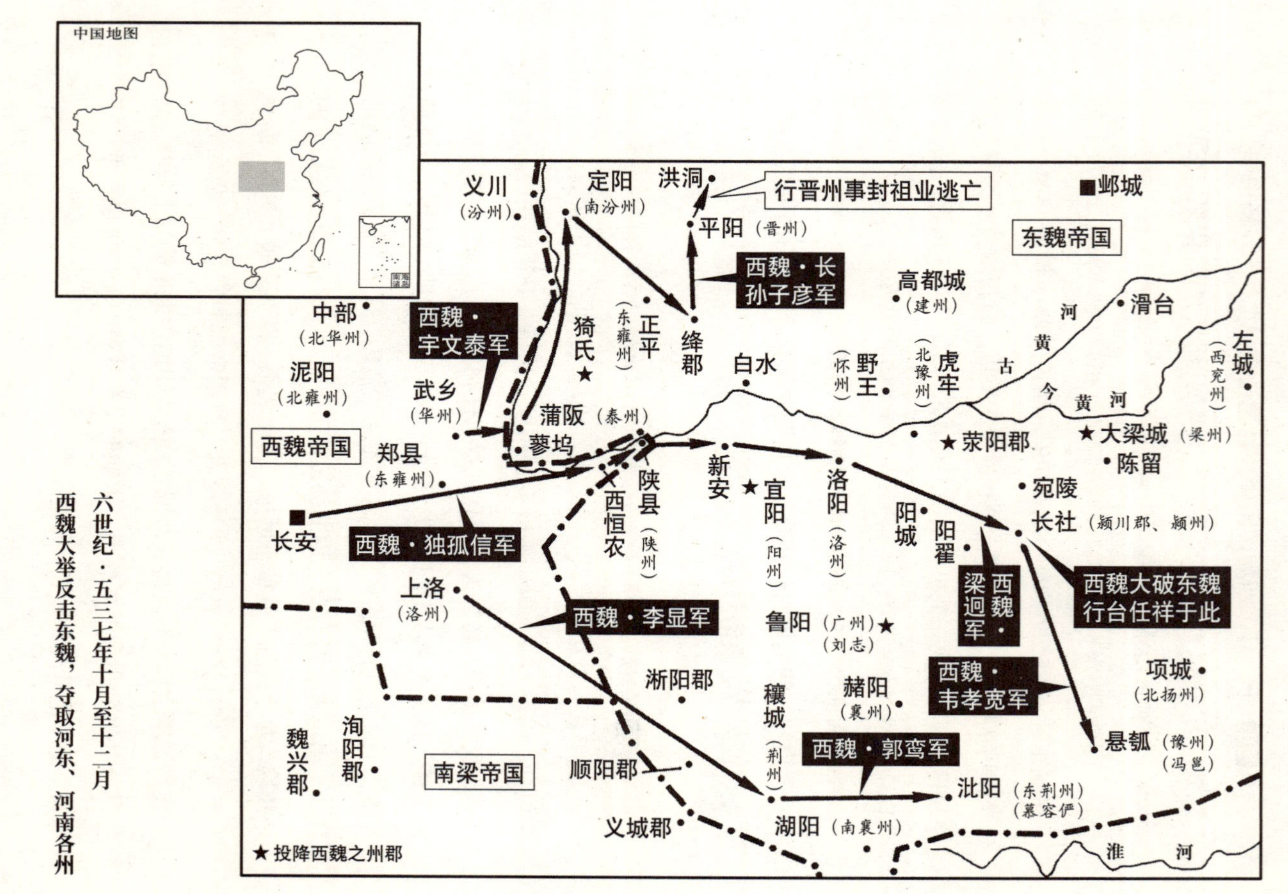

六世纪·五三七年十月至十二月

西魏大举反击东魏，夺取河东、河南各州

五三八年 戊午

南梁	大同	四年
东魏	天平	五年
	元象	元年
西魏	大统	四年

1 春季，正月一日，日蚀。

2 东魏帝国（首都邺城〔河北省临漳县西南邺城镇〕）砀郡（安徽省砀山县），捕获一只大象，送往首都邺城。

正月七日，大赦，改年号元象（之前是天平五年，之后是元象元年）。

3 二月十日，南梁帝国（首都建康〔江苏省南京市〕）皇帝（一任武帝）萧衍（本年七十五岁），主持亲自耕田典礼。

4 东魏帝国总司令官（大都督）、善无（山西省右玉县）人贺拔仁，进攻西魏帝国（首都长安〔陕西省西安市〕）南汾州（州政府设定阳〔山西省吉县〕），南汾州州长（刺史）韦子粲投降；西魏丞相宇文泰屠杀韦子粲全族。东魏中央特遣全权政府总监（大行台）侯景等，在虎牢（北豫州州政府所在城，河南省荥阳市西北汜水镇）整训军队，打算收复黄河以南失去的各州；西魏梁迥（在长社〔河南省长葛市〕）、韦孝宽（在悬瓠〔河南省汝南县〕）、赵继宗（所在不详），都放弃城池，撤军西归。侯景乃进攻广州（州政府设鲁阳〔河南省鲁山县〕），还没有攻克，听说西魏援军就要到达，集合各将领，讨论如何因应；洛州（州政府设洛阳〔河南省洛阳市东白马寺东〕）总部执行官（行洛州事）卢勇，请求逼近敌营，观察形势，乃率一百名骑兵，挺进到大隗山（河南省新密市南），跟西魏大军相遇。当时，天已黄昏，卢勇在树梢上满挂旗帜，入夜之后，把骑兵分为十队，号角齐鸣，冲入大营，生擒西魏仪同三司（宰相级）程华，并斩另一仪同三司（宰相级）王征蛮，然后撤退。西魏广州（州政府鲁阳）守将骆超，遂献出城池，投降东魏。东魏丞相高欢任命卢勇当广州总部执行官（行广州事）。卢勇，是卢辩的堂弟（卢辩，参考五三二年四月）。于是，南汾州（州政府定阳）、颍州（州政府长社）、豫州（州政府悬瓠）、广州（州政府鲁阳）等四州，再回东魏版图。

5 最初，柔然汗国（翰海沙漠群）可汗（十四任敕连头兵豆伐可汗）郁久闾阿那瓌返回汗国时（参考五二一年正月），对北魏帝国毕恭毕敬。可是，五二八年之后，柔然汗国雄霸北方，态度逐渐傲慢，虽然使节不断，但已不再向北魏帝国称“臣”。郁久闾阿那瓌曾经到过洛阳（参考五二〇年十月），对中国（北魏帝国）的文物制度，十分仰慕，于是开始设立总监督长（侍中）、副总监督长（黄门）等官。后来，得到汝阳王（元暹）的收发官（典签）淳于覃，十分宠爱信任，命淳于覃当皇家图书馆长（秘书监），负责处理文件。等到北魏帝国分裂，郁久闾阿那瓌态度更是恶劣，不断侵犯边界。西魏帝国（首都长安）丞相宇文泰，因新近定都关中（陕西省中部），全力应付山东（崤山以东）的战事，打算跟柔然结成姻亲，用作安抚，遂封立法院立法官（舍人）元翌的女儿当化政公主，嫁给郁久闾阿那瓌的老弟郁久闾塔寒。又报告西魏帝（〔西〕十六任文帝）元宝炬，请罢黜乙弗皇后（乙弗女士当皇后事，参考五三五年正月），另娶郁久闾阿那瓌的女儿当皇后。

二月十五日，元宝炬（本年三十二岁）下诏，撤销乙弗女士的皇后封号，命她去当尼姑。另派扶风王元孚，前往柔然汗国，迎接郁久闾女士。郁久闾阿那瓌遂跟东魏帝国断绝邦交，扣留东魏使节元整，不再派人报聘。

6 三月二日，东魏帝国（首都邺城）丞相高欢，因沙苑（陕西省大荔县南）之役惨败，上书东魏帝（〔东〕十六任孝静帝）元善见（本年十五岁），请求解除大丞相职位，元善见下诏（高欢诏）批准。然而，不久，又恢复原状。

7 柔然可汗郁久闾阿那瓌，派使节送女儿到西魏帝国，嫁妆：车七百辆、马一万匹、骆驼二千头；抵达黑盐池（陕西省定边县西北），跟西魏帝国派往迎接皇后的护卫仪队相遇。柔然篷帐都向东开门，扶风王元孚请求郁久闾女士面向南方（帝王皇后皆面向南方而坐），郁久闾女士说:“我还没有看到魏国(西魏帝国)君王(元宝炬),仍然是柔然的女儿。魏国(西魏帝国)仪队不妨在南方站立,但我仍面向东面而坐。”

三月十七日,元宝炬封郁久闾女士当皇后。

三月十八日,西魏政府大赦。任命王盟当宰相(司徒)。丞相宇文泰前往首都长安(陕西省西安市)朝见西魏帝元宝炬,返基地华州(州政府设武乡〔陕西省大荔县〕)。

8 夏季,四月二日,东魏帝国丞相高欢,前往首都邺城(河北省临漳县西南邺城镇),朝见东魏帝元善见。

四月四日,返基地晋阳(山西省太原市)。

五月十六日,东魏政府派兼任总顾问长(兼散骑常侍)郑伯猷,前往南梁帝国聘问。

秋季,七月,东魏帝国荆州(州政府设穰城〔河南省邓州市〕)州长(空头官衔。此时穰城属西魏)王则,攻击南梁帝国淮河以南地区。

9 七月六日,南梁帝萧衍下诏,因东郊铁矿场(东冶)苦工李胤之,得到“如来佛”的舍利子(尸体火化后结石),大赦。

10 东魏帝国中央特遣全权政府总监(大行台)侯景、总司令官(大都督)高敖曹等,把西魏骠骑大将军独孤信,包围在金墉城(洛阳城西北角),太师(上三公之一)高欢率大军继进。侯景下令纵火,一霎时,洛阳(河南省洛阳市东白马寺东)城内城外,一片火光,官房民宅,只剩下十分之二三。西魏帝元宝炬打算到洛阳祭拜祖先坟墓,正巧独孤信等向中央紧急告警,元宝炬遂跟丞相宇文泰,同时东下,命国务院左执行长（尚书左仆射）周惠达，辅佐皇太子元钦，镇守首都长安（陕西省西安市）；而命开府仪同三司（宰相级）李弼、车骑大将军达奚武，率一千人骑兵，充当前锋。

八月三日，宇文泰抵达谷城（河南省洛阳市西北）。侯景等打算严阵以待，而仪同三司（宰相级）、太安郡（内蒙古固阳县）人莫多娄贷文（莫多娄，三字姓），要求率领他的部队，迎头痛击西魏军前锋，侯景等竭力阻止，但莫多娄贷文仗恃他的勇猛，态度蛮横，拒不接受命令，遂跟可朱浑道元，率一千人骑兵挺进，入夜，在孝水（谷水支流，在洛阳市西北注入谷水）跟西魏兵团前锋司令李弼、达奚武遭遇。李弼命士卒急擂战鼓，大声呐喊，用马尾拖树枝狂奔，扬起滚滚尘烟，莫多娄贷文逃走，李弼追击，斩莫多娄贷文；可朱浑道元单人匹马逃出一命，所率军队全被西魏军俘虏，送到恒农（陕城，河南省三门峡市）。

宇文泰前进，抵达瀍水（流经洛阳南）东岸，侯景等乘夜解除对洛阳的包围，退走。

八月四日，宇文泰率轻装备骑兵，追击侯景，追到黄河。侯景建垒筑阵，北端据守黄河大桥，南端紧接邙山（洛阳城北），跟宇文泰决战。宇文泰的坐骑被流箭射中，惊恐狂奔，失去控制，遂坠马落地，东魏士卒追到，宇文泰左右侍从全都逃散，司令官（都督）李穆跳下马鞍，用鞭抽打宇文泰脊背，诟骂说："呆头鹅，你的长官在哪里？怎么只剩下你一个人？"东魏追兵不疑心他是将领，不加理会，从他身旁驰过。李穆把马让给宇文泰，一同逃出战场。

西魏大军士气，在宇文泰回营后再度高昂，发动反击，大破东魏军，东魏军向北逃走。总司令官（大都督）、京兆公爵（忠武公）高敖曹，一向看不起宇文泰，特别在阵前竖起元帅大旗和公爵专用的华丽伞盖；西魏大军出动所有精锐，集中焦点，猛烈攻击，高敖曹不能抵挡，全军覆没；高敖曹单人匹马投奔河阳南城（河南省孟州市，黄河大桥南岸城堡），守将北豫州（州政府虎牢）州长（刺史）高永乐，是高欢的堂侄，跟高敖曹结有仇恨，乘危报复，紧闭城门不开。高敖曹仰头大呼，求垂下绳索，城上毫无反应，高敖曹拔出佩刀砍门，还没有砍穿，西魏的追兵已到，高敖曹躲到桥底下，追兵看见高敖曹的随从奴仆手拿金带（金色腰带或金丝腰带，不详），东魏士卒喝问高敖曹在哪里，随从奴仆指指桥下。高敖曹知道不能幸免，抬起头说："过来，给你一个开国公爵（爵位有"开国"及"嗣爵"〔嗣王嗣公〕之分，首封的功臣称"开国"，继承的子孙称"嗣爵"）。"西魏追兵遂砍下高敖曹人头而去（年四十八岁）。高欢听到消息，肝胆俱裂；责打高永乐二百军棍，追赠高敖曹：太师（上三公之一）、最高指挥官（大司马）、全国武装部队总司令（太尉）。宇文泰赏赐斩高敖曹的人布匹绸缎一万匹，每年付给他一部分，直到北周帝国灭亡（五八一年二月），还没有付清（历时四十三年）。西魏军又击斩东魏西兖州（州政府设左城〔山东省菏泽市定陶区西〕）州长（刺史）宋显等；东魏武装士卒被俘一万五千人，挤入黄河淹死的，以万为单位计算。

最初，高欢因万俟普地位尊贵，年纪又老，对他特别礼敬，曾经亲自扶万俟普上马。万俟普的儿子万俟受洛干脱下冠帽，叩头说："愿牺牲性命，报答深恩。"等到邙山失败，各军北渡黄河大桥，纷纷逃走，万俟受洛干独按兵不动，对西魏军说："我身在此，要来只管来。"西魏军畏惧，后撤。高欢因把万俟受洛干大营所在地，命名回洛。

当天（八月四日），东魏及西魏两大敌对兵团，全部投入战场，人

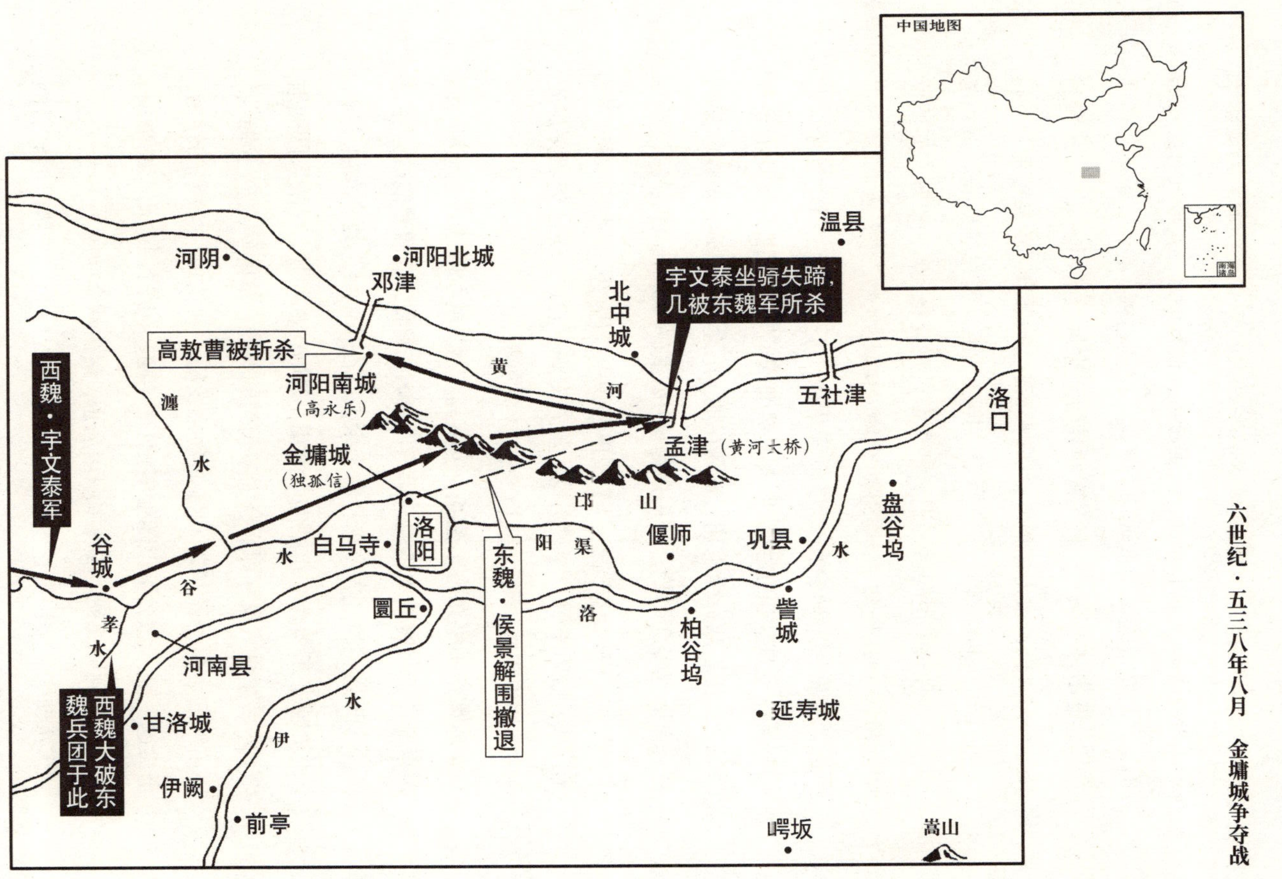

六世纪·五三八年八月　金墉城争夺战

数众多，阵势扩张，头尾相距遥远，不能呼应，从天亮缠斗到下午，肉搏决战凡数十回合，灰尘漫天，大雾四起，人与人对面都看不见。西魏帝国大将独孤信、李远，担任右翼，赵贵、怡峰，担任左翼；进击并不顺利，而又跟西魏帝元宝炬及丞相宇文泰，失去联络，一时之间，大为惊慌，全都抛弃自己的部众，单身逃走。开府仪同三司（宰相级）李虎、念贤等，担任后卫，看见独孤信等狼狈逃走，不能独留，也向后撤退。宇文泰只好焚烧大营，班师；而留仪同三司（宰相级）长孙子彦，驻防金墉（洛阳城西北角）。

西魏帝国总司令官（大都督）王思政，下马步行，挥动铁矛，左扫右荡，一举手就击倒几个人，然而深陷东魏包围，侍从卫士全都战死，王思政身受重伤，晕倒在地，正逢天色已晚，东魏收兵回营。王思政每次出战，都用破盔破甲，敌人看不出他是高级将领，所以得以逃生。作战官（帐下督）雷五安沿着战场，一面哭一面呼叫王思政，恰巧王思政悠悠苏醒，雷五安割下自己衣裳，包裹王思政伤口，扶王思政上马，直到深夜，才回到大营。

西魏帝国平东将军蔡祐，也下马步战，左右侍从劝他上马，以防紧急情况，蔡祐咆哮说：“丞相（宇文泰）爱我，就像爱他的亲生之子，今天岂望生还？”率左右十余人，高声呐喊，攻击东魏士卒，杀伤很多。东魏大军包围他十余重，蔡祐拉满弓弦，对敌人四面射杀。东魏军悬赏身穿厚甲、手拿长刀的勇士，单挑蔡祐，已冲到距蔡祐约三十步，蔡祐左右催促蔡祐发箭，蔡祐说：“我们的性命，全靠这一箭，怎么可以随便射出！”在距十步时，蔡祐弓响箭出，敌人应声倒地而死。东魏军稍稍后退，蔡祐从容撤回。

西魏帝元宝炬抵达恒农（陕城，河南省三门峡市），守将已放弃城池逃走，原拘留在恒农（陕城）城里的东魏战俘，关闭城门固守。丞相宇文泰攻击，重新夺回，诛杀战俘首领数百人。

蔡祐撤退到恒农，才追上宇文泰，深夜，晋见宇文泰，宇文泰说：“承先（蔡祐别名），看到你来，我就不再担忧。”宇文泰惊恐过度，不能入睡，把头枕到蔡祐腿上，才感到安全。蔡祐每次追随宇文泰作战，总是身先士卒，战役结束后，各将领争先恐后夸耀自己的功劳，只蔡祐始终不说一句话。宇文泰每每叹息说：“承先（蔡祐别名）口中从不吐露他的功劳，我当替他争取封赏。”宇文泰留王思政镇守恒农（陕城，河南省三门峡市），官称是：总监督长（侍中）、中央驻东方特遣政府总监（东道行台）。

西魏帝国大军东征时，关中（陕西省中部）留守的武装部队很少，而前后俘虏的东魏士卒分散民间，听到西魏军前方战败消息，俘虏遂准备暴动，气氛紧张。开府仪同三司（宰相级）李虎等，回到首都长安（陕西省西安市），面对紧急情况，束手无策，就跟全国武装部队总司令（太尉）王盟、国务院执行长（仆射）周惠达等，保护太子元钦，逃出长安，驻扎渭水北岸。人民互相抢掠，关中（陕西省中部）秩序大乱。沙苑战役（参考去年〔五三七〕十月）被俘的东魏帝国司令官（都督）赵青雀、京畿卫戍区（雍州）变民首领于伏德等，遂领导暴动；赵青雀占领长安内城，于伏德占领咸阳（陕西省泾阳县），跟叛变的咸阳郡郡长慕容思庆结合，分别收容从前方败退下来的散兵游勇，拒抗中央班师大军。长安外城的居民，集合起来抵抗赵青雀，每天都在战斗。总司令官（大都督）侯莫陈顺，率军镇压，不断击破变民军，变民军只能据守基地，不敢出击。侯莫陈顺，是侯莫陈崇的老哥（侯莫陈崇，参考五三〇年四月）。

西魏帝国扶风公爵王罴，镇守河东（蒲阪，山西省永济市），得到前方战败情报，大开城门，召集所有将领士卒，对他们说：“如今，我听说大军作战不利，赵青雀又在京师（首都长安）叛乱，人心惶惶不安。我，王羆，奉命镇守此城，用我的性命，回报长官对我的恩德和宠爱。跟我一条心的朋友，请留下来一同守卫；恐怕城池陷落，受到屠杀的，可以自由出城离开。”大家被王羆的话感动，都愿留下。

西魏帝元宝炬，逗留阌乡（河南省灵宝市西）。丞相宇文泰因人困马疲，无法迅速撤退，而且认为赵青雀等率领的不过一群乌合之众，不可能造成灾难，说：“等我回到长安（陕西省西安市），用轻装备骑兵对他施加压力，他只有自绑双手投降。”副总顾问长（通直散骑常侍）、吴郡（江苏省苏州市）人陆通警告说：“叛徒们的阴谋，筹划已久，绝对不会有改过向善的可能，马蜂、蝎子，虽然很小，却是有毒，怎么可以轻视？而且，叛徒还宣称东方（东魏帝国）的强大援军，就要到达，我们如用轻装备骑兵接近，人民将相信叛徒的宣传，当更加惊恐慌乱。现在大军虽然筋疲力尽，但精锐仍然很多，以你的威望，亲率大军直进，何必担心不胜！”宇文泰接受，率军西上。民间父老看见宇文泰回来，没有人不悲喜交集，男女互相庆贺。华州（州政府设武乡〔陕西省大荔县〕）州长（刺史）宇文导，率军进入咸阳（陕西省泾阳县），诛杀慕容思庆，生擒于伏德，南下渡过渭水，跟宇文泰会师，攻击赵青雀，大破赵青雀军。太保（上三公之三）梁景睿因患病之故，没有随军东征，留在长安，跟赵青雀共同行动，宇文泰把他处斩。

11 东魏帝国太师（上三公之一）高欢，自基地晋阳（山西省太原市）率七千骑兵，南下增援洛阳（河南省洛阳市东白马寺东），抵达孟津（河南省洛阳市孟津区东黄河渡口），还没有过黄河，便听到西魏军溃败消息，遂渡黄河，派别动部队将领，追击西魏大军，一直追到崤山，没有追到，班师。高欢于是进攻金墉（洛阳城西北角），西魏帝国守将长孙子彦放弃城池，纵火把城中房舍，全部焚烧，然后逃走，高欢更把金墉彻底铲平，回军。

东魏政府迁都邺城（河北省临漳县西南邺城镇）时（参考五三四年十月），国务院内政部礼宾司长（主客郎中）裴让之，留守洛阳。本年（五三八），西魏骠骑大将军独孤信弃军逃走之际，裴让之的老弟裴诹之，追随丞相宇文泰入关（函谷关），西魏政府任命他当中央特遣全权政府粮秣助理官（大行台仓曹郎中）。东魏太师（上三公之一）高欢遂逮捕裴让之兄弟五人囚禁。裴让之说："从前，诸葛亮兄弟（诸葛亮跟诸葛瑾），分别供职东吴帝国及蜀汉帝国，各自效忠各自的国家（诸葛亮兄弟事，参考二二一年七月）。何况，我的娘亲又在东方，我如果背叛，不但不忠，而且不孝，绝做不出这种事。明公（高欢）诚心诚意待人，别人也用诚心诚意相报。如果猜忌待人，恐怕距离霸业的路程，还相当遥远。"高欢把他们释放。

12 九月，西魏帝元宝炬返首都长安（陕西省西安市），丞相宇文泰返根据地华州。

13 东魏帝国总司令官（大都督）贺拔仁，攻击河间郡（河北省河间市南）变民首领邢磨纳，及范阳郡（河北省涿州市）变民首领卢仲礼等（二人起兵响应西魏事，参考去年〔五三七〕十二月），全都荡平。

卢仲礼的堂弟卢景裕（当是另一堂弟），本是儒家学派知识分子，太师（上三公之一）高欢把他释放，命他当家庭教师，教高欢的儿子们。卢景裕的讲解和议论，十分精辟；批评他的人有时态度恶劣，甚至诟骂呵责，大声咆哮，满口粗话，但卢景裕神色风采，一如平日，很从容的发问和回答，议论细密，没有破绽；性情恬淡安静，担任官职，虽然有升有降，但从没有欢喜或沮丧的脸色；衣服破旧，饮食粗糙，生活却快乐安适；从早到晚，端庄严肃，好像在接待宾客。

14 冬季，十月，西魏帝国（首都长安）把高敖曹、窦泰、莫多娄贷文的人头，送还东魏帝国（首都邺城）。

15 南梁帝国（首都建康）总顾问长（散骑常侍）刘孝仪等，前往东魏帝国聘问。

16 十二月，西魏帝国车骑大将军是云宝，袭击洛阳（河南省洛阳市东白马寺东）；东魏洛州（州政府洛阳）州长（刺史）王元轨，放弃洛阳，逃走；西魏司令官（都督）赵刚，袭击广州（州政府设鲁阳〔河南省鲁山县〕），占领。从此，包括襄州（州政府设赭阳〔河南省方城县〕）、广州（州政府鲁阳）在内，以西的各城镇州郡，再纳入西魏帝国版图。

17 北魏帝国自五二〇年以来，社会秩序混乱，人民为了躲避差役捐税，很多人出家去当和尚、尼姑，多达二百万人，寺庙也有三万余座（参考五一六年十一月）。本年（五三八），东魏帝元善见下诏（高欢诏）：“无论州长、郡长、县长，不经批准而擅自兴建寺庙的，计算支出的费用，依照违犯国法的罪名惩罚。”

18 最初，北魏帝国时代，伊川（伊水，流经河南省嵩县，于洛阳市东，注入洛水）当地强大家族族长李长寿，当防蛮司令官（防蛮都督），累积历年功劳，升任北华州（州政府设中部〔陕西省黄陵县〕）州长（刺史）。后来，十五任帝（孝武帝）元修西奔（参考五三四年七月），帝国分裂，李长寿率众效忠元修，抵抗东魏帝国，元修任命他当广州（州政府设鲁阳〔河南省鲁山县〕）州长（刺史）。东魏大将侯景攻陷广州（州政府鲁阳），斩李长寿。李长寿的儿子李延孙，收集老爹的部众，继续抵抗东魏帝国。西魏皇族广陵王元欣、主管政府机要（录尚书）长孙稚等，先后携带全家，前往投靠。李延孙都致赠旅费，派军队护送到关中（陕西省中部）。东魏太师（上三公之一）高欢十分痛恨，不断派军攻击李延孙，但不能攻克。西魏任命李延孙当中央驻洛阳以南特遣政府总监（京南行台），负责指挥河南（黄河以南）各军，兼广州（州政府鲁阳）州长（刺史）。李延孙把收回伊水、洛水版图，作为自己的使命。西魏政府因李延孙兵力太少，特任命李长寿的女婿、京兆郡（首都长安）人韦法保，当东洛州（即东魏的洛州，州政府洛阳）州长（刺史），配备数百士卒协防。韦法保是别名，本名韦祐，但平时使用别名。韦法保抵达洛阳后，跟李延孙联军作战，在伏流城（河南省嵩县）构筑营阵，设立拒马木栅。稍后，骠骑大将军独孤信进入洛阳，打算重新修缮宫殿，派国务院国防部地方军事司长（外兵郎中）、天水郡（甘肃省天水市）人权景宣，率工兵三千人，出来采购木材，运回洛阳，正巧东魏军反攻，黄河以南城镇全都背叛西魏，权景宣从山间小道西走，跟李延孙会合，攻击孔城（河南省伊川县西南），占领；而洛阳以南州郡，不久也再回归西魏帝国。西魏丞相宇文泰即任命权景宣镇守张白坞（河南省宜阳县西北），接应东南方归附西魏帝国的各军。本年（五三八），李延孙被秘书长（长史）杨伯兰谋杀，韦法保率军接收李延孙大营。

东魏将领段琛等，镇守宜阳（河南省宜阳县西），派阳州（州政府宜阳）

州长（刺史）牛道恒，引诱西魏帝国沿边居民；西魏南兖州（州政府设谯城〔安徽省亳州市〕）州长（空头官衔。此时谯城属东魏）韦孝宽十分忧虑，就伪造一封牛道恒写给韦孝宽的信，表示有归降之意，派间谍故意遗失在段琛军营，段琛果然怀疑牛道恒。韦孝宽乘他们互相猜忌之际，发动袭击，生擒段琛和牛道恒；崤山、渑池（河南省渑池县西）一带东魏势力，全部肃清。

西魏中央驻东方特遣政府总监（东道行台）王思政，认为玉壁（山西省稷山县）地势险要，请中央准许他自行筑城，从恒农（陕城，河南省三门峡市）迁往镇守。西魏帝元宝炬下诏（宇文泰诏）批准，加授王思政汾晋并军区司令长官（都督汾晋并州诸军事）、并州（侨州，州政府设玉壁〔山西省稷山县〕）州长（刺史），而仍任中央驻东方特遣政府总监（行台）。

19 东魏政府命国务院总理（尚书令）高澄（本年十七岁），摄理文官部长（摄吏部尚书），废除崔亮所定的排队制度（崔亮排队制度，参考五一九年二月），开始遴选擢升贤能人才；同时淘汰国务院司长（尚书郎），精心物色高贵门第世家的子弟担任。凡是有点才气或名声的人士，虽然没有人推荐或擢升，但高澄都会延聘到自己门下，跟他们一块游玩宴会、谈论学问、吟诗作赋。因此，知识分子对高澄都十分赞扬。

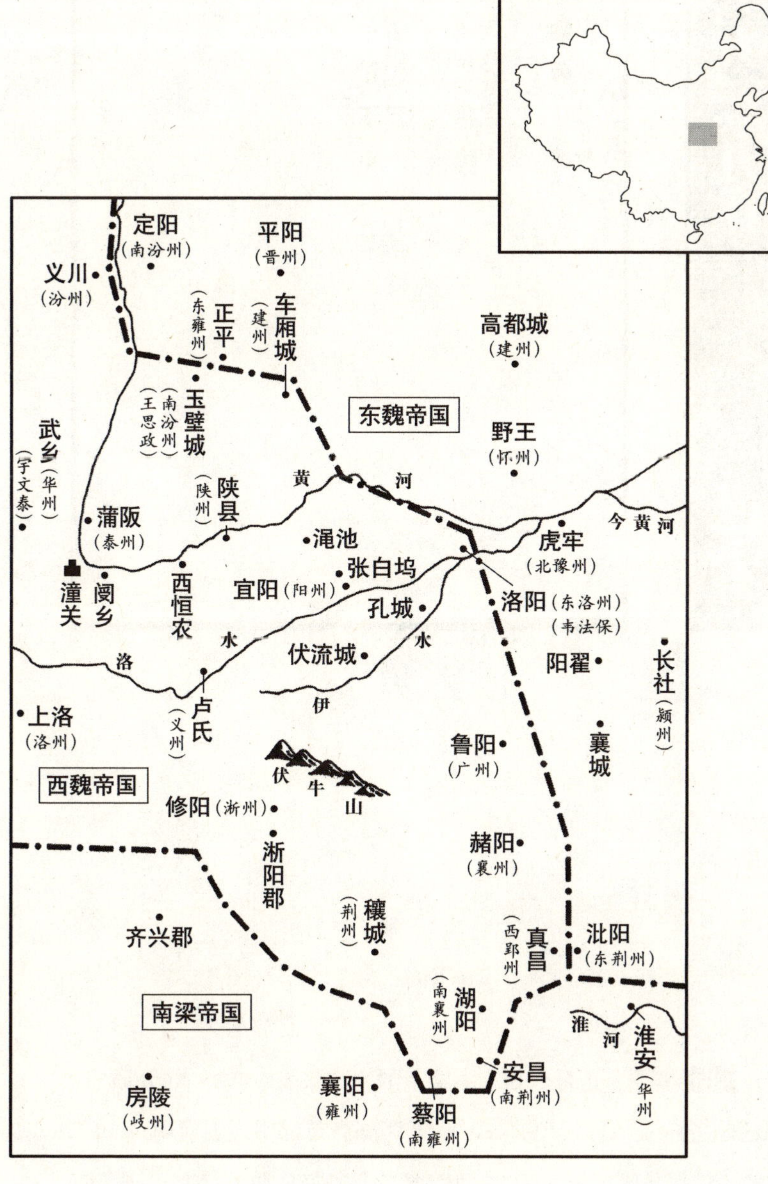

六世纪·五三八年十二月 两魏河洛一带新形势

五三九年 己未

南梁	大同	五年
东魏	元象	二年
	兴和	元年
西魏	大统	五年

1 春季，正月一日，南梁帝国（首都建康〔江苏省南京市〕）政府，调任国务院左执行长（尚书左仆射）萧渊藻当首都中区卫戍司令（中卫将军），首都建康市长（丹阳尹）何敬容当国务院总理（尚书令），国务院文官部长（吏部尚书）张缵当国务院执行长（仆射）。张缵，是张弘策的

儿子（张弘策是南梁帝萧衍的堂舅，参考四九九年八月）。自从四世纪初叶晋帝国、南宋帝国以来，历任宰相都以作文章、谈道理自负，只何敬容从事实际工作，认真处理政府公文，考查核对各种簿册，每天勤劳，不肯休息，被当时的人讥笑，认为他庸俗鄙陋。自从徐勉及周舍逝世（徐勉五三五年死〔参考该年十一月〕，周舍五二四年已被免职〔参考该年十二月〕），高阶层官员中，政府有何敬容，宫廷有朱异（顾问院〔集书省〕属宫廷）。何敬容正直豪爽，缺少政治手腕，把维持社会秩序、保护法律尊严，作为自己的责任。朱异则文采四射，反应敏捷恰当，用尽心机，建立世人对自己的赞誉。两个人的行为虽然恰恰相反，但都受南梁帝萧衍的宠信。朱异很会伺候人主，对于摇尾谄媚，十分精通，当权三十年，大肆贪污，欺骗及蒙蔽萧衍的眼睛和耳朵，全国人民，无论远近，无不对他愤怒痛恨。朱异的花园、住宅、嗜好、饮食、歌舞、美女，都是当时第一。朱异每逢休假回家，宾客们的车马，填满门巷；只有王承、王稚，和褚翔不去。王承、王稚，是王暕的儿子（王暕，是王俭的儿子，参考五一六年六月）。褚翔，是褚渊的曾孙（褚渊事，参考四七九年四月）。

正月三日，总监察官（御史中丞）、参与礼仪会议的成员（参礼仪事）贺琛，奏报说："南郊祭祀天神，北郊祭祀地神，以及皇上亲自耕田典礼（南北郊及藉田），无论是由宫中前往，或由典礼的地方返宫，都应该坐人拉的车（辇），不应该再坐马拉的车（辂）。"南梁帝（一任武帝）萧衍（本年七十六岁）下诏批准。至于祭祀皇家祖庙，则仍坐玉辇。贺琛，是贺玚的侄儿（贺玚，参考五〇五年正月）。

2 正月七日，东魏帝国（首都邺城〔河北省临漳县西南邺城镇〕）擢升国务院总理（尚书令）孙腾当宰相（司徒）。

3 正月十七日，南梁帝（一任武帝）萧衍，前往首都建康南郊，祭祀天神。

4 西魏帝国（首都长安〔陕西省西安市〕）丞相宇文泰，在中央特遣政府（行台）所在地（时在华州〔州政府设武乡，陕西省大荔县〕），设立学校，挑选秘书长（丞）、助理官（郎），以及特遣政府中聪明敏捷的参谋人员（府佐），充当学生，命他们白天上班，晚间上学（似是中国历史上第一所夜校）。

5 东魏丞相高欢，因徐州（州政府设彭城〔江苏省徐州市〕）州长（刺史）房谟、广平郡（河北省邯郸市永年区西南广府镇）郡长羊敦、广宗郡（河北省威县东）郡长窦瑗、平原郡（山东省聊城市）郡长许惇，政绩优良，清廉干练；特地写信给各州州长（刺史），褒扬赞美房谟等，作为对其他人的劝勉。

夏季，五月二十二日，东魏帝（〔东〕十六任孝静帝）元善见（本年十六岁），娶丞相高欢的女儿当皇后。

五月二十三日，大赦。

6 西魏政府擢升开府仪同三司（宰相级）李弼，当最高监察长（司空）。

秋季，七月，任命扶风王元孚当全国武装部队总司令（太尉）。

7 九月十四日，东魏政府征调京畿（司州）境内民夫十万人，修筑邺城（河北省临漳县西南邺城镇），四十天才结束。

冬季，十一月十四日（原文误置于十月，据《魏书》改），为了庆祝新宫落成，大赦，改年号兴和（之前是元象二年，之后是兴和元年）。

8 西魏帝国在首都长安（陕西省西安市）阳武门外，放置纸笔，鼓励人民批评政府，提出建议，使中央得以了解施政的缺失。

9 十一月二十六日，东魏帝国（首都邺城）派总顾问长（散骑常侍）王元景、魏收，前往南梁帝国（首都建康）聘问。

东魏政府因《正光历》的错误逐渐严重（《正光历》于五二二年颁布，参考该年十一月），命皇家图书馆校勘官（校书郎）李业兴，予以修正校订，遂把“甲子日”定为正月一日，称《兴光历》。修订完成后，由中央颁布施行。

10 南梁帝国总顾问长（散骑常侍）朱异奏称：“最近，设置的新州，数量逐渐增多，而各州面积大小，却相差太巨，不成比例。我建议把州分为五等，各州州长官位高低、幕僚助理多少，都依照等级作为标准设置。”南梁帝萧衍下诏批准。于是，第一等二十州，第二等十州，第三等八州，第四等二十三州，第五等二十一州。当时，萧衍正东征西讨，扩张疆土，北方越过淮河、汝水，东方逼迫彭城（江苏省徐州市。时属东魏帝国），西方打通牂柯（贵州省福泉市）道路，南方征服俚洞（岭南一带〔广东、广西及越南北部〕，俚民族很多，居住山洞），地方政府组织，一片紊乱，所以朱异建议厘定等级。第五等各州，都住少数民族，只有州名，没有辖区，有的则把蛮夷所住的村落，称之为州，或称之为郡，州长（刺史）、郡长（太守），就由村落居民担任。国务院（尚书）既管不到，山川相隔，路途既遥远而又危险，连跟中央联络，向皇帝进贡，都很困难。第五等之下，还有二十余州更糟，只有州名，却没有人知道该州在什么地方。这样计算共有一百零七州。中央又因沿边军事基地，虽然住民不多，但为了提高军事将领的身价，都改成郡，有时候一个人兼两三个郡的郡长。看起来州郡的数目加多，可是户口的数目，反而日渐减少。

11 西魏帝国自建都长安（陕西省西安市）以来，典礼用的礼仪秩序和音乐曲谱，全都散失。丞相宇文泰命国务院左执行长（左仆射）周惠达、国务院文官部考选司长（吏部郎中）、北海郡（山东省昌乐县东南）人唐瑾，就旧有的文献予以增删，到了本年（五三九），才大致完备。

六世纪

四〇年代

五四〇—五四七年

南北朝

- 高仲密叛东魏。
- 萧衍第三、第四次舍身同泰寺。
- 侯景叛东魏。

- 东罗马帝国俘虏东哥德王威涤基。东哥德另立新王托拉提。
- 黑死病流行，君士坦丁堡每天死人五千至一万。
- 新罗王国始建佛寺。

五四〇年 庚申

南梁	大同	六年
东魏	兴和	二年
西魏	大统	六年

1 春季，正月二十三日，东魏帝国（首都邺城〔河北省临漳县西南邺城镇〕）任命广平公爵库狄干当太保（上三公之三）。

正月二十八日，东魏帝（〔东〕十六任孝静帝）元善见（本年十七岁），进住新宫（兴建新宫事，参考五三五年八月）。大赦。

2 西魏帝国（首都长安〔陕西省西安市〕）扶风王元孚（三任太武帝拓跋焘之曾孙）逝世。

3 二月二十一日，南梁帝国（首都建康〔江苏省南京市〕）皇帝（一任武帝）萧衍（本年七十七岁），主持亲自耕田典礼。

4 西魏政府铸造五铢钱。

5 东魏帝国中央特遣全权政府总监（大行台）侯景，通过三鸦（河南省鲁山县西南）南下，准备收复荆州（州政府设穰城〔河南省邓州市〕五三七年十月，西魏政府乘沙苑战役胜利，夺取荆州）；西魏帝国丞相宇文泰，派李弼、独孤信，各率骑兵五千人，出武关（陕西省商南县西南）迎战；侯景撤退。

6 西魏帝国被罢黜的乙弗皇后，既出家当尼姑，居住别宫（参考前年〔五三八〕二月），而现任皇后郁久闾女士，仍然嫉妒。西魏帝（〔西〕十六任文帝）元宝炬（本年三十四岁）遂任命乙弗皇后的儿子武都王元戊，当秦州（州政府设上封〔甘肃省天水市〕）州长（刺史），使乙弗皇后以娘亲的身份随他同往。元宝炬虽然受形势逼迫，罢黜乙弗皇后，另娶柔然汗国（瀚海沙漠群）公主，但跟乙弗皇后之间，恩爱难忘，秘密嘱咐她留长头发，有使她回宫之意。而就在此时，柔然汗国全国兵力，渡黄河（河套）南下。西魏帝国震动，很多人遂认为柔然汗国是为女儿出气，才大动干戈。元宝炬说：“天下怎么会有为了一个女儿，而出动百万大军的事？可是，因此引起谣言，我又有什么面目，面对各位将领！”遂派寝殿侍奉宦官（中常侍）曹宠，携带诏书前往秦州（州政府上封），命乙弗皇后自杀。乙弗皇后悲伤流泪，对曹宠说：“但愿皇上千岁万岁，天下快乐安宁，我虽死无恨。”遂自杀（年三十一岁）。政府官员在麦积崖（天水市东南五十公里）凿出墓穴，安葬乙弗皇后，称为寂陵。

夏季，丞相宇文泰召集各路兵马，进驻沙苑（陕西省大荔县南），准备迎击柔然兵团。国务院右执行长（右仆射）周惠达，集结军队，加强京城（首都长安）防御工事，在各街巷挖掘壕沟，邀请京畿总卫戍司令（雍州刺史）王罴出席军事会议，王罴拒绝，对使节说："如果柔然那些虫豸，到了渭河北岸，我王罴自会率领家乡子弟，把他们消灭（王罴是京兆郡〔陕西省西安市〕人），用不着麻烦国防部队，为什么在天子的京城（首都长安）之中，如此这般大惊小怪，都是姓周的那小子害怕成这个样子。"柔然兵团南下到夏州（州政府设统万〔陕西省靖边县北白城则村〕），即行撤退。没有多久，郁久闾皇后染病逝世（年十六岁）。

五月二日，中央特遣政府总监（行台）宫延和、陕州（州政府设陕城〔河南省三门峡市〕）州长（刺史）宫延庆，投降东魏帝国（首都邺城）。东魏政府在黄河北牧马场（七任帝元宏把石济〔河南省卫辉市东古黄河渡口〕以西，划作鲜卑人南迁后的畜牧场，参考四九四年十一月），设立义州（州政府设枋头城〔河南省淇县东南淇门渡〕），安置宫延和、宫延庆（投降东魏的西魏人，都被安置在此地）。

7 东魏帝国阳州公爵（武公）高永乐（高欢的堂兄）逝世。

8 闰五月一日，日蚀。

9 闰五月十三日，东魏帝元善见封皇兄元景植当宜阳王、皇弟元威当清河王、元谦当颍川王。

六月六日，华山王元鸷逝世。

秋季，七月十二日，东魏政府派兼任总顾问长（兼散骑常侍）李象等，前往南梁帝国聘问。

10 八月十三日，南梁帝国大赦。

九月二十四日，南梁政府最高监察长（司空）袁昂逝世（年八十岁），留下奏章，拒绝接受追赠官衔及绰号；命他的儿子们不要奏报传略（行状），也不可在石碑上刻下事迹（墓志铭。“行状”，叙述死者生平，呈报中央，请求赐给一个绰号〔谥号〕。“墓志铭”，把死者功绩刻在石碑上，希望借石头的坚硬，传到后世。立碑刻石，早在纪元前三世纪秦王朝时，已经开始，嬴政大帝就到处立碑，宣传自己的伟大，参考前二一九年）。南梁帝萧衍不准，仍追赠他官衔：最高监察长（司空），绰号穆正公。

11 冬季，十一月，西魏帝国太师（上三公之一）念贤逝世。

12 吐谷浑汗国（青海省）自从变民首领、登极称帝的莫折念生，聚众起兵反抗北魏政府（参考五二四年六月）之后，迄今跟北魏帝国（包括东魏和西魏）邦交，一直中断（十七年之久）。十四任可汗慕容伏连筹逝世，儿子慕容夸吕继位，正式号称可汗（十五任），定都伏俟城（青海省天峻县东南）。汗国面积：东西三千华里，南北一千余华里。政府官员有亲王、公爵、执行长（仆射）、国务院部长（尚书）、司长（郎中）、将军等称号。

本年（五四〇），开始派使节经过柔然汗国（瀚海沙漠群），前往东魏帝国（首都邺城）聘问。

五四一年
辛酉

南梁　大同　七年
东魏　兴和　三年
西魏　大统　七年

1 春季，正月九日，南梁帝国（首都建康〔江苏省南京市〕）皇帝（一任武帝）萧衍（本年七十八岁），前往首都建康南郊，祭祀天神。大赦。

正月二十九日，萧衍到皇家大会堂（明堂）祭祀。

半独立的“宕昌王”（甘肃省宕昌县）梁佡定，被部下谋杀，老弟梁弥定继位。

二月三日，南梁政府任命梁弥定当河州及梁州（蛮州）州长（刺史），封宕昌王。

二月九日，萧衍主持亲自耕田典礼。

2 西魏帝国（首都长安〔陕西省西安市〕）豳州（州政府设定安〔甘肃省宁县〕）州长（刺史）、顺阳王元仲景，被控有罪，西魏帝（〔西〕十六任文帝）元宝炬（本年三十五岁）下令元仲景自杀（元仲景，是景穆太子拓跋晃的曾孙）。

三月，夏州（州政府设统万〔陕西省靖边县北白城则村〕）州长（刺史）刘平伏，据守上郡（陕西省甘泉县西北）叛变，总司令官（大都督）于谨出军讨伐，生擒刘平伏。

3 夏季，五月，南梁帝国（首都建康）派兼任总顾问长（兼散骑常侍）明少遐等，前往东魏帝国（首都邺城〔河北省临漳县西南邺城镇〕）聘问。

4 秋季，七月九日，东魏帝国宜阳王元景植（身份不详）逝世。

5 西魏政府（首都长安）任命总监督长（侍中）宇文测，当总司令官（大都督）、汾州（州政府设义川〔陕西省宜川县〕）总部执行官（行汾州事）。宇文测，是宇文深的老哥（宇文深，参考五三七年正月），推行政令，精确简单，对人民十分宽厚，深得人民及知识分子的拥护；跟东魏帝国（首都邺城）接壤，东魏军队常来攻击抢劫，宇文测把他们生擒，下令解开他们的捆绑，唤到面前相见，摆酒席招待，像招待宾客，然后赠送粮食，派军护送他们离境返乡。东魏人大感惭愧，以后不再侵犯。汾州（属西魏）、晋州（州政府设平阳〔山西省临汾市〕，属东魏）之间住民，遇到婚事丧事，又开始来往庆祝或祭悼，人们十分称赞。可是，立即有人打小报告指控宇文测私通外国，图谋不轨。丞相宇文泰愤怒说:“宇文测替我安抚边境，我知道他的志趣，怎么可以挑拨我们骨肉感情！”下令把打小报告的人斩首。

丞相宇文泰打算改革当时政治，制定一系列可以使国家强大、人民富庶的方案。中央特遣全权政府财政部长兼中央政府农林部长（大行台度支尚书兼司农卿）苏绰，竭尽他的智慧和能力，协助宇文泰完成这项改革大业；他主张裁减官员的数目，“置二长”（此句不懂），推行武装屯垦政策，资助军国成长。苏绰又替皇帝撰写《六条诏书》，到了九月，奏呈批准：一是“清心思”，要求所有官员清心寡欲；二是“敦教化”，严格推行道德教育；三是“尽地利”，推广农业，扩大种田养蚕；四是“擢贤良”，突破门第世家的限制，用人以才能为主；五是“恤狱讼”，严禁苦刑拷打，宁错放罪人，不冤枉善良；六是“均赋役”，赋税和劳役必须公平，有钱有势的人家不能避免。宇文泰十分重视，经常放在案头；并命有关官员背诵学习；全国所有州长、郡长、县长，除非了解《六条诏书》，和能够建立预算制度，否则一律免职。

6 东魏政府在麟趾阁召集文武官员举行法制会议，制定《麟趾条例》（麟趾格）。

冬季，十月十六日，颁布施行。

十一月一日，征调民夫五万人，修筑漳河（流经邺城西北）堤防，三十五天完成。

十一月十八日，任命彭城王元韶当全国武装部队总司令（太尉），国务院财政部长（度支尚书）胡僧敬当最高监察长（司空）。胡僧敬，本名胡虔，用别名行世，是胡国珍（胡太后的老爹）老哥的孙儿，东魏帝元善见的舅父。

十二月，派兼任总顾问长（兼散骑常侍）李骞，前往南梁帝国聘问。

7 南梁帝国（首都建康）交州州政府所在地交趾郡（越南河内市东北北宁省）郡民李贲，世代都是当地的豪门，但在官场中很不得意。同郡郡民并韶（并，姓），有文学才华，到首都建康（江苏省南京市）国务院文官部（吏部），请求分派官职，文官部长（吏部尚书）蔡撙，认为并姓家族从前没有出现过有名望的贤才，于是命并韶当广阳门（建康西城南头第一门）管理员，并韶认为是奇耻大辱。李贲、并韶遂回家乡，阴谋用实力反抗政府。正巧，交州（州政府设龙编〔越南河内市东北北宁省〕）州长（刺史）、武林侯萧咨，苛刻暴虐，民心怨恨。当时，李贲当德州（州政府设九德〔越南荣市〕）执行官（监德州），遂联合各州英雄豪杰，武装叛变。萧咨大为恐惧，送金银财宝给李贲，乞求放他一条生路，遂逃回广州（州政府设番禺〔广东省广州市〕）。南梁帝萧衍命萧咨，和高州（州政府设高凉〔广东省阳江市〕）州长（刺史）孙冏、新州（州政府设新宁〔广东省新兴县〕）州长（刺史）卢子雄，率军讨伐。萧咨，是萧恢的儿子（鄱阳王萧恢，是南梁帝萧衍的老弟，参考五〇〇年九月）。

8 本年（五四一），西魏政府（首都长安）又增加新订法例十二条（原颁布二十四条，参考五三五年三月；至今已三十六条）。

9 东魏帝国（首都邺城）丞相高欢，因各州绸缎的长短，都没有依照旧有规定，人民普遍受害，遂请东魏帝元善见下令，一律以四十尺作为一匹（各州量度长度单位的标准，本就不统一，后来，杨津以政府制造的标准尺为准，参考五一四年十一月；当是天下大乱之后，各州不再理会从前定下的标准）。

自从本世纪（六）二〇年代天下大乱以来，农夫无法种田，商人无法做生意，北方沿边六镇（参考四八四年九月）居民，纷纷迁到内地，在齐晋（山东省及山西省）一带谋生保命，而高欢也正利用这些难民，建立霸主大业，但帝国也东西分裂；一年接连一年的战争，黄河以南州郡政府，都因荒芜太久，长满茅草，公私都陷困境，很多人民活活饿死（人间惨事）。高欢命各州沿河或渡口桥梁所在，建立粮仓，积存粮食，使转运时，交通便利，用以供给军队需要，并准备因应饥馑荒年。同时在幽州（州政府设蓟城〔北京市〕）、瀛州（州政府设赵都军城〔河北省河间市〕）、沧州（州政府设饶安〔河北省盐山县西南〕）、青州（州政府设东阳〔山东省青州市〕）沿海地带，煮海水制盐。军事和行政费用，粗略的可以得到供应。累积到现在，一连数年，农作物丰收，米谷每斛只卖九钱，东魏帝国人民生活，总算稍微有点改善。

国务院总理（尚书令）高澄，娶东魏帝元善见的妹妹冯翊长公主，生儿子高孝琬，政府当权官员，纷纷前往祝贺，高澄说："这是皇上的外甥，应先祝贺皇上。"第三天，元善见亲到高澄家，赏赐绸缎彩布一万匹，其他各当权官员及贵族，竞争着致送礼物，堆满十个房间。

临淮王元孝友上疏说："依照规定，一百家称'族'，二十五家称'闾'，五家称'比'。一百家之内，就有二十五家（族长一家，闾长四家，比长二十家），可以免除差役。人民受苦享乐，全不平等。羊少狼多，更何况除了吞食，平日还不断撕咬夺取；这种弊端，已非一日。京师（首都邺城〔河北省临漳县西南邺城镇〕）各街坊，有时七八百家，才有一个里长（里正）、两个助理（史），事情并没有停顿，何况外州？请依然使用旧有的'三长'名称，不必更改（三长，李冲建议设立：五家设邻长，五邻设里长，五里设村长。参考四八六年二月）。而每'闾'只设两'比'，则每'族'（一百家），就只剩下十一家免除差役，则对进贡绸缎、民夫差役，人民都可减轻很多负担。"东魏帝元善见交给国务院（尚书）研究办理，而被国务院搁置，没有实施。

10 南梁帝国（首都建康）安成郡（江西省安福县）豪门大族刘敬躬，用妖术迷惑人民，很多人信奉。

五四二年

壬戌

南梁　大同　八年
东魏　兴和　四年
西魏　大统　八年
（皇帝刘敬躬永汉元年）

1 春季，正月，南梁帝国（首都建康〔江苏省南京市〕）安成郡（江西省安福县）变民首领刘敬躬，占据郡城，改年号永汉，设立文武百官，进攻庐陵郡（江西省吉水县），逼近豫章郡（江西省南昌市）。南方人民很久没有见过战争，突然事变，人心惶恐；豫章郡郡长（内史）张绾，急招兵买马抵抗。张绾，是张缵的老弟（张缵时任国务院执行长〔尚书仆射〕）。

二月二日，江州（州政府设寻阳〔江西省九江市〕）州长（刺史）、湘东王萧绎，派军政官（司马）王僧辩、大营军事参议官（中兵参军）曹子郢，讨伐刘敬躬，接受张绾指挥。

三月二日，生擒刘敬躬，押送首都建康（江苏省南京市），斩首。王僧辩，是王神念的儿子（王神念事，参考五〇八年正月），学识渊博，口才流利，态度严肃，虽然并不孔武有力，射箭连铠甲都穿不透，但志气高昂。

2 西魏帝国（首都长安〔陕西省西安市〕）开始设立六军（中国历史上最重要的“府兵”制度，于本年〔五四二〕开始）。

3 夏季，五月一日，东魏帝国（首都邺城〔河北省临漳县西南邺城镇〕）派兼任总顾问长（兼散骑常侍）李绘，前往南梁帝国（首都建康）聘问。李绘，是李元忠的侄儿（李元忠酗酒，参考五三一年二月）。

丞相高欢前往首都邺城（河北省临漳县西南邺城镇）朝见皇帝（〔东〕十六任孝静帝）元善见（本年十九岁）。宰相（司徒）孙腾，被指责犯了错误，免职。

五月二十日，东魏政府任命彭城王元韶主管政府机要（录尚书事）、总监督长（侍中）广阳王元湛当全国武装部队总司令（太尉）、国务院右执行长（尚书右仆射）高隆之当宰相（司徒）。最初，全国武装部队总司令（太尉）尉景，跟高欢是好友，同时投奔尔朱荣（参考五二八年二月）；尉景的妻子，是高欢的姐姐。尉景仗恃亲戚关系，而又对高欢立过功劳，所以，贪赃枉法，无所不为，有关官员提出弹劾，遂被捕下狱。高欢三次前往首都邺城（河北省临漳县西南邺城镇）向东魏帝元善见哭泣恳求，才免除死刑。

五月二十二日，把尉景降为骠骑大将军、开府仪同三司（宰相级）。高欢前去拜访，尉景躺在床上不起来，干嚎说："要杀快杀！"高欢安抚他，向他道歉。

五月二十六日，任命库狄干当太傅（上三公之二），中央禁军总监（领军将军）娄昭当最高指挥官（大司马），封祖裔当国务院右执行长（尚书右仆射）。

六月十日，高欢返根据地晋阳（山西省太原市）。

秋季，八月十六日（原文"庚戌"，据《魏书》改），擢升开府仪同三司（宰相级）、国务院文官部长（吏部尚书）侯景，兼国务院执行长（兼尚书仆射）、中央驻黄河南特遣全权政府总监（河南道大行台），享有全权，随机应变防卫或进击南梁帝国（首都建康）及西魏帝国（首都长安）。

4 西魏政府任命王盟当太保（上三公之三）。

5 东魏丞相高欢，向西魏帝国发动总攻，从汾州（州政府设兹氏城〔山西省汾阳市〕）、绛郡（北绛郡，山西省翼城县）出发，大营连接四十华里。西魏丞相宇文泰，命中央驻东方特遣政府总监（东道行台）王思政，坚守玉壁（山西省稷山县），阻断东魏军前进要道。高欢写信向王思政招降，说："你如果改变立场，当任命你当并州（州政府晋阳）州长（刺史）。"（高欢的根据地在晋阳〔山西省太原市〕，并州的重要，在各州之上。）王思政回信说："可朱浑道元投降（参考五三五年正月），为什么没有教他主持并州！"

冬季，十月六日，高欢大军包围玉壁（山西省稷山县），总共九天，遇上大雪，士卒饥寒交迫，很多人饿死冻死，高欢无奈，解除包围，撤退。西魏帝国派皇太子元钦，镇守蒲阪（山西省永济市），丞相宇文泰率军从蒲阪出发，抵达皂荚戍（山西省临猗县西南），得到高欢已撤退到汾水东岸情报，立即追击，已追不上。

十一月，东魏政府任命可朱浑道元当并州（州政府晋阳）州长（刺史）。

可朱浑道元之获得任命，显然受王思政的刺激；在这场事件中，我们可看出高欢应变能力之强，他有胆量和见识，用极其猛烈的手段，不怕伤害自己的面子，去纠正自己的错误。

6 十二月，西魏帝（〔西〕十六任文帝）元宝炬（本年三十六岁），在华阴（陕西省华阴市）狩猎，大摆筵席，宴请各军事将领；丞相宇文泰率各将领，晋见朝拜，在沙苑（陕西省大荔县南）北兴筑万寿殿。

7 十二月十九日，东魏帝国（首都邺城）派兼任总顾问长（兼散骑常侍）杨斐，前往南梁帝国（首都建康）聘问。

8 南梁帝国高州（州政府设高凉〔广东省阳江市〕）州长（刺史）孙冏、新州（州政府设新宁〔广东省新兴县〕）州长（刺史）卢子雄，联军讨伐变民首领李贲（李贲聚众起兵事，参考去年〔五四一〕十二月），因春季来临，瘴气（一种严重的空气污染）开始出现，向广州（州政府设番禺〔广东省广州市〕）州长（刺史）新渝侯萧映请求秋季讨伐，萧映不准，武林侯萧咨（交州〔州政府龙编〕州长）更下令催促进军。孙冏等挺进到合浦（越州州政府所在县，广西合浦县东北），士卒已死亡十分之六七，于是全军溃散，孙冏等狼狈逃回。萧映，是萧憺的儿子（始兴王萧憺，是南梁帝萧衍的老弟，参考四九九年八月）。武林侯萧咨遂奏报指控孙冏、卢子雄跟盗匪（变民军）勾结，故意逗留不进。南梁帝（一任武帝）萧衍（本年七十九岁）下令二人在广州（州政府番禺）自杀。卢子雄的老弟卢子略、卢子烈、总带兵官（主帅）广陵郡（江苏省扬州市）人杜天合，及老弟杜僧明、新安郡（浙江省淳安县）人周文育等，集结卢子雄残余部众，攻击广州（州政府番禺），打算诛杀萧映、萧咨，替卢子雄报仇雪冤（一连串官逼民反）。西江（珠江）大营指挥官（西江督护）、高要郡（广东省肇庆市）郡长、吴兴郡（浙江省湖州市）人陈霸先，率精锐部队三千人增援，大破卢子略等变民军，斩杜天合，俘虏杜僧明、周文育。陈霸先因杜僧明、周文育勇猛过人，把他们释放，命他们当总带兵官（主帅）。

南梁帝萧衍下诏擢升陈霸先当直阁将军（五品十班）。

9 西魏丞相宇文泰正妻冯翊公主，生下儿子宇文觉。

10 东魏政府任命光州（州政府设东莱〔山东省莱州市〕）州长（刺史）李元忠当总监督长（侍中）。李元忠虽然身居重任，可是从不关心公务，而只喜爱饮酒，自得其乐。丞相高欢打算擢升他当国务院执行长（仆射），世子高澄说他不拘小节，经常酒醉，不可以托付中枢。李元忠的儿子李搔听到消息，请求老爹不要多饮，李元忠说：“我认为当国务院执行长（仆射）不如当酒徒，你认为国务院执行长（仆射）重要，不妨戒酒。”

五四三年 癸亥

南梁 大同 九年
东魏 武定 元年
西魏 大统 九年

1 春季，正月一日，东魏帝国（首都邺城〔河北省临漳县西南邺城镇〕）大赦，改年号武定。

总监察官（御史中尉）高仲密，娶国务院文官部考选司长（吏部郎）崔暹的妹妹为妻，但后来又把她遗弃，因此跟崔暹结下怨仇。高仲密遴选监察官（御史），多用他的同乡或亲戚。最高统帅（大将军）高澄奏报东魏帝（〔东〕十六任孝静帝）元善见（本年二十岁），命重新遴选。崔暹正受高澄的宠爱信任，高仲密疑心是崔暹从中陷害，对崔暹越发愤怒。高仲密的继妻李昌仪，美艳夺人，又聪明智慧，高澄看见，惊为天人，抱住她就要上床，李昌仪坚决拒绝，衣服都被撕破，仍不屈服，终于逃出魔手；回家后，告诉高仲密，高仲密越发愤恨。不久，高欢派高仲密当北豫州（州政府设虎牢〔河南省荥阳市西北汜水镇〕）州长（刺史），高仲密遂暗中准备叛变。高欢得到情报，对他开始怀疑，派城防司令官（镇城）奚寿兴，负责军事，高仲密只负责民政。高仲密摆下筵席，宴请奚寿兴，事先埋伏壮士，就在筵席之上，生擒奚寿兴。

二月十二日，高仲密献出虎牢（河南省荥阳市西北汜水镇），投降西魏帝国（首都长安〔陕西省西安市〕），西魏政府任命高仲密当总监督长（侍中）、宰相（司徒）。

高欢因高仲密的叛变，全由崔暹激起，打算诛杀崔暹（崔暹固然有罪，总还是为妹复仇；高澄逼奸不遂，才是激变主因，高欢把子孙一个个教养成禽兽，使人惊奇），高澄藏起崔暹，一再请求老爹赦免，高欢说："我可以饶他一命，但要教他狠狠吃一顿苦头。"高澄才放出崔暹，对中央特遣全权政府畿内巡察助理官（大行台都官郎）陈元康说："你如果有一棍打到崔暹身上，我们以后永不相见。"陈元康警告高欢说："大王刚把天下交给最高统帅（大将军高澄），可是他最得力的助手崔暹，却躲不过一顿军棍，父子尚且是这个样子，何况对别的人！"高欢遂不再追问崔暹。

高仲密的四弟、总顾问长（散骑常侍）高季式，驻防永安戍（山西省霍州市），高仲密派人告诉他消息，高季式大惊，投奔晋阳（高欢根据地，山西省太原市），报告高欢；高欢待他跟从前一样。

西魏丞相宇文泰率大军东下，接应高仲密，命太子少傅（太子三少之二）李远当前锋官，抵达洛阳（河南省洛阳市东白马寺东）；派开府仪同三司（宰相级）于谨，进攻柏谷（河南省洛阳市偃师区东南），攻克。

三月二日，包围黄河大桥南岸城堡。

东魏丞相高欢，率大军十万人南下，抵达黄河北岸，宇文泰撤退到瀍水；在黄河上游放下火船，打算焚毁黄河大桥。东魏阜城侯斛律金，命中央特遣政府助理官（行台郎中）张亮，动员一百余只小艇，挂上很长的链条，等到火船靠近时，把长链条钉到火船上，然后拉到岸边，黄河大桥遂得以保全。

高欢渡黄河，进入邙山（洛阳城北），构筑营阵，数天之久，不向前推进。宇文泰把辎重留在瀍曲（泸水弯曲处），深夜，攀登邙山，袭击高欢。东魏骑兵斥候报告高欢说："盗贼（指西魏军）距我们四十余华里，吃过干粮早饭，即行出发。"高欢说："他们自己会渴死！"下令坚守阵地等待。

三月十八日，黎明，双方大军接触，东魏大将彭乐率数千骑兵，担任右翼，冲进西魏军的北进纵队，马蹄所及，西魏士卒崩溃，四散逃命，彭乐遂深入西魏大营。有人向高欢报告说："彭乐叛变！"高欢大怒若狂。霎时间，西北尘土扬起，彭乐派人报告大捷，计俘虏西魏帝国总监督长（侍中）、开府仪同三司（宰相级）、总司令官（大都督），以及皇族临洮王元柬、蜀郡王元荣宗、江夏王元升、钜鹿王元阐、谯郡王元亮、太子宫总管（詹事）赵善，和司令、将军、参谋官等，共四十八人。东魏各级人马乘胜追击，大破西魏军，杀三万余人。

高欢命彭乐追捕宇文泰，宇文泰走投无路，对彭乐说："你大概就是彭乐，真是个呆瓜白痴！今天没有我，明天怎么还有你？为什么不快回去，计算你的金银财宝！"彭乐同意宇文泰的话，抢下宇文泰一个装着金带的口袋，返回，报告高欢说："宇文泰刀下逃生，吓破了胆。"高欢虽然高兴他打了胜仗，但又愤恨他放掉宇文泰，命彭乐趴到地上，亲自揪住他的头发，不断撞击地面，斥责他沙苑之役时失败的罪过（参考五三七年十月），高欢咬牙切齿，举起佩刀，一连三次，就要砍下，彭乐说："请赐给我五千骑兵，当为大王生擒宇文泰。"高欢说："你把宇文泰放走，是什么意思，怎么又说再捉拿他！"命取出绸缎三千匹，压到彭乐背上，然后全部赏赐给彭乐（这是封建社会首领对有勇无谋的莽汉一种擒拿术，至为精彩）。

第二天（三月十九日），东西大军，再度会战，西魏丞相宇文泰率中央纵队，中山公爵赵贵担任左翼，中央禁军总监（领军）若干惠（若干，复姓）担任右翼；中央纵队及右翼军同时发动攻击，大破东魏军，把东魏军的步兵，全部俘虏。高欢在混战中从马背上栽下，赫连阳顺跳下自己战马，把马让给高欢。高欢上马逃走，左右卫士步行的和骑马的，只剩下七人，而西魏军已经追到，亲军司令官（亲信都督）尉兴庆说："大王快走，我腰际还有一百支箭，足可以射杀一百人。"高欢说："事情过去后，用你当怀州（州政府设野王〔河南省沁阳市〕）州长（刺史）；如果阵亡，用你的儿子。"尉兴庆说："儿子年纪还小，请用我老哥。"高欢承诺。尉兴庆阻击，箭射完后，被杀。

东魏士卒有逃奔西魏的，说出高欢停留在什么地方，宇文泰征求敢死队三千人，都用短兵器，交给总司令官（大都督）贺拔胜，发动攻击。贺拔胜在混乱的士卒群中，认出高欢，贺拔胜手拿长矛，率十三个骑兵，加鞭追赶，奔驰数华里，长矛的尖端快触及到高欢后背，大喊说："贺六浑（高欢乳名），贺拔破胡（贺拔胜乳名）要你的命。"高欢心胆俱裂，几乎绝气；东魏河州（州政府设枹罕〔甘肃省临夏市〕）州长（空头官衔。此时枹罕属西魏）刘洪徽在旁，照贺拔胜发箭，一连射中贺拔胜身旁两个骑兵；武卫将军段韶射中贺拔胜坐骑，马死，等到侍从牵来副马，高欢已逃走很远。贺拔胜叹息说："今天不带弓箭，是上天之意。"

西魏南郢州（州政府所在不详）州长（刺史）耿令贵，大声呐喊，单枪匹马，冲入东魏阵营，挥动大刀，四下乱砍；人们认为他已死亡，霎时间，又挥动大刀回营，这样杀出杀入，有四次之多，凡是阻挡他前进的，非死即伤；耿令贵对左右侍从说："我怎么会喜欢杀人？勇士铲除盗匪，不得不如此。如果不能杀贼，又不被贼杀伤，跟坐在那里空发议论的人，有什么区别！"

西魏左翼指挥官赵贵等五位将领的攻势，却受到挫折，于是，东魏大军重新集结，声势再度振奋。宇文泰继续攻击，也不顺利。而黄昏来临，西魏军在夜色掩护下撤退；此时轮到东魏军追击。西魏大将独孤信、于谨，集结散兵败将，攻击东魏追兵的后背，追兵受到惊扰，停止追击，西魏各军才得以安然逃脱。若干惠在夜间撤退，东魏军尾追，若干惠慢慢下马，回头吩咐炊事兵煮饭，进餐已毕，对左右侍从说："死在长安（西魏首都，陕西省西安市），和死在这里，有什么不同？"下令竖起大旗，吹起号角，召集散兵游勇，缓缓退回，东魏追兵怀疑设有埋伏，不敢逼得太近。宇文泰遂入关（潼关），驻军渭水两岸。

高欢挺进到陕城（河南省三门峡市），宇文泰派开府仪同三司（宰相级）达奚武等抵抗。东魏帝国中央特遣政府助理官（行台郎中）封子绘，对高欢说："统一东西分裂的局面，就在今天。从前，曹操攻克汉中（陕西省汉中市），不乘胜夺取巴蜀（四川省。参考二一五年七月），错误的原因，在于迟疑不决，以致后来懊悔，已来不及，请大王不要迟疑。"高欢深为同意，召集各将领会议，讨论行动，大家都认为："野地没有青草，人困马乏，不可以追得太远。"陈元康说："两个强大的敌人，战场交兵，拖延岁月，已经够久。今天幸而打了一场胜仗，是上天把敌人交到我们手上，时机不允许失去，应当乘胜追击。”高欢说：“如果遇到埋伏，我怎么冲过去！”陈元康说：“大王上一次在沙苑（陕西省大荔县南）战败，他们还没有埋伏（参考五三七年十月），而今溃败成这个样子，他们怎么会有远程智谋？如果放弃不追，一定会有后患。”高欢不接受，只派刘丰生率数千骑兵追击宇文泰，而自己东返。

宇文泰召回镇守玉壁（山西省稷山县）的王思政，准备派他镇守虎牢（河南省荥阳市西北汜水镇），王思政还没有到，宇文泰已经战败，乃改派王思政镇守恒农（西恒农，河南省灵宝市东北）。王思政入恒农城，命大开城门，自己则脱下铠甲睡觉休息，慰劳守军将士，表示没有什么使他们害怕。数天后，刘丰生抵达城下，对王思政心怀畏惧，不敢攻城，率军退回。王思政遂修筑城郭，建立城楼瞭望台等，推广农耕，储存草料粮食，从此恒农才有防御工程的设备。

西魏丞相宇文泰，请求贬降自己的官位，西魏帝（〔西〕十六任文帝）元宝炬（本年三十七岁）不准。这次邙山之役，西魏各将领都没有功劳，仅耿令贵与太子宫武卫卫队长（太子武卫率）王胡仁、司令官（都督）王文达，竭力奋战，功勋最多。宇文泰打算任命三人分别当京畿总卫戍司令（雍州刺史）、岐州（州政府设雍县〔陕西省宝鸡市凤翔区〕）、北雍州（州政府设华原〔陕西省铜川市耀州区〕）州长（刺史），但因三个官位有富有贫，就命他们抽签决定，并把王胡仁改名王勇、耿令贵改名耿豪、王文达改名王杰，用以表扬他们的战功。于是扩大招兵买马，吸收关中（陕西省中部）、陇右（甘肃省南部）英雄好汉，增强兵力。

2 东魏帝国北豫州（州政府设虎牢〔河南省荥阳市西北汜水镇〕）州长（刺史）高仲密将叛变时，暗中派人煽动冀州（州政府设信都〔河北省衡水市冀州区〕）民间首领，作为内应（高家兄弟，根据地本在冀州；参考五三一年六月）。

六世纪·五四三年二月至三月
邙山之战·东魏重夺洛阳

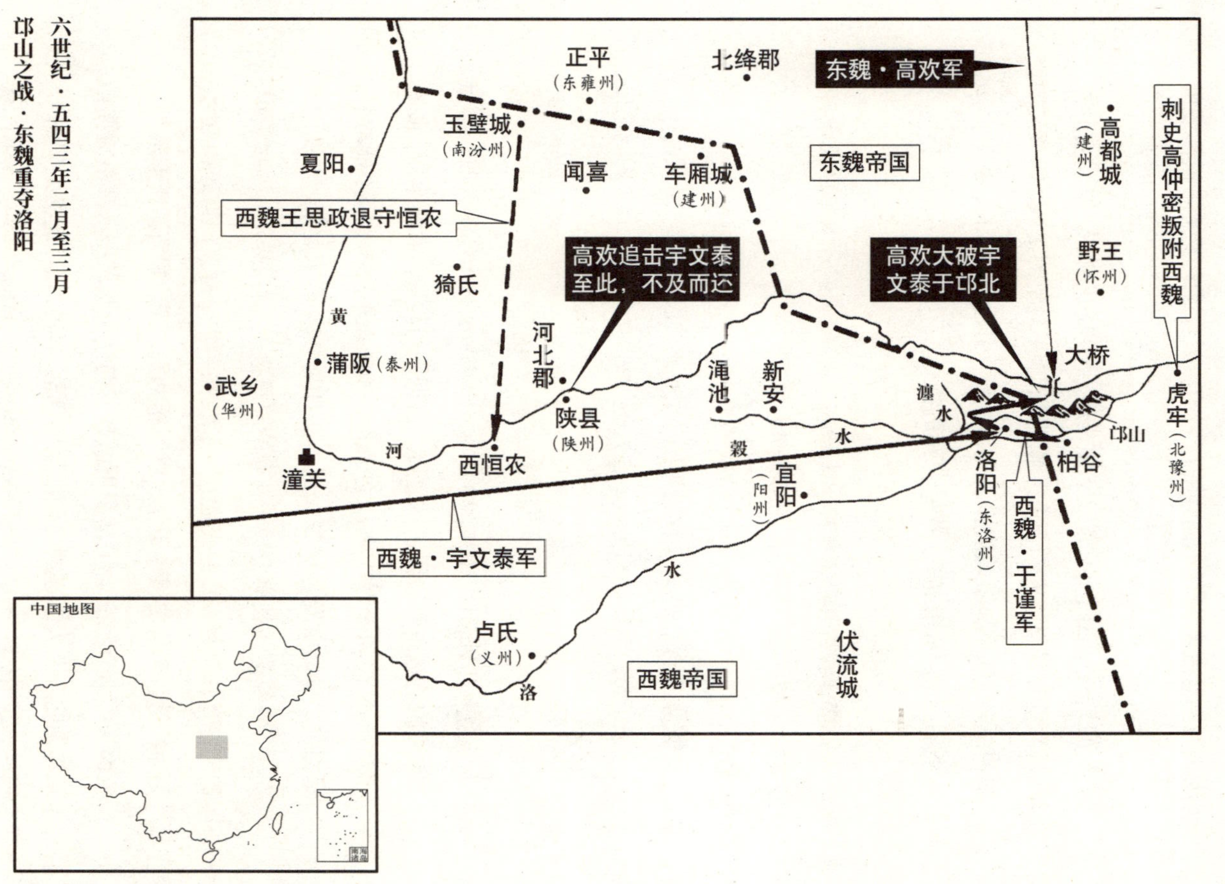

中央派高隆之乘驿马车前往安抚慰劳，人民才算安定。最高统帅（大将军）高澄，密函吩咐高隆之，说：“跟高仲密一同投降西方（西魏帝国）的党羽，他们的家属应一律逮捕，用以阻吓后人效法。”高隆之认为皇帝开恩不究的诏书，刚刚颁布，不应追悔更改；如果又要羁押法办，那将显示政府言而无信，万一引起惊骇骚扰，损失一定不小。遂报告丞相高欢，撤销高澄的指令。

3 南梁帝国（首都建康〔江苏省南京市〕）政府擢升太子宫总管（太子詹事）谢举，当国务院执行长（尚书仆射）。

4 夏季，四月，林邑王国（越南中部）北伐，进攻南梁帝国变民首领李贲，李贲部将范修，在九德（德州州政府所在县，越南荣市）击破林邑军。

5 西魏帝国（首都长安）清水（甘肃省清水县）氐部落大酋长李鼠仁，乘政府被东魏帝国击败之际，占据山川险要，武装叛变。陇右（甘肃省南部）总司令官（大都督）独孤信，不断派军攻击，都不能取胜。丞相宇文泰命收发官（典签）、天水郡（甘肃省天水市）人赵昶，前往沟通安抚，各部落酋长集合讨论，有的愿意接受，有的拒绝；拒绝的人甚至打算诛杀赵昶；赵昶脸色神情，跟平常一样，但言辞和气势，更为严厉；李鼠仁感动觉悟，遂互相劝勉，先后投降。氐部落另一位酋长梁道显叛变，宇文泰再派赵昶前往说服，把氐部落重要酋长将领四千余人，连同他们所属的部落，全体强行迁移到华州（州政府设武乡〔陕西省大荔县〕），宇文泰即任命赵昶当华州司令官（都督），管辖这批氐人。

6 西魏丞相宇文泰，派间谍暗中进入虎牢（河南省荥阳市西北汜水镇），命守将魏光坚守，等待援军。东魏围城军大将侯景捕获间谍，把下达魏光的密令，改成："迅速撤退。"然后让间谍进城，魏光遂连夜逃走。侯景把高仲密的妻子李昌仪（事变主角高仲密下落，反而不明）送到首都邺城（河北省临漳县西南邺城镇）。于是，北豫州（州政府虎牢）和洛州（州政府洛阳），再回东魏帝国版图。

五月三日，东魏政府因克复虎牢之故，死罪以下的囚犯，都降一等处罚，只不赦高仲密一家。丞相高欢因高乾当初起兵时有功劳，高敖曹战死沙场，高季式又先行自首，特别请求中央（中央就是他）免除他们三家的连坐处分。高仲密的美艳妻子李昌仪，本应该受连坐诛杀，高澄身穿整齐官服，召见李昌仪，说："今天，怎么样？"李昌仪沉默不语，高澄遂命她上床。（胡三省注："高澄为了一个美女，既逼帝国元勋外叛，又使老爹〔高欢〕几乎送命沙场，恶性不改，又炫耀自己的官位，诱人成奸。以后发生杨燕之祸〔参考五八〇年二月〕，叔侄互相屠杀，事从李昌仪开始，岂不是天意。"）

五月六日，中央任命侯景当最高监察长（司空）。

7 秋季，七月，西魏政府（首都长安）大赦；任命王盟当太傅（上三公之二）、广平王元赞当最高监察长（司空）。

8 八月八日，东魏政府（首都邺城）任命汾州（州政府设兹氏城〔山西省汾阳市〕）州长（刺史）斛律金当最高指挥官（大司马）。

东魏政府派兼任总顾问长（兼散骑常侍）李浑等，前往南梁帝国聘问。

冬季，十一月八日，东魏帝（〔东〕十六任孝静帝）元善见，到西山

(河北省邯郸市西)狩猎。

十一月十九日，回宫。最高统帅(大将军)高澄，请求解除总监督长(侍中)职务，元善见命高澄的老弟、并州(州政府设晋阳〔山西省太原市〕)州长(刺史)、太原公爵高洋接替。

丞相高欢，在肆州(州政府设九原〔山西省忻州市〕)北山(山西省宁武县西南管涔山)，西起马陵(应在山西省神池县南)，东到土墱(山西省宁武县东)，兴筑长城，四十天完工(当为防备柔然汗国〔瀚海沙漠群〕南侵)。

9 西魏帝国全国各州州长(刺史)、各郡郡长，共同晋谒丞相宇文泰；宇文泰命河北郡(山西省平陆县)郡长裴侠，站出行列，对大家说："裴侠清廉谨慎，奉公守法，天下第一。自问能跟裴侠一样的，请跟他站在一起。"大家沉默，没有人敢作反应。宇文泰赏赐裴侠丰厚的礼物，政府民间，一致惊叹佩服，称他"独立君"。

五四四年 甲子

南梁　大同　十年
东魏　武定　二年
西魏　大统　十年
(越帝国皇帝李贲大德元年)

1 春季，正月，南梁帝国（首都建康〔江苏省南京市〕）交州（越南北部）变民首领李贲（参考五四一年十二月），登极自称越帝，设立文武百官，改年号大德。

2 三月九日，东魏帝国（首都邺城〔河北省临漳县西南邺城镇〕）丞相高欢，巡视冀州（州政府设信都〔河北省衡水市冀州区〕）、定州（州政府设中山〔河北省定州市〕），查对河北大平原居民户口增减情形，顺路到首都邺城朝见东魏帝（〔东〕十六任孝静帝）元善见（本年二十一岁）。

3 三月十日，南梁帝（一任武帝）萧衍（本年八十一岁）前往兰陵（南兰陵，江苏省镇江市境），祭拜亡母张尚柔墓园（建宁陵，江苏省常州市西北）；命太子萧纲留守京城（首都建康）。

三月十七日，再祭拜亡妻郗徽墓园（修陵，江苏省常州市西北）。

4 三月二十二日，东魏政府擢升开府仪同三司（宰相级）孙腾当太保（上三公之三）。

5 三月二十五日，南梁帝萧衍前往京口（江苏省镇江市），登北固楼，改北固楼为北顾楼（北固山在镇江市北，下临长江，甘露寺就在上面。晋帝国时，蔡谟镇守京口〔参考三三九年八月〕，再在山上筑北固楼，用以储藏军用辎重）。

三月二十六日，往回宾亭（京口城东），设筵宴请乡里故旧老友，和所有近县欢迎他的人，老少约数千人，各赏钱二千。

6 三月二十八日，东魏政府任命高澄（本年二十三岁）当最高统帅（大将军），兼立法院总立法长（领中书监）；元弼主管政府机要（录尚书事）；国务院左执行长（左仆射）司马子如当国务院总理（尚书令），总监督长（侍中）高洋当国务院左执行长（左仆射）。

丞相高欢大部分时间都留在基地晋阳（山西省太原市）。留在京师（首都邺城）的高级官员孙腾、司马子如、高岳、高隆之，都是高欢的亲信死党，高欢把中央政府交给他们负责，京师（首都邺城）人士称之为“四贵”，权势之大，如同烈火，无论中央及地方，都感到炽热；四人专断蛮横，无法无天，骄傲贪污，无所不用其极。高欢打算削弱他们的权势，所以特命高澄当最高统帅（大将军），兼立法院总立法长（领中书监）；把监督院（门下）所掌机要业务，划给立法院（中书）；文武官员的赏罚，都报告高澄裁决。

孙腾拜访高澄，态度不够恭敬，高澄吆喝左右侍从把孙腾从床上揪下来，用刀柄殴打，教他站在门外。太原公爵高洋在高澄面前，拜见高隆之，称呼叔父；高澄大怒，诟骂高洋（高隆之是洛阳人，高欢为了树立党羽，硬命他当老弟）。高欢对那些高级官员说："我儿子年龄一天天长大，老哥们最好让开他！"于是，三公部长级以下官员，见了高澄，没有人不十分畏惧。库狄干，是高澄的姑父，从定州（州政府设中山〔河北省定州市〕）来京（首都邺城），站在高澄门外三天，才得晋见。

高澄打算在东魏帝元善见左右，派一个亲信心腹，于是擢升大营军事参议官（中兵参军）崔季舒，当立法院主任立法官（中书侍郎）。高澄每呈递奏章给元善见，有什么请求或什么规劝，嫌措辞啰嗦繁琐时，崔季舒就改得更为简练通顺。而元善见回答高澄父子的诏书或信件，也常跟崔季舒讨论，常说："崔季舒，是我的乳母！"崔季舒，是崔挺的堂侄（崔挺，参考四九六年闰九月）。

7 夏季，四月一日，南梁帝萧衍从兰陵（南兰陵，江苏省镇江市境）回京（首都建康）。

8 五月一日，西魏帝国（首都长安〔陕西省西安市〕）丞相宇文泰（时驻华州〔州政府设武乡，陕西省大荔县〕），到首都长安（陕西省西安市），朝见皇帝（〔西〕十六任文帝）元宝炬（本年三十八岁）。

9 五月十一日，东魏帝国派总顾问长（散骑常侍）魏季景，前往南梁帝国聘问。魏季景，是总顾问长（散骑常侍）魏收的族叔。

10 南梁帝国（首都建康）国务院总理（尚书令）何敬容的小老婆的老弟，盗卖政府米粮，何敬容写信给中央禁军总监（领军）、河东王萧誉说情。

五月十四日，何敬容因此被免除官职。

11 东魏帝国广阳王元湛（元深的儿子）逝世。

12 西魏帝国琅邪公爵（贞献公）贺拔胜所有仍留在东魏帝国的儿子们，东魏丞相高欢把他们全都诛杀（报复邙山贺拔胜之逼，参考去年〔五四三〕三月）；贺拔胜愤恨交加，一病而死。丞相宇文泰常对人说："各将领面对敌人时，神色都会紧张，只贺拔公面对敌人时，神色如同平日，真是大勇。"

秋季，七月，西魏政府根据事实需要，命国务院执行官（尚书）苏绰，将"三十六条法例"，再度增加或删除，总共集成五册，颁布全国遵行（五三五年，宇文泰命作"二十四条法例"，参考该年三月；五四一年，加新制定的十二条，共三十六条，参考该年十二月）。中央遴选贤能人才当州长、郡长、县长时，都依照新订法例派遣。几年之间，人民乐于接受。

13 北魏帝国自五二〇年以后，政治腐败，法纪松弛，在位的官员，大多数贪赃枉法。东魏政府丞相高欢奏报东魏帝元善见，任命京畿总卫戍司令部参谋官（司州中从事）宋游道，当总监察官（御史中尉）；而高澄坚持要由国务院文官部考选司长（吏部郎）崔暹担任，于是，改命宋游道当国务院左秘书长（尚书左丞）。高澄对崔暹、宋游道说:“你们一个人主持总监察署(南台),一个人主持国务院(北省),当使天下一片清平。”崔暹遴选毕义云等当监察官(御史),时人称赞他得到贤才。毕义云,是毕众敬的曾孙(毕众敬归降北魏帝国事,参考四六六年十一月)。

高澄打算提高崔暹的权力,有一次,当高阶层官员在座时,教崔暹故意迟到,仆人通报姓名后,崔暹两眼望天,大摇大摆,两个人为他拿着衣袍,慢慢进来。高澄以平等地位起身让座,相对各作一揖;崔暹也不谦逊,就坐下来,敬酒两次之后,起身告辞,高澄留他吃过主食再走,崔暹说:“刚才接到皇上(元善见)指令,要去总监察署(御史台)查案。”没有等到主食端上就走,高澄一直送他走下台阶。后来,又有一次,高澄跟高阶层官员外出,前往东山(邺城东),中途跟崔暹相遇,崔暹在卫队拥护下,一直前进,用红色开道棍殴打高澄卫队的引导士卒,高澄掉转马头躲向一旁。

国务院总理(尚书令)司马子如,因是丞相高欢的老友,身负重任,自高自大,目中无人,跟太师(上三公之一)、咸阳王元坦,贪赃枉法,没有止境。崔暹前后弹劾司马子如、元坦,及并州(州政府设晋阳〔山西省太原市〕)州长(刺史)可朱浑道元等犯法,对每人都作最严厉的指控,和引用最严重的条款。宋游道也弹劾司马子如、元坦,及太保(上三公之三)孙腾、宰相(司徒)高隆之、最高监察长(司空)侯景、国务院执行官(尚书)元羡等。高澄逮捕司马子如,羁押监狱,一夜之间,司马子如的头发,完全变白,口供招认:“司马子如从夏州(州政府设统万〔陕西省靖边县北白城则村〕)提一根木棍,投奔相王(高欢既是丞相又封王爵,称“相王”。五三二年四月,高欢命司马子如入京〔首都洛阳〕,当时司马子如在南岐州〔固道,陕西省凤县〕,而雍州〔长安〕、华州〔武乡,陕西省大荔县〕在贺拔岳之手,无法通过,司马子如绕道夏州〔统万〕东归),相王(高欢)赐给没有篷的车一辆，弯角母牛及小牛各一头，小牛在中途死亡，只弯角母牛还在人世；除此之外，其他的全是从别人那里拿来。”丞相高欢写信告诉高澄说：“司马子如，是我的老友，你应该从宽处理。”高澄在大街上忽然停住马蹄，教人把司马子如带来，打开枷锁，司马子如魂飞天外，说：“莫非在这里动手？”（司马子如固不是东西，但救过高澄，参考五三五年正月。）

八月二十一日，免除司马子如所有官职及爵位。

九月三日，任命济阴王元晖业当全国武装部队总司令（太尉）；太师（上三公之一）、咸阳王元坦，只保留王爵，返回家宅。元羡等全都免除官职，其余很多人被处死或被罢黜。很久之后，高欢看到司马子如，可怜他憔悴狼狈，把他的头放在自己膝盖上，亲自替他寻找头虱，赏赐他美酒一百瓶、羊五百只、米五百石。

高澄向政府中各当权的要人，极力赞扬崔暹的才干，警告他们严守法令。丞相高欢从晋阳（高家班根据地，山西省太原市）写信给首都邺城（河北省临漳县西南邺城镇）要员，说：“崔暹身居总监察署（宪台），咸阳王（元坦）、司马总理（司马子如），都是我当平民时的老友，地位尊贵，感情深厚，没有人能比他们两个。可是二人犯罪，受法律制裁，连我都救不了，各位务必小心。”

宋游道呈递奏章给东魏帝元善见，指责国务院（尚书）错误措施数百条，国务院重要幕僚王儒之辈，同时受到鞭打。国务院总理（令）、执行长（仆）以下官员，大为惊恐。宰相（司徒）高隆之遂用“诬以谋反”手段报复，指控宋游道说过不是一个臣属应该说的话，罪应诛杀。副总监督长（给事黄门侍郎）杨愔说：“养狗的目的，就是要它吠叫，而今却因它有几次吠叫就把它杀掉，恐怕将来再没有吠叫的狗。”但宋游道仍因此被撤除官职。高澄对宋游道说：“你还是早点跟我去并州（州政府晋阳），不然，他们迟早会杀掉你。”宋游道遂随高澄到晋阳（高家班根据地，山西省太原市），担任中央特遣全权政府考选助理官（大行台吏部郎）。

14 九月八日，南梁帝国（首都建康）大赦。

15 东魏帝国在天下大乱之后，户籍档案已不可靠，赋税差役因之很不公平。

冬季，十月六日，中央任命太保（上三公之三）孙腾、宰相（司徒）高隆之，当户口清查钦差大臣，分别到各州督促清查，最后清查出没有户籍的人民六十余万；于是命迁到外州郡的人，一律返回乡里。

十一月四日，东魏政府任命高隆之当主管政府机要（录尚书事），前任最高指挥官（大司马）娄昭当宰相（司徒）。

十一月二十日，东魏帝（〔东〕十六任孝静帝）元善见前往首都邺城（河北省临漳县西南邺城镇）南郊圆形祭坛，祭祀天神。

丞相高欢袭击山胡（汾州〔山西省西部〕稽胡部落），大破山胡军，俘虏一万余户，分别发配到各州安置。

本年（五四四），东魏政府命总顾问长（散骑常侍）魏收，兼任立法院主任立法官（兼中书侍郎），编写帝国史（《魏书》）。自从南梁帝国跟东魏帝国建立邦交，互派使节聘问以来，在回复南梁帝国的国书上，每次都有这样的话：“想必你们境内宁静，我们也都平安和睦。”东魏帝元善见全不删改，而只涂去“你们”二字。魏收才确定字句：“想必境内清闲宁静，而今万里太平。”元善见在私函上也使用这种字句（二人建立邦交，参考五三六年十二月）。

五四五年 乙丑

南梁　大同　十一年
东魏　武定　三年
西魏　大统　十一年
（越帝国皇帝李贲大德二年）

1 春季，正月十七日，东魏帝国（首都邺城〔河北省临漳县西南邺城镇〕）政府，派兼任总顾问长（兼散骑常侍）李奖，前往南梁帝国（首都建康〔江苏省南京市〕）聘问。

2 东魏帝国仪同（宰相级）尔朱文畅，跟丞相府军政官（丞相司马）任胄、司令官（都督）郑仲礼等，阴谋利用正月十五日观看“打簇戏”时机，聚众起兵（“打簇戏”是什么，已经失传，好像是投竹节或用竹节当靶的一种比赛，投中的可以得到绸缎赏赐），格杀丞相高欢，拥护尔朱文畅当盟主。消息泄漏，全都处死。尔朱文畅（本年十八岁），是尔朱荣的儿子；他的姐姐尔朱英娥，过去是十一任帝（孝庄帝）元子攸的皇后，和郑仲礼的姐姐郑大车，这两位姐姐现在都是高欢的小老婆，倍受高欢的宠爱，所以只诛杀他们本人，而免除他们的兄弟连坐（尔朱英娥事，参考五三五年正月）。

高欢上疏说："并州（州政府设晋阳〔山西省太原市〕），是生产军用物资、铸造武器的地方，随时需要妇女纺织缝纫，请设立行宫，用以收容因犯罪而被没收发配的女囚犯。同时，陛下（元善见）应该娶吐谷浑（吐谷浑汗国）的女儿，用以建立两国亲密关系。"（吐谷浑汗国〔青海省〕在西魏帝国〔首都长安〕之西，高欢希望此项政治婚姻，能使西魏的西境不安。）

正月二十八日，皇帝（〔东〕十六任孝静帝）元善见（本年二十二岁）下诏设晋阳宫（在晋阳城西北）。

二月十一日，元善见娶吐谷浑汗国可汗（十五任）慕容夸吕的堂妹当容华（北魏帝国宫廷小老婆群编制，直到七任帝元宏时，仍只有六级，最高"昭仪"，最低"御女"，没有"容华"；以后或许增设，但史书缺乏记载。南梁帝国宫廷却有"容华"，乃小老婆群第十四级，就政治婚姻而言，地位似嫌太低。）

3 西魏帝国（首都长安〔陕西省西安市〕）丞相宇文泰，派酒泉（甘肃省酒泉市）匈奴人安诺槃陀，前往突厥汗国（新疆北部）聘问。突厥汗国（新疆北部）本是西方一个小部落，可汗姓阿史那（三字姓），世代居住金山（新疆阿尔泰山）之南，在柔然汗国（瀚海沙漠群）中担任炼铁工匠（《北史·突厥传》："突厥部落的祖先，原住西海〔疑是伊赛克湖〕之西，是匈奴民族的一支，姓阿史那，后来被邻近的部落击破，全族被屠，只剩下一个小儿，大概只有十岁，敌人看他年小，不忍下手，只把他手脚砍断，遗弃沼泽，有母狼衔肉来喂养他，后来，小儿长大，跟母狼性交，母狼遂怀身孕。该仇人部落酋长得到消息，再派杀手前往，杀手看见母狼在旁，打算连狼也杀，当时仿佛有神灵相助，一阵大风，把狼吹到西海〔疑是伊赛克湖〕之东，落在高昌王国〔新疆吐鲁番市东〕西北山上，母狼藏在那里，生下十个男孩，各有一姓；阿史那，是十兄弟之一，最贤明而有才能，遂被推举当酋长。所以突厥部落军营大门的旗帜上，都有狼头图案，表示不敢忘本。”这种传说，跟罗马帝国的起源相似）。直到本世纪（六）阿史那土门接任酋长（一任伊利可汗），势力才开始强大，经常攻击西魏帝国边境。安诺槃陀抵达时，汗国人民都大为兴奋，说：“大国的使节驾到，我们就要强盛。”

4 三月十六日，东魏帝国丞相高欢，前往首都邺城（河北省临漳县西南邺城镇）朝见东魏帝元善见，中央政府文武百官，都到紫陌（邺城西北三公里）迎接。高欢握住总监察官（御史中尉）崔暹的手，慰劳他说：“从前，中央难道没有执法官员？只是没有人敢提出弹劾而已！你一心一意，为帝国献身，不躲避强横凶暴，促使无论远近的政府官员，全都守法；冲锋陷阵，有的是人！古人说：‘做官刚正，神色严肃。’今天，我总算见到。你所享的荣华富贵，是你自己凭本领换取来的，高欢父子无法报答。”赏赐给崔暹一匹骏马；崔暹屈身叩拜，骏马受到惊吓，突然间嘶叫窜走，高欢亲自将马拉住，把缰绳交给崔暹。东魏帝元善见在华林园设筵，筵请高欢，请高欢向中央政府中最正直的官员敬酒，高欢走下台阶，下跪，向元善见报告说：“只有崔暹有资格接受敬酒，我愿把因比赛射箭（宴前游戏）得到的赏赐绸缎一千匹，转送给他。”散席之后，高澄对崔暹说：“我尚且怕你、羡你，何况别的人。”（以上种种，不过官场诈欺，表演得既幼稚、又愚笨。）

崔暹不是呆子，自有他的精明之处和因应技巧。最初，高阳王元斌有一位庶出（小老婆所生）的妹妹元玉仪，全家都不把她当人；后来，元玉仪沦落到孙腾家当歌舞女郎，孙腾又把她抛弃。有一天，高澄在路上遇见她，惊为天仙，接回家当小老婆，对她特别宠爱，东魏帝元善见封她当琅邪公主。高澄对崔季舒说：“崔暹一定直言直语劝我，我有办法对付他。”崔暹有事请示时，高澄就收起笑脸，板起面孔。这样一连三天，崔暹了解他面对的是个什么结，第四天，崔暹请示时，他的一张名片，一不小心，恰到好处的滑落到地上，高澄问说：“你带名片干什么？”崔暹惊慌的说：“我还没有晋谒公主。”高澄高兴得跳起来，捉住崔暹的手臂，拉到后堂拜见元玉仪。崔季舒对别人说：“崔暹平常一直愤怒的指摘我摇尾谄媚，在最高统帅（大将军高澄）面前，总是说我这个叔父该杀，看他干的勾当，马屁本领可比我高强！”

柏杨曰

高欢对于抑制官员们的暴行，整肃贪污，用心良苦。看高欢的出击及克服阻力情形，跟苻坚当年无异。有异的是，王猛在苻坚心中，是位高贵的朋友，崔暹在高澄眼中，不过是个弄臣家奴。世人一味讥讽崔暹谄媚，并不公平。物以类聚，在高澄当权的政府中，有尊严、有原则的知识分子，岂有生存余地？能生存的，全是跟高澄同一种货色。

夏季，五月二十六日，东魏政府大赦。

5 西魏帝国（首都长安）太傅（上三公之二）王盟逝世。

自从三世纪晋王朝以来，知识分子撰写文章，只追求辞藻虚浮华丽。西魏丞相宇文泰打算革除这个弊端。

六月十日，皇帝（〔西〕十六任文帝）元宝炬（本年三十九岁）到皇家祖庙祭祀，宇文泰命中央特遣全权政府财政部长兼国史编撰官（大行台度支尚书、领著作）苏绰，撰写《最高训词》（大诰），公布所有官员周知，指出处理政府事务时应注意事项；并下令：“以后撰写文章，一律依照这种文体。”

6 南梁帝国（首都建康）皇帝（一任武帝）萧衍（本年八十二岁），派交州（州政府设龙编〔越南河内市东北北宁省〕）州长（刺史）杨瞟，攻击变民首领、已称越帝的李贲，用陈霸先当军政官（司马）；命定州（南定州，州政府设郁林〔广西桂平市〕）州长（刺史）萧勃，在西江（珠江）跟杨瞟会师。萧勃知道士卒恐惧远征，于是用诡计说服杨瞟，不要前进。杨瞟召集军事会议，询问各将领意见，陈霸先说："李贲叛乱，是皇族（指武林侯萧咨）激起，结果使几个州都陷入烽火战争，一连数年（自五四一年迄今。参考该年十二月）。定州（南定州）萧公（萧勃）只顾眼前苟且偷安，不为国家着想。将军奉命讨伐叛徒，应不管生死，全力以赴，怎么可以逗留不动，助长敌人气焰，打击自己士气。"遂率军先行出发。杨瞟命陈霸先当前锋，抵达交州（越南北部），李贲率军三万人迎击，在朱鸢（越南河内市东南）会战，李贲失败；再在苏历江口（今地不详）会战，李贲再失败，逃往嘉宁城（越南山西市），南梁政府军遂把嘉宁城包围。萧勃，是萧昞的儿子（萧昞，是萧衍的堂弟，参考五〇二年正月）。

7 西魏帝国（首都长安）跟柔然汗国（瀚海沙漠群）可汗（十四任敕连头兵豆伐可汗）郁久闾阿那瓌结合，准备联军攻击东魏帝国（首都邺城）。东魏丞相高欢，深为忧虑，派中央特遣政府助理官（行台郎中）杜弼，前往柔然，替世子高澄求婚。郁久闾阿那瓌说："世子不行，要高王（高欢）自己娶才行。"高欢犹豫，不敢决定。王妃娄昭君说："事关帝国安危，还有什么迟疑的。"高澄、尉景，也作同样建议。高欢遂派镇南将军慕容俨，前往礼聘，称"蠕蠕公主"（"蠕蠕"二字此时已没有卑贱之意）。

秋季，八月，高欢亲自到下馆（山西省朔州市东南）迎亲。蠕蠕公主抵达后，王妃娄昭君搬出正房，高欢感动，向娄昭君下跪叩谢，娄昭君说："她一定会发现事实真相，所以以后千万不要来看我。"郁久闾阿那瓌派他的老弟郁久闾秃突佳护送，吩咐说："等外孙生下后再回来。"蠕蠕公主性情刚强严肃，终身不肯使用汉语。高欢曾经患病，不能进入后寝，郁久闾秃突佳大发雷霆，高欢只好扶病上车，到蠕蠕公主住处。

8 冬季，十月十四日（原文"乙未"，据《梁书》改），南梁帝萧衍下诏，判刑的人再度准许用金钱赎罪（不准赎罪事，参考五〇四年十一月）。

9 东魏帝国派立法院立法官（中书舍人）尉瑾，前往南梁帝国聘问。

十月乙未日（十月丙午朔，没有乙未），东魏丞相高欢，请中央释放邙山战役（参考前年〔五四三〕二月）西魏俘虏，把民间寡妇给他们婚配（如此就有可能留住他们，并用以补充人力不足）。

十二月，命侯景当宰相（司徒），立法院最高立法长（中书令）韩轨当最高监察长（司空）。

十二月十四日，命孙腾当主管政府机要（录尚书事）。

10 西魏帝国在首都长安（陕西省西安市）城南，兴建祭祀天神的圆形祭坛。

11 南梁帝国总顾问长（散骑常侍）贺琛，上疏陈述四事：

"其一，现在北方（东魏帝国）已向我们屈服，正是我们生聚教训的时候（"十年生聚，十年教训。"伍子胥语），可是天下户口减少，边关以外新收复地区，情形尤其严重。郡，没有能力承受州的压榨；县，没有能力承受郡的剥削。大家互相勾结，只知道骚扰人民，乘机征税敛财，人民没有能力服从政府命令，唯一的生路就是逃亡，这岂不是州长、郡长的过失！帝国东部（太湖流域及钱塘江流域，最繁华富庶之地），户口同样空虚，因为政府摊派的次数太多，即令是穷乡僻壤，都不遗漏。每逢钦差使节抵达，所属地区，全都骚动。郡长县长如果稍微忠厚老实，也只能袖起双手，由他们宰割；郡长县长如果稍微灵活凶恶，那就乘着这个机会，加倍贪污暴虐。纵然有些钦差使节，清廉平和，郡政府也不会让他们空手而回。所以，陛下虽然每年都下诏要人民恢复基业，屡次免除人民赋税差役，而人民仍不愿返回他们的故乡，原因在此。

“其二，天下郡长县长所以贪污残暴，由于风气奢侈靡烂，逼他们如此。每逢宴请宾客，大家就互相夸耀自己的财富，仅水果一项，便堆积如同丘陵，各种山珍海味，摆在那里，美丽得像绣花的绸缎。黄金一百两，不够一次酒席的开支，而主人和宾客，也不过吃饱而已；没有等到散席，所有菜肴已被撤下抛弃，变成腐臭。同时，不管什么官阶，都可以蓄养歌女舞女，于是家家都有。直接管辖人民的地方政府首长，贪污残暴，搜括到亿万金钱，离职回家之后，维持不了几年，都被这种豪华的宴会，和歌舞的用具，消耗一空。浪费的金银财宝像山那么高，而所得到的不过片刻欢娱，不但不知节约，反而后悔当初贪污太少。一旦有机会再让他们复出当官，贪赃枉法，敲骨吸髓，就更凶狠，这是何等的悖谬。其他荒淫奢侈的事，更有千种百种，习惯已成风俗，而且一天比一天严重，在这种情形下，而要求官员廉洁清白，怎么能够！实在应该严厉限制，引导国人节约，命有关单位对虚浮豪华的事，负责纠举弹劾，使感官上的享受，得以遏止。人们并不愿意失去操守，只是认为比不上别人豪华，是一种羞耻，不得不勉强去做。假如大家都能认为纯朴最美，一定可以矫正流弊。

“其三，陛下忧虑天下苍生，不怕辛勤劳苦；文武百官，因之纷纷上疏，提出建议。有些鄙陋的人，就利用这种机会，用诡诈手段，谋取升迁。不识大体，不知道心存宽厚，而只专门挑剔别人过失。认为陷害别人越深，罩到别人头上的罪状越严重，就越表示他忠贞干练。乍看他的行为，好像是为了国家破除情面，事实上他是在那里作威作福。结果犯罪的人越多，逃避法律制裁的方法也越高明，助长弊端，鼓励邪恶，都由此而生。如果能要求他们态度公平，能摒除他们内心奸诈，则在下的人就能安心，在上的人也可以清静，就不会再有人心存侥幸。

“其四，现在，天下升平，没有战争（北中国两大帝国苦斗，人民求生不能生，求死不能死；南中国看起来确是升平），可是，各种劳民伤财的事，似乎永做不完。陛下最好减少工程、节省开支；减少工程就是让人民得到休息，节省开支则财富才可以聚集。中央各单位应检查所管辖的事务，京师（首都建康）所有官署、王府、各州郡驻京办事处、市场，以及仪仗队、军事装备，四方所有驻军基地、驿站、宾馆，凡是应该撤销废除的，一律撤销废除，应该裁减的，一律裁减。不是急需的建筑、不是急需的差役，最好全都停止，用以控制经费，使人民获得休养。聚集财富，是为了将来举办大事，人民休养，是为了将来发生大战役时征调。如果认为小事费不了几个钱，则从年头到年终，就会不停用钱。如果说某一差役并不妨碍人民生活，则从年头到年终，就会一直征调。如果这样，则勉强可以谋求富强，而拟订长程计划。”

奏章呈上，南梁帝萧衍大怒若狂，召唤文书助理官（主书）到面前，口述他斥责贺琛的批答指令（过去，皇帝诏书，都由立法院〔中书〕拟定颁发，南梁建国以来，萧衍直接发号施令，立法院〔中书〕权势大落），大意是："我主持帝国，四十余年（自五〇二年迄今，共四十四年），由宫门转报上来的正直言论，每天都会听到，他们陈述的内容，跟你并没有差别，只因每天忙碌，所以没有一一答复，因而你再上此疏，加深我的困惑。不应该跟那些肤浅卑劣的人一样，只不过为了提高知名度，就到处宣传说：'我能够上奏皇帝，只恨政府不听我的。'你为什么不具体的指出：哪一个州长（刺史）横暴？哪一个郡长贪污？国务院（尚书）、总监察署（兰台），哪一个人老奸巨滑？哪一个人宰割人民？姓什么？名什么？向什么人敲诈勒索？只要明白写出，我自会诛杀贬降，另行物色优秀人才。至于知识分子，平常饮食过分，你建议严加禁止，须知巨宅深院，房间隐秘，路径曲折，政府有什么办法知道他的酒席豪华？如果家家搜查，恐怕凭空增加骚扰。如果你指的是我，我可绝对没有这种事。从前皇帝祭祀，都用家畜，而我早就不再宰杀。宫中设筵聚会，也只吃蔬菜，如果连蔬菜也要裁减，将受到《蟋蟀》刺讥（《诗经·蟋蟀》："蟋蟀在屋子里／一年就要逝去／到今天还不寻乐／岁月也要逝去／今天就去寻乐／也应想到爱惜／不可乐过了头／有作为的青年不敢肆意"〔蟋蟀在堂／岁聿其莫／今我不乐／日月其除／无已大康／职思其居／好乐无荒／良士瞿瞿。〕这是《蟋蟀》三章之一，多所勉励，似无讥刺之意）。如果指的是我在佛事上所做功德（如供佛祖、供和尚、无遮会、无碍会），所用的全是御花园的产物，一个瓜烹出数十种不同的菜色，一样菜调出数十种不同的滋味，只是变来变去而已，怎能称为浪费？我自己除非因公设宴，从来不吃国家的饮食，很多年来，都是如此。甚至包括宫女在内，也都不吃国家的饮食。所有建筑，从不麻烦宫廷供应部全国建材管理官（材官将军），和政府工程部门，一切都用我自己的钱，雇请工匠完成。官员中有勇有怯、有贪有廉，各有用处，并不是政府对谁庇护，给他们插上翅膀，教他们出来作恶！你认为政府悖谬，可是你却乐意享受这个悖谬（《梁书·贺琛传》："贺琛当总监察官〔御史中丞〕时，因买公主家屋当自己私宅，被有关单位弹劾，免除官职。不久，复出当国务院左秘书长〔尚书左丞〕。"萧衍用此封贺琛的口），所以你应该想一想，使政府悖谬的人何在！你又说：'应引导他们节俭！'我断绝男女房事已三十余年，我的卧室，仅能放下一张床铺，雕刻装饰的东西，从来不准进宫。我天性不喜爱饮酒、不喜爱音乐，所以中央举行的宴会，都没有奏过音乐，这种情形，各位贤能的官员，都亲眼看到。我每天二更（午夜稍后），就起床处理国家大事，依照事情多少，来定办公时间，事情少时，中午以前可处理完毕；事情多时，太阳偏西，才进午餐。一天常常只吃一顿，不分昼夜。从前，身体肥胖，腰围超过五尺，而今消瘦，腰围才二尺稍多，旧时的腰带仍然保存，并不是凭空捏造，我这是为了谁？只是为了拯救天下苍生。你又说：'文武百官，纷纷上疏，用诡计谋求进取。'现在如果不让外人呈递奏章，那么，让谁呈递奏章？专门派人去做，要想找到恰当人选，谈何容易？古人说：'只听从一个人，产生奸邪。只信任一个人，造成混乱。'嬴胡亥专任赵高（参考前二〇八年八月）、王政君专任王莽（参考前一年六月），指鹿为马，怎么可以效法！你说：'专门挑剔毛病。'是哪个人挑剔？'陷害越深'，是哪件事陷害？官署、王府、州郡驻京办事处、市场，哪一个应该废除？哪一个应该裁减？什么地方的建筑不是急需？什么地方征调民夫可以稍缓？应一一列举事实，具体奏报。用什么方法使国富兵强，又用什么方法使人民休养、差役停止？都应写明。你如果不能桩桩件件，明白列出，你就是欺骗蒙蔽中央，打击领导中心。现在应再行奏报，我自然会仔细阅读，发交国务院（尚书），命全国实施，希望新的气象，再见于今日。”贺琛只好承认自己错误，请求宽恕，不敢再说话。

萧衍这个人，孝顺、慈爱、谦恭、节俭、学问渊博、会写文章；玄学（阴阳）、卜卦、骑马、射箭、音乐、书法、围棋，都有精湛的造诣。努力办公，即使在严寒的冬季中，四更时候（凌晨一时至三时），即起床处理事务，拿笔的手暴露在冰冷的空气中，肌肤都被冻裂。自本世纪（六）一〇年代信仰佛教以来，长期素食，不再吃肉，每天一餐，只有蔬菜粗饭。有时事情太忙，过了中午，就漱漱口，不再进食。穿着布质衣服，悬挂木棉织成的床帐，一顶帽戴了三年，一条被盖了两年，皇宫之中，从贵妃（小老婆群第一级）以下，长裙都不拖到地面。萧衍天性不喜爱饮酒，除非皇家祖庙祭祀，或大宴文武百官，或举行佛教各种仪式，从来不奏音乐。即令独自在幽暗的房间里，照常衣帽整齐，谨谨慎慎落座。天气再热，他也从不卷起袖子或露出手臂。面对宫中奴仆，如同面对国宾。然而他待当官的人，太过宽大，州长郡长大多剥削人民，中央派出的钦差使节，对郡县百般压榨、刁难、勒索。萧衍信任奸佞，喜爱挑剔别人的小毛病；大量建造佛塔寺庙，无论政府与民间，都受损失。长江以南地方，久享太平，风俗奢侈，生活靡烂，贺琛所说的，全是实情；但也正因为所说的全是实情，所以萧衍才大怒若狂。

萧衍之没有好的结局，完全活该。君王听取批评时最容易犯的错误，在于只注意琐碎枝节；臣属贡献意见时最容易犯的错误，在于只注意鸡毛蒜皮小事。是以英明的领袖掌握大的方向，控制重要关键；优秀的干部也应就大的方向和重要关键，改正领袖的缺失；所以身体不必劳苦，就可以收到长远的功效，言语十分简单，对国家却有很大裨益。

试看贺琛的规劝，内容既不直率，态度又不激烈，而萧衍已赫然震怒，拼命袒护自己的短处，夸耀自己的优点。追究贪污残暴的人是谁，责问劳动浪费的项目是哪些；明知道贺琛不敢回答，而故意逼他回答！明知道贺琛无法进一步揭发，而故意逼他进一步揭发。萧衍自以为饮食节约是人生最高的美德，日夜辛劳就等于政治清明、人民安乐。自认为做领袖的条件，他已完全具备，再也没有什么可以改进，所以官员们的任何意见，他都听不进去。

结果是，比贺琛分析更深入、建议更切实际的言论，谁还敢提出！正因为如此，奸邪站在他面前，他看不见奸邪（指朱异、周石珍、萧正德之徒），重大的决策犯了严重错误（指接受侯景而又出卖侯景之类，参考后年〔五四七〕二月，及五四八年二月），他却不知道。声名凌辱，生命危险，祭祀断绝，帝国覆亡，受到千古耻笑，岂不可哀。

萧衍厉声质问：贪污的是谁？横暴的是谁？要贺琛提出名字，这种镜头，二十世纪的读者，恐怕都曾亲耳听到，也都曾亲眼看到，多少大家伙理直气壮的咆哮，要人指出名字、拿出证据。指出名字、拿出证据，是检察官法官的事，舆论只是就现象呼吁，当人们向消防队报案时，消防队一定教他指出确实地点和揪出火主，才肯出动，甚至因他不能说出确实地点和揪出火主，而认为他在反政府、反革命、打击领导中心，别有居心，动用大刑，这才是中国人面对的困局。

姒文命闻过则喜，萧衍恰恰相反，他闻过则怒。凡闻过则怒的人，他所闻的过，一定不假。好像一钢叉扎到他屁股上，他非歇斯底里叫起来不可，假如扎到砖墙上，他自然不会出声。闻过则怒是医生的诊断器，可诊断出批评的真实程度。无论是歇斯底里叫起来，老羞成怒吼起来，都证明它确实是批评对了。

萧衍崇尚文雅，刑法简单疏略，从高高在上的三公及部长级官员起，都不把人民诉讼以及审判，当作一回事（因为轮不到他们头上）。邪恶的官员利用权势，玩弄法令，贪赃枉法，收受贿赂，像菜市场上交易一样的公开，被冤枉被滥杀的人很多。大概两年有期徒刑的，每年有五千人；被罚做苦工的，共分五种（会木工的当木匠，会炼铁的当铁匠，会制皮的当皮匠，会染布的当染匠，会烧窑的当窑工），没有专长的囚犯，则戴上脚镣，囚禁牢房。可是，如果患病，脚镣就可暂时解除。于是产生流弊，有钱的囚犯送上贿赂，法官就说他患病；没有钱的囚犯无力拿出金钱，即使真的患病，也不能解除，使痛苦更重。当时，王爵侯爵等高门第世家的子弟，大多骄傲荒淫、违犯国法。萧衍年纪已老，对处理国家事务，感到厌倦。又专心信佛，遵守佛教慈悲为怀的告诫，每次在批准重刑时，整天心里都感悲凄。（胡三省注："洛口之败，死多少人？浮山之役，死多少人？寒山之战，死多少人？还有其他，争城之战，杀人满城；争地之战，杀人遍野；南北人民，交替死亡，不能数计。至于侯景之乱，东至吴会〔太湖流域及钱塘江流域〕，西到江郢〔江西省及湖北省〕，被士卒杀死，因饥馑饿死；自从四世纪一〇年代，晋王朝政府南渡长江以来，还从没有见过如此悲惨。把没有罪的人驱逐到死亡之地，不但儒家、道家不允许，同时更是佛教的罪人。而判决一个重刑犯就整天不乐，想骗谁？难道想骗上天！"柏杨认为，萧衍并不想骗上天，只是想骗一下他的左右，去宣传他的"仁慈"！）即令遇到叛国谋反人事，阴谋被发觉，萧衍也不过哭泣一阵，下令赦免（萧正德投奔北魏帝国，参考五二二年十二月；萧综〔萧赞〕同样投奔北魏帝国，参考五二五年五月）。于是，贵族们更加横暴凶恶，甚至光天化日之下，在闹市杀人；甚至乘着黑夜，公开抢夺劫掠。犯罪恶徒逃亡，躲藏在亲王家里，治安机关不敢搜捕。萧衍也深知道种种弊端，但因过度慈爱，不能禁止。

放纵罪恶，不是慈爱，而是暴行。

12 西魏帝国（首都长安）东阳王元荣，当瓜州（州政府设敦煌〔甘肃省敦煌市〕）州长（刺史），上任时跟女婿邓彦，一同前往。元荣逝世，瓜州地方的望族，上书中央，请任命元荣的儿子元康，继任州长（刺史）；但邓彦格杀元康，夺取官位。中央政府不能讨伐，只好顺水推舟，命邓彦继任州长（刺史）。中央屡次征调邓彦前往京师（首都长安），邓彦屡次拒绝。而邓彦又跟南方的吐谷浑汗国（青海省）勾结。丞相宇文泰因道路太远（敦煌与长安两地航空距离一千四百公里），难以发动长征，打算用计谋克服，遂任命副总监督长（给事黄门侍郎）申徽，当河西（甘肃省中部西部）钦差大臣；密令申徽逮捕邓彦。

申徽只率五十个骑兵卫士，抵达敦煌（甘肃省敦煌市），住在宾馆。邓彦发现申徽兵力孤单薄弱，并不起疑。申徽派人暗中劝邓彦返回京师（首都长安），邓彦拒绝，申徽遂公开支持邓彦留在敦煌，邓彦相信申徽出于真心，遂到宾馆会见。申徽先跟州政府主任秘书（主簿）、敦煌人令狐整（令狐，复姓）等秘密定谋，就在座位上，制服邓彦，斥责他所犯的罪行，然后捆绑。于是向官民宣布皇帝诏书，安抚慰勉，并且说："大军马上就到。"城中平静，没有人敢反抗，遂把邓彦押送长安（西魏首都，陕西省西安市）。宇文泰命申徽当国务院法务部长（都官尚书）。

五四六年 丙寅

南梁　大同　十二年
　　　中大同　元年
东魏　武定　四年
西魏　大统　十二年
（越帝国皇帝李贲大德三年）

1 春季，正月十日，南梁帝国（首都建康〔江苏省南京市〕）交州（州政府设龙编〔越南河内市东北北宁省〕）州长（刺史）杨瞟等，攻克嘉宁城（越南山西府。参考去年〔五四五〕六月）；变民首领、越帝李贲，逃往新昌郡（郡政府嘉宁）獠民族部落躲避。南梁各军驻防江口（苏历江口，今地不详）。

2 二月，西魏帝国（首都长安〔陕西省西安市〕）任命义州（州政府设卢氏〔河南省卢氏县〕）州长（刺史）史宁，当凉州（州政府设姑臧〔甘肃省武威市〕）州长（刺史）。前任州长（刺史）宇文仲和占据州城，拒绝移交；而瓜州（州政府设敦煌〔甘肃省敦煌市〕）变民首领张保，刺杀州长（刺史）成庆，起兵响应宇文仲和；晋昌郡（甘肃省瓜州县）变民首领吕兴，刺杀郡长郭肆，献出郡城，响应张保。丞相宇文泰派太子太保（太子三师之三）独孤信、开府仪同三司（宰相级）怡峰，会同史宁，联合进军讨伐。

3 三月三日，南梁帝国大赦。

三月八日，南梁帝（一任武帝）萧衍（本年八十三岁），前往同泰寺进香，就在同泰寺特设皇帝休息室留下，讲解《三慧经》。

夏季，四月十四日，讲解完毕，大赦，改年号（之前是大同十二年，之后是中大同元年）。当天（四月十四日）夜晚，同泰寺佛塔失火，萧衍说："这是妖魔劫数，应该扩大诵经祈祷。"文武官员全体赞成，萧衍遂下诏说："道高一尺，魔高一丈；每逢推行善事，定有孽障横生。我们要大兴土木，建造比先前摧毁的更高大的佛塔。"遂兴筑佛塔，高达十二层。可是，将要落成时，侯景引起的灾难发生（参考五四八年），遂告停止。

4 西魏帝国新任凉州（州政府姑臧）州长（刺史）史宁，向凉州变民发出政治号召，变民军士卒遂纷纷归降，只剩下变民首领宇文仲和，据守州城姑臧（甘肃省武威市），不肯屈服。

五月，太子太保（太子三师之三）独孤信命各将领攻城东北，而自己率敢死队攻城西南，天明之后，攻克，生擒宇文仲和。

最初，瓜州（州政府敦煌）变民首领张保，打算格杀州政府主任秘书（主簿）令狐整，但因他拥有很高声望，恐怕失去民心，才没有动手；虽然表面上对他很是恭敬，内心对他却猜疑畏惧。令狐整假装跟张保等站在一条线上，乘势派人游说张保："现在，中央军逐渐逼近凉州（州政府姑臧），宇文仲和孤立无援，十分危险，恐怕难以抵挡，应该分出一部分精锐，前往协防。军事成败，全看将领，令狐整文武全才，如果能够派他，没有不成功之理。”张保同意。

令狐整率领大军东下，直到玉门郡（甘肃省玉门市），召集将领们宣布张保罪状，迅速回军，袭击张保。先攻克晋昌郡（甘肃省瓜州县），斩变民首领吕兴；再攻瓜州（州政府敦煌），州人一向信任敬佩令狐整，遂背弃张保，向令狐整投降。张保向南逃亡，投奔吐谷浑汗国（青海省）。

瓜州（州政府敦煌）官员们讨论，准备推举令狐整当州长（刺史），令狐整说：“我们因张保叛乱，恐怕全州人民都将陷于不义，所以共同讨伐。如今你们要推举我，岂不是效法他！”遂推举中央派往波斯王国（伊朗）的使节张道义，当州总部执行官（行州事），把情形呈报中央。丞相宇文泰命申徽当瓜州州长（刺史）；征调令狐整当寿昌郡（甘肃省敦煌市西南）郡长，封襄武男爵（申徽事，参考去年〔五四五〕十二月）。令狐整率领他的家族三千余人，前往京师（首都长安）朝见皇帝；以后经常追随宇文泰出战，累积功劳，最后当骠骑大将军、开府仪同三司（宰相级）、总监督长（侍中）。

5 六月二十九日，东魏帝国（首都邺城〔河北省临漳县西南邺城镇〕）任命宰相（司徒）侯景，当河南大将军、中央特遣全权政府总监（大行台）。

秋季，七月一日，东魏政府派总顾问长（散骑常侍）元廓，前往南梁帝国聘问。

6 七月二十三日，南梁帝萧衍下诏：“人民所犯的罪，除非是大逆不道，否则父母、祖父母，不受连坐惩罚。”

从前，江东地区（江苏省南部太湖流域），只有建康（江苏省南京市）及三吴（吴郡〔江苏省苏州市〕、吴兴郡〔浙江省湖州市〕、会稽郡〔浙江省绍兴市〕），其他则只有荆州（湖北省西部）、郢州（湖北省中部）、江州（江西省及福建省）、湘州（湖南省）、梁州（陕西省南部）、益州（四川省中部），使用钱币；除此之外的州郡，都杂用米谷、绸缎、布匹；而交州（越南北部）、广州（广东及广西。以上各州，皆泛指南梁在本世纪〔六〕二〇年代大肆析置州郡之前的管辖领域）则用金银。中央政府自从铸造五铢钱及女钱（萧衍铸“五铢钱”〔参考五二三年十一月〕，文字写明五铢，实际仅二铢三累二黍，一百钱重一斤二两。另外又铸一种“五铢钱”，重量跟第一种一样，但没有轮边及方孔，称“女钱”），两种同时流通市面，此后政府禁止使用古钱。本世纪（六）二〇年代，又铸铁钱。从此，人民私自铸钱的日益增多，物价飞腾上升，购买东西时，甚至用车装满了钱，不再计算钱数。破岭（江苏省句容市东南）以东，一百钱值八十钱，称“东钱”；江州（江西省及福建省）及郢州（湖北省中部）以西，一百钱值七十钱，称“西钱”；首都建康（江苏省南京市），一百钱值九十钱，称“长钱”。

七月二十五日，萧衍下诏：“朝四暮三，群猴大为欢喜（《庄子》：喂猴的人分配芋头，说：“早餐三个，晚餐四个。”群猴大怒。喂猴的人说：“早餐四个，晚餐三个。”群猴大喜），实际上既没有增多，也没有减少，可是却喜怒不同。最近听说，民间多使用‘九陌钱’（一百值九十，称九陌钱），比值越减少（如一百值八十），则物价越腾贵，比值越增加（如一百值九十五），则物价越降低，不是东西有贵贱，而是心灵有颠倒。至于距京师（首都建康）更远的地方，情形更为严重。凭空扰乱皇家制度，并不能增加人民财产。从现在开始，不准有任何折扣，一律十足使用。诏书颁布后，以一百天作为教育宣导缓冲期，逾期如果仍然再犯，男子罚做苦工，女子罚做劳役，为期三年。”诏书虽然下达，可是人民不肯遵从，折扣越来越大，到了南梁帝国末年（指建康政府，本世纪〔六〕五〇年代中期），一百钱只值三十五钱。

萧衍年老（本年八十三岁），儿子们各怀鬼胎，互相猜忌，谁都不服谁。邵陵王萧纶（萧衍第六子）当首都建康市长（丹阳尹）、湘东王萧绎（萧衍第七子）当江州（州政府设寻阳〔江西省九江市〕）州长（刺史）、武陵王萧纪（萧衍第八子）当益州（州政府设成都〔四川省成都市〕）州长（刺史），权力之大，跟君王没有分别。太子萧纲对这种现象，深感畏惧，经常挑选精锐部队，保护太子宫（东宫）。

八月，萧衍调萧纶当南徐州（州政府设京口〔江苏省镇江市〕）州长（刺史）。

7 东魏帝国丞相高欢，自基地晋阳（山西省太原市）前往首都邺城（河北省临漳县西南邺城镇）。最高统帅（大将军）高澄，把洛阳（河南省洛阳市东白马寺东）的《石经》五十二碑，迁到邺城（北魏重修东汉王朝《石经》事，参考五一八年六月）。

8 西魏政府征调并州（侨州，州政府设玉壁〔山西省稷山县〕）州长（刺史）王思政，当荆州（州政府设穰城〔河南省邓州市〕）州长（刺史），并命王思政推荐继任人选，王思政推荐晋州（侨州，州政府设车厢城〔山西省绛县〕）州长（刺史）韦孝宽；丞相宇文泰批准。

东魏丞相高欢，动员全国所有可以作战的武装部队，再向西魏帝国发动总攻击。

八月二十三日，东魏帝国从首都邺城（河北省临漳县西南邺城镇）出发的军队，在晋阳（高欢根据地，山西省太原市）集结完成。

九月，大军越过国境线，抵达玉壁（山西省稷山县），团团围住；用以引诱西魏帝国出动野战军；西魏不作反应。

9 南梁帝国交州（越南北部）变民首领、越帝李贲，率军二万人，从獠部落中出击，进驻典澈湖（今地不详），大量建造船舰，塞满湖面。南梁政府讨伐军士卒，心怀畏惧，逗留湖口（典澈湖口），不敢前进。军政官（司马）陈霸先，对各将领说：“我们的军队出征已久，士气低落，官兵疲惫（杨嘌奉命讨伐李贲，参考去年〔五四五〕六月），而且一支孤军，没有后援，深入敌人心脏，只要打一次败仗，就难以生还。现在正好乘他们奔波不定，军心还不稳固，蛮夷军队不过一群乌合之众，容易摧毁消灭。我们正应该同生共死，全力出战。无缘无故的停在这里，大好时机，将一去不返。”各将领都默不作声，没有人回答。当天夜晚，苏历江江水暴涨，水位增高七丈，汹涌灌入典澈湖中。陈霸先下令全军利用急流，发动攻击，战鼓声和呐喊声，跟船舰同时前进。李贲的部众瓦解，再度逃往屈獠洞躲藏。

冬季，十月六日，南梁政府命前任东扬州（州政府设会稽〔浙江省绍兴市〕）州长（刺史）、岳阳王萧詧（音chá〔察〕），当雍州（州政府设襄阳〔湖北省襄阳市〕）州长（刺史）。萧衍舍弃萧詧兄弟而另封萧纲当太子（参考五三一年四月），内心常觉惭愧（萧詧兄弟是嫡孙。宗法制度下，嫡长子死，应由嫡长孙继任），所以对萧詧兄弟的宠爱，仅次于皇子。因会稽郡（浙江省绍兴市）人才汇集，物产丰富（会稽郡是南朝第一大郡），所以故意命萧詧兄弟轮流当东扬州（州政府会稽）州长（刺史），用以安抚，可是萧詧兄弟一直愤愤不平。萧詧因祖父萧衍年老体衰，政治腐败，遂大量聚集财富，待人谦恭，礼贤下士，结交英雄豪杰，左右侍从多达数千人。认为襄阳（湖北省襄阳市）乃军事重镇，形势险要，是帝国开创大业的发源池（萧衍就在襄阳叛变，参考五〇〇年十一月），一旦发生战乱，可以建立大功。于是，到任之后，把全力用到政事上，安抚知识分子及州民，不断推行使人民感恩的行政措施，延揽人才，倾听规劝及建议，管辖地区内，秩序井然。

10 东魏帝国（首都邺城）丞相高欢，攻击西魏帝国（首都长安）玉壁（山西省稷山县），日夜不停，守将韦孝宽随机应变，竭力拒抗。城中没有井水，完全依靠汾水（汾水流经玉壁城北），高欢使汾水改道（在上游决堤或填土壅塞，水自横流），一夜之间，工程完成。高欢又在城南筑起土山，打算居高临下，越过城墙；玉壁（山西省稷山县）城上原来建有两个指挥作战的碉楼，韦孝宽在碉楼上再建碉楼，一直保持比土山还要高的高度，用以抵御来自土山的攻击。高欢派人警告韦孝宽，说："你把碉楼加高到天上，我就穿地道捉你归案。"于是，深入地层，挖掘十条地道，采用魔法师（术士）李业兴的《孤虚法》（神秘古怪书），集中力量，攻击北城。北城，天生险要。韦孝宽则挖掘长沟，切断东魏军的十条地道，选派战士驻守，东魏军地道挖到深沟时，西魏战士就把他们捕捉格杀。西魏军又在深沟外堆积木柴，另备火种，只要发现有东魏军在地道中潜伏，就把木柴塞进去，投火燃烧，用皮风箱鼓动，烈火浓烟，全吹入地道，只煽一次，地道中东魏士卒就全都焦烂。东魏军用"攻车"撞击城墙，被撞击的地方，都被摧毁，无法抵御。韦孝宽用布匹缝成帐幔，攻车到哪里，就在哪里悬起帐幔，帐幔距城墙有一段距离，攻车力量被化解，不能发挥威力。东魏军于是把松枝、麻秆，绑到长杆上，灌油燃火，去烧帐幔，打算连碉楼一并焚毁。韦孝宽把锐利的铁钩也绑到长杆上，等火杆攻击时，举起钩杆迎击，把松枝、麻秆全都割掉。东魏军再使用地道，在城四周加倍挖掘二十条，用木柱支撑，然后放火焚烧木柱，木柱烧断，城墙崩塌（高欢曾用此方法攻陷邺城，生擒刘诞；参考五三二年正月），韦孝宽在城墙崩塌处，用栅栏堵住，遂无法攻入。东魏军在城外用尽所有攻城方法，西魏军在城中防守，仍有余力，韦孝宽又夺取东魏军攻城用的土山；高欢无可奈何，乃派粮秣军事参议 188

官（仓曹参军）祖珽，游说韦孝宽，说："你困守一座孤城，西方又没有援军，恐怕最后无法保全，为什么不归降？"韦孝宽回答说："我们的城池坚固，军粮绰绰有余。攻城辛苦，守城安逸。天下哪有只被包围十天半月，就需要援军之理，我担心的倒是你们的军队，恐怕有来无回。韦孝宽是关西（函谷关以西）大丈夫，绝不当投降将军。"祖珽再对城中军民劝告："韦将军接受他们（西魏帝国）的荣华富贵，或许可以这样；但是其他军民，为什么随着他跳到滚汤、热火之中！"于是把悬赏文告射到城中，宣布："斩韦孝宽出降的，升全国武装部队总司令（太尉），封开国郡级公爵，赏绸缎一万匹。"韦孝宽在文告背面，亲笔写下西魏政府的悬赏，射回城外，说："斩高欢投降的，封赏跟此相同。"祖珽，是祖莹的儿子（祖莹事，参考五二四年十月）。东魏军苦攻玉壁（山西省稷山县）五十日，士卒阵亡及病死的共七万人，埋葬在一个大冢之中。高欢的智谋和体力，全都枯竭，旧病复发。忽然天上一颗流星，坠入东魏军大营，士卒惊惶恐惧。

十一月一日，高欢下令解除包围，撤退。

之前，高欢派侯景率军另道而进，从齐子岭（河南省济源市西）发动攻击。西魏帝国建州（州政府车厢城）州长（刺史）杨标，镇守车厢（山西省绛县），恐怕侯景攻击邵郡（山西省垣曲县东南），率军迎战。侯景听到杨标军到，撤回河阳（河南省孟州市），砍伐树木，塞住长达六十余华里的道路，而仍惊惧不止。（胡三省注："杨标不过一个常人，侯景何至于对他如此恐惧？史书所记，有时过甚其实。"）

十一月十一日，高欢派段韶护送太原公爵高洋（本年十八岁），前往首都邺城（河北省临漳县西南邺城镇）坐镇。

十一月十二日，命坐镇邺城的世子高澄（本年二十五岁）回基地晋阳（山西省太原市）见面（高欢自知不起，交代后事）。

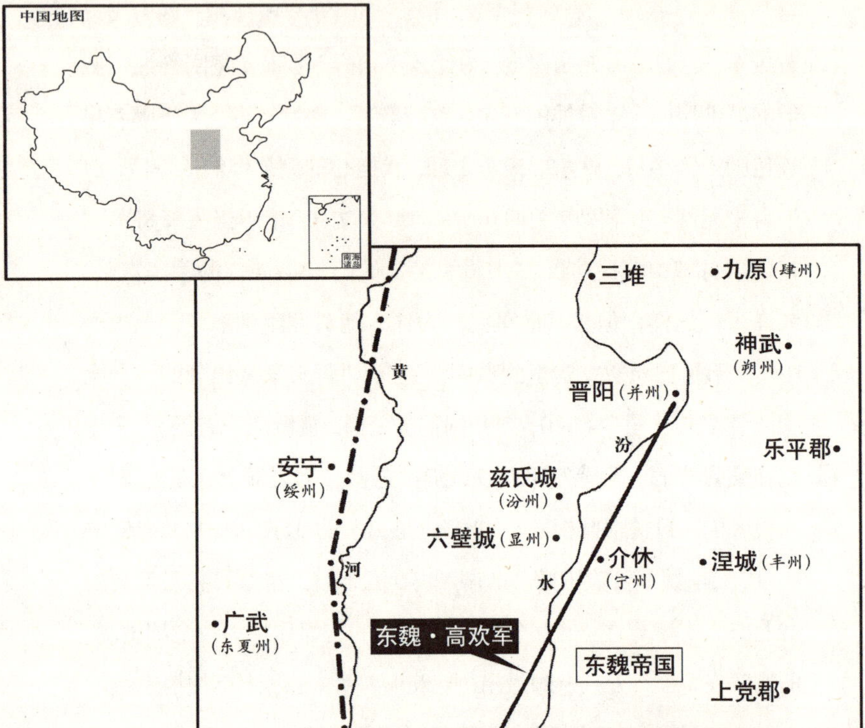

六世纪·五四六年十月　东魏围攻玉壁城不克

中国地图

南海诸岛

三堆
九原（肆州）
神武（朔州）
晋阳（并州）
黄
河
汾
水
乐平郡
安宁（绥州）
兹氏城（汾州）
六壁城（显州）
介休（宁州）
涅城（丰州）
广武（东夏州）
东魏·高欢军
东魏帝国
上党郡
义川（汾州）
定阳（南汾州）
平阳（晋州）
东魏军屡攻玉壁城不克，士卒阵亡七万人
西魏帝国
玉壁城（南汾州　韦孝宽）
车厢城（建州　杨标）
邵郡
高都城（建州）
武乡（华州　宇文泰）
齐子岭
野王（怀州）
河阳（侯景）
蒲阪（泰州）
虎牢（北豫州）
陕县（陕州）
洛阳（洛州）
郑县（东雍州）
潼关
西恒农
宜阳（阳州）
伏流城
卢氏（义州）

11 西魏政府擢升韦孝宽当骠骑大将军、开府仪同三司（宰相级），进封建忠郡公爵（酬庸他坚守玉壁的功劳。“一将功成万骨枯”，东魏死七万人，加上西魏伤亡，何止万骨），当时的人，认为王思政识人。

12 十二月十一日，东魏帝国丞相高欢，因西征无功，上疏请辞全国各军区总司令长官（都督中外诸军），东魏帝（〔东〕十六任孝静帝）元善见（本年二十三岁）批准。

高欢从玉壁（山西省稷山县）回到晋阳（高欢根据地，山西省太原市），军中传出谣言，说高欢已被韦孝宽用机械发射、威力强大的“定功弩”射死。西魏帝国得到消息，在发布的文告上强调：“强弓一发，恶徒毙命。”高欢听见，勉强起身接见高级干部，命斛律金唱《敕勒歌》，高欢也跟着合唱，感慨悲哀，流泪泣涕（斛律金是敕勒人，所以唱《敕勒歌》。《古乐府》记载歌词是：“敕勒川／阴山下／天似穹庐／笼罩四野／天苍苍／野茫茫／风吹草低见牛羊。”北国怆凉，牧歌悲壮，高欢身负重伤，命在旦夕，而强敌更强，内忧难解，一生奋斗，将成一空，百感交集，才会泣下。与刘邦《大风歌》，情景稍异）。

13 西魏帝国（首都长安）中央特遣全权政府财政部长兼农林部长（大行台度支尚书司农卿）苏绰，天性忠诚朴实，常认为天下战乱不能平定，自己应负责任，选拔贤能，推行政务，丞相宇文泰对他推心置腹，十分信任，没有人能够挑拨离间。宇文泰有时离开基地（华州〔州政府设武乡，陕西省大荔县〕），就把已签名的空白公文纸，留给苏绰；遇到需要处理的大事时，随时发号施令；宇文泰回来后，苏绰只作一次简报。苏绰常说：“治理国家最重要的方法，在于像慈父一样爱护人，像严师一样的教育人。”每次跟高阶层官员举行会议，从白昼讨论到深夜，事情不管大小，全都了解清清楚楚，长久辛劳，累积下来，遂一病而死（年四十九岁）。宇文泰十分痛惜，对高阶层官员说：“苏先生平生清廉谦让，我打算成全他在世时的志愿，又怕世俗之辈不了解我的苦心。如果非常丰厚的安葬他，再加上美好的绰号，又违背我是他知己的本意，应该怎么办才好？”国务院初级助理官（尚书令史）麻瑶，超越他的官级，建议说：“俭省节约，就是为了表扬他的美德。”宇文泰接受。把苏绰尸体送回他的故乡武功（陕西省武功县西）安葬，灵柩放在一辆丧车上，宇文泰跟各高级官员，徒步送到同州城外（华州于五五四年才改称同州，此处应仍称“华州”）。宇文泰在丧车后用酒浇地祭奠，说：“你平时所做的事，妻子、兄弟所不知道的，我都知道。只有你知道我的心愿，也只有我知道你的志向。正要跟你携手共同安定天下，你却先我而去，教我怎么办？”放声恸哭，酒杯不知不觉滑落在地。

14 东魏帝国（首都邺城）宰相（司徒）、河南大将军、中央特遣全权政府总监（大行台）侯景，右腿稍短，所以走路有点跛脚，拉弓射箭，骑马杀敌，都不擅长，但老谋深算。将领中像高敖曹、彭乐等，都是当时盖世猛将，但侯景对他们却很轻视，常说：“这些人像野猪狂奔，不知道形势变化！”侯景曾经向高欢请求：“给我三万人，我能横行天下，保证南渡长江，生擒萧衍（南梁帝国皇帝）老家伙，命他当太平寺（邺城佛教庙院）主持。”高欢命他率兵十万人，全权管理黄河以南各州，信任宠爱，好像自己另一半身体。可是侯景一向瞧不起高澄，曾经对司马子如说：“高王（高欢）在世，我不敢有二心，高王如果死亡，我可不能跟鲜卑小娃共事（高欢是汉人，但已鲜卑化，以至连侯景都误认高澄是鲜卑人）。”司马子如急忙捂住他的嘴巴。现在，高欢病重，高澄假冒老爹的口气，写信给侯景，征调侯景来京（首都邺城）。

最初，侯景向高欢请求："我手握重兵，驻防远方，可能有人用诈术陷害，大王写给我的信，请在某个地方，加上一个小点，作为密记。"高欢同意。而现在，侯景接到高欢的信，发觉没有小点，知道事情发生变化，推辞不肯动身；不久听到高欢病情沉重的消息，遂接受特遣政府助理官（行台郎）、颍川郡（河南省长葛市）人王伟计谋，决定把所率领的帝国军队，化作私人军队，保护自己。

高欢问高澄说："我虽然患病，可是你脸上显露的忧愁，远超过对我病情的担心，为什么？"高澄还没有回答，高欢说："莫不是担心侯景叛变？"高澄说："是的。"高欢说："侯景控制黄河以南地区，长达十四年之久（五三四年，侯景攻陷荆州〔州政府设穰城，河南省邓州市。参考该年闰十二月〕，便留在黄河以南，迄今十三年），一直有远走高飞的野心，只有我才可以管束，你无法对他驾驭。而今，四方仍动乱不定，我死之后，不要发布消息。库狄干，鲜卑老公；斛律金，敕勒老公；都性情刚正，不会辜负你。可朱浑道元、刘丰生，从远处投奔我们，也不会有三心二意（可朱浑道元事，参考五三五年正月；刘丰生事，参考五三六年正月）。潘相乐是有道之士，心地忠厚，你们兄弟会得到他的支持。韩轨从小戆直，有时做出冒犯的事，应该多多容忍。彭乐心怀诡诈，难以信任，应该提防。能够击败侯景的，只有慕容绍宗，我故意压制他，不肯擢升，留给你对他重用。"又说，"段韶忠诚仁爱，聪明厚重，智勇齐全，亲戚之中，只有这孩子是个人才（段韶的娘亲跟高澄的娘亲是姐妹，段韶唤高欢姨父），军国大事，应该跟他商量计划。"又说，"邙山（洛阳城北）之战，我不能采纳陈元康的建议（参考五四三年三月），把祸患（西魏帝国）留给你，死也难以合眼。"潘相乐，是广宁郡（河北省涿鹿县）人。

五四七年 丁卯

南梁	中大同	二年
	太清	元年
东魏	武定	五年
西魏	大统	十三年

（越帝国皇帝李贲大德四年）

1 春季，正月一日，日蚀，但仍残留一部分在外，形状像一个铁钩。

2 正月四日，南梁帝国（首都建康〔江苏省南京市〕）荆州（州政府设江陵〔湖北省江陵县〕）州长（刺史）、庐陵王（威王）萧续（萧衍第五子）逝世（年四十四岁）。南梁帝（一任武帝）萧衍（本年八十四岁），命江州（州政府设寻阳〔江西省九江市〕）州长（刺史）湘东王萧绎，当荆雍等九州军区司令长官（都督荆、雍等九州诸军事。九州：荆、雍、湘、司、郢、宁、梁、南秦、北秦）、荆州（州政府江陵）州长（刺史）。萧续一向贪财，临死时，派高级机要军事参议官（中录事参军）谢宣融，向老爹萧衍呈献金银器具一千余件，萧衍才知道这个儿子相当富有，因而问谢宣融说：“王爷（萧续）的金银财宝，是不是只有这些？”谢宣融说：“如果这些就算很多，怎么还可能比这更多。大王（萧续）的过失，好像日蚀月蚀，就是打算让陛下知道，所以寿终之际，也不隐瞒。”萧衍才不再追究。

最初，湘东王萧绎当荆州（州政府江陵）州长（刺史），犯有小错，萧续接任之后，立刻奏报萧衍（《南史·萧续传》：萧绎在荆州时，行宫宫女李桃儿，因才艺出众，萧绎对她入迷。回京师〔首都建康〕时，带她同行。当时禁令森严，萧续据实报告。萧绎向太子萧纲哭诉，萧纲从中调解，萧续不肯，萧绎大为恐惧，把李桃儿送回荆州）。从此，两兄弟连书信都不来往。现在，萧绎听到萧续逝世消息，回家一进大门，高兴得一跳而起，木屐都被摔破。

3 正月八日，东魏帝国（首都邺城〔河北省临漳县西南邺城镇〕）丞相、勃海王（献武王）高欢逝世（年五十二岁）。高欢性情内向，沉默寡言，每天端坐，态度严肃，外人对他心里的想法，无法猜测。但他随机应变之快，犹如闪电。统率军队，法令风纪，执行彻底，分析事情，明察秋毫，没有人能对他欺骗冒犯。擢升人才，委派官职，全看工作能力，只要能够胜任，不管什么出身；只有虚名而没有实质的人，一律不用。高欢一向节俭朴素，刀剑、马鞍、缰绳口勒，从不用金玉装饰。年轻时就能大量饮酒，自从担当重任之后，自我克制，每次饮酒，都不超过三杯。有知人之明，喜爱知识分子，对平民时代的旧友或立过功劳的元老，多予保全（如尉景、司马子如等），每次俘虏敌国忠臣，大多免除罪罚（如泉企、裴让之等）。因此文武官员，都乐于听他的驱使。高欢死后，世子高澄（本年二十六岁）封锁死讯，不对外发布，只有中央特遣政府政务秘书长（行台左丞）陈元康知道。

中央特遣全权政府总监（大行台）侯景，自己知道跟高澄有过冲突，内心不安。

正月十三日，侯景在河南（黄河以南）叛变，向西魏帝国（首都长安）投降；颍州（州政府设长社〔河南省长葛市〕）州长（刺史）司马世云，献出城池响应。侯景用计生擒豫州（州政府设悬瓠〔河南省汝南县〕）州长（刺史）高元成、襄州（州政府设赭阳〔河南省方城县〕）州长（刺史）李密、广州（州政府设鲁阳〔河南省鲁山县〕）州长（刺史）怀朔（内蒙古固阳县）人暴显等。同时派士卒二百人，用车队装满武器，于黄昏时进入西兖州（州政府设左城〔山东省菏泽市定陶区西〕），打算夜晚袭击，夺取城池，州长（刺史）邢子才发觉这项阴谋，立即逮捕，全部落网，遂用公文紧急警告东方各州，使他们各自戒备，侯景无可奈何。

东魏政府各将领，异口同声认为侯景是崔暹逼反（崔暹纠举弹劾权贵，各将领对他怀恨，借机栽赃）。高澄不得已，打算诛杀崔暹，向侯景道歉。陈元康劝阻说："天下虽然还没有统一，但帝国的法律秩序，已经稳定。有些将领率军在外，如果为了讨他们的欢心，冤枉杀人，法令规章被废弃破坏，岂止是上负天神，更无颜下对平民！晁错往事（参考前一五四年正月），可以作为鉴戒，请特别慎重。"高澄才停止。派最高监察长（司空）韩轨，率各军讨伐侯景。

4 正月二十三日，南梁帝（一任帝）萧衍，前往首都建康南郊，祭祀天神，大赦。

正月二十六日，萧衍在皇家大会堂（明堂）祭祀。

5 二月，西魏帝国（首都长安〔陕西省西安市〕）皇帝（〔西〕十六任文帝）元宝炬（本年四十一岁），下诏说："从现在开始，男子被判决宫刑的，不再执行，一律发配政府，充当苦工。"

西魏政府擢升开府仪同三司（宰相级）若干惠当最高监察长（司空）；任命侯景当太傅（上三公之二），兼中央派驻黄河以南特遣政府总监（河南道行台），封上谷公爵。

6 二月十三日，投降西魏并接受西魏官爵的侯景，又派特遣政府助理官（行台郎中）丁和，前往南梁帝国（首都建康），呈递奏章，说："我跟高澄有过冲突，请准许我献出函谷关（河南省新安县）以东、瑕丘（山东省济宁市兖州区）以西：豫州（州政府设悬瓠〔河南省汝南县〕）、广州（州政府设鲁阳〔河南省鲁山县〕）、颍州（州政府设长社〔河南省长葛市〕）、荆州（东荆州，州政府设沘阳〔河南省泌阳县〕）、襄州（州政府设赭阳〔河南省方城县〕）、兖州（州政府瑕丘）、南兖州（州政府设谯城〔安徽省亳州市〕）、济州（州政府设碻磝〔山东省聊城市茌平区西南〕）、东豫州（州政府设新息〔河南省息县〕）、洛州（州政府洛阳）、阳州（州政府设宜阳〔河南省宜阳县西〕）、北荆州（州政府设伏流城〔河南省嵩县〕）、北扬州（州政府设项城〔河南省沈丘县〕）等十三州，回归祖国（南梁帝国）。只有青州（州政府设东阳〔山东省青州市〕）、徐州（州政府设彭城〔江苏省徐州市〕）等数州，还需要写信召唤，就可以顺服，但他们位于黄河以南，全在我的管辖之下，取得二州，易如反掌；二州一旦平定，就可再进一步讨论黄河以北燕赵（河北省）事务。"南梁帝萧衍召开御前会议。国务院执行长（尚书仆射）谢举等一致反对，说："连年以来，跟魏国（东魏帝国）邦交敦睦（自五三六年十二月起，两国复交，迄今十二年），边境平安，没有事端，而今忽然收容他们的叛徒，并不适宜。"萧衍说："你的话很对，可是，收容侯景，塞北（长城以北，泛指北

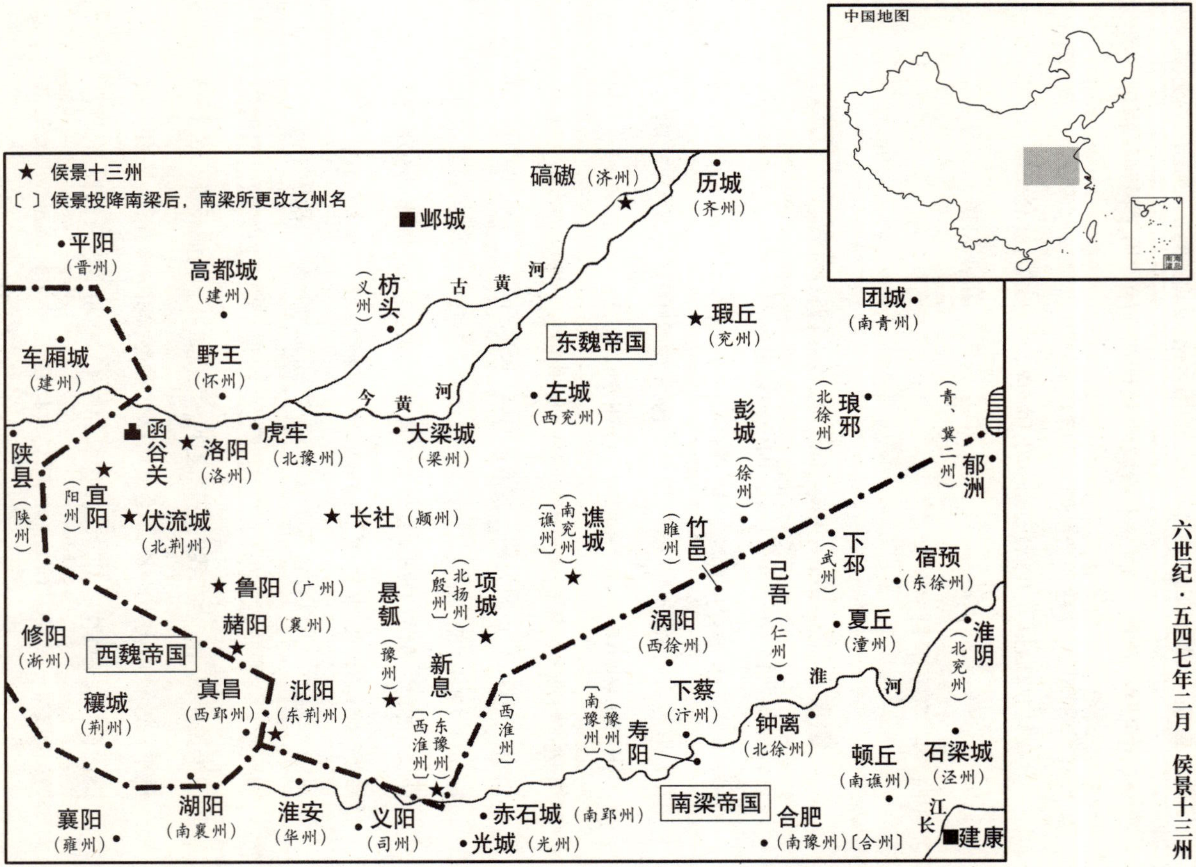

★ 侯景十三州
〔 〕侯景投降南梁后，南梁所更改之州名
中国地图
东魏帝国
西魏帝国
南梁帝国
碻磝（济州）
历城（齐州）
邺城
平阳（晋州）
高都城（建州）
枋头（义州）
古黄河
团城（南青州）
瑕丘（兖州）
车厢城（建州）
野王（怀州）
今黄河
左城（西兖州）
彭城（徐州）
琅邪（北徐州）
郁洲（青、冀二州）
陕县（陕州）
函谷关
洛阳（洛州）
虎牢（北豫州）
大梁城（梁州）
宜阳（阳州）
伏流城（北荆州）
长社（颍州）
谯城（南兖州）〔谯州〕
竹邑（睢州）
下邳（武州）
宿预（东徐州）
己吾（仁州）
鲁阳（广州）
悬瓠（豫州）
项城（北扬州）〔殷州〕
涡阳（西徐州）
夏丘（潼州）
淮阴（北兖州）
修阳（淅州）
赭阳（襄州）
新息（东豫州）〔西淮州〕
〔西淮州〕
淮河
穰城（荆州）
真昌（西郢州）
沘阳（东荆州）
下蔡（汴州）
寿阳（豫州）〔南豫州〕
钟离（北徐州）
顿丘（南谯州）
石梁城（泾州）
襄阳（雍州）
湖阳（南襄州）
淮安（华州）
义阳（司州）
赤石城（南郢州）
光城（光州）
合肥（南豫州）〔合州〕
长江
建康

部边疆）就可肃清，机会难得，怎么可以死脑筋！”

野心是促使人类进步的第一因，但超过自己能力的野心，一定闯祸。面对千载难逢的良机，第一件事必须先评估自己的能力。自我膨胀会被良机压死，自我萎缩会使良机丧失。

评估自己的能力，是一种智慧，刘秀曾明智的拒绝西域各国所呈献的荣耀（参考四六年），萧衍这头猪，却想坐豺狼虎豹抬的轿子，独霸山林。

本年（五四七），正月十七日，萧衍做梦，梦见中原（河北大平原及河淮大平原）所有的州长、郡长，都献出土地投降，中央政府官员陷于狂欢。第二天（正月十八日），看到立法院立法官（中书舍人）朱异，告诉他这件事，说：“我这个人很少做梦，如果有梦，一定应验。”朱异说：“这是天下统一的预兆。”不久，侯景的使节丁和，抵达首都建康（江苏省南京市），声称：侯景于正月十七日那天，决定回归祖国；萧衍越发相信他的梦是上天注定、神灵指示。然而，多少仍有点犹豫，不敢骤然因应，自言自语说：“我的帝国像一个金盆，没有一个缺口和一点伤痕，而今忽然接受侯景十三州广大的土地，岂是等闲小事？万一引起麻烦，后悔怎么来得及！”朱异揣摩萧衍心意，知道他的想法，回答说：“自从陛下登极，在你英明领导之下，无论南北，人民归心，只因没有机会，使他们的心愿，不能完成。而今，侯景献出魏国（东魏帝国）一半的土地，如果不是上天改变他的心意，贤才赞成他的计谋，怎么能发生这种事情！拒不接受，恐怕断绝以后英雄豪杰回归的道路（这是曹丕接受孙权投降时的话，参考二二一年八月)。利害非常明显，请陛下不要有太多顾虑。”萧衍遂决定收容侯景。

二月十五日，萧衍任命侯景当最高统帅(大将军)、黄河南北军区司令长官(都督河南北诸军事)、中央特遣全权政府总监(大行台。这是南朝首次有“行台”官称出现)，封河南王，行使皇帝职权(承制)，跟当年邓禹情形一样(邓禹事，参考二五年七月)。平西将军府首席军事参议官(平西咨议参军)周弘正，擅长观察日月星辰天象变化，预卜吉凶。在此之前，曾对人说:“几年之后，帝国将发生动乱。”现在，听到决定收容侯景消息，说:“动乱已经开始。”

二月二十日，南梁帝萧衍主持亲自耕田典礼。

三月三日，萧衍前往同泰寺舍身(第四次舍身)，完全依照五二九年模式(不依照五二七年第一次舍身模式，而依照五二九年第二次舍身模式，可能因第一次舍身仅颁布大赦令。而第二次舍身，文武官员捐钱一亿，赎回“皇帝菩萨”)。

三月七日，萧衍派司州(州政府设义阳〔河南省信阳市〕)州长(刺史)羊鸦仁，率兖州(应是“土州”，州政府设左阳〔湖北省随州市东北〕)州长(刺史)桓和、仁州(州政府设己吾〔安徽省怀远县西北〕)州长(刺史)湛海珍等，统军三万人，向悬瓠(东魏豫州，河南省汝南县)进发，运送粮秣，供应侯景。

7 西魏政府(首都长安)大赦。

8 东魏帝国(首都邺城)最高统帅(大将军)高澄，忧虑各州发生变化，乃亲自出巡沟通安抚，而留段韶坐镇根据地晋阳(山西省太原市)，把军权交付给他；命丞相府人事官(丞相功曹)赵彦深，当中央特遣全权政府畿内巡察助理官(大行台都官郎中)；命陈元康仿效高欢的笔迹，写下数十张手令，交给段韶及赵彦深，在高澄出发后，依照先后顺序，交付有关单位实行（显示高欢仍在人世）。高澄临出发时，握住赵彦深的手，流泪哭泣说：“我把娘亲和弟弟托付给你，但愿你了解我对你这份心。”

夏季，四月六日，高澄到首都邺城（河北省临漳县西南邺城镇），晋见东魏帝（〔东〕十六任孝静帝）元善见（本年二十四岁）。元善见设筵欢宴，高澄起来跳舞，有见识的人，就知道他不会有好结果。

胡三省曰

《左传》：周王朝二十八任王（景王）姬贵，王后及太子逝世，在丧礼期间，姬贵宴请宾客。晋国国务官（大夫）羊舌肸（音xī〔西〕）说：“国王难道就要死亡！我曾经听说，人都死在他最快乐的事上。国王既然喜欢丧礼期间快乐，不能不说他到此为止。”姬贵丧失了他的正妻和嫡长子，已经安葬，才举行宴会，贤明的人还认为他行为不当。高澄则是老爹刚刚逝世，封锁消息，不对外发布，尸体还没有变凉，就忘了哀痛，而去享受舞蹈乐趣，他还有人心！是以柏堂之祸（参考后年〔五四九〕八月），最为惨酷，苍天报应，绝不遗漏。

柏杨曰

高澄仅只跳了一个舞，司马光就代表“有见识的人”，预测高澄没有好结果；而胡三省也斥责高澄丧失人性，并认为天老爷对人世忤逆之子的恶行，会一一惩处，毫无遗漏。无疑的，这种话对读者是一种严重蒙骗，仅跳一个舞就没有好结果，那么，芈商臣把老爹绞死，他为什么反而成了“楚穆王”，快快乐乐、威威风风的过一辈子，而于十三年后寿终正寝！就是李世民大帝，也是把老爹赶下宝座的（参考六二六年六月），可比跳个舞不孝得多，为什么反而成了中国历史上最英明的君王！

然而，问题不在于此，在于这场跳舞风波中，高澄并没有错，胡三省也承认：“老爹刚刚逝世，封锁消息，不对外发布。”当然有舞就跳、有歌就唱，这是一种策略，目的在使人相信他的老爹仍坐镇晋阳，所以他才兴高采烈。司马光及胡三省明知道高澄秘不发丧，仍忍不住露出“大儒”嘴脸，来一个“有见识的人，就知道他不会有好结果”的教训，颠倒是非，混淆真相，不但自己远离道德规范，而且还沦为恶毒诅咒。难道要高澄号啕大哭，露出马脚，天下暴动四起，才算大孝？到那时候，恐怕又该责备他装得不像、哭得太早！

9 四月十日，南梁帝国（首都建康）政府文武官员，呈献巨额金钱给同泰寺，赎回皇帝菩萨萧衍（自三月三日舍身，到四月十日赎回，萧衍停留同泰寺三十七日。三十七日之久，国事完全停止，萧衍如此糟蹋他的帝国，而竟认为帝国已够强大，可以随心所欲）。

四月二十一日，萧衍回宫，大赦，改年号（之前是中大同二年，之后是太清元年），跟五二七年一样（五二七年三月，萧衍第一次舍身同泰寺后，更改年号）。

10 四月二十八日，东魏帝国派兼任总顾问长（兼散骑常侍）李系，前往南梁帝国聘问。李系，是李绘的老弟（李绘，参考五四二年五月）。

11 五月一日，东魏政府大赦。

五月二日，任命襄城王元旭当全国武装部队总司令（太尉）。

最高统帅（大将军）高澄，派武卫将军元柱等，率数万大军，日夜不停南下，奇袭侯景，在颍川（长社，河南省长葛市）北跟侯景军遭遇，元柱等大败。侯景因南梁帝国（首都建康）大将羊鸦仁等的援军仍没有抵达，遂退回颍川（长社，河南省长葛市），戒备固守。

五月八日，东魏政府任命开府仪同三司（宰相级）库狄干当太师（上三公之一），主管政府机要（录尚书事），孙腾当太傅（上三公之二），汾州（州政府设兹氏城〔山西省汾阳市〕）州长（刺史）贺拔仁当太保（上三公之三），宰相（司徒）高隆之主管政府机要（录尚书事），最高监察长（司空）韩轨当宰相（司徒），青州（州政府设东阳〔山东省青州市〕）州长（刺史）尉景当最高指挥官（大司马），中央禁军总监（领军将军）可朱浑道元当最高监察长（司空），国务院执行长（仆射）高洋当国务院总理（尚书令）兼立法院总立法长（领中书监），徐州（州政府设彭城〔江苏省徐州市〕）州长（刺史）慕容绍宗当国务院左执行长（尚书左仆射），高阳王元斌当国务院右执行长（右仆射。元斌因那位被他瞧不起的妹妹元玉仪，才爬上高位，参考前年〔五四五〕三月）。

五月二十二日，尉景逝世（政府人事变来变去，老狗变不出新把戏，仍是那几个人，不过换换椅子。专制封建政府，无不如此）。

东魏宰相（司徒）韩轨等，把侯景包围在颍川城（长社，河南省长葛市）。侯景大为恐惧，愿意割让东荆州（州政府设沘阳〔河南省泌阳县〕）、北兖州（应是北荆州，州政府设伏流城〔河南省嵩县〕）、荆州（应是广州，州政府设鲁阳〔河南省鲁山县〕）、颍州（州政府设长社〔河南省长葛市〕）四个大城给西魏帝国（首都长安），换取救兵。西魏国务院左执行长（尚书左仆射）于谨说：“侯景在战场上长大，诡异奸诈，难以预测，不如授给他最高官称，和最尊爵位，然后静坐一旁，观察变化，但不可以派出援军。”荆州（州政府设穰城〔河南省邓州市〕）州长（刺史）王思政认为：“如果不抓住这个机会，前进争取，后悔时已来不及。”遂率州政府步骑兵混合兵团一万余人，出鲁阳关（河南省鲁山县），向阳翟（河南省禹州市）推进。丞相宇文泰得到消息，加授侯景：最高统帅（大将军）兼国务院总理（兼尚书令）；派全国武装部队总司令（太尉）李弼、开府仪同三司（宰相级）赵贵，率军一万人，前往颍川（长社，河南省长葛市）协防。

侯景恐怕南梁帝萧衍责备他向西魏帝国（首都建康）投降，派大营军事参议官（中兵参军）柳昕，到南梁首都建康（江苏省南京市），向萧衍呈递奏章，说："祖国（南梁帝国）大军（羊鸦仁军）还没有抵达，而死亡迫在眉睫，万不得已，才向关中（西魏帝国）求援，希望解除眼前危急。我既不能安心接受高澄控制，又怎么能得到宇文泰包容！但是，手被毒蛇咬过，勇士砍断手腕，万不得已，目的只在为祖国效力，请求免予惩罚。我既获得他们帮助，势不能马上对他们背弃，我所割让的四州土地，不过是垂钓用的鱼饵，已命宇文泰派人入城接收。自豫州（州政府设悬瓠〔河南省汝南县〕）以东、齐海（黄海）以西，完全在我的掌握之中，仅把现有的九州疆土，全部呈献祖国。悬瓠（豫州，河南省汝南县）、项城（北扬州，河南省沈丘县）、徐州（州政府设彭城〔江苏省徐州市〕）、南兖州（州政府设谯城〔安徽省亳州市〕），都已准备妥当。愿陛下迅速下令沿边要地（南梁北疆，即义阳〔河南省信阳市〕、寿阳〔安徽省寿县〕等），分别进驻大军，跟我密切联系，不使有一点差错。"萧衍下诏回答说："高级官员在外，遇到大事，尚且可以独断独行。何况你开创新的局面，首先提出奇特计谋，势将建立伟大事业，你认为怎么做才好，就应随机应变，怎么去做。你的忠诚至为坚定，用不着解释！"

12 西魏政府任命开府仪同三司（宰相级）独孤信，当最高指挥官（大司马）。

13 六月三日，南梁政府任命鄱阳王萧范，当征北将军、汉水以北地区征讨总指挥（总督汉北征讨诸军事），攻击西魏穰城（荆州州政府所在地，河南省邓州市）。

14 东魏宰相（司徒）韩轨等，包围侯景所在的颍川（长社，河南省长葛市），听说西魏援军、全国武装部队总司令（太尉）李弼、赵贵等就要抵达。

六月四日，韩轨等班师返首都邺城（河北省临漳县西南邺城镇）。侯景在营中设下感谢筵席，请李弼、赵贵赴宴，打算在会面时，把二人逮捕，吞并二人军队；正巧赵贵心里有点怀疑，委婉拒绝这项邀请；反而打算引诱侯景进入自己大营，乘机生擒，李弼劝他打消这个主意（李弼大概认为，生擒侯景并不能马上夺取黄河以南其他各州，却平白替东魏帝国铲除一个大敌）。南梁援军、司州（州政府设义阳〔河南省信阳市〕）州长（刺史）羊鸦仁，派秘书长（长史）邓鸿，率军挺进到汝水，李弼遂班师返首都长安（陕西省西安市）；王思政进入颍川（长社，河南省长葛市）固守。侯景扬言夺取土地，率军出城，进驻悬瓠（河南省汝阳县。侯景不敢跟王思政同驻一城，不得不走）。

侯景再向西魏帝国政府请求增援。西魏丞相宇文泰，派同轨郡（河南省洛宁县东北）自卫军司令（防主）韦法保，及司令官（都督）贺兰愿德等，率军东进增援。中央特遣全权政府政务秘书长（大行台左丞）、蓝田（陕西省蓝田县）人王悦，警告宇文泰说：“侯景跟高欢之间，关系密切，开始时是同乡之情，最后才成为长官和部属（侯景、高欢，都是怀朔镇〔内蒙古固阳县〕人，从小就是好友，参考五一九年二月；以后共同投奔尔朱荣，等到高欢铲除尔朱荣，侯景才退居部属），位居上将，官阶升到宰相。现在，高欢刚死，侯景就立刻叛变，投降外国。因为他所盼望得到

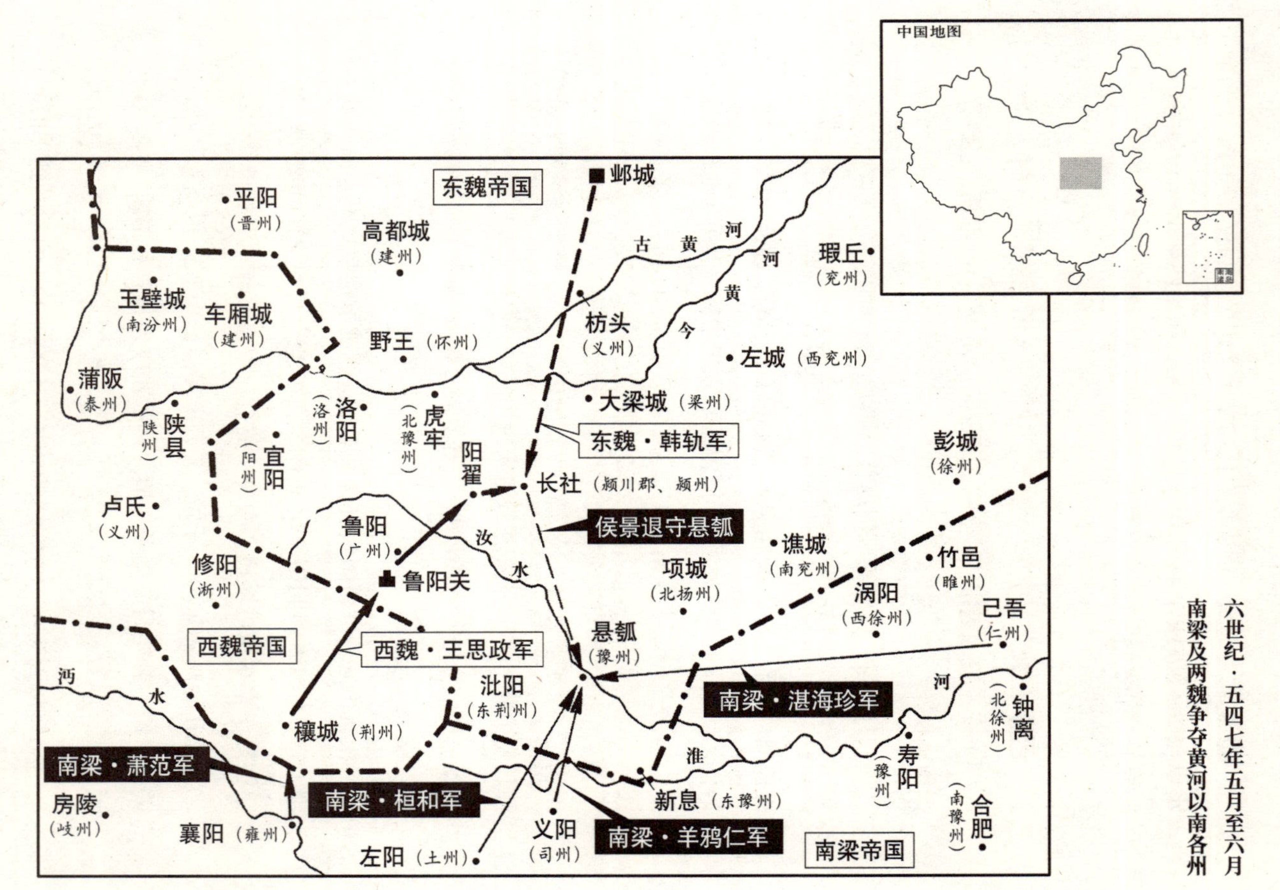
中国地图
东魏帝国
西魏帝国
南梁帝国
邺城
平阳（晋州）
高都城（建州）
玉壁城（南汾州）
车厢城（建州）
野王（怀州）
蒲阪（泰州）
陕县（陕州）
洛阳（洛州）
虎牢（北豫州）
宜阳（阳州）
阳翟
长社（颍川郡、颍州）
杨头（义州）
大梁城（梁州）
左城（西兖州）
瑕丘（兖州）
古黄河
今黄河
东魏・韩轨军
侯景退守悬瓠
卢氏（义州）
鲁阳（广州）
鲁阳关
修阳（淅州）
汝水
项城（北扬州）
谯城（南兖州）
彭城（徐州）
竹邑（睢州）
涡阳（西徐州）
己吾（仁州）
悬瓠（豫州）
西魏・王思政军
沘阳（东荆州）
穰城（荆州）
沔水
淮河
南梁・湛海珍军
钟离（北徐州）
寿阳（豫州）
合肥（南豫州）
新息（东豫州）
南梁・萧范军
南梁・桓和军
南梁・羊鸦仁军
房陵（岐州）
襄阳（雍州）
左阳（土州）
义阳（司州）
六世纪・五四七年五月至六月
南梁及两魏争夺黄河以南各州

的东西太大，不肯长久当别人的部属。他能背叛高家班，又怎么可能效忠我们政府。现在增强他的声势，派军对他援助，恐怕将来会受世人讥笑。”宇文泰遂征召侯景进京（首都长安）朝拜皇帝。

侯景当然不愿进京，于是再阴谋背叛西魏帝国。在公开翻脸之前，侯景对西魏援军将领韦法保等，特别厚待，希望供自己驱使；所以外貌亲密，毫不猜忌，侯景来往各军营之间，携带的侍从卫士很少，西魏军中稍微有声名的将领，侯景都亲自到他们的军营拜访。同轨郡（河南省洛宁县东北）秘书长（长史）裴宽，对韦法保说：“侯景狡猾，必不肯进京（首都长安）朝见；他跟你肝胆相结，也未必可以信赖。如果能设下埋伏，把他斩首，也是一次难得的功劳。不然的话，也应严密防备，不可以被他甜言蜜语诱骗，自己后悔。”韦法保相信这项分析，但他不敢发动，只有提高警觉；不久，向侯景告辞，返回本镇（同轨郡，河南省洛宁县东北）。镇守颍川（长社，河南省长葛市）的王思政，也发现侯景不对劲，秘密召回贺兰愿德等，分别派出军队，守卫侯景交出的七个州和十二个镇。而侯景果然拒绝进京（首都长安）朝见，写信给丞相宇文泰，说：“我以跟高澄站在平等地位为耻，怎么可以跟老弟（宇文泰）并肩而坐。”宇文泰乃派中央特遣政府助理官（行台侍中）赵士宪，把前后派出协防侯景的援军，全部撤回；侯景遂全心全意投降南梁帝国（首都建康）。西魏帝国将领任约，率部众一千余人，归降侯景（西魏诸将，只任约一人受侯景引诱）。

宇文泰把原来加授给侯景的官衔“使持节”（一级权力）、太傅（上三公之二）、最高统帅（大将军）、兼国务院总理（兼尚书令）、中央驻黄河以南特遣全权政府总监（河南大行台）、黄河以南军区司令长官（都督河南诸军事），转授给王思政；王思政全部辞让，不肯接受。宇文泰三番五次派人前往劝慰，王思政只接受黄河以南军区司令长官（都督河南诸军事）。

15 东魏帝国最高统帅（大将军）高澄，将返晋阳（高家班根据地，山西省太原市），任命老弟高洋当京畿总司令官（京畿大都督），留首都邺城（河北省临漳县西南邺城镇）镇守，高澄命宫廷监督官（黄门侍郎）高德政，当高洋的幕僚。高德政，是高颢的儿子（高颢，参考五〇八年九月）。

六月十二日，高澄抵达晋阳（山西省太原市），正式宣布老爹高欢的死讯。

16 秋季，七月，西魏帝国最高监察长（司空）、长乐公爵（武烈公）若干惠逝世。

17 七月二日，东魏帝（〔东〕十六任孝静帝）元善见，主持丞相高欢丧葬事宜，身穿“缌麻”丧服（五服中最轻的一种丧服，用细麻布制成，服丧三月），葬礼完全依照当年西汉王朝安葬霍光模式（参考前六八年三月），对高欢追赠相国，追封齐王，具备“九锡”（参考四年）所有最尊贵隆重的礼仪。

七月三日，元善见任命高澄“使持节”、大丞相、全国各军区总司令长官（都督中外诸军事）、主管政府机要（录尚书事）、中央特遣全权政府总监（大行台），封勃海王。高澄上疏辞让。

七月七日，元善见下诏，命太原公爵高洋代理统筹军国大事；同时派宦官前往晋阳（山西省太原市）敦劝高澄接受官爵。

18 七月二十五日，南梁帝国援军将领羊鸦仁，进入悬瓠（河南省汝南县）。

七月二十九日，南梁帝萧衍下诏，指定悬瓠仍称豫州；改寿春（寿阳，安徽省寿县）作南豫州（原称豫州）；改合肥（安徽省合肥市）作合州（原称南豫州）。任命羊鸦仁当司州（州政府设义阳〔河南省信阳市〕）、豫州（州政府悬瓠）二州州长（刺史），镇守悬瓠（河南省汝南县）；西阳郡（河南省光山县西）郡长羊思达，当殷州州长（刺史），镇守项城（河南省沈丘县，原为东魏帝国北扬州）。

八月一日，南梁帝萧衍下诏全国动员，大规模攻击东魏帝国。派南豫州（州政府设寿阳〔安徽省寿县〕）州长（刺史）贞阳侯萧渊明、南兖州（州政府设广陵〔江苏省扬州市〕）州长（刺史）南康王萧会理，分别率领各将领。萧渊明，是萧懿（萧衍的老哥）的儿子。萧会理，是萧续（萧衍的儿子）的儿子。开始时，萧衍打算命鄱阳王萧范当元帅；朱异正巧在家中休假，得到消息，立即进宫，说："鄱阳王（萧范）英雄盖世，能使人为他牺牲。可是，他所到之处，残忍凶暴，不是解除人民痛苦的人选。而且，陛下有一次登上北顾亭（北顾楼）眺望（参考五四四年三月），曾说长江西岸有谋反迹象，骨肉至亲，会变成凶手，今天这件事，要特别考虑。"萧衍沉默不语，然后问："会理怎么样？"朱异说："陛下已经得到理想的人选。"然而，事实上萧会理却懦弱卑怯，头脑简单，所坐的轻便小轿，都用木板围住，外面再蒙牛皮（轿夫仍暴露在外，如被射死，牛皮木屋中的王爷，又如何能保命？权贵子弟的想法有时与众不同）；萧衍听到报告，大不高兴。贞阳侯萧渊明当时镇守寿阳（安徽省寿县），屡次请求北伐，萧衍允许，才有此项任命。萧会理自认为他是皇孙，而又是大军总司令官，骄傲不可一世，包括萧渊明在内以下的部属，他全不接见。萧渊明跟各将领秘密报告朱异，萧衍下诏把萧会理调回，遂任命萧渊明当大军总司令官。

19 八月七日，东魏帝国最高统帅（大将军）高澄，由晋阳（山西省太原市）前往首都邺城（河北省临漳县西南邺城镇），朝见东魏帝元善见，坚决辞让大丞相一职。元善见下诏，命高澄仍继续担任最高统帅（大将军），其他官爵，一律依照新发表的人事命令。

八月二十日，东魏政府把高欢的假灵柩葬在漳水之西；却秘密在成安（河北省成安县）鼓山石窟佛寺之旁，开凿穴洞，把高欢的真灵柩塞到里面，严密封闭；再把参与开凿的工匠，全部屠杀。后来（三十年后），北齐帝国覆亡（五七七年正月），一个知道这件惨案的工匠儿子，挖开密封的洞穴，搜括陪葬的金银珍宝，逃走。

20 八月二十四日，南梁帝国武州（州政府设下邳〔江苏省睢宁县北古邳镇〕）州长（刺史）萧弄璋，攻击东魏帝国的碛泉（今地不详）、吕梁（江苏省徐州市东南十公里）二军事基地，攻克。

21 有人告诉东魏帝国最高统帅（大将军）高澄说："侯景有意回到北方。"正巧，侯景部将蔡道遵，向东魏政府投降，说："侯景十分后悔自己做错了事。"侯景的娘亲和妻子儿女，都在邺城（东魏首都，河北省临漳县西南邺城镇），高澄遂写信给侯景，告诉他全家平安，如果改变主意，承诺他终身担任豫州（州政府设悬瓠〔河南省汝南县〕）州长（刺史），送回他宠爱的妻子儿女，所有追随他叛变的文武部属，概不追究。侯景命王伟复信说："我今天已引导两大帝国（南梁帝国及西魏帝国），高举军旗，向北讨伐；如熊如豹的铁甲战士，奋勇努力，克复中原，官位由我自己选择，怎么会靠你赏赐！从前，王陵投奔刘邦（西汉王朝一任帝），娘亲没有同行（参考前二〇六年八月）；刘执嘉（刘邦的老爹）被项羽囚禁，刘邦要分吃碗中老爹的肉（参考前二〇三年十月），何况妻子儿女，有什么值得介意！有人认为诛杀他们对你有好处，我想阻止也阻止不住。事实是，诛杀他们对我毫无损失，只是发生这种屠杀无辜的事，会给你带来灾害，跟我有什么相干！”

22 八月二十四日，南梁帝萧衍任命侯景主管中央特遣政府机要（录行台尚书事）。

23 东魏帝（〔东〕十六任孝静帝）元善见，容貌仪表都很俊美，勇力超过常人，能挟着石狮子跳过皇宫围墙；骑马射箭，百发百中；喜爱文学，态度从容安静，时人认为他有七任帝（孝文帝）元宏的风范；最高统帅（大将军）高澄十分厌恶。

最初，勃海王（献武王）高欢在世时，认为把十五任帝（孝武帝）元修逼得出奔（参考五三四年七月），是一项污点，所以对待元善见，礼貌上至为恭敬，事情无论大小，一定奏报中央，是不是可以实行，完全遵从皇帝的裁决。每次参加宫廷宴会，都低头拜伏地上，向皇帝敬酒。元善见设立佛法大会，乘坐人拉的小车（辇）出外上香，高欢手捧香炉，在小车后步行跟随，弯曲身躯，屏声静息，观察元善见的脸色行事。身为领袖的既都如此，他的部属对元善见，也不敢不恭恭敬敬。

高欢逝世，高澄当权，跟老爹的态度，恰恰相反。高澄倨傲简慢，气焰万丈，命立法院主任立法官兼监督院宫廷监督官（中书黄门郎）崔季舒，侦察元善见的动静。元善见一举一动，无论大小，都要让崔季舒知道。高澄写信给崔季舒，说：“那个呆头鹅（元善见）比从前怎么样？白痴程度是不是减低一点？要用心看管他！”元善见曾经在首都邺城（河北省临漳县西南邺城镇）东方狩猎，骑马奔驰，来往如飞，皇宫禁卫司令（监卫都督）乌那罗受工伐（乌那罗，三字姓），在背后一面追赶，一面呼叫："皇上，不要跑马，最高统帅（大将军高澄）会发脾气！"有一次，高澄出席元善见的宴会，举起大杯，在元善见面前晃一下，说："臣高澄，敬陛下这杯酒。"（只举杯没有叩拜，是待平辈朋友之礼，不是对君王之礼。）元善见忍不住无名怒火，说："自古以来，没有不亡之国，朕不一定眷恋此生！"高澄嗤之以鼻说："朕！朕！朕！你他妈的狗脚朕！"命崔季舒当场揍元善见三拳，然后站起来大摇大摆，扬长出去。第二天，高澄命崔季舒进宫向元善见道歉，元善见也表示歉意，赏赐崔季舒绸缎一百匹。

元善见无法消化沉重的忧虑和羞辱，曾背诵谢灵运的一首诗："韩国灭亡／张良奋击／秦王称帝／鲁仲连认为可耻／本是江湖流浪人／忠义却能感动君子。"（谢灵运事，参考四三三年十二月。）总顾问长（散骑常侍）、皇家教师（侍讲）、颍川郡（河南省长葛市）人荀济，知道元善见的意思，跟国务院内政部抚恤司长（祠部郎中）元瑾、皇后宫总管（长秋卿）刘思逸、华山王元大器、淮南王元宣洪、济北王元徽等，阴谋诛杀高澄。元大器，是元鸷的儿子（元鸷，参考五四〇年六月）。元善见手令荀济，假装问："你打算哪一天开讲？"对外宣称在宫中兴筑土山，实际上暗中向城北挖掘地道；挖到千秋门（在永巷之北）时，守门警卫察觉地下发出声音，报告高澄，事情遂全部泄漏。高澄率军入宫，见到元善见，也不行礼，就昂然坐下，厉声问说："你为什么谋反（"诬以谋反"竟诬到皇帝头上，运用之妙，使人拍案叫绝）？我们父子出力保卫国家，有什么地方对不起你！我想你不会这样做，定是你左右小老婆们干的勾当。"打算诛杀胡夫人及李嫔（利刀为什么指向这两位美女，定有原因，史书叙述不明）。元善见面色严肃说："自古以来，只听说过臣属谋反，还没听说过君王谋反。你自己打算谋反，为什么倒转过来责备我！我杀你则国家平安，不杀你则国家随时会亡，我连自己的生命都不珍惜，何况小老婆！你一定要犯上作乱，要快要慢，握在你手。”高澄遂离开床位叩头，大声啼哭道歉，于是纵情饮酒，深夜才出宫（元善见称“朕”被辱，恐怕是“朕”这个字第一次惹祸〔王始先生不知是否称“朕”〕。高澄既口出恶言，元善见命在人手，岂敢咄咄反逼？即令敢咄咄反逼，高澄凶顽如狼，怎么可能吓得“叩头，大声啼哭道歉”？杜撰这段史迹的人，不知所云）。过了三天，高澄下令逮捕元善见，囚禁含章堂。

八月二十八日，把荀济等绑到街头，用大锅煮死。

最初，荀济家住江东（江苏省南部太湖流域），学问渊博，能写文章。南梁帝萧衍尚是平民时，荀济跟他就是好友，知道萧衍野心勃勃，但自负才气纵横，不太看得起萧衍，经常对人说：“等他起事，我就在盾牌上磨墨，撰写文告，向天下宣告他的罪状！”萧衍心里，一直愤愤不平。后来，萧衍真的当了皇帝，有人向萧衍推荐荀济，萧衍说：“他虽然有点才干，可是却喜欢制造混乱，惹是生非，不可任用。”偏偏荀济上疏规劝萧衍不要信仰佛教，不要为了兴建塔庙，奢侈浪费。萧衍大怒，打算集合政府所有官员，当众处决荀济。朱异秘密通知他，荀济遂逃奔东魏帝国。当时，高澄当立法院总立法长（中书监），打算命荀济当皇家教师（侍读），老爹高欢说：“我喜爱荀济，打算保全他的性命，所以反对给他官做。他如果进宫，接近皇上（元善见），绝不会有好结果。”高澄一再请求，高欢才批准。现在，谋杀高澄事失败，总监督长（侍中）杨愔问他说：“你年已衰老，何苦去干这种事？”荀济说：“年虽衰老，血气却壮！”杨愔遂判决：“荀济自怜年纪老大，既没有功业，又没有名望，所以企图劫持天子，诛杀当权大臣。”高澄打算饶他不死，亲自诘问他说：“荀公，为什么谋反？”荀济说：“奉皇上（元善见）命令，诛杀高澄，怎么能叫谋反！”主管单位因荀济年老，而又有病，不能徒步走到刑场，遂用一辆小车把他载到东街，连车带人，一起投入烈火。

高澄疑心最高统帅府首席军事参议官（咨议）温子升，知道元瑾等的阴谋，而此时正命温子升撰写《高欢碑》（《献武王碑》），所以不动声色。一直等到《高欢碑》完稿，即逮捕温子升，囚禁晋阳（山西省太原市）监狱，断绝饮食，温子升啃吃破旧棉袄，最后仍活活饿死。高澄把温子升的尸体抛弃到路边，没收全家男女老幼，充当奴婢（送晋阳宫）；全国武装部队总司令部秘书长（太尉长史）宋游道，收殓温子升尸体埋葬。高澄对宋游道说："我最近写信给京师（首都邺城）权贵，谈论政府官员，认为你喜欢呼朋结党，将来可能出事，今天才知道你真正重视故人友情，崇尚节义，天下为你害怕的人，是不知道我心。"

九月七日，高澄返回晋阳（山西省太原市）。

24 南梁帝萧衍命北伐兵团总司令官萧渊明，在寒山（江苏省徐州市东南九公里）泗水上筑坝，逼使泗水倒灌彭城（江苏省徐州市。泗水流经彭城城东），准备在夺取彭城后，再向北推进，跟侯景互相支援。

九月九日，萧渊明率军进驻寒山，距彭城十八华里，立即在泗水上筑坝，遏阻水流。总监督长（侍中）羊侃负责筑坝工程，二十天就告完工。东魏帝国徐州（州政府彭城）州长（刺史）、太原郡（山西省太原市）人王则，登城坚守。羊侃建议萧渊明利用不断上涨的水势，大举攻城，萧渊明不接受。各将领跟萧渊明讨论如何展开军事行动，萧渊明不能回答，只说："随机应变。"

25 冬季，十一月，西魏帝国丞相宇文泰，追随西魏帝元宝炬，到岐阳（岐阳宫，陕西省宝鸡市凤翔区）狩猎。

26 东魏帝国最高统帅（大将军）高澄，派总司令官（大都督）高岳，增援彭城（江苏省徐州市），打算用金门郡公爵潘乐当副司令官。陈元康说："潘乐反应较慢，不如慕容绍宗，而且先王（高欢）临终时，也曾这样交代。你只要一片诚心待他，不必担心侯景。"当时，慕容绍宗身在外地，高澄打算召他回京（首都邺城）见面，可是又怕他突然接到内调命令，惊疑过度，激成叛变。陈元康说："慕容绍宗知道我特别受你的看重，最近曾派人送来金银厚礼，我为了使他安心，所以收下，并诚恳回复一信，保证他不会有意外行动。"

十月二十二日（原文误置于十一月，据《魏书》改），东魏政府任命慕容绍宗当中央驻东南特遣政府总监（东南道行台），跟高岳、潘乐，同时进军，增援徐州（州政府彭城）。

最初，侯景听说韩轨出征，说："吃猪肠的小子，能做什么！"听说高岳出征，说："军队精锐，头目平凡。"对所有将领，都看不起，后来听说慕容绍宗出征，不禁敲打马鞍，脸上露出畏怯，说："谁教那鲜卑小子（高澄）派慕容绍宗？如果这是真的，莫非高王（高欢）还没有死！"

高澄命最高法院院长（廷尉卿）杜弼当参谋长（军司），摄理中央特遣政府政务秘书长（摄行台左丞）。杜弼临出发时，高澄派人问他政务纲要、可以作为借鉴的，请他写下一二条。杜弼请求当面陈述，说："天下之大，最重要的事，就是赏罚。赏一个人而使天下所有的人欢喜，罚一个人而使天下所有的人畏惧。只要这两件事没有缺失，政府就会完美。"高澄大为高兴，说："话虽不多，却抓住核心！"

慕容绍宗率十万人庞大兵团，进抵橐驼岘（彭城附近），羊侃劝贞阳侯萧渊明乘东魏军远道而来，官兵疲惫，发动攻击，萧渊明不理。第二天早晨，羊侃再度请求出战，萧渊明仍然不理。羊侃遂率领他的部队，离开大营，进驻霸上（今地不详。羊侃是沙场老将，已预见大军失败，自己抢先据守安全退路）。

十一月十三日，慕容绍宗抵达彭城（江苏省徐州市）城下，率步骑兵一万人，攻击南梁帝国潼州（州政府设取虑城〔安徽省灵璧县东北潼郡村〕）州长（刺史）郭凤的军营，万箭齐发，势如倾盆大雨。萧渊明正酩酊大醉，不能起床，只下令各将领增援郭凤，可是各将领心中畏惧，不敢出动。北兖州（州政府设淮阴〔江苏省淮安市淮阴区〕）州长（刺史）胡贵孙，对谯州（州政府设顿丘〔安徽省滁州市〕）州长（刺史）赵伯超说："我们率军北伐，目的是什么？今天遇到敌人，却不作战！"赵伯超无法回答。胡贵孙率部众单独出击，杀东魏军二百人。赵伯超手握军队数千人，不敢增援，反而对他的部属说："蛮虏（东魏军）如此强大，我们出战，一定失败，不如保全实力，早早班师。"部属都说："好极！"遂率军逃走。

最初，侯景一再警告南梁帝国军队："乘胜追击时，不要超过二华里。"慕容绍宗在会战开始前，因南梁士卒急躁剽悍，攻势猛烈，恐怕自己部众不能支持，于是，把将领士卒，一一唤到面前，宣布说："我会下令假装退却，引诱东吴（南梁帝国）那些小子深入，你们再痛击他们的后背。"初交锋时，东魏军确实失败，南梁军队不相信侯景的警告，乘胜追击。东魏将士认为他们总司令官慕容绍宗的计谋实现，遂争先恐后反击南梁军，南梁军遂霎时崩溃；贞阳侯萧渊明以及胡贵孙、赵伯超等，全被东魏军俘虏，士卒伤亡失踪数万人。只羊侃军集结成阵，有条不紊向后撤退。

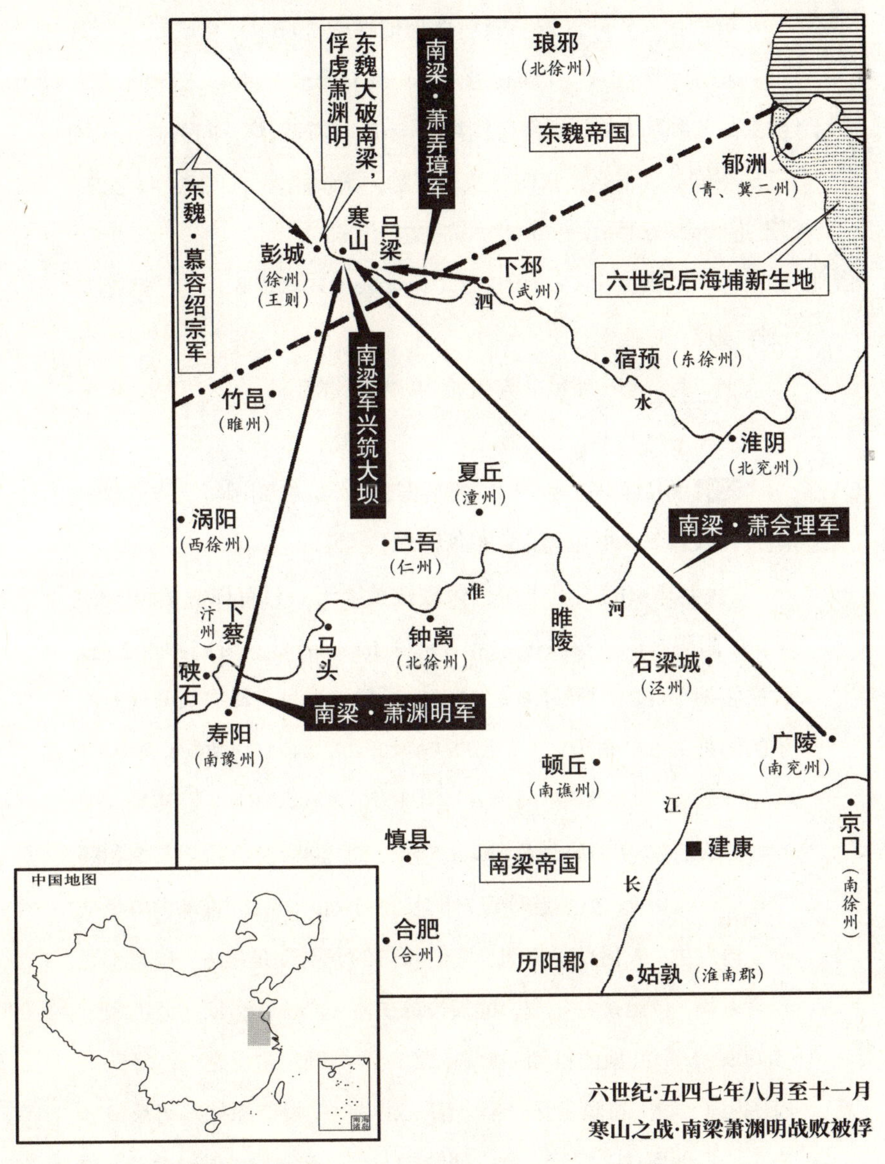

六世纪·五四七年八月至十一月

寒山之战·南梁萧渊明战败被俘

萧衍正在午睡，宦官张僧胤把他唤醒，说朱异有紧急军情奏报，萧衍大吃一惊，立即起身，乘轿到文德殿（前殿），朱异说："寒山会战失利！"萧衍好像受到重重一击，精神恍惚，向前倾倒，差点从座位上栽下来，张僧胤扶他坐稳，萧衍稍定一下神，叹息说："难道我会步司马家（晋王朝皇族）后尘？"

郭凤退到潼州（州政府设取虑城〔安徽省灵璧县东北潼郡村〕），慕容绍宗进军围攻。

十二月一日，郭凤放弃州城（取虑城），逃走。

27 东魏政府（首都邺城）命参谋长（军司）杜弼撰写文告，投入南梁帝国（首都建康）国境，宣布萧衍罪状，说：

"我们皇家的高贵正统，荣耀媲美上天，只有你们吴越（南梁帝国），阻碍我们普及教化。帝国元首（皇帝元善见）有爱好和平之心，政府领袖（丞相高欢）更不愿轻易出动战车，于是，释放头戴南方帽子的囚犯（《左传》前五八二年：楚王国大军攻击郑国，郑国生擒楚将钟仪，献俘给晋国，请求救兵。晋国国君姬孺参观统帅部，看见钟仪，问说："头戴南方帽子的那个囚犯是谁？"遂命释放，请他做中间人，化解楚晋干戈，缔结和平盟约），希望友谊和睦（参考五三七年七月）。虽然这项良好的长程计划，由我们推动；可是战争不再发生，人民获得安息，你们获得的利益却是最大。侯景不过一个无赖，自己疑心生鬼，远去投靠关陇（西魏帝国），依附盗匪组织（西魏政府）；叛乱集团首领（西魏帝元宝炬）跟他确定君臣之分，奸伪政府丞相（宇文泰）同他建立兄弟之情，难道对他没有恩德？可是最后仍无法把他留住，顷刻之间，翻脸相对，再动干戈。侯景至此，更罪恶满盈，走投无路，只因金陵（建康，江苏省南京市）是逃犯聚集的巢穴，长江以南（南朝）是流亡难民寄居的地区，于是甜言蜜语，故意卑屈万状，希望对他收容；诡诈的言论和诱人心动的奸谋，不问可知。而伪梁国（南梁帝国）政府，大大小小，却幸灾乐祸，忘恩负义。君主（萧衍）在上，行为荒谬；臣属在下，垄断蒙蔽；勾结万恶叛徒（侯景），破坏邻国（东魏帝国）邦交。动员军队，声称保护边境，实际上横行如同盗贼，侵略我国版图。

“解决问题，并没有固定的方法；时局发展，也没有不变的形势。有时明明有利，却受到灾害；有时明明有很大收获，却丧失得更多。所以，吴王国侵入齐王国领土，反而引发姒勾践复仇之师（参考前二七三年）。赵王国接受韩王国的土地，终于发生长平（山西省高平市）惨剧（坑杀降军四十万事，参考前二六二年至前二六〇年），何况用皮鞭抽打你们疲惫的人民，驱使他们侵犯我们徐州（州政府设彭城〔江苏省徐州市〕），兴筑堡垒，堵塞河川（指兴筑寒山大坝），舍弃你们的专长——水上战斗，却在陆地上追求侥幸。是以我帝国擂动战鼓、挥舞军旗的将领，拔出桩木、投掷巨石的战士，勃然大怒，面色严肃，挺身为国作战，奋勇难挡，如同报复私仇。你们军营连绵，大军集结，依山傍水，举起螳螂前爪，自以为是巨斧，披着屎壳郎硬壳，自以为是铁甲；陷在深邃的车辙之中，静候车轮来辗，坐在堆积如山的木柴之上，等待大火燃烧。双方刀枪刚刚交接，漫天尘土刚刚会合，你们已丢掉铁戟，抛弃长矛，土崩瓦解，满船都是砍下来的手指，到处都是连铠带甲捆绑在战鼓之下的俘虏（满船手指事，参考一九五年十二月。鼓下俘虏事，《左传》前五五五年：晋国攻击齐国，齐军乘夜撤退，晋军追击。齐国宦官夙沙卫担任后卫，勇将殖绰、郭最反对说：“用宦官负责掩护，是齐国的羞辱。”请求代替夙沙卫，夙沙卫在撤退时，屠杀大量马匹，堵塞狭路。晋军大将州绰追到，殖绰等被死马所阻，不能行动，投降。州绰用弓弦反绑殖绰双手，州绰的副将则擒获郭最；殖绰、郭最铠甲仍然在身，只双手被缚，坐在中军战鼓之下）。或是萧姓皇族，或是非萧姓的达官贵人，绳捆索绑，在我们监狱之中，互相可以望见。

“是非曲直，是如此明显；强弱大小，又是如此悬殊，为了一个罪犯而丧失一个盟国（《左传》前六八二年：南宫万与猛获，联合杀死宋国国君〔十七任闵公〕子捷。猛获逃奔卫国，宋国政府要求引渡，卫国拒绝，国务官〔大夫〕石祁子说：“得到一个罪人而丧失一个盟国，袒护邪恶而放弃友好，不是好的谋略。”卫国遂把猛获交还宋国。南宫万逃奔陈国，陈国也把他交还，宋国政府将二人剁成肉酱）。看见黄雀，忘了陷阱，智慧的人绝不会去做，仁爱的人绝不肯效法。过去的已成过去，难以追悔，展望未来，仍可补救。侯景以一个卑贱流氓，阴差阳错，遇到国家多事之秋（指丞相高欢死亡），官到三公高位，采邑封万户人家，扪心自问，他早就应该满意知足。然而他却心怀异念，不停的冒进，这难道是空口乱说，看也看得出他的野心。可是，你们（南梁帝国）却交付给侯景锋利的武器（《老子》：国家锋利的武器〔官位和爵位〕不可以交给别人），鼓励侯景生出轻视你们的贪念，造成非容纳他这个奸邪不可的形势，以便他利用机会，乘风崛起。而今，南风无力（《左传》前五五五年：晋国攻击齐国，楚王国乘机攻击郑国，晋国大为担忧，音乐官师旷说：“没有关系，我高歌南风，又高歌北风，而南风无力，出现很多死声，楚军一定失败。”结局果然如此），你们灭亡的迹象，十分明显，侯景老贼的阴谋诡计，将再发作。然而，动摇坚强，很难成功；摧毁枯朽，很容易发挥力量。我们推测：侯景虽然不是孙武、吴起那样名将，士卒也不是燕赵（河北省）精兵，但他涉足兵马阵仗，为时已久，习惯军旅战争，跟通常的游击部队，根本不同，一些杂乱凑合起来的民变集团，更不能跟他相比。抵抗我们（东魏帝国）固没有力量，攻击你们（南梁帝国）的力量则绰绰有余。到了后来，恐怕尾巴大过身躯（尾大不掉，参考二四三年十一月注），脚根粗过大腿，倔强骄傲，不接受命令，豺狼凶暴，难以驯服。如果调侯景入京（南梁首都建康），他会立刻叛变，但危害还小；不调他入京，他会把叛变的日子后延，但灾祸更大。他将选择遥看监狱（廷尉），绝不肯选择遥看山头（苏峻语，参考三二七年十月），他更可能盘踞淮南（寿阳，安徽省寿县），打算称帝（西汉王朝淮南王英布称帝事，参考前一九六年七月）。恐怕的是：楚王国逃掉了一只猴子，大肆砍伐树林（典故出处不详，但意义明显）；城门不幸失火，池中的鱼都受到灾殃（城门失火，用池水救火，池枯鱼死），势将迫使长江、淮河流域士绅，荆州（长江中游）、扬州（长江下游）人物，横死在乱箭飞石之下，夭折在腥雾血露之中。

"你们梁国（南梁帝国）君主（萧衍），从没有人听说过他有好的德行，只知道他轻浮阴险。射死麻雀，就认为立了大功，划动船只，就宣称力大无穷。年纪已老，再加上昏庸颟顸，政治腐败，人民流散，礼义瓦解，音乐消失。而他用人不当（驱逐周舍，斥责贺琛，信任朱异），选择皇太子又次序错乱（排除嫡长孙萧欢，而立次子萧纲，参考五三一年五月），装腔作势，惊世骇俗，自以为智慧超人，可以愚弄群众，天性恶毒，却打算用佛法戒律拯救（萧衍下令纺织官不可刺绣神仙、鸟兽的图案，以免剪裁时损坏图案躯体，参考五一七年三月；皇家祖庙祭祀时，用肉干代替宰杀牛只，减少杀生，参考五一七年四月）；浮躁贪婪，硬对外誓言自己清心寡欲（这几句话，针针见血，是对萧衍的无情解剖）。上天降下灾祸，民间发出怨恨，人人悲苦，家家思乱，寒霜已久，坚冰就要结成（法律包庇皇族及高官，平民走投无路；参考五一一年十二月）；传播危险躁进的风俗（指佛教），信任轻浮任性的子孙，到处结党营私，军权已落外人之手（参考去年〔五四六〕七月）。骨肉之间，定有大难，首先动手的，将是萧衍最信赖的心腹；用机械发射的强弓，不久就将射击京师（首都建康），铁制的长矛，也势将直指皇宫。到时候，就是爬到树上搜索刚孵出的雏鸟下肚（赵雍饿死行宫事，参考前二九五年），也救不了仓库空虚；就是白费心机盼望能吃熊掌，也难延长一分钟性命（《左传》前六二六年：楚王国国王〔四任成王〕芈熊颙，打算罢黜太子芈商臣，而立幼子芈职，芈商臣发兵围宫，逼老爹自杀，老爹要求吃熊掌再死，因煮熊掌需时很久，用以拖延时间，得到外援。芈商臣拒绝，老爹只好上吊）。结果是外面瓦解，内部崩溃，而现在，时候已到，鹬蚌相争，我们将利用你们内斗，夺取利益。（《战国策》：赵王国打算攻击燕王国，苏代对赵王国国王〔二任惠文王〕赵何说："我今天经过易水，蚌壳出来晒太阳，鹬鸟啄它的肉，蚌用两壳夹住鹬鸟的尖嘴。鹬鸟说："今天不下雨，明天不下雨，你就晒死。"蚌壳说："今天你拔不出，明天你拔不出，你就闷死。"谁也不肯让步，结果来了一个渔夫，一齐捉了去。赵王国攻击燕王国，战场一旦僵持，我恐怕秦王国就是渔夫。"）

"我们就要发动总攻，战马如同追风，铁甲闪耀金光，二十八将领并列（东汉王朝一任帝刘秀用二十八员大将，统一中国，参考六〇年二月），一百万大军出动，像从万丈高山滚下石头，势如破竹，钟山（建康城东蒋山）将移到长江以北，皇帝用的青盖辇车也将进入洛阳（东吴帝国末任帝孙晧被俘事，参考二八〇年四月），建康皇宫，生满荆棘；姑苏（春秋时代吴王国首都，江苏省苏州市）楼阁，麋鹿徘徊（这是伍子胥警告吴夫差语）。只恐怕战车所到，辗碎土地，铁骑奔驰，践踏生灵。贤能人才，无法逃出血腥，大好河山，势将受到摧残。我们在此宣告：如果有'东吴王孙''西蜀公子'（左思《三都赋》中两个主角人物。左思，参考二九一年三月），到营门表示愿意接受款待，信任我们的诚意，我们立刻就送上外籍顾问官（客卿）的薪俸，再特别加授'骠骑将军'的称号（李斯从楚王国投奔秦王国，被任命当外籍顾问官〔客卿〕，参考前二三七年十月；孙秀从东吴帝国投奔曹魏帝国，被任命当骠骑将军，参考二七〇年十一月）。各位正人君子，应互相勉励，自求多福。"

以后南梁帝国的灾难和败亡，全部应验杜弼的预言。

28 侯景围攻谯城（东魏南兖州，安徽省亳州市），不能攻克，于是退回围攻城父（亳州市东南城父镇），占领。

十二月九日，侯景派特遣政府政务秘书长（行台左丞）王伟等，前往建康（南梁首都，江苏省南京市），游说南梁帝萧衍："当初，邺城（东魏首都，河北省临漳县西南邺城镇）文武百官，共同策划一项密谋，征召我（侯景）一起讨伐高澄，事情泄漏，高澄把元善见囚禁金墉（洛阳城西北角），屠杀元姓皇族六十余人。黄河以北人民，都怀念旧有主人。请先选立元姓皇族中的一人，出任皇帝，维系人心。如果能这样做，则陛下复兴已灭亡了的国家，接续已中断了的世代，将获得美名。我，侯景，也有建立功勋的机会。黄河南北，都是邾国、莒国（周王朝时的封国）；全境男女，都是大梁帝国（南梁帝国）的臣属和姬妾。"萧衍认为正确。

十二月十二日，萧衍下诏，封太子宫随从官（太子舍人）元贞当咸阳王，拨付给他一部分军队，命他回到北方，君临东魏帝国，等他渡过长江，承诺拥护他登极称帝。萧衍又把备用的仪队和卫士，交给元贞。元贞，是元树的儿子（元树之死，参考五三二年九月）。

萧渊明被押解到邺城（东魏首都，河北省临漳县西南邺城镇），东魏帝元善见登上阊阖门（在端门内），接受献俘，当面责备，即行释放，送他前往晋阳（高家班根据地，山西省太原市）。最高统帅（大将军）高澄，款待萧渊明，十分优厚。

中央驻东南特遣政府总监（东南道行台）慕容绍宗，于寒山（江苏省徐州市东南）击溃南梁军后，率军继续攻击侯景。侯景携带辎重车数千辆，战马数千匹，士卒四万人，退到涡阳（安徽省蒙城县）。慕容绍宗士卒十万，旌旗招展，铁甲照耀，擂动战鼓，长驱直入。侯景派人对慕容绍宗说："你们是送客？还是非决一雌雄不可？"慕容绍宗说:“打算跟你拼出胜负!”顺风建立营阵,侯景紧闭军门,等到风势停住才出战(避免逆风作战)。慕容绍宗说:“侯景诡计多端,喜爱迂回包抄。”命后卫严加戒备,侯景果然派军偷袭。侯景命他的士卒,全部改穿半截铠甲,手拿短刀,攻入东魏阵地,低头向前,猛砍敌军双腿和马脚,东魏军遂大败,慕容绍宗从马上栽下,仪同三司(宰相级)刘丰生受伤,显州(州政府设六壁城〔山西省孝义市〕)州长(刺史)张遵业,被侯景俘虏。

慕容绍宗、刘丰生,一同逃奔谯城(安徽省亳州市),副将军(裨将)斛律光、张恃显,怪罪他们竟会失败。慕容绍宗说:“我经过的战斗太多了,从没有见过像侯景这样难以制服,你们不妨碰碰他看!”斛律光等穿上铠甲,就要出发,慕容绍宗警告他:“不要渡过涡水(淮河支流,流经谯城北)。”斛律光、张恃显遂在涡水北构筑营阵。斛律光骑轻便战马,向南岸射箭挑战,侯景到涡水岸边,对斛律光说:“你贪图功劳而来,我恐惧死亡而去。我,是你老爹的朋友,为什么射我?你怎么懂得不渡涡水?定是慕容绍宗教你!”斛律光无法回答。侯景命他的部属田迁,射斛律光的坐骑,一箭洞穿马的前胸。斛律光急行换马,躲在大树之后,田迁再射一箭,又射中战马，斛律光惊惧，退回营垒。侯景生擒张恃显，接着又把他释放。斛律光逃回谯城（安徽省亳州市），慕容绍宗说：“今天怎么样，还要责备我！”斛律光，是斛律金的儿子（斛律金事，参考五二五年十二月）。

东魏开府仪同三司（宰相级）段韶，夹涡水筑营，秘密派人到顺风上方纵火，大火烧卷而来。侯景率他的骑兵蹚入涡水，出水后撤退，草都被沾湿，火势遂被阻止。

29 西魏帝国（首都长安）岐州（州政府设雍城〔陕西省宝鸡市凤翔区〕），长久以来，战争不断。州长（刺史）郑穆刚到任时，只有三千户人家。郑穆安抚慰问，逐渐集结，数年之间，人口多达四万余户。年终考绩，在所有州中，名列第一；丞相宇文泰，擢升郑穆当首都长安市长（京兆尹）。

30 侯景跟东魏帝国中央特遣政府总监（行台）慕容绍宗，僵持数月之久，侯景粮秣用完。第一个响应他的颍州（州政府设长社〔河南省长葛市〕）州长（刺史）司马世云，向慕容绍宗投降。

饿死宫城

导读

古今中外，历史上多的是混世魔王，但没有一个比中国六世纪五〇年代的侯景，更为离奇。他不是一个君王，也没有政治号召，却靠赤裸裸的暴力，给大多数中国人——包括他自己，带来祸患。激起他背叛东魏帝国的是高澄，高澄那种少不更事的暴戾声势，自然使靠血汗起家的侯景，怒血沸腾。激起他背叛南梁帝国的则是身患沉重老昏病的萧衍，在信誓旦旦之后，立刻就出卖侯景，侯景除了背叛外，没有别的选择。

侯景应该诛杀，但是促使侯景疯狂的原因，更应该检讨。

柏杨　一九八七·四·一五

南北朝

◎ 萧衍饿死皇城。

◎ 高澄被奴仆诛杀。

◎ 西哥德王国宫廷变乱迭起，六年内三换国王。

五四八年 戊辰

南梁　太清　二年

东魏　武定　六年

西魏　大统　十四年

（越帝国皇帝李贲天德五年）

（南梁帝国皇帝萧正德正平元年）

1 春季，正月七日，东魏帝国（首都邺城〔河北省临漳县西南邺城镇〕）中央驻东南方特遣政府总监（东南道行台）慕容绍宗，指挥精锐骑兵五千人，夹攻据守涡阳（安徽省蒙城县）的侯景。侯景欺骗他的部众说："你们的家属，已被高澄（东魏最高统帅）屠杀！"部众相信，慕容绍宗在阵前遥遥呼喊："各位的家属全都完整，你们如果回归，官位功勋，原封不动。"摘下铁盔，披散头发，面向北斗，向神灵发誓他的话句句真实。侯景的部众本来不高兴南下，于是将领暴显等，各率他们的军队，向慕容绍宗投降。侯景兵团霎时间崩溃，拼命北奔，企图渡过涡水（淮河支流，流经安徽省蒙城县北），回归东魏帝国，死尸堆积，涡水受到阻塞，水不能流。侯景率最亲信的几个心腹将领，骑马从硖石（安徽省凤台县西南淮河北岸），渡淮河南下，收容逃亡无主的残兵败将，好不容易集结步骑兵八百人，继续前进，经过一个小城，城中人在城墙上诟骂说："瘸子（侯景右腿稍短），你打算干什么？"侯景大怒，攻陷小城，诛杀诟骂他的人，然后离去。日夜不停行军，东魏帝国的追击部队，不敢进逼。侯景派人告诉慕容绍宗说："我如果被消灭，你还有什么用处？"慕容绍宗遂让侯景逃走。

中国政治有一种传统：当帝王们取得政权，并肯定政权已没有危险时，总是屠杀功臣。从盘古开天辟地，直到二十世纪，很少例外。所以，有头脑的功臣都了解，要想保护自己的性命和荣华富贵，唯一的办法就是要培养敌人，保持彼此的安全互动。

2 正月九日，南梁帝国（首都建康〔江苏省南京市〕）政府擢升国务院执行长（尚书仆射）谢举，当国务院总理（尚书令）；代理国务院文官部长（守吏部尚书）王克，当国务院执行长（仆射）。

正月十二日，豫州（州政府设悬瓠〔河南省汝南县〕）州长（刺史）羊鸦仁，因东魏追击侯景的大军，逐渐逼近，声称粮秣不继，遂放弃州城悬瓠（河南省汝南县），回到义阳（河南省信阳市）。殷州（州政府设项城〔河南省沈丘县〕）州长（刺史）羊思达，也放弃州城项城，逃走。东魏大军重新占领二城。南梁帝（一任武帝）萧衍（本年八十五岁）大为震怒，斥责羊鸦仁，羊鸦仁恐惧，奏称当限期把失地收回，遂沿淮河驻屯（不敢回义阳〔河南省信阳市〕）。

侯景在涡阳（安徽省蒙城县）崩溃，率领残兵败将，向南逃亡，不知道投奔何方。当时，鄱阳王萧范，新被任命当南豫州（州政府设寿阳〔安徽省寿县〕）州长（刺史），还没有到任（萧范于去年〔五四七〕接萧渊明遗缺）。马头（安徽省蚌埠市西马城镇）驻军司令（戍主）刘神茂，一直被总部执行官（监州事）韦黯排斥，当他听到侯景率军抵达时，特别迎上去拜访，侯景问说："寿阳（安徽省寿县）距这里不远，城池险要坚固，我打算前往投靠，韦黯会不会收留？"刘神茂说："韦黯虽然据守州城（寿阳），但他的职务不过代理。大王如果率军抵达城外，他一定出城迎接，乘势把他逮捕，可以成就大事。夺取城池之后，再相机报告中央，中央政府庆幸大王脱险南归，一定不会责备。"侯景握住刘神茂的手，激动说："是上天引导我！"刘神茂请求率步骑兵一百人，先行出发，作为向导。

正月二十日，侯景于夜间抵达寿阳（安徽省寿县）城下，韦黯以为盗贼攻城，召集军队，全副武装，登城戒备。侯景派使节告诉韦黯："河南王（侯景）前方失利，投奔本城，请快快开门！"韦黯说："我没有接到皇上（萧衍）诏书，不敢听从大王（侯景）命令。"侯景对刘神茂说："事情看来不能如意。"刘神茂说："韦黯懦弱而又头脑简单，可以说服。"乃派寿阳（安徽省寿县）人徐思玉进城，晋见韦黯，说："中央对河南王（侯景），十分重视，阁下知道得非常清楚。而今战场失败，撤退到这里，你为什么不接受？"韦黯说："我接到的命令，只是保卫城池。河南王（侯景）自己打败仗，跟我有什么相干？"徐思玉说："国家把边疆重镇，托付给你，你却不肯开门，如果魏国（东魏帝国）追兵来到，河南王（侯景）被杀，你怎么能单独不死？即令不死，你又有什么面目去见皇上（萧衍）！"韦黯认为有理。徐思玉出来报告侯景，侯景大为兴奋说："救我一命的，是你！"

正月二十一日，韦黯大开城门，欢迎侯景。侯景进城后，派他的将领分别把守四面城门，对韦黯盘问斥责，态度凶恶，打算把韦黯斩首，在暴跳了一阵之后，侯景鼓掌大笑，摆设酒席，款待韦黯，饮酒取乐，尽欢而散。韦黯，是韦叡的儿子（韦叡，参考五〇〇年十月）。

南梁政府听到侯景战败消息，还没有详细的报告，有人说："侯景跟他的将士，一同阵亡。"政府上下，一片忧虑。总监督长（侍中）、太子宫总管（太子詹事）何敬容，前往东宫（太子宫），太子萧纲说："淮北（淮河以北）传来进一步的情报，侯景可能逃出一命，不像外边传说的已经死亡。"何敬容说："如果侯景死了，才真正是帝国的洪福。"萧纲脸色大变，问他缘故，何敬容说："侯景是一个反复无常的叛徒，终于有一天要把帝国搞乱。"萧纲在太子宫玄圃（自南齐帝国以来，太子宫设"玄圃"殿堂，作为聚会之所，参考四八〇年十二月），亲自向他的宾客和部属，讲解《老子》《庄子》。何敬容对皇家图书馆国史编撰见习官（秘书省撰史学士）吴孜说："从前，晋王朝崇拜玄虚清谈，使中原沉沦胡羯蛮夷之手（参考四世纪〇〇年代至五世纪三〇年代）。而今，皇太子（萧纲）又是这个模样，长江以南，莫非也要沦落到蛮夷之手！"

正月二十二日，河南王侯景派仪同三司（宰相级）于子悦，快马进京（首都建康），报告战败消息，请求贬官削爵；南梁帝萧衍用措辞温和的诏书，拒绝他的请求。侯景于是请求补给，萧衍因侯景刚刚受到挫折，不忍心调他离开寿阳（安徽省寿县）到别处驻扎。

正月二十三日，正式任命侯景当南豫州（州政府设寿阳〔安徽省寿县〕）全权州长（牧），其他官衔，仍继续保持。而另行任命鄱阳王萧范当合州（州政府设合肥〔安徽省合肥市〕）州长（刺史），镇守合肥。高级资政官（光禄大夫）萧介上疏反对，说："我听说侯景在涡阳（安徽省蒙城县）打了败仗，单人匹马，逃出一命，陛下不检讨他从前造成的灾祸，反而下诏收容。我曾经听说，凶暴的人，性情永不会改变。只要是罪恶，到什么地方都是罪恶。从前，吕布格杀丁原（参考一八九年八月二十八日），事奉董卓，而终于刺死董卓（参考一九二年四月），流落成为盗贼；刘牢之出卖王恭，归附晋政府，而终于背叛晋政府，促使桓玄做出妖孽之事（参考三九八年九月、四〇二年三月）。为什么如此？只因狼崽一生下来就有野性，永不可能驯顺。我们可用养老虎作为比喻，老虎一旦饥饿，一定发生吃人灾祸。侯景凶暴狡狯，受高欢的庇护提拔，官位高到宰相，责任大到主持地方政府。然而，高欢坟墓上的泥土还没有干燥，侯景就立刻翻脸，反咬一口。只因兵力不够，首先投靠关西（西魏帝国）求救；宇文泰不肯收容，所以才再投靠我们（参考去年〔五四七〕五月及六月）。前些日子，陛下所以像江海一样，不嫌弃小河小溪（李斯上书嬴政语，参考前二三七年），正是要使侯景像移民区（属国）所安置的外国降人一样。两汉王朝政府，就是利用他们讨伐匈奴，希望获得一次战场胜利而已（西汉王朝设置移民区，参考前八九年六月）。如今，侯景全军覆没，而又丧失他所呈献的土地，不过是边境上一个普通居民，陛下喜爱一个居民而竟放弃盟邦（指东魏帝国）！如果仍然期待他有再度振奋的时刻，重建反败为胜的机会，我暗中认为：侯景绝对不是乱世尽节的忠臣。他抛弃祖国故乡，轻松得好像脱下木屐；背叛君王双亲，容易得如同丢掉一颗芥子；又怎么能知道敬慕陛下的神圣品德，成为江淮间（南梁帝国）的纯真臣属！事情十分明显，没有一点疑惑。我年纪老迈，又有病在身，本不应再谈论政府措施，可是，芈囊临死，仍有兴筑郢城（湖北省江陵县）的一片忠心（《左传》前五五九年：楚王国宰相〔令尹〕芈囊，行将逝世，遗嘱吩咐继承人芈庚，一定要兴筑首都郢城的城墙。正人君子称赞芈囊忠义，虽死不忘国家）；史鱼临死，有用尸体规劝国君的节操（参考一二六年八月注）。我身为皇族疏远的一分子，怎敢忘记刘向那份苦心（刘向事，参考前二三年四月）。”萧衍对萧介的忠诚，感动叹息，但不能接受他的建议。萧介，是萧思话的孙儿（萧思话，参考四三一年二月。萧衍、萧介，同十三世祖）。

3 正月二十七日，东魏帝国最高统帅（大将军）高澄，自基地晋阳（山西省太原市）前往首都邺城（河北省临漳县西南邺城镇）朝见。

4 西魏帝国（首都长安〔陕西省西安市〕）政府任命开府仪同三司（宰相级）赵贵当最高监察长（司空）。

皇帝（〔西〕十六任文帝）元宝炬（本年四十二岁）的皇孙诞生，大赦。

5 二月，东魏帝国诛杀南兖州（州政府设谯城〔安徽省亳州市〕）州长（刺史）石长宣；石长宣，是侯景的党羽。其他受侯景裹挟的人，一律赦免。

东魏远征军既克复悬瓠（河南省汝南县）、项城（河南省沈丘县），完全恢复侯景叛国前的版图（侯景以十三州背叛，参考去年〔五四七〕正月）。最高统帅（大将军）高澄，不断写信给南梁帝国政府，要求恢复旧日盟好，南梁政府一直拒绝。高澄对俘虏贞阳侯萧渊明说（萧渊明被俘事，参考去年〔五四七〕十一月）：“先王（高欢）跟你们主上（萧衍），亲爱和睦，有十余年，听说你们主上（萧衍）向佛祖祷告辞中，常说：祝福魏国皇帝（东魏帝元善见），以及先王（高欢）！这是贵国君王（萧衍）真情厚意（南梁及东魏两国往来的国书中，互相祝福，参考五四四年十一月）。想不到一朝误会，引起今天这种纷扰。我们深知不是出于贵国主上（萧衍）本心，而是侯景从中挑拨煽动！最好的方案是，两国都派出使节，互相咨询讨论。如果贵国主上（萧衍）不忘往日情谊，我也不敢忘先王（高欢）意志，留在我国的贵国人士，都可以送回，连侯景的家属，也一同送回。”萧渊明遂派传令员（省事）夏侯僧辩南下，把奏章送呈萧衍，说：“勃海王（高澄）是一位宽厚长者，如果能够和解，他答应送我回国。”萧衍看到奏章，涕泪横流，跟文武百官讨论。首都西区卫戍司令（右卫将军）朱异、总监察官（御史中丞）张绾等，都说：“使盗贼安静，人民休息，和解最好。”只农林部长（司农卿）傅岐一个人反对，说：“高澄有什么理由，要求和解？当然是一个反间之计，所以才允许贞阳侯（萧渊明）派遣使节，目的只在激起侯景猜疑。侯景如果失去安全感，一定闯出大祸。我们答应和解，正跳进高澄圈套！”但朱异等坚持主张应接受和解，而萧衍也对战争感到厌倦，于是采纳朱异的意见，写回信给萧渊明说：“知道最高统帅（高澄）待你不薄，看了你的奏章，十分安慰，当另行派人，重建两国亲善友谊。”

夏侯僧辩由南梁帝国北返，经过寿阳（安徽省寿县）时，侯景已经听到风声，明察暗访，得知详情，逮捕夏侯僧辩拷问，夏侯僧辩完全承认。侯景于是代萧衍写了一封回答萧渊明的信，然后上疏说：“高家班（东魏帝国）的心理，十分恶毒，人民对他们的怨恨，遍布北方大地。广大人民的盼望，上天完全接受，于是高欢死亡。高欢的儿子高澄，继承老爹的罪恶，灭亡时刻，屈指可以等待。所以让他沉醉在涡阳（安徽省蒙城县）之役战胜的狂欢之中，正是上天要高澄飘飘然，促使他的罪恶满盈。（《左传》前六九〇年：楚王国国王〔一任武王〕芈熊通将攻击随国，告诉他的妻子邓夫人说：“我有点飘飘然。”邓夫人说：“大王心高气傲而飘飘然，显示你在人世上的享受就要结束。”）高澄的言行如果顺应天意，没有心腹大患，他为什么这般迫切献出璧玉（指人质萧渊明），急求和解？难道不是西秦（西魏帝国）军队扼住他的咽喉、蛮夷（柔然汗国）骑兵紧压他的后背？所以才言辞卑微，礼物丰厚，用以换取大国的安全承诺。我曾经听说：‘一天放纵敌人，会带来几十年后患。’何至于为了高澄一个无赖，丧失亿兆人心！我私下认为：魏国（北魏帝国）的强大，在本世纪（六）〇〇年代，达到高峰，可是，钟离（安徽省凤阳县东北临淮关镇）会战，他们全军覆没，连一匹马都没有生还（参考五〇七年正月）。在他们最强大时，陛下还能战胜；在他们最衰弱时（指分裂东魏、西魏），反而心怀忧虑，跟他们和解！抛弃已经成功的果实，释放就要死亡的俘虏，使他们偷生在人间，把灾难留到后世，不但使我这个愚昧的臣属悲哀无奈，更使所有的忠臣义士痛心疾首。从前，伍子胥逃到吴王国，楚王国终于毁在他手（参考前二〇二年五月注）；陈平离开项羽，刘邦任用他而兴起大业（参考前二〇五年三月）。我的才干虽然不如古人，但一片丹心，跟古人相同。我清楚的了解，高澄对逃到翟国的贾季、逃到秦国的随会，恐惧厌恶，日夜不安。（《左传》前六二一年：春秋时代晋国二十六任国君〔灵公〕姬夷皋刚即位，国务官〔大夫〕贾季逃奔翟国〔陕西省北部〕，随会逃奔秦国〔陕西省西部〕；晋国政府深为忧虑。前六一四年：六大家族族长在诸浮〔今地不详〕举行高阶层会议，赵盾说：“贾季在翟国、随会在秦国，大难终会到来。我们将怎么办？”）他之所以乞求结盟、和解，不过是希望铲除他的后患。如果我的死亡，对帝国能有裨益，则即令死一万次，也不推辞。只怕千秋万世，成为历史上最污秽的一页。”侯景又写信给朱异，赠送黄金三百两。朱异收下黄金，却搁置这份奏章，不代他转呈。

柏杨曰

俗话说：“拿人钱财，给人消灾。”朱异收了贿赂，竟连奏章都不肯转呈，是吃定了侯景，认为侯景不过一个游魂，有苦也无处申诉；两眼只看到黄金，没有看到灾祸。事实上，不是朱异看不到灾祸，而是他认为根本就没有灾祸。

不过，朱异的罪恶却不在受贿，而在他隔绝上下，使下情不能上达，使在上位的人面前一片漆黑，做出错误的决策。萧衍固是一只猪，但朱异却在一旁用鞭子抽打这只猪，把它赶下悬崖。

二月十七日，萧衍派使节前往东魏帝国（首都邺城），祭悼高澄的老爹高欢，侯景再上疏说："我跟高家（东魏帝国），仇恨已深，仰仗陛下庇佑，希望有一天报仇雪耻。而今陛下再跟高家和解，把我置于何地？请求昭告天下，出军讨伐，宣扬皇家声威。"萧衍答复说："我与你之间，君臣大义已定，怎么会有当你成功时欢迎你，当你失败时抛弃你的道理？现在，高家班（东魏帝国）派人前来请求和解，我也打算停战休息。政策的修定，政府有一定标准，你只管安享清福，用不着劳神忧虑。"侯景再上疏说："我正在聚积粮秣，招集部众，喂饱战马，磨利刀枪，计算时日，预定限期，肃清赵魏（河北省中部南部及河南省北部，东魏帝国京畿地区）；不愿师出无名，所以愿意由陛下做主。而今，陛下把我抛到荒郊野外，一旦两国邦交恢复，恐怕我这个微小的性命，难逃高家毒手。"萧衍再答复说："我是全国最高领袖，怎么会在这件小事上失信？想你一定能深刻体会到我的真心，不必再上奏章。"

侯景于是进行试探，伪造一封从东魏首都邺城（河北省临漳县西南邺城镇）发出的信，要求用萧渊明交换侯景，萧衍接到后，打算同意。立法院立法官（通事舍人）傅岐说："侯景穷途末路，才向我们投靠，抛弃他恐怕不会吉祥。而且，侯景身经百战，仍然活下来，不是等闲之辈，难道他肯自动伸出双手，等待捆绑？"谢举、朱异说："侯景是败军之将，派一个人去，就足以制服。"萧衍接受这项建议，复信说："萧渊明早上归来，侯景晚上回去。"侯景看到这封复信，对左右侍从说："我早就知道这个老家伙心肠恶毒。"王伟警告侯景说："坐在这里是死，叛变也是死，只看大王怎么抉择！"侯景决定叛变，把所属各郡县城池居民，全部征召入营当兵，停止征收商店捐税及田赋；民间男童全部发配给将士当奴仆，民间女子全部发配给将士当妻妾。

萧衍向侯景信誓旦旦："我与你之间，君臣大义已定。""我是全国最高领袖，怎么会失信！"一副忠厚面孔，使人觉得对说这话的人，如果有一丝一毫怀疑，简直是对神明的不敬，自已都感到羞愧，任何正常人都不会相信：它竟然真的是美丽的谎言。侯景崛起最低阶层，深知政客们的保证，不可信赖。所以，追根究底，终于发现真相，使萧衍付出食言的代价。

6 三月二日，东魏政府（首都邺城）任命全国武装部队总司令（太尉）、襄城王元旭，当最高指挥官（大司马）；开府仪同三司（宰相级）高岳，当全国武装部队总司令（太尉）。

三月二十日，最高统帅（大将军）高澄自基地晋阳（山西省太原市）南下，抵达黎阳（河南省浚县），从虎牢（河南省荥阳市西北汜水镇）渡黄河，前往洛阳（河南省洛阳市东白马寺东）。西魏（首都长安）同轨郡（河南省洛宁县）自卫军司令部秘书长（防长史）裴宽，跟东魏将领彭乐等会战，被彭乐生擒。高澄对裴宽十分优待，裴宽找到一个机会，逃回西魏。高澄从太行陉（太行八陉之二，河南省沁阳市西）北返晋阳（山西省太原市）。

7 南梁帝国交州（州政府设龙编〔越南河内市东北北宁省〕）屈獠洞蛮夷，斩变民首领、自称越帝的李贲（李贲逃入屈獠洞事，参考前年〔五四六〕

九月），把人头送到首都建康（南梁首都，江苏省南京市）。李贲的老哥李天宝，逃到九真郡（越南清化市），集结残兵败将二万人，包围爱州（州政府九真）。交州州政府军政官（司马）陈霸先率军讨伐，平定（李贲于五四一年十二月起兵，于五四四年正月称帝，掀起战乱，长达八年）。南梁帝萧衍下诏，任命陈霸先当西江（珠江）大营指挥官（西江督护）、高要郡（广东省肇庆市）郡长、高要等七郡军区司令官（督七郡诸军事）。

8 夏季，四月三日，东魏帝国国务院文官部考选司（吏部）初级助理官（令史）张永和等，用伪造的人事命令，任命官职；事情发觉，被检举或主动自首的，有六万余人。

四月十三日，东魏政府派全国武装部队总司令（太尉）高岳、中央特遣政府总监（行台）慕容绍宗、总司令官（大都督）刘丰生等，率步骑兵十万人，攻击西魏河南（黄河以南）军区司令长官（都督河南诸军事）王思政据守的颍川（河南省长葛市。王思政从侯景手中接收颍川，参考去年〔五四七〕六月）。王思政命守军降下大旗，收藏战鼓，好像一座空城。高岳仗恃他的压倒性人数，四面进攻。王思政挑选精锐战士，打开城门出击，东魏军败走。高岳改为构筑土山，日夜不停的猛攻；王思政随机应变，最后，夺取土山，就在土山设置城堡，协助防守。

9 五月，西魏帝国政府任命丞相宇文泰当太师（上三公之一）、广陵王元欣当太傅（上三公之二）、李弼当皇族事务部长（大宗伯）、赵贵当司法部长（大司寇）、于谨当最高监察长（大司空。本年〔五四八〕，西魏政府人事改组中，有若干奇异高级官称，如“大宗伯”“大司寇”等，显示官制变化，已经开始，而于八年后的五五六年，终于以全盘新的面貌出现）。太师（上三公之一）宇文泰，陪同太子元钦，到西境巡视安抚，越过陇山，抵达原州（州政府设高平〔宁夏固原市〕），再越过北长城，向东前往五原（内蒙古包头市），返回蒲州（州政府设蒲阪〔山西省永济市〕。此时应称泰州）。听到皇帝（〔西〕十六任文帝）元宝炬患病消息，立即回京（首都长安），回京后，元宝炬已痊愈。宇文泰遂返基地华州（州政府设武乡〔陕西省大荔县〕）。

10 南梁帝（首都建康）萧衍派首都建康（江苏省南京市）县长谢挺、总顾问长（散骑常侍）徐陵等，前往东魏帝国（首都邺城）聘问，重新恢复和睦邦交。徐陵，是徐摛的儿子（徐摛事，参考五三一年五月）。

11 六月，东魏帝国最高统帅（大将军）高澄，前往北边巡视。

12 秋季，七月一日，日蚀。

13 七月二十六日，东魏帝国最高统帅（大将军）高澄，前往首都邺城（河北省临漳县西南邺城镇）朝见，认为道士人数太多，假道士更多，于是撤销南郊道教祭坛（三任帝〔太武帝〕拓跋焘，宠信寇谦之，在首都平城〔山西省大同市〕西南，建"天师道场"祭坛，参考四二三年十二月。邺城祭坛，当是东魏帝国时所建）。

八月二日，高澄返基地晋阳（山西省太原市），派国务院执行官（尚书）辛术，率各将领南下夺取南梁帝国的长江、淮河以北土地，共夺取二十三州（事实上，迟至五五九年，北齐帝国〔东魏帝国的继承者〕才全部并吞淮河以南土地）。

14 南梁帝国河南王、南豫州（州政府设寿阳〔安徽省寿县〕）全权州长（牧）侯景，自进入寿阳，便不断提出要求，中央政府从来没有拒绝过。侯景曾经请求娶第一流门第王家、谢家的女儿。萧衍说："王、谢家门第太高，你配不上，不妨在朱家（如朱异）、张家（如张绾）以下的门第中物色。"侯景老羞成怒，说："有一天我把王、谢家的女儿配给家奴！"又上疏请求发给绸缎一万匹，供给官兵缝制战袍，中央禁军总监（中领军）朱异建议改发青布。又因中央发给的武器，很多不够精良，侯景上疏请求征调东郊铁矿场（东冶）熟练工人，打算自己另行制造，萧衍全都批准。侯景任命安北将军夏侯夔的儿子夏侯谮当秘书长（长史）、徐思玉当军政官（司马），夏侯谮遂去掉"夏"字，只留"侯"字，自称侯谮，坚称自己是侯景的远房侄儿。

萧衍既拒绝侯景的请求，而跟东魏帝国和解，以后侯景所上奏章，态度渐渐傲慢。不久，听到徐陵等出使东魏，叛变的阴谋，更为积极。咸阳王元贞（萧衍应侯景请求封元贞，参考去年〔五四七〕十二月），知道侯景另有打算，不断上疏给萧衍，请求回京（首都建康）。侯景对元贞说："黄河以北的事虽然不能成功，长江以南的事何必担心有失误，为什么不稍微忍耐！"元贞大为恐惧，逃回建康（南梁首都，江苏省南京市），全部报告萧衍。萧衍命元贞当始兴郡（广东省韶关市）郡长（内史）；但对侯景却不调查。

临贺王萧正德（萧衍的侄儿，投奔北魏帝国又逃回，参考五二二年十二月、五二五年六月），所到之处，贪污凶暴，不断触怒萧衍（萧正德性情粗鲁卑鄙，经常公开抢劫。后来，随豫章王萧综北伐，又抛弃军队，只身逃亡〔参考五二五年六月〕。萧衍下诏指责他的罪状："你从前在巴蜀〔四川省〕，亲近气质卑劣人物，我仍认为你只是年纪太轻，志向不定。后来你更在吴郡〔江苏省苏州市〕格杀无罪之人，抢夺财产。回到京师〔首都建康〕，又专门收留逃犯，甚至在江乘〔江苏省南京市东北〕大道上，和湖泊码头，切断交通，抢夺人民的妻妾子女。我每次都保护你，希望你能改过自新，可是你却没有一点悔意，反而更为怨恨，单人匹马逃亡，存心反咬一口。你既回归祖国，我又恢复你的皇族官爵，命武装仪队，仍作你的前导。想不到你心如豺狼，不肯改变，立志颠覆帝国，只求称心快意。”于是，贬逐到临海〔浙江省台州市西北章安街道〕，萧正德还没有走到，萧衍赦免的诏书已经追上，更用朱异的建议，封临贺王，当首都建康市长〔丹阳尹〕，又因部属很多出去抢劫，被控，萧正德免职，贬去当南兖州〔州政府设广陵，江苏省扬州市〕州长〔刺史〕，在任内仍然苛刻暴虐，人民不能忍受，萧衍把他再度免职，不再教他当官），萧正德不知反省，反而更加愤怒，暗中豢养亡命之徒，积蓄粮食辎重，渴望政局发生变化。侯景对这种情形，知道得非常清楚。萧正德投奔北魏帝国（首都洛阳）时，跟徐思玉相识（徐思玉，参考本年〔五四八〕正月二十日），侯景命徐思玉携带私函，晋见萧正德，信上说：“而今，天子（萧衍）年纪已老，奸臣扰乱国政，以我（侯景）的观察，灾祸就要来临。大王本应该是太子人选，中途却被罢黜（参考五二二年十二月），四海议论纷纷，人心归向大王。我虽然愚昧，却一直诚心效劳，但愿大王允许恩待天下苍生，请明察我这份心意。”萧正德大喜过望，说：“侯公（侯景）的意愿，跟我的意愿不谋而合，是上天给我恩赐。”回信说：“政府事情，跟你分析的一样。我有这份心意，为时已久，现在，我负责内部，你负责外面，有什么办不到的事？难得良机，行动要快，时候已到。”

鄱阳王萧范（合州〔州政府合肥〕州长）秘密报告中央，说侯景阴谋叛变。当时，萧衍把边境大事，交给朱异全权处理，无论大小动静，萧衍都询问朱异的意见，朱异认为侯景绝没有叛变之理。萧衍遂答复萧范说：“侯景孤单危弱，把性命交到我们之手，好像一个婴儿仰起头来，仰仗别人喂奶。形势如此，怎么能叛变？”萧范再度强调：“如果不早剪除，灾难将连累人民。”萧衍说：“政府自有安排，不需要你来担心！”萧范再请求出动合肥（安徽省合肥市）州政府军队讨伐，萧衍不准。朱异对萧范的使节说："鄱阳王（萧范）竟然不允许政府有一个宾客！"从此，萧范所上奏章，朱异全不转呈。

侯景邀请羊鸦仁（时驻屯淮河上游），一同起兵叛变，羊鸦仁逮捕侯景的使节，解送建康（江苏省南京市），奏报南梁帝萧衍。朱异说："侯景只有几百个叛徒，能做什么事！"萧衍下令把侯景使节囚禁建康市政府监狱，但不久就释放，命他回去。侯景更加胆大妄为，上疏说："如果我谋反是事实，应该受国法制裁；如果能够受到明察，就请诛杀羊鸦仁。"侯景强调："高澄狡猾成性，他的话怎么可以完全相信？陛下听他诡诈的言语，要求跟他和解，即令是我，也在暗中失笑。我怎么能心甘情愿的粉身碎骨，把性命交给仇家（高澄）？请陛下把江西（安徽省中部及湖北省东部）地区，交给我管辖。陛下如果不允许，我就率领武装骑兵，南下长江，向闽越（福建省及广东省）推进。则不但是政府自找耻辱，也将使三公高官们忙碌得无暇进餐。"萧衍命朱异向侯景的使节传话说："一个贫穷人家，养十个客人或五个客人，都能使他们满意。我只有一个客人，反而口吐愤怒的言辞，这是我的过失。"对侯景的赏赐——绸缎钱财布匹，更为丰厚，信差使节来往，前后不断。然而，这些官场小动作，不能阻止侯景既定的计划。

八月十日，侯景在寿阳（安徽省寿县）公开叛变，宣称他的目标是诛杀奸臣中央禁军总监（中领军）朱异、宫廷供应部长（少府卿）徐驎、太子宫右翼卫队长（太子右卫率）陆验、皇家制造事务总监（制局监）周石珍（"制局监"权力之大，参考五〇八年二月）。朱异等都因奸恶谄媚、骄横贪污、蒙蔽君王、窃弄权威，深受人民痛恨，所以侯景把诛杀他们作为采取军事行动的借口。徐驎、陆验，是吴郡（江苏省苏州市）人。周石珍，是丹阳（首都建康）人。徐驎、陆验，轮流当过宫廷供应部主任秘书（少府丞），以苛刻闻名于世，各行各业的人，对他们都十分怨恨，而朱异尤其和他们亲近，世称“三条蠹虫”。

农林部长（司农卿）傅岐，性情骾直，曾经对朱异说：“你掌握政府大权，荣耀宠信已达高峰，可是，我所听到的，你的行为却卑鄙污秽，声名恶劣，一旦圣上（皇帝萧衍）觉悟，你要想免祸，难道能够！”朱异说：“外边对我的诽谤，我早就知道，只要问心无愧，岂在乎别人闲话！”傅岐对亲友说：“朱异快要死了！他用他的拍马功夫，升到高官，仗恃流利口才拒绝朋友规劝，听到即将来临的灾祸毫不畏惧，知道自己的错误却不肯改正，上天剥夺了他的智慧，怎么会长久无事！”

侯景向西进攻马头（此非寿阳东、刘神茂据守的马头，而是寿阳西的马头）；派他的部将宋子仙向东进攻木栅（安徽省怀远县境），生擒驻军司令（戍主）曹璆等。南梁帝萧衍得到报告，失笑说：“有什么踢腾的？我折下一根树枝，就把他打死！”下诏悬赏：砍下侯景人头，封三千户公爵，实任州长（刺史）。

八月十六日，南梁帝萧衍下诏任命合州（州政府设合肥〔安徽省合肥市〕）州长（刺史）、鄱阳王萧范，当南方战地司令官（南道都督）；北徐州（州政府设钟离〔安徽省凤阳县东北临淮关镇〕）州长（刺史）、封山侯萧正表，当北方战地司令官（北道都督）；司州（州政府设义阳〔河南省信阳市〕）州长（刺史）柳仲礼，当西方战地司令官（西道都督）；副总顾问长（通直散骑常侍）裴之高，当东方战地司令官（东道都督）；并任命总监督长（侍中）、开府仪同三司（宰相级）、邵陵王萧纶“持节”，当总司令官，率领各路大军讨伐侯景。萧正表，是萧宏（萧衍的老弟）的儿子。柳仲礼，是柳庆远的孙儿（柳庆远事，参考五〇〇年十一月）。裴之高，是裴邃的侄儿（裴邃事，参考五二五年五月）。

15 九月，东魏帝国濮阳公爵（武公）娄昭（高澄的舅父）逝世。

16 南梁帝国叛将、河南王侯景，听到中央出军讨伐消息，向王伟询问对策，王伟说："萧纶大军如果抵达，他们人多，我们人少，一定被他们困住。不如放弃淮南（寿阳，安徽省寿县），下定决心东下，率轻装备骑兵，直捣建康（南梁首都，江苏省南京市）。萧正德在内部背叛，大王在外面攻击，天下事不必忧虑，就可平定。军事行动，迅速第一，要出发就要马上出发。"侯景遂命他表弟、中军总司令官（中军大都督）王显贵，留守寿阳（安徽省寿县）。

九月二十五日，侯景声称狩猎，悄悄出寿阳（安徽省寿县），没有人知道。

冬季，十月三日，侯景扬言前往合肥（安徽省合肥市），实际上袭击谯州（州政府设顿丘〔侨县，安徽省滁州市〕），防守副司令（助防）董绍先开城投降，侯景生擒州长（刺史）丰城侯萧泰。萧泰，是萧范的老弟，之前，当立法院立法官（中书舍人），拿出全部家产，巴结当权重要人物，终于超越等级，升任谯州州长（刺史）；萧泰到职后，到处征调民夫，不管是平民或是知识分子，一律命他们抬轿，并跟在轿旁摇动风扇，高举隔热阳伞。凡认为做这些事是羞辱、不肯担任的，一律受木棍殴打；但是只要出钱行贿，就可以免除服役。因此人心愤怒，盼望发生动乱。侯景大军一旦抵达，人民没有斗志，所以失败。

十月十三日，萧衍下诏，派宁远将军王质，率军队三千人，负责长江防务。侯景进攻历阳郡（安徽省和县）郡长庄铁。

十月二十日，庄铁献出郡城，投降，乘机游说侯景："帝国和平的日子过得太久（长达四十六年〔五〇二至五四七〕），人民不懂战争，听到大王起兵，无论中央或地方，都震动惊骇，正应该抓住这个机会，急扑建康（江苏省南京市），可以不流一滴血，而完成大事。如果给政府充裕的时间，使他们慢慢准备，内外稍微安定，那时，只要派一千老弱残兵，据守采石（安徽省马鞍山市西南），大王虽有百万精兵，也无法渡过。”侯景遂命仪同三司（宰相级）田英、郭骆，留守历阳（安徽省和县）；而命庄铁当向导，引侯景大军抵达江岸，沿江各军事基地，相继上疏告警。萧衍询问国务院法务部长（都官尚书）羊侃，如何对付侯景，羊侃说：“请派两千人急行军增援采石（安徽省马鞍山市西南），而命邵陵王萧纶，袭击寿阳（安徽省寿阳），使侯景前进无法前进，后退失去巢穴，他所率的乌鸦般部众，自然一哄而散。”朱异说：“侯景绝对没有南渡长江的意思！”萧衍遂拒绝羊侃的建议。羊侃叹息说：“我们失败，已成定局！”

十月二十一日，萧衍任命临贺王萧正德当平北将军、京师（首都建康）军区司令长官（都督京师诸军事），驻防丹阳郡城（建康城南）。萧正德派出大船数十艘，逆流西上，对外声称用来载运芦草，实际上却是秘密接应侯景南渡长江。侯景将要渡江时，担心江防司令王质阻截，派间谍前去侦察。就在这个时候，临川郡（江西省南城县）郡长陈昕，上疏说：“采石（安徽省马鞍山市西南）急切需要重兵防守，王质所率的江防部队，力量薄弱，恐怕不能完成任务。”萧衍遂命陈昕当云旗将军，代替王质，驻防采石；召回王质代理首都建康市长（知丹阳尹事）。陈昕，是陈庆之的儿子（陈庆之，盖世名将，保护元颢进入洛阳，参考五二九年闰六月）。王质遂撤出采石，而陈昕的船舰，还没有离开首都建康（江苏省南京市）秦淮河码头。间谍回报侯景说：“王质已走！”侯景简直不能相信自己的耳朵，命间谍折取江南（长江以南）树枝，以证明他确实到过江南，间谍果然折取江南（长江以南）树枝而返，侯景跳起来，大叫欢呼，说：“我的事情已经成功！”

十月二十二日，侯景大军从横江（安徽省和县东南长江渡口）横渡长江，在采石（安徽省马鞍山市西南）登陆，此时，侯景仅有战马数百匹、士卒八千人。当天（十月二十二日）夜晚，中央才下令戒严。

侯景派出一支军队，袭击姑孰（安徽省当涂县），生擒淮南郡（郡政府姑孰）郡长、文成侯萧宁（鄱阳王萧范的老弟）。南津（南州津，安徽省当涂县西长江渡口）指挥官（校尉）江子一，率江防舰队一千余人，打算在长江下游拦击侯景；可是副指挥官董桃生，家住在长江以北，跟他的徒众先行溃散逃走。江子一集结残余士卒，徒步返回首都建康（江苏省南京市）。江子一，是江子四的老哥（江子四，参考五三六年四月）。

太子萧纲发现事态紧急，全副武装晋见老爹皇帝萧衍，请示因应谋略。萧衍说：“这是你自己的事，岂不是多此一问！内外军政，全交给你。”萧纲遂停留立法院（中书省），部署军事，人心惊骇惶恐，没有人肯应募当兵。直到现在，中央仍不知道萧正德已经叛变，而仍命萧正德驻防朱雀门，宁国公爵萧大临驻防新亭（建康城西南），宫廷库藏部长（太府卿）韦黯驻防京城六门；一面整修宫城，准备接受攻击。萧大临，是萧大器的老弟（二人都是太子萧纲的儿子）。

同日（十月二十二日），侯景挺进到慈湖（安徽省马鞍山市北），首都建康（江苏省南京市）惊骇震动，皇家大道上人民互相攻击抢劫，街巷寸寸切断，没有行人。萧衍下诏赦免东郊铁矿场（东冶）、西郊铁矿场（西冶）、军械制造厂附属钱币局（尚方钱署）所有苦工，以及建康（江苏省南京市）监狱囚犯；任命京畿总卫戍司令（扬州刺史）、宣城王萧大器，当首都城中军区司令长官（都督城内诸军事）；命羊侃当军师将军，充当副司令长官；南浦侯萧推，守卫东府（宰相府，建康城南）；西丰公爵萧大春，守卫石头（建康城西北）；轻车将军府秘书长（轻车长史）谢禧、始兴郡（广东省韶关市）郡长元贞，守卫白下（建康城北）；韦黯与首都西区卫戍司令（右卫将军）柳津等，分别守卫宫城（台城）各门和各殿堂。萧推，是萧秀的儿子（萧秀是萧衍的老弟，参考五〇〇年九月）。萧大春，是萧大临的老弟。柳津，是柳仲礼的老爹。把各部（寺）所有公款，全部集中德阳堂，供应军需。

十月二十三日，侯景大军抵达板桥（江苏省南京市江宁区西），派徐思玉晋见南梁帝萧衍，目的在侦察首都（建康）城中防卫情形。萧衍接见徐思玉，询问事变始末。徐思玉声称他已背弃侯景，有机密事要单独向萧衍奏报，萧衍打算命左右官员侍从退出，立法院立法官（舍人）高善宝说："徐思玉从贼窝（侯景军）里来，所说真假，难以证明，怎么可以留他一个人单独停在金殿！"朱异坐在一旁，插嘴说："徐思玉怎么会是刺客？"徐思玉既无法与萧衍单独面对，于是呈上侯景的奏章，奏章上指控："朱异等专权弄势，请允许我率领武装部队，进京朝见，肃清君王身旁奸邪！"朱异既惭愧又惶恐。侯景又请萧衍派出明白事理的立法官（舍人），出来听取侯景的陈述。萧衍派立法院立法官（中书舍人）贺季、文书助理官（主书）郭宝亮，跟随徐思玉前往板桥（江苏省南京市江宁区西），慰劳侯景；侯景面向北方（建康在板桥东北），接受圣旨。贺季问："你这次军事行动，目的是什么？"侯景说："想当皇帝。"王伟插嘴说："朱异等败坏国家，我们只求铲除奸恶！"侯景既口出恶言，遂扣留贺季，而只放郭宝亮回宫。

首都建康（江苏省南京市）近郊居民，听到侯景抵达消息，争先恐后逃入京城，政府民间，陷于一片混乱，社会秩序瓦解。首都城中军区副司令长官羊侃，筹划城防事务，分别用皇族把部队隔开。军人涌到军械库，任意抢夺武器，主管官员无法阻挡；羊侃下令诛杀几个人，才算阻止。当时，南梁帝国建国已四十七年（五〇二年至今），一派升平，政府官员及街巷平民，很少看到刀枪盔甲，而侯景叛军突然逼到眼前，政府及民间都大为惊恐。当年建立过功勋的老将，全已去世；新生代青年将领，又都率军驻防外地。京城内的军事指挥，由羊侃全权裁决，羊侃有胆量和魄力，太子萧纲对他深为依赖。

十月二十四日，侯景抵达朱雀桥（建康城南秦淮河浮桥）南，太子萧纲命临贺王萧正德，把守宣阳门（建康城〔都城〕南面中门）；太子宫学士、新野（河南省新野县）人庾信，把守朱雀门，率宫城（台城）文武官员三千余人，在朱雀桥北扎营。太子萧纲命庾信拆除朱雀桥，阻止侯景军前进，顿挫他们锐气。萧正德说："人民看见拆除浮桥，一定大为惊骇，现在的要务是，先安定人心。"萧纲同意。而刹那之间，侯景大军抵达，庾信率领部众急下令拆桥，刚刚解开一只船舶，侯景大军已到，一个个头戴铁面帽盔，形状狰狞，庾信军大吃一惊，急行撤退，躲在朱雀门后；庾信正在吃甘蔗，一支流箭射中门柱，庾信心胆俱裂，手中甘蔗应声落地，遂抛弃所率军队，拔腿逃走。南塘（秦淮河南）游击部队司令沈子睦，是萧正德的党羽，立即把浮桥修复，使侯景军得以通过。此时，太子萧纲还不知道庾信已弃军逃亡，仍派王质率精兵三千人增援，挺进到中央禁军总监部（领军府），跟侯景军遭遇，还没有列阵，王质即行逃走。萧正德率领他的部众，到张侯桥（建康城南）迎接侯景，在马上互相拱手行礼，随后就引侯景从宣阳门（建康城〔都城〕南面中门）进入建康（京城〔都城〕），萧正德面对宫城（台城）门楼，低头叩拜，感叹哭泣，遂跟随侯景渡秦淮河，抵达南岸。侯景军都穿青色战袍，萧正德军则穿红色战袍，却是青色衬里，既跟侯景会合，反穿战袍，跟侯景军完全融合。侯景乘胜挺进到宫城门下，宫城内人心惊慌恐惧。羊侃宣称，得到飞箭传书："邵陵王（萧纶）、西昌侯（萧渊藻）两路援军，已经接近。"大家心情才稍平定（事实上，萧纶军正向钟离〔安徽省凤阳县东北临淮关镇〕进发，萧渊藻正镇守京口〔江苏省镇江市〕）。西丰公爵萧大春放弃石头（建康城西北），投奔京口（江苏省镇江市）；谢禧、元贞，放弃白下（建康城北）逃走；要塞司令（津主）彭文粲等，献出石头城（建康城西北），投降侯景，侯景派他的仪同三司（宰相级）于子悦镇守。

十月二十五日，侯景率军环绕宫城（台城）一周，高举黑色大旗，用箭把奏章射到城中，奏章上说："朱异等蔑视政府，玩弄权力，随意作威作福，我被他诬陷，想把我害死。陛下如果诛杀朱异等，我就拨转马头，回到北方。"萧衍问太子萧纲："有没有这种事？"萧纲说："有这种事。"萧衍就要处死朱异，萧纲说："那些匪徒（侯景）不过用朱异作为借口，今天把他杀掉，不能解救目前危急，反而留下笑柄，等匪徒平定后，再杀他不晚。"萧衍同意。

侯景大军团团包围宫城（台城），发动全面攻击，战鼓雷鸣，啸声四起，杀声震动天地。纵火烧大司马门（台城南门）、东华门（台城东门）、西华门（台城西门）等各门。羊侃命在城门上凿洞，把水从洞口灌出浇火。太子萧纲亲自捧着银鞍，前往赏赐将士。直阁将军朱思，率数名战士，翻出城墙运水，灌救很久，才把火扑灭。侯景军又用长柄大斧，猛砍东掖门（台城东侧门），眼看就要砍开，羊侃又在门上凿出洞孔，用长矛刺杀砍门军士二人，其他砍门军士退走。侯景占领宫门接待署（公车府），萧正德占领首都东区卫戍司令部（左卫府），侯景的将领宋子仙占领太子宫（东宫），范桃棒占领同泰寺（台城北城外）。侯景把太子宫的宫女、歌女、舞女等数百人，分别发配给士卒。东宫跟宫城（台城）距离很近，侯景的军队攀到东宫宫墙上，

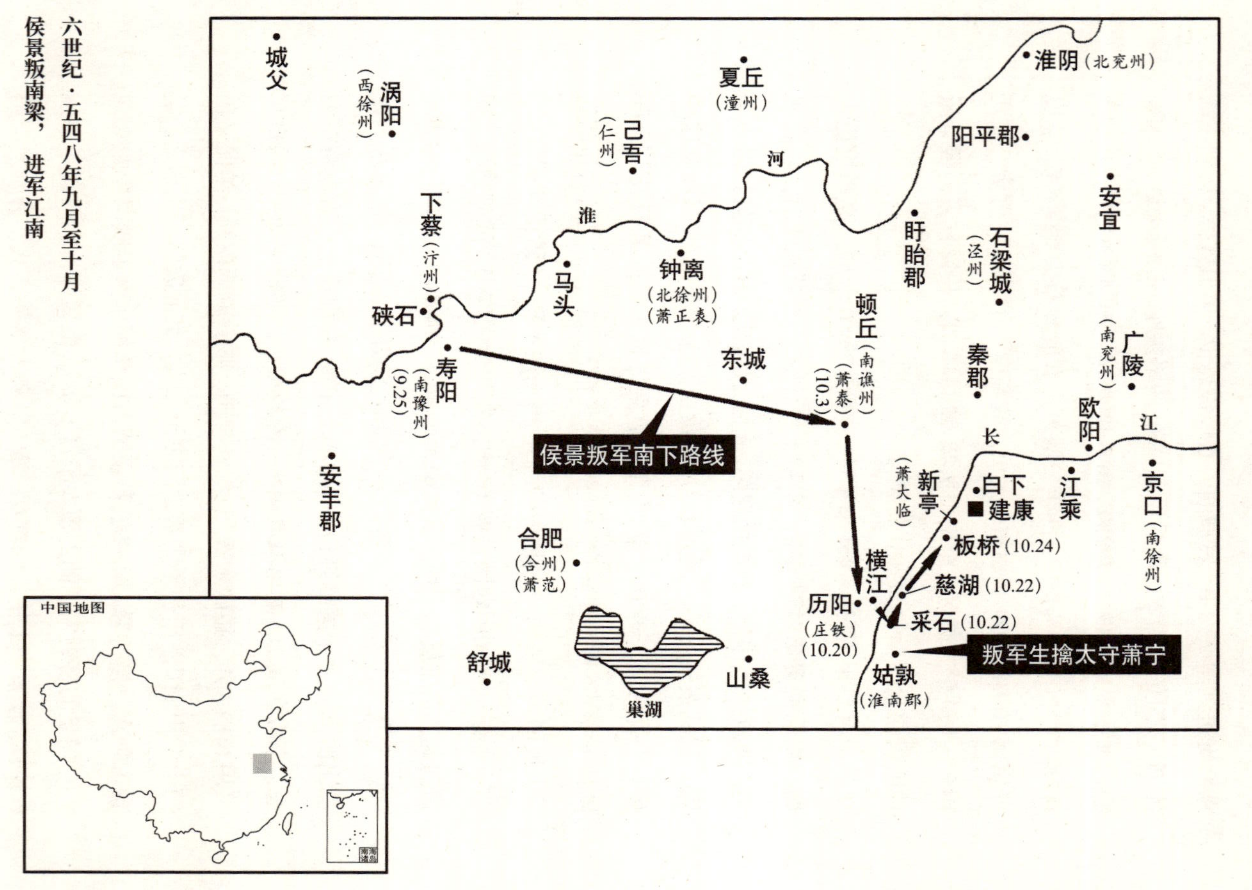

六世纪·五四八年九月至十月

侯景叛南梁，进军江南

向宫城（台城）发箭。夜晚（十月二十五日夜晚），侯景在太子宫（东宫）摆设筵席，饮酒奏乐，萧纲派人纵火，殿台以及珍藏的图书，全被烧光。侯景更焚烧皇家马棚（乘黄厩）、士林馆（宫城西）、宫廷库藏部（太府寺）。

十月二十六日，侯景制造“木驴”数百只，猛烈攻城；城上守军投下石头，把“木驴”砸碎。侯景再制造“尖背木驴”，石头无法砸碎（木驴，事实上是一个攻城时用来顶到头上的巨大盾牌。《通典·兵志·攻城战具》：“木驴”脊背之下，可掩护六个人，脊背用湿牛皮蒙住，木棍、石头、钢铁、火炬都不能把它击坏）。羊侃命制造“燕尾火炬”，灌满脂油，大量投掷焚烧，木驴霎时化成灰烬（“燕尾火炬”，所以成燕尾形状，是为了保持投射方向。湿牛皮烤干后，反而容易燃烧）。侯景又制造“登城楼”，高十余丈，打算靠近城墙，在上面发箭。羊侃说：“登城楼太高，而新填平的护城河泥土，仍很松软，登城楼堆到那里，一定倾倒，我们可以躺在床上看。”登城楼堆到护城河，果然倾倒。

侯景既无法攻克宫城，士卒又大量伤亡，于是改变战略，决定长期围困，遂建筑长墙，严密包围，隔绝内外消息，同时，再一次上疏，请求诛杀朱异等。城中用箭射出赏格，说：“有人能献出侯景人头的，把侯景的官位、爵位，全部封赏给他，并另赏一亿万钱，麻布绸缎各一万匹。”朱异、张绾商议出军反攻，征求羊侃的意见，羊侃反对，说：“不可以。而今，出击的人太少，不能击破盗贼（侯景军），只能挫败自己的士气。出击的人数如果够多，万一战场失利，城门太窄，吊桥太小，一定引起大量的死伤逃亡。”朱异等不接受，派一千余人出城迎战，还没有跟侯景军接触，就向后逃走，为了争夺吊桥，被挤到水里淹死的，超过大半。

羊侃的儿子羊鷟，被侯景生擒，押解到宫城（台城）门下，让羊侃观看，羊侃说：“我牺牲全族，报答主上（萧衍），仍恨不能满意，岂在乎一个儿子，最好是早早杀掉。”隔了几天，侯景军再把羊鷟押解城下，羊侃对羊鷟说：“我以为你早就死了，怎么仍然活着！”拉弓向他发箭。侯景因他们父子忠义，免去羊鷟一死。

投降侯景的历阳郡（安徽省和县）郡长庄铁，担心侯景不能攻克宫城（台城），借口说要迎接娘亲，率同左右侍从数十人，返回历阳。事先，派人送信给侯景所派镇守历阳的将领田英、郭骆，声称：“侯王（侯景）已被中央军诛杀，政府命我复职。”田英、郭骆大为恐惧，放弃城池，逃回寿阳（安徽省寿县）。庄铁进入历阳，不敢久留，带着娘亲，逃奔寻阳（江西省九江市）。

十一月一日，南梁帝萧衍在太极殿前，杀白马祭祀蚩尤（蚩尤，是传说的“八神”中的兵神，参考前二一九年注）。

临贺王萧正德，在仪贤堂（原听讼堂）登极，称南梁帝国皇帝，下诏说：“本世纪（六）二〇年代以来，奸邪之辈，扰乱朝政，皇上（萧衍）长久患病，帝国行将灭亡。河南王侯景，离开封国采邑，前来中央朝见，有幸遴选我继承宝座。现在，大赦，改年号正平。”命他的世子（王位合法继承人）萧见理当皇太子。任命侯景当丞相，把女儿嫁给侯景，同时把家中金银财宝，全部捐赠侯景大军。

于是，侯景在宫城（台城）门楼之前，建立大营。另派二千人攻击东府（宰相府，建康城南）；南浦侯萧推固守东府拒抗，一连三天，侯景军不能攻克。侯景亲自指挥攻击，流箭飞石，势如倾盆大雨，宣城王（萧大器）王府禁卫官（防阁）许伯众，秘密引导侯景军，攀登城墙。

十一月四日，东府陷落。侯景诛杀南浦侯萧推，和东府守军战士三千人。把尸首运到杜姥宅（宫城东掖门侧），遥向皇城（台城）中人

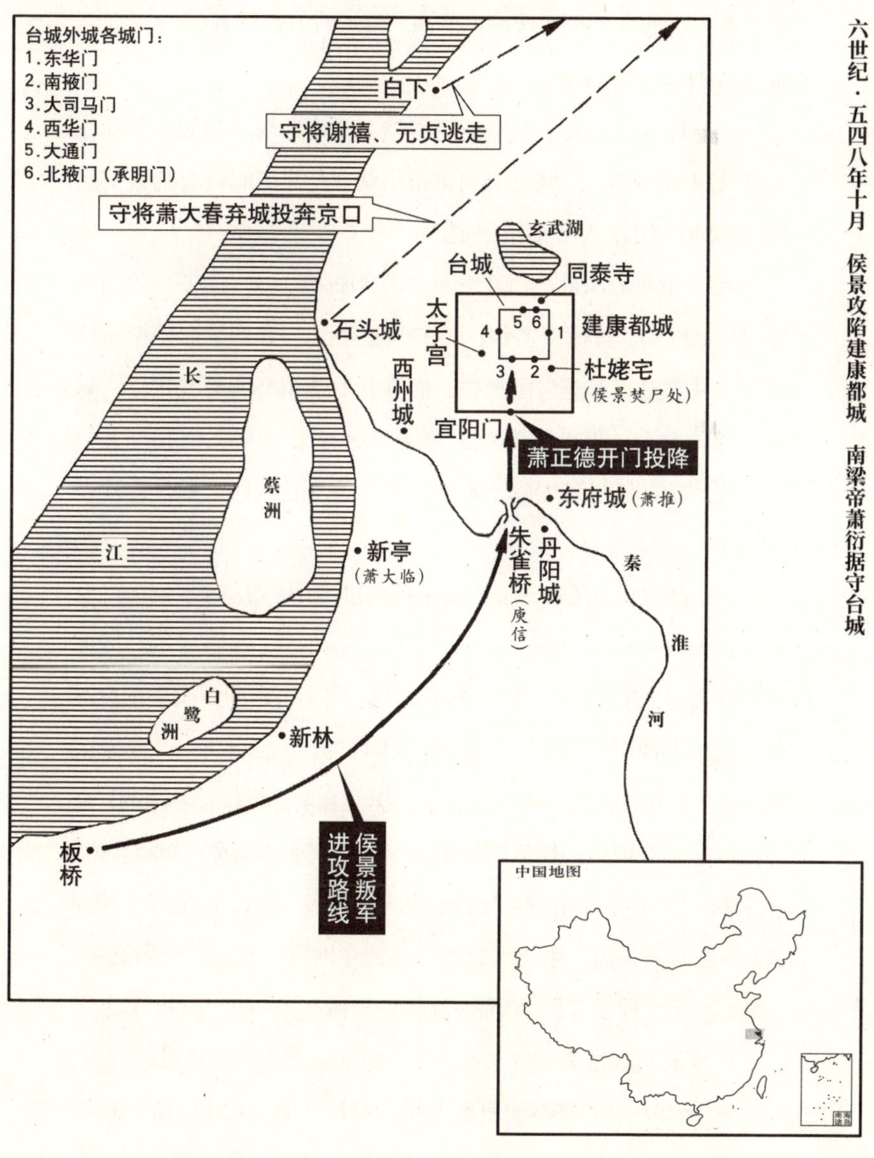

六世纪·五四八年十月 侯景攻陷建康都城 南梁帝萧衍据守台城

警告说："如果不投降，这就是下场。"侯景声称萧衍已经死亡，宫城（台城）中人也都相信。

十一月五日，太子萧纲请老爹登上城墙巡视。萧衍于是前往大司马门（台城南门），城上听到皇帝出动戒严净街时特有的警卫声响，都欢呼落泪，人心稍稍平定。

南津（南州津，安徽省当涂县西长江渡口）指挥官（校尉）江子一败回京师（首都建康）时，萧衍责备他，江子一道歉说："我把生命都奉献给国家，时常担心不能为国牺牲。而今我的部属都背弃我逃走，只剩下我一个人，怎么能够攻击盗匪（侯景军）！如果盗匪竟因此打到此地，我发誓粉身碎骨，戴罪立功，不死在宫门之前，便死在宫门之后。"

十一月六日，江子一报告太子萧纲批准，遂跟老弟、国务院左秘书长（尚书左丞）江子四，太子宫总带兵官（东宫主帅）江子五；率部属一百余人，开承明门（台城北侧门）出战。江子一直冲到侯景军营之前，侯景不作反应，江子一呼叫："匪徒为什么不出来！"等了很久，侯景军出击，左右夹攻。江子一勇往直前，举起长矛冲刺，身旁的侍从不敢跟进，侯景军砍下江子一的肩膀，遂死（年六十二岁）。江子四、江子五互相说："跟老哥一起出来，有什么面目单独回去！"都脱下头盔，杀奔侯景军营，江子四身中长矛，胸膛洞穿，阵亡；江子五脖子受伤，折回，支持到护城河，大叫一声断气。

侯景最初到建康（南梁首都，江苏省南京市），认为很快就可以攻克，所以军令严厉，士卒不敢侵犯人民。可是，屡次攻击，都不能夺取，军心开始不稳。侯景考虑到各路勤王援军，将从四面八方集结，自己军队，可能霎时溃散。而且，石头（建康城西北）城中常平仓各库存粮（"常平仓"，政府在粮食贱时买入积存，粮食贵时卖出平抑粮价，参考前五四年春季)，已经吃完，军中缺粮，侯景遂露出真实面目，放纵士卒抢夺民间稻米、金银、子女。稍后，一升米值七八万钱，人民互相格杀吞食，饿死十分之五六(人间惨事！然而，更严重的惨事，不过刚刚开始)。

十一月八日，侯景在宫城(台城)东面及西面，各筑土山，用暴力驱使人民，不分富贵贫贱，一言不合，侯景军的皮鞭木棍，即无情抽打，对身体衰弱、没有气力的人，立即扑杀，把尸首填到土山之中；哭号悲喊，声震大地。恐怖气氛沉重，人民不敢躲避，都出来听候驱使。十天左右，部众集结到数万人。宫城(台城)中也筑土山，跟城外土山对抗。太子萧纲、宣城王萧大器以下官员，都亲自挑土、亲自手拿畚箕铁锹。在土山上兴建芙蓉化样式的数层高楼，高四丈，用绸缎及毛织品的地毯，作为装饰；征召敢死队员二千人，身穿厚袍铠甲，称为"僧腾客战士"("僧腾客"，意义不明，当是六世纪四〇年代流行语)，分别增援两座土山，昼夜不停战斗。不巧，天降倾盆大雨，宫城内土山崩塌；侯景军乘势攻击，几乎突入城中，守军步步苦战，无法阻止。羊侃命投掷大量火把，积成一道熊熊火墙，切断侯景军的退路(同时也挡住侯景军继续增援)，然后，再在城中筑起第二道城，侯景军不能突破。

侯景在投降人群中，挑选奴隶出身的士卒，撤销他们的奴隶户籍，全部恢复平民身份(南朝奴隶的分类，参考三九九年十月注)。曾经物色到朱异的一个奴隶，立即任命他当仪同三司(宰相级)，而把朱异的家产，全部赏赐给他。奴隶腿跨骏马，身穿锦袍，在城下仰头诟骂朱异说："你在官场中打滚五十年，才当上中央禁军总监(中领军)。我刚刚事奉侯王(侯景)，就当上仪同三司(宰相级)！"于是，三天之内，城中奴隶出城投降侯景的，以千为单位计算，侯景对他们十分优待，配备到军队之中，人人感激侯景的恩德，愿为他牺牲生命。

荆州（州政府设江陵〔湖北省江陵县〕）州长（刺史）、湘东王萧绎，听到侯景包围宫城（台城）消息。十一月九日，萧绎下令戒严。传令军区所属的湘州（州政府设临湘〔湖南省长沙市〕）州长（刺史）河东王萧誉、雍州（州政府设襄阳〔湖北省襄阳市〕）州长（刺史）岳阳王萧詧、江州（州政府设寻阳〔江西省九江市〕）州长（刺史）当阳公爵萧大心、郢州（州政府设夏口〔湖北省武汉市〕）州长（刺史）南平王萧恪等，动员军队，增援京师（首都建康。萧绎军区所辖九州之中，原无江州，参考去年〔五四七〕正月，当是后来加上）。萧大心，是萧大器的老弟。萧恪，是萧伟的儿子（萧伟，是萧衍的老弟，参考四九九年八月）。

朱异写信给侯景，为他分析祸福利害。侯景回信，并警告宫城（台城）官民，说："梁国（南梁帝国）近年以来，受宠爱的权贵弄臣，当家做主，剥削小民，满足他们的嗜好和欲望。如果认为并不如此，各位不妨观察：到今天为止，帝国所有的亭台楼阁、王公衙门，和私人住宅，连同佛教和尚、尼姑所住的寺院庙庵，还有那些在位的官僚，哪一个不是有几百个娇妻美妾、几千个奴隶仆从？他们既不种田，又不织布，却穿的是绫罗绸缎，吃的是山珍海味。如果不是向人民强夺，它们从什么地方掉下来？我所以赶到宫门之下，目的只在诛杀奸邪谄媚之徒，并不是前来颠覆国家。现在，城中指望四方勤王军前来解救，可是，我观察你们那些王爷侯爷，以及所有将领，一心都在明哲保身，谁肯卖命拼死，跟我打一个胜负分明！长江是上天所设险要，两位曹先生都临江叹息（二曹：曹操、曹丕。曹操事，《资治通鉴》没有记载；曹丕事，参考二二五年十月），可是，我却乘一根苇草渡过，天朗气清，不费吹灰之力。如果不是天心保佑，人心所归，怎么能如此顺利？各位最好三思，自己寻找平安吉祥。"

侯景又上疏给东魏帝（〔东〕十六任孝静帝）元善见（本年二十五岁），

说："我占领寿春（寿阳，安徽省寿县），本打算休息一阵。可是萧衍发现他的命运，已经终结，而自愿辞去他的皇帝职务。我的军队还没有进入他的国境，他已投奔同泰寺，向佛祖献身，我于上月（十月）二十九日，抵达建康（南梁首都，江苏省南京市）。全国苦难虽然还没有解除，但总算庆幸战争终于平息；思念故乡，人和马都心怀依恋。最近就会整顿缰绳，继续承望陛下神圣领导。我的娘亲、老弟，我以为早被屠杀，最近接到英明的指令，才知道娘亲、老弟，仍在人世。这乃是陛下的宽大仁慈，和最高统帅（大将军高澄）的深厚恩德。以我的衰弱和愚劣，不知道如何报答。现在准备携带奏章，前往迎接我的娘亲、老弟、妻子、儿女。但愿圣心垂念，准允释放。"

十一月十二日，湘东王萧绎（荆州〔州政府江陵〕州长），派军政官（司马）吴晔、天门郡（湖南省石门县）郡长樊文皎等，率军自江陵（湖北省江陵县）出发东下。

云旗将军陈昕被侯景俘虏，侯景设宴请他饮酒，要求陈昕集结溃散的部众，帮助自己，陈昕拒绝。侯景遂囚禁陈昕，命他的仪同三司（宰相级）范桃棒看守。陈昕游说范桃棒率领他的部队，袭杀王伟、宋子仙，前往宫城（台城）投降。范桃棒同意，用绳索把陈昕秘密缒入宫城。萧衍大喜过望，赏赐给范桃棒"银券"（免死铁券），说："事情成功之日，封你当河南王，接管侯景部队，并发给金银绸缎、歌女舞女。"但萧纲怀疑是一个骗局，犹豫不敢决定。萧衍大怒说："接受敌人投降，是一件普通的事，什么事使你疑心？"萧纲召集高官会议，朱异、傅岐说："范桃棒投降之事，决不会假。范桃棒一旦投降，侯景一定惊恐失措，利用这个机会反击，可以给他重创。"萧纲说："我们固守坚城，等待外面援军，援军到后，盗贼（侯景军）岂不是马上铲平！这是万无一失的因应方略。如果大开宫城城门，收容范桃棒，而范桃棒心里想的是什么，又岂是那么容易知道！万一发生变化，后悔已来不及。国家命脉所在，需要慎重研究。”朱异说：“殿下如果急于挽救国家，最好是接受范桃棒。如果猜疑不定，我就不知道如何是好。”到了最后，萧纲仍不敢决定。范桃棒又命陈昕报告说：“我只带亲信士卒五百人，抵达城门时，主动脱下铠甲，请政府打开城门收容。事成之后，我保证可以捕获侯景。”萧纲看范桃棒言辞恳切，就更加怀疑（其实，范桃棒如果言辞不恳切，同样也会“更加怀疑”。只因“怀疑”是一种最顽强的病毒，很难消除）。朱异捶胸悲叹，说：“失去这个机会，国家大事，一去不返。”不久，范桃棒被他的部下告密，侯景扼死范桃棒。而陈昕还不知道，在约定的日期从宫城（台城）出来，侯景派军阻截生擒，强迫他把信件射到宫城，说：“范桃棒马上率轻骑兵数十人，先行进城。”侯景打算派军内穿铠甲、外罩宽袍，紧随陈昕之后，陈昕誓死不肯，侯景遂斩陈昕。

侯景命他所拥护的皇太子萧见理（萧正德的儿子），跟仪同三司（宰相级）卢晖略，驻防东府（建康城南）。萧见理凶狠险恶，夜晚，率领他的部属，在浮船一带抢劫，被流箭射中，身死。

勤王军总司令、邵陵王萧纶，抵达钟离（安徽省凤阳县东北临淮关镇），得到侯景已从采石（安徽省马鞍山市西南）南渡长江的情报；箫纶立即折回，昼夜不停，加倍速度前进，增援京师（首都建康），渡长江时（应在欧阳〔江苏省仪征市东闸口〕渡江），走到江心，大风忽起，船舰翻覆，人员及马匹淹死十分之一二。渡长江后，萧纶率宁远将军西丰公爵萧大春、新淦公爵萧大成、永安侯萧确、安南侯萧骏、前任谯州（州政府设顿丘〔侨县，安徽省滁州市〕）州长（刺史）赵伯超、武州（州政府设下邳〔江苏省睢宁县北古邳镇〕）州长（刺史）萧弄璋等，步骑兵混合兵团三万人，从京口（江苏省镇江市）西上。萧大成，是萧大春的老弟。萧确，是萧纶的儿子。萧骏，是萧懿的孙儿（萧懿，是萧衍的老哥，参考五〇〇年十月）。

侯景派军前往江乘（江苏省南京市东北）抵抗萧纶兵团，赵伯超向萧纶建议："如果走黄城（江苏省镇江市西）大路，一定跟贼兵（侯景军）碰上。最好是偏向西南，直接挺进到钟山（建康城东），突袭广莫门（建康都城北门），大出他们意料之外，宫城（台城）之围，一定可以解除。"萧纶同意。可是夜晚行军，迷失道路，多绕了二十余华里。

十一月二十三日，天亮，抵达钟山筑营。侯景突然发现勤王大军逼到面前，大为震骇，把所抢劫掠夺的美女、珍宝，都送到石头城（建康城西北），准备船舶，打算情势再恶化时逃走。于是，分军三道，向萧纶兵团同时攻击，萧纶兵团迎战，击破侯景军攻势。当时，山顶积雪，天气寒冷，萧纶率军下山，在爱敬寺（在钟山）构筑工事；而侯景在覆舟山（建康城北）以北扎营。

十一月二十八日，萧纶兵团前进到玄武湖畔，跟侯景军遥遥相对，没有战斗。当天黄昏，侯景发出战书，要求明天（十一月二十九日）会战，萧纶答应。侯景即行稍向后撤，安南侯萧骏看见敌人后撤，误认为侯景军逃走，立即率领部队追击，侯景回军迎战，萧骏大败，逃向萧纶大营。赵伯超望见，心惊胆颤，也率军逃走，侯景乘胜直追，勤王军遂完全崩溃。萧纶集结残余士卒约一千人，退入天保寺（今地不详）。侯景军追到，纵火烧寺。萧纶再逃向朱方（江苏省镇江市东南），士卒踏冰雪逃亡，天气酷寒，往往双脚都被冻坏切断。侯景把萧纶勤王军的军事供应物品，全部俘获；又生擒西丰公爵萧大春、安前将军府军政官（安前司马）庄丘慧、总带兵官（主帅）霍俊等，班师。

十一月二十九日，侯景把所俘获的萧纶勤王军官兵、铠甲、武器，以及萧大春等，陈列在宫城（台城）门下，教他们声言："邵陵王（萧纶）已被乱兵格杀！"只霍俊单独呼喊："邵陵王（萧纶）稍微受点挫败，大军全回京口（江苏省镇江市）。城中千万坚守，援军马上就到。"侯景军用刀柄猛击他的脊背，而霍俊脸色和叫声，越发凄厉。侯景敬佩他的凛然大义，下令把他释放。但新当傀儡皇帝的萧正德，却不能饶他，遂斩霍俊。

当天（十一月二十九日）夜晚，鄱阳王萧范（合州〔州政府合肥〕州长），派他的世子萧嗣，会同西豫州（州政府设晋熙〔安徽省潜山市〕）州长（刺史）裴之高、建安郡（福建省建瓯市）郡长赵凤举，各率军增援京师（首都建康），在蔡洲（江苏省南京市西南长江中小岛）扎营，等候上游勤王各军。萧范命裴之高负责江右（江西省、安徽省）军事。侯景把秦淮河南岸的居民，全部迁到秦淮河北岸，纵火焚烧秦淮河南岸建筑物，主要街道以西，一片焦土。

北徐州（州政府设钟离〔安徽省凤阳县东北临淮关镇〕）州长（刺史）、封山侯萧正表（"正"字辈是临川王萧宏〔萧衍的老弟〕的儿子，"渊"字辈是萧懿〔萧衍的老哥〕的儿子，"糸"字旁是萧衍的儿子，"大"字辈是太子萧纲的儿子，"方"字辈是湘东王萧绎的儿子），镇守钟离，南梁帝萧衍征召他增援首都建康（江苏省南京市），萧正表已有离心，借口船舰粮秣都还没有集结完成，不肯出发。侯景遂任命萧正表当南兖州（州政府设广陵〔江苏省扬州市〕）州长（刺史），晋封南郡王（依情势推测，当是以傀儡皇帝萧正德名义，发布人事命令，否则，侯景无法封别人爵位）。萧正表遂在欧阳（江苏省仪征市东闸口）设立栅栏，阻断所有增援京师（首都建康）的军队；亲率大军一万人，声称前往京师共赴国难，实际上却打算袭击广陵（江苏省扬州市）；秘密写信给广陵县长刘询，请他在城中纵火，作为内应；刘询报告南兖州（州政府

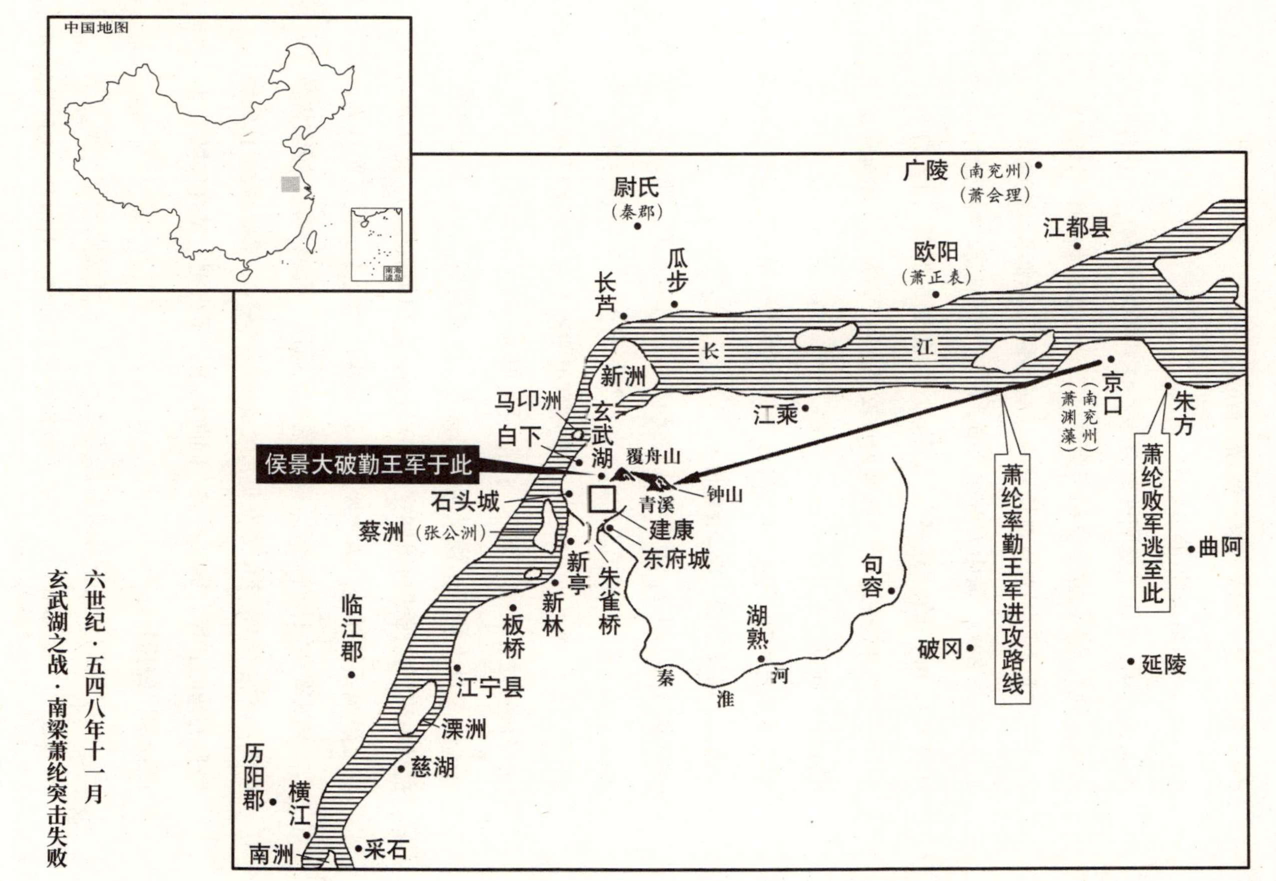

六世纪·五四八年十一月
玄武湖之战·南梁萧纶突击失败

广陵）州长（刺史）南康王萧会理（萧绩的儿子）。

十二月，萧会理命刘询率步骑兵一千人，乘夜袭击萧正表，大破萧正表军，萧正表逃回钟离（安徽省凤阳县东北临淮关镇）。刘询俘获萧正表的残兵余粮，回来交给萧会理，二人一起增援京师（首都建康）。

十二月七日，总监督长（侍中）、国务院法务部长（都官尚书）羊侃逝世（年五十四岁），城中人更加恐惧。侯景大量制造攻城武器，陈列在宫城（台城）门前；“攻城车”高达数丈，每辆车都有二十个车轮。

十二月十一日，侯景再度大举攻城，用“青蛙车”（虾蟆车）运送泥土填护城河。

湘东王萧绎（荆州〔州政府江陵〕州长），派世子萧方等，率步骑兵一万人，增援建康（江苏省南京市）。

十二月十四日，萧方等从公安（湖北省公安县）出发。萧绎又派竟陵郡（湖北省潜江市）郡长王僧辩，率水军一万人，满装粮食，顺汉水东下（王僧辩，参考五四二年二月）。萧方等英俊而有才干，精于骑马射箭，每逢作战，亲自冒流箭飞石，誓死报国。

十二月十六日，侯景用“喷火车”焚毁宫城（台城）东南城楼，宫廷供应部全国建材管理官（材官）吴景，思想灵敏精巧，就在城内挖土建筑新的城楼，大火刚熄，新城楼已经完工，侯景军认为神奇。侯景军在城楼燃烧时，暗中派人在城楼下开凿洞穴，城墙将要崩塌，宫城（台城）守军才发觉，吴景在城内另行兴筑一段形状好像残月的弯曲长墙，继续抵抗，同时掷出大量火把，焚烧攻城工具，侯景军只好撤退。

太子萧纲派太子宫图书管理官（太子洗马）元孟恭，率一千人从大司马门（台城南门）出城扫荡，而元孟恭和他的左右侍从，却一起投降侯景。

十二月二十三日，侯景攻城土山，渐渐逼近宫城（台城）城楼，首都西区卫戍司令（右卫将军）柳津，命挖掘地道，盗取土山底部泥土，于是土山崩塌，几乎把山上驻军全都压死。守军又在宫城（台城）中兴筑飞桥，连接东西两座土山。侯景军望见飞桥在半空中出现，惊恐退走。宫城（台城）守军抛出“燕尾火炬”，焚烧侯景东方攻城土山，土山上碉楼木栅，一时成灰，侯景军的尸体，堆积宫城（台城）之下。侯景下令放弃土山，不再修护，并且自行焚毁攻城工具，改变战略。宫廷供应部全国建材管理官（材官将军）宋嶷，投降侯景，建议侯景引导玄武湖（建康城北）的水，倒灌宫城（台城），于是宫城（台城）门前，洪水横流。

南梁帝萧衍征召衡州（州政府设含洭〔广东省英德市西北浛洸镇〕）州长（刺史）韦粲，当总顾问长（散骑常侍），而命司令官（都督）长沙郡（湖南省长沙市）人欧阳頠，暂时接管州政府。韦粲，是韦放的儿子（韦放事，参考五二七年十月）。韦粲回京（首都建康）途中，走到庐陵（江西省吉水县），听到侯景叛乱消息，立刻整顿部属，挑选精锐士卒五千人，加倍速度行军，增援首都建康（江苏省南京市），走到豫章（江西省南昌市），听说侯景已穿过横江（安徽省和县东南长江渡口），韦粲拜访豫章郡郡长（内史）刘孝仪商议对策，刘孝仪说：“果真有这种事，中央一定会有指令，怎么可以随便相信道听途说，轻举妄动！恐怕事情真相不是如此。”当时刘孝仪设筵招待，韦粲大怒，把酒杯摔到地上，说：“盗贼已渡过长江，下一步就是逼上宫门，水陆交通，全部阻断，哪里来的正式消息！如果中央没有指令，我们难道就安心坐在这里？韦粲今天没有心情饮酒！”立即飞马出城部署。将要出发，正巧江州（州政府设寻阳〔江西省九江市〕）州长（刺史）、当阳公爵萧大心，派使节前来邀请韦粲，韦粲飞马去见萧大心，建议说：“长江上游的军事重镇，江州（州政府寻阳）距首都建康（江苏省南京市）最近（航空距离四百一十公里），以情理推断，殿下的勤王军应走在其他勤王军之前。但是，寻阳（江西省九江市）位居长江枢要，应该负起供应责任，不可以没有统帅镇守。而今应该扩大声势，把指挥部移到湓城（寻阳城东），派遣副将率军追随在我后面，已经足够。”萧大心同意，遂派大营军事参议官（中兵）柳昕，率军二千人，追随韦粲舰队之后出发。韦粲抵南洲（安徽省当涂县西长江中小岛），表弟司州（州政府设义阳〔河南省信阳市〕）州长（刺史）柳仲礼，也率步骑兵一万余人，抵达横江（安徽省和县东南长江渡口），韦粲立即供应他粮食武器，并把自己的财产，散发给司州士卒。

西豫州（州政府设晋熙〔安徽省潜山市〕）州长（刺史）裴之高，从张公洲（蔡洲，江苏省南京市西南长江中小岛）派船迎接柳仲礼。

十二月三十日，夜晚，韦粲、柳仲礼，及宣猛将军李孝钦、前司州（州政府义阳）州长（刺史）羊鸦仁、南陵郡（安徽省池州市贵池区）郡长陈文彻，组成联合兵团，驻防新林（江苏省南京市江宁区西）王游苑。韦粲建议推举柳仲礼当总司令官（大都督），同时把这项决定，通报下游各勤王军（指驻张公洲各军）。但裴之高觉得自己年纪和官位，都高过柳仲礼，认为屈居柳仲礼之下，是一种耻辱（裴之高年六十九岁，柳仲礼年龄不详）；讨论几天，都没有结果。韦粲激愤的说：“大家同赴国难，目的在于铲除盗贼（侯景）。所以推举柳仲礼，因为他长久以来，捍卫边疆，侯景从前就对他畏惧（柳仲礼在谷城〔湖北省谷城县〕抵抗北魏帝国贺拔胜，参考五三三年十二月）。而且，柳仲礼人马都是精锐，再没有军队比他的更好。如果要论地位辈分，他都在我之下，就是年龄，他也比我小（韦粲年五十三岁），但是为国家着想，不能计较那些。今日形势，最重要的是：将领们一定要和睦，如果各人坚持各人的想法，不能团结，大事就会一去不返。裴公（裴之高）是政府的元老，怎么可以为了一点私心，阻挠大计！我愿意向他解释。”遂乘一艘小艇，前往裴之高大营，恳切责备他说：“而今，皇上（萧衍）和太子（萧纲）都处在险境，受到逼迫，盗匪（侯景军）声势浩大，就像洪水滔天，做臣属的应该同心合力，怎么可以自相攻击。你如果非坚持跟众人不同，大家的刀枪，将集中新的目标。”裴之高流泪抱歉，遂推举柳仲礼当总司令官（大都督）。

宣城郡（安徽省宣城市宣州区）郡长（内史）杨白华，派儿子杨雄，率郡政府军继续抵达，各地援军，从四面八方而来，十余万人，沿秦淮河南岸竖立栅栏；侯景则沿秦淮河北岸竖立栅栏对抗。

裴之高跟老弟裴之横，率水军一万人，驻防张公洲（蔡洲，江苏省南京市西南长江中小岛）。侯景遂逮捕裴之高的老弟、侄儿、儿子、孙子，隔着水面，在长江东北岸，用铁链锁在一起，一字排开，把大锅及刀锯，陈列在他们身后，向裴之高喊话：“裴公如果不投降，今天就把他们活活煮死。”裴之高命神射手射他的儿子，射了两次，都不能射中（神射手的人情味使人动容）。

侯景率步骑兵一万人，在后渚（中兴寺前小岛）挑战，柳仲礼打算出击，韦粲说：“天色已晚，我们又很疲劳，不是会战时机。”柳仲礼紧闭营门不理，侯景也向后撤退。

湘东王萧绎（荆州〔州政府江陵〕州长），率精锐部队三万人，从江陵（湖北省江陵县）出发，命儿子绥宁侯萧方诸留守。首席军事参议官（咨议参军）刘之迟等，一连三次上书，请求改变主意，不要远征，萧绎批示拒绝。

鄱阳王萧范（合州〔州政府合肥〕州长），派将领梅伯龙，攻击留守侯景根据地寿阳（安徽省寿县）的王显贵，攻克外城。但再攻内城时，却无法攻克，撤退。萧范增加梅伯龙的军队，命他作第二次攻击。

17 东魏帝国（首都邺城）最高统帅（大将军）高澄，对民间私自大量铸造的恶劣钱币，十分担心，研究化暗为明的办法，初步拟定：不再禁止私自铸造，但政府应在城门设置公秤，钱的重量不超过五铢的，不准拿到市场使用。政府官员讨论的结果，认为今年（五四八）农作物歉收，请改到以后实施。高澄才中止。

18 西魏帝国（首都长安）太师（上三公之一）宇文泰，下令诛杀安定国（宇文泰封安定公爵）官员王茂，而王茂并没有犯罪。国务院左秘书长（尚书左丞）柳庆劝阻，宇文泰咆哮说："你庇护有罪的人，应该受连坐处罚。"遂逮捕柳庆，押解到宇文泰面前，柳庆脸色不变，言辞也不屈服，说："我听说：君王受到蒙蔽，就是不明；臣属知道事情真相却不敢说，就是不忠。我既尽我的忠心，不敢爱惜生命，只怕你不明事理。"宇文泰觉悟，立刻派人赦免王茂，已来不及，乃赏赐给王茂家属钱币绸缎，说："用以显示我的过失。"

19 十二月三十日（除夕），南梁帝国（首都建康）勤王军总司令官（大都督）柳仲礼，于夜晚进入韦粲大营，下令全军进入紧急状态，准备第二天（五四九年正月一日）黎明会战。各将领都有自己的任务，柳仲礼命韦粲守卫青塘（玄武湖水南下注入秦淮河处，在建康城东南）。韦粲因青塘是石头城（建康城西北）南下要冲，侯景军一定全力夺取，深感难以抵挡。柳仲礼说："青塘位置重要，非你不可，如果嫌兵力薄弱，我会另派援军。"遂命直阁将军刘叔胤，协防韦粲。

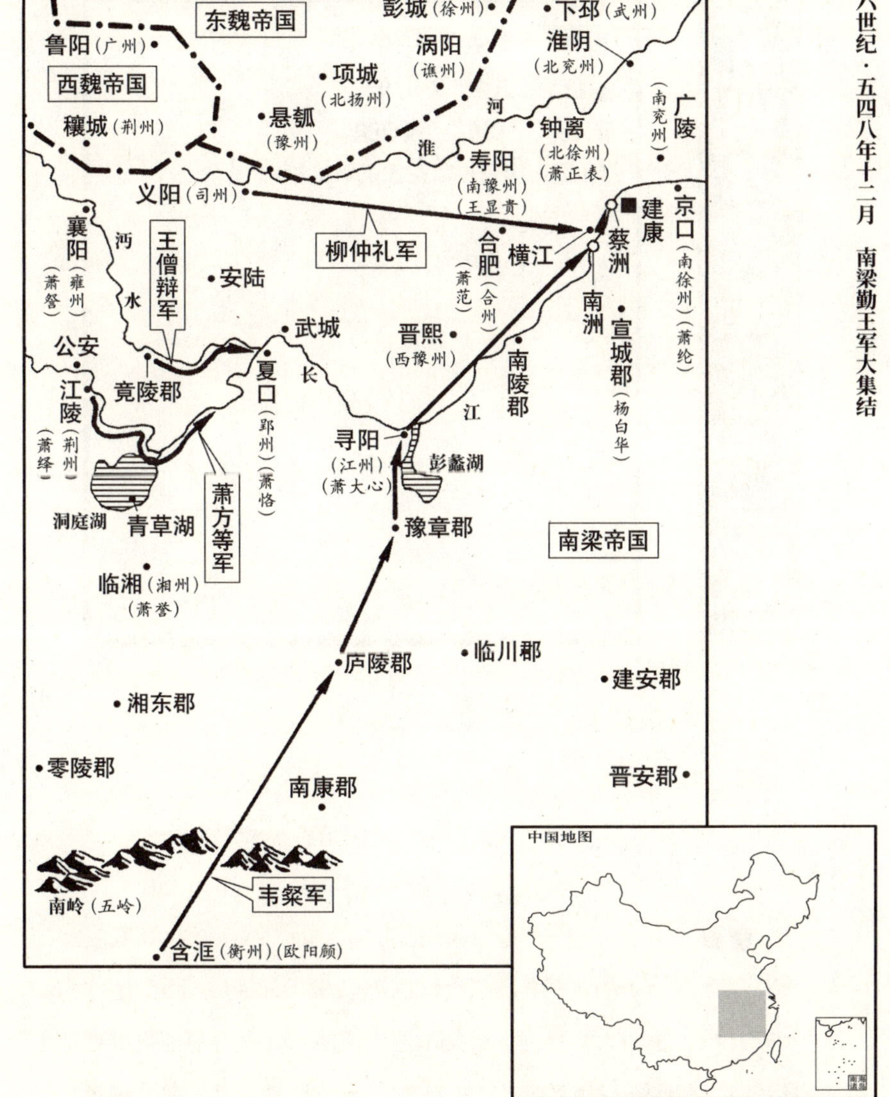

六世纪·五四八年十二月　南梁勤王军大集结

五四九年 己巳

南梁　太清　三年
东魏　武定　七年
西魏　大统　十五年
（南梁帝国皇帝萧正德正平二年）

1 春季，正月一日，南梁帝国（首都建康〔江苏省南京市〕）勤王军总司令官（大都督）柳仲礼，把大营自新亭（建康城西南）迁到大桁（秦淮河浮桥南）。正巧大雾弥漫，韦粲军迷失道路，好不容易前进到青塘（玄武湖水南下注入秦淮河处，在建康城东南），午夜已过，韦粲急行构筑营栅，还没有完成，天色已明，侯景远远望见，立即率精锐士卒进攻。韦粲命带兵官（军主）郑逸，迎头痛击；另命直阁将军刘叔胤率船舰切断侯景后路；刘叔胤胆怯，不敢前进，郑逸孤军奋战，遂败。

侯景乘势追击，直扑韦粲大营，韦粲左右侍从拉着韦粲逃走，韦粲不动，只喝令韦家子弟苦战；终于，韦粲跟他的儿子韦尼，三个弟弟韦助、韦警、韦构、堂弟韦昂，全都战死（韦粲年五十四岁），亲戚随同被杀的有数百人。柳仲礼正在吃早餐，得到消息，扔下碗筷，披挂铠甲，率部队一百人，上马飞奔救援，跟侯景在青塘会战，大破侯景军，杀数百人，而侯景士卒淹死秦淮河中的也有一千余人。柳仲礼长矛几乎刺到侯景，侯景将领支伯仁从后面追上，一刀砍中柳仲礼肩膀，柳仲礼的坐骑陷进泥沼，不能转动，侯景军聚集持用长矛的军士，围住柳仲礼猛刺，柳仲礼遍体鳞伤，正千钧一发之际，骑兵将领郭山石及时赶到，冒死抢救，才救他逃出。柳仲礼身受重创，会稽郡（浙江省绍兴市）人惠臶，用嘴吸出伤口的脓，直吸到鲜血流出，终于保住他一命。从此，侯景不敢再到秦淮河南岸，而柳仲礼也豪气全失，不敢再提战斗。

邵陵王萧纶，集结残兵败将（萧纶军溃散、退守京口事，参考去年〔五四八〕十一月二十八日），会同东扬州（州政府设会稽〔浙江省绍兴市〕）州长（刺史）临城公爵萧大连、新淦公爵萧大成等，从东方再向首都建康（江苏省南京市）进军。

正月四日，在大桁（秦淮河浮桥南）以南，列营筑寨，也推举柳仲礼当总司令官（大都督）。萧大连，是萧大临的老弟（二人都是太子萧纲的儿子）。

无论政府与民间，都认为侯景之变，全由朱异激起，对他深为怨恨。朱异既惭愧又愤怒，因而一病不起。

正月四日，朱异逝世（年六十七岁）。传统制度：从不追赠国务院（尚书）官位，南梁帝（一任武帝）萧衍（本年八十六岁）悲痛惋惜，特别追赠朱异当国务院右执行长（尚书右仆射）。

正月八日，湘东王（萧绎）世子萧方等，及将领王僧辩两军，抵达建康（江苏省南京市）。

2 正月十二日，南梁帝国封山侯萧正表，献出北徐州（州政府设钟离〔安徽省凤阳县东北临淮关镇〕），投降东魏帝国（首都邺城〔河北省临漳县西南邺城镇〕）；东魏徐州（州政府设彭城〔江苏省徐州市〕）州长（刺史）高归彦，派军协防。高归彦，是高欢的族弟。

3 正月十三日，南梁帝国太子萧纲，迁进宫城（台城），住永福省（南宋帝国时代的东宫〔太子宫〕）。高州（州政府设高凉〔广东省阳江市〕）州长（刺史）李迁仕、天门郡（湖南省石门县）郡长樊文皎，率援军一万余人，到达建康（江苏省南京市）城下。宫城（台城）跟援军之间，消息断绝已经很久，一位名叫羊车儿的建议：用纸做成飞鸟形状（风筝的起源），用长线拴住，把皇帝指令，写在上面，然后顺风纵起，希望能送达给勤王军；上面用大字写出："把这个纸鸟送给勤王军的，赏银一百两。"太子萧纲到太极殿前，利用西北风，亲自放起。侯景军对这个冉冉升空的纸鸟，大感奇怪，认为是一种巫术，用箭把它射落。勤王军也在作同样努力，悬赏征求能把奏章送进城中的勇士，鄱阳王（萧范）世子萧嗣的侍从李朗应征，用苦肉计，假装犯罪，先受鞭打，然后背叛，投奔侯景军。再找一个机会，进入宫城（台城），城中才知道各地援军已经集结，全城欢呼。萧衍任命李朗当直阁将军，赏赐黄金，送他回去报告。李朗沿着钟山（蒋山，建康城东）后麓，白昼躲藏，夜晚前进，几天后才回到勤王军大营。

正月二十七日，鄱阳王（萧范）世子萧嗣、永安侯萧确，以及庄铁、羊鸦仁、柳敬礼、李迁仕、樊文皎，率军北渡秦淮河，进攻东府（宰相府，建康城南）前的侯景军阵地，焚烧栅栏，侯景军后退。勤王军在青溪东岸扎营（青溪是玄武湖支流，南下注入秦淮河），李迁仕、樊文皎率精锐士卒五千人，单独挑战，深入侯景军阵地，所向无敌，挺进到菰首桥（青溪桥）东头，侯景的将领宋子仙发动埋伏反击，樊文皎战死，李迁仕逃回。柳敬礼，是柳仲礼的老弟。

柳仲礼神情傲慢凶狠，对其他将领不但看不起，而且更加欺侮；邵陵王萧纶每天手拿马鞭，前往营门报到，柳仲礼总要让他等候很久，才肯接见（执鞭，军中部属参见主帅之礼），因此，跟萧纶以及临城公爵萧大连，结下怨恨；萧大连跟永安侯萧确（萧大连的堂兄弟）也不和睦；各军互相怀疑猜忌，只顾内斗，没有心意作战。当勤王军刚抵达时，建康（江苏省南京市）人民扶老携幼，出来迎接，可是，勤王军一过秦淮河，立即放纵士卒奸淫烧杀，大肆抢掠，人民大失所望。侯景军中有人本来准备做勤王军内应的，听到这种事情，都打消念头。

4 侯景中军总司令官（中军大都督）王显贵，献出寿阳（安徽省寿县），投降东魏帝国（侯景命表弟王显贵留守寿阳事，参考去年〔五四八〕九月）。

5 侯景拥戴的傀儡皇帝（临贺王）萧正德的记录官（记室）、吴郡（江苏省苏州市）人顾野王，聚众起兵，讨伐侯景。二月三日，顾野王率军抵达建康（江苏省南京市）。最初，宫城（台城）关闭时（去年〔五四八〕十月），三公及部长级官员，只考虑到粮食问题，不分男女贵贱，都出城运米，以至城中积米达四十万斛，各单位库藏金银、绸缎、布匹，达五十万亿钱，都堆在德阳堂，却忽略了木柴、鱼肉、食盐。如今，大家只好拆除国务院（尚书省）的梁柱门窗，当作木柴，用来煮饭。把床上草席取下，割开喂马；等草席吃光，就喂马吃饭。士卒吃不到肉，有的开始煮铠甲上的皮革，有的用烟熏出洞里的老鼠，或捕捉鸟雀。皇家御厨房有晒干的海带，既酸又咸，萧衍命拿出分配给战士。军人在皇宫宝殿和政府官舍里，宰杀战马，羼杂人肉充饥，凡吃的人一定害病。侯景军也被饥饿抓住，抢夺无处抢夺，劫掠又没有东西可以劫掠。东府城（宰相府，建康城南）有很多存粮，足可以支持一年。可是勤王军切断通道，同时又听说荆州（州政府设江陵〔湖北省江陵县〕）援军就要抵达，侯景十分忧虑。智囊王伟建议说："而今，宫城（台城）不可能马上攻克，而勤王的军队，每天都在增加，我们军队却缺少粮食。如果假装请求和解，缓和一下紧张对抗的情势，则仅只东府城（宰相府，建康城南）的米，就够吃一年。充分利用停战时间，把米转运到石头（建康城西北），勤王军绝对不敢阻拦。然后，我们人马都得到充分的休息，武器也得到充分的修理，等他们懈怠没有戒备时，再发动突击，包管一战而胜。"侯景同意，遂派他的将领任约、于子悦，到宫城（台城）门下，呈递奏章，请求和解，并请求仍回基地寿阳（安徽省寿县）。太子萧纲因城中穷苦困顿，遂报告皇帝老爹萧衍，建议接受。萧衍大怒说："和，还不如死！"萧纲再三请求说："侯景围城时间已久，勤王军互相观望，不肯作战。最好是答应和解，以后再作打算。"萧衍迟疑很久，最后说："你自己去妥善安排，不要让以后的人，对你耻笑。"萧纲遂回答同意。侯景请求割让江西（淮西地区）四个州土地（四州：西豫州〔州政府设晋熙，安徽省潜山市〕、南豫州〔州政府设寿阳，安徽省光山县〕、合州〔州政府设合肥，安徽省合肥市〕、光州〔州政府设光城，河南省光山县〕），并且要求宣城王萧大器亲自护送他们西渡长江。中央禁军总监（中领军）傅岐反对说："天下哪有盗匪包围宫城，皇上反而跟盗匪和解的怪事？侯景所以如此做，只是为了要勤王军撤退而已；野蛮民族心同禽兽，绝对不可信赖！而且宣城王（萧大器）乃嫡皇孙，地位重要，是帝国的命脉，怎么可以充当人质！”萧衍于是任命萧大器的老弟、石城公爵萧大款，当总监督长（侍中），前往侯景军中，充当人质；同时命勤王各军不准继续前进，下诏说：“精良的军队不必战斗，就可以取得胜利；不必使用刀枪戈矛，就能够建立威武。现在任命侯景当大丞相、江西（淮西地区）四州军区司令长官（都督江西四州诸军事）、豫州（南豫州，州政府寿阳）全权州长（牧），仍封河南王。”

二月十三日，萧衍命在西华门（建康台城〔宫城〕西门）外设立神坛，派国务院执行长（仆射）王克、上甲侯萧韶、国务院文官部考选司长（吏部郎）萧瑳，跟侯景的将领于子悦、任约、王伟，共登神坛，向天盟誓。太子宫总管（太子詹事）柳津出西华门（建康台城〔宫城〕西门），侯景出军栅门（营栅门），遥遥相对，宰杀牲畜，再度向天歃血（用牲畜血涂唇）盟誓。可是，盟誓之后，侯景军的包围并没有解除，反而利用停战时间，专心修理铠甲和武器。侯景一直推托说：“没有船，不能马上开拔。”又宣称：“恐怕秦淮河南岸驻军（勤王军）尾追！”又命石城公爵萧大款返回宫城（台城），要求宣城王萧大器出城护送。而且开始提出更多的要求，一点没有离去的意思。太子萧纲知道侯景说谎，但仍维持表面关系，不使中断。萧韶，是萧懿的孙儿（萧懿之死，参考五〇〇年十月）。

二月十四日，前南兖州（州政府设广陵〔江苏省扬州市〕）州长（刺史）南康王萧会理、前青冀二州（州政府设郁洲〔江苏省连云港市东沉积小岛〕）州长（刺史）湘潭侯萧退、西昌侯（萧渊藻）世子萧彧，集合武装部队三万人，前进到马印洲（江苏省南京市北长江中小岛，在白下对面江中），侯景担心他们从白下（建康城北）西上，上疏说：“请北方军队（指萧会理联军）前往秦淮河南岸集合，不然的话，会妨碍我北渡长江。”萧纲即命萧会理离开白下，移驻江潭苑（兰亭苑）。萧退，是萧恢的儿子（萧恢，是萧衍的老弟，参考五〇〇年九月）。

二月十五日，萧衍任命邵陵王萧纶当最高监察长（司空），鄱阳王萧范当征北将军，柳仲礼当总监督长（侍中）、国务院右执行长（尚书右仆射）。侯景则任命于子悦、任约、傅士哲，都当仪同三司（宰相级），夏侯谲当豫州（州政府设悬瓠〔河南省汝南县〕）州长（空头官衔。此时悬瓠属东魏）、董绍先当东徐州（州政府设宿预〔江苏省宿迁市〕）州长（刺史）、徐思玉当北徐州（州政府设钟离〔安徽省凤阳县东北临淮关镇〕）州长（刺史）、王伟当总顾问长（散骑常侍）。萧衍则命王伟当总监督长（侍中）。

二月十六日（原文为“乙卯”〔二十九日〕，似误），侯景又上疏说：“刚才，西岸（历阳，安徽省和县）传来情报：高澄（东魏帝国）已占领寿阳、钟离，我今天没有地方可以投奔，请准许把广陵（江苏省扬州市）和谯州（州政府设顿丘〔侨县，安徽省滁州市〕）供给我驻扎人马，等夺回寿阳（安徽省寿县），就奉还政府。”同时又请求：“增援部队既驻防秦淮河南岸，我西渡长江已不安全，必须从京口（江苏省镇江市）北渡长江。”萧纲全都答应。

二月十七日，南梁政府大赦。

二月二十四日，侯景又上疏，说：“永安侯萧确、直阁将军赵威方，隔着栅栏，不断对我诟骂说：‘天子跟你盟誓，我可是要干掉你！’请命萧确及赵威方进城，我就立刻上路。”萧衍派国务院文官部长（吏部尚书）张绾，召回萧确。

二月二十五日，任命萧确当广州（州政府设番禺〔广东省广州市〕）州长（刺史），赵威方当盱眙郡（江苏省盱眙县）郡长；萧确不断上疏辞让，不肯前往宫城（台城），萧衍不准。萧确无奈，命赵威方先行入城，自己想乘机逃到南方（指荆江二州）。邵陵王萧纶对萧确流泪说："宫城（台城）被围已久，圣上忧愁，处境危险，做臣属儿子的，心情急迫，犹如身在水深火热之中，所以故意跟侯景结盟，打发他走得越快越好，以后再想办法。命令已经公布，怎么能够违抗！"当时，中央使节周石珍、太子宫文书助理官（东宫主书）左法生，正巧都在萧纶大营，萧确对二人说："侯景虽说要走，却不解围，他的用心，十分明显。而今命我回城，对大局有什么帮助！"周石珍说："圣旨如此决定，你怎么可以拒绝！"萧确仍然坚持。萧纶大怒，对谯州（州政府顿丘）州长（刺史）赵伯超说："请你动手，把他的人头带进宫城（台城）。"赵伯超挥舞佩刀，斜眼瞅着萧确，说："我认识侯爷，我手中的刀不认识侯爷。"萧确痛哭流涕，遂回宫城（台城）。

萧衍常年只吃蔬菜，等到宫城（台城）被围，日子一久，御厨房的蔬菜、菜根，全都吃光，就改吃鸡蛋。萧纶托使臣呈献鸡蛋数百个，萧衍亲自收下安放，叹息流涕，泣不成声。

湘东王萧绎（荆州〔州政府江陵〕州长），驻军郢州（州政府设夏口〔湖北省武汉市〕）武城（湖北省武汉市黄陂区东南）；湘州（州政府设临湘〔湖南省长沙市〕）州长（刺史）河东王萧誉，驻军青草湖（洞庭湖东南一小湖，水满时与洞庭湖合而为一）；信州（州政府设白帝城〔重庆市奉节县东〕）州长（刺史）桂阳王萧慥，驻军西峡口（西陵峡口）；推说要等四方勤王军会师，逗留不进。记录军事高级参议官（中记室参军）萧贲，忠贞正直，对萧绎不肯东下，心里早就不满。有一天，跟萧绎在一起赌"双六"（赌博工具之一，今已失传），萧绎通吃之后，还没有下注，萧贲说："你根本不想下！"萧绎怀恨在心。后来，得到南梁帝萧衍诏书，萧绎打算回军，萧贲说："侯景当人的臣属，率军冒犯宫门，如果放弃军权，用不着渡江，连一个顽童都能把他诛杀，他不可能这么傻。大王率十万大军，还没有看见盗贼（侯景军），即行退走，使人无可奈何！”萧绎更不高兴。没有多久，萧绎罩一个罪名到他头上，把他诛杀。萧慥，是萧懿（萧衍的老哥）的孙儿。

6 东魏帝国（首都邺城〔河北省临漳县西南邺城镇〕）河内郡（河南省沁阳市）居民四千余家，因西魏帝国（首都长安〔陕西省西安市〕）北徐州（侨州，州政府设温县〔河南省温县〕）州长（刺史）司马裔，是他们的同乡，大家集合在一起，前往投奔。西魏丞相宇文泰打算封司马裔爵位，司马裔坚决辞让，说：“知识分子从远地回归，接受皇家教化，岂是因为我个人的因素。贩卖义士，换取一己的荣华富贵，不是我的志愿。”

7 南梁帝国大丞相侯景，把东府城（宰相府，建康城南）的谷米，运往石头（建康城西北），运完之后，智囊王伟听说湘东王萧绎（荆州〔州政府江陵〕州长）的勤王军已经退走，而已抵达建康（江苏省南京市）的勤王军，虽然很多，却谁都不听指挥，就对侯景说：“大王以一个臣属的卑微身份，起兵叛变，包围宫城，逼迫皇妃、侮辱公主，践踏污秽皇家祖庙。把大王的头发，一一细数，头发数完，大王的罪恶都数不完。今天做出这种事，天下之大，什么地方可以容身！背弃盟誓而大获全胜的事，自古以来，例证太多。我盼望大王留在这里，观察变化。”傀儡皇帝萧正德也反对解围，说：“大业就要成功，怎么可以抛弃它，一走了之！”侯景遂上疏指摘萧衍十大罪状，说：“只因我远隔在外，所以敢冒昧直言。陛下喜爱虚伪荒诞，厌恶真情实语。把妖物当作祥瑞，把上天的谴责认为毫无关系。诠释注解六经（《诗经》《礼经》《乐经》《易经》《书经》《春秋》），却排斥古代儒家学派的学者专家，这是王莽（新王朝一任帝）使用的手段（参考一五年五月)。用铁铸造钱币,一会轻,一会重,没有制度可以遵循,这是公孙述(成家帝国一任帝)搞的把戏(参考三〇年正月)。'烂羊'之流,都封侯挂印(玄汉王朝一任帝刘玄在位,长安歌谣说:"烂羊胃,骑都尉;烂羊头,关内侯。"参考二四年二月);地痞流氓,都穿上官服,这正是刘玄、司马伦(晋王朝三任帝)那套方法(司马伦夺取帝位后,貂蝉满座,参考三〇一年正月)。豫章王萧综(萧赞)认为他亲爹(萧衍)跟他之间,有血海深仇(参考五二五年五月);邵陵王萧纶却在他亲爹(萧衍)仍活着时,身穿丧服(参考五二五年十二月),则正是石虎(后赵帝国三任帝)的家风(参考三四八年四月)。兴建佛塔,用尽方法浪费,以致使人民陷于饥饿惨境,这是笮融(东汉王朝著名的佛教徒)、姚兴(后秦帝国二任帝)所做的怪事(参考四〇五年正月)。"侯景又抨击:"建康(江苏省南京市)宫殿,豪华奢侈,陛下从不向高级官员征求意见,而只跟文书助理官(主书)决定大计方针;政府行事,不管是非,不惜利害,只看贿赂多少,宦官们全成豪门,和尚尼姑都成富翁富婆。皇太子(萧纲)只喜爱金玉珠宝,沉醉于美女美酒。言论行为,浮华轻佻,读书写作,超不出《桑中》范围(《桑中》,是《诗经》的一篇,描写男女淫荡行为);邵陵王萧纶所到之处,人民家破人亡(参考五三二年二月);湘东王萧绎属下官员,没有一个不贪污横暴;其他像南康王萧会理(萧衍的孙子)、定襄侯萧祗(萧衍的侄儿),不过是戴人帽的猿猴(萧会理懦弱,参考前年〔五四七〕八月)!在亲属关系上,都是陛下的侄孙;在制度上,都是独当一面的高官,我抵达建康(江苏省南京市)一百天,有谁肯出军勤王?人类之中,还没有见过这种奇景!从前,鬻拳动用暴力,规劝君王(兵谏),君王终于改过迁善(《左传》前六七五年:最初,鬻拳规劝楚王国二任王〔文王〕芈熊赀,芈熊赀不理,鬻拳用暴力胁迫,芈熊赀恐惧,只好听从。鬻拳说:"我动刀动枪使君王恐惧,没有比这更大的罪状。"遂自己砍下双脚,芈熊赀任命他家世世代代,当城门司令〔大阍〕,以表扬他的忠贞,本年〔前六七五〕，芈熊赀抵抗巴国〔重庆市〕的入侵，在江津〔湖北省枝江市〕被击败，逃回首都郢都〔湖北省江陵县〕，鬻拳紧闭城门，拒绝芈熊赀入城。芈熊赀遂攻击黄国〔河南省潢川县〕，在踖陵〔潢川县西南〕击败黄国大军，班师，走到湫邑〔湖北省钟祥市北〕，生病，逝世；鬻拳自杀）。所以，我今天这样做，又犯了什么罪？但愿陛下从这个小小惩罚中，得到教训，放逐说谗言的人，接纳忠臣，使我不必担心再作第二次清除，陛下也不必担心承受第二次羞辱，将是人民最大的幸福。” 280

萧衍看到侯景的奏章，既惭愧又愤怒（贺琛上书规劝，何等委婉〔参考五四五年十二月〕，萧衍已怒不可遏。侯景所作指控，一一提名道姓，萧衍已无法再施恐吓伎俩）。

三月一日，萧衍命在太极殿前，再筑祭坛，向天地神灵，禀告侯景背叛盟誓，燃起烽火，擂动战鼓，大声呐喊。最初，关闭宫城（台城）时，宫城居民男女，有十余万人，武装部队有二万余人。被围这么久（自去年〔五四八〕十月迄今，五个月有余），大部分人都得了水肿气喘，死亡十分之八九，能登上城墙作战的，已不满四千人，而这四千人也差不多都骨瘦如柴，动辄喘息。尸体满街满巷，没有办法掩埋，血脓从腐烂的尸体上流出，流满水沟，但大家仍然坚信勤王军最后会来解救。然而，扎营在秦淮河南岸的勤王军总司令官（大都督）柳仲礼，却只知道和歌女舞女、小老婆群，不断摆设筵席，饮酒寻乐；各将领每天前往请求出战，柳仲礼一律不准。安南侯萧骏，警告邵陵王萧纶说：“京城（首都建康）危急到如此地步，总司令官（大都督柳仲礼）却不援救，万一发生难以预料的事，殿下有什么面目活在世上！现在应该把大军分为三路，发动盗贼（侯景军）意料之外的攻击，可以达到目的。”萧纶不接受。柳津（柳仲礼的老爹）登上城墙，向柳仲礼遥呼：“你的老爹和君王，身在危难之中，你却不肯尽心竭力营救，百年之后，人们将怎么对你评论！”柳仲礼毫不在意。萧衍向柳津询问还有什么办法可以解围？柳津回答说：“陛下有萧纶，我有柳仲礼，集不忠不孝于一身，盗贼（侯景军）怎么会平定！”

柳仲礼本来是一员猛将，看韦粲对他的推许，看他正在吃饭，听到韦粲被攻，扔下碗筷，立刻出击；他的英勇应受到肯定。可是，过去在边疆一带任职，虽然不断战斗，遇到的对手，都不是够水准的角色。而侯景却是第一流强敌，涡阳之战，连名将慕容绍宗、斛律金，都震惊恐惧。于是，叶公画龙，真龙上场，青塘泥沼之中，柳仲礼被敌军包围，长矛乱刺，使他终于发现：这才是真的战斗，下一次可能无法逃生，于是心胆俱裂。

超过一个人所能承担的压力，会摧毁他原有的优点。柳仲礼面对自认为必败的噩运，只有用傲慢凶狠的态度来平衡内心的羞惭，希望给人们一个印象：他之不出击侯景，不是因为他害怕，而是因为他不屑。所以即使在严厉的宗法时代，连老爹的呼救，都置之不理。

三月三日，南康王萧会理，跟羊鸦仁、赵伯超等，率军前进到东府城（宰相府，建康城南）之北，约定夜晚渡秦淮河。可是，直到天亮，羊鸦仁等还没有抵达，却被侯景军发现，勤王军正赶筑营垒，还没有完成，侯景已命宋子仙攻击，赵伯超望风而逃（寒山之役、玄武湖畔之役，以及这一次东府之役，都是赵伯超第一个逃；可是，要杀萧确时，却威风凛凛）。萧会理等大败，战死和淹死的有五千人。侯景把五千人的人头，堆积在宫城（台城）城门前方，向城中示威。

侯景又派于子悦进城，请萧衍接受和解，萧衍派总监察官（御史中丞）沈浚前往侯景大营。侯景事实上没有解围离去的意思，对沈浚说：“现在，天气正热，军队不可以调动，请准许我留在京师（首都建康），立功报效。”沈浚大怒，责备侯景；侯景不作回答，只把佩刀横在膝前，喝他闭嘴。沈浚说：“忘恩负义，叛盟背誓，天地不容。我沈浚今年已经五十岁，一直恐惧死的不是地方，何必用死吓我！”扭头便走。侯景认为他是忠直之士，放他回城。

侯景决开玄武湖水灌城，从四面八方发动攻击，日夜不停。邵陵王（萧纶）世子萧坚，防守太阳门（宫城〔台城〕六门之一），每天从早到晚，都在赌博饮酒，对低级官员及士卒，丝毫不知道体恤珍惜。他的文书员（书佐）董勋、熊昙朗，对他十分痛恨。

三月十二日，已过午夜，拂晓，董勋、熊昙朗在宫城（台城）西北城楼，带领侯景军攀上城墙。永安侯萧确竭力抵抗，无法阻挡，只好闯进后宫，报告萧衍说：“城已陷落！”萧衍躺在那里，一动也不动，问说：“还能不能决一死战？”萧确说：“不能。”萧衍叹息说：“天下由我得到，也由我失掉，还有什么遗恨！”遂对萧确说：“你快点逃走，告诉你老爹（萧纶），不要担心我和他大哥（萧纲）。”命萧确安慰鼓励驻扎在外的各地勤王军。

一会工夫，侯景派智囊王伟，到文德殿晋见，萧衍命掀起门帘，打开殿门，引导王伟入内。王伟呈上侯景的奏章，说：“我被奸臣（指朱异）切断向皇上陈述的管道，只好率领部众，进入宫城（台城）朝见，以致惊动陛下圣驾，而今亲到宫门之下，听候处罚。”萧衍问：“侯景在哪里，可教他进来。”侯景在五百人强大卫队严密保护下，前往太极殿东厢，晋见萧衍。侯景先在殿下叩头，司仪官（典仪）引导侯景到三公席位坐下，萧衍脸色跟平常一样，问说：“你在军中的时间很久，是不是很辛苦！”侯景不敢抬头，脸上满是大汗。萧衍又问:“你是哪一州人?竟然敢到这里,妻子儿女,仍在北方?”侯景都不能回答。任约在一旁代侯景回答说:“侯景的妻子儿女,都被高家(东魏帝国)屠杀,只剩下孤单一身,投奔皇上。”萧衍又问:“刚渡长江时,有多少人?”侯景回答:“一千。”萧衍问:“围宫城(台城)时,有多少人?”侯景说:“十万。”萧衍问:“现在有多少人?”侯景说:“国境以内人民,全部归属于我。”萧衍低下头,不再说话。

侯景再到永福省,晋见太子萧纲,萧纲也没有恐惧的脸色,但侍从警卫人员全都惊慌逃散,只有太子宫顾问官(太子中庶子)徐摛,太子宫初级随从官(太子通事舍人)、陈郡(侨郡)人殷不害,在一旁陪同。徐摛对侯景说:“大王应该有礼貌的相见,怎么可以横冲直撞!”侯景遂向萧纲跪拜。萧纲跟他说话,他又不能回答。

侯景退出,对他的“厢公”(侯景军中官名,宰相级)王僧贵说:“我平常骑马奔驰疆场,跟敌人作战,飞石利刃,劈头而下,我心情稳定,一点也不害怕。今天看到萧公(不知指萧衍或萧纲),使人从内心产生一种畏惧,岂不是天生威严,难以冒犯!我不愿再见他们。”于是把两宫(皇宫及太子宫)所有禁卫军及侍从,全部撤除;然后放纵士卒抢夺皇帝专用车轿、专用衣服用器,以及宫女,一扫而空。逮捕政府官员及有爵位的贵族,集中到萧纲所住的永福省。命王伟守卫武德殿,于子悦守卫太极殿东厢。侯景假造萧衍的诏书,大赦;自己加授自己:全国各军区最高司令长官(大都督中外诸军)、主管政府机要(录尚书事)。

建康(江苏省南京市)知识分子跟平民四处逃难,太子宫图书管理官(太子洗马)萧允,逃到京口(江苏省镇江市),遂留下来,说:“生死命中注定,怎么能逃得掉?灾祸所以临头,都是因为贪图名利,如果我不贪图名利，灾祸从哪里发生？”

五四八年十月之前，建康宫城（台城）有居民十万人、武装战士二万人。侯景大军围城，只五个月，到了五四九年三月，居民死亡八九万，武装战士死亡一万六千，难道每一个人都因为贪图名利？

传统知识分子有一个特征：酸！虽然他内心对名利热情如火，却总是坚决表示轻视名利，萧允就是一个代表人物；在这种口是心非的理论之下，千万保国卫民的英雄豪杰，抗暴除奸的仁人志士，一旦不幸失败，立刻就成了贪图名利之辈。遥想当年：萧允安坐在温暖的火炉之旁，眼看他的亲友被奸、被杀、被抢、被辱，而暗自庆幸自己：幸而没有贪图名利！真是一个卡通镜头。

三月十四日，侯景派石城公爵萧大款，携带南梁帝萧衍的诏书，前往秦淮河南岸，解散勤王军。总司令官（大都督）柳仲礼召集各将领举行军事会议，邵陵王萧纶说：“今天应该怎么做，全由将军做主！”柳仲礼怔怔的看着他，没有回答。裴之高、王僧辩说：“将军手握百万大军，竟然使宫城（台城）陷落，正应该付出全力，决一死战，何必再谈别的！”柳仲礼一言不发，各军遂纷纷拔营，各回各自的州郡。南兖州（州政府设广陵〔江苏省扬州市〕）州长（刺史）临城公爵萧大连、湘东王（萧绎）世子萧方等、鄱阳王（萧范）世子萧嗣、北兖州（州政府设淮阴〔江苏省淮安市淮阴区〕）州长（刺史）定襄侯萧祗、前青冀二州（州政府设郁洲〔江苏省连云港市东沉积小岛〕）州长（刺史）湘潭侯萧退、吴郡（江苏省苏州市）郡长袁君正、晋陵郡（江苏省常州市）郡长陆经等，也分别返回基地。袁君正，是袁昂的儿子（袁昂事，参考五〇一年十二月二十五日）。东路勤王军总司令萧纶，投奔会稽郡（浙江省绍兴市）。柳仲礼和老弟柳敬礼，以及羊鸦仁、王僧辩、赵伯超，都打开营门投降，士卒们都悲叹愤怒。柳仲礼等前往宫城（台城），先叩见侯景，再叩见萧衍，萧衍不跟他说话。柳仲礼叩见老爹柳津，柳津大哭说：“你不是我儿子，不敢当你的拜访！”

湘东王萧绎（荆州〔州政府江陵〕州长），派全威将军、会稽郡（浙江省绍兴市）人王琳，运送白米二十万石，供应勤王军，船队抵达姑孰（安徽省当涂县），听到宫城（台城）陷落消息，把白米全部投进长江，返防（二十万石白米，可以养活多少人！为什么不原封运回，如果恐惧侯景军进击，则就地发放给姑孰居民，也是人道！为什么一定要倾倒长江）。

侯景下令焚烧宫城（台城）里堆积的尸体，有的不过重病或重伤，还没有死亡，也都聚在一起，纵火烧成灰烬。

三月十五日，萧衍下诏（侯景诏）：各州郡各军区首长，一律返回基地。侯景留下柳敬礼、羊鸦仁，而派柳仲礼返回司州（州政府设义阳〔河南省信阳市〕），王僧辩返回竟陵（湖北省潜江市）。

最初，傀儡皇帝萧正德，和侯景约定，攻破建康之日，不留萧衍、萧纲性命。等到宫城（台城）开门，萧正德率领手下军队，挥刀打算进城时，侯景已派军拦阻，萧正德没有办法进城。本日（三月十五日），侯景更发表人事命令，戏剧性的任命萧正德当总监督长（侍中）、最高指挥官（大司马）；其他所有官员，都恢复原来职位。萧正德从傀儡宝座上跌下来，魂失魄散，进宫晋见萧衍，一面叩头，一面哭泣。萧衍说：“哭泣又哭泣／不停的哭泣／后悔又怎么来得及！”（《诗经·中谷有蓷》：“啜其泣矣／何嗟及矣。”）

秦郡（侨郡，江苏省南京市六合区）、阳平（侨郡，江苏省淮安市洪泽区）、盱眙（江苏省盱眙县）三郡，都投降侯景。侯景把阳平郡改称北沧州，把秦郡改称西兖州。

8 南梁帝国东徐州（州政府设宿预〔江苏省宿迁市〕）州长（刺史）湛海珍、北青州（州政府设黄郭戍〔江苏省连云港市赣榆区〕）州长（刺史）王奉伯，献出二州土地，投降东魏帝国（首都邺城）。青州（州政府设郁洲〔江苏省连云港市东沉积小岛〕）州长（刺史）明少遐、山阳郡（江苏省淮安市）郡长萧邻，全放弃城池逃走，东魏进军占领。

9 南梁帝国大丞相侯景，任命仪同三司（宰相级）萧邕，当南徐州（州政府设京口〔江苏省镇江市〕）州长（刺史），接替西昌侯萧渊藻，镇守京口。又派将领徐相，进攻晋陵（江苏省常州市），晋陵郡郡长陆经，献出郡城投降。

最初，萧衍任命河东王萧誉当湘州（州政府设临湘〔湖南省长沙市〕）州长（刺史），而调原湘州州长（刺史）张缵，当雍州（州政府设襄阳〔湖北省襄阳市〕）州长（刺史），接替岳阳王萧詧。张缵仗恃自己的才干和声望，不把年纪轻轻的萧誉，放在眼里，招待并不周到。萧誉到差后，审查交接账目，不准张缵离开。不久，听到侯景叛乱消息，更对张缵公开报复，不断欺凌侮辱。张缵恐怕终于被萧誉谋害，乘着夜晚，驾一叶小艇逃走，打算前往雍州（州政府襄阳），但萧詧是萧誉的老弟，又恐怕萧詧拒绝。张缵跟湘东王萧绎（荆州〔州政府江陵〕州长），是多年老友，遂打算利用萧绎诛杀萧誉、萧詧兄弟，于是投奔江陵（湖北省江陵县）。后来，宫城（台城）沦陷，各亲王分别返回基地，萧誉从湖口（湘江注入洞庭湖口，湖南省湘阴县北）返回湘州（州政府临湘）。而信州（州政府设白帝城〔重庆市奉节县东〕）州长（刺史）、桂阳王萧慥，因军区司令部（督府）在江陵（湘东王萧绎当荆雍九州军区司令长官，萧慥、萧誉、萧詧，都是部属），特别留在江陵，打算等萧绎回来，晋见请示后，再回信州（州政府白帝城）。张缵写信告诉萧绎说："萧誉船舰，张帆西上，打算袭击江陵。萧詧在雍州（州政府襄阳），参与这项阴谋，共同行动。"江陵游击部队带兵官（游军主）朱荣，也派使节报告萧绎说："萧慥留在这里，打算响应萧誉、萧詧。"萧绎一连接到报告，不由不信，于是大为恐惧，下令凿沉船只，把米投到水中，砍断缆绳，从蛮夷居留区，徒步奔回江陵（萧绎原驻郢州武城〔湖北省武汉市黄陂区东南〕）。逮捕萧慥，斩首（萧慥，是萧融的孙儿；萧融，是萧衍的老弟，参考五〇〇年十月。萧誉、萧詧，是故太子〔昭明太子〕萧统的儿子。三人均是萧绎的侄儿，首都建康沦陷后，南梁帝国皇族，在张缵挑拨下掀起自相残杀序幕，而由萧绎扮演主角。这场悲剧直到五五五年十二月主角倒毙为止，历时七年）。

侯景任命前临江郡（重庆市忠县）郡长董绍先，当中央驻长江北特遣政府总监（江北行台），命董绍先携带萧衍的亲笔手令，召回南兖州（州政府设广陵〔江苏省扬州市〕）州长（刺史）南康王萧会理。

三月二十七日，董绍先抵达广陵（江苏省扬州市），率领的军队不到二百人，一个个面黄肌瘦，而萧会理的人马，士气旺盛，参谋人员建议萧会理："侯景已攻陷京师（首都建康），打算先铲除各地屏藩，然后篡夺帝位。如果四方都起兵拒抗，他的阴谋就会失败，为什么把一个州平白交到强盗之手？不如诛杀董绍先，动员军队，固守城池，跟魏国（东魏帝国）结盟，等待变化。"萧会理一向懦弱，不敢接受，就把州城交给董绍先。董绍先入城后，大家不敢有什么行动。萧会理的老弟萧通理，要求先返回建康（江苏省南京市），对姐姐说："事情已经如此，怎么可以全家坐在这里等死！将来总要报效国家，只不知道天意如何！"董绍先把广陵（江苏省扬州市）文武官员所有私人军队，以及铠甲武器、金银财宝，全部集中；命萧会理留

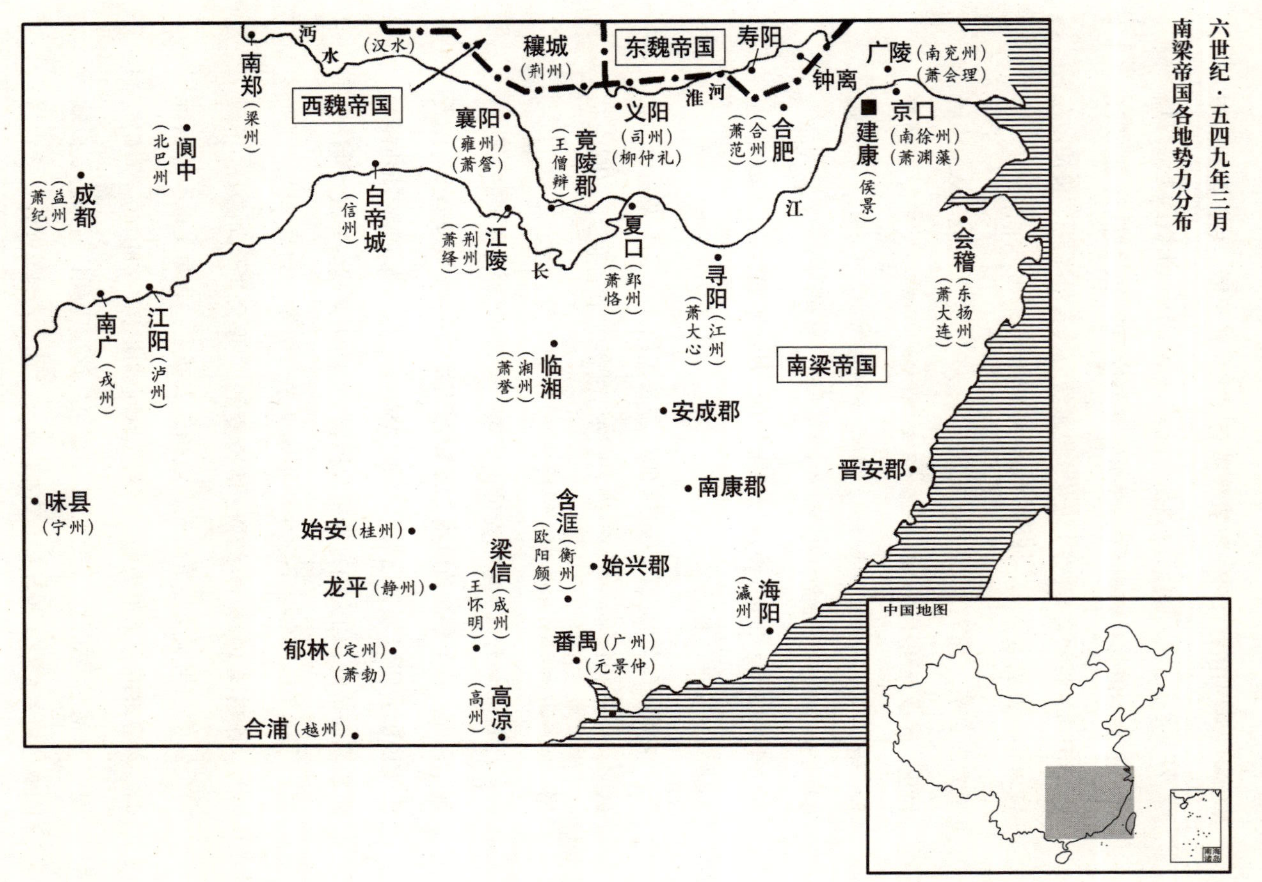
六世纪·五四九年三月
南梁帝国各地势力分布
东魏帝国
西魏帝国
南梁帝国
寿阳
广陵（南兖州）（萧会理）
钟离
京口（南徐州）（萧渊藻）
建康（侯景）
合肥（合州）（萧范）
淮河
义阳（司州）（柳仲礼）
穰城（荆州）
汉水
沔水
南郑（梁州）
襄阳（雍州）（萧詧）
竟陵郡（王僧辩）
江陵（荆州）（萧绎）
夏口（郢州）（萧恪）
长江
寻阳（江州）（萧大心）
会稽（东扬州）（萧大连）
阆中（北巴州）
成都（益州）（萧纪）
白帝城（信州）
江阳（泸州）
南广（戎州）
临湘（湘州）（萧誉）
安成郡
晋安郡
南康郡
味县（宁州）
含洭（衡州）（欧阳颀）
始兴郡
海阳（瀛州）
始安（桂州）
梁信（成州）（王怀明）
龙平（静州）
番禺（广州）（元景仲）
郁林（定州）（萧勃）
高凉（高州）
合浦（越州）
中国地图

下家属，只单人匹马，返回建康（江苏省南京市）。

10 南梁帝国湘潭侯萧退，跟北兖州（州政府淮阴）州长（刺史）定襄侯萧祗，放弃城池，投奔东魏帝国（首都邺城）。侯景任命萧弄璋当北兖州州长（刺史）；州民集结起兵，拒绝萧弄璋到职。侯景派直阁将军羊海增援，羊海却率领他的军队，投降东魏帝国。东魏从此占领淮阴（江苏省淮安市淮阴区）。萧祗，是萧伟的儿子（萧伟，是萧衍的老弟，参考四九九年八月）。

11 三月二十八日，侯景派于子悦等率老弱残兵数百人，向东夺取吴郡（江苏省苏州市）。新城（浙江省杭州市富阳区西南）驻军司令（戍主）戴僧逷（音tì〔替〕），有精锐武士五千人，提醒郡长袁君正说："现在，盗贼（侯景军）缺少粮食，从宫城（台城）携带出来的给养，不够支持十天，我们如果关闭城门抵抗，他们马上就会饿死。"但当地豪族陆映公等，唯恐怕万一失败，财产将被掠夺，劝袁君正接纳。袁君正一向懦弱怕事，不敢发动，就携带白米、牛肉、美酒，到郊外迎接。于子悦一进城就逮捕袁君正，大肆奸淫烧杀，抢夺金银。东方各郡人民都兴筑城堡，拒抗侯景。侯景又任命任约当中央驻南方特遣政府总监（南道行台），镇守姑孰（安徽省当涂县）。

夏季，四月，湘东王（萧绎）世子萧方等，返抵江陵（湖北省江陵县），萧绎（荆州〔州政府江陵〕州长）才知道宫城（台城）沦陷，下令在江陵四周七华里地带，设立木栅，挖掘三重壕沟，加强防卫。

12 东魏帝国全国武装部队总司令（太尉）高岳等，进攻西魏帝国颍川（长社，河南省长葛市），不能攻克。最高统帅（大将军）高澄，不断增援，道路上军队络绎不断，过了一个新年，仍没有攻下（去年〔五四八〕四月发动攻击）。总司令官（大都督）、山鹿公爵（忠武公）刘丰生主张阻塞洧水灌城（洧水，颍水支流，流经长社城北），城墙很多地方崩坏，高岳把全军编组为若干梯队，用车轮战术，轮流上阵攻击。守军统帅、西魏最高统帅（大将军）王思政，亲自冒乱箭飞石，跟士卒同甘共苦；城中到处从地下往上冒水，必须把炉灶悬挂起来，才能煮饭。西魏太师（上三公之一）宇文泰派另一最高统帅（大将军）赵贵，率东南各州武装部队增援。然而，长社（河南省长葛市）以北，一片汪洋，赵贵，军进到穰城（西魏荆州州政府所在城，河南省邓州市），不能前进（长社在穰城东北航空距离二百四十公里，长社以北一片汪洋，不能阻赵贵军前进，方位似有错误）。东魏攻城军派神射手，乘坐大舰，紧逼城墙，向城中发箭，城池眼看陷落。东魏中央特遣政府总监（行台）、燕郡公爵（景惠公）慕容绍宗，与总司令官（大都督）刘丰生，前往视察堤防，忽然看见东北尘沙滚滚，二人急登战舰躲避，霎时间，暴风大作，天气骤变，太阳无光，大地一片昏暗，锚链中断，战舰顺风漂向长社（河南省长葛市），城墙上西魏守军用长钩扣住船舷，拉向城边，乱箭齐发。慕容绍宗投水，淹死（年四十九岁）；刘丰生游向攻城用的土山，城上守军把他射死。

13 四月十九日，东魏帝国政府擢升最高统帅（大将军）、勃海王高澄当相国，封齐王，加授特殊礼遇（奏事时不称姓名〔赞拜不名〕，入朝时不必碎步慢跑〔入朝不趋〕，上殿时不解佩剑、不脱木屐〔剑履上殿〕）。

四月二十二日，高澄自晋阳（高澄根据地，山西省太原市）前往首都邺城（河北省临漳县西南邺城镇）朝见东魏帝（〔东〕十六任孝静帝）元善见，坚决辞让，元善见不准（末代帝王，也只剩下这一项不准对方辞职的权力）。高澄召集将领参谋等，举行秘密会议，大家一致劝高澄夺取政权；只总顾问长（散骑常侍）陈元康，认为时机还没有成熟，高澄从此讨厌陈元康，崔暹遂推荐陆元规当中央特遣全权政府助理官（大行台郎），分割陈元康的权力。

14 南梁帝国湘东王萧绎（荆州〔州政府江陵〕州长）派军增援首都建康（江苏省南京市）时，命军区所属各州都要出兵，雍州（州政府襄阳）州长（刺史）、岳阳王萧詧，派总部军政官（府司马）刘方贵，率军从汉口（汉水注入长江处，湖北省武汉市）东下。萧绎命萧詧亲自带兵，萧詧不接受。刘方贵暗中跟萧绎相结，阴谋回军袭击襄阳（湖北省襄阳市），但还没有行动；正巧，萧詧因别的事情，命刘方贵返回，刘方贵以为阴谋泄漏，遂据守樊城（湖北省襄阳市汉水北岸），拒绝命令，萧詧派军攻击刘方贵。就在此时，萧绎赠送张缵一笔丰厚的财宝，送他前往襄阳（襄阳市）就任州长（刺史）职务，张缵走到大堤（湖北省宜城市），萧詧已攻陷樊城（襄阳市汉水北岸），斩刘方贵。张缵到了襄阳，萧詧推托迁延，不肯交代，而只招待张缵住在城西白马寺；萧詧仍掌握总部军政大权。不久，传来宫城（台城）沦陷消息，萧詧遂拒绝交出职务。自卫军副司令（助防）杜岸，设下骗局，告诉张缵说："看岳阳王（萧詧）的样子，恐怕容不下你，不如逃到西山（西方群山）去避灾祸。"杜岸是襄阳有名望的豪族，兄弟九人（杜嵩、杜岑、杜嶷、杜岌、杜巘、杜岸、杜崱、杜嵷、杜幼安），都以骁勇善战闻名于世。张缵认为杜岸的忠诚，可以信赖，遂跟杜岸结盟起誓，改穿妇女衣裳，乘坐青色麻布小轿，逃往西山（西方群山）。萧詧派杜岸率军追捕，生擒张缵。张缵恳求出家去当和尚，改名法缵，萧詧同意。

荆州（州政府江陵）秘书长（长史）王冲等，联名上书给湘东王萧绎，请萧绎用全国武装部队总司令（太尉）、全国各军区总司令长官（都督中外诸军事）、代表皇帝行使职权（承制）身份主持会盟，共商国策；萧绎拒绝。

五月二日，王冲等再请萧绎用最高监察长（司空）身份主持会盟，萧绎再拒绝。

南梁帝萧衍，虽然外表受侯景控制，不能反抗，但内心十分气愤。侯景打算任命宋子仙当最高监察长（司空），萧衍说："三公身负沟通协调重任，怎么能用这种东西！"侯景又请任命同党二人当侧殿警卫司令（便殿主帅），萧衍不准。侯景不能勉强，心中仍存畏惧。太子萧纲进宫，哭泣规劝，萧衍说："谁教你来！如果天神有灵，我们自会翻身；如果无灵，有什么事值得流泪！"侯景教他的士卒一直闯到皇宫后院，有的驱赶驴马，有的带着弓箭，出出入入，来来往往，萧衍大为奇怪，问是怎么一回事，直阁将军周石珍回答说："侯丞相的兵！"萧衍勃然大怒，诟骂说："只是侯景，什么丞相！"左右侍卫全都恐惧（不是恐惧萧衍皇威震怒，而是恐惧侯景报复）。但从此以后，萧衍所要的东西，多数都被拒绝，甚至连一日三餐，都被减少。萧衍忧虑愤恨，遂一病不起。太子萧纲把最小的儿子萧大圜，托孤给湘东王萧绎，再寄上自己的头发、指甲，表示永别（头发指甲，乃骨肉之情）。

五月二日，萧衍躺在净居殿，口干舌苦，要人送杯蜜水，没有人理会，萧衍一再重复说："荷！荷！"逝世，年八十六岁。侯景对萧衍的死亡保守秘密，不对外宣布，把灵柩抬到昭阳殿（侯景就住昭阳殿），到永福省迎接太子萧纲，像平常一样，只传旨教他入朝。王伟、陈庆，都在萧纲身旁，萧纲听到老爹去世，流泪悲哭，不敢出声；殿外文武百官全不知道。

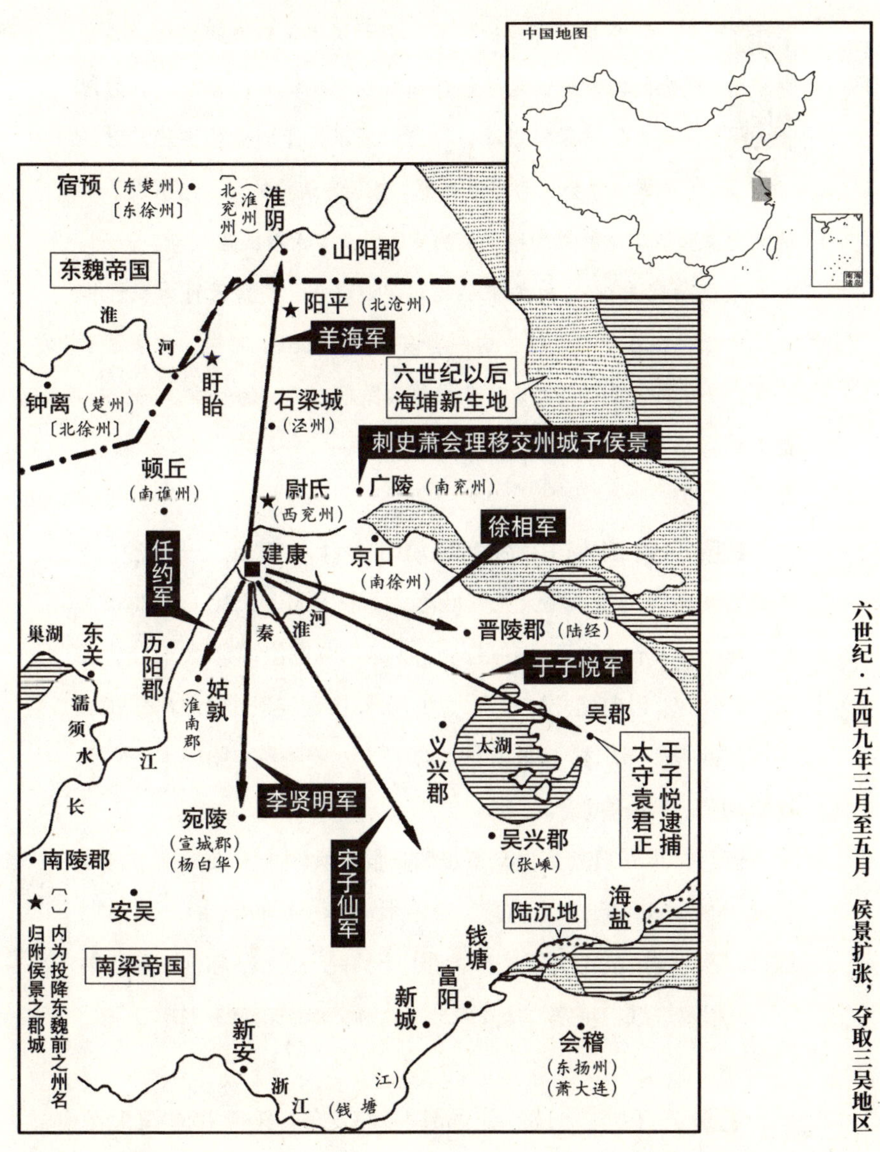

六世纪·五四九年三月至五月　侯景扩张，夺取三吴地区

柏杨曰

即令是再可敬的巨头，都无法阻止脑力的退化，和生理机能的衰败；老家伙往往轻视他所遇到的困难，认为他的能力仍然保持巅峰，习惯于摇尾分子驯顺的面貌，对任何批评，都会认为充满恶意。然而，最糟的是：他积累下来的无比威望，使他所做的错误的决定，都没有人敢提出反对。

人们会叹息说："他如果早死几年该多好！"萧衍可为我们作证，他如果在三年前死掉，这一生该是多么圆满。可惜，他多活了三年，以致自己死得凄凉，而又带给人民难以负荷的苦难。一个人，如果死得恰是时候，是最大幸运。

15 东魏帝国全国武装部队总司令（太尉）高岳，一天之中丧失慕容绍宗等两员大将，士气低落，不敢再逼近长社（颍州州政府所在县，河南省长葛市）。陈元康向最高统帅（大将军）高澄说："大王自从接管政府以来，没有建立过特别大功，虽然击破侯景，但他本来就是内贼。而今，颍川郡（郡政府同设长社）马上就要陷落，盼望大王立下这次功劳。"高澄同意。

五月二十四日，高澄亲率步骑兵混合兵团十万人，南下进攻长社（河南省长葛市），亲自监督兴筑洧水（颍水支流，流经长社城北）堤坝，堤坝三次崩塌，高澄大怒，下令把运土的民夫士卒，和他们所运的土，一起塞进缺口堵塞（高澄荒淫已不可恕，而又如此残忍，更不可恕）。

16 五月二十七日，南梁帝国政府发布一任帝（武帝）萧衍死讯（死后二十五日），把灵柩再抬到太极殿。当天，太子萧纲（本年四十七岁）登上皇帝宝座（二任简文帝），大赦。侯景从昭阳殿出宫，把总部设在朝堂（太极殿旁），分别派军守卫戒备。

五月二十八日，萧纲下诏（侯景诏），凡北方人流落在南方当奴隶婢女的，全部撤除奴籍，数目以万为单位计算。侯景对他们有时更特别升迁，希望获得他们的效忠。

一任帝（武帝）萧衍在位末年（六世纪三〇、四〇年代），首都建康（江苏省南京市）居民所穿的衣服、所吃的饮食、所用的器具，争着崇尚豪华；粮食没有半年的储存，完全靠四方供应。自从侯景叛乱，道路不通，只几个月时间，人民互相格杀吞食（人间惨事），但仍不能避免饿死，活着的不到百分之一二。皇亲国戚、高官豪门，都亲自出来采摘野菜，因饥饿而倒毙水沟山谷中的，多到无法计数（王谢堂前燕，飞入寻常百姓家。大分裂时代南朝神圣不可侵犯的门第世家制度，经侯景一击，遂告残破）。

五月二十九日，侯景派仪同三司（宰相级）来亮，接收宛陵（安徽省宣城市宣州区），宣城郡（郡政府设宛陵）郡长杨白华，引诱来亮进入埋伏，斩首。

五月三十日，侯景派他的将领李贤明进攻，不能攻克。侯景又派中军司令官（中军都督）侯子鉴接收吴郡（江苏省苏州市），任命“厢公”（宰相级）苏单于当吴郡郡长，派仪同三司（宰相级）宋子仙等，率军东下，驻防钱塘（浙江省杭州市）；新城（浙江省杭州市富阳区西南）驻军司令（戍主）戴僧逷抵抗阻止。总监察官（御史中丞）沈浚，向东逃难，抵达吴兴（浙江省湖州市），吴兴郡郡长张嵊跟他共同策划，聚众起兵，讨伐侯景。张嵊，是张稷的儿子（张稷杀死南齐帝国六任帝萧宝卷，参考五〇一年十二月六日）。东扬州（州政府设会稽〔浙江省绍兴市〕）州长（刺史）、临城公爵萧大连，也据守州城，不接受侯景命令。侯景的势力范围，不过吴郡（江苏省苏州市）以西、南陵（安徽省池州市贵池区）以北而已（这种说明方式十分奇异，吴郡以西，西到何处？荆州也是以西。南陵以北，北到何处？邺城也是以北）。

17 西魏帝国皇帝（〔西〕十六任文帝）元宝炬下诏（宇文泰诏）：“五世纪九〇年代鲜卑人（代人）改用汉人姓的，一律撤销，恢复原姓。”（北魏七任帝元宏迁都洛阳，废除鲜卑姓，改为汉姓，参考四九六年正月，迄今已五十三年。）

18 六月二日，南梁政府任命南康王萧会理，当总监督长（侍中），兼最高监察长（司空）。

六月三日，南梁帝萧纲，封宣城王萧大器（年二十六岁）当皇太子。

最初，侯景拥护临贺王萧正德当皇帝时（参考去年〔五四八〕十一月），打算派祭祀部长（太常卿）、南阳郡（河南省南阳市）人刘之遴，呈献皇帝御玺；刘之遴剃光头发，换上佛教和尚袈裟，逃走。刘之遴学问渊博，擅长撰写文章，曾经当过湘东王萧绎（荆州〔州政府江陵〕州长）的秘书长（长史），现在打算前往江陵（湖北省江陵县）投奔萧绎，却不知道萧绎一向嫉妒他的才华。

六月五日，刘之遴走到夏口（湖北省武汉市），萧绎派密使送去毒药，命刘之遴吞服自杀。然后，萧绎亲自为刘之遴撰写墓碑上的颂辞（墓志铭），并给他家属很丰厚的奠仪。

六月八日，南梁帝萧纲封皇子萧大心当寻阳王、萧大款当江陵王、萧大临当南海王、萧大连当南郡王、萧大春当安陆王、萧大成当山阳王、萧大封当宜都王。

19 被东魏帝国大军包围的长社（河南省长葛市），城中缺盐，人民都患痉挛水肿，病死的十分之八九。而西北忽然发生狂风，激起巨浪，涌到城中，城墙遂告倒塌。东魏最高统帅（大将军）高澄，下令城中军民说：“能够生擒王统帅（西魏大将军王思政）的，封侯爵；如果王统帅受到伤害，他的亲近侍从，全体处斩。”西魏最高统帅（大将军）王思政率军登上土山，对部属说："我力量用尽，智谋用竭，只有一死，上报国家。"因而仰望上天，放声大哭，向西方（祖国在西）作两次叩拜，打算用刀自断咽喉。司令官（都督）骆训说："你常告诉我们：'你拿着我的人头投降，不但可以得到富贵，也救了一城人。'而今，高相国（高澄）既然有这种命令，你难道不哀怜你的士卒，让他们受到诛杀！"大家一齐动手，绑住王思政的双臂，不准他自刎。高澄派副总顾问长（通直散骑常侍）赵彦深，前往土山，赠送白羽毛扇，握住王思政的手，传达高澄的意思，再手牵手下山。高澄不准王思政叩拜，请他上座，十分敬重。王思政最初进入颍川（长社，河南省长葛市）时（参考前年〔五四七〕六月），将士八千人，等到陷落，只剩下三千人，始终没有一个人背叛，高澄把剩下来的残余部众解散，发配到偏远地方，把颍州改称郑州（长社城因受洧水所灌而崩坏，州政府遂迁至颍阴〔河南省临颍县西北〕），对王思政至为礼遇。西翼办公所主任（西阁祭酒，三公等府属官）卢潜说："王思政不能以身殉国，有什么了不起！"高澄对左右说："我有卢潜，是又得到一个王思政。"卢潜，是卢度世的曾孙（卢度世事，参考四六七年四月）。

柏杨曰

王思政保卫长社（河南省长葛市），已尽到他的能力和责任，城破之日，为了救他左右的性命，不得不降，使人感叹。而一个坐在妻儿身旁、毫无危险，又无负担的白面书生，却在那里斥责他没有自杀死节！很多人都是这样，对别人的生命，特别慷慨。卢潜必须看到王思政自己抹脖子，王思政的部属被高澄一一诛杀，他才心满意足。

生命绝对重要，人权更崇高到无以取代。一个将领在尽力尽责，仍无法挽救危局之时，他还有最后的一项任务，就是保护他部属的安全。自己不肯死，却动不动就要求别人死，是一种魔鬼特制的卑劣动物。

最初，王思政驻防襄城（河南省襄城县），打算把中央特遣政府（行台）迁到长社（河南省长葛市），派使臣魏仲，向太师（上三公之一）宇文泰报告，同时写信告诉淅州（州政府设修阳〔河南省西峡县北〕）州长（刺史）崔猷。崔猷回信说："襄城控制京洛（黄河南岸），实是当今要冲，如果有什么动静，容易互相支援供应。颍川（长社，河南省长葛市）跟盗匪（东魏帝国）紧紧邻接，而且一片平原，没有山川险要可以防守，盗匪（东魏军）如果秘密发动攻击，等我们发觉时，他们已抵达城下。不如把中央特遣政府（行台）设在襄城，留驻重兵，而在颍川（长社）另设一州，派优良的将领前往镇守。则内外就像胶在一起一样，十分牢固，人心容易安定。即令有什么灾难，也造不成伤害。"魏仲晋见宇文泰，把两种意见，都提出报告，宇文泰批准崔猷的建议。但王思政坚决请求，并且约定："盗匪（东魏军）如果水攻，我保证支持一年；如果陆攻，我保证支持三年，不需要政府援救。"宇文泰这才同意。等长社（河南省长葛市）失守，宇文泰深为后悔（是后悔不该允许王思政移驻长社？还是后悔在水攻已超过一年仍没有救援？说不清楚）。崔猷，是崔孝芬的儿子（高欢斩崔孝芬事，参考五三四年八月四日）。

侯景背叛西魏帝国南奔时（参考前年〔五四七〕六月），西魏丞相宇文泰（此时宇文泰身兼丞相、太师二职），深恐东魏帝国再夺回侯景所属土地，遂派出将领，分别据守各城。等颍川（长社，河南省长葛市）陷落，宇文泰因各城的交通线已被切断，下令全体班师。

20 南梁帝国上甲侯萧韶，逃出首都建康（江苏省南京市），投奔江陵（湖北省江陵县），宣称携带一任帝（武帝）萧衍秘密诏书：征召各地军队勤王，并任命湘东王萧绎（荆州〔州政府江陵〕州长）当总监督长（侍中），赏赐皇帝诛杀时专用的铜斧（假黄钺）、全国各军区最高司令长官（大都督中外诸军事）、宰相（司徒），行使皇帝职权（承制）；其他各军事重镇首长，都分别加授爵位、官位。

侯景所派中军司令官（中军都督）宋子仙，围攻新城（浙江省杭州市富阳区西南）驻军司令（戍主）戴僧逷，不能攻克。

六月二十二日，吴郡（江苏省苏州市）变民首领陆缉等，聚众起兵，袭击郡城，斩侯景委派的郡长苏单于，推举前淮南郡（姑熟，安徽省当涂县）郡长、文成侯萧宁当勤王军盟主（萧宁被俘，参考去年〔五四八〕十月二十二日）。

临贺王萧正德，深恨侯景出卖自己，暗中写信给鄱阳王萧范（合州〔州政府合肥〕州长），请他率军进入宫城（台城），侯景的巡查队拦截下这封信。

六月二十九日，侯景绞死萧正德（萧衍如果一开始就严厉矫正萧正德的恶行，何至使他害人害己）。侯景任命仪同三司（宰相级）郭元建，当国务院执行长（尚书仆射），兼中央驻北方特遣政府总监（北道行台）、总管长江以北各军（总江北诸军事），镇守新秦（秦郡，江苏省南京市六合区）；封元罗等元姓十余人王爵（西魏帝国元罗投降南梁帝国，参考五三五年十一月）。侯景十分欣赏永安侯萧确的英勇，平常总是带在身旁左右。邵陵王萧纶派人暗中通知他，教他回去，萧确说："侯景举止轻佻，一个人足以把他制服，我打算亲手杀他，只是还没有恰当机会，你回去报告老王（萧纶是萧确的老爹），不要为我担心。"有一天，侯景和萧确一起到钟山（建康城东）游玩，萧确举弓射鸟，却瞄准侯景；想不到弓弦崩断，箭不能射出，侯景发觉，诛杀萧确。

湘东王萧绎，娶徐孝嗣的孙女徐昭佩当王妃，生世子萧方等（徐孝嗣谋反失败被杀，参考四九九年十月）。徐昭佩并不漂亮，而且嫉妒成性，私生活又淫乱靡烂（徐昭佩跟她丈夫的部属暨季江私通，暨季江说："徐娘虽老，仍那么多情。"〔见《南史·元徐妃传》〕徐娘遂成为典故，形容中年以上妇女），夫妻感情恶劣，萧绎每隔两三年才到她卧房一次。徐女士一听说萧绎要来，因萧绎瞎了一只眼，她就扮成"半面妆"等待（面部半边化妆、半边不化妆，半边画眉、半边不画眉），萧绎大怒，拔腿就走，因为这个缘故，世子萧方等也不被宠爱。后来，萧方等自建康班师，回到江陵（湖北省江陵县），萧绎发现萧方等的军队官兵和睦、军容整齐，大为赞叹他的才干，欢喜非常的进宫告诉徐女士，想不到徐女士却不回答一句话，而只低头哭泣着退出。萧绎气得发狂，把她跟别人的通奸情事，一条条写出，张贴到大厅之上，萧方等看见，更为恐惧。湘州（州政府设临湘〔湖南省长沙市〕）州长（刺史）河东王萧誉，骁勇善战，深得军心。萧绎准备讨伐侯景，派使节前往湘州督运军粮及征调部队，萧誉说："大家都有总部，我什么时候属于别人！"（萧绎是军区司令长官，湘州既属该军区，当然应接受萧绎命令。）萧绎先后共三次派使节前往，萧誉始终坚持。萧方等请求讨伐，萧绎遂任命幼子安南侯萧方矩，当湘州州长（刺史）；命萧方等率精锐部队二万人，护送老弟萧方矩上任。萧方等将要出发，对他的亲人说："这一次出征，我一定会死，死在应该死的地方，还有什么遗憾。"（胡三省注："萧方等不死于东下增援宫城〔台城〕，而死于攻击湘州，怎么称之为死在应该死的地方？"）

大丞相侯景，任命赵威方当豫章郡（江西省南昌市）郡长；江州（州政府设寻阳〔江西省九江市〕）州长（刺史）寻阳王萧大心，派军拒抗，生擒赵威方，囚禁州政府监狱，赵威方逃回建康（江苏省南京市）。

湘东王（萧绎）世子萧方等，率军进抵麻溪（湖南省长沙市北，浏阳河注入湘水处)；河东王萧誉率七千人迎战，萧方等军队溃败，萧方等跌到河中淹死（年二十二岁）；安南侯萧方矩集结残兵败将，返回江陵。湘东王萧绎，对于军队战败，儿子丧生，面容没有一点悲哀。萧绎最宠爱的小老婆王女士，生儿子萧方诸，王女士逝世，萧绎疑心是王妃徐女士下的毒手，强迫徐女士自杀，徐女士投井而死，萧绎用平民的礼节安葬她，并且不准儿子们为她穿丧服。

西江（珠江）大营指挥官（西江督护）陈霸先，打算起兵讨伐侯景。侯景派人引诱广州（州政府设番禺〔广东省广州市〕）州长（刺史）元景仲，誓言拥护他当皇帝（元景仲，是元法僧的儿子，父子投奔南梁帝国，参考五二五年正月），元景仲因此投到侯景这一边，暗中计算陈霸先。陈霸先得到情报，跟成州（州政府设梁信〔广东省封开县〕）州长（刺史）王怀明等，在南海郡（郡政府与广州州政府同设番禺）招兵买马，集结军队，发布讨伐元景仲文告，说："元景仲跟盗贼（侯景）勾结，中央派曲阳侯萧勃当州长（刺史），大军已到朝亭（广州市西五公里）。"元景仲部属听到，纷纷舍弃元景仲，四散逃走。

秋季，七月一日，元景仲在阁楼上吊身死；陈霸先迎接定州（南定州，州政府设郁林〔广西桂平市〕）州长（刺史）萧勃，镇守广州（番禺）。

前高州（州政府设高凉〔广东省阳江市〕）州长（刺史）兰裕，是兰钦的老弟（兰钦曾当北梁州州长，参考五三五年十一月），跟他的几位老弟，煽动始兴（广东省韶关市）等十个郡，攻击衡州（州政府设含洭〔广东省英德市西北浛洸镇〕）总部执行官（监衡州事）欧阳頠。萧勃命陈霸先救援，陈霸先把兰裕兄弟全部生擒。萧勃任命陈霸先当始兴郡总部执行官（监始兴郡事）。

湘东王萧绎派竟陵郡（湖北省潜江市）郡长王僧辩，信州（州政府设白帝〔重庆市奉节县东〕）州长（刺史）、东海郡（侨郡，江苏省常熟市）人鲍泉，进攻湘州（州政府临湘），配备军队及粮食，命他们立即出发。王僧辩因竟陵郡郡政府军还没有到齐，打算等到齐后再开拔，遂跟鲍泉一同晋见萧绎，请求延期，萧绎疑心王僧辩借故推托，观望成败，手按剑柄，厉声大叫："你不敢出征，违抗命令，打算跟盗贼（萧誉）勾结是不是！今天，你只有死。"照王僧辩砍下，砍中左大腿，王僧辩昏倒，很久很久才醒，立即被送进监狱。鲍泉惊骇恐惧，不敢说话。王僧辩的娘亲痛哭流涕，步行晋见萧绎，责备自己没有把儿子管教好，请求宽恕；萧绎的怒气才稍稍化解，赐给她治疗创伤的特效药，王僧辩总算没有死掉。

七月十四日，鲍泉单独率军出发攻击湘州（州政府临湘）。

占领吴郡（江苏省苏州市）的变民首领陆缉等，互相竞赛凶暴抢劫，人民纷纷反抗，侯景派出攻击新城（浙江省杭州市富阳区西南）的仪同三司（宰相级）宋子仙，得到消息，从钱塘（浙江省杭州市）回军，攻击陆缉。

七月九日，陆缉放弃郡城，投奔海盐（浙江省海盐县），宋子仙遂再度占领吴郡。

七月十五日，侯景在吴郡（江苏省苏州市）设立吴州，任命安陆王萧大春当州长（刺史）。

七月十七日，中央任命南康王萧会理，兼国务院总理（兼尚书令）。

合州（州政府设合肥〔安徽省合肥市〕）州长（刺史）、鄱阳王萧范，听到建康陷落，下令戒严，打算率军到京师（首都建康）勤王，参谋佐理等有人提醒他："魏国（东魏帝国）已占领寿阳（安徽省寿县），大王只要移动一下脚步，蛮虏骑兵（东魏军）一定前来侦察合肥（安徽省合肥市）。前面的盗贼（侯景）没有平定，后面的基地却先失守，那将怎么办？不如等待各地勤王军集合，派优秀将领率精锐士卒，再行南下，进可以勤王，退可以保护基地。"萧范遂中止行动。正巧，东魏帝国最高统帅（大将军）高澄，派西兖州（州政府设左城〔山东省菏泽市定陶区西〕）州长（刺史）李伯穆，率军逼近合肥（安徽省合肥市），又命魏收写信给萧范，说明和解诚意。萧范正策划讨伐侯景，打算得到东魏帝国的援助，遂把合州（州政府合肥）让给东魏军，而自己率战士二万人，出城驻防东关（安徽省含山县西南），又派首席军事参议官（咨议参军）刘灵前去商议，萧范愿送两个儿子萧勤、萧广，到东魏充当人质，请求东魏派军协助讨伐侯景。萧范驻军濡须（东关，安徽省含山县西南），等待从长江上游东下的勤王军，派世子萧嗣率一千余人，把守安乐栅（今地不详）。可是，长江上游没有一支勤王军东下（荆州州长、湘东王萧绎是长江上游唯一主力，现在正努力内斗），萧范粮食缺乏，士卒采摘菱角、藕、菰菜（俗称"茭白"）、稗米维生。萧勤、萧广到了邺城（东魏首都，河北省临漳县西南邺城镇），东魏政府虽然接受这两个人质，但并不肯出军。萧范进不能进、退不能退，束手无策；最后，逆长江西上，进驻枞阳（安徽省枞阳县）。侯景派军驻防姑孰（安徽省当涂县），萧范的部将裴之悌，率军投降侯景。裴之悌，是裴之高的老弟（裴之高事，参考去年〔五四八〕八月十六日）。

21 东魏帝国最高统帅（大将军）高澄，自晋阳（高澄根据地，山西省太原市）前往邺城（河北省临漳县西南邺城镇），辞让东魏帝元善见加授给他的特殊礼遇（参考本年〔五四九〕四月十九日），并请元善见确定皇位继承人——太子。高澄问济阴王元晖业说："最近读什么书？"元晖业说："常读伊尹、霍光列传，不读曹操、司马懿列传。"

22 八月一日，南梁帝国大丞相侯景，派中军司令官（中军都督）侯子鉴等，攻击吴兴（浙江省湖州市）。

八月十六日，湘东王萧绎（荆州〔州政府江陵〕州长）派出攻击长沙

（临湘，湖南省长沙市）的鲍泉，挺进到石椁寺（应在长沙市北），河东王萧誉（湘州〔州政府临湘〕州长）迎战，失败。

八月十八日，萧誉再在橘洲（长沙市西北湘江中小岛）迎战，再失败，阵亡及淹死的一万余人。萧誉退入长沙，鲍泉率军包围。

23 八月八日，东魏帝元善见，封皇子元长仁当太子。

最高统帅（大将军）、勃海王（文襄王）高澄，因老弟太原公爵高洋，在弟兄辈中排行第二，对他一直保持警觉。高洋也小心翼翼的掩藏自己，很少开口说话，态度谦恭退让，跟高澄谈话，没有一件事不委屈顺从。高澄对他十分轻视，常说："这种人竟然也会富贵，相命书还有什么用！"高洋为妻子、赵郡（河北省赵县）人李祖娥购买一点衣服、玩物，高澄往往把它们抢走，李祖娥有时气得发晕，不肯交出，高洋笑说："这些东西可以再买，既然老哥要它，何必吝啬。"高澄有时感到惭愧，不愿接受，高洋也就拿回，不特别做出辞让模样。高洋每次退朝回家，就把自己关在阁楼里静坐，即令面对妻子李祖娥，也能一天不说话。但有时候却露出脊背，或脱掉鞋袜，狂奔猛跳，李祖娥问他干什么，高洋说："兴之所至，游玩一番。"其实是锻炼体力。

高澄捕获南梁帝国徐州（应是南徐州，州政府设京口〔江苏省镇江市〕）州长（刺史）兰钦的儿子兰京，用作厨房奴隶；兰钦要求赎回，高澄不准。兰京屡次当面请求，高澄命用木棍殴打，咆哮说："你再请求，我杀掉你！"兰京遂跟他的同党六个人，阴谋反击。高澄在首都邺城（河北省临漳县西南邺城镇）时，居住北城东面柏堂，迷恋琅邪公主（参考五四五年三月），为了跟她来往不受打扰，所以，常把左右侍卫差遣到外面。

八月八日，高澄同总顾问长（散骑常侍）陈元康，国务院文官部长（吏部尚书）、总监督长（侍中）杨愔，宫廷监督官（黄门侍郎）崔季舒，摒除左右，秘密商议东魏帝元善见禅位事宜，并拟定文武百官名单。就在这时候，兰京送来饮食，高澄教他退出，对其他人说："我昨天梦见这个奴隶用刀砍我，应该马上把他除掉。"兰京听到这段话，于是，把短刀放在托盘下面，声称再度送来饮食，高澄大怒说："我没有叫送东西，你来干什么？"兰京举起短刀，回答说："我来杀你！"高澄从床上跳下，脚部跌伤，急忙爬到床下（由此推测，此时床已有四条腿），兰京把床掀起，诛杀高澄（年二十八岁）。杨愔狼狈逃走，丢掉一只靴子；崔季舒藏到厕所中；陈元康用自己的身体保护高澄，跟兰京争夺武器，受伤，肠子都流出来；库房值日员（库直）王纮，冒着利刃，挺身抵抗兰京的攻击；纥奚舍乐在搏斗中被刺死。

有句俗话："好死不如赖活着。"以致有些人活得辛苦、活得卑贱，只要不死，教他当狗他当狗，教他当猪他当猪。忍耐是一种美德，但无限忍耐，则是一种病态。

兰京为中国人立下尊严的榜样，他以一个奴隶身份，向凶恶的暴君发出反击，这就是正义。假定中国人都有兰京先生的精神——不要说多数，只要少数就够了，中国人就不会有贫穷、悲惨，和愚昧的局面。我们厌恶暴力，但赞美受尽委屈的兄弟姊妹，为了人性尊严，所做出的不计死生的搏斗，兰京万岁，他的高贵行为，鼓舞中国人跳出自我作贱的情结。

当时，事变仓猝，内外震恐。太原公爵高洋（本年二十一岁）正在城东"双堂"，听到消息，脸色不变，立即紧急部署，赶到"柏堂"，搜索兰京等，一一斩首，剁成肉酱。事后，慢慢走出来，宣布说：“奴隶谋反，最高统帅（大将军高澄）受伤，没有什么关系。”大家十分惊异（惊异高洋说话正常），高洋不对外发布死讯。陈元康亲笔写一封信给娘亲永别，然后口述若干对政府建议事项，命人事军事参议官（功曹参军）祖珽记下，当晚，逝世（年四十三岁）。高洋把陈元康的尸体暂时安放在“柏堂”，对外声称：派陈元康出去办事，并发表人事命令，任命陈元康当立法院最高立法长（中书令）；任命王纮当左右司令官（左右都督）。王纮，是王基的儿子（王基事，参考五三四年二月）。

高家班高级干部、政府中的权贵，都认为重兵集中并州（州政府设晋阳〔山西省太原市〕），建议高洋早日返回晋阳，高洋同意。当天（八月八日），入夜，召见最高统帅府军事官（大将军督护）、太原郡（山西省太原市）人唐邕，命他调配各将领，紧急行动，加强全国戒备。唐邕一会工夫，就部署完毕，高洋从此对他十分敬重。

八月十日，高洋暗示东魏帝元善见：借口因为封太子之故，下诏大赦天下。而高澄已死讯息，逐渐泄漏，元善见悄悄对左右说：“最高统帅（大将军高澄）死亡，似是上天旨意，政府权力应该重回皇家（元家班）之手！”高洋命全国武装部队总司令（太尉）高岳、太保（上三公之三）高隆之、开府仪同三司（宰相级）司马子如、总监督长（侍中）杨愔，留守邺城（东魏首都，河北省临漳县西南邺城镇）；其他所有高级官员及封爵，都随自己行动。

八月十一日，高洋进宫，到昭阳殿晋见元善见，为了展示威力，高洋率武装勇士八千人，而陪同高洋登上台阶的有二百余人，全都卷起衣袖，手握刀柄，好像面对大敌，高洋命司仪官传报说：“我有家事，必须前去晋阳（高家班根据地，山西省太原市）。”行礼两次，转身退出。元善见脸色苍白，一直看高洋出去，说：“这个人好像也不见得能够包容，我不知道死在哪天！”晋阳（山西省太原市）旧有的臣僚和老将，一向瞧不起高洋，可是，等高洋抵达，召集文武官员谈话，神采飞扬，言辞清晰，反应迅速，大家大为吃惊。高澄颁布的政令有不合适的地方，高洋都加以修改。高隆之、司马子如等，对国务院财政部长（度支尚书）崔暹，十分痛恨，上奏指控崔暹和崔季舒罪过，高洋命打他们每人二百皮鞭，放逐边疆（崔暹结怨事，参考五四四年七月。崔季舒是崔暹的叔父，二人都受高澄器重）。

24 南梁帝国大丞相侯景，擢升宋子仙当宰相（司徒）、郭元建当国务院左执行长（尚书左仆射），以及中央禁军总监（领军）任约等四十人，全都开府仪同三司（宰相级），但仍由南梁帝萧纲下诏（侯景诏）：“从现在开始，仪同三司（宰相级）无须再加将军称号。”从此，开府仪同三司（宰相级）大量出现，已无法一一记载。

鄱阳王萧范，自枞阳（安徽省枞阳县）派信差告诉江州（州政府设寻阳〔江西省九江市〕）州长（刺史）寻阳王萧大心，萧大心写信邀请他西上。萧范率军前往江州（州政府寻阳），萧大心把萧范安置在湓城（九江市〔寻阳东〕）。

吴兴郡（浙江省湖州市）守军力量单薄，郡长张嵊又是一位不懂军事的知识分子，有人劝他效法吴郡（江苏省苏州市）前任郡长袁君正（参考本年〔五四九〕三月二十八日），迎接侯景的中军司令官（中军都督）侯子鉴。张嵊叹息说：“袁家世代忠良（袁淑、袁觊、袁粲、袁昂，都以忠贞受人称赞），想不到袁君正一下子就把美名破坏。我怎么不知道，吴郡（江苏省苏州市）沦陷之后，吴兴郡（浙江省湖州市）不能长久平安无事；只有以身许国，虽然身死，没有二心。”

九月一日，侯子鉴率军抵达吴兴郡（浙江省湖州市），张嵊战败，回到郡政府，换上正式官服，端坐在那里。侯子鉴把他逮捕，送到建康（江苏省南京市）。侯景佩服他忠贞，打算宽恕他不死，张嵊说：“我负责保卫城池，中央政府危险万分，我不能拯救，时至今天，死得越早越好。”侯景打算为他留下一个儿子，张嵊说：“我家一门，都记载在死鬼名录之上，不会向你这个蛮虏，请求开恩！”侯景大怒，把张嵊全家杀光（张嵊年六十二岁），并斩总监察官（御史中丞）沈浚（沈浚投奔张嵊事，参考本年〔五四九〕五月三十日）。

被包围在长沙（临湘，湖南省长沙市）城中的河东王萧誉（湘州〔州政府临湘〕州长），向岳阳王萧詧（雍州〔州政府襄阳〕州长），请求紧急援助。萧詧命首席军事参议官（咨议参军）、济阳郡（侨郡，江苏省盱眙县南）人蔡大宝，留守襄阳（湖北省襄阳市）；萧詧亲率步兵二万人、骑兵二千人，南下攻击江陵（湖北省江陵县），援救湘州（州政府临湘）。湘东王萧绎（荆州〔州政府江陵〕州长）大为恐惧，派左右侍从前往监狱，向被囚禁的王僧辩询问如何因应，王僧辩一一陈述；萧绎放他出狱，命他当江陵防守司令（城中都督）。

九月三日，萧詧抵达江陵（湖北省江陵县），把大军编组为十三个梯次，开始攻城；想不到天降大雨，平地积水深达四尺，萧詧军的士气，大为沮丧。萧绎跟新兴郡（侨郡，湖北省荆州市）郡长杜崱（音zè〔仄〕），原是老友，于是萧绎暗中请他帮助。

九月十三日，杜崱和他的老哥杜岌、杜岸、老弟杜幼安、侄儿杜龛，分别率领各人的部众，投降萧绎。杜岸更率五百名骑兵，向襄阳发动奇袭，日夜不停行军，距襄阳只三十华里，城中守军才忽然发觉；蔡大宝保护萧詧的娘亲龚保林（太子正妻称“太子妃”，小老婆群分二级：一级“良娣”，二级“保林”），登上城墙抵抗。萧詧在前方接到情报，连夜逃回；粮食、金银财宝、绸缎布匹、铠甲武器，抛弃湕水（建阳河，发源于湖北省荆门市南，流入长江），数目之多，无法计数。张缵因有脚病，萧詧本教他坐在车上随行，等到大军撤退，看守卫士恐怕被追兵赶上，于是把张缵诛杀（年五十一岁），丢掉尸体，自行逃走。萧詧返抵襄阳（湖北省襄阳市），杜岸逃往广平郡（侨郡，湖北省丹江口市），投奔他的老哥南阳郡（侨郡）郡长杜巘。

湘东王萧绎，因鲍泉围攻长沙（临湘，湖南省长沙市），时间已久，仍不能攻克，十分愤怒，命平南将军王僧辩，接替鲍泉当司令官（都督），列举鲍泉十项罪状，命随从官（舍人）罗重懽跟王僧辩同行。鲍泉听说王僧辩南下，呆了一下，说："王僧辩前来助阵，盗贼（指萧詧）不难平定！"打扫宾馆等待。王僧辩抵达人营，背对着鲍泉坐下，说："鲍郎，你有大罪，上级命令，教我锁住你，不要希望我会念及老友之情。"教罗重懽宣布命令，遂用铁链把鲍泉锁在座床旁边。鲍泉上书为自己辩护，并且请求对自己延误太久，没有迅速建功，定罪处罚；萧绎的怒气稍稍解开，遂释放鲍泉（罗重懽在鲍王这场交接仪式中，扮演监视角色。所以王僧辩才有上述种种表态，如果王僧辩同情鲍泉，二人都有灾难）。

25 冬季，十月一日，东魏帝国政府擢升开府仪同三司（宰相级）潘相乐，当最高监察长（司空）。

26 最初，南梁帝国历阳郡（安徽省和县）郡长庄铁，率部众投奔江州（州政府设寻阳〔江西省九江市〕）州长（刺史）、寻阳王萧大心（庄铁最初降侯景，后返回历阳，参考去年〔五四八〕十月二十六日），萧大心命他当豫章郡（江西省南昌市）郡长（内史）。庄铁到任后，马上背叛，拥护观宁侯萧永当盟主。萧永，是鄱阳王萧范（合州〔州政府合肥〕州长）的老弟。

六世纪・五四九年八月至九月
南梁萧家班内斗　萧詧引导西魏军南下江汉一带

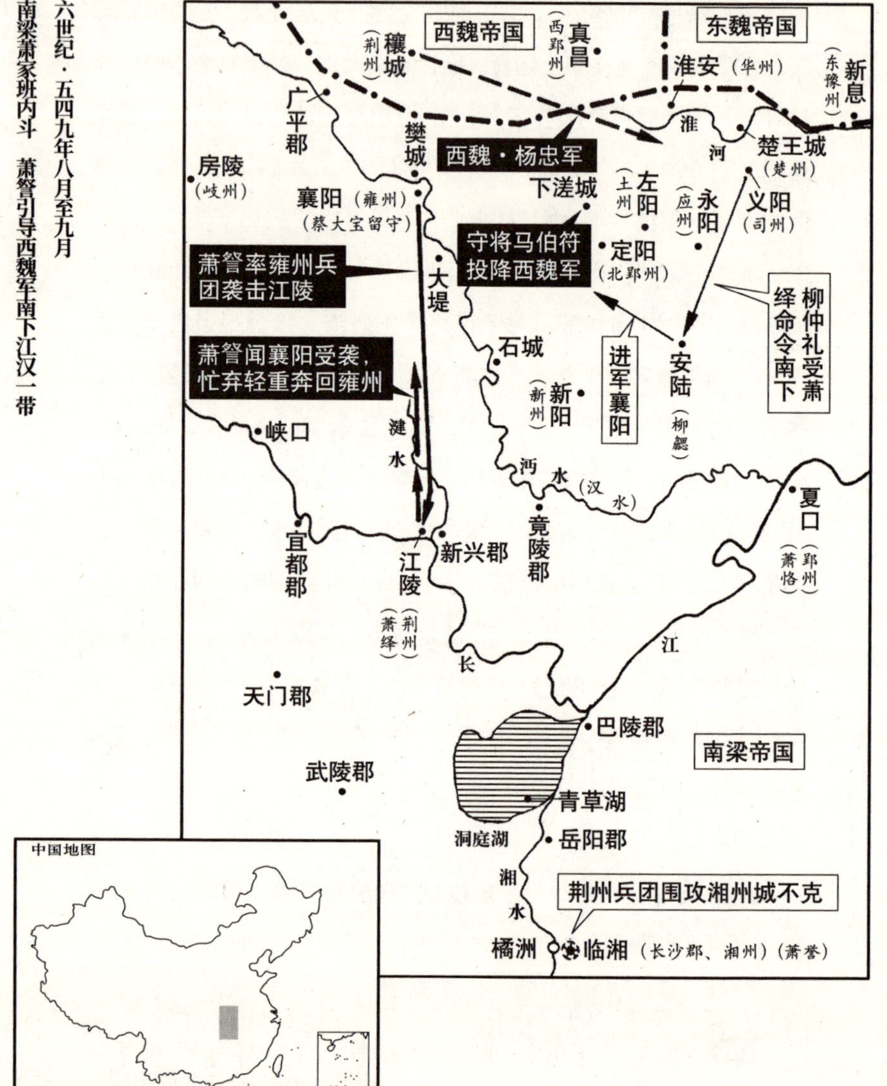

十月十五日，庄铁率军袭击寻阳（江西省九江市），萧大心派他的将领徐嗣徽迎战，击破庄铁军。庄铁逃走，抵达建昌（江西省永修县），光远将军韦构拦腰攻击，庄铁再败，娘亲、老弟、妻子、儿女，全被俘虏，庄铁单人匹马逃回南昌（豫章郡郡政府所在县），萧大心派韦构率军追击。

宰相（司徒）宋子仙（侯景党）自吴郡（江苏省苏州市）出发，攻击钱塘（浙江省杭州市）。前马头（安徽省蚌埠市西马城镇）驻军司令（戍主）刘神茂（刘神茂献计取寿阳事，参考去年〔五四八〕正月），自吴兴郡（浙江省湖州市）出发，攻击富阳（浙江省杭州市富阳区），前武州（州政府设下邳〔江苏省睢宁县北古邳镇〕）州长（刺史）、富阳人孙国恩，献山城池投降。

十一月四日，南梁政府把一任帝萧衍，埋葬修陵（江苏省丹阳市东），祭庙称高祖（绰号武帝）。

27 百济王国（首都泗沘〔朝鲜半岛夫余市〕）派使节到南梁帝国朝贡，看到城市街巷，墙垣倒塌，一片荒芜，跟他们上次来的时候，大不一样，走到宫城（台城）端门（内城南门），忍不住恸哭。侯景大怒，押送庄严寺软禁，不准离开。

28 十一月十一日，南梁帝国宰相（司徒）宋子仙（侯景党），对钱塘（浙江省杭州市）猛烈攻击，守军新城（浙江省杭州市富阳区西南）驻军司令（戍主）戴僧逷投降。

岳阳王萧詧（雍州〔州政府襄阳〕州长），派将军薛晖，攻击广平郡（侨郡，湖北省丹江口市），攻克，生擒杜岸，押送襄阳（湖北省襄阳市）。萧詧恨他入骨，拔掉他的舌头，用皮鞭抽他的脸，把四肢砍下，再投到锅中烹煮。又挖掘杜家祖坟，将杜岸祖先的尸体焚烧成灰，迎风扬散，把杜岸的头骨，漆成饭碗。萧詧既跟湘东王萧绎（荆州〔州政府江陵〕州长）对抗，恐怕自己的力量不能支持，于是派使节向西魏帝国（首都长安）请求援助，甘愿降作尾巴国（附庸）。西魏丞相宇文泰，命东翼办公所主任（东阁祭酒）荣权，出使襄阳（湖北省襄阳市）。萧绎则命司州（州政府设义阳〔河南省信阳市〕）州长（刺史）柳仲礼，进驻竟陵（湖北省潜江市），积极图谋萧詧。萧詧更为恐惧，把王妃王女士，和世子萧嵺（音liáo〔寮〕），送到西魏帝国充当人质。西魏丞相宇文泰打算乘机吞并长江、汉水流域，遂任命开府仪同三司（宰相级）杨忠，当三荆十五州军区司令长官，镇守穰城（荆州州政府所在城，河南省邓州市）。柳仲礼走到安陆（湖北省安陆市），安陆郡郡长柳勰献出城池投降。柳仲礼留下秘书长（长史）马岫，跟老弟柳子礼守城，而自己亲率大军一万人，直向襄阳进发。西魏丞相宇文泰派开府仪同三司（宰相级）杨忠，及中央特遣政府执行长（行台仆射）长孙俭，率军迎击柳仲礼，救援萧詧。

宰相（司徒）宋子仙（侯景党），乘胜南下，渡过浙江（钱塘江），进抵会稽（浙江省绍兴市）。逃亡到会稽的邵陵王萧纶，听到钱塘（浙江省杭州市）溃败消息，再西奔鄱阳（江西省鄱阳县）；鄱阳郡郡长（内史）、开建侯萧蕃，率军拒绝他入城。萧纶进攻，击破萧蕃军。

29 西魏帝国开府仪同三司（宰相级）杨忠，直接攻击柳仲礼的基地义阳（司州州政府所在县，河南省信阳市），快要到达时，义阳郡郡长马伯符，献出下溠城（湖北省随县西唐县镇）投降，杨忠命马伯符担任向导。马伯符，是马岫的儿子。

30 南梁帝国南郡王萧大连，当东扬州（州政府设会稽〔浙江省绍兴市〕）州长（刺史）。当时，会稽郡农作物大丰收，可以作战的军队有数万人，粮食武器，堆积如山；东方（东扬州，浙江省中部南部）人民对侯景的残酷暴虐，深感恐惧，所以都愿效忠萧大连。可是，萧大连从早到晚，都饮酒酣醉，对军事一概不理。军政官（司马）、东阳郡（浙江省金华市）人留异（留，姓），凶暴蛮横，而又狡狯，人民对他至为痛恨，萧大连却对他十分相信（中国历史上有多少这种恨事：奸恶受到信任，忠良被诬谋反），把军事全部交付给他。

十二月九日，宋子仙进攻会稽（浙江省绍兴市），萧大连放弃城池，逃走，留异逃回故乡；不久，留异率领部众，投降宋子仙。萧大连打算也西奔鄱阳（江西省鄱阳县），可是留异担任宋子仙向导，追到信安（浙江省衢州市），终于追到，生擒萧大连，押解到建康（南梁首都，江苏省南京市）。新登极不久的南梁帝萧纲听到消息，把帷帐拉到面前掩蔽，用衣袖拭去眼泪（萧大连是萧纲的儿子），于是三吴（太湖流域及钱塘江流域）完全落到侯景之手，留在会稽（浙江省绍兴市）的高级官员、公爵侯爵，都往南岭（浙江省及福建省交界）以南逃生。侯景任命留异当东阳郡（浙江省金华市）郡长，而拘留他的妻子儿女当作人质。

31 十二月二十八日（原文“乙酉”，据《魏书》改），东魏帝国政府擢升并州（州政府设晋阳〔山西省太原市〕）州长（刺史）彭乐当宰相（司徒）。

32 南梁帝国邵陵王萧纶，西上到九江（寻阳，江西省九江市），江州（州政府寻阳）州长（刺史）、寻阳王萧大心，把官位让给他，萧纶不肯接受，率军继续西进。

始兴郡（广东省韶关市）郡长陈霸先，集结郡中英雄豪杰，打算讨伐侯景。郡人侯安都、张偲（音sī〔司〕）等，各率私人军队一千余人归附。陈霸先派总带兵官（主帅）杜僧明，率二千人驻防大庾岭（南岭），广州（州政府设番禺〔广东省广州市〕）州长（刺史）萧勃派人阻止说："侯景骁勇非常，天下无敌，前些时勤王军十万，人强马壮，还不能攻克，你这一小撮人，想往何方？听说岭北（南岭以北）王爵侯爵，互相火并，亲属之间，大动干戈。你不过是一个疏远在外的低微官员，挺身而出，岂不是像把一粒明珠，投到黑暗之中！不如继续留在始兴郡（广东省韶关市），远远虚张声势，可以跟泰山一样平安。"陈霸先说："我受国家的重恩，当初，听到侯景渡长江南下消息，就打算增援京师（首都建康），遇到元景仲、兰裕事变（参考本年〔五四九〕六月及七月），挡住道路，遂使京师覆没；君王受辱，臣属应死，谁敢爱惜性命！阁下是金枝玉叶（萧勃是萧衍堂弟萧昞的儿子，参考五四五年六月），身担一方的重大责任，派我一支军队出动，总比不派一支军队要好，为什么反而更加阻止！"于是，派人从小路前往江陵（湖北省江陵县），表示诚心接受湘东王萧绎（荆州〔州政府江陵〕州长）指挥。当时，南康郡（江西省赣州市）当地豪族蔡路养，聚众起兵，占领全郡，萧勃派心腹谭世远当曲江（始兴郡郡政府所在县，广东省韶关市）县长，跟蔡路养暗中结合，共同阻止陈霸先。

33 西魏帝国开府仪同三司（宰相级）杨忠，攻陷南梁帝国随郡（湖北省随州市），俘虏郡长桓和。

34 东魏帝国派金门公爵潘乐等，率军五万人，袭击南梁帝国的司州（州政府设义阳〔河南省信阳市〕），州长（刺史）夏侯强投降，东魏遂完全占领淮河以南土地（事实上，迟至五五九年，北齐帝国〔东魏帝国的继承者〕才完全占领淮河以南、长江以北土地）。

南北朝

六世纪

五〇年代

五五〇—五五四年

- 东西魏先后覆亡。
- 北齐帝国建立。
- 南梁帝国大饥馑，赤地千里。
- 侯景兵败被杀。
- 南梁四任帝萧绎被杀。

- 东罗马帝国基督教教徒，将蚕卵藏在竹杖中，由中国带返君士坦丁堡，西方始有蚕丝。
- 东罗马大将贝利沙留，灭东哥德王国。
- 法兰克人侵入意大利，战祸数十年，罗马城中原有五十余万人，只剩五万余人。
- 黑死病再流行。

五五〇年 庚午

南梁	大宝	元年
东魏	武定	八年
北齐	天保	元年
西魏	大统	十六年

1 春季，正月一日，南梁帝国（首都建康〔江苏省南京市〕）大赦，改年号（大宝）。

始兴郡（广东省韶关市）郡长陈霸先，从始兴出发，前进到大庾岭（南岭）；南康郡（江西省赣州市）豪族蔡路养，率军二万人，在南野（江西省赣州市南康区南）驻扎，阻截。蔡路养的妻侄、兰陵（南兰陵，江苏省镇江市境）人萧摩诃，年十三岁，单人匹马出战，没有人敢抵挡。总带兵官（主帅）杜僧明坐骑受伤，陈霸先救他出险，把自己的马交给他，杜僧明上马再战，各军乘势反攻，蔡路养大败，逃出一命。陈霸先遂向南康（江西省赣州市）推进。湘东王萧绎（荆州〔州政府江陵〕州长），行使皇帝职权（承制），任命陈霸先当明威将军、交州州长（空头官衔）。

2 正月十八日，东魏帝国（首都邺城〔河北省临漳县西南邺城镇〕）擢升太原公爵高洋当丞相、全国各军区总司令长官（都督中外诸军事）、主管政府机要（录尚书事）、中央特遣全权政府总监（大行台），晋封齐郡王。

3 正月二十日，南梁帝国邵陵王萧纶，抵达江夏（夏口，湖北省武汉市）；郢州（州政府夏口）州长（刺史）、南平王萧恪到郊外迎接，愿让出官位，萧纶不接受。于是萧恪推举萧纶持有皇帝诛杀时专用的铜斧（假黄钺）、全国各军区总司令长官（都督中外诸军事）、行使皇帝职权（承制），设立文武百官。

4 西魏帝国（首都长安〔陕西省西安市〕）开府仪同三司（宰相级）杨忠，包围安陆（湖北省安陆市），南梁帝国大将柳仲礼，急回军救安陆（柳仲礼攻襄阳事，参考去年〔五四九〕十一月）。西魏各将领恐怕柳仲礼如果抵达，安陆越发难以攻下，请求向郡城发动猛攻，杨忠说："攻和守的情势，恰恰相反，即令猛攻，也未必一定马上攻克，如果因此而拉长时间，劳师动众，内外受敌，不能算是策略。南方军队大多数习惯水上作战，而不太习惯陆上作战，柳仲礼兵团就在附近路上，我大出他意料之外的派奇兵袭击，他们怠惰，我们振奋，一次战役就能取胜。击败柳仲礼，对安陆用不着再攻，自会崩溃。其他各城，发布一篇政治号召文告，便可平定。"乃遴选骑兵二千人，口衔木枝，利用夜色掩护进击，在漴头大败柳仲礼军（漴头，安陆市西北十公里，漴，音chóng〔崇〕），生擒柳仲礼和他的老弟柳子礼，以及全部士卒。安陆守将马岫、竟陵（湖北省潜江市）守将王叔孙，分别献出城池，投降杨忠。于是汉水以东土地，全被并入西魏帝国版图。

广陵郡（江苏省扬州市）人来嶷，游说前广陵郡郡长祖皓说："董绍先有勇气而没有谋略（侯景派董绍先任南兖州州长事，参考去年〔五四九〕三月），人心不服，用奇袭把他诛杀，是勇士的责任。我现在正集结义勇之士，拥护你当领袖。如果能传出捷报，就可以建立姜小白（桓）、姬重耳（文）的功勋。即令上天仍心肠如铁，不肯停止降下灾祸，至少也可以显示我们仍是梁国（南梁帝国）忠臣。"祖皓说："这正是我的愿望。"共同招兵买马，集结一百余人。

正月二十三日，袭击州城广陵（江苏省扬州市），斩南兖州（州政府广陵）州长（刺史）董绍先。来嶷、祖皓占领城池，向远近发布消息，推选前太子宫随从官（太子舍人）萧勔当州长（刺史），仍跟东魏帝国（首都邺城）结盟，作为外援。祖皓，是祖暅的儿子（祖暅，参考五一四年十一月）。萧勔，是萧勃的老哥（萧勃是广州〔州政府番禺〕州长，参考去年〔五四九〕十二月）。

正月二十五日，大丞相侯景派部将郭元建率军突然进抵城下，祖皓登城固守。

5 二月，西魏帝国仪同三司（宰相级）杨忠，乘胜攻击石城（湖北省钟祥市），打算进逼江陵（湖北省江陵县）；南梁帝国湘东王萧绎（荆州〔州政府江陵〕州长），派随从官（舍人）庾恪，告诉杨忠："萧詧（南梁雍州〔州政府襄阳〕州长）攻打他的叔父，而你们竟帮助他，怎么能使天下人心服！"杨忠遂停在湕水（建阳河，长江支流）以北。萧绎再派随从官（舍人）王孝祀等，护送儿子萧方略到西魏帝国充当人质，请求和解，西魏政府同意。萧绎跟杨忠遂共同盟誓，声明：“魏国（西魏帝国）南界到石城（湖北省钟祥市），梁国（南梁帝国）北界到安陆（湖北省安陆市），梁国（南梁帝国）愿当魏国（西魏帝国）的尾巴国，派出人质，建立两国自由贸易市场，互相来往经商，邦交永远和睦。”杨忠遂班师。

6 半独立状态的宕昌王（甘肃省宕昌县）梁弥定，受到同族另一酋长梁獠甘袭击，梁弥定逃奔西魏帝国（首都长安），梁獠甘遂自称宕昌王。羌民族部落酋长傍乞铁慧悤（傍乞，复姓），占领渠株川（甘肃省岷县），联合渭州（州政府设襄武〔甘肃省陇西县〕）变民首领郑五丑，以及各羌族部落，一起背叛西魏帝国。丞相宇文泰命最高统帅（大将军）宇文贵、凉州（州政府设姑臧〔甘肃省武威市〕）州长（刺史）史宁讨伐。生擒傍乞铁慧悤、郑五丑，斩首。史宁派别动部队袭击梁獠甘，击破梁獠甘军，梁獠甘率一百名骑兵投奔西魏帝国境外羌民族部落酋长巩廉玉。史宁重新迎接梁弥定返回宕昌（甘肃省宕昌县），在渠株川（甘肃省岷县）设置岷州。再进攻巩廉玉，斩梁獠甘，生擒巩廉玉，押送长安（陕西省西安市）。

7 南梁帝国大丞相侯景，派中央禁军总监（领军将军）任约、于庆等，率军二万人，攻击拒绝效忠中央（侯景）的各军事重镇。

邵陵王萧纶（时驻郢州〔州政府夏口〕）打算援救河东王萧誉（湘州〔州政府临湘〕州长），而兵力和粮秣都不充足，乃写信给湘东王萧绎（荆州〔州政府江陵〕州长）说：“天时地利，不如人和，何况手足四肢，怎么可以互相伤害！现在帝国蒙羞，情势危急，创伤如此之多，痛苦如此之深，唯有开诚布公，推心置腹，卧薪尝胆，血泪交滴，枕戈待旦；

一些小的愤怒，或许应该包容宽恕。如果外面的灾难不能清除，家门里的祸乱不能停止，自古迄今，没有一个不归于覆亡。出征作战，只求胜利；用到骨肉之间，越是胜利，越是残酷；战场大捷，不算功勋，一旦失败，白白牺牲。劳师动众，而仁义又缺，损失太多，侯景的军队所以没有西征长江上游，只不过因为屏障坚固，皇家重镇紧密强大。你如果不爱惜兵力，攻陷洞庭（指临湘〔萧誉〕），则雍州（萧詧）惊疑窘迫，怎么能够心安！势必招引魏国（西魏帝国）军队，作为后盾。万一你的安全受到威胁，皇家和帝国的前途，将一去不返。希望你解除湘州（州政府临湘）的包围，考虑保全帝国的方略。”萧绎回信，指控萧誉罪大恶极，不能赦免，并且说：“萧詧引导杨忠入侵逼迫，我谈笑之间，驱退秦国大军（鲁仲连谈笑间驱退秦国大军，萧绎用此典故，自炫他聪明无比），谁是谁非，十分明白，不再多说。临湘（湘州州政府及长沙郡郡政府所在县，湖南省长沙市）早上陷落，远征军晚上开拔。”萧纶接信，扔到桌上，万分感慨，流泪说：“天下事情，竟到这种地步，萧誉如果失败，我随时都会灭亡。”

大丞相侯景亲自率步兵一万人，另派中军司令官（中军都督）侯子鉴，率水军八千人，进攻广陵（江苏省扬州市），三天，攻克，生擒祖皓，绑到木柱上，万箭齐发，祖皓全身是箭，然后再用五马分尸酷刑示众；城中不论男女老幼，都埋半身在地下，地上只露上半身，侯景军骑兵奔驰，全体射杀。任命侯子鉴当南兖州州长（刺史），镇守广陵（广陵已成空城）。侯景返回建康（江苏省南京市）。

二月六日，任命安陆王萧大春当东扬州（州政府设会稽〔浙江省绍兴市〕）州长（刺史）。撤销吴州（州政府设吴县〔江苏省苏州市〕）。

8 二月十日，东魏政府擢升国务院总理（尚书令）高隆之当太保（上三公之三）。

9 二月二十五日，南梁政府任命国务院执行长（尚书仆射）王克，当左执行长（左仆射）。宣城郡（安徽省宣城市宣州区）郡长（内史）杨白华，进据安吴（安徽省泾县西南）。侯景派于子悦率军进攻，不能攻克。

10 东魏帝国（首都邺城）中央特遣政府总监（行台）辛术率军攻击南梁帝国，包围阳平（侨郡，江苏省淮安市洪泽区），不能攻克。

11 南梁帝国大丞相侯景娶皇帝（二任简文帝）萧纲（本年四十八岁）的女儿溧阳公主，爱她至深。

三月甲申日（三月庚戌朔，没有甲申），侯景请萧纲参加在乐游苑（玄武湖南）举行的春祭宴会，架起篷帐，饮酒三天。萧纲回宫，侯景跟溧阳公主，一同登上皇帝专用的御床，面向南方，并肩而坐，文武百官排列两旁奉陪。

12 三月十一日，东魏帝国晋封丞相、齐郡王高洋当齐王。

13 南梁帝国临川郡（江西省南城县）郡长（内史）、始兴郡（广东省韶关市）人王毅等，攻击豫章郡（江西省南昌市）郡长庄铁（庄铁事，参考去年〔五四九〕十月），鄱阳王萧范派他的部将、巴西（北巴西，四川省阆中市）人侯瑱，增援庄铁；王毅等战败，被杀（萧范从枞阳〔安徽省枞阳县〕移驻江州〔州政府寻阳〕，此时正在途中）。

鄱阳王（萧范）世子萧嗣，跟中央禁军总监（领军将军）任约（侯景党）在三章（今地不详）会战，任约战败，逃走。萧嗣把总部迁到三章，称安乐栅。

夏季，四月一日，湘东王萧绎（荆州〔州政府江陵〕州长），晋封上甲侯萧韶当长沙王（萧韶从建康投奔江陵，参考去年〔五四九〕六月）。

四月二十七日，侯景请南梁帝萧纲游逛西州（建康城西），萧纲乘素色辇车，皇家侍卫四百余人。侯景率精锐铁甲武士数千人，在左右两翼保护。萧纲听到乐声，悲凄哭泣，流下眼泪，命侯景起来跳舞，侯景也请萧纲跳舞。等到筵席结束，座位上的人都已散去，萧纲把侯景拉到御座上，说："我想念丞相。"侯景说："陛下如不想念我，我怎么能到这里。"直到夜晚才结束。

当时，长江以南一连数年旱灾蝗灾，而江州（江西省及福建省）及京畿卫戍区（扬州），尤其严重。人民四散流亡，成群结队，逃到山谷野沼，采摘树叶菱角，挖掘草根，吞食充饥。难民所到之处，树叶草根立刻就被吃光，饿死的尸体满布原野。富豪家庭，没有粮食，每人脸面都像鸟一样的尖削，躯干都像野雁一样枯瘦，穿着绫罗绸缎，佩戴玉石珍珠，在床上辗转呻吟，活活饿死。大地千里，炊烟断绝，很少看到人迹，白骨堆积，犹如丘陵。

侯景天性残忍，在石头（建康城西北）建立一个巨大的捣米石碓（音duì〔队〕），有犯法的，就用巨碓捣杀。常告诫各将领说："攻破栅栏，夺取城池，要把敌人杀光，使天下人知道我的威名。"所以各将领每逢战胜，都全副精力用来烧杀抢劫，砍人就像砍草一样，用来戏谑玩笑。因此，人民虽死亡很多，但人心始终不服。侯景又禁止人民互相谈话，违犯这项禁令的，连亲戚也都诛杀。侯景手下的将领，全称"中央特遣政府总监"（行台）；投降来的人，全称"开府"（宰相级），特别亲信敬重的人，称左右"厢公"（宰相级），勇猛超过普通人的，称"库直司令官"（库直都督）。

14 西魏帝（〔西〕十六任文帝）元宝炬（本年四十四岁），封皇子元儒当燕王、元公当吴王。

15 南梁帝国大丞相侯景，征召宰相（司徒）宋子仙回建康（江苏省南京市。宋子仙攻占东扬州，参考去年〔五四九〕十二月）。

邵陵王萧纶，驻军郢州（州政府设夏口〔湖北省武汉市〕），把办公厅称为正阳殿，里里外外楼阁房舍，都题上皇宫殿堂的名字。萧纶的部属，对郢州州长（刺史）、南平王萧恪总部人员，行凶肆暴，毫无忌惮，郢州总部文武官员，没有人不心怀怨愤。首席军事参议官（咨议参军）江仲举，是萧恪的智囊，游说萧恪攻击萧纶，萧恪大吃一惊，说："我杀了萧纶，固然可以使我们一州安宁，荆州（萧绎）、益州（萧纪），心里也会暗暗欢喜。可是，一旦天下太平，两人都会用大义对我指控。而且，叛逆（侯景）还没有斩首，骨肉先自相残杀，是自己毁灭自己的方法，你最好打消这个念头。"江仲举不接受，依旧对各将领调配部署，决定日期，就要发动，而阴谋泄漏；萧纶逮捕江仲举，压杀（压杀是一种什么酷刑，不得而知，可能是用土袋闷死或压碎肋骨）。萧恪狼狈前往道歉，萧纶说："一群卑贱的小人物做的事，跟老哥（萧恪是萧纶的堂兄）没有关系。贼党已经诛杀，请不要烦心。"

湘东王萧绎去年（五四九）派平南将军王僧辩攻击湘州州政府所在长沙（临湘，湖南省长沙市），本月（四），王僧辩猛烈攻击。

四月二日，攻克长沙（临湘），生擒河东王萧誉，斩首，把人头送到江陵（湖北省江陵县）。萧绎把人头送返长沙安葬（跟身躯共葬）。去年（五四九），麻溪（湖南省长沙市北，浏阳河注入湘水处）之役，萧方等军败淹死（参考去年〔五四九〕六月），湘州大将临蒸（湖南省衡阳市）人周铁虎的功劳最多，萧誉交付给他很重的任务。王僧辩生擒周铁虎，命用烹刑（滚水煮死）处死，周铁虎大喊说：“侯景还没有消灭，为什么杀勇士！”王僧辩欣赏他的说辞，立刻释放，把他的部众仍交还给他。萧绎擢升王僧辩当首都东区卫戍司令（左卫将军），加授总监督长（侍中）、镇西将军府秘书长（镇西长史）。

萧绎在去年（五四九）就知道老爹萧衍已经死亡，由于长沙（临湘，湖南省长沙市）尚未攻下，故意封锁消息。

四月二十三日，才发布讣闻，用檀香木雕刻萧衍的像，供奉在百福殿，祭祀得十分谨慎，一举一动，都上香祷告禀报。萧绎认为现任南梁帝（二任简文帝）萧纲完全被侯景控制，遂拒绝使用大宝年号，而仍称太清四年。

四月二十七日，萧绎下令大军出动，讨伐侯景，发表文告，传递全国。

鄱阳王萧范抵达湓城（江西省九江市〔寻阳东〕），把晋熙郡（安徽省潜山市）改为晋州（原称西豫州），命世子萧嗣当州长（刺史）。对江州（州政府寻阳）郡长县长，作很多调动。江州州长（刺史）寻阳王萧大心的政令，不能出一郡（寻阳郡）。萧大心派军队攻击豫章郡（江西省南昌市）郡长庄铁，萧嗣跟庄铁是老友，萧嗣向老爹萧范要求派兵协助，萧范派侯瑱率精锐部队五千人增援。从此，萧范总部及萧大心总部，互相猜忌，再也想不到讨伐侯景的事。萧大心命徐嗣徽率二千人，在稽亭（九江市东〔湓城东〕）构筑营垒，防备萧范；粮食市场交易，完全停止，萧范数万部众，严重缺乏粮食，很多士卒饿死。萧范愤怒恚恨，背上长疮。

五月七日，萧范逝世（年五十二岁）。萧范的部众不对外发布死讯，而拥护萧范的老弟、安南侯萧恬当领袖，官兵还有数千人。

五月八日，大丞相侯景任命元思虔当中央驻东方特遣全权政府总监（东道大行台），镇守钱塘（浙江省杭州市）。

五月九日，命侯子鉴当南兖州（州政府设广陵〔江苏省扬州市〕）州长（刺史）。

16 当初，东魏帝国齐王高洋，在加授开府仪同三司（宰相级）时（参考五三五年十一月），勃海郡（河北省东光县）人高德政当记录官（管记），因此二人非常亲近，无话不谈。特级资政官（金紫光禄大夫）丹阳（江苏省南京市）人徐之才，北平郡（河北省卢龙县北）郡长、广宗（河北省威县东）人宋景业，都精通神秘预言书，认为：太岁在午（一种叫“太岁”的神灵，在“午”年出现），政治上一定发生革命（太岁是什么？以至如何跑到“午”年？又为什么非有革命不可，我们全不知道）。于是，透过高德政，劝高洋接受皇位禅让。高洋报告娘亲娄昭君，娄昭君说：“你老爹（高欢）像一条龙，你老哥（高澄）像一只虎，还不敢妄想皇帝宝座，一辈子都面向北方称臣，你是什么人，竟想做姚重华（舜）、姒文命（禹）的事！”高洋告诉徐之才，徐之才说：“正因为你不如老爹、老哥，所以才最好是早早高升尊位。”高洋铸铜像占卜，结果铜像铸成，乃命开府仪同三司（宰相级）段韶，去问肆州（州政府设九原〔山西省忻州市〕）州长（刺史）斛律金，斛律金到晋阳（高家班根据地，山西省太原市）进见高洋，坚决反对，认为宋景业第一个煽动高洋接受天命，应该处死。高洋跟当权重要人物，在娘亲太妃娄昭君面前，举行最高会议，娄昭君说：“我儿性情软弱直爽，不会有这种想法，是高德政喜欢惹祸，教他这么做。”高洋因大家还没有共识，再命高德政到首都邺城（河北省临漳县西南邺城镇）察看高级官员们的意见。高德政还没有回来，高洋已不能等待，率领大军，向东进发，走到平都城（山西省和顺县西），再召集高级将领讨论，没有人敢表示意见。秘书长（长史）杜弼说："关西（西魏帝国）是我们的大敌，如果接受皇帝禅让，恐怕他们（宇文泰）挟持天子（西魏帝元宝炬），自称正义之师，大军东征，大王（高洋）如何因应？"徐之才说："宇文家跟大王争夺天下，他也想做大王想做的事，即令他再倔强，也不过追随大王之后当皇帝。"杜弼无话可答。高德政到了邺城，暗示高级官员出面劝进，没有人反应。开府仪同三司（宰相级）司马子如，到辽阳（山西省左权县）迎接高洋，认为绝不可以接管政权。高洋打算返回晋阳（山西省太原市），皇家仓库管理员（仓丞）李集反对，说："大王来这里为了什么，竟然回头？"高洋派李集到东门办一件事，就在东门把他格杀，而另行下令赏赐他绸缎十匹，遂返晋阳。高洋返回晋阳后，一直闷闷不乐。徐之才、宋景业等，每天都向他解释阴阳占卜的道理，强调应该早早接受天命，高德政也不断施加压力。高洋命巫法师李密占卜，卜到《大横》（《易经》篇名），说："这是刘恒的卦。"（刘恒事，参考前一八〇年九月。）高洋命宋景业再卜，卜到《乾》变《鼎》，说："'乾'是君王，'鼎'是五月，最好在五月接受禅让。"有人警告说："五月不可以就职上任，冒犯的人，死在官位上。"宋景业说："大王当天子，用不着担心升迁，怎能不寿终官位！"高洋大为高兴，再从晋阳出发。

高德政把有关首都邺城（河北省临漳县西南邺城镇）方面的事情，条条列出，呈报高洋，高洋命侍从陈山提，乘驿马车携带这项备忘录，连同自己的密函，送给留守邺城的杨愔。本月（五），陈山提到邺城，杨愔召见祭祀部长（太常卿）邢邵，商议禅让仪式；皇家图书馆长（秘书监）魏收，草拟加授"九锡""皇帝禅让"，以及文武百官向高洋呈递的表示拥护他当皇帝的各项文稿（禅让最简单的模式是：皇帝三次下诏把宝座让给权臣，权臣三次辞让；文武百官三次向权臣劝进，权臣两次辞让，而最后一次接受)。召集元姓皇族各亲王到北宫，软禁在东厢。

五月六日，东魏帝(〔东〕十六任孝静帝)元善见(本年二十七岁)擢升高洋当相国、总管文武百官，加授“九锡”隆重礼遇(“九锡”就是“九赐”，参考四年)。高洋率军走到前亭(山西省和顺县西)，所骑的马忽然栽倒，这不是吉祥的兆头，心里升上一层阴影。走到平都城(山西省和顺县西〔前亭东〕)，高洋不肯再进。高德政、徐之才苦苦请求，并且威胁说：“陈山提先到邺城(河北省临漳县西南邺城镇)，恐怕消息已经走漏。”高洋命司马子如、杜弼，乘驿马车随陈山提之后进入邺城，察看人心反应。司马子如等到邺城时，邺城人士认为大势已定，没有人敢表示反对。高洋不久也到邺城，征调民夫携带土木工具在南城集合。高隆之请示说：“集结他们干什么？”高洋拉下脸来说：“我自有我的事，你为什么问，打算全族屠灭是不是！”高隆之吃了一惊，急忙道歉告辞。于是，兴筑圆形神坛，准备典礼用的器具。

五月八日，最高监察长(司空)潘乐、总监督长(侍中)张亮、宫廷监督官(黄门郎)赵彦深等，请求入宫，东魏帝(〔东〕十六任孝静帝)元善见在昭阳殿接见。张亮说：“五行(金木水火土)运转，有开始就有终结。齐王(高洋)神圣美德，万方归附景仰，希望陛下效法伊祁放勋(尧)、姚重华(舜)。”元善见严肃的说：“关于皇帝宝座，我很久以来都在推让，现在自当避位。”接着说：“这样的话，需要撰写诏书。”立法院主任立法官(中书郎)崔劼、裴让之说：“已经完成。”请总监督长(侍中)杨愔呈递，元善见在上面签字后，问说：“把我安置在哪里？”杨愔说：“北城另外有一个宾馆。”元善见遂走下宝座，徒步走到东厢，背诵范晔《后汉书·赞》说：“刘协(东汉王朝末任帝)生不逢时，身受播迁逃亡之苦，帝国又多灾多难，四百年政权(东西两汉王朝相加，共四百三十五年)，在他手上结束，永远做姚重华(虞)的嘉宾。”主管官员请元善见立刻动身，元善见说：“古人对旧发簪和破木屐，都有恋恋不舍之情，我打算跟六宫嫔妃当面告别，是否可以？”高隆之说：“今日的天下，仍是陛下的天下，何况六宫嫔妃！”元善见步行入宫，跟皇后以下相辞，全宫一片哭声。赵国（河北省赵县）人李嫔，背诵曹植的诗：“请君王爱惜御体／共享白发长寿。”车马值日官（直长）赵道德，驾一辆车在东阎门等候，元善见登车，赵道德越过其他高官，上前扶他上车，元善见喝止他说：“我自己畏惧天命，顺应人心，你是什么奴才，竟敢如此逼人！”赵道德仍不下车。元善见出云龙门（在端门内），王爵、公爵、文武百官拜辞，高隆之流下眼泪。元善见到了北城，住司马子如南宅（司马子如在晋阳〔山西省太原市〕有家，称北宅），派全国武装部队总司令（太尉）、彭城王元韶等，携带玉玺，把宝座禅让给齐王高洋。

五月十日，齐王高洋（本年二十二岁）在首都邺城（河北省临漳县西南邺城镇）南郊，登极称帝（高洋建立的齐帝国，史称北齐），大赦，改年号天保（之前是东魏武定八年，之后是北齐天保元年。本年，中国境内，仍是三国并立，只不过东魏帝国换成北齐帝国）。自五二八年开始，文武官员都没有薪俸（事实上，东魏帝国时，曾一度发薪，参考五三五年十二月。当是之后又取消），北齐帝国建立后，才再发放（文武官员没有薪俸，为了维持生活，只有贪赃枉法）。

五月十一日，高洋封逊位皇帝元善见当中山王，特别赐给他不当臣属的礼遇。追尊老爹高欢绰号献武皇帝，祭庙称太祖——稍后改称高祖；老哥高澄绰号文襄皇帝，祭庙称世宗。

五月十三日，尊娘亲娄昭君为皇太后。

五月十七日，东魏帝国的爵位，依照等级贬降；但原来是高家班功臣，及关西（西魏帝国）、江南（南梁帝国）投降过来的人，官爵照旧，不在贬降之限。

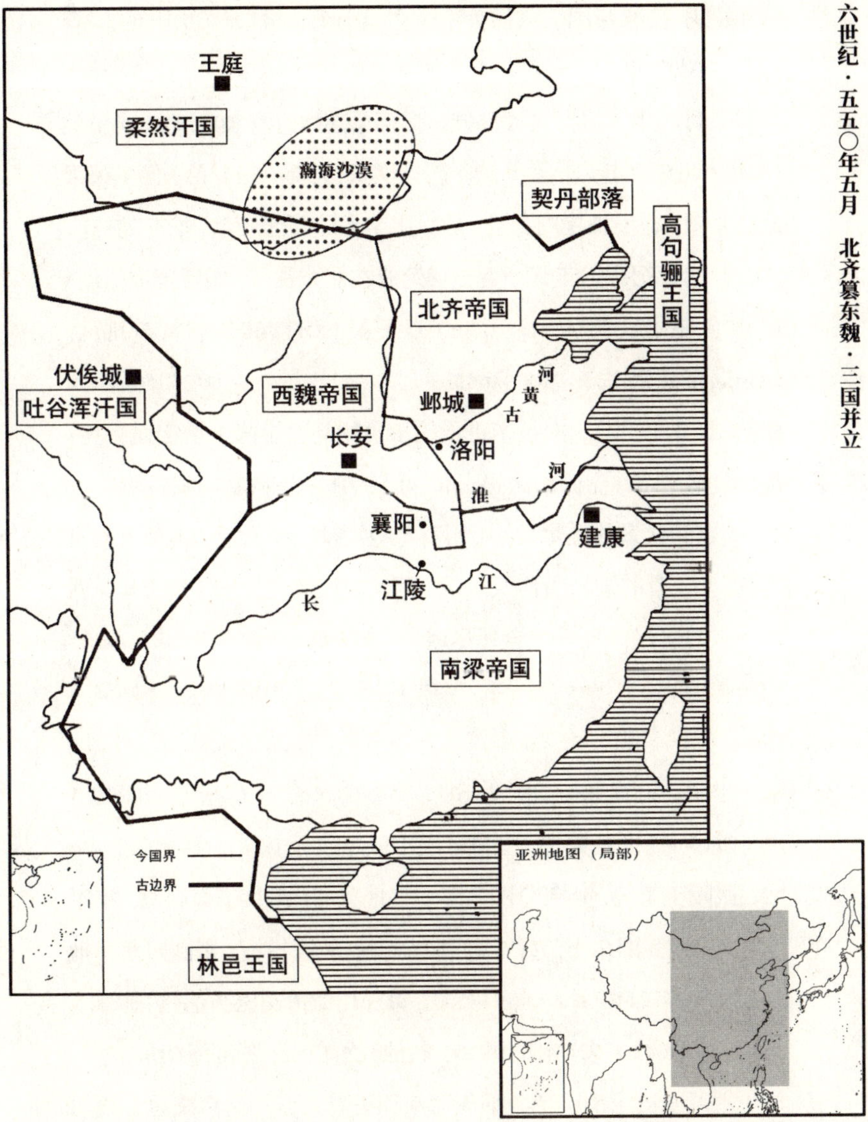

王庭
柔然汗国
瀚海沙漠
契丹部落
高句骊王国
北齐帝国
伏俟城
吐谷浑汗国
西魏帝国
邺城
黄
河
古
长安
洛阳
河
淮
襄阳
建康
江陵
长
江
南梁帝国
今国界
古边界
林邑王国
亚洲地图（局部）

17 南梁帝国文成侯萧宁，在吴郡（江苏省苏州市）境内，聚众起兵，集结一万人。

五月二十一日，进攻郡城。吴郡总部执行官（行吴郡事）侯子荣（侯景党）迎头攻击，斩萧宁。萧宁，是鄱阳王萧范的老弟。侯子荣乘战胜余威，在吴郡境内各县，放纵士卒大肆奸淫烧杀、抢夺劫掠。

自四世纪一〇年代，晋王朝政府在北方瓦解，迁到建康（江苏省南京市）重组以来（参考三一七年三月），三吴（太湖流域及钱塘江流域）地区，最是繁华富庶（三吴：具体的指吴郡〔江苏省苏州市〕、吴兴郡〔浙江省湖州市〕、会稽郡〔浙江省绍兴市〕），向皇帝进贡的珍贵物品、全国主要田赋捐税，都出自这个地区，商旅云集，成为贸易中心（断断续续，维持二百三十年之久）；直到侯景战乱爆发，金银财宝被抢劫一空之后，再杀人吞食（人间惨事），有的则被当作奴隶，卖到北方或北齐帝国（首都邺城），残留下来的居民，几乎完全死尽逃光（晋帝国末年，变民孙恩盘踞三吴地区，变民军所到之处，看不见人迹〔参考三九九年十二月〕。一个半世纪之后，三吴地区再度残破）。

当时，只有荆州（州政府设江陵〔湖北省江陵县〕）、益州（州政府设成都〔四川省成都市〕）还算完整。全国武装部队总司令（太尉）、益州州长（刺史）、武陵王萧纪，通告全国各军事基地总部：派世子萧圆照，率军三万人，接受湘东王萧绎（荆州〔州政府江陵〕州长）指挥。萧圆照率军抵达巴水（嘉陵江下游。在重庆市注入长江），萧绎任命萧圆照当信州（州政府设白帝城〔重庆市奉节县东〕）州长（刺史），教他驻军白帝；不准继续东下。

六月三日，南梁帝萧纲任命南郡王萧大连，当京畿总卫戍司令部执行官（行扬州事）。

江夏王萧大款、山阳王萧大成、宜都王萧大封（三人均是南梁帝萧纲的儿子），从信安（浙江省衢州市）绕道小路，投奔江陵（湖北省江陵县）。

18 北齐帝国（首都邺城〔河北省临漳县西南邺城镇〕）皇帝（一任文宣帝）高洋，对皇族高岳等十人、功臣库狄干等七人，加封王爵（皇族：高岳当清河王、高隆之当平原王、高归彦当平秦王、高思宗当上洛王、高长弼当广武王、高普当武兴王、高子瑗当平昌王、高显国当襄乐王、高叡当赵郡王、高孝绪当修城王。功臣：库狄干当章武王、斛律金当咸阳王、贺拔仁当安定王、韩轨当安德王、可朱浑道元当扶风王、彭乐当陈留王、潘相乐当河东王）。

六月五日，高洋封皇弟高浚当永安王、高淹当平阳王、高湝当彭城王、高演当常山王、高涣当上党王、高淯当襄城王、高湛当长广王、高湝当任城王、高湜当高阳王、高济当博陵王、高凝当新平王、高润当冯翊王、高洽当汉阳王。

19 南梁帝国鄱阳王萧范逝世后，部将侯瑱投靠豫章郡（江西省南昌市）郡长庄铁，庄铁对他怀疑猜忌，侯瑱内心不安。

六月八日，侯瑱设下圈套，请庄铁见面商讨要事，乘势诛杀庄铁，占领郡城，自称郡长。

江州（州政府设寻阳〔江西省九江市〕）州长（刺史）、寻阳王萧大心，派徐嗣徽于夜晚袭击湓城（寻阳东）；湓城守军安南侯萧恬、裴之横等，击退徐嗣徽军。

20 北齐帝高洋，最初娶赵郡（河北省赵县）人李希宗的女儿李祖娥，生了两个儿子：高殷、高绍德；后来又娶段韶的妹妹当小老婆。现在，需要确定谁是皇后，高隆之、高德政打算结交权贵，作为外援，于是先制造舆论，声称：“汉人妇女不可以当皇后，应该另外选择更合适的匹配。”高洋不接受。

六月九日，高洋封李祖娥当皇后、段女士当昭仪（小老婆群第一级)、皇子高殷(本年六岁)当皇太子。

六月十二日，高洋任命库狄干当太宰(上公)、彭乐当全国武装部队总司令(太尉)、潘相乐当宰相(司徒)、司马子如当最高监察长(司空)。

六月十三日，高洋任命清河王高岳当京畿总卫戍司令(司州牧)。

21 南梁帝国大丞相侯景，任命羊鸦仁当国务院国防部长(五兵尚书)。

六月二十二日，羊鸦仁逃出建康(江苏省南京市)，投奔江西(淮西地区)，打算前往江陵(湖北省江陵县)，走到东莞(侨郡)，强盗怀疑他身藏金银巨款，把他截住格杀。

22 西魏帝国打算命岳阳王萧詧(南梁雍州〔州政府襄阳〕州长)，为他的祖父萧衍，举行追悼典礼，并继承帝位。萧詧辞让，不肯接受。丞相宇文泰派荣权出使襄阳(湖北省襄阳市)，封萧詧当梁王，萧詧开始组织政府，设立文武百官。

23 南梁帝国明威将军陈霸先，修建崎头(江西省大余县东)古城，作为基地。

24 最初(五世纪三〇年代)，北燕帝国(首都和龙〔辽宁省朝阳市〕)末任帝(三任昭成帝)冯弘，投奔高句骊王国(首都平壤〔朝鲜半岛平壤市〕)时(参考四三六年五月)，派他的同族冯业，率三百人乘船从大海南下，投奔当时的南宋帝国，遂被安置在新会(广东省江门市)。自冯业到孙儿冯融，世代当罗州(州政府设石龙〔广东省化州市〕)州长(刺史)。冯融的儿子冯宝，当高凉郡（广东省阳江市）郡长。高凉冼姓家族（冼，同冼，音xiǎn〔显〕），世代是蛮夷酋长，部落十余万家，有个女儿，聪明智慧，谋略过人，而且精通军事，各山洞的蛮夷，对她的信义，都十分敬佩。冯融聘她当儿子冯宝的妻子。冯融名义上虽然几代都是地方政府高官，但除了随他南迁的家族外，其他人都不接受号令。冼女士既到冯家，对娘家冼姓家族，加以约束，使他们遵守普通人的礼节。经常跟冯宝共同处理民间诉讼，首领们一旦犯罪，即令是亲戚，也决不宽恕。因此，冯家才能开始推行政令。

高州（州政府高凉）州长（刺史）李迁仕，驻军大皋口（今地不详），派人征召冯宝，冯宝打算前去，冼女士劝阻说："州长（刺史）如果没有特别的事情，不应该召见郡长，李迁仕此举，一定有诈，恐怕是逼你一同谋反。"冯宝说："你怎么知道？"冼女士说："李迁仕接到要他率军勤王的命令，他说身上有病，不肯动身；却在大量制造兵器，和集结人马之后，要你前往，一定是把你当作人质，用来逼你出动军队。我建议暂时不要去，且看下一步有什么变化。"只几天，李迁仕果然叛变，派总带兵官（主帅）杜平虏率军进入赣滩（江西省赣州市至万安县间赣江险滩），在鱼梁（江西省万安县）筑城，压迫南康（江西省赣州市）。陈霸先命周文育攻击，冼女士对冯宝说："杜平虏是一员勇将，而今已进入赣江险滩，跟中央军对抗，局势不允许他马上回军，李迁仕在高州（州政府高凉），没有力量自卫，你如果亲自前去，一定发生冲突。如果派出使节，言辞恭敬卑微，呈献丰厚礼物，报告他说：'我不敢擅自出城，请准许我的妻子代替我进见。'他看到之后，一定高兴，不再戒备，我率勇士一千余人，担着杂货，对外宣称送钱赎罪，只要能到达他的栅栏前面，就一定可以攻破。"冯宝同意。李迁仕果然没有戒备，冼女士发动攻击，大败李迁仕军，李迁仕逃到宁都（江西省宁都县）。周文育也击退杜平虏，夺取鱼梁城（江西省万安县）。冼女士与陈霸先在赣滩会面，回去后，冼女士对冯宝说："陈司令官（都督）不是平常人，很得部众拥护，一定可以平定盗贼（指侯景），你应该多多帮助他。"

湘东王萧绎（荆州〔州政府江陵〕州长），任命陈霸先当豫州州长（空头官衔），兼豫章郡（江西省南昌市）郡长（内史）。

六月二十三日，湓口（江西省九江市〔寻阳东〕）驻军将领裴之横，攻击稽亭（九江市东〔湓城东〕）。江州（州政府设寻阳〔江西省九江市〕）将领徐嗣徽，把裴之横军击退。

25 秋季，七月三日，北齐帝高洋，封老哥高澄的正妻元女士当文襄皇后，住的地方改称静德宫；又封高澄的儿子高孝琬当河间王、高孝瑜当河南王。

七月七日，任命国务院总理（尚书令）封隆之主管政府机要（录尚书事）、国务院左执行长（尚书左仆射）平阳王高淹当国务院总理（尚书令）。

26 七月十三日，梁王（首府襄阳〔湖北省襄阳市〕）萧詧，前往西魏帝国首都长安（陕西省西安市）朝见。

27 最初，东魏政府（首都邺城）派仪同（宰相级）武威（甘肃省武威市）人牒云洛（牒云，复姓）等，迎接南梁帝国（首都建康）鄱阳王（萧范）世子萧嗣，命他驻守皖城（古皖城，安徽省潜山市）。萧嗣还没有出发，侯景的将领任约军，突然来到，牒云洛等撤退，萧嗣失去外援，出营应战，战败被杀。任约继续夺取土地，逼近湓城（江西省九江市〔寻阳东〕），寻阳王萧大心（江州〔州政府寻阳〕州长）派军政官（司马）韦质出营应战，失败；此时仍有战士一千余人，都劝萧大心退保建州（州政府设高平〔河南省商城县东〕。向北逃而不向南逃，为的是下一步可以投奔北齐帝国〔首都邺城〕），萧大心不能接受。

七月二十日，萧大心献出江州（州政府寻阳），向任约投降。之前，萧大心派太子宫图书管理官（太子洗马）韦臧，镇守建昌（江西省永修县），有武装部队五千人，听到寻阳（江西省九江市）沦陷消息，打算率领部众投奔江陵（湖北省江陵县），还没有动身，就被部下格杀。韦臧，是韦粲的儿子（青塘之役，韦粲阵亡，参考去年〔五四九〕正月）。

侯景部将于庆继续夺取土地，率军逼近豫章郡（江西省南昌市），郡长侯瑱抵抗不住，投降，于庆把侯瑱押送首都建康（江苏省南京市）。侯景因侯瑱跟自己同姓，优厚相待，把他的妻子儿女及老弟，留在建康（江苏省南京市）当人质，而派侯瑱跟随于庆，前往鄱阳湖以南继续夺取土地；任命侯瑱当湘州（州政府临湘）州长（空头官衔）。

最初，巴山郡（江西省崇仁县）人黄法氍（音qú〔渠〕），有膂力而又勇敢。侯景战乱发生，他集结部众，武装保卫乡里。巴山郡郡长贺诩有事到江州（州政府寻阳），命黄法氍代理职务。黄法氍驻军新淦（江西省樟树市），于庆自豫章（江西省南昌市）派一支军队袭击新淦，被黄法氍击败。陈霸先（时在南康郡〔江西省赣州市〕）命周文育进攻于庆，黄法氍率军与周文育会师。

邵陵王萧纶（时在郢州〔州政府夏口〕）听到任约率军就要来到，派军政官（司马）蒋思安率精锐部队五千人袭击，任约军溃散。蒋思安在胜利后不加戒备，任约集结残兵败将，再袭击蒋思安，蒋思安失败，逃走。

湘东王萧绎（荆州〔州政府江陵〕州长）改宜都郡（湖北省宜都市）为宜

州，任命王琳当州长（刺史）。

本月（七），南梁帝萧纲任命南郡王萧大连当江州（州政府寻阳）州长（刺史）。

28 西魏帝国丞相宇文泰，因高洋篡夺东魏帝国政权，集合各路大军，出动讨伐。命齐王元廓镇守陇右（陇山以西），征召秦州（州政府设上封〔甘肃省天水市〕）州长（刺史）宇文导当最高统帅（大将军）、二十三州军区司令长官（都督二十三州诸军事），驻军咸阳（陕西省泾阳县），镇守关中（陕西省中部）。

29 南梁帝国益州（州政府设成都〔四川省成都市〕）佛教和尚孙天英，率信徒数千人，夜晚攻击州城（成都，四川省成都市）；益州州长（刺史）武陵王萧纪迎战，斩孙天英。

邵陵王萧纶加紧制造整修铠甲武器，准备讨伐侯景。湘东王萧绎（荆州〔州政府江陵〕州长）听到消息，大不高兴（萧纶如果成功，萧绎篡夺帝位计划，便被搁置）。

八月十七日，萧绎派首都东区卫戍司令（左卫将军）王僧辩、信州（州政府设白帝城〔重庆市奉节县东〕）州长（刺史）鲍泉等，率水军一万人东下，进逼江州（州政府设寻阳〔江西省九江市〕）、郢州（州政府设夏口〔湖北省武汉市〕），声称迎击任约（侯景党），又声称迎接邵陵王萧纶返回江陵（湖北省江陵县），并任命萧纶当湘州（州政府设临湘〔湖南省长沙市〕）州长（刺史）。

30 北齐帝高洋刚刚登极，全神贯注治理国家，赵道德（扶持元善见上车那位）有事请托黎阳郡（河南省浚县）郡长、清河郡（山东省临清市）人房超，房超连信都不拆开，即用木棍把送信的人打死。高洋十分赞许，命郡长县长全都设置木棍，专门诛杀请托者的信差。很久之后，国务院法务部畿内巡察司长（都官郎中）宋轨奏称："仅只当信差，就受死刑，那些亲身犯法的人，又该如何加重处罚？"于是撤销。

京畿总卫戍司令部人事官（司都功曹）张老，上疏请制定北齐帝国法律。高洋命国务院右执行长（右仆射）薛琡等，参考东魏帝国的《麟趾条例》（参考五四一年七月），重新检讨增删。

高洋从六军中严格挑选勇敢强壮、一人可以抵挡一百人、保证战场之上，抱必死决心的武士，称"百保鲜卑"。又严格挑选汉人中骁勇绝伦的武士，称"勇士"，防御边疆。

北齐政府开始把人民户籍，分为九等（以贫富分上中下三等，每等又分上中下三级），规定富家出钱，贫家出力（户籍划分九等，是北魏帝国制度，参考四六九年二月）。

31 九月十日，西魏帝国东征大军自首都长安（陕西省西安市）出发（东征北齐帝国）。

32 南梁帝国首都东区卫戍司令（左卫将军）王僧辩，率军抵达鹦鹉洲（湖北省武汉市北长江中小岛）；郢州（州政府设夏口〔湖北省武汉市〕）军政官（司马）刘龙虎等，暗中把人质送给王僧辩，邵陵王萧纶得到消息，派儿子威正侯萧硕，率军攻击刘龙虎，刘龙虎失败，投奔王僧辩。萧纶写信斥责王僧辩说："将军前年诛杀人的侄儿（萧誉），今年又铲除人家的兄长（萧纶是萧绎的老哥），用这种手段争取荣华富贵，恐怕受天下唾弃。"王僧辩把信送给萧绎，萧绎下令攻击。

九月十四日，萧纶在西园（武汉市西）召集军事会议，流泪宣布说："我本来没有其他想法，一心只求消灭盗贼（侯景），湘东王（萧绎）一直认为我要跟他争夺帝位，遂出军攻击。而今，要守则粮食供应断绝，要战又怕千年之后受人耻笑。我不能无缘无故受他捆绑，姑且到下游躲避。"手下战士纷纷请求出战，萧纶不接受，跟萧硕自仓门（江夏郡城北门）登上船舰北行。王僧辩遂进入郢州（州政府夏口）。萧绎任命南平王萧恪（原郢州州长）当国务院总理（尚书令）、开府仪同三司（宰相级），世子萧方诸当郢州州长（刺史），王僧辩当中央禁军总监（领军将军）。

萧纶在中途和镇东将军裴之高（侯景党）相遇，裴之高的儿子裴畿，把萧纶军中武器，抢夺而去。萧纶跟左右侍从乘一艘轻快小艇，投奔武昌（湖北省鄂州市）涧饮寺，寺中和尚法馨把萧纶藏匿到岩穴下面。萧纶的秘书长（长史）韦质、军政官（司马）姜律等，听说萧纶仍活在人世，急往迎接，说服七大营的难民（难民群沿长江接连七个大营，自救自保），供应粮食武器。萧纶出面，驻军巴水（巴河，经湖北省黄冈市黄州区东注入长江），难民八九千人向他归附，萧纶逐渐招集残兵败将，进驻齐昌（此是北江州所辖之齐昌郡，今湖北省武汉市黄陂区北），派使节往北齐帝国（首都邺城），请求和解。北齐政府封萧纶当梁王。

湘东王萧绎，改封皇子萧大款当临川王、萧大成当桂阳王、萧大封当汝南王。

33 九月十六日，西魏帝国东征大军，抵达潼关（陕西省潼关县）。

34 九月二十三日，北齐帝高洋，前往晋阳（山西省太原市），命太子高殷，居住凉风堂，主持政府（监国）。

35 南梁帝国南郡王（萧大连）大营军事参议官（中兵参军）张彪等，在若邪山（浙江省绍兴市南）聚众起兵，攻破浙东（浙江〔钱塘江〕以东）各县，部众有数万人。吴郡（江苏省苏州市）人陆令公等，游说吴郡郡长、南海王萧大临投靠张彪，萧大临说："张彪如果成功，不需要我帮助；如果失败，会用我的性命，掩盖他的错误，不可以前往。"

中央禁军总监（领军将军）任约（侯景党）进攻西阳（湖北省黄冈市黄州区）、武昌（湖北省鄂州市）。最初，宁州（州政府设味县〔云南省曲靖市〕）州长（刺史）、彭城（江苏省徐州市）人徐文盛，募兵数万人讨伐侯景，湘东王萧绎任命他当秦州（侨州，州政府设南郑〔陕西省汉中市〕）州长（刺史），要他率军东下，在武昌（湖北省鄂州市）跟任约军相遇。萧绎任命庐陵王萧应当江州（州政府设寻阳〔江西省九江市〕）州长（刺史），命徐文盛当萧应的秘书长（长史）、江州总部执行官（行江州事），指挥各将领拒抗任约。萧应，是萧续的儿子（萧续是萧衍的儿子，参考五四七年正月）。梁王萧纶因北齐帝国（首都邺城）的援军还没有赶到，把大营撤退到马栅（湖北省黄冈市黄州区北），距西阳（黄冈市黄州区）八十华里。任约得到消息，派仪同（宰相级）叱罗子通等，率铁甲骑兵二百人奇袭，萧纶大营没有戒备，溃散，萧纶跨马逃走。当时，湘东王萧绎也跟北齐帝国和解，所以北齐军在一旁观望，并不帮助萧纶。定州（州政府设蒙笼城〔湖北省麻城市北〕）州长（刺史）田祖龙迎接萧纶，萧纶因田祖龙一向受萧绎的器重，恐怕被田祖龙扣留，于是，再回齐昌（湖北省武汉市黄陂区北）。走到汝南（侨郡，湖北省钟祥市北），西魏帝国（首都长安）任命的汝南城防司令（城主）李素，是萧纶从前的部属，开城收容萧纶。任约遂占领西阳（湖北省黄冈市黄州区）、武昌（湖北省鄂州市）。

镇东将军裴之高（侯景党）率子弟兵、私人军队一千余人，进抵夏首（汉水注入长江处），湘东王萧绎策动他反正，命他当新兴（侨郡，湖

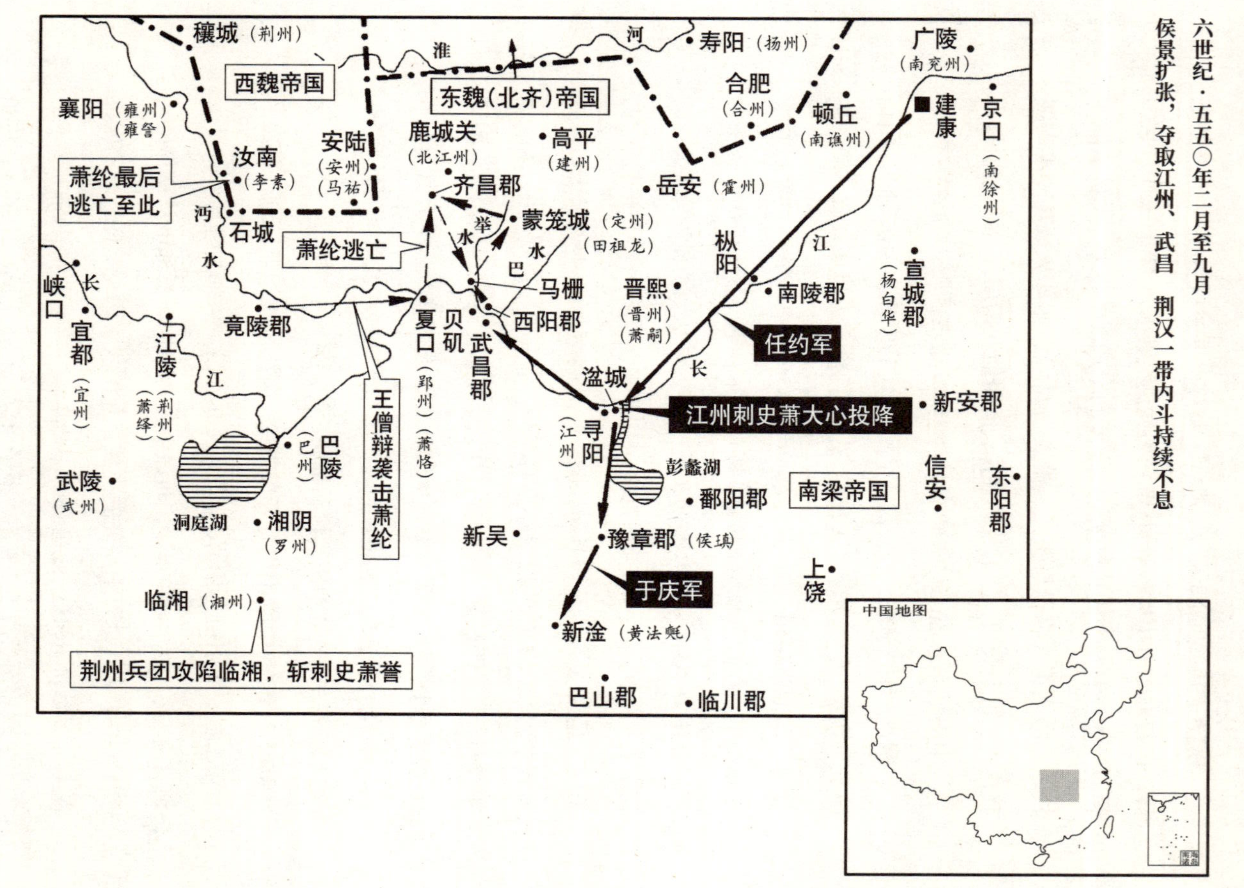

六世纪·五五〇年二月至九月
侯景扩张，夺取江州、武昌 荆汉一带内斗持续不息

北省荆州市)、永宁(侨郡,湖北省荆门市西北)二郡郡长。又命南平王萧恪当武州(州政府设武陵〔湖南省常德市〕)州长(刺史),镇守武陵。

最初,邵陵王萧纶,任命衡阳王萧献当齐州(州政府设齐昌〔非萧纶停留的齐昌,湖北省蕲春县〕)州长(刺史),镇守齐昌;中央禁军总监(领军将军)任约(侯景党)进击,把他生擒,送到建康(江苏省南京市),诛杀。萧献,是萧畅的孙儿(萧畅是萧衍的老弟,参考四九九年八月十三日)。

九月二十八日,南梁帝萧纲晋升大丞相侯景当相国,封汉王,采邑二十郡,加授特殊礼遇。

梁王萧詧返回襄阳(前往西魏帝国朝见归来)。

黎州(州政府设晋寿〔四川省广元市〕)变民攻击州长(刺史)张贲,张贲放弃州城逃走。变民引导氐部落酋长、北益州(州政府设白水〔四川省青川县东沙州镇〕)州长(刺史)杨法琛,进入黎州,命黎州王、贾两大家族,晋见武陵王萧纪(益州〔州政府成都〕州长),请求由杨法琛继任州长(黎州是萧纪所辖军区属州之一);萧纪拒绝,严厉责备杨法琛,并囚禁杨法琛送当人质的儿子杨崇颙、杨崇虎。

冬季,十月一日,杨法琛向西魏帝国(首都长安)投降。

36 十月三日,北齐帝高洋,抵达晋阳宫(在晋阳城〔山西省太原市〕西北)。广武王高长弼,跟并州(州政府晋阳)州长(刺史)段韶结有私怨,高洋将到晋阳时,高长弼对高洋说:“段韶在那里手握强兵,恐怕不能称心如意,怎么可以前往投靠!”高洋不理。既到晋阳,把高长弼的话告诉段韶,说:“像你这样的忠诚,别人还要挑拨离间,何况其他!”高长弼,是高永乐的老弟(高永乐谋害高敖曹〔参考五三八年八月〕,高长弼对段韶诬以谋反)。

十月九日,高洋任命特进(北齐帝国官制,“特进”及各“大夫”〔北魏帝国的“资政官”〕从特别荣誉，过渡为散官；而“开府仪同三司”的“开府”，属官人数比北魏时较少，而到了北齐末年，“开府”“仪同”的人数增多，地位逐渐低落〔参考五七五年二月〕，直至隋王朝时，不再设属官，“开府”完全成为官名，而没有开府之实）元韶当国务院左执行长（尚书左仆射）、段韶当国务院右执行长（右仆射）。

37 十月十九日，南梁帝国相国侯景，自称宇宙大将军、六合（天地四方）军区司令长官（都督六合诸军事），把诏书草稿呈送南梁帝萧纲过目，萧纲吃惊说：“将军怎么竟然有‘宇宙’称号！”

萧纲封皇子萧大钧当西阳王、萧大威当武宁王、萧大球当建安王、萧大昕当义安王、萧大挚当绥建王、萧大圜当乐梁王。

38 北齐帝国东徐州（州政府设下邳〔江苏省睢宁县北古邳镇〕）州长（刺史）、中央特遣政府总监（行台）辛术，镇守下邳（江苏省睢宁县北古邳镇）。

十一月，南梁帝国相国侯景，征调各地粮食，运往首都建康（江苏省南京市），辛术率军南渡淮河，切断粮道，纵火焚烧，烧毁谷米一百万石。乘胜进围阳平（侨郡，江苏省淮安市洪泽区）；南梁中央特遣政府总监（行台）郭元建（侯景党）率军增援。

十一月十六日，辛术裹挟居民三千余家，返回下邳。

39 南梁帝国武陵王萧纪（益州州长），率各军从成都（四川省成都市）出发，湘东王萧绎（荆州州长）大为震惊，派使节携带函件，前去阻止，说：“巴蜀（四川省）人民勇敢凶悍，容易冲动，很难安抚，需要老弟（萧纪是萧绎之弟）镇守，我才能消灭贼寇（侯景）！”又夹一张小纸条说：“地理形势，你我好像刘备和孙权，应各人满足各人的疆土；骨肉情深，你我又好像鲁国、卫国，音信长久相通。”

十一月十八日，南平王萧恪（武州〔州政府武陵〕州长），率文武官员，联名推举湘东王萧绎当相国，总管全国文武百官。萧绎不同意。

40 西魏帝国丞相宇文泰，在弘农（河南省三门峡市）兴建黄河大桥，北渡黄河，抵达建州（州政府设高都〔山西省晋城市〕）。

十一月二十日，北齐帝高洋，亲自率军出征，驻守东城（晋阳东城）。宇文泰听说高洋军容严整强大，叹息说："高欢不死！"正巧大雨连绵，自秋季直落到冬季，西魏军牲畜很多死亡，遂自蒲阪（山西省永济市）回军。于是，黄河南洛阳（河南省洛阳市东白马寺东）以东所有州郡、黄河北平阳（山西省临汾市）以东所有州郡（山西省南部），全部并入北齐帝国版图。

41 十一月二十一日，南梁帝国江州（州政府设寻阳〔江西省九江市〕）总部执行官（行江州事）徐文盛，驻军贝矶（湖北省黄冈市黄州区西长江南岸），中央禁军总监（领军将军）任约（侯景党）率水军逆流攻击，徐文盛大破任约军，斩叱罗子通、赵威方，前进到大举口（湖北省黄冈市黄州区西北，举水注入长江处），侯景派宰相（司徒）宋子仙等，率军二万人增援任约，因任约保守西阳（湖北省黄冈市黄州区），很久不能前进，侯景遂亲自出征，驻军晋熙（安徽省潜山市）。

南康王萧会理，认为首都建康（江苏省南京市）空虚，遂跟太子宫左卫将军柳敬礼、西乡侯萧劝、东乡侯萧勔，密谋发动政变，诛杀侯景的智囊王伟；安乐侯萧乂理，逃往长芦（江苏省南京市六合区南长江南岸），集结部众一千余人。建安侯萧贲、中宿侯（名不详）世子萧子邕（世系不详，属"子"字辈，疑是南齐帝国第三代皇族），知道这项密谋，告诉王伟，王伟逮捕萧会理、柳敬礼、萧劝、萧勔，以及萧会理的老弟祁阳侯萧通理，全部诛杀；萧乂理则被左右侍从诛杀。钱塘（浙江省杭州市）人褚冕，因是萧会理的老友，受到千百番苦刑拷打，始终不肯承认萧会理有发动政变的企图。萧会理在监狱中隔着墙壁对他说：“褚郎，你岂不是为了保护我才成这个样子？你虽然愿以一死为我表明，但我心里确想杀贼。”但褚冕始终不肯承认，侯景饶他一命。萧劝，是萧昞的儿子（萧昞，是萧衍的堂弟，参考五〇二年正月）。萧贲，是萧正德的侄儿（萧正德之死，参考去年〔五四九〕六月二十九日）。萧子邕，是萧憺的孙儿（萧憺，是萧衍的老弟，参考四九九年八月五日）。

南梁帝萧纲，自从登上宝座以来，侯景对他的防范，十分严厉，外面的人根本不准进宫晋见。只有武林侯萧谘、国务院执行长（仆射）王克、立法院立法官（舍人）殷不害，都因文弱之故，可以进到萧纲卧房，萧纲跟他们也不过不着边际的清谈而已（萧谘是萧衍老弟萧恢的儿子，参考五四一年十二月）。等到萧会理死，王克、殷不害恐怕大祸临头，主动的渐渐跟萧纲疏远。只萧谘不肯离开萧纲，朝见从不间断，侯景气愤异常，找到萧谘的仇人刁戌，命刁戌把萧谘刺死在广莫门（建康城〔都城〕北门）外。

萧纲登极时，侯景跟萧纲一起上重云殿（华林园中），在佛像前叩头起誓，说：“自今以后，君臣二人没有任何猜忌，臣固然不辜负君，君也不能辜负臣。”等萧会理密谋泄漏，侯景疑心萧纲知道这项行动，所以刺死萧谘。萧纲也预感到不久就轮到自己，指着自己所住的寝殿，对殷不害说：“庞涓（参考前三四一年）当死在下面（庞涓指的是谁？意义不明）。”

侯景亲自率军攻击杨白华据守的宣城（安徽省宣城市宣州区），杨白华兵力薄弱，无法抵抗，投降。侯景因他也是北方人，特别赦免（杨白华是北魏帝国名将杨大眼的儿子，仪态俊美，被那位后来被投入黄河的胡太后看上，强迫他上床，杨白华大为恐惧，投奔南梁帝国，胡太后对他思念不已，作《杨白花歌》："阳春二三月／杨柳齐开花／春风一夜入闺闱／杨花飘荡落谁家／含情出户脚无力／拾得杨花泪沾臆／秋去春来双燕子／愿衔杨花入窠里。"命宫女歌唱，音调凄婉），命他当国务院民政部长（左民尚书），而诛杀他的侄儿杨彬，为来亮报仇（杨白华斩来亮，参考去年〔五四九〕五月）。

十二月一日，侯景封建安侯萧贲当竟陵王，中宿侯（名不详）世子萧子邕当随王，并赏赐他们姓侯（酬庸他们告密的功劳）。

42 十二月二十六日，北齐帝高洋，自晋阳（山西省太原市）返首都邺城。

43 南梁帝国邵陵王萧纶，驻军汝南（侨郡，湖北省钟祥市北），修筑城池，集结兵力，打算收复被西魏帝国占领的安陆（湖北省安陆市）。西魏帝国安州（州政府安陆）州长（刺史）马祐报告丞相宇文泰，宇文泰派仪同三司（宰相级）杨忠，率一万人增援安陆。

武陵王萧纪（益州〔州政府成都〕州长）派潼州（州政府设涪城〔四川省绵阳市〕）州长（刺史）杨乾运、南梁州（州政府设阆中〔四川省阆中市〕）州长（刺史）谯淹，共率军二万人，讨伐北益州（州政府设白水〔四川省青川县东沙州镇〕）州长（刺史）杨法琛，杨法琛出兵封锁剑阁（四川省剑阁县北剑门关镇）拒抗。

相国侯景返建康（自晋熙〔安徽省潜山市〕回京）。

44 最初，北魏帝国十一任帝（孝庄帝）元子攸任命尔朱荣当柱国大将军（参考五二八年七月），官位在丞相之上；尔朱荣失败后，此官也告消失（事实上，早在四三一年九月，北魏帝国便任命长孙嵩出任柱国大将军，只不过那是偶尔出现的衔头，并非常设官）。五三七年，西魏帝国十六任帝（文帝）元宝炬，又命宇文泰担任（参考该年十月）。后来，凡建立大功，参与支持皇家政权，威望和实力都够分量的官员，也被授予这项官位，共有八人：安定公爵宇文泰、广陵王元欣、赵郡公爵李弼、陇西公爵李虎、河内公爵独孤信、南阳公爵赵贵、常山公爵于谨、彭城公爵侯莫陈崇，称“八柱国”。宇文泰开始利用人民的才力，创立“府兵”，列入“府兵”的士卒，所有租税差役，一切免除。只在农耕闲暇之时（如冬季），接受军事训练，战马、牲畜、粮草、装备，由其他非“府兵”的六家供应。全国共一百“府”，每府设一司令（郎将）主持，分别隶属二十四个“军”（西魏原设六军，参考五四二年三月；如今增至二十四军）。宇文泰总管文武百官，指挥全国武装部队。元欣因是皇家元老，德高望重，只挂虚名，出入宫廷，悠闲度日（元欣，是元羽的儿子，参考五二八年五月。元羽是七任孝文帝元宏的老弟，元欣是现任西魏帝元宝炬的堂叔）；其他六人，各率两个大将军，共十二大将军（广平王元赞、临淮王元育、齐王元廓、章武公爵宇文导，平原公爵侯莫陈顺、高阳公爵达奚武、阳平公爵李远、范阳公爵豆卢宁、化政公爵宇文贵、博陵公爵贺兰祥、陈留公爵杨忠、武威公爵王雄）；每个大将军各辖“开府”（开府仪同三司）二人，每“开府”各辖一军。以后，功臣官位升到柱国大将军、开府仪同三司、仪同三司的很多，不过全是闲官，没有实权，也没有部属，虽然也有兼管其他差事的，但威望名声都在其他爵位之下（中国兵制，至宇文泰而有巨大改变，“府兵”制度即兵农合一制度，士卒每年接受二十日军事训练，有闰月之年则多五日；其他日子在家务农。国家无事，只负责轮调前往京师担任警卫；国家有事，则出征作战，粮食、铠甲、马匹、薪俸，都自己负担。另行建立勋官系统：一级“柱国大将军”，二级“大将军”，三级“开府仪同三司”，四级“仪同三司”，五级“大都督”，六级“帅都督”，七级“都督”。到了五五四年正月，宇文泰又制定“九命”官阶表，“柱国”“大将军”，均为最高阶“正九命”〔即以前的正一品〕。五七五年，又在柱国大将军之上，增设“上柱国”，又加设“上大将军”“上开府仪同大将军”“上仪同大将军”。“大将军”不过是“将军”之一，已非最高统帅；而“开府仪同三司”又分四级，更为精细）。

45 北齐帝高洋，命顾问院（集书省）高级事务顾问宫（散骑侍郎）宋景业，制定《天保历》，颁布全国施行（取代《兴光历》，参考五三九年十一月。《隋书·律历志》：当时，高洋命宋景业配合神秘预言书〔图谶〕，制定《天保历》，宋景业上疏说：“依照《握诚图》及《元命包》〔参考一三四年五月〕，说明帝国〔北齐帝国〕开国之日，正当魏国〔北魏帝国〕世代终了之期，‘得乘三十五以为蔀，应六百七十六以为章。’〔二句不懂。〕”高洋大为高兴，下诏施行）。

五五一年 辛未

南梁 大宝 二年
天正 元年
北齐 天保 二年
西魏 大统 十七年
（汉帝侯景太始元年）

1 春季，正月，南梁帝国（首都建康〔江苏省南京市〕）新吴（江西省奉新县）变民首领余孝顷，聚众起兵，反抗相国侯景。侯景派开府仪同三司（宰相级）于庆进攻，不能攻克。

正月五日，湘东王萧绎（荆州〔州政府江陵〕州长），派中央军事总监（护军将军）尹悦、安东将军杜幼安、巴州（州政府设巴陵〔湖南省岳阳市〕）州长（刺史）王珣，率军二万人，自江夏（夏口，湖北省武汉市）东下攻击武昌（湖北省鄂州市）；受江州（州政府设寻阳〔江西省九江市〕）总部执行官（行江州事）徐文盛指挥。

潼州（州政府设涪城〔四川省绵阳市〕）州长（刺史）杨乾运，攻克剑阁（四川省剑阁县北剑门关镇，杨乾运出军事，参考去年〔五五〇〕十二月）。守军北益州（州政府设白水〔四川省青川县东沙州镇〕）州长（刺史）杨法琛，撤退到石门（四川省广元市西北）；杨乾运进据南阴平（四川省剑阁县西北三十公里）。

2 正月六日，北齐帝国（首都邺城〔河北省临漳县西南邺城镇〕）皇帝（一任文宣帝）高洋（本年二十三岁），登圆形神坛，祭祀天神。

3 南梁帝国南郡王（萧大连）大营军事参议官（中兵参军）张彪，派部将赵稜包围钱塘（浙江省杭州市），孙凤包围富春（富阳，浙江省杭州市富阳区）。相国侯景派仪同三司（宰相级）田迁、赵伯超增援，赵稜、孙凤战败，逃走。赵稜，是赵伯超的侄儿。

4 正月十八日，北齐帝高洋，主持亲自耕田典礼。

正月二十日，祭祀皇家祖庙。

5 西魏帝国（首都长安〔陕西省西安市〕）仪同三司（宰相级）杨忠，包围汝南（侨郡，湖北省钟祥市北。参考去年〔五五〇〕十二月），城防司令（城主）李素阵亡。

二月一日，汝南陷落，杨忠生擒南梁帝国邵陵王（携王）萧纶，斩首（年龄不详。《梁书·萧纶传》说年三十三岁，但萧纶于五一四年封王〔参考该年七月〕，距本年已三十七年。《梁书》明显有误），把尸首抛到汉水河边。梁王（首府襄阳〔湖北省襄阳市〕）萧詧派人收殓埋葬。

六世纪·五四九年十一月至五五一年二月
萧纶辗转流落江汉一带

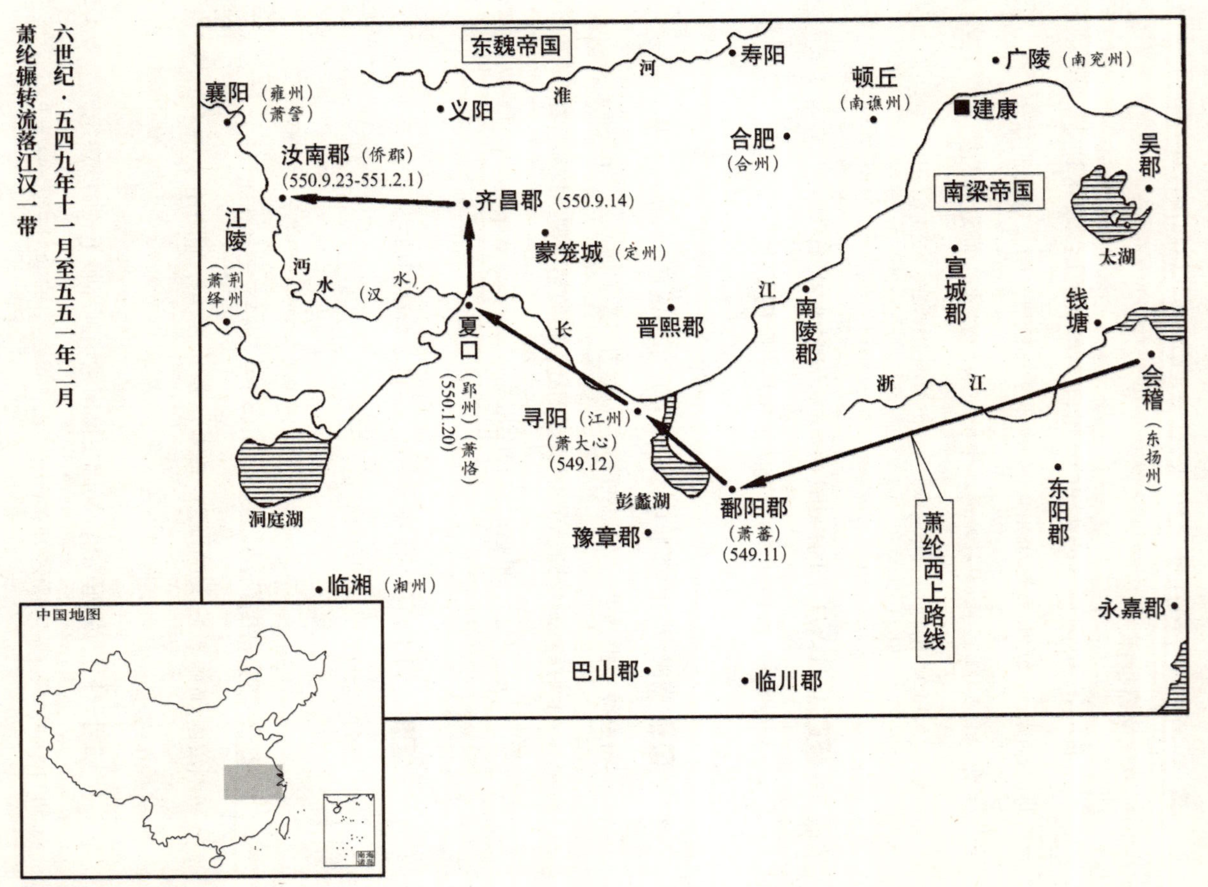

六世纪·五五〇年九月至五五一年二月

杨乾运平定蜀北之叛

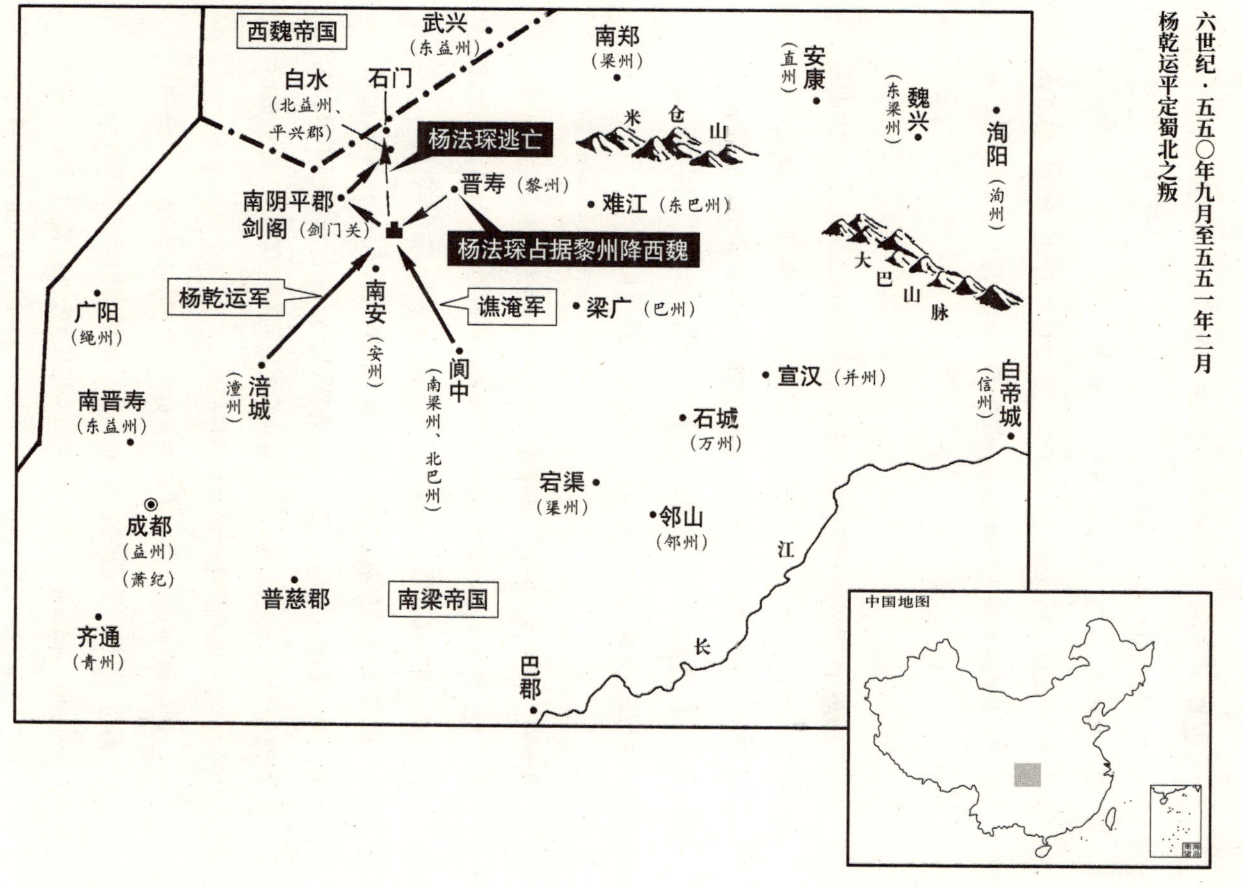

6 北齐帝国有人检举全国武装部队总司令（太尉）彭乐叛变。

二月十八日，彭乐遂被诛杀（这是“有人型”的诬以谋反；事实上邙山之役，彭乐放走宇文泰，便已注定要死；参考五四三年三月）。

北齐政府派总顾问长（散骑常侍）曹文皎，出使江陵（湖北省江陵县）；南梁帝国湘东王萧绎（荆州〔州政府江陵〕州长），派兼任总顾问长（兼散骑常侍）王子敏报聘。

7 南梁帝国相国侯景，任命王克当太师（上三公之一，代替南朝的“太宰”官称。“太宰”“太师”的分别，参考三一四年正月）、宋子仙当太保（上三公之三）、元罗当太傅（上三公之二）、郭元建当全国武装部队总司令（太尉）、张化仁当宰相（司徒）、任约当最高监察长（司空）、王伟当国务院左执行长（尚书左仆射）、索超世当国务院右执行长（尚书右仆射）。侯景设立三公官位，人数动辄以十为单位计算，而仪同（宰相级）更多。宋子仙、郭元建、张化仁是保驾功臣；元功、王伟、索超世是智囊；于子悦、彭隽负责军法；陈庆、吕季略、卢晖略、丁和等，负责情报治安。南梁帝国官员被侯景任命的有：已离职的将军赵伯超、前任皇家制造事务总监（制局监）周石珍、宦官严亶、邵陵王（萧纶）记录官（记室）伏知命。其他，如王克、元罗和总监督长（侍中）殷不害、祭祀部长（太常）周弘正等，侯景因他们在民间有很高声望，才把他们安置在尊贵的高位上，并没有当作心腹。

北兖州（州政府设淮阴〔江苏省淮安市淮阴区〕）州长（空头官衔。此时淮阴属北齐）萧邕，打算投降西魏帝国（首都长安），侯景把他诛杀。

潼州（州政府设涪城〔四川省绵阳市〕）州长（刺史）杨乾运，攻克平兴（白水，四川省青州县东沙州镇）；平兴（白水），是杨法琛的北益州州政府所在。杨法琛撤退到鱼石洞（四川省广元市西北），杨乾运，放火焚烧平兴城，班师。

高州（州政府设高凉〔广东省阳江市〕）州长（刺史）李迁仕（侯景党）集结残兵败将（李迁仕被冼女士击败，参考去年〔五五〇〕六月），回军攻击南康（江西省赣州市）。豫州州长（空头官衔）陈霸先派部将杜僧明等抵抗，生擒李迁仕，斩首。湘东王萧绎命陈霸先进军攻击江州（州政府设寻阳〔江西省九江市〕），并任命陈霸先当江州州长（刺史）。

8 三月二日，北齐帝国襄城王高淯（北齐帝高洋老弟）逝世。

9 三月六日，西魏帝（〔西〕十八任文帝）元宝炬逝世（年四十五岁），太子元钦（年龄不详，娘亲乙弗皇后）继位（〔西〕十七任废帝）。

10 三月十一日，南梁帝国江州总部执行官（行江州事）徐文盛等，攻克武昌（湖北省鄂州市），进军芦洲（鄂州市西十公里。前五二二年，伍子胥投奔吴王国，在长江北岸徘徊，寻找渡船，遇到渔夫唱歌："日月昭昭／已经下沉／与你约定／苇草之滨。"伍子胥会意，沿江而走，抵达芦洲等待，既渡长江，伍子胥解下佩剑作为酬劳，渔夫拒不接受，并翻船而死。据说就是此芦洲）。

11 三月十五日，北齐帝国任命湘东王萧绎当南梁帝国相国，重组南梁政府，总管文武百官，行使皇帝职权（承制）。

北齐政府最高监察长（司空）司马子如，自己请封王爵。北齐帝高洋大怒。

三月十六日（原文"庚子"，据《北齐书》改），免除司马子如官职。

12 南梁帝国最高监察长（司空）任约（侯景党），要求紧急增援

（任约贝矶战败，参考去年〔五五〇〕十一月二十一日），相国侯景亲率大军西上，携带太子萧大器同行，当作人质，命智囊王伟留守首都建康（江苏省南京市）。

闰三月，侯景从建康（江苏省南京市）出发，自石头（建康城西北）到新林（江苏省南京市江宁区西），船舰相接。任约分出一支军队，击破定州（州政府设蒙笼城〔湖北省麻城市东〕）州长（刺史）田祖龙驻守的齐安（湖北省武汉市黄陂区北）。

闰三月二十九日，侯景大军抵达西阳（湖北省黄冈市黄州区），跟徐文盛隔长江筑城。

闰三月三十日，徐文盛发动攻击，大破侯景军，射中侯景的右秘书长（右丞）库狄式和，库狄式和落水淹死；侯景逃回大营。

13 夏季，四月一日，西魏帝国把前任皇帝（〔西〕十六任文帝）元宝炬，安葬永陵（陕西省富平县东南）。

14 南梁帝国郢州（州政府设夏口〔湖北省武汉市〕）州长（刺史）萧方诸（萧绎的儿子），年十五岁；因总部执行官（行事）鲍泉性情温和懦弱，对鲍泉时常侮辱玩弄，甚至教鲍泉趴到床上，萧方诸跨到他背上当马骑。鲍泉仗恃徐文盛大军就在附近，不再戒备，每天饮酒赌博取乐。相国侯景得到江夏（夏口）防务空虚报告。

四月二日，命太保（上三公之三）宋子仙、最高监察长（司空）任约，率精锐骑兵四百人，由淮内（今地不详）暗渡长江，向上游的郢州（州政府夏口）发动奇袭。

四月三日，气候忽变，狂风暴雨，天色灰暗，城上哨兵发现有军队奔驰而来，急行报告鲍泉："蛮虏（侯景军）骑兵已到！"鲍泉说：

“徐文盛大军就在下游，盗贼怎么可能出现！一定是王珣的部队回城。”霎时间，告警的人越来越多，鲍泉才下令关闭城门，可是，宋子仙等已经进城。萧方诸正坐在鲍泉肚子上，用五色彩带把他的胡子结成小辫，看见宋子仙闯进来，萧方诸急忙叩头，鲍泉魂飞魄散，爬到床下躲藏。宋子仙弯腰察看，看见鲍泉胡子上的彩带，吃了一惊，遂把鲍泉生擒，连同军政官（司马）虞豫，解送给侯景。侯景乘着东风，命舰队在江心集合，升起满帆，越过徐文盛大营，逆流而上。

四月四日，侯景进入江夏（夏口，湖北省武汉市）。徐文盛部队被隔断在敌人之后，军心恐慌，霎时溃散，徐文盛跟长沙王萧韶等，逃回江陵（湖北省江陵县）。王珣、杜幼安，因家在江夏（夏口），投降侯景。

湘东王萧绎任命王僧辩当总司令官（大都督），率巴州（州政府设巴陵〔湖南省岳阳市〕）州长（刺史）丹阳郡（首都建康）人淳于量、定州（南定州，州政府设郁林〔广西桂平市〕）州长（刺史）杜龛、宜州（州政府设宜都〔湖北省宜都市〕）州长（刺史）王琳、郴州（州政府设郴县〔湖南省郴州市〕）州长（刺史）裴之横，东下攻击侯景；徐文盛以下将领，一律接受指挥。

四月五日，王僧辩等大军抵达巴陵（湖南省岳阳市），听到郢州（州政府夏口）陷落消息，就在原地布防，不再前进。萧绎写信给王僧辩说：“盗贼（侯景军）既然战胜，一定乘胜西上，你不需要远远出击，只要守住巴丘（即巴陵），以逸待劳，不愁不能胜利。”又对部属说：“盗贼（侯景军）如果水陆两道，同时并进，直接攻击江陵，是上等策略。固守夏首（夏口，湖北省武汉市），储备粮食，招募兵马，是中等策略。全力进攻巴陵（岳阳市），是下等策略。巴陵城小而工程坚固，王僧辩有充分的能力守城。侯景攻城不能攻破，村落郊野，又抢不到东西，天气渐热，传染病将随着时令兴起，粮食吃完，士卒疲惫，

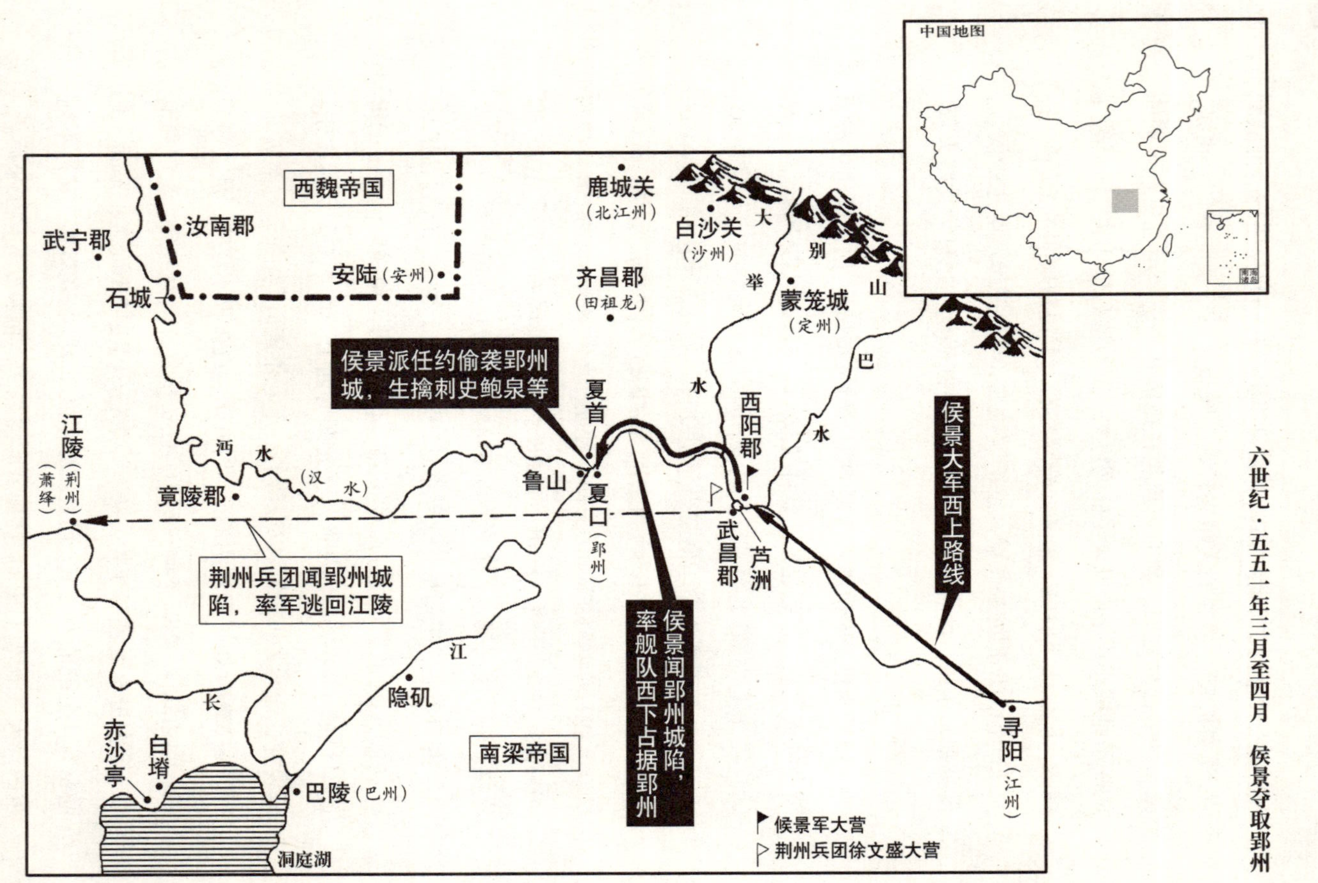

六世纪・五五一年三月至四月　侯景夺取郢州

就非破败不可。”（胡三省注：“萧绎岂能对敌人如此正确的预料，是写史的人事后替他说话。”）乃命罗州（州政府设湘阴〔湖南省湘阴县北〕）州长（刺史）徐嗣徽从岳阳（郡政府同设湘阴）出发，武州（州政府设武陵〔湖南省常德市〕）州长（刺史）杜崱从武陵出发，各率军与王僧辩会师。

相国侯景派部将丁和，率军五千人，驻守夏首（夏口，湖北省武汉市），太保（上三公之三）宋子仙率军一万人当前锋，向巴陵（湖南省岳阳市）进发，又派最高监察长（司空）任约，直扑江陵（湖北省江陵县），侯景亲率西征主力、水陆联合兵团，在后紧随。萧绎所辖长江两岸的军事据点和巡逻船舰，望风投降，侯景的搜索舰艇，直到隐矶（湖南省临湘市东北）。王僧辩登城固守，撤除军旗，不擂战鼓，气氛安静，巴陵（湖南省岳阳市）城中，好像没有人迹。

四月十九日，侯景兵团在隐矶登陆，派轻装备骑兵到巴陵城下，仰头问：“守城的是谁？”城上士卒答：“王僧辩将军。”骑兵又问：“为什么不早早投降？”王僧辩说：“你们只管前往荆州（州政府江陵），这座城并不碍事。”骑兵拨马而去。一会工夫，带着王珣等到城下，命他游说老弟王琳投降，王琳说：“老哥奉命讨伐盗贼（侯景军），不能为国家牺牲生命，不知道难为情，怎么反而来诱骗我！”取过弓来，向他发箭，王珣惭愧退走。

侯景水陆联合兵团用肉体相搏，全面攻城，城中守军呐喊反击，飞箭流石，密如雨下，侯景士卒阵亡的很多，不能攻克，撤退。王僧辩派轻装备骑兵出战，前后十余次，每次都取得胜利。侯景身披铠甲，在城下督战，王僧辩身穿宽袍大袖，坐着小轿，仪队奏着音乐，登上城墙巡视。侯景望见，佩服他的胆量勇气。

梁王（首府襄阳）萧詧听到侯景攻陷郢州（州政府夏口）消息，命总部秘书长（长史）蔡大宝率军一万人，占领武宁郡（湖北省荆门市北），派使节到江陵，声称增援。江陵官员打算回答：侯景已被击败，教他撤退。湘东王萧绎说："教他撤退，反而是教他速攻！"派使节告诉蔡大宝说："岳阳王（萧詧）不断请求和解，约定互不侵犯，你怎么忽然占领武宁郡（湖北省荆门市北）？现在就派天门郡（湖南省石门县）郡长胡僧祐，率精锐步兵二万人、铁骑五千人，驻守澺水（建阳河，源于湖北省荆门市北，注入长江），等待时日进军。"萧詧得到报告，命蔡大宝班师。胡僧祐，是南阳郡（河南省南阳市）人。

15 五月，西魏帝国陇西公爵（襄公）李虎逝世。

16 南梁帝国相国侯景，昼夜不停攻击巴陵（湖南省岳阳市），不能攻克，而军中粮食吃完，瘟疫传染病流行，士卒死伤过半。湘东王萧绎派晋州（州政府设晋熙〔安徽省潜山市〕）州长（刺史）萧惠正率军增援巴陵。萧惠正承认自己没有统军能力，推荐胡僧祐代替。胡僧祐当时正因在军事会议上不同意萧绎的意见，而被逮捕入狱（《梁书·胡僧祐传》：当时西沮蛮夷反抗政府，萧绎派胡僧祐讨伐，命把西沮蛮夷所有领袖人物，全部诛杀，胡僧祐劝阻，萧绎大怒，逮捕胡僧祐下狱），萧绎即命胡僧祐出狱当武猛将军，前往增援，警告他说："盗贼（侯景军）如果在水上决胜负，你只要用大型战舰横冲直撞，一定可以取胜。如果在陆上决胜负，你不要理会，只管一直航向巴陵，不必交兵。"胡僧祐进抵湘浦（湘水注入洞庭湖处，湖南省湘阴县北），侯景派最高监察长（司空）任约，率精锐士卒五千人，在白塉（应在湖南省华容县境）严阵以待。胡僧祐避开白塉，绕道西上，任约认为胡僧祐畏惧自己，急行军追击，追到芊口（今地不详），向胡僧祐高呼："东吴娃儿，为什么还不投降，往哪里逃！"胡僧祐不理，但暗中把舰队驶到赤沙亭（湖南省南县）；正巧，信州（州政府设白帝城〔重庆市奉节县东〕）州长（刺史）陆法和抵达，两军相会。陆法和有奇异法术，在江陵百里洲（湖北省枝江市南长江中小岛）隐居，衣着饮食，以及住的地方，都十分简单，好像一个苦行僧，有时候说出预言，判断吉凶，多数都很灵验，人们对他感到十分神秘。侯景包围宫城（台城）时，有人问他："事情如何？"陆法和说："人们摘取果实，应该等它成熟，不碰它它自己会落。"强迫他具体回答，陆法和说："攻克，也攻不克。"等任约西上进攻江陵（萧绎根据地，湖北省江陵县），陆法和请求从军迎战，萧绎允许。

五月三十日，任约追到赤亭（以上各地：湘浦、白塔、芊口，今地均不详。查各书注解，地望至为混乱）。

六月二日，胡僧祐、陆法和大举反击，任约军崩溃，被杀或被淹死的很多，任约被生擒，押送江陵（湖北省江陵县）。

侯景得到消息。六月三日，侯景焚烧营寨，连夜逃走；行前任命丁和当郢州（州政府设夏口〔湖北省武汉市〕）州长（刺史），协助太保（上三公之三）宋子仙等，部众号称二万人，防守州城；另派别动部队将领支化仁，镇守鲁山（湖北省武汉市汉水南岸）；范希荣当江州（州政府设寻阳〔江西省九江市〕）总部执行官（行江州事），仪同三司（宰相级）任延和，协助晋州（州政府设晋熙〔安徽省潜山市〕）州长（刺史）夏侯威生（以上都是侯景党），固守晋州。侯景则率直属部队数千人，顺长江而下。丁和用大石碓捣死鲍泉及鲍泉的军政官（司马）虞豫，把尸体投到黄鹤矶（湖北省武汉市长江东岸）长江中。任约被押解到江陵，萧绎赦他一命。徐文盛被控说气话、发牢骚，逮捕下狱处死（万恶匪徒的任约无事，百战立功的徐文盛，只因几句抱怨，便被诛杀，只有昏暴人物，才有这种"说不准学"的行为）。巴州（州政府设巴陵〔湖南省岳阳市〕）州长（刺史）余孝顷，派侄儿余僧重，率军增援鄱阳（江西省鄱阳县），中央特遣政府总监（行台）于庆（侯景党）退走。

萧绎擢升王僧辩当征东将军、国务院总理（尚书令）；胡僧祐等都有晋升，命他们率军继续东下。只陆法和要求返回江陵（湖北省江陵县）；既到江陵，对萧绎说："侯景早晚会被削平，但巴蜀（四川省）盗贼（指武陵王萧纪）就要前来，请加强各重要据点的防卫，严阵以待。"遂率军驻防峡口（西陵峡口，湖北省宜昌市西）。

六月十八日，王僧辩抵达汉口（汉水注入长江处，湖北省武汉市），先攻鲁山（湖北省武汉市汉水南岸），生擒支化仁，押送江陵。

六月十九日，开始进攻郢州（州政府设夏口〔湖北省武汉市〕），攻克外城，杀数千人。宋子仙退守内城。王僧辩在四面筑起土山，继续攻城。

豫州州长（空头官衔）荀朗，自巢湖出发，攻击濡须（东关，安徽省含山县西南），阻截侯景归路，击破侯景的后卫部队。（《陈书·荀朗传》："荀朗在巢湖聚众起兵，二任帝萧纲密诏任命他当豫州州长，讨伐侯景。"）侯景逃回建康（江苏省南京市），舰队船舶前后不能相接。太子萧大器座舰进入枞阳浦（枞阳河注入长江处，安徽省枞阳县），舰上心腹都劝他乘此机会，逃往北齐帝国（首都邺城），萧大器说："自从国家发生战乱，立志不苟且偷生，主上（老爹萧纲）被盗匪控制，我怎么忍心远离左右！我今天要是北走，就是背叛父亲，而不是逃离盗匪（侯景）！"悲哀哭泣，命继续前进。

六月二十二日，固守郢州（州政府夏口）的太保（上三公之三）宋子仙等，困窘交集，向王僧辩请求：他愿献出城池，但准他全军撤退，返回建康（江苏省南京市）。王僧辩满口答应，下令交付给他一百艘空船，使他安心。宋子仙相信王僧辩的承诺，全军整装，就要上船，王僧辩利用宋子仙戒备松懈，命部将杜龛率精锐敢死队一千人，攀上城墙，鼓声雷动，呐喊震天，肉搏攻击；舰队带兵官（水军主）宋遥，率船舰涌到，好像浓云四合，布满江面。宋子仙一面抵抗，一面撤退，退到白杨浦（应距夏口〔湖北省武汉市〕不远），王僧辩大破宋子仙军。周铁虎生擒宋子仙及丁和，押送江陵，诛杀。

17 六月二十八日，北齐帝高洋，因司马子如是老爹高欢的老友，恢复他的官位，仍当全国武装部队总司令（太尉）。

18 南梁帝国江安侯萧圆正（武陵王萧纪的儿子），当西阳郡（湖北省黄冈市黄州区）郡长，性情宽厚，喜爱帮助别人，归附他的人很多，军队有一万人。湘东王萧绎打算除掉他，任命他当平南将军。萧圆正前往江陵（湖北省江陵县）叩谢，萧绎不见，而命南平王萧恪招待他饮酒，灌醉之后，囚禁湘东王府；萧绎瓜分他的部众，又使人检举他犯罪。荆州（萧绎）、益州（萧纪）的仇恨，从此一发不可收拾。

江州州长（空头官衔）陈霸先，率军自南康（江西省赣州市）出发北上，赣石旧有二十四滩，正巧，赣水猛涨，水面高达数丈，三百华里间，巨大的石头，全被淹没，陈霸先军得以迅速抵达西昌（江西省泰和县）。

19 铁勒部落（蒙古国北部）将要攻击柔然汗国（瀚海沙漠群），突厥部落（新疆东北部）酋长阿史那土门（阿史那，三字姓），拦腰截击，大破铁勒部落军，接受铁勒部落五万余篷帐投降。阿史那土门仗恃自己强大，向柔然汗国求婚。柔然可汗（十四任敕连头兵豆伐可汗）郁久闾阿那瓌，暴跳如雷，派使节前往诟骂说：“你，不过是我家铁工，怎么敢说这种话！”阿史那土门大怒，诛杀使节，跟柔然汗国断绝关系，转向西魏帝国（首都长安）求婚。西魏丞相宇文泰送长乐公主下嫁（从这件事上，说明郁久闾阿那瓌患有三十岁年纪痴呆症）。

20 秋季，七月四日，南梁帝国湘东王萧绎，命长沙王萧韶，当郢州（州政府设夏口〔湖北省武汉市〕）总部执行官（监郢州事）。

七月十六日，相国侯景返抵首都建康（江苏省南京市）；中央特遣政府总监（行台）于庆（侯景党），自鄱阳（江西省鄱阳县）进抵豫章（江西省南昌市），湘州州长（刺史）侯瑱关闭城门，拒绝于庆入城；于庆退回江州（州政府设寻阳〔江西省九江市〕），驻守郭默城（晋帝国将领郭默所筑，参考三二九年十二月。城在今湖北省黄梅县南）。萧绎任命侯瑱当兖州州长（空头官衔）。侯景逮捕侯瑱所有儿子及老弟，全部诛杀（侯景留侯瑱子弟当人质事，参考去年〔五五〇〕七月）。

七月三十日，征东将军王僧辩，乘胜东下，攻克湓城（江西省九江市〔寻阳东〕），陈霸先率军三万人，打算前进会师，驻守巴丘（江西省峡江县）。王僧辩军粮缺乏，陈霸先军粮丰富，多达五十万石，分赠三十万石给王僧辩。

八月一日，王僧辩军前锋袭击于庆，于庆放弃郭默城（湖北省黄梅县南）逃走，江州（州政府寻阳）总部执行官（行江州事）范希荣（侯景党）也放弃寻阳（江西省九江市）逃走。晋熙郡（安徽省潜山市）人王僧振等，聚众起兵，包围郡城，王僧辩派沙州（州政府设白沙关〔河南省新县南〕）州长（刺史）丁道贵增援，守将仪同三司（宰相级）任延和（侯景党）等，也放弃郡城逃走。湘东王萧绎命王僧辩暂时驻军寻阳，等待各地人马集结。

最初，侯景攻克建康（江苏省南京市），常说：东吴（长江以南）娃儿胆小如鼠，容易对付，要在夺取中原之后，登极称帝。侯景娶二任帝萧纲的女儿溧阳公主（参考去年〔五五〇〕二月），爱她入骨，以致妨碍军政大事。智囊王伟屡次规劝，侯景都告诉溧阳公主，溧阳公主诟骂王伟。王伟恐怕被谗言陷害，因之一直游说侯景除掉萧纲。等到侯景从巴陵（湖南省岳阳市）战败回京（首都建康），很多英勇的将领死亡（指宋子仙、丁和，以及被生擒的任约等），害怕自己不能长久维持，打算早登宝座（过过当皇帝的瘾）。王伟说："自古迄今，改朝换代，必须罢黜旧君王，拥立新君王，既展示自己的声威权力，又断绝人民对旧君王的向心力。"侯景同意。于是，命前任寿光殿研究官（学士）谢炅，替萧纲撰写诏书，宣称："老弟和侄儿争夺帝位（老弟：湘东王萧绎，侄儿：岳阳王萧詧），星辰运转，失去秩序，都由于我不是正统，所以招来战乱和灾祸（依宗法制度，萧纲是庶子，不能当太子；参考五三一年五月），现在，我应该禅让给豫章王萧栋。"派吕季略把诏书草稿送进去，强迫萧纲照抄。萧栋，是萧欢的儿子（华容公爵萧欢，是昭明太子萧统的长子，参考五三一年五月）。

八月十七日，侯景派皇城保安司令（卫尉卿）彭隽等，率军进入金銮宝殿，罢黜萧纲，降封晋安王，囚禁永福省（在皇宫内院），把宫内宫外皇家侍卫，全部撤除，改派骑兵突击队防守，墙头插满荆棘。

八月十九日，萧纲下诏迎接豫章王萧栋。萧栋早被软禁，饮食清淡，靠蔬菜度日。当时，萧栋跟他的正妻张女士，正在菜园里锄草，皇帝专用的仪仗法驾，突然临门，萧栋大为惊骇，不知道怎么反应，在流泪哭泣中登上辇车。

侯景诛杀太子（哀太子）萧大器、寻阳王萧大心、西阳王萧大钧、建平王萧大球、义安王萧大昕，以及其他滞留在建康（江苏省南京市）的王爵侯爵二十余人。萧大器聪明端庄，对侯景党从不屈服，亲信们私下询问原因，萧大器说："盗贼（侯景）如果仍维持领导中心，就不一定杀我，我就是态度傲慢，对他吆喝，他也不会反驳。如果他已决定动手，我纵然每天叩拜一百次，也不能挽救。”亲信又问：“殿下今天身居险境，而神色平静，不亚于过去，为什么？”萧大器说：“我自己预料，一定在盗贼（侯景）死前先死，如果各位叔父能够消灭盗贼（侯景），盗贼一定先动手，然后再死；如果各位叔父勤王失败，盗贼也会杀我，夺取荣华富贵。我怎么会用一定死的性命，去应付没有益处的烦愁！”等被杀时，萧大器脸色不变，慢慢说：“早就知道会有这种事，可惜来得太晚！”刽子手准备用衣带把他绞死，萧大器说：“这绞不死！”命他摘下床帐绳索，一绞即行气绝（年二十八岁）。

八月二十一日，萧栋（年龄不详）登极（三任帝），大赦，改年号天正（之前是大宝二年，之后是天正元年）。全国武装部队总司令（太尉）郭元建得到消息，从秦郡（江苏省南京市六合区）飞奔回京（首都建康），对侯景说：“主上（萧纲）是先帝（萧衍）的太子，又没有过失，怎么可以罢黜！”侯景说：“是王伟劝我：‘早日铲除人民的盼望。’我才听他的，使天下安定！”郭元建说：“我们挟持天子（萧纲），命令全国，还怕不能成功，无缘无故把他（萧纲）赶下宝座，是自己为自己制造危机，哪里来的安定！”侯景打算再迎接萧纲复位，而命萧栋当皇太孙，王伟说：“罢黜旧君，另立新王，是一件大事，怎么可以改来改去。”侯景才停止。

八月二十四日，侯景分别派人到吴郡（江苏省苏州市）诛杀南海王萧大临（吴郡郡长），到姑孰（安徽省当涂县）诛杀南郡王萧大连（江州州长），到会稽（浙江省绍兴市）诛杀安陆王萧大春（东扬州州长），到京口（江苏省镇江市）诛杀高唐王萧大壮（南徐州州长），侯景把萧大器的正妻赏赐给郭元建，郭元建说：“皇太子妃怎么可以当别人的小老婆！”始终不肯跟她见面，尊重她的意思，由她削发为尼。

八月二十五日，萧栋追尊祖父萧统绰号昭明皇帝、老爹豫章王（安王）萧欢绰号安皇帝、祖母蔡女士绰号敬太皇太后；尊娘亲豫章太妃王女士称皇太后、正妻王妃张女士称皇后；任命刘神茂当最高监察长（司空）。

21 九月二十三日，北齐帝高洋，前往赵州（殷州，州政府设广阿〔河北省隆尧县〕）、定州（州政府设中山〔河北省定州市〕）；顺便前往晋阳（山西省太原市）。

22 九月二十九日，南梁帝国湘东王萧绎，任命国务院总理（尚书令）王僧辩当江州（州政府设寻阳〔江西省九江市〕）州长（刺史），江州州长（刺史）陈霸先当东扬州（州政府设会稽〔浙江省绍兴市〕）州长（空头官衔）。

国务院左执行长（左仆射）王伟（侯景党），游说相国侯景诛杀二任帝（简文帝）萧纲，用以消除人民的盼望，侯景接受。

冬季，十月二日，夜晚，王伟会同首都东区卫戍司令（左卫将军）彭隽、王修纂，向萧纲敬酒，说："丞相（侯景）因陛下幽居于此，心情忧郁，为时太久，特命我们前来祝福。"萧纲说："我已经让出帝位，怎么可以再说'陛下'！这杯祝福酒，恐怕不仅仅是祝福！"彭隽手弹曲项琵琶，跟萧纲大量饮酒。萧纲知道就要动手，遂喝得酩酊大醉，说："想不到会快乐到这个地步！"既已大醉，遂呼呼沉睡。王伟出来，彭隽拿出装土的布袋，压住萧纲口鼻，王修纂坐在上面，萧纲窒息而死（年四十九岁）。王伟把门板拆下来钉作棺材，暂时安厝在城北酒库之中。萧纲自从被软禁永福省，再没有侍从人员，也没有纸，心有所感，就把诗或文章写在墙上或木屏风上，有数百篇之多，词句凄恻悲苦。侯景为他起绰号明皇帝，祭庙称高宗。

当侯景逼近江陵（湖北省江陵县）时，湘东王萧绎向西魏帝国（首都长安）请求援救，命梁秦二州（州政府设南郑〔陕西省汉中市〕）州长（刺史）、宜丰侯萧循，把南郑割让给西魏帝国，征召萧循返回江陵（梁州属萧绎军区）。萧循认为，无缘无故割让城池国土，不是忠臣应做的事，报告萧绎说："请收回成命。"西魏帝国太师（上三公之一）宇文泰，派大将军达奚武，率军三万人，南下夺取汉中（郡政府同设南郑）。同时派另一大将军王雄，穿过子午谷（陕西省宁陕县），南下进攻上津（南梁南洛州，湖北省郧西县西北）。萧循派记录军事参议官（记室参军）、沛郡（安徽省萧县）人刘璠，向武陵王萧纪（益州〔州政府成都〕州长）求救；萧纪派潼州（州政府设涪城〔四川省绵阳市〕）州长（刺史）杨乾运增援。萧循，是萧恢的儿子（鄱阳王萧恢，是萧衍的老弟，参考五〇〇年九月）。

征东将军王僧辩等听到二任帝萧纲逝世消息。

十月十六日，王僧辩上书湘东王萧绎，请求接受皇帝尊号；萧绎不准。

最高监察长（司空）、中央驻东方特遣政府总监（东道行台）刘神茂（侯景党），听说相国侯景从巴丘（湖南省岳阳市西南巴丘山）失败还京（首都建康），密谋叛离侯景，吴中（东吴，太湖流域及钱塘江流域）知识分子（士大夫），都给予鼓励，刘神茂遂跟仪同三司（宰相级）尹思合、刘归义、王晔、云麾将军元頵等，据守东阳（浙江省金华市），响应江陵（萧绎）讨伐贼寇（侯景）号召。派元頵及另一将领李占，占领建德江口（浙江省建德市，兰江与新安江会合处）。又派南郡王（萧大连）大营军事参议官（中兵参军）张彪，攻击永嘉郡（浙江省温州市），攻克。新安郡（浙江省淳安县）变民首领程灵洗，聚众起兵，占领郡城，响应刘神茂，于是浙江（钱塘江）以东（浙江省中部南部）地区，全都归附江陵（萧绎）。湘东王萧绎任命程灵洗当谯州州长（空头官衔），兼新安郡郡长。

十一月五日，征东将军王僧辩等再上书给萧绎，拥护他登极称帝，萧绎不准。

十一月八日，萧绎命湘州（州政府设临湘〔湖南省长沙市〕）州长（刺史）、安南侯萧方矩，当首都中区卫戍司令（中卫将军），作为自己的副手。萧方矩，是萧方诸的老弟（萧方诸被侯景军俘虏，参考本年〔五五一〕四月）。再任命南平王萧恪，当湘州（州政府临湘）州长（刺史）。相国侯景任命赵伯超当中央驻东方特遣政府总监（东道行台），镇守钱塘（浙江省杭州市）；任命田迁当参谋长（军司），镇守富春（富阳，浙江省杭州市富阳区）；任命李庆绪当中军司令官（中军都督）、谢答仁当右军司令官（右厢都督）、李遵当左军司令官（左厢都督），讨伐刘神茂。

十一月九日，南梁帝（三任）萧栋，下诏加授侯景九锡（参考四年），特准汉国（汉王侯景的采邑）设置丞相以下官员。

十一月十九日，萧栋把帝位禅让给汉王侯景。侯景在建康（江苏省南京市）南郊祭告天神，登极称帝，返回宫城（台城），登太极殿，部属数万人，吹动口哨，大声欢呼，蜂拥而上。侯景下诏大赦，改年号太始（之前是南梁天正元年，之后是汉太始元年）。封逊位的南梁帝萧栋当淮阴王，连同他的两个老弟萧桥、萧樛，一起锁在一个秘密囚室。智囊王伟，请侯景建立七座皇家祭庙，侯景说："什么叫七座皇家祭庙？"王伟说："天子要祭祀七代祖先。"同时请示七代祖先的名字，侯景说："爷爷叫什么我已记不得，只记得我老爹叫侯标。而且，他远在朔州（州政府设怀朔城〔内蒙古固阳县〕），怎么能跑到这里混饭！"大家忍不住失笑。他的老友和老部属中，有人知道侯景的祖父叫侯乙羽周（乙羽周，三字名）；其他祖先名字，都由王伟编撰，

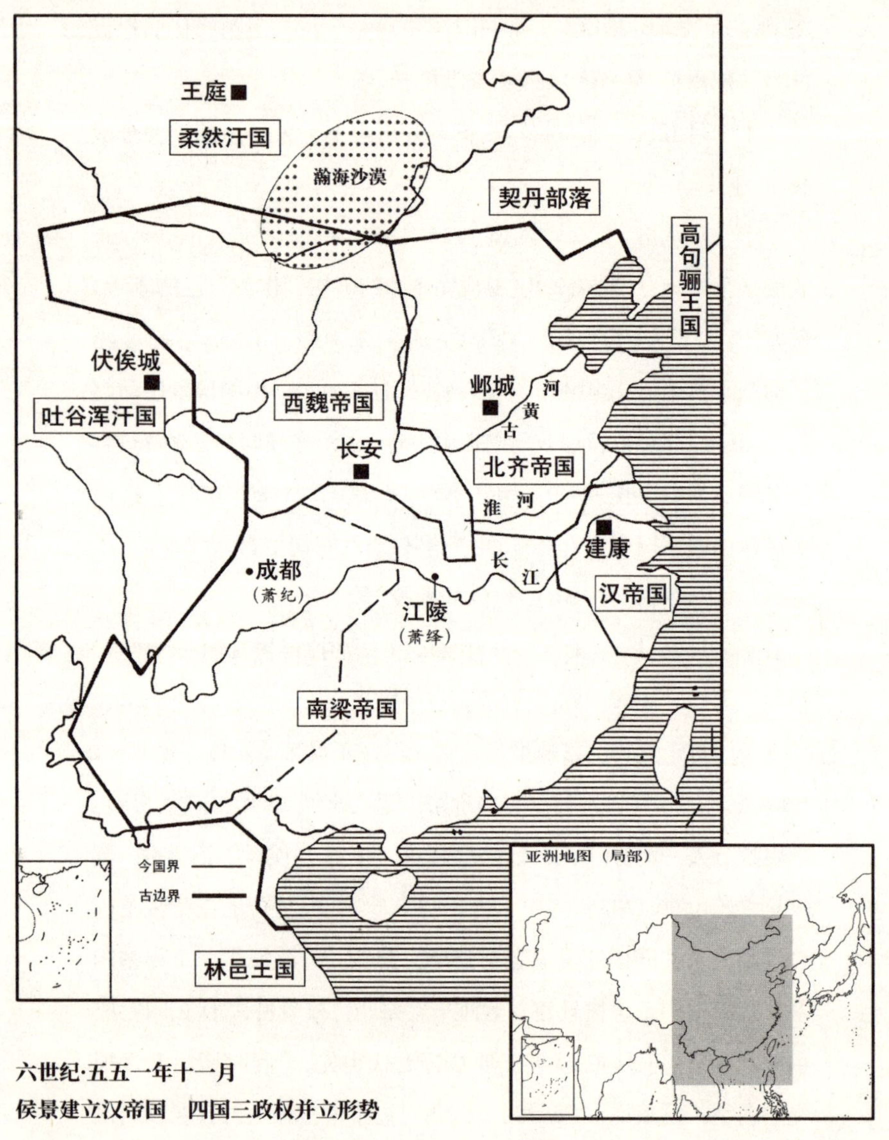

六世纪·五五一年十一月

侯景建立汉帝国　四国三政权并立形势

并制定他们的绰号。侯景遂追尊老爹侯标绰号元皇帝。

侯景当相国时，总部设在西州（建康城西），文武百官不管官位高低，他都亲自接待。等到当上皇帝，身居皇宫，只有老友和旧部属才能晋见，因此，引起很多将领抱怨。侯景喜爱独骑小马，用弹弓射击飞鸟，王伟总是阻止他，不允许他随意出宫。侯景闷闷不乐，失魂落魄，说："我闲着没事，却当皇帝，跟被开革没有两样。"

十一月二十二日，南梁帝国湘东王萧绎，任命长沙王萧韶当郢州（州政府设夏口〔湖北省武汉市〕）州长（刺史）。

益州（州政府设成都〔四川省成都市〕）秘书长（长史）刘孝胜等，敦促武陵王萧纪登极称帝，萧纪虽没有答应，但开始大量制造皇帝专用的车轿及衣服。

23 十二月八日，汉国（皇帝侯景）右军司令官（右厢都督）谢答仁、中军司令官（中军都督）李庆绪，进攻建德（浙江省建德市），生擒南梁帝国云麾将军元頵、李占，押送建康（江苏省南京市），侯景砍断他们的手脚，鲜血淋漓，供人民参观，哀号一天有余才死。

24 北齐帝高洋，无论到什么地方，都带着已被罢黜的东魏帝国末任皇帝、现封中山王的元善见，王妃太原公主始终亲自照料他的饮食，小心保护（太原公主是高欢的女儿，参考五三九年五月）。

本月（十二），高洋设筵宴请妹妹（也可能是姐姐），等妹妹离开后，派人强迫元善见吞下毒酒，于是，连同元善见的三个儿子，一起害死（元善见年二十八岁）。高洋赐给元善见绰号魏孝静皇帝，安葬在邺城（河北省临漳县西南邺城镇）漳水（流经邺城西北）北。后来，不知道什么缘故，高洋又把他的坟墓挖开，把灵柩投到漳水（流经邺城西北）。高洋登极之初，北魏帝国皇家祭庙历代祖先的牌位，都寄放在七帝寺，到这个时候，也取出来劈作木柴烧掉（七帝寺，参考五三七年四月）。

彭城公爵元韶，因为是高家女婿（元韶娶北魏十五任帝元修的皇后，是高欢的女儿，参考五三五年三月），因之所受的宠爱和礼遇，超过任何一个元家的人。开府仪同三司（宰相级，从一品）美阳公爵元晖业，位高望重，志气高昂，高洋对他特别猜忌，元晖业曾经追随高洋到晋阳（山西省太原市），在宫门外遇到元韶，诟骂说："你连一个老太婆都不如，竟捧着御玺交给别人（参考去年〔五五〇〕五月），你为什么不把它打碎？我说这话，知道非死不可，但你又能多活几天？"高洋得到报告，诛杀元晖业，以及临淮公爵元孝友，凿开汾水结冰，把二人的尸体塞下去。元孝友，是元彧的老弟（元彧投奔南梁帝国，参考五二八年四月）。高洋曾经把元韶的胡子剃光，抹上脂粉，教他跟随左右，说："我把彭城公爵（元韶）当作小老婆！"形容他懦弱犹如妇女。

五五二年 壬申

南梁　承圣　元年
北齐　天保　三年
西魏　元钦　元年
（汉帝侯景太始二年）
（南梁帝国皇帝萧纪天正元年）

1 春季，正月，南梁帝国（此时无首都、无元首）湘东王萧绎（荆州〔州政府江陵〕州长），任命南平郡（湖北省公安县）郡长（内史）王褒，当国务院文官部长（吏部尚书）。王褒，是王骞的孙儿（王骞，是王俭的儿子。王俭，参考四八六年五月）。

2 北齐帝国（首都邺城〔河北省临漳县西南邺城镇〕）不断侵略汉国（皇帝侯景）的边境。

正月五日，汉国（首都建康〔江苏省南京市〕）皇帝侯景，派全国武装部队总司令（太尉）郭元建，率步兵增援小岘（安徽省含山县西北），南兖州（州政府设广陵〔江苏省扬州市〕）州长（刺史）侯子鉴率水军增援濡须（东关，安徽省含山县西南）。

正月十日，汉军进抵合肥（安徽省合肥市），北齐帝国守军紧闭城门，不出迎战；郭元建等遂撤退。

3 正月二十七日，北齐帝（一任文宣帝）高洋（本年二十四岁），讨伐库莫奚部落（内蒙古西拉木伦河上游），大破库莫奚军，俘虏四千人，及十余万头牲口。

高洋连年出塞作战，御前监督官（给事中）兼立法院立法官（兼中书舍人）唐邕，主持后勤业务，从司令官以下，将领士卒们的功劳细节，以及四方各地军队强弱多少、调防移营的往返行军、武器刀枪的锐利粗钝、粮食储备的丰富欠缺，没有一件事不了如指掌。有时，在高洋面前检阅，面对数千人，唐邕用不着拿名簿，就可以一一叫出他们的姓名，从没有发生过错误。高洋常说："唐邕强干，一人当一千。"又说："唐邕每逢遇到军事行动，手写文书，口发命令，耳听报告，实在是一个异人。"对唐邕的宠爱和赏赐，其他臣属没有人能比。

4 西魏帝国（首都长安〔陕西省西安市〕）将领王雄，攻击南梁帝国上津（南洛州，湖北省郧西县西北）、魏兴（陕西省安康市）；南梁任命的东梁州（州政府魏兴）州长（刺史）、安康（陕西省石泉县）人李迁哲出击，战败，投降。

5 突厥部落（新疆东北部）酋长阿史那土门，袭击柔然汗国（瀚海沙漠群），大破柔然军。柔然可汗（十四任敕连头兵豆伐可汗）郁久闾阿那瓌自杀（柔然汗国已近尾声），太子郁久闾菴罗辰，跟郁久闾阿那瓌的堂弟郁久闾登注俟利，以及郁久闾登注的儿子郁久闾库提，率领他们的残余部众，投奔北齐帝国（首都邺城）；仍留在故土（瀚海沙漠群）的部众，推举郁久闾登注的次子郁久闾铁伐，继任可汗（十五任）。突厥部落酋长阿史那土门，遂自称伊利可汗（突厥汗国一任可汗），妻子称皇后（可贺敦），儿子或老弟称皇家子弟（特勒），率领军队的皇家子弟称将军（设。自四世纪末期，鲜卑拓跋家族大举南下进军中原，柔然汗国填补瀚海沙漠群上的真空，而今柔然汗国又要亡，突厥汗国向东移动，开始填补柔然汗国留下的真空）。

6 南梁帝国湘东王萧绎，命征东将军王僧辩等，继续东下讨伐侯景。

二月二日，各路人马从寻阳（江西省九江市）出发，船舰前后相接，长达数百华里。东扬州州长（空头官衔）陈霸先，率武装战士三万人、船舰二千艘，从南江（赣江）北上，抵达湓口（江西省九江市〔寻阳东〕），跟王僧辩在白茅湾（江西省九江市东北）会师，兴筑神坛，歃血（唇涂牲畜的血）盟誓，同声宣读文告，慷慨流涕。

二月五日，王僧辩命兖州州长（空头官衔）侯瑱（时驻豫章郡〔江西省南昌市〕），袭击南陵（安徽省池州市贵池区）、鹊头（安徽省铜陵市北）二军事据点，攻克。

二月十日，王僧辩等进驻大雷（安徽省望江县）。

二月十八日，从鹊头（安徽省铜陵市北）出发。

二月二十日，汉国（皇帝侯景）南兖州（州政府设广陵〔江苏省扬州市〕）州长（刺史）侯子鉴，自合肥（安徽省合肥市）返回战鸟（安徽省芜湖市繁昌区长江中小岛）。南梁讨伐军突然涌到，侯子鉴惊恐，逃回淮南（姑孰，安徽

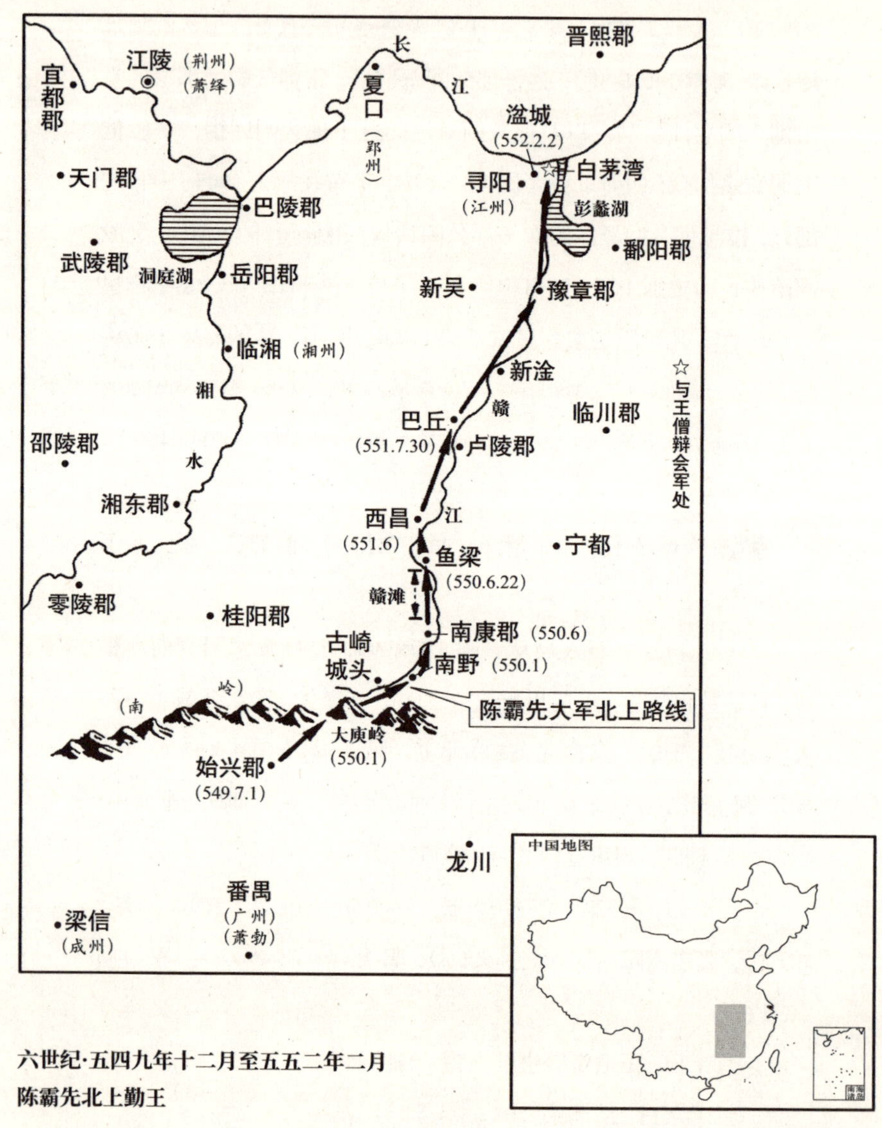

六世纪·五四九年十二月至五五二年二月

陈霸先北上勤王

省当涂县）。

汉国（皇帝侯景）仪同三司（宰相级）谢答仁，攻击刘神茂据守的东阳（浙江省金华市。刘神茂叛侯景事，参考去年〔五五一〕十月）；新安郡（浙江省淳安县）郡长程灵洗、大营军事参议官（中兵参军）张彪，都下令动员，准备增援，但刘神茂却想一个人建立这场功劳，所以不许他们出军，而在下淮（浙江省杭州市富阳区西南）扎营。有人警告说："盗贼（侯景军）最拿手的是野战，下淮地势，一片平坦，敌人可以从四面发动攻击，不如据守七里濑（浙江省桐庐县严陵山西），盗贼无法前进一步。"刘神茂不接受。刘神茂部下将领，大多数是北方人，跟刘神茂貌合神离；别动部队将领王晔、郦通，都在外营驻防，首先向谢答仁投降；仪同三司（宰相级）刘归义、尹思合等，放弃城池，逃走。刘神茂大营孤独危急。

二月辛未日（二月己亥朔，没有辛未），刘神茂也向谢答仁投降，谢答仁把他押解建康（江苏省南京市）。

二月癸酉日（二月也没有癸酉），南梁帝国征东将军王僧辩等，进抵芜湖（安徽省芜湖市），汉国（皇帝侯景）守将张黑，放弃城池，逃走。侯景得到报告，十分恐惧；下诏赦免湘东王萧绎及王僧辩的罪恶；大家忍不住再度失笑。侯子鉴据守姑孰（安徽省当涂县）南洲（当涂县西长江中小岛），拒抗南梁政府讨伐军，侯景再派将领史安和等，率军二千人协防。

三月一日，侯景下诏御驾亲征，前往姑孰，同时派人警告侯子鉴说："西来部队擅长水上作战，不要跟他们接触。去年（五五一）任约被打败，就是为此。如果能引诱他们登陆，使用步兵骑兵，一定可以破敌，你只管把营垒设在岸上，把船舰引入港口，严阵以待。"侯子鉴遂放弃船舰上岸，紧闭营寨，不出来迎战。王僧辩等在芜湖

（安徽省芜湖市）停留十余日，侯景兵团高阶层领导人物，大为兴奋，报告侯景说：“西方军队畏惧我们强大，有情况就要逃走，如果不出击，就会被他们逃掉。”侯景于是命侯子鉴部队上船，准备水战。

三月九日，王僧辩大军抵达姑孰（安徽省当涂县）。侯子鉴率步骑兵一万余人，重登南洲小岛，在岸上挑战，同时出动闪电快艇（鵃䑠，两侧有八十个桨，其快如飞）一千余艘，满载武装部队。王僧辩下令小船向后撤退，而留下巨舰停泊两岸。侯子鉴军认为南梁舰队打算逃走，争先恐后出来追击，于是，南梁军两岸巨舰切断他们的退路，战鼓如雷，呐喊震天，两军在江心会战，侯子鉴军大败，士卒投到长江淹死的有数千人。侯子鉴仅逃出一命，集结残兵败将，奔回建康（江苏省南京市），入守东府（宰相府，建康城南）。王僧辩命虎臣将军庄丘慧达，镇守姑孰（安徽省当涂县），而自己率军续进，历阳（安徽省和县）驻防军迎风投降。侯景听到侯子鉴失败消息，大为恐惧，泪流满面，蒙头躺到床上，很久才起来，叹气说：“害死你老子！”

三月十二日，王僧辩率各路人马抵达张公洲（即蔡洲，江苏省南京市西南长江中小岛）。

三月十三日，舰队乘涨潮进入秦淮河，抵达禅灵寺（南齐帝国二任帝萧赜所建）。侯景命石头（建康城西北）要塞司令（津主）张宾，把秦淮河上的大小船只，拖到秦淮河口，用石头在船底凿洞，使它们沉没，阻止王僧辩的后继舰队，不能增援，然后沿着秦淮河北岸，兴筑城寨，自石头一直延伸到朱雀桥，十余华里之间，城墙碉楼，紧密相接。王僧辩向陈霸先征求意见，陈霸先说：“从前，柳仲礼数十万大军，隔着秦淮河呆呆坐在那里；韦粲守住青溪（玄武湖水注入秦淮河小溪，在建康城东南），竟不知推进到秦淮河北岸，盗贼（侯景军）登高下望，营内营外的一举一动，全收眼底，所以才能把我们打败（参考五四九年正月）。现在，要包围石头（建康城西北），必须渡过秦淮河。其他将领如果不能冲锋陷阵，我愿先去兴筑城寨。”

三月十四日，陈霸先在石头（建康城西北）西方落星山，竖立栅栏，各军依次一连兴筑八个城寨，直到石头西北。侯景恐怕西州（建康城西）道路被切断，亲自率侯子鉴等，在石头东北，也兴筑五个城寨，加以遏阻。侯景命王伟镇守宫城（台城）。

三月十七日，侯景诛杀湘东王萧绎的世子萧方诸，及前平东将军杜幼安（萧方诸被俘，参考去年〔五五一〕四月。杜幼安因家人在江夏投降，参考去年〔五五一〕正月）。

刘神茂被押送到建康（汉国首都，江苏省南京市）。

三月十八日，侯景特别设计一种酷刑——滚筒锉刀（大锉碓。参考前年〔五五〇〕四月）。先把刘神茂的双脚塞进去，利刃寸寸斩碎，在哀号声中，直锉到头部（侯景走投无路时，刘神茂为他策划夺取寿阳；参考五四八年正月）。留异（东阳郡〔浙江省金华市〕郡长）表面上归附刘神茂，而暗中仍效忠侯景，因之得以不死。

三月十九日，王僧辩进军到招提寺（石头城北）北，侯景亲率军队一万余人、铁甲骑兵八百余人，在西州（建康城西）之西，列成阵势。陈霸先说：“我们人多，盗贼（侯景）人少，应该分散他们的兵力，用强击弱。为什么让他们集中精锐，跟我们拼命！”命各将领分散配备。侯景攻击将军王僧志营阵，王僧志稍向后撤，陈霸先派将军、安陆（湖北省安陆市）人徐度，率神射手二千人，截击侯景的后卫部队，侯景军只好后退。陈霸先、王琳、杜龛等，用铁甲骑兵出击，王僧辩主力大军随后投入；侯景军败走，但仍据守栅栏。杜龛，是杜岸的侄儿（参考五四九年九月十三日）。汉国（皇帝侯景）仪同三司（宰相级）卢晖略，镇守石头（建康城西北），开北门向南梁讨伐军投降，王僧辩遂进入石头。侯景跟陈霸先作殊死战，侯景率精锐骑兵一百余人，放弃长矛，改拿佩刀，向陈霸先左右阵地发动凌厉突击，陈霸先阵势毫不动摇，侯景军遂霎时崩溃，四散逃命，南梁讨伐军追击到西明门（建康西面中门）。

侯景逃到宫城（台城）门下，不敢进入，只召唤王伟，责备说："你教我当皇帝，今天害死了我！"王伟无法回答，绕着城门躲藏。侯景打算逃走，王伟拉住马，劝阻说："自古以来，岂有叛变的皇帝？宫城（台城）卫士仍可以决一胜负，离开这里，将去什么地方立足！"侯景说："从前，我击败贺拔胜（参考五三四年闰十二月），大破葛荣（参考五二八年九月），名扬河朔（河北平原）。后来，渡长江南下，夺取宫城（台城），收降柳仲礼，易如反掌（参考五四九年三月），今天败成这个样子，是上天要我灭亡！"抬头观看石头砌成的宫门，叹息很久。侯景用皮制口袋，装上在江东（指建康〔江苏省南京市〕）所生的两个儿子（最长者也不过三岁），挂在马鞍后面，率领亲信房世贵等一百余骑兵卫士，向东逃走，打算投奔镇守吴郡（江苏省苏州市）的仪同三司（宰相级）谢答仁。其他将领侯子鉴、王伟、陈庆，则逃往朱方（江苏省镇江市东南）。

王僧辩命裴之横、杜龛，驻军杜姥宅（宫城东掖门外），杜崱则进入宫城（台城）。王僧辩军纪败坏，任由士卒对居民奸淫烧杀，抢夺劫掠；男女老幼，连衣服都被剥光，赤身露体，自石头（建康城西北）直到东城（宰相府，建康城南），哭号之声，盈满道路（拯救人民于水深火热之中的政府军，往往比使人民陷于水深火热之中的盗匪军，更为凶暴，这是中国人最大的不幸之一，可痛）。当天（三月十九日）夜晚，南梁讨伐军失火，焚烧太极殿及东西两厢，宝物、仪队用具、御车辇车，全成灰烬。

三月二十日，王僧辩命侯瑱等率精锐骑兵五千人追击侯景。

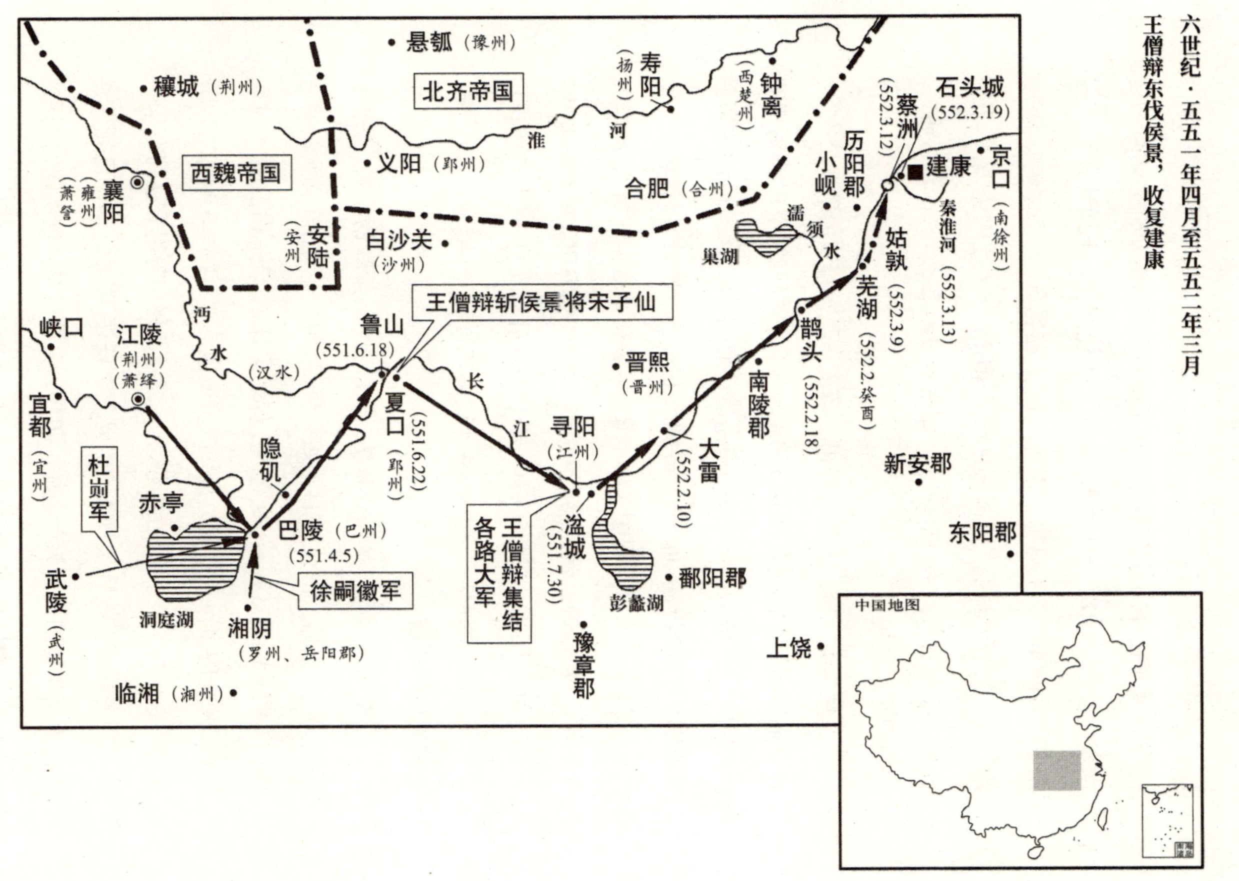

六世纪·五五一年四月至五五二年三月
王僧辩东伐侯景，收复建康

汉国（皇帝侯景）太师（上三公之一）王克、太傅（上三公之二）元罗等，率领宫城（台城）旧日官员，在路旁迎接王僧辩。王僧辩安慰王克说："侍奉蛮夷君王（侯景），一定辛苦！"王克不能回答。王僧辩又问："皇帝玉玺在哪里？"王克等了很久，说："赵思贤（汉国总监督长〔侍中〕）拿了去。"王僧辩说："王家百世官宦豪门，一天之内坠毁。"王僧辩把二任帝（简文帝）萧纲的灵柩，迎接到金殿之上，文武百官痛哭，完全遵照古礼规定。

三月二十一日，王僧辩等再上疏湘东王萧绎，请求登极称帝，并且迎接他到首都建业（建康，江苏省南京市）。萧绎回答说："淮海里的巨鲸（指侯景），虽然已被砍头；可是居住襄阳（湖北省襄阳市）的邪恶狐狸（指萧詧），还没有革面洗心。等到天下太平，你们再行讨论。"

三月二十二日，汉国（皇帝侯景）南兖州（州政府设广陵〔江苏省扬州市〕）州长（刺史）郭元建、秦郡（侨郡，江苏省南京市六合区）驻军司令（戍主）郭正买、阳平（侨郡，江苏省淮安市洪泽区）驻军司令（戍主）鲁伯和、南徐州（州政府设京口〔江苏省镇江市〕）总部执行官（行南徐州事）郭子仲，都献出城池投降。

王僧辩从江陵（湖北省江陵县）出发时，向萧绎请示说："削平盗贼（侯景）之后，继位的君王如果仍然健在，不知道应该如何对待？"萧绎说："宫城（台城）之内，你随意诛杀。"王僧辩说："讨伐盗贼（侯景）的事，我完全负责，成济所做的事（成济杀曹魏帝国四任帝曹髦，参考二六〇年五月），请指定别人！"萧绎乃秘密吩咐宣猛将军朱买臣作妥善处理。等到侯景失败逃走，二任帝（简文帝）萧纲已死，三任帝萧栋和他的两个弟弟萧桥、萧樛，互相扶持，逃出秘密囚室，正巧在路边遇见杜崱，杜崱把二人身上的锁链去掉，两位老弟高兴说："今天才免得死于非命。"萧栋说："是福是祸，难以预知，我仍然恐惧！”

三月二十三日，萧栋兄弟三人遇到朱买臣，朱买臣邀请他们到船上饮酒，还没有终席，武士出来抓住他们，掷到江心，一起溺死。

王僧辩命陈霸先率军前往广陵（江苏省扬州市）接受郭元建等投降，同时又差使节前往安慰。很多将领派出私人信差，向郭元建等索取马匹或武器，正巧侯子鉴渡长江逃到广陵，对郭元建等说：“我们这些人，跟梁国（南梁帝国）结下的是血海深仇，而且，我们又有什么颜面去见他们的君主！不如投降北方，还有回家的机会。”于是，大家再投降北齐帝国（首都邺城）。陈霸先进抵欧阳（江苏省仪征市东闸口），北齐帝国中央特遣政府总监（行台）辛术，已进驻广陵。

侯景的智囊王伟，在逃亡途中，跟侯子鉴失散，被直渎（江苏省盱眙县南）驻军司令（戍主）黄公喜捕获，送到建康（江苏省南京市）。王僧辩说：“你当盗贼的宰相，不能为你的君王一死尽忠，却在荒草中苟且偷生！”王伟说：“成功失败，命中注定。假使汉帝（侯景）早一天采纳我的建议（指释放王僧辩还竟陵，参考五四九年三月十五日），你怎么能有今天！”国务院左秘书长（尚书左丞）虞骘，曾受过王伟的侮辱，就唾他的脸。王伟说：“你不读书，没有资格跟我谈话。”虞骘惭愧退出。王僧辩命罗州（州政府设湘阴〔湖南省湘阴县北〕）州长（刺史）徐嗣徽镇守朱方（江苏省镇江市东南）。

三月二十四日，汉帝侯景抵达晋陵（江苏省常州市），接管田迁留下的部队（参谋长〔军司〕田迁讨伐刘神茂事，参考去年〔五五一〕十一月），遂裹挟逼迫当地居民，向东直往吴郡（江苏省苏州市）。

7 夏季，四月，北齐帝高洋，派总司令官（大都督）潘乐，会同郭元建，率军五万，攻击南梁帝国的阳平（侨郡，江苏省淮安市洪泽区），攻克。

8 南梁帝国征东将军王僧辩，上书湘东王萧绎，推荐东扬州（州政府设会稽〔浙江省绍兴市〕）州长（刺史）陈霸先，镇守京口（江苏省镇江市）。

益州（州政府设成都〔四川省成都市〕）州长（刺史）、全国武装部队总司令（太尉）、武陵王萧纪，很有军事谋略，在巴蜀（四川省）十七年（萧纪上任益州州长，参考五三七年闰九月，迄今只有十六年），南方开发宁州（州政府设味县〔云南省曲靖市〕）、越嶲郡（四川省西昌市）；西方打通资陵（今地不详）、吐谷浑汗国（青海省）的交通；对内鼓励种桑耕田，煮盐铸铁，对外加强通商贸易，保护商旅，所以积蓄丰富，武器铠甲锋利充实，有马八千匹。听说侯景攻陷宫城（台城），湘东王萧绎打算讨伐，对僚属佐理人员说："七官是一个文人（萧绎在兄弟中排行第七），怎么可能成功！"正巧，后宫柏殿梁柱接头处，环绕柱顶一圈，长出鲜花，萧纪认为对自己是一种祥瑞。

四月八日，萧纪登极称帝，改年号天正，封长子萧圆照当皇太子、萧圆正当西阳王、萧圆满当竟陵王、萧圆普当谯王、萧圆肃当宜都王。任命巴西、梓潼二郡（郡政府同设涪城〔四川省绵阳市〕）郡长、永丰侯萧㧑（音huī〔辉〕）当征西大将军、益州（州政府成都）州长（刺史），封秦郡王（萧㧑同时是益、梁等十八州军区司令长官〔都督益梁秦潼安泸青戎宁华信渠万江新巴楚义十八州诸军事〕）。军政官（司马）王僧略、高级大营军事参议官（直兵参军）徐怦，一再劝阻，萧纪全不接受。王僧略，是王僧辩的老弟。徐怦，是徐勉的侄儿（徐勉事，参考五〇三年五月）。

最初，首都建康（江苏省南京市）宫城（台城）被包围时，徐怦力图说服萧纪立刻东下勤王，萧纪不想去而又说不出口，所以内心十分痛恨。正巧蜀郡（四川省成都市）人费合，检举徐怦叛变，证据是：徐怦在写给将领一封信上说："事事往，人口具。"（必须有上下文才可以了解这两句话是什么意思。）萧纪认为叛变事实，已十分明确，对徐怦说："看你跟我旧日的情谊，当使你的儿子不受伤害。"徐怦回答说："生儿子如果全跟你一样，留他们活着有什么用！"萧纪大怒，把徐怦的儿子全部诛杀，人头悬挂市场高竿；也诛杀王僧略。新封为秦郡王的萧㧑叹息说："帝王大业，不可能成功！优秀人才，是国家的基石，而今先把他们杀掉，不灭亡难道还有别的路！"

萧纪征召宜丰侯（萧循）首席军事参议官（咨议参军）刘璠，当立法院主任立法官（中书侍郎），使节往返八次，刘璠才到成都（四川省成都市）。萧纪命刘孝胜跟刘璠沟通，诚心诚意相待，但刘璠苦苦要求放他回去。记录军事高级参议官（中记室）韦登，私下对刘璠说："殿下（萧纪）性格残忍，而又记恨，你如果不留下来，将招来大祸，为什么不共同建立大业，既可保护自己，又可获得美名！"刘璠严肃说："你是不是想劝解我？我跟宜丰侯（萧循）的名分，已经确定，怎么可以因面对危险，就改变心意！殿下（萧纪）正用大义向天下号召，毕竟不会在一个匹夫身上，逞一时之快！"萧纪知道他绝不会效忠自己，乃送一份厚礼，命他回去。遂即调萧循（梁州〔州政府南郑〕州长）当益州（州政府成都）州长（刺史），晋封随郡王；命刘璠当萧循总部秘书长（府长史），兼蜀郡（四川省成都市）郡长。

汉国（皇帝侯景）仪同三司（宰相级）谢答仁，讨伐刘神茂，班师途中，走到富阳（浙江省杭州市富阳区），听说侯景败走，遂率一万人向北进发，打算等候侯景。中央特遣政府总监（行台）赵伯超（侯景党），据守钱塘（浙江省杭州市），阻断谢答仁退路。侯景逃到嘉兴（浙江省嘉兴市)，听到赵伯超叛变消息，再退回吴郡(江苏省苏州市)。

四月十二日，侯瑱军抵达松江(吴淞江，流经吴郡郡城东南)，追到侯景。侯景此时仍有船舰二百艘，军队数千人。侯瑱进攻，大败侯景军，生擒彭隽、田迁、房世贵、蔡寿乐、王伯丑。侯瑱生生剖开彭隽的小腹，抽出他的肠子，彭隽仍然不死，还用手把肠子收回去，侯瑱乃砍下彭隽的头。

侯景跟亲信心腹数十人，乘一艘小艇逃走，把亲生的两个儿子推到水中淹死(这两个只二三岁的娃娃，是命中注定的悲剧样本)，准备顺松江(吴淞江)而下，直入大海(东海)；侯瑱派副将焦僧度追击。侯景进入建康(江苏省南京市)后，又娶羊侃的女儿当小老婆，而任命羊女士的老哥羊鹍(音kūn〔昆〕)当军需司令官(库直都督)，待他十分优厚(羊侃，参考五四八年十二月)。羊鹍追随侯景向东逃亡，跟侯景的另两位亲信心腹王元礼、谢葳蕤，秘密计划背叛。谢葳蕤，是谢答仁的老弟。侯景既出松江(吴淞江)，即进入大海，打算航向蒙山(山东省蒙阴县南有蒙山，侯景可能准备再回北方)。

四月十八日，侯景白天正在睡觉，羊鹍告诉舵手说："什么地方有蒙山？你只管听我的命令！"于是拨转船头，直返京口(江苏省镇江市)，行进到胡豆洲(江苏省南通市，六世纪时尚是长江口一沉积小岛)，侯景发现情形不对，大为吃惊，询问岸上的人，岸上的人说："郭元建仍在广陵(江苏省扬州市)。"侯景大喜，打算前往投靠。羊鹍拔出佩刀，吆喝掌舵人航向京口(江苏省镇江市)，遂对侯景说："我们替你卖命，次数已经够多，今天到这种地步，终于一事无成！现在打算借你的人头，换取富贵。"侯景来不及回答，锋利的刀刃，已交集砍下。侯景打算跳江，羊鹍挥刀阻止。侯景翻身逃进船舱，用佩刀挖掘船底(要使船沉没)，羊鹍用长矛把他刺死(侯景年龄不详)。国务院右执行长（尚书右仆射）索超世，在另一艘船上，谢葳蕤用侯景的命令，召唤他过来，擒获。南梁帝国南徐州（州政府设京口〔江苏省镇江市〕）州长（刺史）徐嗣徽，斩索超世（索超世及王伟，都是侯景的智囊），用食盐塞到侯景肚子里，把尸体送到建康（江苏省南京市）。王僧辩把侯景的人头送到江陵（萧绎根据地，湖北省江陵县）；再砍下双手，派谢葳蕤送到北齐帝国（首都邺城）；将侯景的尸体拖到市场上展览，人民争着割取尸体上的肉吞食，连骨头都被抢光；溧阳公主（侯景妻，参考前年〔五五〇〕二月）也参与吞食。最初，侯景共有五个儿子留在邺城（东魏首都，河北省临漳县西南邺城镇），高澄把侯景的长子面皮生生剥下，然后用大锅煮死（烹刑），年幼的一律割掉生殖器。北齐帝国建立，一任帝（文宣帝）高洋登极，一天晚上，忽然梦见猿猴坐在自己御床上，于是把已被阉割的侯景的四个儿子，再全体用大锅煮死。赵伯超、谢答仁，都投降侯瑱；侯瑱把他们连同田迁等，送到建康（江苏省南京市）。王僧辩把房世贵绑到街市上斩首；而把王伟、吕季略、周石珍、严亶、赵伯超、伏知命，押送江陵（湖北省江陵县）。

四月二十日，湘东王萧绎下令解除戒严（侯景自五四七年正月叛，至本年〔五五三〕四月死，历时五年四个月）。

四月二十八日，王僧辩把二任帝（简文帝）萧纲安葬庄陵（江苏省丹阳市东三城巷村），祭庙称太宗。

侯景溃败时，把皇帝玉玺带在身旁，交给他的总监督长（侍中）兼平原郡（广东省罗定市）郡长赵思贤看管，说：“如果我死了，就把它投进长江，不要东吴娃儿再得到它。”赵思贤从京口（江苏省镇江市）北渡长江，遇到强盗，侍从人员把玉玺扔到草丛中，赵思贤抵达广陵（江苏省扬州市），告诉郭元建，郭元建派人找到，送给北齐帝国中央特遣政府总监（行台）辛术。

六世纪·五五二年三月至四月　侯景之死

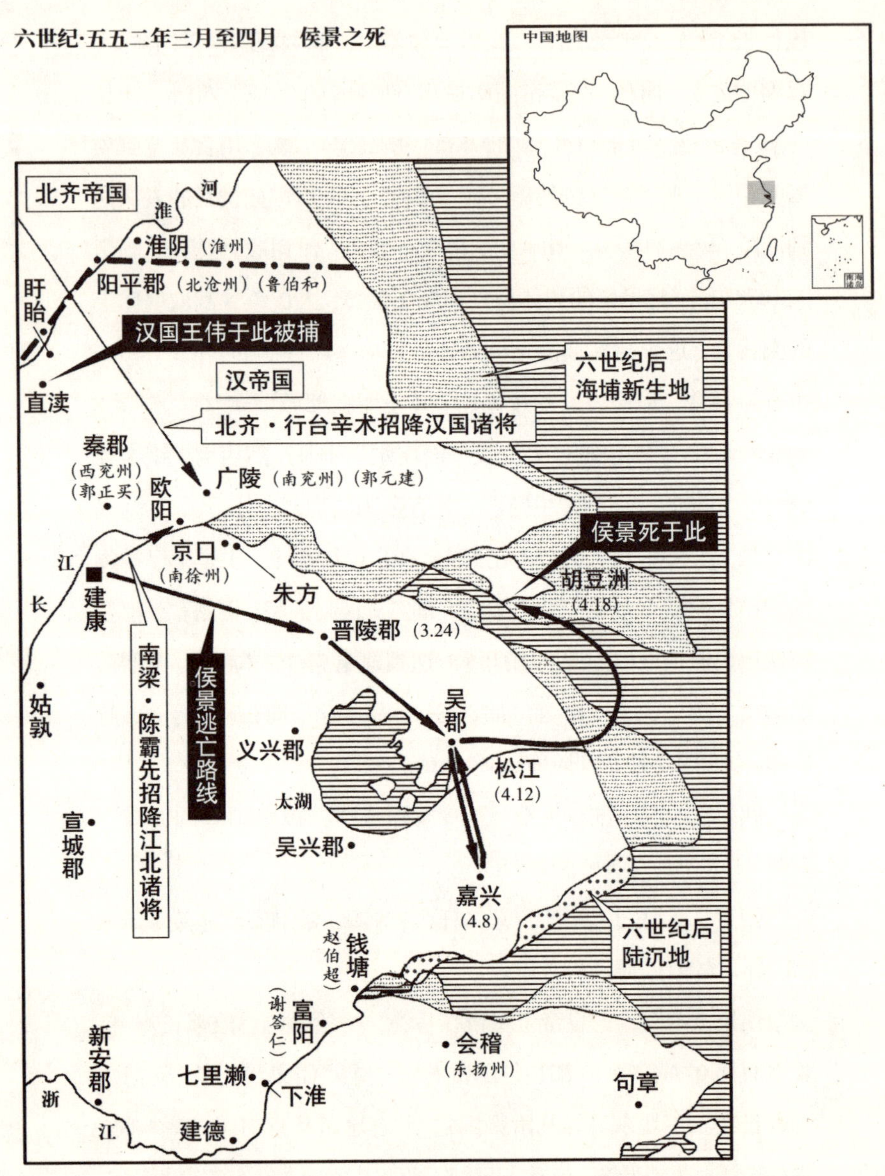

四月壬申日（四月戊戌朔，没有壬申），辛术再将玉玺送到首都邺城（河北省临漳县西南邺城镇）。

9 四月甲申日（四月戊戌朔，没有甲申），北齐帝国任命国务院文官部长（吏部尚书）杨愔，当国务院右执行长（右仆射），把太原公主嫁他为妻。太原公主，就是东魏帝国十六任帝（孝静帝）元善见的皇后（高欢的女儿，参考去年〔五五一〕十二月）。

10 南梁帝国潼州（州政府设涪城〔四川省绵阳市〕）州长（刺史）杨乾运，率军抵达剑阁（四川省剑阁县北剑门关镇）北，西魏帝国大将军达奚武迎战，在白马（陕西省勉县西）大破杨乾运军，把割下来的南梁士卒的左耳朵，陈列在南郑（陕西省汉中市）城下，同时派人辱骂南梁宜丰侯萧循（梁州〔州政府南郑〕州长）。萧循大怒，出军攻击，西魏司令官（都督）杨绍，发动伏兵反击，几乎把南梁军杀光。刘璠返任途中，走到白马（陕西省勉县西）西，被达奚武俘虏，解送首都长安（陕西省西安市）。太师（上三公之一）宇文泰平时就听过他的声名，所以优待他就好像是老友。当时，西魏军包围南郑已久，不能攻克，达奚武请求在攻克后屠杀全城，宇文泰打算批准。刘璠向政府求情，宇文泰发怒，拒绝；刘璠哭泣流泪，不断求情，宇文泰说："事奉人就应该像他这样。"允许他的请求。

11 五月三日，南梁帝国最高监察长（司空）、南平王萧恪等，再一次向湘东王萧绎表示拥护他当皇帝，萧绎仍不接受，只派总监督长（侍中）丰城侯萧泰，前往祖坟祭祀，并整修皇家祖庙及祭祀天地的神坛。

五月十一日，侯景的人头传送到江陵（萧绎根据地，湖北省江陵县），在市场上悬挂示众三天，然后用锅煮过，剔去烂肉，加以油漆，交付军械库（武库）保管。

五月十三日，任命南平王萧恪当京畿总卫戍司令（扬州刺史）。

五月十七日，擢升王僧辩当宰相（司徒）、镇卫将军，封长宁公爵；陈霸先当征虏将军、开府仪同三司（宰相级），封长城县侯（以上酬庸消灭侯景的功劳）。

五月十八日，在江陵闹市处死汉国（皇帝侯景）国务院执行长（尚书仆射）王伟、国务院民政部长（左民尚书）吕季略、宫廷供应部长（少府）周石珍、立法院立法官（舍人）严亶。至于赵伯超、伏知命，则在狱中饿死。因谢答仁对二任帝（简文帝）萧纲一直保持尊敬礼仪，特免一死。王伟在狱中向萧绎呈献《五十韵诗》，萧绎爱他的才华，打算赦免，有嫉妒他的人，告诉萧绎说："前些时王伟替侯景作的文告，十分精彩。"萧绎找到来看，文告上说："项羽一眼中两个瞳仁，还有乌江的溃败；萧绎一眼已经瞎掉（参考五四九年六月），天下岂能归附！"萧绎大怒若狂，把王伟的舌头钉在柱子上，剖开小腹，挖出肠胃，然后一块肉一块肉割下来，直割到死。

12 五月十九日，北齐帝国合州（州政府设合肥〔安徽省合肥市〕）州长（刺史）斛斯昭，进攻南梁帝国历阳（安徽省和县），攻克。

五月二十日，湘东王萧绎下令，说："王伟等既被处决，其他旧日的高官贵爵，在形势逼迫下，忍辱偷生，英雄豪杰随波逐流以求免祸的，政府全不追究。"

扶风郡（侨郡，湖北省谷城县）人鲁悉达，集结流亡乡民，保守新蔡（南新蔡，湖北省黄梅县西南），辛苦耕田，积蓄五谷粮食。当时江东（泛指长江以南）饥饿战乱，人民饿死的十分之八九，残留下来的人，扶老携幼，前往投靠。鲁悉达分给他们粮食，救活很多人命，势力范围逐渐扩张到晋熙（安徽省潜山市）等五个郡，控制全部地区。鲁悉达又派老弟鲁广达，率军跟随王僧辩东下讨伐侯景。侯景被平定，湘东王萧绎任命鲁悉达当北江州（州政府设鹿城关〔湖北省武汉市黄陂区北〕）州长（刺史）。

13 北齐帝（首都邺城）高洋，派总顾问长（散骑常侍）曹文皎等，前往南梁帝国（此时无首都）聘问；南梁湘东王萧绎派总顾问长（散骑常侍）柳晖等报聘，并报告侯景已被消灭消息。同时，也派立法院立法官（舍人）魏彦，前往西魏帝国（首都长安）报告同样消息。

高洋派潘乐、郭元建，率军包围南梁帝国秦郡（侨郡，江苏省南京市六合区），中央特遣政府执行官（行台尚书）辛术劝阻说："政府跟湘东王（萧绎）的信差来往不断，阳平（侨郡，江苏省淮安市洪泽区）是侯景的领土，夺取它可以（阳平投降北齐，参考本年〔五五二〕三月二十二日）；而今王僧辩已派将领严超达，驻防秦郡，在道理上怎么能够去争？而且雨季就要来临，不如班师。"高洋不接受。南梁开府仪同三司（宰相级）陈霸先派别动部队将领徐度，率军增援秦郡（江苏省南京市六合区）坚守。北齐军七万人，猛烈进攻。宰相（司徒）王僧辩派首都东区卫戍司令（左卫将军）杜崱增援；陈霸先也自欧阳（江苏省仪征市东闸口）率军会合；跟郭元建在士林（江苏省南京市六合区境）大战，陈霸先大破郭元建军，杀一万余人，生擒一千余人。郭元建集结残兵败将，向北逃走。陈霸先认为两国邦交仍然敦睦，不再追击。

北齐政府擢升辛术当国务院文官部长（吏部尚书）。自东魏帝国迁都邺城（河北省临漳县西南邺城镇。参考五三四年十月），负责遴选官员的文官部长（大选），闻名于世的只有数人，各有长短：高澄年轻爽直，但大而化之；袁叔德细密谨慎，但太过苛刻；杨愔不太遵守法令，能言善道，只注重表面。只有辛术具有坚贞清白的节操，遴选官员，一定看他的才干、见识、器宇，对于有声望人士，一定考查实质，新任的或旧任的，一律看待，再小的职务，也要依照顺序擢升，高贵门第的子弟，也不会因此受到排斥。比较前后任，辛术考虑周到，不走极端。

14 西魏帝国大将军达奚武，派国务院左秘书长（尚书左丞）柳带韦，前往陷于重围的南郑（陕西省汉中市），游说南梁宜丰侯萧循（梁州〔州政府南郑〕州长）说：“你所仗恃的是山川形势险要，你所盼望的是增援部队，你所保护的是本州人民。而今，帝国军队深入心脏，山川险要已不能仗恃；白马（陕西省勉县西）之败，土豪酋长（指杨乾运）不敢再进，增援部队不可能抵达；我们的包围圈已经完成，你对人民已无力保护。而且，贵国正陷混乱，中央无人领导，你向谁效忠？为什么不把灾祸转变成福气，使荣华富贵传给子孙！”萧循遂请求投降。柳带韦，是柳庆的儿子（柳庆事，参考五四八年十二月）。西魏开府仪同三司（宰相级）贺兰德愿（贺兰，复姓），听说城中粮食已尽，主张不接受投降，仍继续攻击。总司令官（大都督）赫连达说：“不厮杀就可以得到城池，是最上等的策略。怎么可以为了贪图他们的男子、妇女、金钱财宝，而不珍惜人命！而且，观察他们的士卒马匹，仍然强壮，城池仍然坚固，即令攻克，彼此都受创伤。如果对方作困兽之斗，成功失败，难以预料！”达奚武说：“你说的对！”乃接受萧循投降；俘虏男女二万人，班师。于是，剑阁（四川省剑阁县北剑门关镇）以北，全并入西魏版图。

六世纪·五五一年十月至五五二年五月
西魏夺取梁州

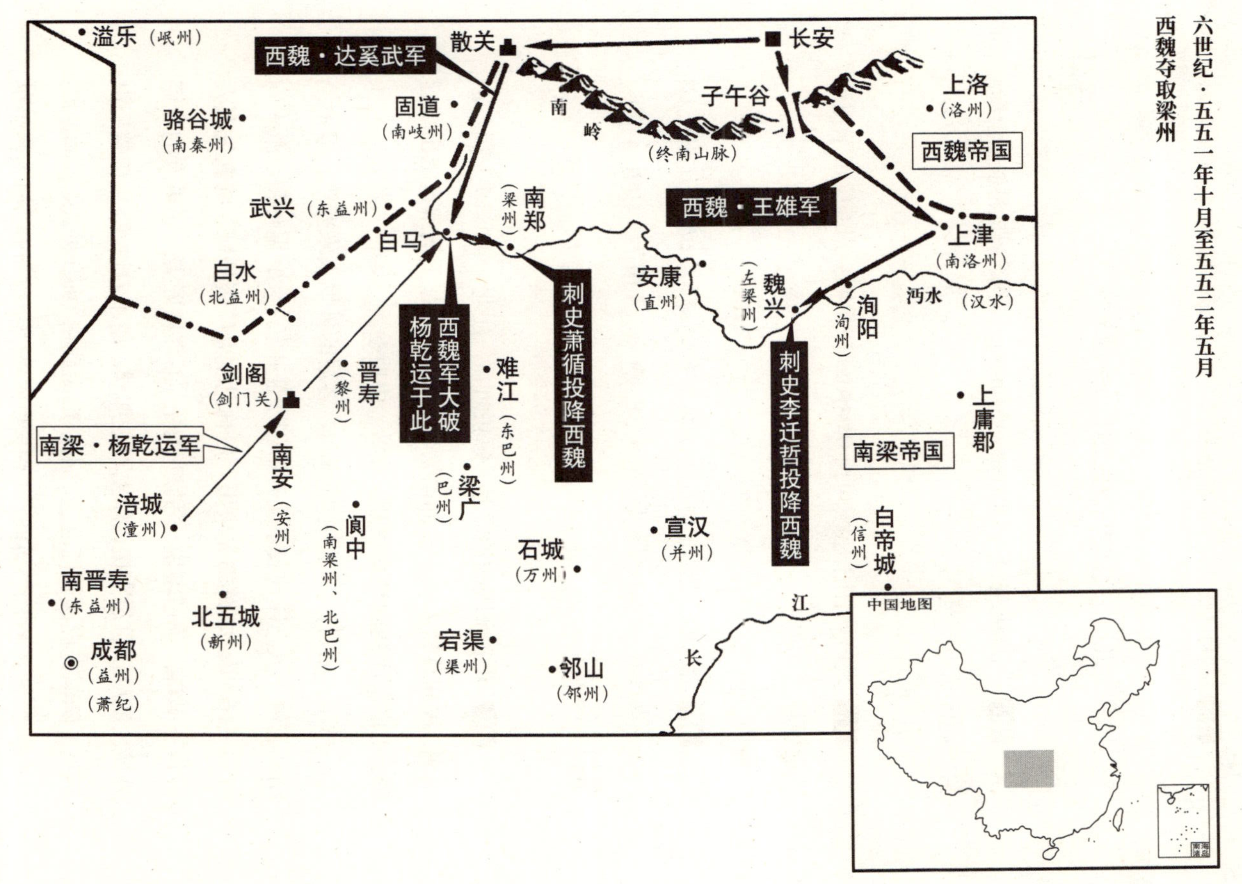

15 六月十一日，北齐帝高洋，返首都邺城（河北省临漳县西南邺城镇）。

六月十九日，高洋再前往晋阳（山西省太原市）。

16 六月庚寅日（六月丁酉朔，没有庚寅），南梁帝国湘东王萧绎，封安南侯萧方矩当王太子。

17 北齐帝国派总顾问长（散骑常侍）谢季卿，到南梁帝国祝贺消灭侯景。

18 南梁帝国衡州（州政府设含洭〔广东省英德市西北浛洸镇〕）州长（刺史）王怀明起兵反抗中央，广州（州政府设番禺〔广东省广州市〕）州长（刺史）萧勃把他平定。

19 北齐帝国政治混乱，赋税沉重，江北（长江以北）人民不愿隶属，民间首领人物不断向南梁帝国宰相（司徒）王僧辩请求出军拯救，王僧辩因两国邦交和睦，所以一律拒绝。

秋季，七月，广陵（江苏省扬州市）客居的外地人朱盛等，暗中集结同志数千人，计划袭杀北齐帝国所任州长（刺史）温仲邕；派人向仪同三司（宰相级）陈霸先求援，声称已攻克广陵外城。陈霸先派人报告王僧辩，王僧辩说："消息真假，不容易证实，如果真的攻克外城，就应该急急支援；如果不是那样，用不着进军。"信差还没有到，陈霸先已渡长江北上。王僧辩命武州（州政府设武陵〔湖南省常德市〕）州长（刺史）杜崱等协助。不料，朱盛等的密谋泄漏，但陈霸先仍向前挺进，包围广陵（江苏省扬州市）。

20 八月，西魏帝国安康（陕西省石泉县）变民首领黄众宝聚众起兵，攻击魏兴（陕西省安康市），生擒郡长柳桧，进围东梁州（州政府魏兴）；命柳桧游说守军投降，柳桧拒绝，被杀。柳桧，是柳虬的老弟（柳虬，参考五三七年十月）。太师（上三公之一）宇文泰派大将军王雄，与骠骑大将军武川（内蒙古武川县）人宇文虬，讨伐黄众宝。

21 南梁帝国登极称帝的武陵王萧纪，率军自成都（四川省成都市）出发，由岷江（外水）东下远征。萧纪任命永丰侯萧㧑当益州（州政府成都）州长（刺史），镇守成都；派自己的儿子宜都王萧圆肃，当萧㧑的副手。

九月九日，最高监察长（司空）南平王萧恪逝世。

九月十九日，湘东王萧绎任命王僧辩当京畿总卫戍司令（扬州刺史）。

22 北齐帝高洋，派人通知王僧辩、陈霸先，说："请解除广陵（江苏省扬州市）的包围，我一定归还广陵、历阳（安徽省和县）两座城池。"陈霸先遂率军返回京口（江苏省镇江市），江北（长江以北）居民跟随陈霸先南渡长江的，有一万余人。湘东王萧绎擢升陈霸先当征北大将军、开府仪同三司（宰相级）、南徐州（州政府设京口〔江苏省镇江市〕）州长（刺史）；征召陈霸先的世子陈昌，及侄儿陈顼，前往江陵（萧绎根据地，湖北省江陵县）充当人质。任命陈昌当编制外顾问官（员外散骑常侍），陈顼当宫廷殿堂禁卫官（领直）。

23 南梁帝国梁州（州政府设南郑〔陕西省汉中市〕）州长（刺史）、宜丰侯萧循，当初投降西魏帝国时，西魏太师（上三公之一）宇文泰承诺送他南返，但很久没有消息。有一天，宇文泰心情安闲，跟刘璠闲谈，问说："我跟古人，可以比谁？"刘璠说："我始终把你当作子天乙（汤）、姬发（武），但现在看起来，连姜小白（桓）、姬重耳（文）都不如！"宇文泰说："我怎么有资格比子天乙、姬发！但总希望能比伊尹（伊）、姬旦（周），何至于比不上姜小白、姬重耳！"刘璠说："姜小白使三个灭亡了的国家复存（鲁国、卫国、邢国），姬重耳对讨伐原国（河南省济源市）不肯违信。"（《左传》前六三五年：晋国国君〔二十四任文公〕姬重耳包围原国〔河南省济源市〕，携带三天的粮食，而原国不降，姬重耳即命撤退。间谍出城报告说："原国就要投降。"参谋官说："请稍等待。"姬重耳说："诚信，是国家的宝物，人民的保护，得到原国而失去诚信，如何能保护人民？所损失的更多！"退约三十华里，而原国投降。）话还没有说完，宇文泰鼓掌说："我了解你的意思，是刺激我早做决定。"乃征求萧循的意见："大王想去荆州（萧绎）？还是想去益州（萧纪）？"萧循请求送往江陵（萧绎），宇文泰致送一份丰厚的礼物，送他上路。跟萧循同行的文武官员，有一千家，湘东王萧绎（荆州〔州政府江陵〕州长）大为猜疑，派出侦查的使节，奔波道路之上，前后相望。

萧循抵达江陵（湖北省江陵县）的当天夜晚，萧绎又下令劫掠偷盗萧循所携带的财产。第二天早上，萧循上书交出他的武器及马匹，萧绎才松一口气；接见萧循，领到后堂，相对流泪；遂任命萧循当总监督长（侍中）、骠骑将军、开府仪同三司（宰相级）。

24 冬季，十月，北齐帝高洋，自晋阳（山西省太原市）前往离石（西汾州，山西省吕梁市离石区）；从黄栌岭（山西省汾阳市西北）起，修筑长城，北到社平戍（山西省五寨县，长城沿吕梁山脉而建），长四百余华里（二地航空距离一百八十公里），设立三十六个城堡。

25 十月十四日，南梁帝国湘东王萧绎（荆州〔州政府江陵〕州长），在殿庭上猝然逮捕湘州（州政府设临湘〔湖南省长沙市〕）州长（刺史）王琳，诛杀王琳的副将殷晏。

王琳本来是会稽（浙江省绍兴市）一个军人家庭的儿子（至为寒微），他的姐姐、妹妹，被纳入萧绎的王宫，所以王琳从小就服侍萧绎左右。王琳勇敢好斗，萧绎任命他当军官（王琳原任全威将军，参考五四九年三月十四日）。王琳对人恭敬诚恳，礼贤下士，所得到的赏赐，从不拿回家。手下一万人，差不多都是长江、淮河一带强盗匪徒，随从王僧辩东下，平定侯景，和杜龛都建立第一等功劳。进入建康（江苏省南京市）后，王琳仗恃他跟萧绎的关系，放纵凶暴，王僧辩对他无法约束。后来，太极殿失火，王僧辩恐怕受到责罚，打算用王琳顶罪，遂向萧绎告密，请求诛杀王琳；萧绎即任命王琳当湘州（州政府临湘）州长（刺史）。王琳警觉到大祸就要临头，于是命秘书长（长史）陆纳率私人军队直接前往湘州（州政府临湘），而单身一人，去江陵（湖北省江陵县）晋见萧绎谢恩，对陆纳等说："我如果永不能回来，你们往哪里去？"大家同声回答："只有一死！"相对哭泣而别。王琳既到江陵，萧绎果然把王琳投入监狱。

十月二十七日，萧绎任命另一儿子萧方略当湘州（州政府临湘）州长（刺史），最高法院院长（廷尉卿）黄罗汉当秘书长（长史），派他们同水利部长（太舟卿）张载，前往巴陵（湖南省岳阳市），接收王琳部众。张载深受萧绎宠爱，可是对部下却十分严厉苛刻，荆州（州政府江陵）人民痛恨他如同痛恨仇寇。黄罗汉等既到王琳大营，陆纳和全军士卒，同声大哭，不肯接受命令，并且逮捕黄罗汉及张载。萧绎派宦，官陈旻前往解释沟通，陆纳就在陈旻面前，剖开张载的小腹，抽出肠子，拴到马腿上，让马绕场而走，肠子抽尽，张载才气绝身死。陆纳再把他的尸体切成碎块，挖出心脏，大声欢呼，残余的尸体，用火烧掉。因黄罗汉谨慎清廉，免他一死。陆纳率领各将领袭击湘州（州政府临湘），当时城中无主，陆纳得以进城据守。

全国高阶层官员（公卿）及各军事重镇首长，不断敦促湘东王萧绎称帝。

十一月十二日，萧绎就在江陵（湖北省江陵县）登极（四任元帝），改年号（之前是太清六年，之后是承圣元年。二任帝萧纲的大宝年号，萧绎既不承认〔参考五五〇年四月〕；三任帝萧栋的天正年号，更不承认），大赦。本日（十一月十二日），萧绎不登正殿，三公部长级官员仅在便殿陪列两旁。

十一月十三日，萧绎任命宜丰侯萧循当湘州（州政府临湘）州长（刺史）。

十一月十五日，萧绎封王太子萧方矩当皇太子，改名萧元良；封皇子萧方智当晋安王，萧方略当始安王，萧方等的儿子萧庄当永嘉王。追尊娘亲阮修容绰号文宣皇后（修容，小老婆群第十二级）。

侯景之乱，南梁州郡大半并入北齐（首都邺城）及西魏（首都长安）版图，自巴陵（湖南省岳阳市）以下，直到建康（江苏省南京市），跟北齐帝国以长江为界（此处有误，要到五五九年五月，北齐帝国占领南新蔡〔湖北省黄梅县西南〕，才跟南朝〔陈帝国〕以长江为界）；荆州北到武宁（湖北省荆门市北），西到峡口（西陵峡峡口，湖北省宜昌市西）；岭南（南岭以南）又被广州（州政府设番禺〔广东省广州市〕）州长（刺史）萧勃割据。萧绎诏令所能达到的地方，不过千里左右，有户籍的居民，不满三万户。

据守湘州（州政府临湘）的陆纳，袭击衡州（州政府设含洭〔广东省英德市西北浛洸镇〕）州长（刺史）丁道贵驻防的渌口（渌水注入湘水处，湖南省株洲市），击败丁道贵军；丁道贵投奔零陵（湖南省永州市），所属军队投降陆纳。萧绎得到报告，派使节征调宰相（司徒）王僧辩、首都西区卫

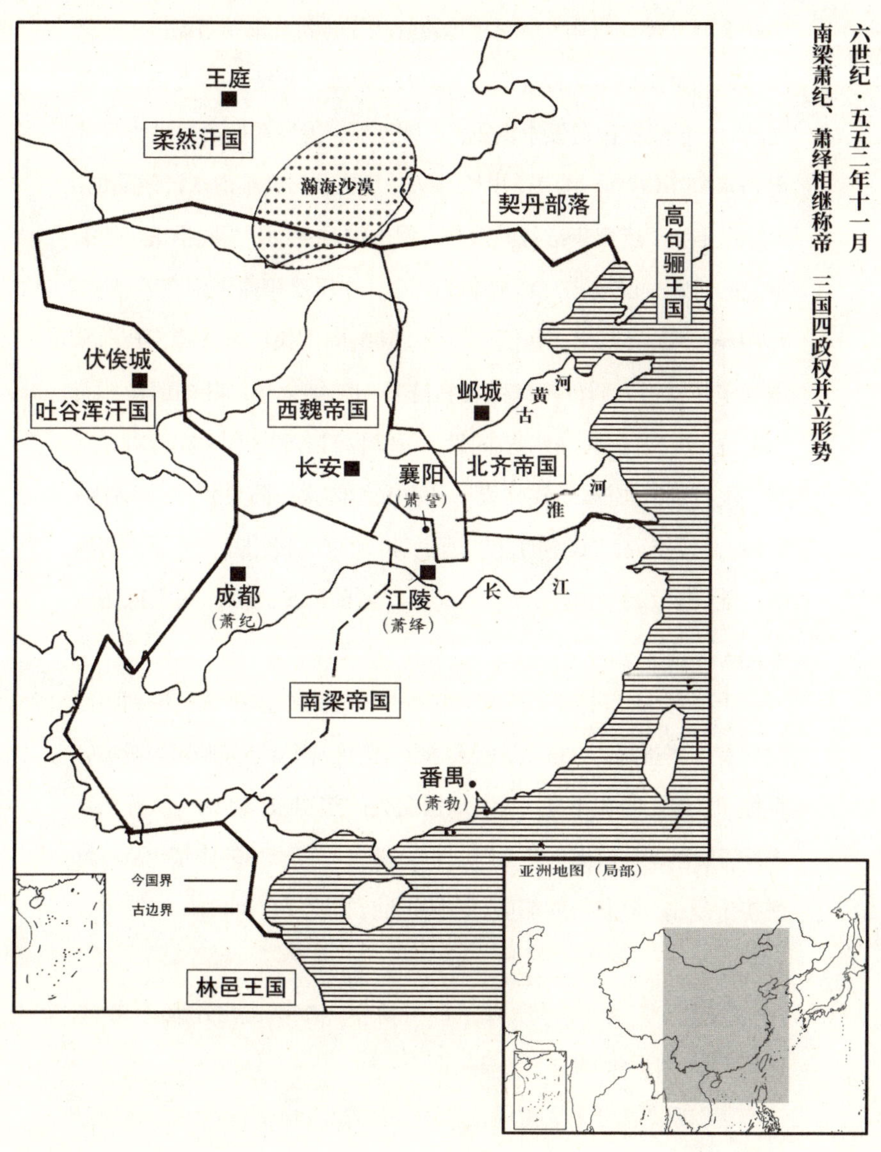

六世纪·五五二年十一月

南梁萧纪、萧绎相继称帝　三国四政权并立形势

戍司令（右卫将军）杜崱、平北将军裴之横，会同宜丰侯萧循，联合讨伐陆纳；萧循把军队停在巴陵（湖南省岳阳市），等待各路人马。侯景之乱时，零陵变民首领李洪雅，占领郡城，萧绎就任命李洪雅当营州（州政府设营阳〔湖南省道县〕）州长（刺史）；现在，李洪雅请求讨伐陆纳，萧绎批准；丁道贵集结残兵败将，跟李洪雅会师，一同推进。陆纳派他的将领吴藏袭击，攻破李丁联军；李洪雅等撤退到空云城（湖南省株洲市南），吴藏率军包围。不久，陆纳向中央请求投降，表示愿送妻子儿女当人质，萧绎派宦官陈旻到陆纳大营，陆纳部众都流泪哭泣，说："王郎（王琳）被囚禁，所以我们逃到湘州（州政府临湘）避罪，没有别的想法。"遂把妻子儿女交给陈旻，陈旻到巴陵（湖南省岳阳市），萧循说："其中有诈，一定对我们发动袭击。"于是秘密准备。陆纳果然于夜间派轻装备部队，紧随陈旻之后，约定抵达城下，擂鼓呐喊。

十二月十九日（原文"壬午"，据《梁书》改）拂晓，陆纳军挺进到距巴陵只有十华里地方，误认为已经抵达城下，即行擂鼓呐喊，城中守军惊起。萧循坐在小凳子上，从营垒大门望出去，陆纳舰队开始攻击，箭如雨下，萧循正吃甘蔗，脸上没有一点惧怕的表情；从容部署将士反击，俘获一艘船舰，陆纳退回长沙（临湘，湖南省长沙市）。

26 十二月十九日（原文"壬午"，据《北齐书》改），北齐帝高洋，返首都邺城（河北省临漳县西南邺城镇）。

十二月二十五日，再前往晋阳（山西省太原市）。

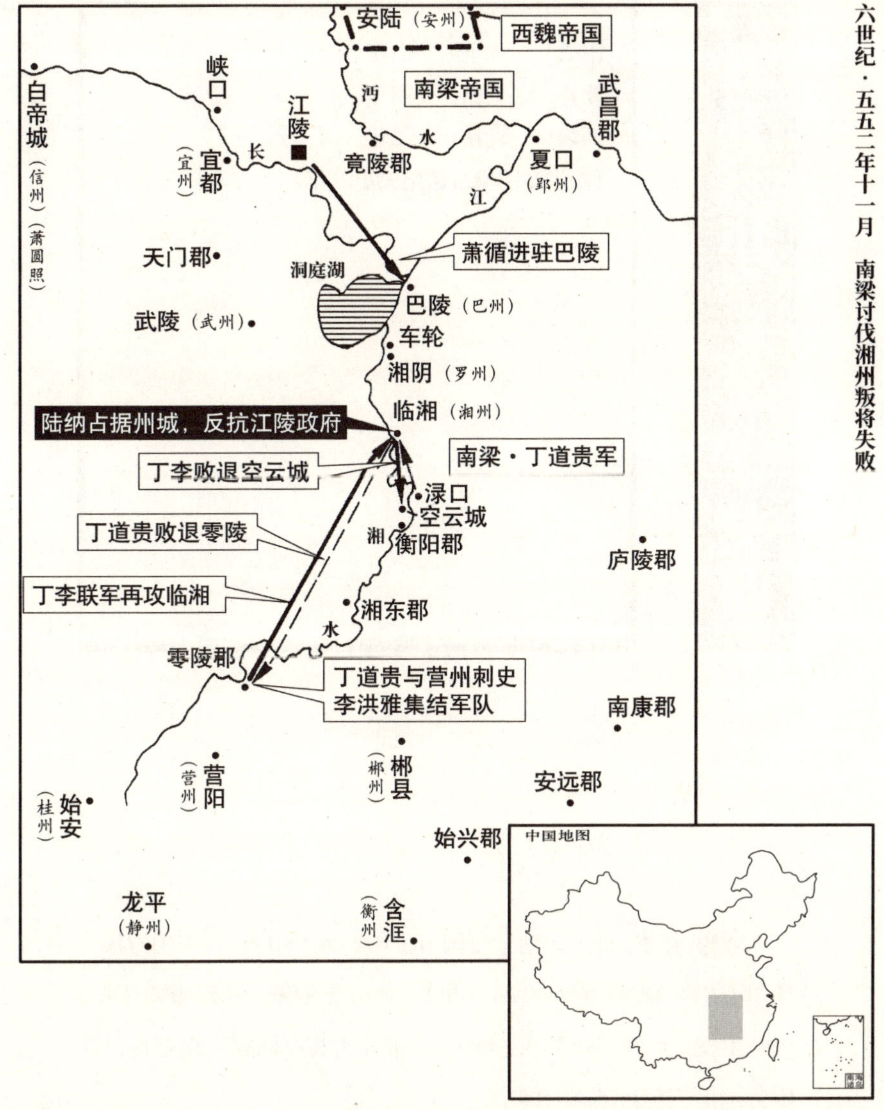
六世纪·五五二年十一月 南梁讨伐湘州叛将失败
安陆（安州）
西魏帝国
南梁帝国
沔
水
白帝城（信州）（萧圆照）
峡口
江陵
宜都（宜州）
长
竟陵郡
夏口（郢州）
武昌郡
江
天门郡
萧循进驻巴陵
洞庭湖
巴陵（巴州）
武陵（武州）
车轮
湘阴（罗州）
临湘（湘州）
陆纳占据州城，反抗江陵政府
南梁·丁道贵军
丁李败退空云城
渌口
空云城
丁道贵败退零陵
湘
衡阳郡
庐陵郡
丁李联军再攻临湘
湘东郡
水
零陵郡
丁道贵与营州刺史
李洪雅集结军队
南康郡
郴县（郴州）
营阳（营州）
安远郡
始安（桂州）
始兴郡
龙平（静州）
含洭（衡州）
中国地图

五五三年 癸酉

南梁　承圣　二年
北齐　天保　四年
西魏　元钦　二年
（南梁帝国皇帝萧纪天正二年）

1 春季，正月，南梁帝国（首都江陵〔湖北省江陵县〕）宰相（司徒）、扬州（州政府设建康〔江苏省南京市〕）州长（刺史）王僧辩，从建康（江苏省南京市）出发，行使皇帝职权（承制），命征北大将军陈霸先接替自己的职务，镇守扬州（州政府建康）。

2 正月十三日，北齐帝国（首都邺城〔河北省临漳县西南邺城镇〕）山胡（吐京胡，山西省石楼县匈奴部落），包围离石（山西省吕梁市离石区）。

正月十五日，北齐帝（一任文宣帝）高洋（本年二十五岁），亲自率军讨伐。大军还没有到，山胡即行退走，高洋遂巡查三堆（山西省静乐县），大肆狩猎，尽兴而回。

3 南梁帝国政府任命国务院文官部长（吏部尚书）王褒当国务院左执行长（左仆射）。

4 正月二十六日，北齐帝国改铸钱币，钱上铸字“常平五铢”（废除北魏帝国“永安五铢”〔参考五二九年七月〕，改铸“常平五铢”，重量五铢，价值很高，而且制作精致）。

5 二月七日，南梁帝国营州（州政府设营阳〔湖南省道县〕）州长（刺史）李洪雅，无力支持，献出空云城（湖南省株洲市南），向陆纳投降。陆纳囚禁李洪雅，诛杀衡州（州政府设含洭〔广东省英德市西北浛洸镇〕）州长（刺史）丁道贵。陆纳因佛教和尚宝志所作神秘诗（诗谶）中有“十八子”语，认为姓李的会当君王（本世纪〔六〕〇〇年代，宝志作神秘诗：“太岁龙／将无理／萧经霜／草应死／余人散／十八子。”当时传言萧姓当灭，李姓当兴）。

二月十一日，遂推举阶下囚李洪雅当盟主，号称最高统帅（大将军），命李洪雅乘肩抬小轿（平肩舆），乐队跟随演奏；陆纳率数千人，左右列队保护。

6 西魏帝国（首都长安〔陕西省西安市〕）太师（上三公之一）宇文泰，辞去丞相、中央特遣全权政府总监（大行台）职务；只兼全国各军区总司令长官（都督中外诸军事）。

大将军王雄率军抵达东梁州（州政府设魏兴〔陕西省安康市〕），安康

（陕西省石泉县）变民首领黄众宝率部众投降（黄众宝事，参考去年〔五五二〕八月）。太师（上三公之一）宇文泰赦免黄众宝，但把所有众望所归的民间人物，强行迁到京畿卫戍区（雍州）。

7 北齐帝（一任文宣帝）高洋，送柔然汗国（瀚海沙漠群）可汗（十五任）郁久间铁伐的老爹郁久间登注，和他的老哥郁久间库提返国（郁久间登注投奔北齐帝国，参考去年〔五五二〕正月）。郁久间铁伐不久就被契丹部落（内蒙古西辽河上游）击斩；柔然贵族拥护郁久间登注继任可汗（十六任），可是，郁久间登注又被部落总监（大人）郁久间阿富提所杀，贵族们再拥护郁久间库提继任可汗（十七任）。

8 突厥汗国（新疆东北部）可汗（一任伊利可汗）阿史那土门逝世，儿子阿史那科罗继任（二任可汗），称乙息记可汗。

三月，突厥汗国派使臣到西魏帝国进贡战马五万匹。柔然汗国其他部落，又拥护郁久间阿那瓌（十四任可汗）的叔父郁久间邓叔子，继任可汗（十八任）。阿史那科罗在沃野镇（内蒙古五原县）北方木赖山（阴山山脉一峰），击破郁久间邓叔子。阿史那科罗不久即行逝世，舍弃他的儿子阿史那摄图，而命老弟阿史那俟斤继任（三任），称木杆可汗。阿史那俟斤的体态面貌，异于常人，性情刚强勇猛，有非常的才智谋略，精于军事，邻国都对他畏惧。

9 南梁帝（四任元帝）萧绎（本年四十六岁），听到已称帝的萧纪自益州（州政府设成都〔四川省成都市〕）率军东下，命法术师把萧纪的像刻到木板上，亲自用铁钉钉萧纪的四肢及身体，用法术诅咒。同时又把俘虏的侯景党羽，押送给萧纪，证实侯景已灭。最初，萧纪出兵，都是太子萧圆照的谋略。萧圆照当时镇守巴东（白帝城，重庆市奉节县东），把萧绎的使节扣留，而报告萧纪说："侯景还没有削平，应该急行进军讨伐。并且得到情报，荆州（萧绎）已被侯景击破。"萧纪信以为真，催促大军东下。

萧绎十分恐惧，上书西魏帝国政府，说："姜纠，是至亲的人，请君王诛杀。"（《左传》前六八五年：齐国内乱，公子姜小白由莒国轻装返齐，鲁国国君〔十六任庄公〕姬同用军队护送另一公子姜纠也返齐国，在乾时〔山东省桓台县〕会战，鲁军大败。齐国统帅鲍叔牙通知鲁国说："姜纠，是至亲的人，请君王诛杀。管仲、召忽，是至仇的人，请交给我们处理。"鲁国遂斩姜纠，召忽自杀，管仲自愿坐囚车回齐国。）西魏太师（上二公之 ）宇文泰说："吞并巴蜀（四川省），制服梁国（南梁帝国），就在此一举。"各将领都认为不可能，大将军鲜卑人（代人）尉迟迥，是宇文泰的外甥，只他认为一定可以胜利。宇文泰问他的计划，尉迟迥说："巴蜀（四川省）跟中国隔绝，有一百多年（"中国"指中原〔华北大平原〕，及首都建在中原的北魏帝国，南朝不被认为是正统。自"五胡乱华十九国"中的前秦帝国失去益州〔参考三八五年四月〕，迄今已一百六十八年）。仗恃山川险要，道路遥远，从想不到我们竟会出军，如果铁甲奇兵加倍速度前进袭击，将无往而不利。"宇文泰乃派尉迟迥率领开府仪同三司（宰相级）原珍等六军，武装战士一万二千人、战马一万匹，自散关（陕西省宝鸡市西南）出发，攻击南梁帝国益州（州政府设成都〔四川省成都市〕）。

拥护李洪雅当盟主的陆纳（基地在临湘〔湖南省长沙市〕），派他的将领吴藏、潘乌黑、李贤明等，进驻车轮（湖南省湘阴县北）。宰相（司徒）王僧辩进抵巴陵（湖南省岳阳市），宜丰侯萧循把司令官（都督）的职位让给王僧辩，王僧辩不接受。南梁帝萧绎任命王僧辩、萧循，分别担任东西司令官（东西都督）。

夏季，四月四日，王僧辩进抵车轮（湖南省湘阴县北）。

10 吐谷浑汗国（青海省）可汗（十五任）慕容夸吕，虽然跟西魏帝国恢复邦交，但沿边抢夺掳掠，并不停止。西魏太师（上三公之一）宇文泰率骑兵三万人前往讨伐，越过陇山西进，抵达姑臧（甘肃省武威市）。慕容夸吕恐惧，请求投降。然而，不久，又和北齐帝国（首都邺城）互派使节。西魏凉州（州政府姑臧）州长（刺史）史宁，侦察到吐谷浑汗国使节回来的日期，在赤泉（武威市境）一次突击中，生擒吐谷浑汗国国务院执行长（仆射）乞伏触状。

11 据守车轮（湖南省湘阴县北）的陆纳，夹着湘水两岸，建立营垒，拒抗南下攻击的王僧辩。陆纳部队官兵，都身经百战，王僧辩心怀忌惮，不敢轻率前进，而用连锁阵势，缓缓进逼。陆纳认为王僧辩胆怯，不再戒备。

五月三日，王僧辩水陆联合大军，齐头并进，发动猛烈攻击，王僧辩亲自手执大旗，擂鼓呐喊；宜丰侯萧循亲自上阵，身冒流箭飞石，一连攻陷两座营垒，陆纳军大败，徒步逃亡，退守长沙（临湘，湖南省长沙市）。

五月四日，王僧辩包围长沙（临湘），坐在土丘上观看士卒兴筑围城工事，陆纳部将吴藏、李贤明，率精锐士卒一千人，冲出城门突击，手执盾牌掩护，直扑王僧辩。当时，杜崱、杜龛正在左右侍卫，武装卫士只一百余人，竭力抵抗；王僧辩坐在小凳上，一动也不动；正巧裴之横率军从侧面攻击吴藏等，吴藏等战败撤退，李贤明战死（李贤明本是侯景部将，参考五四九年五月三十日；侯景覆亡，投奔王琳），吴藏逃脱入城。

较湘东王萧绎早五个月称帝的萧纪（萧绎于去年〔五五二〕四月称帝，萧纪于前年〔五五一〕十一月称帝），抵达巴郡（重庆市），听说西魏帝国大军在北方边境出现，派前梁州（州政府设南郑〔陕西省汉中市〕）州长（刺史），巴西（四川省阆中市）人谯淹，回军增援蜀郡（四川省成都市）。最初，杨乾运希望当梁州州长（刺史），萧纪命他当潼州（州政府设涪城〔四川省绵阳市〕）州长（刺史）；杨法琛希望当黎州（州政府设晋寿〔四川省广元市〕）州长（刺史），萧纪命他当沙州（原北益州，州政府设白水〔四川省青川县东沙州镇〕）州长（刺史）；两个人心中都不愉快。杨乾运的侄儿杨略，游说杨乾运说："现在，侯景刚刚平定，大家应该同心协力，保卫国家，安抚人民。而兄弟之间，竟然互相厮杀，这是一条自我毁灭的道路。腐烂的木材，不可以雕刻，时事已经衰败，难以辅佐。不如向关中（西魏帝国）靠拢，功业、声望，都能两全。"杨乾运同意，命杨略率二千人镇守剑阁（四川省剑阁县北剑门关镇）；同时派他的女婿乐广，镇守安州（州政府设南安〔四川省剑阁县〕），跟杨法琛一同暗中向西魏帝国（首都长安）投靠。西魏太师（上三公之一）宇文泰，秘密赐给杨乾运免死铁券，加授骠骑大将军、开府仪同三司（宰相级）、梁州（州政府南郑）州长（刺史）。大将军尉迟迥，命开府仪同三司（宰相级）侯吕陵始当前锋（侯吕陵，三字姓），推进到剑阁（四川省剑阁县北剑门关镇），杨略向南撤退到安州（州政府南安），翻过城墙，接应侯吕陵始，侯吕陵始遂进入安州（州政府南安）。

五月十三日，尉迟迥抵达涪水（嘉陵江支流，流经涪城西南），杨乾运献出州城（涪城），投降。尉迟迥留一部分军队镇守，主力径行进袭成都（涪城与成都航空距离一百二十公里），当时，成都现有兵力不满一万人，仓库空虚，永丰侯萧㧑（益州〔州政府成都〕州长），登城固守，尉迟迥包围。援军谯淹派江州（西江州，州政府设犍为〔四川省眉山市彭山区〕）州长（刺史）景欣、幽州（州政府所在不详）州长（刺史）赵拔扈，增援成都。尉迟迥命部将原珍等，把二人击退。

称帝的萧纪走到巴东（白帝城，重庆市奉节县东），才发现侯景已经消灭，深自后悔，召唤太子萧圆照责问，萧圆照说："侯景虽然消灭，江陵（萧绎）却没有屈服。"萧纪也因为自己既然已当了皇帝，不可能再做别人的部下，遂打算继续东进。可是，军中将士却日夜盼望回家。江州（西江州，州政府设犍为〔四川省眉山市彭山区〕）州长（刺史）王开业（与景欣并立的州长）认为应该回军援救基地，以后再作打算，各将领都支持这项意见。可是萧圆照、刘孝胜坚决反对，萧纪接受，公开宣布："胆敢劝阻东征的，斩首！"

五月二十八日，萧纪抵达西陵（湖北省宜昌市），军威强大，船舰布满长江。江陵政府（湖北省江陵县）所派中央军事总监（护军）陆法和，在峡口（西陵峡口，宜昌市西）两岸，各筑一个营垒，运石头倾入长江，两岸拉起铁链，阻断江面。

萧绎把囚禁在监狱中的任约释放（任约被俘，参考前年〔五五一〕六月），命他当晋安王（萧方智）军政官（司马），增援陆法和，拒抗萧纪，对任约说："你的罪状，不允许不死，我不杀你，正是为了今天。"把皇家禁卫军配备给他，并允许把庐陵王萧续（萧绎的老哥）的女儿嫁他为妻，派宣猛将军刘棻，与任约同行。

五月二十九日，巴州（州政府设巴陵〔湖南省岳阳市〕）州长（刺史）余孝顷，率军一万人，在长沙（临湘，湖南省长沙市）跟王僧辩会师。

豫章郡（江西省南昌市）郡长观宁侯萧永，昏庸而缺乏决断，左右亲信武蛮奴当权，带兵官（军主）文重深感痛恨。萧永率军讨伐陆纳，走到宫亭湖（鄱阳湖南半湖称宫亭湖），文重诛杀武蛮奴，萧永军崩溃，投奔江陵（湖北省江陵县）。文重率领部众投奔开建侯萧蕃（时在鄱阳〔江西省鄱阳县〕），萧蕃再斩文重，吞并他的部众。

六月一日，称帝的萧纪兴筑一连串营垒，攻破横江铁链；中央军事总监（护军）陆法和向中央告急的文书，雪片般飞来。萧绎再把囚禁监狱的谢答仁释放，命他当步兵指挥官（步兵校尉），配备给他军队，教他增援陆法和。又派人把王琳送到前方，使他说服陆纳投降。

六月四日，王琳被送到长沙（临湘，湖南省长沙市），王僧辩把王琳带到阵前让陆纳看到，陆纳部众全都叩拜，流泪哭泣，派人对王僧辩说："政府如果真的赦免了王郎，让他进城。"王僧辩不准，再把王琳送回江陵（湖北省江陵县）。而陆法和仍不断求救，萧绎打算召回包围长沙（临湘）的军队，又恐怕从此对陆纳无法控制，于是，再派王琳前去，准他入城。王琳既进入长沙（临湘），陆纳遂率军投降，湘州（州政府临湘）完全平定。萧绎恢复王琳的官职爵位，命率军西上，增援峡口（西陵峡口，湖北省宜昌市西）。

看了萧绎对王琳事件的处理历程，使我们对"天下本无事，庸人自扰之"成语，有会心的领悟。

12 六月十三日，北齐帝国章武王（景王）库狄干逝世。

13 南梁帝国称帝的萧纪，派将军侯叡率军队七千人，兴筑营垒，跟陆法和对抗。萧绎写信给萧纪，请求和解，允许他返回巴蜀（四川省），并可以在他的辖区独断专行；萧纪拒绝，回信用语，全是家人口气。陆纳既然投降，原在湘州（州政府临湘）作战的各军，陆续西进，萧绎再写信给萧纪，说："我的年龄总算比你大一点点，因为削平祸乱（指侯景）的功劳，接受大家的推举，帝位已归手按璧玉（当璧）的人（《左传》前五二九年：楚王国七任王〔共王〕芈审，没有嫡子〔正妻生〕，只有庶子〔小老婆生〕五人，不知道选择谁当太子，于是，遍祭大山名川，祈祷说："谁手按璧玉叩拜的，就是神灵指定。"把璧玉秘密埋在院子里，命五人进来，八任王〔康王〕芈昭跨过璧玉，十任王〔灵王〕芈围的肘部放到璧玉上面，另两位芈干、芈晳，都距璧玉很远，当时，十二任王〔平王〕芈弃疾年纪还小，被抱进来，两次叩拜，都手按璧玉）。你如果能派遣使臣前来，我会欢欣等待。如果不肯，就只好停笔。骨肉兄弟，互相友爱，虽然各有形体，却是共有一心，做哥哥的肥，做弟弟的瘦，竟然永没有再见之日（《后汉书·赵孝传》：新王朝末年时，天下大乱，人民互相吞食，赵孝的老弟赵礼，被盗贼俘获，打算把他吃掉，赵孝自己捆绑，去见盗贼，请求代替老弟，说："赵礼饿得太瘦，不如我肥。"盗贼深受感动，把二人全都释放）。如果不能推让枣梨，也同样不会再有喜乐。（《南史·王泰传》：王泰数岁时，祖母把一些孙儿集合起来，把栗枣撒到床上，娃娃们争着去拿，只王泰不拿，问他什么缘故，王泰说："我不必拿，大人自会赏赐。"《文士传》：孔融兄弟七人，孔融排行第六。四岁时，每次跟老哥们一块吃梨，孔融总拿最小的，问他缘故，孔融回答说："我是小娃，应该拿小梨。"）我一片友爱之情，难以尽表。"萧纪大军被阻挡不能前进，日子一久，作战又不顺利；再听说西魏帝国军深入心脏，抵达成都（四川省成都市）；萧纪孤立危急，忧愁愤怒，不知道如何是好。于是派他的国务院财政部长（度支尚书）乐奉业，前去江陵（湖北省江陵县），请求和解，愿遵照以前指示，率军返回巴蜀（四川省）。乐奉业知道萧纪一定失败，遂向萧绎打小报告说："巴蜀（萧纪）大军缺少粮食，士卒又很多死亡，可以坐在这里等待他们瓦解。"萧绎遂决心用兵，拒绝和解。

萧纪用黄金一斤，铸成一个金盘；一百个金盘，装成一箱，共计有一百箱（一万斤），而白银比黄金多出五倍（五万斤），锦绣毛毯、绸缎彩布，跟金银同样的多。每逢作战，悬挂出来展示给将领士卒观看，可是，却不肯拿出作为奖赏。宁州（州政府设味县〔云南省曲靖市〕）州长（刺史）陈智祖，请求把金银散掉，用来招募勇士，萧纪拒绝；陈智祖痛哭而死。凡是有事请示的人，萧纪都声称有病，不肯接见，于是将领士卒完全解体。

秋季，七月十一日，巴东（白帝城，重庆市奉节县东）变民首领苻升等，击斩峡口（西陵峡口，湖北省宜昌市西）城防司令（城主）公孙晃，投降王琳。谢答仁、任约进攻萧纪所属将军侯叡，大破侯叡军，一连夺取三个营垒；长江两岸十四个营垒，全部投降。后路既断，萧纪无法撤退，只好顺流东下。江陵政府游击将军樊猛追击，萧纪军崩溃，跌到长江淹死的有八千余人，樊猛把萧纪残余船舰团团围住，以防逃走。萧绎密令樊猛，说："如果有人还活着，就不能算是成功。"樊猛率军到萧纪坐舰，萧纪在舰上绕床奔跑，把装满黄金的布袋掷给樊猛，说："用这个雇你，送我去见七官（萧绎）。"樊猛说："怎么可以随便晋见天子！我把你杀掉，黄金往哪里逃！"遂斩萧纪（年四十六岁）跟他的最小儿子萧圆满。陆法和搜捕皇太子萧圆照兄弟三人，押送首都江陵（湖北省江陵县）。萧绎革除萧纪皇家户籍，改姓"饕餮"（黄帝王朝六任帝伊祁放勋在位末期〔纪元前二十三世纪〕，政府中出现"四凶"：姒鲧、共工、三苗、驩兜。三苗绰号饕餮，饕餮是狂吃之意）。逮捕刘孝胜，下狱，但不久又把他释放（刘孝胜是怂恿萧纪称帝的主角，参考前年〔五五一〕十一月）。萧绎派人通知江安侯萧圆正（囚禁萧圆正于王宫密室，参考前年〔五五一〕六月），说："西方军队已经覆没，你老爹（萧纪）生死不明！"打算逼他自杀，萧圆正听到消息，痛哭哀号，不停的悲叫皇太子萧圆照的名字！萧绎不断派人前去偷看，知道他不可能自杀，于是移送最高法院（廷尉）监狱。萧圆正在狱中看到老哥萧圆照，责问说：“你怎么可以挑拨人家骨肉相残，造成如此痛苦残酷的结局！”萧圆照无法回答，只说：“谋略有点差错！”萧绎下令断绝饮食，萧圆正饥饿难忍，甚至咬下自己手臂上的肉吞食，十三天之久才死，远近的人听到，无不悲怆。

八月五日，王僧辩返首都江陵（湖北省江陵县）。萧绎下诏，命所有军队，各回基地。

14 西魏帝国大将军尉迟迥，包围南梁帝国成都（四川省成都市）五十天，永丰侯萧㧑（益州〔州政府成都〕州长），屡次出战，都被击败，乃请求投降。西魏军各将领都不打算接受，尉迟迥说：“接受投降，则将士就不会有一人丧生，远方的人欢喜；一定要攻陷城池，则将士必有死亡，远方的人恐惧。”遂接受投降。

八月八日，萧㧑与宜都王萧圆肃，率领文武百官，到西魏大军营门投降，尉迟迥很礼貌的接待他们，在益州（州政府成都）城北盟誓。官民都恢复正常生活，西魏军只没收奴隶、婢女，和总部库存物质，赏赐给将士，军中从没有私藏财产。西魏政府任命萧㧑、萧圆肃，都当开府仪同三司（宰相级）；任命尉迟迥当益潼十二州军区最高司令长官（大都督益潼等十二州诸军事），兼益州（州政府成都）州长（刺史）。

15 八月十日，南梁帝萧绎下诏，将还都建康（江苏省南京市）；中央禁军总监（领军将军）胡僧祐、宫廷库藏部长（太府卿）黄罗汉、国务院文官部长（吏部尚书）宗懔、总监察官（御史中丞）刘縠，一齐劝阻说：“建业（建康，江苏省南京市）帝王气象，已经终结，跟蛮虏（北齐帝国）只隔一道长江，如果发生差错，后悔已来不及。而且，父老们传下

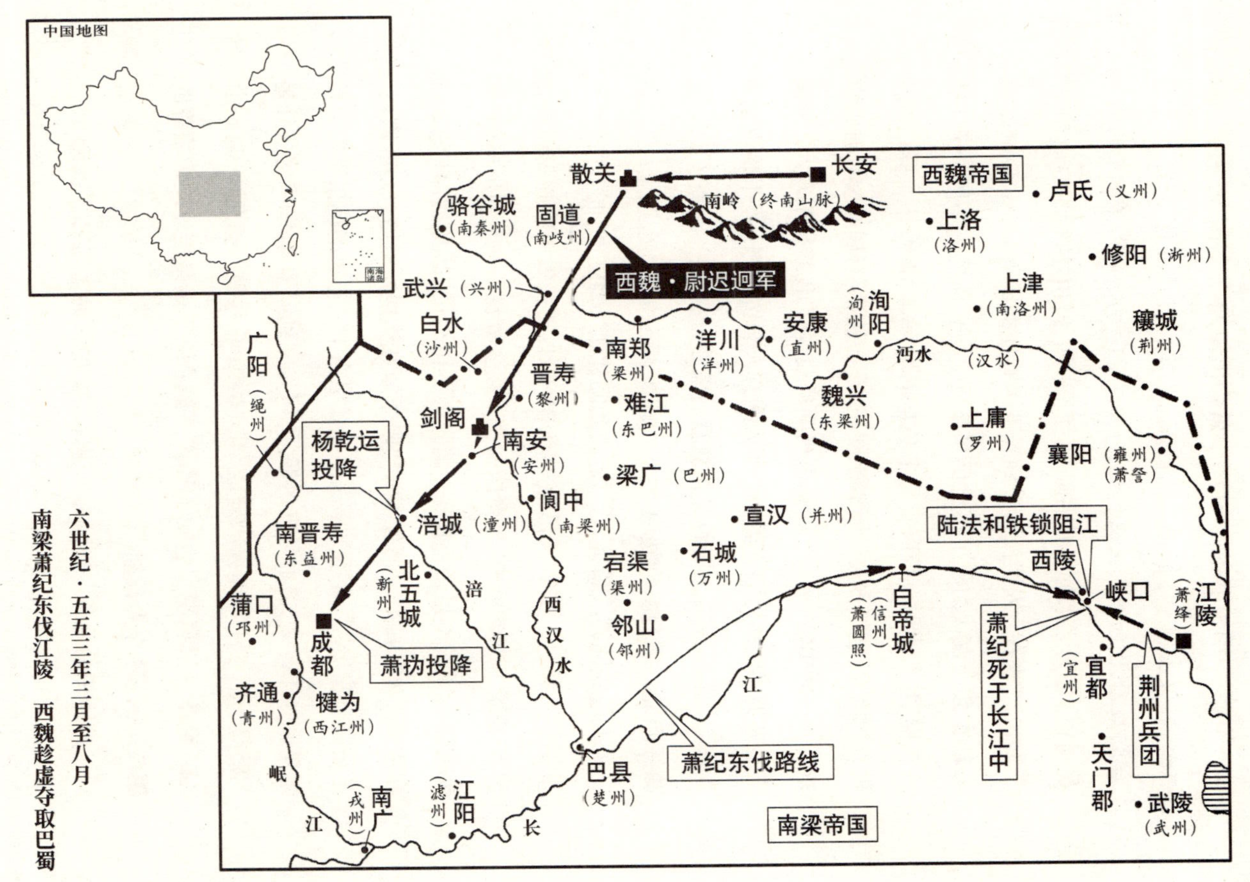

六世纪·五五三年三月至八月

南梁萧纪东伐江陵　西魏趁虚夺取巴蜀

来一句话：‘荆州小岛满一百个，就会出现天子。’而今，枝江（湖北省枝江市）又生出一个新岛，恰恰满一百个，陛下真龙飞升，正是应验（江陵之西长江中满一百小岛之传说，参考四二四年五月注）。”萧绎命政府官员讨论。宫廷监督官（黄门侍郎）周弘正、国务院右执行长（尚书右仆射）王褒说：“现在，人民没有看到陛下大驾还都建康（江苏省南京市），在心理上会一直认为陛下不过仍是亲王之一；盼望陛下顺从天下人民的愿望。”当时，政府官员多数是荆州（湖北省西部）人，异口同声说：“周弘正是东方人，所以想回东方，恐怕别有居心（周弘正是汝南郡〔侨郡〕安成〔侨县〕人）。”周弘正当面反驳说：“我们是东方人，劝陛下往东方，被称为别有居心。那么西方人想留西方，是不是也别有居心！”萧绎大笑。接着又在皇宫后院召开会议，与会的五百人，萧绎问说：“我打算回建康（江苏省南京市），各位有什么意见？”没有一个人敢先回答。萧绎说：“赞成我回建康（江苏省南京市）的举手。”举手的人超过一半。武昌郡（湖北省鄂州市）郡长朱买臣向萧绎进言说：“建康（江苏省南京市）是帝国故都，祖先葬身所在，荆州（州政府江陵）远在边疆，不是帝王住宅，请陛下不再迟疑，以免后悔。我家就在荆州（州政府江陵），怎么不盼望陛下留在这里，但这只是我富贵，不是陛下富贵。”萧绎命巫法师杜景豪占卜，占卜的结果不吉，杜景豪回答萧绎说：“不可以返都。”可是回到家里却说：“这个卦是‘鬼贼所留’卦！”萧绎因建康（江苏省南京市）残破，而江陵（湖北省江陵县）繁华，潜意识里也安于现状，最后终于仍是接受胡僧祐等的建议，把江陵作为首都。

萧绎任命湘州（州政府临湘）州长（刺史）王琳当衡州（州政府设含洭〔广东省英德市西北浛洸镇〕）州长（刺史）。

九月十一日，萧绎下诏王僧辩返建康（江苏省南京市）镇守，陈霸先返京口（江苏省镇江市）。

九月十七日，任命中央军事总监（护军将军）陆法和当郢州（州政府设夏口〔湖北省武汉市〕）州长（刺史）。陆法和主持州政，废除司法，不审判、不判刑、不设监狱，专门用佛教教义及西域（新疆及中亚东部）法术教化人民。私人军队数千人，都称“弟子”。

16 契丹部落（内蒙古西辽河上游）侵略北齐帝国边境。

九月二十三日，北齐帝高洋北上巡视冀州（州政府设信都〔河北省衡水市冀州区〕）、定州（州政府设中山〔河北省定州市〕）、幽州（州政府设蓟城〔北京市〕）、安州（侨州，州政府设渔阳〔北京市通州区〕），乘势攻击契丹。

高洋命新近投降的侯景党羽郭元建（参考去年〔五五二〕三月二十三日），在合肥（安徽省合肥市）训练水上作战部队二万余人，打算袭击建康（江苏省南京市），强迫南梁帝国接受湘潭侯萧退（萧退，参考五四九年二月十四日）；又派将军邢景远、步大汗萨（步大汗，三字姓），率军继续出动。南梁帝国开府仪同三司（宰相级）陈霸先在建康（江苏省南京市）得到消息，报告萧绎，萧绎命王僧辩镇守姑孰（安徽省当涂县）抵抗。

冬季，十月八日，讨伐契丹部落（内蒙古西辽河上游）的北齐帝高洋，抵达平州（州政府设肥如〔河北省卢龙县北〕），从西路穿过“长堑”（曹操北征乌桓部落，横贯卢龙塞〔河北省迁安市西北长城喜峰口至冷口直线六十公里〕，凿山填谷二百五十公里，开出行军狭道，参考二〇七年三月。后人称之为“长堑”），命宰相（司徒）潘相乐率精锐骑兵五千人从东路穿过青山（辽宁省义县东）。

十月十二日，高洋抵达白狼城（辽宁省喀喇沁左翼县西南）。

十月十三日，高洋抵达昌黎郡（和龙城，辽宁省朝阳市），命安德王韩轨，率精锐骑兵四千人，切断契丹部落退路。

十月十四日，高洋抵达阳师水（地望应是发源于辽宁省阜新市，南流注入

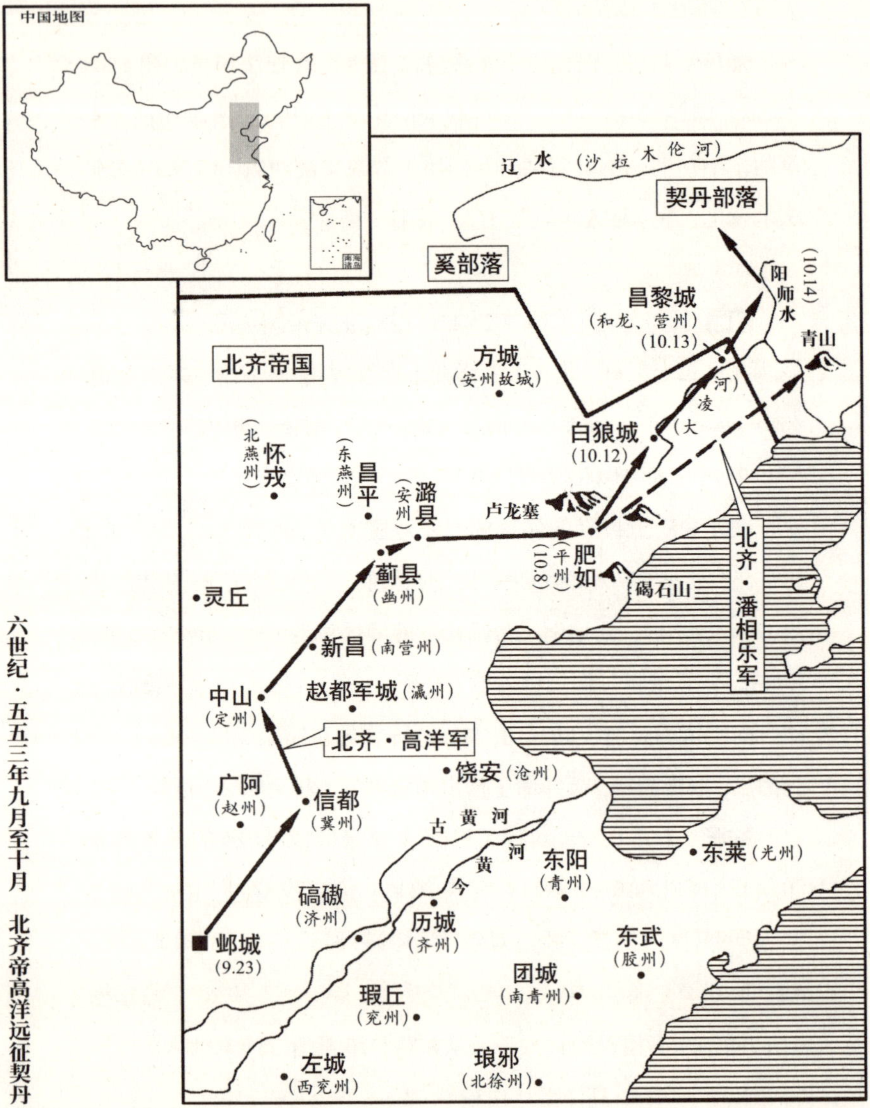

六世纪·五五三年九月至十月　北齐帝高洋远征契丹

中国地图
辽水（沙拉木伦河）
契丹部落
奚部落
北齐帝国
昌黎城（和龙、营州）(10.13)
阳师水 (10.14)
青山
方城（安州故城）
白狼城 (10.12)
（大凌河）
怀戎（北燕州）
昌平（东燕州）
潞县（安州）
卢龙塞
肥如（平州）(10.8)
碣石山
北齐·潘相乐军
蓟县（幽州）
灵丘
新昌（南营州）
中山（定州）
赵都军城（瀛州）
北齐·高洋军
饶安（沧州）
广阿（赵州）
信都（冀州）
古黄河
今黄河
东阳（青州）
东莱（光州）
碻磝（济州）
历城（齐州）
邺城 (9.23)
东武（胶州）
团城（南青州）
瑕丘（兖州）
左城（西兖州）
琅邪（北徐州）

大凌河的细河)，加倍速度行军，偷袭契丹部落王庭(今地不详)。高洋披头散发、袒胸露背，日夜不停，深入一千余华里，翻山越岭，身先士卒，只吃肉喝水，而豪气更高。

十月十五日，跟契丹部落相遇，高洋奋勇攻击，大破契丹军，俘虏十余万人，牲口数百万头。潘相乐又在青山(辽宁省义县东)大破契丹其他部落。

十月十八日，高洋返回营州(州政府设和龙城〔辽宁省朝阳市〕)。

17 十月二十日，南梁帝国(首都江陵)宰相(司徒)王僧辩，抵达姑孰(安徽省当涂县)，派婺州(州政府设东阳〔浙江省金华市〕)州长(刺史)侯瑱、吴郡(江苏省苏州市)郡长张彪、吴兴郡(浙江省湖州市)郡长裴之横，在东关(安徽省含山县西南)兴筑防御工事，严阵等待北齐帝国(首都邺城)攻击。

18 十月二十八日，北齐帝高洋，登碣石山(河北省昌黎县北)，到大海(渤海)之滨；于是西上，前往晋阳(山西省太原市)。中途，擢升肆州(州政府设九原〔山西省忻州市〕)州长(刺史)斛律金当太师(上三公之一)；返抵晋阳后，又任命斛律金的儿子斛律丰乐当武卫大将军，孙儿斛律武都娶义宁公主，宠信和相待之厚，其他官员都赶不上(斛律武都，是斛律光的儿子)。

19 闰十月十九日(依《中国年历总谱》，本年应为闰十一月，《资治通鉴》为何是闰十月，原因不明)，南梁帝国南豫州(州政府设姑孰〔安徽省当涂县〕)州长(刺史)侯瑱，跟北齐帝国大将郭元建，在东关(安徽省含山县西南)会战，北齐军大败，淹死的以万为单位计算。被护送的湘潭侯萧退，再回邺城（北齐首都，河北省临漳县西南邺城镇），南梁王僧辩也回建康（江苏省南京市）。

吴州（州政府设鄱阳〔江西省鄱阳县〕）州长（刺史）开建侯萧蕃，仗恃自己兵强马壮，对南梁帝萧绎不肯进贡，萧绎密令萧蕃的部将徐佛受内叛。徐佛受命他的党徒假装打官司，晋见萧蕃，乘势生擒萧蕃。萧绎任命徐佛受当建安郡（福建省建瓯市）郡长，命总监督长（侍中）王质当吴州（州政府鄱阳）州长（刺史）。王质到了鄱阳（江西省鄱阳县），徐佛受把他招待在内城（金城），而自己住在外城（罗城），控制城门开关，并修理船舰武器，王质不敢跟他理论。萧蕃的部属数千人为旧主复仇，攻击徐佛受，徐佛受投奔南豫州（州政府姑孰）州长（刺史）侯瑱，侯瑱诛杀徐佛受。王质才得以过问州政。

十一月戊戌日（十一月己未朔，没有戊戌），萧绎任命国务院右执行长（尚书右仆射）王褒当左执行长（左仆射）、湘东郡（湖南省衡阳市）郡长张绾当国务院右执行长（右仆射）。

20 十二月二日（原文误置于十一月，据《北齐书》改），突厥汗国（新疆东北部）再度攻击柔然汗国（瀚海沙漠群），柔然汗国不能抵抗，全国人民投奔北齐帝国。

十二月六日，北齐帝高洋自晋阳（山西省太原市）出发，北上攻击突厥汗国军，接纳柔然汗国残余部众，罢黜可汗（十七任）郁久闾库提，另任命郁久闾阿那瓌（十四任敕连头兵豆伐可汗）的儿子郁久闾菴罗辰，继任可汗（十九任），安置在马邑川（山西省朔州市），发给他们粮食、绸缎、布匹。高洋亲自追击突厥军，追到朔州（州政府设怀朔城〔内蒙古固阳县〕），突厥请求投降，高洋接受，班师。从此，突厥汗国对北齐帝国进贡不断。

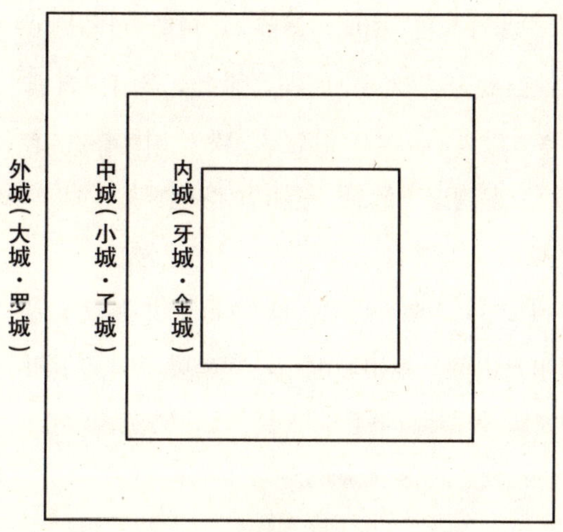

城墙称谓

21 西魏帝国国务院执行官（尚书）元烈，阴谋杀害太师（上三公之一）宇文泰，事情泄漏，宇文泰斩元烈。

22 十二月九日，南梁帝萧绎，派总监督长（侍中）王琛，前往西魏帝国聘问。西魏太师宇文泰暗中有消灭江陵（南梁首都，湖北省江陵县）的想法。梁王（首府襄阳〔湖北省襄阳市〕）萧詧得到这个消息，更加重他的贡品。

23 十二月，北齐帝国宿预（东徐州，江苏省宿迁市）变民首领东方白额，献出城池，投降南梁帝国，江西（安徽省中部及湖北省东北部）各郡县人民，都武装起事响应（淮河流域人民不堪北齐帝国统治，参考去年〔五五二〕六月）。

五五四年 甲戌

南梁	承圣	三年
北齐	天保	五年
西魏	元钦	三年
	恭帝	元年

1 春季，正月六日，北齐帝国（首都邺城〔河北省临漳县西南邺城镇〕）皇帝（一任文宣帝）高洋（本年二十六岁），穿越离石道（离石，西汾州州政府所在城，山西省吕梁市离石区），讨伐山胡（山西省石楼县匈奴部落）；命太师（上三公之一）斛律金穿越显州道（显州州政府设六壁〔山西省孝义市〕），常山王高演从晋州道（晋州州政府设平阳〔山西省临汾市〕）出发，三路夹攻，大破山胡军。高洋下令：山胡十三岁以上的男子，一律斩首（《北史·齐文宣帝纪》作十二岁以上），女子和十二岁以下的男子，都当作战利品，赏赐给

军人，石楼（吐京，山西省石楼县）遂告平定。石楼一带悬崖绝壁，地形险恶，自北魏帝国建立（三八六年至今），政府力量从不能到达（事实上，北魏三任帝〔太武帝〕拓跋焘曾出兵讨伐山胡，参考四三四年七月、四四七年正月）。石楼既破，其他远近山胡部落，全都震恐屈服。一位司令官（都督）受伤，他属下的班长（什长）路晖礼不能把他救出来，高洋下令挖出路晖礼的五脏，命九个人吞食，路晖礼全身的肉和恶臭脏物，都被吃光。自此，高洋开始卖弄权威，横肆凶暴（高洋自五五〇年五月称帝，至今凡三年九个月，权力病毒已累积至临界点，开始发作）。

2 南梁帝国（首都江陵〔湖北省江陵县〕）开府仪同三司（宰相级）陈霸先，自丹徒（江苏省镇江市东丹徒区）北渡长江，包围北齐帝国占领的广陵（江苏省扬州市）；秦州（州政府设秦郡〔江苏省南京市六合区〕）州长（刺史）严超达自秦郡进军，包围泾州（州政府设石梁城〔安徽省天长市西〕）；南豫州（州政府设姑孰〔安徽省当涂县〕）州长（刺史）侯瑱、吴郡（江苏省苏州市）郡长张彪，率军向石梁推进，作为陈霸先的支援。

正月十四日，中央又命晋陵郡（江苏省常州市）郡长杜僧明，率三千人支援宿预（江苏省宿迁市）变民首领东方白额（参考去年〔五五三〕十二月）。

3 西魏帝国（首都长安〔陕西省西安市〕）太师（上三公之一）宇文泰，开始制作“九命”（九等）官表，用以铨叙中央及地方官员的高低；编制外的官员，也分为九等（一个全面性的官制大改革，逐步实施。国务院执行官〔尚书〕卢辩，仿效纪元前十二世纪周王朝的官制，重新制定新的官制，“九命”代替“九品”，不过是一个开始）。

西魏帝（〔西〕十七任废帝）元钦（本年十五岁），自元烈被处死（参考去年

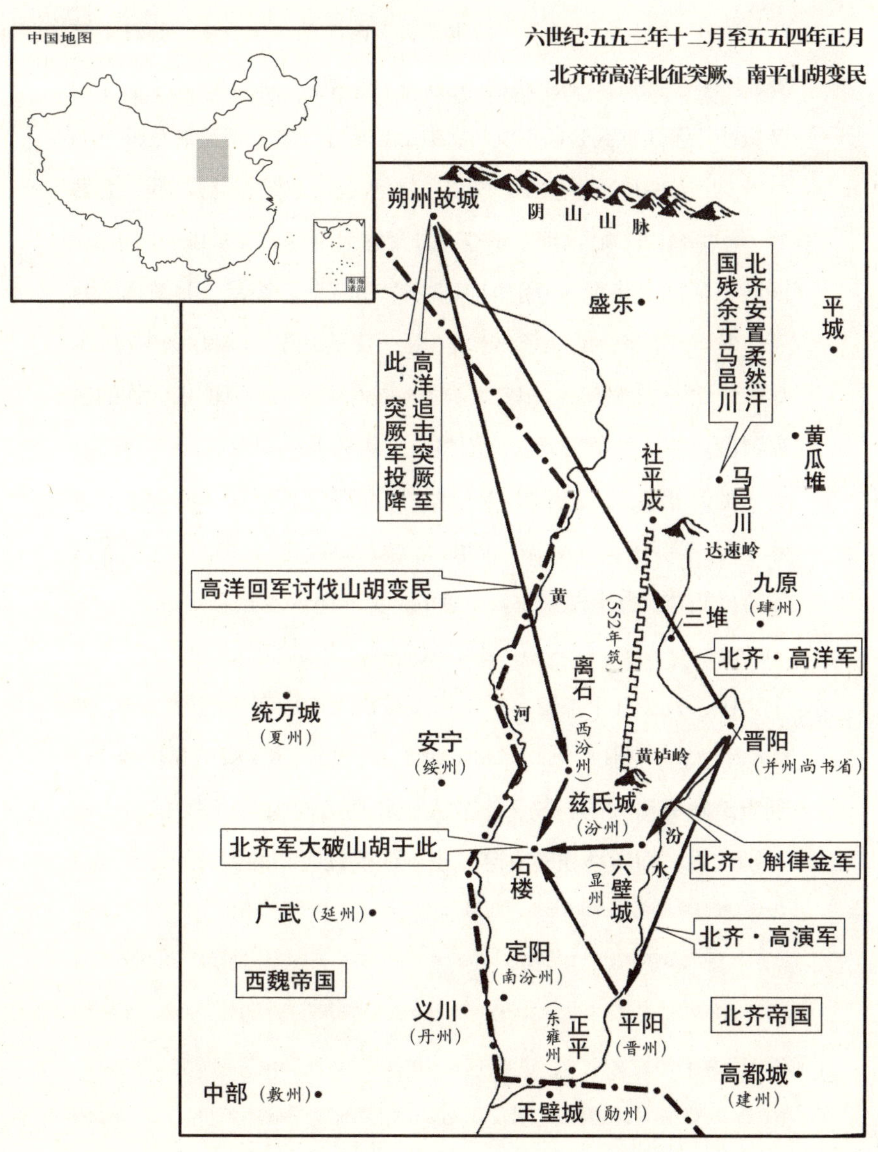

中国地图
六世纪·五五三年十二月至五五四年正月
北齐帝高洋北征突厥、南平山胡变民
朔州故城
阴 山 山 脉
盛乐
平城
北齐安置柔然汗国残余于马邑川
高洋追击突厥至此，突厥军投降
黄瓜堆
社平戍
马邑川
达速岭
高洋回军讨伐山胡变民
黄
(552年筑)
九原
(肆州)
三堆
北齐·高洋军
离石
(西汾州)
统万城
(夏州)
河
安宁
(绥州)
黄栌岭
晋阳
(并州尚书省)
兹氏城
(汾州)
汾
北齐军大破山胡于此
石楼
六壁城
(显州)
水
北齐·斛律金军
广武 (延州)
北齐·高演军
定阳
(南汾州)
西魏帝国
义川
(丹州)
(东雍州)
正平
平阳
(晋州)
北齐帝国
高都城
(建州)
中部 (敷州)
玉壁城 (勋州)

〔五五三〕十二月），大为生气，口出怨言，密谋诛杀宇文泰。临淮王元育、广平王元赞，流泪劝阻，元钦不肯接受。宇文泰的儿子们年龄都很小，侄儿章武公爵宇文导、中山公爵宇文护，都远离京师（首都长安），出去主持军事重镇。所以，就把几位女婿，当作心腹：大都督（勋官九级，正七命）清河公爵李基、义城公爵李晖、常山公爵于翼，同时担任武卫将军，分别控制皇家禁卫部队。李基，是李远的儿子。李晖，是李弼的儿子。于翼，是于谨的儿子（李远是西魏府兵十二大将军之一；李弼、于谨都是“八柱国”之一。参考五五〇年十二月）。因此，元钦的密谋泄漏。宇文泰罢黜元钦，囚禁在京畿总卫戍司令部（雍州）官舍，遴选他的老弟、齐王元廓（本年十八岁），继任皇帝（〔西〕十八任恭帝），废除年号，只称元年（前任帝〔十七任〕元钦就没有用年号，也只称元年）；皇族恢复原姓拓跋。九十九家改为单姓的，也一律恢复原来复姓（之前曾经下诏恢复原姓，参考五四九年五月；此次再度下诏）。北魏帝国最初统辖三十六个封国、九十九个部落，后来很多被消灭或后裔死绝（三世纪时，拓跋部落统辖三十六个封国、九十九个部落，参考二六一年）。宇文泰刻意仿效，特别遴选功劳最大的将领三十六人，和功劳次大的将领九十九人，分别改姓。而所率领的士卒，也一律改姓将领的姓（三十六姓一定比九十九姓稍微高贵，但如何高贵，我们不知道。汉人改鲜卑姓，如李弼改姓“徒河”、赵肃改姓“乙弗”、刘亮改姓“侯莫陈”、杨忠改姓“普六茹”、王雄改姓“可频”、李虎改姓“大野”、辛威改姓“普毛”、田宏改姓“纥干”、耿豪改姓“和稽”、王勇改姓“库汗”、杨绍改姓“叱利”、侯植改姓“侯伏侯”、窦炽改姓“纥豆陵”、李穆改姓“揄拔”、陆通改姓“步六孤”、杨纂改姓“莫胡卢”、寇儁改姓“若口引”、段永改姓“尔绵”、韩褒改姓“侯吕陵”、裴文举改姓“贺兰”、陈忻改姓“尉迟”、樊深改姓“万纽于”）。

4 三月一日，南梁帝国长沙王萧韶，进占巴郡（重庆市。西魏帝国去年〔五五三〕八月得到成都，还没有时间东进，萧韶乘机推进）。

三月十八日，南梁帝（四任元帝）萧绎（本年四十七岁）任命王僧辩当全国武装部队总司令（太尉）、车骑大将军。

5 三月二十一日，北齐帝国将领王球，进攻宿预（江苏省宿迁市），南梁帝国晋陵郡（江苏省徐州市）郡长杜僧明出击，大破北齐军，王球退回彭城（江苏省徐州市）。

6 南梁帝国郢州（州政府设夏口〔湖北省武汉市〕）州长（刺史）陆法和，在呈递南梁帝萧绎的奏章上，自称宰相（司徒），萧绎大感奇怪。国务院左执行长（尚书左仆射）王褒说："陆法和既然道术高强，或许他有先知。"

三月二十二日，萧绎派人去陆法和任所，任命他当宰相（司徒）。

7 三月二十三日，西魏帝国总监督长（侍中）宇文仁恕，前往南梁帝国聘问。正巧北齐帝国的使节也到江陵（南梁首都，湖北省江陵县），萧绎对宇文仁恕的接待，远不如对北齐使节。宇文仁恕回国后，报告太师（上三公之一）宇文泰。萧绎又请求西魏帝国依照从前版图，重新划定疆界，措辞傲慢（萧绎为了跟萧詧抗争，割让汉水以东给西魏，参考五五〇年二月。后来，西魏军夺取汉中，参考前年〔五五二〕五月；之后又夺取巴蜀，参考去年〔五五三〕八月）。宇文泰说："古人有句话：'上天废弃的人，谁都不能使他兴起！'这种人就是萧绎！"荆州（州政府设穰城〔河南省邓州市〕）州长（刺史）长孙俭，不断提出攻击进取的策略，宇文泰征召长孙俭到中央，询问他的计划，又命他回任，秘密准备。西魏将领马伯符（义阳郡郡长马伯符投降西魏，参考五四九年十一月），把这项消息，暗中奏报给萧绎，萧绎不肯相信。

8 柔然汗国（瀚海沙漠群）可汗（十九任）郁久闾菴罗辰，背叛北齐帝国。北齐帝高洋亲自率军出击，大破柔然军，郁久闾菴罗辰父子向北逃走。

太保（上三公之三）、安定王贺拔仁进贡的战马不够优良，高洋拔掉他的头发，免除所有官爵，贬作平民，罚到晋阳（山西省太原市）挑煤。

9 北齐帝国立法院最高立法长（中书令）魏收，撰写《魏书》（北魏帝国史），往往凭自己的喜欢或不喜欢，赞扬或贬谪人物，常对人说："什么东西！敢给我魏收脸色看！抬举他能使他上天，糟蹋他能使他入地。"书既完成（魏收奉命撰写国史，参考五四四年十一月。本年完成，历时十一年），立法院立法官（中书舍人）卢潜弹劾说："魏收诬害一代人物，罪应诛杀。"国务院左秘书长（尚书左丞）卢斐、顿丘（河南省内黄县东南）人李庶，都抨击魏收的《魏书》扭曲史实。魏收上疏北齐帝高洋，说："我既然结怨强大的家族（卢、李都是中原豪门世家），势将被刺客格杀。"高洋大怒，于是，卢斐、李庶及国务院助理官（尚书郎中）王松年，都被指控诽谤史书，每人打二百皮鞭，发配兵工厂制造铠甲。卢斐、李庶死在监狱，卢潜也被逮捕囚禁。然而，当时的人始终不能心服，称之为"秽史"。卢潜，是卢度世的曾孙（卢度世事，参考五四九年六月）。卢斐，是卢同的儿子（卢同制造元熙之狱，参考五二〇年八月）。王松年，是王遵业的儿子（王遵业事，参考五二八年四月）。

夏季，四月，柔然汗国（瀚海沙漠群）南下攻击北齐帝国的肆州（州政府设九原〔山西省忻州市〕）。北齐帝高洋，自晋阳（山西省太原市）出发讨伐，进抵恒州（州政府设平城〔山西省大同市〕），柔然汗国部队四散逃走，高洋率二千余人作为后卫部队，夜晚住宿黄瓜堆（山西省山阴县北）。柔然游动大军骑兵数万人，突然出现，高洋十分镇静，躺在床上不动，天亮才起身，神情平静，依照当时情况，指示各将领，出兵奋勇反击，柔然军溃败，高洋突围而出，柔然军撤退，高洋追击，尸体连接二十余华里，生擒柔然可汗郁久间菴罗辰的妻子儿女，及部落民三万余人。高洋命司令官（都督）、善无（山西省右玉县）人高阿那肱，率骑兵数千人，阻塞柔然的退路。当时，柔然的兵力仍很强大，高阿那肱因军队太少，请求增加，高洋大怒，减少他现有兵力的一半。高阿那肱用剩下的一半兵力，发动猛烈攻击，大破柔然。郁久间菴罗辰穿过悬崖绝壁逃走，仅留下一命。

10 四月十一日，南梁帝萧绎派总顾问长（散骑常侍）庾信等，前往西魏帝国聘问。

四月十八日，任命陈霸先当最高监察长（司空）。

11 五月，西魏帝国直州（州政府设安康〔陕西省石泉县〕）变民首领乐炽、洋州（州政府设洋川〔陕西省西乡县〕）变民首领黄国等，起兵反抗政府。开府仪同三司（勋官三级，正九命）高平（宁夏固原市）人田弘、河南郡（河南省洛阳市东白马寺东）人贺若敦出军讨伐，不能制服。太师（上三公之一）宇文泰命车骑大将军李迁哲（参考前年〔五五二〕正月），会同贺若敦，联合出击，终于把乐炽等平定。李贺联军继续南下，夺取南梁帝国的土地，直抵巴州（州政府设梁广〔四川省巴中市〕），南梁委任的巴州州长（刺史）牟安民投降，巴州（四川省东北都）百濮（湖北省西南部）之间居民，都归附西魏帝国（《周书·李迁哲传》记载，此役共攻克十八州，包括并州〔州政府设宣汉，四川省宣汉县东北〕、叠州〔州政府所在不详〕)。蛮夷酋长向五子王（五子王，三字名），攻陷白帝城（重庆市奉节县东），李迁哲讨伐，向五子王逃走，李迁哲追击，大破蛮夷军。宇文泰任命李迁哲当信州（州政府设白帝城〔重庆市奉节县东〕）州长（刺史），镇守白帝。信州（白帝城）原来没有积蓄，李迁哲与士卒同甘共苦，一起出去采摘野菜，挖掘野菜根当粮食；偶尔有点美味食物，则分给士卒共尝，军人感动喜悦。李迁哲不断攻击背叛的蛮夷部落，把他们击破，蛮夷部落全部屈服，纷纷供应粮食，并派子弟充当人质；从此，州境之内，一派升平，军用物资充分。

12 柔然汗国（瀚海沙漠群）乙旃达官部落，南下攻击西魏帝国广武（延州，陕西省延安市东北）。西魏柱国大将军（勋官一级，正九命）李弼派军迎击，击破柔然。

13 南梁帝国广州（州政府设番禺〔广东省广州市〕）州长（刺史）、曲江侯萧勃，自己知道官职不是由南梁帝萧绎任命（陈霸先拥护萧勃事，参考五四九年七月一日），心怀忧惧，而萧绎对他也有猜忌。萧勃上疏请求前往中央朝见。

五月二十日，萧绎任命王琳当广州州长（刺史），萧勃当晋州（州政府设晋熙〔安徽省潜山市〕）州长（刺史）。萧绎因王琳军队强大，而又受部队拥护，所以希望他离开得越远越好。王琳跟文书助理官（主书）、广汉（四川省广汉市）人李膺，友情深厚，暗中对李膺说：“我，王琳，是一个卑微的小人物，蒙皇上提拔，到今天高位。而今，天下还没有平定，却把我放逐到岭南（南岭以南），万一发生什么事情，怎么来得及得到我的效力！我揣摩皇上的意思，不过怀疑我夺取政权罢

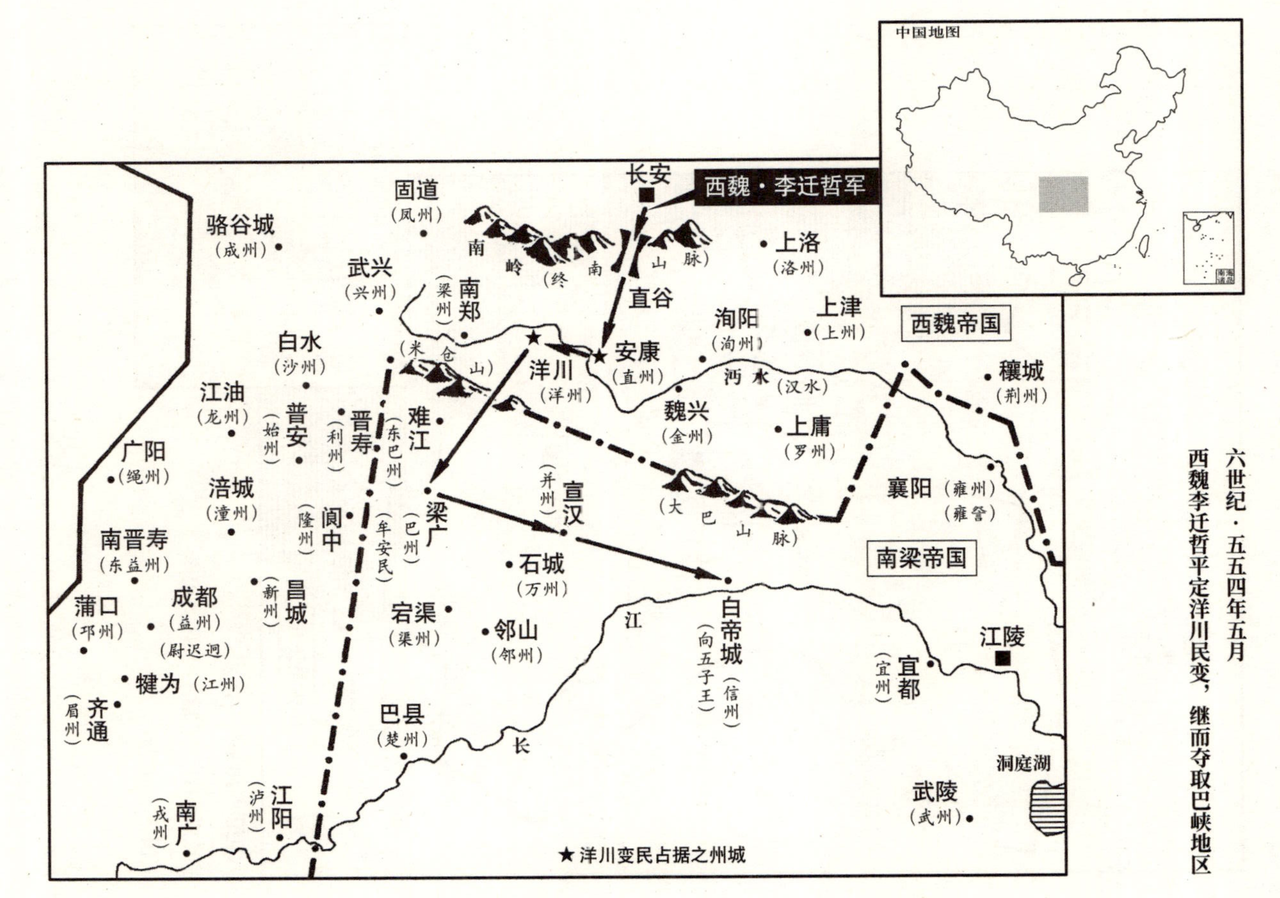

六世纪·五五四年五月
西魏李迁哲平定洋川民变，继而夺取巴峡地区

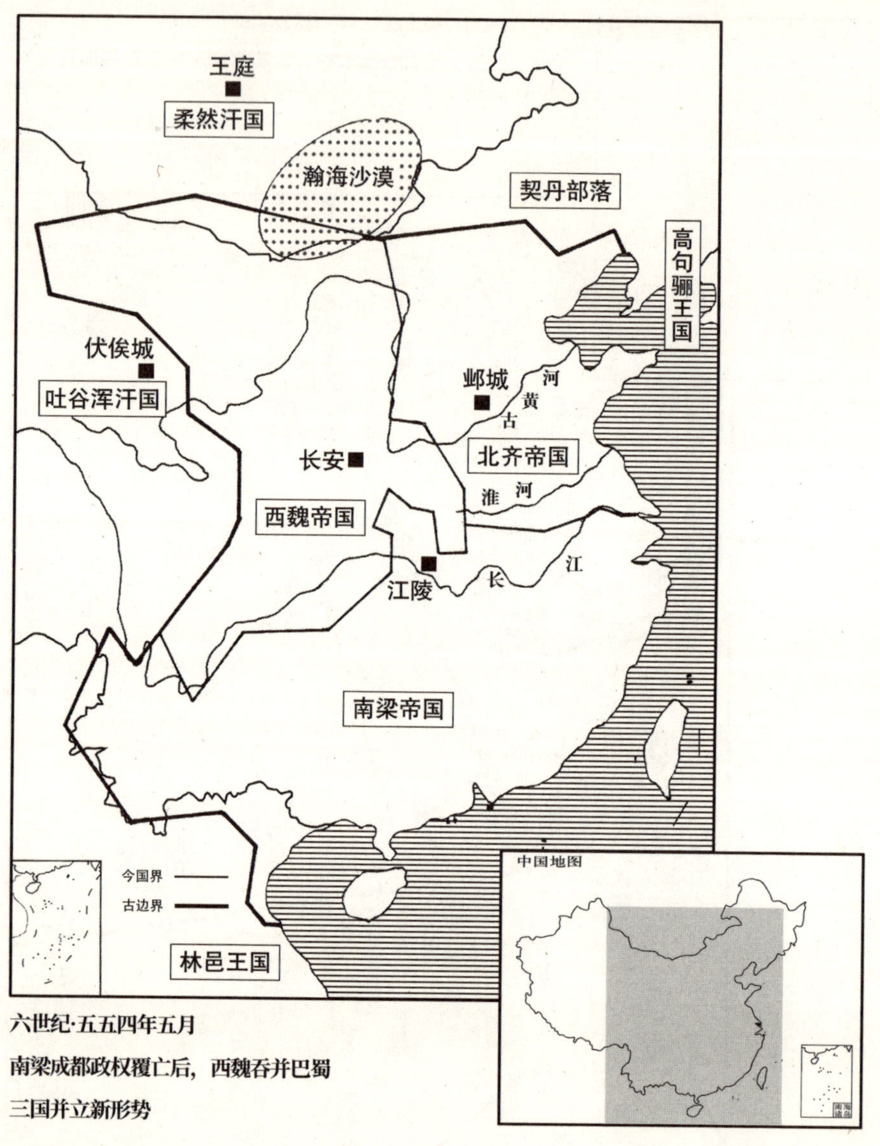

六世纪·五五四年五月

南梁成都政权覆亡后，西魏吞并巴蜀

三国并立新形势

了，我知道我的身份和声望，怎么敢跟皇上争夺宝座！为什么不任命我当雍州（州政府设襄阳〔湖北省襄阳市〕。当时由萧詧盘踞）州长（刺史），镇守武宁（湖北省荆门市北），我会使士卒开荒种田，捍卫帝国北疆。”李膺同意他的话，但不敢报告萧绎。

14 五月二十二日（原文误置于四月，据《北齐书》改），北齐帝高洋再出击柔然汗国（瀚海沙漠群），大破柔然军。

15 五月二十五日，西魏太师（上三公之一）宇文泰，毒死被罢黜的前任帝（〔西〕十七任废帝）拓跋钦（年龄不详）。

16 南梁帝国顾问院（集书省）高级事务顾问官（散骑郎）、新野（河南省新野县）人庾季才，报告南梁帝萧绎说：“去年（五五三）八月六日，月亮侵犯心中星。今年（五五四）五月一日，赤气上冲北斗星。‘心’是帝王，‘丙’（八月六日是丙申日，五月一日是丙戌日）涵盖古楚王国地区（湖北省。以上事属天文，不懂）。十一月间，我恐怕将有大军进入江陵（南梁首都，湖北省江陵县），陛下应命重要高级官员镇守江陵，而早日还都建康（江苏省南京市），躲避这场灾难。假如魏国丑类（西魏帝国军）侵犯，我们最多丧失荆州（湖北省西部）、湘州（湖南省），对整个帝国而言，仍可以生存。”萧绎对天文也很有研究，知道古楚王国地区（湖北省）将有灾难，叹息说：“祸福都在上天之手，躲避它有什么用！”

17 六月二十七日，北齐帝国将军步大汗萨（步大汗，三字姓）率军四万人，增援泾州（州政府设石梁城〔安徽省天长市西〕）。南梁帝国全国武装部队总司令（太尉）王僧辩派侯瑱、张彪，自石梁（安徽省天长市西）

出军，增援秦州（州政府设秦郡〔江苏省南京市六合区〕）州长（刺史）严超达抵御（此段地理位置，可能有误），侯瑱、张彪迟疑逗留，不肯前进。南梁将军尹令思，率一万余人，密谋袭击盱眙（江苏省盱眙县）。北齐帝国冀州（州政府设信都〔河北省衡水市冀州区〕）州长（刺史）段韶，率军讨伐宿预（江苏省宿迁市）变民首领东方白额；广陵（江苏省扬州市）、泾州（州政府设石梁城〔安徽省天长市西〕）都请求紧急救援，北齐各将领深感忧虑。段韶说："萧家班（南梁帝国）丧亡败乱，国家没有一个公认的君王，人心不安，谁强大谁就是领袖。陈霸先等表面上假装服从中央，团结一致，实际上早有二心，各位不必忧虑，我对他们十分了解。"于是把仪同三司（宰相级，正二品）敬显俊等留下，继续包围宿预（江苏省宿迁市），而亲自率军加倍速度行军，直指泾州（州政府石梁城），中途经过盱眙（江苏省盱眙县）。尹令思想不到北齐大军突然出现，望风而逃。段韶进击严超达，击破南梁军，回军增援广陵（江苏省扬州市），陈霸先解围退走。南梁其他将领也纷纷退走：晋陵郡（江苏省常州市）郡长杜僧明返丹徒（江苏省镇江市东丹徒区），南豫州（州政府设姑孰〔安徽省当涂县〕）州长（刺史）侯瑱、吴郡（江苏省苏州市）郡长张彪返秦郡（江苏省南京市六合区）。南梁将领吴明彻包围海西（江苏省灌南县），守将中山（河北省定州市）人郎基，登城防御，箭已射完，则削木枝当箭杆，剪纸张当羽毛。吴明彻围攻一百天，始终无法攻克，撤退。

18 柔然汗国（瀚海沙漠群）残余部众向东方迁移，而且打算南下侵袭。北齐帝高洋，率轻装备骑兵，在金川（内蒙古托克托县境）拦腰截击。柔然军得到消息，远远逃走。营州（州政府设和龙城〔辽宁省朝阳市〕）州长（刺史）灵丘（山西省灵丘县）人王峻，设下埋伏突击，擒获名王数十人。

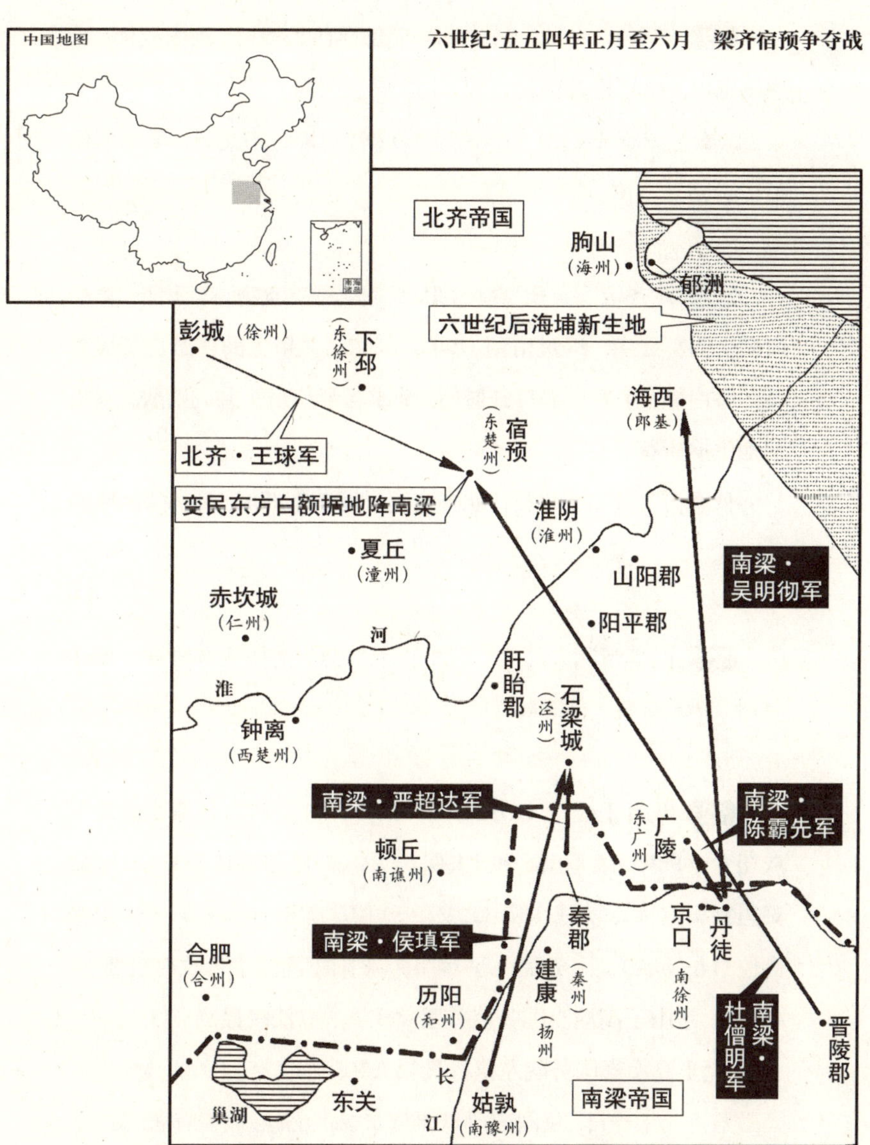
中国地图
南海诸岛
六世纪·五五四年正月至六月　梁齐宿预争夺战
北齐帝国
朐山
（海州）
郁洲
六世纪后海埔新生地
彭城（徐州）
下邳
（东徐州）
海西
（郎基）
宿预
（东楚州）
北齐·王球军
变民东方白额据地降南梁
淮阴
（淮州）
夏丘
（潼州）
山阳郡
南梁·
吴明彻军
赤坎城
（仁州）
阳平郡
河
淮
盱眙郡
石梁城
（泾州）
钟离
（西楚州）
南梁·严超达军
南梁·
陈霸先军
广陵
（东广州）
顿丘
（南谯州）
京口
（南徐州）
丹徒
秦郡
（秦州）
南梁·侯瑱军
合肥
（合州）
建康
（扬州）
历阳
（和州）
南梁·
杜僧明军
晋陵郡
长
江
巢湖
东关
姑孰
（南豫州）
南梁帝国

19 邓至（四川省九寨沟县南坪镇）羌部落酋长檐桁，失去权柄，被逐出辖区。檐桁投奔西魏帝国（首都长安），西魏太师（上三公之一）宇文泰，命秦州（州政府设上封〔甘肃省天水市〕）州长（刺史）宇文导，率军把檐桁护送回去复位。

20 北齐帝国冀州（州政府设信都〔河北省衡水市冀州区〕）州长（刺史）段韶，回军途中，经过宿预（江苏省宿迁市），派辩士前往游说变民首领东方白额；东方白额打开城门，请求与那位辩士共同盟誓，乘机把他生擒斩首。

秋季，七月二十六日，北齐帝高洋返首都邺城（河北省临漳县西南邺城镇）。

21 西魏帝国太师（上三公之一）宇文泰，前往西方巡视，抵达原州（州政府设高平〔宁夏固原市〕）。

22 八月壬辰日（八月乙卯朔，没壬辰），北齐政府任命京畿总卫戍司令（司州牧）清河王高岳当太保（上三公之三）、最高监察长（司空）尉粲当宰相（司徒）、太子太师（上三公之一）侯莫陈相（侯莫陈，三字姓）当最高监察长（司空）、国务院总理（尚书令）平阳王高淹主管政府机要（录尚书事）、常山王高演当国务院总理（尚书令）、立法院最高立法长（中书令）上党王高涣当国务院左执行长（左仆射）。

八月二十一日，仪同三司（宰相级，正二品）元旭，被控有罪，处死。

八月二十三日，北齐帝高洋前往晋阳（山西省太原市）。高洋还没有担任东魏帝国宰相之前，太保（上三公之一）、主管政府机要（录尚书事）、平原王高隆之时常对他侮辱（高洋曾称呼高隆之为叔父，参考五四四年三月)。后来将要接受禅让,高隆之又认为不可以(参考五五〇年五月),高洋一一记恨在心。而崔季舒又暗中陷害,说:"高隆之每逢审问官司,脸上都故意露出悲哀同情的神情,表示他不能做主。"(报复受鞭打及贬谪边疆,参考五四九年八月。)高洋把高隆之囚禁在国务院(尚书省)。高隆之曾经跟元旭饮宴,对元旭说:"跟大王交朋友,无论生死,都不辜负。"有人打小报告,高洋怒不可遏,命武士痛殴高隆之一百余拳才停。

八月二十七日,高隆之死在路上(年六十一岁)。很久之后,高洋回想起当年高隆之的嘴脸,忽然大怒若狂,逮捕他的儿子高慧登等二十人,排列在马前,高洋用鞭杆在马鞍上一敲,二十把钢刀闪电出鞘,二十个人头同时滚落在地,高洋下令把二十具尸体,全投入漳水(流经邺城西北);但仍不能解心头之恨,再把高隆之的尸体挖出来,将骨骸剁成碎块,用火焚化,也投到漳水。

势利眼最大的危险是看走了眼,被轻视的家伙忽然平地一声雷,势利眼就只好盼望对方福大量大。一旦对方恩怨分明,睚眦必报,势利眼就得付出势利眼的代价。高隆之是个典型,不过,他付出的代价过分昂贵。

势利眼使人厌恶,但世界上如果没有势利眼,那就是说:世界上如果再没有嫌贫爱富事件,再没有狗仗人势行为,这世界就不能像现在这样的多彩多姿。我们也不反对对势利眼的报复——除非报复得过了头,像高洋对待高隆之。因为报复心理是贫贱人士的一种刺激,成为社会进步的动力之一。

高洋派常山王高演、上党王高涣、清河王高岳、平原王段韶,率军在洛阳（河南省洛阳市东白马寺东）西南，兴筑伐恶城、新城、严城、河南城。

九月，高洋巡视四城，打算引诱西魏帝国出军攻击，而西魏没有反应；遂前往晋阳（山西省太原市）。

23 西魏帝国太师（上三公之一）宇文泰，命总监督长（侍中）崔猷，把通往汉中郡（陕西省汉中市）的山路，拓宽为双线道。

24 南梁帝萧绎，喜爱穷嚼蛆（清谈）。九月八日，在龙光殿讲解《老子》。曲江侯萧勃，迁居始兴（东衡州州政府所在城，广东省韶关市）。新任广州（州政府番禺）州长（刺史）王琳，命副将孙玚，先行进入番禺（广东省广州市）。

25 九月二十二日，西魏政府派柱国大将军（勋官一级，正九命）常山公爵于谨、中山公爵宇文护、大将军（勋官二级，正九命）杨忠，率军五万人，向南梁帝国（首都江陵）发动总攻。

冬季，十月九日，大军从首都长安（陕西省西安市）出发。长孙俭问于谨说：“我们如果站在萧绎立场，将怎么因应？”于谨说：“先在汉水一带驻扎重兵，然后携带所有辎重，顺长江而下，直接前往建康（南梁旧都，江苏省南京市），是上策；把江陵（湖北省江陵县）外郭的居民，全部集中中城（子城），增加城墙防御力量，等待援军，是中策；如果不能坚壁清野，据守外郭，是下策。”长孙俭说：“你揣测萧绎将用哪一策？”于谨说：“下策。”长孙俭说：“为什么？”于谨说：“萧家班（南梁帝国）据有江南（长江以南），连续数纪（十二年为一纪），正逢中原（北魏帝国）不断发生事故，没有余力向外发展。又因为我们有齐国（北齐帝国）的外患，一定认为我们无法分出兵力。而且萧绎懦弱又没有头脑，疑心很重，缺乏决断。而且，坚壁清野，要有大的牺牲，人民愚蠢，看不到后果危险，只看到眼前损失，留恋现住房舍。所以，我认为萧绎必用下策。”

十月十日，南梁帝国武宁郡（湖北省荆门市北）郡长宗均，报告萧绎说西魏大军不久就要到达，萧绎召集御前会议讨论。中央禁军总监（领军）胡僧祐、宫廷库藏部长（太府卿）黄罗汉说：“两国邦交，十分亲善，没有任何不愉快，一定不会发生这种事情。”总监督长（侍中）王琛说：“我仔细观察宇文泰的举止，绝对没有出兵之理。”萧绎再派王琛前去西魏帝国聘问。

十月十三日，于谨大军抵达樊城（湖北省襄阳市汉水北岸）、邓县（襄阳市北），梁王（首府襄阳〔湖北省襄阳市〕）萧詧率军会师。

十月十四日，萧绎停止讲解《老子》，全国戒严。王琛走到石梵（音ōu〔沤〕。应在今湖北省潜江市北汉水畔），看不到西魏军队，派人飞马通知黄罗汉，说：“我已到石梵，边境平静，以前的传言，全是儿戏。”萧绎听到消息，疑惑不定。

十月十七日，恢复讲解《老子》，文武百官都身披铠甲听讲。

十月十八日，萧绎派文书助理官（主书）李膺，前往建康（江苏省南京市），征召王僧辩（扬州〔州政府建康〕州长）当总司令官（大都督）、京畿总卫戍司令（荆州刺史）；命陈霸先移镇扬州（州政府建康）。王僧辩派豫州（南豫州，州政府设姑孰〔安徽省当涂县〕）州长（刺史）侯瑱，率程灵洗等当前锋，兖州（南兖州，州政府侨设晋陵〔江苏省常州市〕）州长（刺史）杜僧明，率吴明彻等当后卫。

十月二十一日，夜晚，萧绎上凤凰阁，倚着栏杆，叹息说：“客星进入翼星、轸星（事属天文，不懂），这一次必然失败。”在旁的小老婆群都流泪哭泣。

郢州（州政府设夏口〔湖北省武汉市〕）州长（刺史）陆法和，听说西魏大军将到，遂自郢州（州政府夏口）赴汉口（汉水注入长江处，即夏口对开河道），将增援江陵，萧绎派人阻止说："我这里自可击破盗贼（指西魏帝国军），你只管镇守郢州，不必移动。"陆法和回到州城（夏口），用白土涂到城上（表示丧事），身穿麻布丧衣，坐在苇草席上，整整一天，才把它脱下（萧绎不过一个蠢材，岂知必败？既知楚地不保，为何不迁建康？既远征王僧辩，为何又近拒陆法和？只不过陆法和的门徒用此表示巫法如神，招摇惑众）。

十一月，萧绎在江陵津阳门（南城东头第二门）外，检阅武装部队，正逢北风凌厉，暴雨倾盆，萧绎乘轻便辇车，狼狈回宫。

十一月一日，西魏帝国远征大军南渡汉水，于谨命宇文护、杨忠，率精锐骑兵，先行占领江津（江陵县东南十公里长江渡口），切断萧绎向东逃走道路。

十一月二日，宇文护攻克武宁郡（湖北省荆门市北），生擒郡长宗均。本日（十一月二日），萧绎乘马出城，视察木栅防御工程，用木棍插地标记，环城周围，长达六十余华里。任命中央禁军总监（领军将军）胡僧祐当京师城东军区司令长官（都督城东诸军事），国务院右执行长（尚书右仆射）张绾当他的副司令长官，国务院左执行长（尚书左仆射）王褒，当京师城西军区司令长官（都督城西诸军事），四翼宫廷殿堂禁卫官（四厢领直）元景亮当他的副司令长官；王爵公爵以下官员，都有岗位。

十一月四日，萧绎命皇太子萧方矩巡视城楼，命居民帮助军队运输木材石头。夜晚（十一月四日夜晚），西魏帝国远征大军抵达黄华，距江陵四十华里。

十一月五日，进到江陵木栅之下。

十一月六日，南梁嶲州（州政府设越嶲〔四川省西昌市〕）州长（刺史）裴畿，裴畿的老弟、新兴郡（湖北省荆州市）郡长裴机，武昌郡（湖北省鄂州市）郡长朱买臣、衡阳郡（湖南省株洲市西南）郡长谢答仁，开枇杷门（江陵内城东门），出军迎战。裴机击斩西魏仪同三司（勋官四级，正七命）胡文伩。裴畿，是裴之高的儿子（参考五五〇年九月）。

萧绎征召广州（州政府设番禺〔广东省广州市〕）州长（刺史）王琳，当湘州（州政府设临湘〔湖南省长沙市〕）州长（刺史），命率军增援京师（首都江陵）。

十一月十五日，城防工事栅栏内失火，烧毁居民数千家，及城楼二十五座。萧绎登上被焚毁的城楼，遥望西魏帝国大军渡江，环顾四周，不禁叹息。当夜，萧绎住宿宫外，下榻民家。十一月十七日，移住祇洹寺（今地不详）。西魏柱国大将军（勋官一级，正九命）于谨命筑起长墙，把江陵团团围住，江陵对外一切音信都被切断。

十一月十八日，南梁信州（州政府设白帝城〔重庆市奉节县东〕）州长（空头官衔。此时白帝城属西魏）徐世谱、晋安王（萧方智）军政官（司马）任约等，在马头（江陵县长江南岸）构筑营垒阵地，作为江陵声援。当夜，萧绎登上城墙巡视，仍口中吟诗，文武官员中也有人和诗的，萧绎撕裂绸缎，在绸缎上写信，催促王僧辩说："我强忍痛苦，不肯去死，就是等你，你应该到来。"（这是曹叡对司马懿托孤时说的话，参考二三九年正月。）

十一月二十日，萧绎回宫。

十一月二十一日，萧绎再出宫，住长沙寺（江陵城南）。

十一月二十六日，王褒、胡僧祐、朱买臣、谢答仁等，再开城出战，全都败还。

十一月二十七日，萧绎移住天居寺（今地不详）。十二月一日，再移住长沙寺。朱买臣手按剑柄，晋见萧绎说："只有斩宗懔、黄罗汉（二人反对迁都，参考去年〔五五三〕八月），才可以向天下交代。"萧绎说："事实上那是我的意思，他们没有罪。"二人退缩到行列之中。

王琳勤王军北上，抵达长沙（临湘，湖南省长沙市），镇南将军府秘书长（镇南府长史。王琳是镇南将军）裴政，请求走小路先行报告中央。裴政走到百里洲（即江陵中州，湖北省枝江市南长江中小岛），被西魏军俘获。梁王萧詧说："我，是武皇帝（一任帝萧衍）的孙儿，难道没有资格当你的君王？如果听我的话，富贵将传到你的子孙；如果你拒绝，人头跟躯干，势必分开。"裴政回答说："听你的命令。"萧詧把他用铁链拉到城下，命他呼喊："王僧辩听说宫城被围，已自己登极称帝。王琳孤军脆弱，不能前进。"裴政却告诉城中守军："援兵大量涌到，你们自己要勉励。我因走小路被他们捉住，当粉身碎骨，报效帝国。"监视的人猛击他的嘴巴，萧詧大怒，下令立即诛杀。西翼警卫指挥部军事参议官（西中郎参军）蔡大业，劝阻说："裴政是人民敬重的人，如果杀了他，荆州（江陵）就难以攻克。"才把他释放。裴政，是裴之礼的儿子（裴之礼，参考五二七年正月）。蔡大业，是蔡大宝的老弟。

当时，征召四方各路勤王军，没有一路到达。

十二月二日，西魏帝国远征军对江陵（湖北省江陵县）开始攻击，百路人马同时攻城。城中军民拿下门板，背在身上当作盾牌。胡僧祐亲冒流箭飞石，日夜不停的督战，奖励将士，明确赏罚，大家都愿为他效死，所到之处都能摧毁敌人的攻势，西魏军无法向前推进。可是，不久，胡僧祐被流箭射中，阵亡；宫内宫外，大为震骇。西魏军集中力量攻击木栅阵地，背叛萧绎的人打开外城西门，迎接西魏大军；萧绎跟皇太子萧方矩、王褒、谢答仁、朱买臣等，退入内城（金城），继续抵抗。萧绎已无斗志，派汝南王萧大封、晋熙王萧大圆，到于谨那里当人质求和（萧大封、萧大圆是二任帝萧纲的儿子，参考五五〇年九月。事到如今，萧绎仍玩小动作，派侄儿不派儿子）。西魏远征军最初抵达时，大家认为王僧辩的儿子、总监督长（侍中）王颁，可以当司令官（都督），但萧绎不肯，不但不肯，反而剥夺他的兵权，命王颋跟他左右十人，进入皇宫守卫殿堂。等到胡僧祐阵亡，才任命王颋当京师城内军区司令长官（都督城中诸军事）。裴畿、裴机、历阳侯萧峻，全都出城投降。于谨因裴机亲手格杀胡文伐，于是连同裴畿，一起斩首，为胡文伐复仇。萧峻，是萧渊猷的儿子（萧渊猷，是萧懿〔一任帝萧衍的老哥〕的儿子，参考五〇六年九月）。当时，南城虽然已破，但北城各将领仍在苦战，黄昏时分，大家听到宫城陷落消息，才纷纷逃散。

萧绎到东阁竹殿，命立法院立法官（舍人）高善宝，纵火焚烧他所储藏的古今图书十四万卷（这是中国文化史上三大焚书浩劫之一），打算跳到火里自杀，宫女和左右侍从共同劝阻。萧绎抽出佩剑，猛砍厅柱，直到佩剑砍断，叹息说："文武两条道路，今天晚上，已到尽头。"乃命总监察官（御史中丞）王孝祀撰写投降奏章。谢答仁、朱买臣劝阻说："城里部队仍然很强，打开城门，乘着黑夜突围而出，盗匪（西魏帝国军）一定吃惊，因而闯关，可以南渡长江，投奔任约（任约在南岸马头建筑营垒）。"萧绎平时不习惯骑马，说："事情一定不会成功，只增加羞辱。"谢答仁自愿扶持萧绎，萧绎问王褒的意见，王褒说："谢答仁是侯景的党羽，怎么可完全相信，使他立功！不如早降。"谢答仁又请求守卫中城（子城），并说明可以集结五千人；萧绎同意，即任命谢答仁当城中总司令官（城中大都督），把公主许配他为妻。不久，萧绎又召来王褒商量，王褒坚决反对。谢答仁请求入宫，也被拒不能进入，谢答仁吐血而去。于谨索取萧绎的太子萧方矩当人质，萧绎命王褒护送前往。于谨的儿子早就听说王褒写得一笔好字，拿给他纸笔，请留字纪念，王褒遂写："柱国大将军（勋官一级，正九命）常山公爵（于谨）的家奴王褒。"不一会工夫，宫廷监督官（黄门郎）裴政，冲出城门。萧绎遂放弃服装饰物及皇家仪队，骑上一匹白马，身穿素色平民衣裳，走出东门，抽出佩剑，猛砍城门，感慨说："我，萧绎，竟到今天这个地步！"西魏军看到萧绎出降，越过护城壕沟，飞奔而上，拉住缰绳，拉到白马寺（江陵城北）北，把萧绎所骑的骏马抢走，另换一匹劣马，派高大的鲜卑人，用手抓住萧绎的脊背前进。路上遇到于谨，鲜卑人命萧绎叩拜。梁王萧詧派出铁甲骑兵，把萧绎带到大营，囚禁到黑布篷帐之下。萧詧对这位叔父严厉盘问，横加侮辱。

十二月三日，于谨命开府仪同三司（勋官三级，正九命）长孙俭进入江陵内城（金城）。萧绎告诉长孙俭说："城里埋有黄金千斤，打算赠送给你。"长孙俭带萧绎进城，萧绎控诉萧詧对他的种种侮辱，声明说："非常抱歉，我如果不欺骗你，就逃不出萧詧毒手，所以不得不说有黄金千斤，天子怎么能亲自去埋黄金？"长孙俭遂把萧绎囚禁御衣管理局（主衣库）。

萧绎性情残忍，又因亲眼看到老爹（一任武帝）萧衍宽大放纵的弊端，所以为政崇尚严苛。等到西魏远征军包围江陵，监狱中已判死刑的囚犯，还有数千人；有关单位请求释放他们，充当战士，萧绎不准，反而下令全用木棍打死；还没有动刑，而江陵陷落（《典略》：于谨带萧绎到西郊龙泉庙，把萧纪、萧誉的子孙，从狱中放出，列成一排，铁锁木枷，满身刑伤，肌肉腐烂，脓血交流，教萧绎去看，说："他们都是你的骨肉，而你忍心凶暴如此，怎么可以当君王！"萧绎不能回答）。

立法院主任立法官（中书郎）殷不害，原先在别的地方督战，江陵沦陷时，娘亲失踪。当时气候严寒，冰雪交加，冻死的人填满壕沟，殷不害一面哭一面找娘亲尸体，走遍每个角落，见到沟中死人，一定跳下去捧头细看，全身又冻又湿，汤水也不入口，哭号之声，始终不停。七天之久，才总算找到。

孝行是一种美德，可是，中国历史上，美德带给人的，常常不是愉悦，而是痛苦。因为儒家系统把美德标准提升到很难做到，甚至根本无法做到的程度。殷不害寻找母尸，我们崇敬，但“七天汤水不入口”，就没有这个可能。三天汤水不入口四肢无力，五天汤水不入口一定仆倒。七天哭号不绝，使人怀疑它的真实。

古书上对孝行的记载，都出于这类模式——有时再加上“泣血”“体弱昏厥”之类，假如必须付出这么大代价，才能显示美德，势将使人畏惧美德。

十二月四日，南梁帝国信州（州政府设白帝城〔重庆市奉节县东〕）州长（空头官衔）徐世谱、晋安王（萧方智）军政官（司马）任约，退守巴陵（湖南省岳阳市）。西魏帝国柱国大将军（勋官一级，正九命）于谨，强迫萧绎写信征召王僧辩，萧绎不肯，使节说：“你今天还有什么自由？”萧绎说：“我既然不自由，王僧辩怎么会听我！”萧绎向长孙俭请求交还他的小老婆王女士、荀女士，以及最小的儿子萧犀首。长孙俭把他们一块交还给萧绎。有人曾问萧绎：“你烧书什么意思？”萧绎说：“读书万卷，还有今天下场，所以把它烧掉。”

萧绎读万卷书不假，问题只在，全都读到狗肚子里去了。

26 十二月八日，北齐帝高洋向北巡视，走到达速岭（山西省

六世纪·五五四年十月至十二月　西魏消灭南梁江陵政权

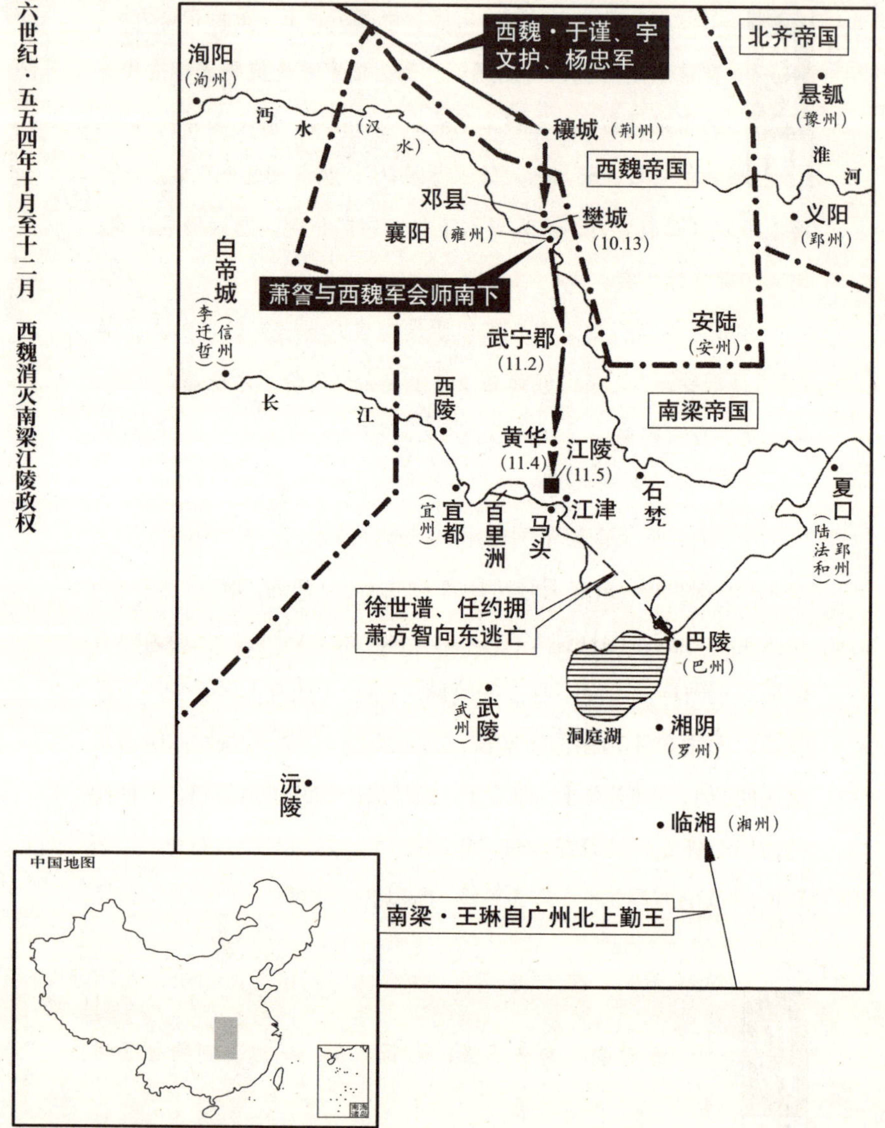

神池县），勘察山川形势险要，准备修筑长城。

27 十二月十九日，西魏帝国诛杀南梁帝（四任元帝）萧绎（年四十七岁）。梁王萧詧派国务院执行官（尚书）傅准监刑，用满装泥土的袋子，把他压住闷死。萧詧派人拿布匹缠住尸体，外面用蒲席包起来，再用茅草捆绑，埋葬江陵津阳门（南城东头第二门）外。同时诛杀皇太子萧方矩（萧元良）、始安王萧方略、桂阳王萧大成（二任简文帝萧纲子）等。萧绎喜爱读书，常命左右侍从为他朗诵，日夜不断，即令沉睡，仍不教放下书卷，如果朗诵错误，或者打算马虎过去，萧绎就会惊醒。撰写文章，提笔就可以成篇，常说："我做一个文人，绰绰有余。做一个武士，十分惭愧。"评论的人认为是他对自己正确的评估。

萧绎是皇族中的坚强磐石，担负管理一半帝国的重大责任，遇到君王和父亲的灾难，身居各路兵马领袖的高位，不能手握佩剑，卧薪尝胆，头枕刀枪，血泪交流，亲自身先士卒，不顾性命，充当讨伐大军的前锋。反而身拥重兵，逗留徘徊，心怀异常的盼望，坐在那里，静观时局恶化，暗中庆幸自己可以在其中得到好处，不急于诛杀王莽、董卓（指侯景），反而先行诛杀兄弟。而且，无端猜忌，下手残酷，多数行为，丧心病狂。用他的急智和口才，辩护他的罪恶，放纵他的愤怒和暴戾，屠杀他认为必须排除的人。充当爪牙的重要将领，十分亲信的心腹智囊，有的回头转眼之间，就被囚禁，有的只不过一句话不中听，立刻剁成肉酱，政府官员互相观望，神情冷漠。而萧绎却自认为安如泰山，神机妙算，没有一次失败。受邪说引导，不肯离开荆楚（湖北省）。虽然元凶（侯景）剪除，可是帝国还不安宁，西方邻居（西魏帝国）发出责备之声，大祸霎时临头。上天其明如镜，在此借助别人的手，天道人事的报应，怎么能够认为没有？萧绎专心艺文，相信肤浅的哲学（指《老子》），抛弃忠义。整军经武，先对付骨肉，再对付盗匪（侯景），虽然口中背诵六经（儒家学派六经），心中精通诸子百家，有孔丘那样学问，有姬旦那样才能，也不过恰恰使他更骄傲更矜持，促使他招来更大的灾患！又怎么能拯救建康（江苏省南京市）的覆没，江陵（湖北省江陵县）的败亡！

28 西魏帝国封梁王萧詧当南梁帝国皇帝，把荆州（州政府江陵）交给萧詧，广达三百华里，用以换取雍州（州政府襄阳）。萧詧住江陵（湖北省江陵县）东城，西魏特别设置协防司令（防主），率军进驻西城，名义上协防，对外表示协助萧詧抵御外敌入侵，事实则是阻止萧詧背叛。西魏再任命前仪同三司（勋官四级，正九命）王悦，留镇江陵。于谨收拾江陵皇家库房中的金银珍宝，及南宋帝国制造的浑天仪、南梁帝国制造的铜质测日表（《隋书·天文志》：浑天仪，四三六年钱乐之制〔参考该年闰十一月〕。铜质测日表〔铜晷表〕，五四四年虞𠜾制）。直径四尺的璧玉，以及皇家专用的各种器具，和所有的亲王、公爵以下，又挑选平民男女，共数万人，全当作奴婢，作为赏赐三军的战利品，驱逐他们前往首都长安（陕西省西安市），年纪小的、体力弱的，一律格杀；得以免除这项命运的，仅三百余家，而被人马践踏死、冻死的，占十分之二三。

西魏大军在江陵（南梁首都，湖北省江陵县）时，梁王萧詧的部将尹德毅，游说萧詧说："魏国（西魏帝国）蛮虏，贪婪无穷，毫无忌惮的屠杀掠夺官民，罪行之多，记都记不完。江东（南梁帝国）人民受苦到如此程度，都认为是殿下造成。殿下既杀人家的父兄，使人家的子弟成为孤儿，几乎人人都是仇敌，谁跟你共治帝国？而今，魏国（西魏帝国）精锐部队，全部集中江陵，如果殿下摆设盛大宴会，请于谨等赴宴饮酒共欢，预先设下埋伏，因而把他击杀，分别命各将领突击他们的军营，大肆歼灭丑类（西魏帝国军），使他们一个不留。集结江陵人民，妥加安抚，文武百官，依照才能任用。魏国政府（西魏帝国）受到致命打击，不敢大声呼吸，当然更不敢再来送死。王僧辩之辈，写一封信就可召来。然后穿上皇家正式服装，顺长江东下，到建康（江苏省南京市）登极，顷刻之间，大功可以建立。古人云：'上天给你你如果拒绝，反而会受到责罚。'请陛下厘定长程谋略，不要像一个普通平民，总记着小恩小信。"萧詧说："你这个策略，不是不好，然而魏国（西魏帝国）待我太厚，不可以背叛，如果照你的计划行事，人人都会对我唾弃。"不久，城内居民被西魏军掳掠一空，而又失去襄阳（湖北省襄阳市），萧詧才叹息说："后悔不听尹德毅的建议。"

柏杨曰

尹德毅口齿之流利，如长江大河，一泻千里。然而，他对当前的形势，至少在两个致命的关键上，故意滑过。一是西魏帝国的反应，没有人会容忍尹德毅设计的这种忘恩负义的背叛，公孙渊远在大海之外，及斩张弥，孙权仍准备远征（参考二三三年十二月），何况江陵近在西魏咫尺。即令西魏远征军全部覆灭，西魏帝国仍然强大，长平损失四十万人，赵王国仍可攻击燕王国（参考前二五一年），可作例证，历史定律是：横挑强邻，必然覆亡。二是尹德毅认为，一封信就可以使王僧辩归附，简直更想入非非，萧詧是王僧辩的杀主之仇，王僧辩纵是呆子，也可看出自己举足轻重，他为什么不另行拥立一个萧绎的儿子，率军西上，讨伐叛逆？西魏再乘机出军，萧詧将被腹背夹攻，呼天不应，呼地不灵。凡是充满激情，而把严重关键轻松带过的说辞，都是馊主意，如果没有定见，一定会惹火上身。

29 南梁帝国全国武装部队总司令（太尉）王僧辩、仪同三司（宰相级）陈霸先等，共同推举江州（州政府设寻阳〔江西省九江市〕）州长（刺史）晋安王萧方智当太宰（上三公之一），行使皇帝职权（承制）。

30 西魏帝国远征军携带王褒、王克、刘瑴、宗懔、殷不害，及国务院右秘书长（尚书右丞）吴兴郡（浙江省湖州市）人沈炯，抵达长安（陕西省西安市），太师（上三公之一）宇文泰对他们都十分礼遇。宇文泰亲自到于谨家，欢宴慰劳，极为欢乐，赏赐给于谨奴隶、婢女一千人，及南梁帝国掳掠来的宝物，和贵族音乐一部，另封新野公爵（本是常山公爵，如今成为双公爵）。于谨坚决辞让，宇文泰不准。于谨长久的身居要职，功业和声名，全都建立，打算过清闲日子，乃上奏章缴回自己所骑的骏马，及所穿的铠甲等，宇文泰知道他的意思，说："现今，大奸巨猾（指北齐帝国）还没有平定，你怎么可以独自去快活！"拒不接受。

本年（五五四），秦州（州政府设上封〔甘肃省天水市〕）州长（刺史）、章武公爵（孝公）宇文导逝世。

增加益州（州政府设成都〔四川省成都市〕）州长（刺史）尉迟迥的军区六个州，连前共十八州（尉迟迥军区原辖十二州，参考去年〔五五三〕八月八日）。自剑阁（四川省剑阁县北剑门关镇）以南，尉迟迥都可以行使皇帝职权（承制）任官免职。尉迟迥赏罚分明，恩威并用，安抚新版图上的居民，招致还没有归附的地方，汉人和蛮夷，对他都很向往。

禽兽王朝

导读

大分裂时代就是大黑暗时代，这个时代中，前后有二十七个疆土面积大小不等、立国寿命长短不一的帝国王国，但是，没有一个政权，比北齐帝国，更使人震恐。高姓家族组成的这个禽兽王朝，虽然只有二十八年，但却拥有六个皇帝，其中只有一个——三任帝高演，还像一个正常人类，而六任帝高恒，不过一个八岁小娃；其他四个君王的凶暴淫虐，在中国历史上可谓空前。国家元首既是禽兽，人民的苦楚，可推测而知。北齐帝国直到五六三年，法官判案才有法律可以遵循，一个国家长达十四年没有法律，这个国家事实上不过是一个巢穴，而在无法无天成为惯性之后，即令有法，谁又能遵守？可哀。

柏杨　一九八七·五·一五

目录

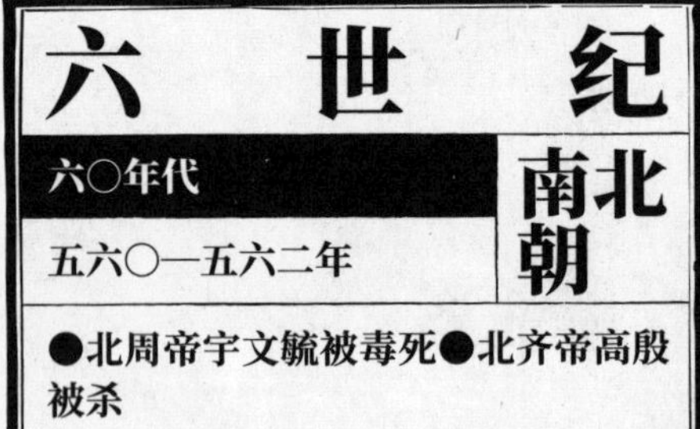

南北朝

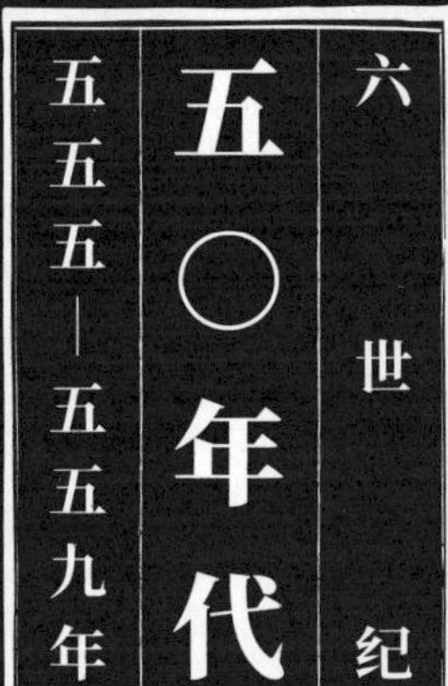

- 北周帝国建立。
- 高洋肆虐。

五五五年

乙亥

南梁	大定	元年
	天成	元年
	绍泰	元年
北齐	天保	六年
西魏	恭帝	二年

1 春季，正月一日，南梁帝国（此时无首都）邵陵郡（湖南省邵阳市）郡长刘棻，率军增援江陵（湖北省江陵县），前进到三百里滩（湖南省冷水江市资江中游），部将宋文彻叛变，斩刘棻，率军退回邵陵据守。

2 梁王萧詧（本年三十七岁。詧，音chá〔察〕）在江陵（湖北省江陵县）登极，自称南梁帝国皇帝（依照常规，帝位大多数都是单线传递，一任二任，顺序分明，可是遇到内乱外患，往往混乱，四任帝〔元帝〕萧绎死后，萧詧紧接登极，应是五任帝，但四个月后萧渊明登极，不久退位；九个月后萧方智登极，两年后被杀，而萧詧仍然在位，成为南梁帝国唯一正统合法君王，只好以下台时间〔不管死活〕为准，认定萧渊明是五任帝，萧方智是六任帝，萧詧是七任帝〔宣帝〕)。改年号大定；追尊老爹昭明太子萧统绰号昭明皇帝，祭庙称高宗；嫡母太子妃蔡女士绰号昭德皇后；尊娘亲龚女士当皇太后，封正妻王女士当皇后，儿子萧岿（本年十四岁）当皇太子。赏赐刑罚，一律以皇帝身份发号施令，而只在向西魏帝国（首都长安〔陕西省西安市〕）呈递奏章时，才自称"臣"，并使用西魏的年号。至于政府编制及任官封爵，则完全依照南梁帝国传统，但在专用奖赏军功的勋官上，也有兼用"柱国"等名称（仿效"八柱国"，参考五五〇年十二月）。萧詧命首席军事参议官（咨议参军）蔡大宝当总监督长（侍中）、国务院总理（尚书令），参与官员任免决策。地方军事参议官（外兵参军）太原王萧操，当国务院国防部长（五兵尚书）。蔡大宝严密细心，而又有智慧谋略，对推行政令十分熟练，写作文章周严而且迅速，萧詧对他完全信任，作为自己的智囊，把他比作诸葛亮；萧操的地位，仅次于蔡大宝。萧詧追赠邵陵王萧纶"太宰"（上三公之一），绰号壮武（萧纶死事，参考五五一年二月）；追赠河东王萧誉"丞相"，绰号武桓（萧誉死事，参考五五〇年四月）。任命莫勇当武州（州政府设武陵〔湖南省常德市〕）州长（刺史）、魏永寿当巴州（州政府设巴陵〔湖南省岳阳市〕）州长（刺史）。

湘州（州政府设临湘〔湖南省长沙市〕）州长（刺史）王琳，率军从小桂（广东省连州市）北上，抵达蒸城（湖南省衡阳市），听到江陵（湖北省江陵县）陷落消息，即行发布萧绎（四任元帝）死讯，举行哀悼大典，三军全穿素色丧服，另派将领侯平，率水军攻击江陵政府（皇帝萧詧）。王琳进抵长沙（临湘，湖南省长沙市），向各州郡发出政治号召文件，筹划下一步进击行动。长沙王萧韶及上游各将领，一致推举王琳当盟主。

六世纪及七世纪　南梁帝国萧家班帝系总表

第一代	第二代	第三代	第四代	第五代	第六代
南齐尚书令 萧懿	⑤闵帝(建康) 萧渊明 555.5.27 555.9.29				
①武帝(建康) 萧衍 502.4.8 549.5.2	昭明太子 萧统	豫章王 萧欢	③(建康) 萧栋 551.8.21 551.11.19		
		⑦宣帝(江陵) 萧詧 555.1.1 562.2	⑧孝明帝(江陵) 萧岿 562.2 585.5	⑨孝靖帝(江陵) 萧琮 585.5 587.9.19	
			安平王 萧岩	萧瓛	梁帝(江陵) 萧铣 617.10.19 621.10.21
	②简文帝(建康) 萧纲 549.5.27 551.8.21	哀太子 萧大器			
	④元帝(江陵) 萧绎 552.11.12 554.12.19	武烈世子 萧方等	梁帝(郢州) 萧庄 558.3 560.2		
		⑥敬帝(建康) 萧方智 555.10.2 560.2			
	梁帝(成都) 萧纪 552.4.8 553.7.11	太子 萧圆照			
临川王 萧宏	梁帝(建康) 萧正德 548.11.1 549.3.15	太子 萧见理			

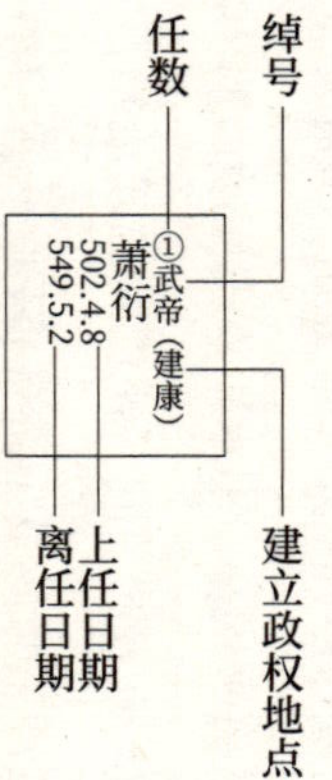

3 北齐帝国（首都邺城〔河北省临漳县西南邺城镇〕）皇帝（一任文宣帝）高洋（本年二十七岁），派清河王高岳，率军进攻西魏帝国（首都长安）安州（州政府设安陆〔湖北省安陆市〕），希望减少江陵所受压力。高岳抵达义阳（北齐郢州州政府所在城，河南省信阳市），江陵已被西魏帝国军攻破，高岳继续南下，抵达长江，南梁帝国郢州（州政府设夏口〔湖北省武汉市〕）州长（刺史）陆法和，及仪同三司（宰相级）宋莅，献出州土投降；秘书长（长史）兼江夏郡（郡政府夏口）郡长王珉坚持抵抗，被杀。

正月十三日，北齐政府命高岳班师，命仪同三司（文散官，正二品）清都（首都邺城）人慕容俨，驻防郢州（指刚攻陷之郢州）。南梁帝国全国武装部队总司令（太尉）王僧辩派江州（州政府设寻阳〔江西省九江市〕）州长（刺史）侯瑱，反攻郢州；任约、徐世谱、宜丰侯萧循（时三人应在巴陵〔湖南省岳阳市〕一带），都率军会师。

4 正月二十日，北齐帝国封南梁贞阳侯萧渊明当南梁帝国皇帝，派上党王高涣率军护送返国（寒山之役，萧渊明被俘事，参考五四七年十一月）；徐陵、湛海珍等，都随萧渊明南归（五四八年五月，徐陵出使东魏帝国。五四九年三月，湛海珍投降东魏帝国）。

5 二月二日，南梁帝国晋安王萧方智，从寻阳（江西省九江市）到达建康（江苏省南京市），住进皇宫，登极称梁王；本年（五五五），萧方智十三岁。任命全国武装部队总司令（太尉）王僧辩当总立法长（中书监）、主管政府机要（录尚书）、骠骑大将军、全国各军区总司令长官（都督中外诸军事），加授陈霸先：征西大将军；任命南豫州（州政府设姑孰〔安徽省当涂县〕）州长（刺史）侯瑱当江州（州政府设寻阳〔江西省九江市〕）州长（刺史），湘州（州政府设临湘〔湖南省长沙市〕）州长（刺史）萧循（与王琳并立的州长）当全国武装部队总司令（太尉），广州（州政府设番禺〔广东省广州市〕）州长（刺史）萧勃当宰相（司徒），镇东将军张彪当郢州（州政府设夏口〔湖北省武汉市〕）州长（刺史）。

6 北齐帝高洋派国务院宫廷保安部长（殿中尚书）邢子才，乘驿马车前往建康（江苏省南京市），携带写给王僧辩的信，认为："继承帝位的储君（指梁王萧方智）年龄幼小，没有能力承担重大责任，而贞阳侯萧渊明，是武帝（一任帝萧衍）的侄儿、长沙王（萧懿）的儿子，无论年龄和声望，都可以保护金陵（建康，江苏省南京市），所以封他当梁国（南梁帝国）皇帝，护送返回祖国。你（王僧辩）应准备船舰，迎接今日人主，同心合力，共图发展。"

二月四日，贞阳侯萧渊明也写信给王僧辩，请他接纳，王僧辩复信说："继承王位的储君（萧方智），是先帝（四任帝萧绎）的亲生儿子，皇家血统来自祖父（一任帝萧衍）。阁下如果能够前来中央政府，共同辅佐皇家，则伊尹、姜子牙的重大责任，自会仰仗。如果目的在当人主，我不敢听从命令。"

二月十三日，北齐政府任命陆法和当荆雍等十州军区司令长官（都督荆雍等十州诸军事。十州：荆雍江巴梁益湘万交广，即南梁帝国大乱前的西半部领土）、全国武装部队总司令（太尉）、总司令官（大都督）、中央驻西南特遣全权政府总监（西南道大行台）；又任命宋莅当郢州（南郢州，州政府设夏口〔湖北省武汉市〕）州长（刺史），宋莅的老弟宋簉当湘州州长（空头官衔）。

二月二十三日，上党王高涣攻克谯郡（南谯郡，安徽省巢湖市东南）。

二月二十八日，萧渊明再写信给王僧辩，王僧辩再拒绝。

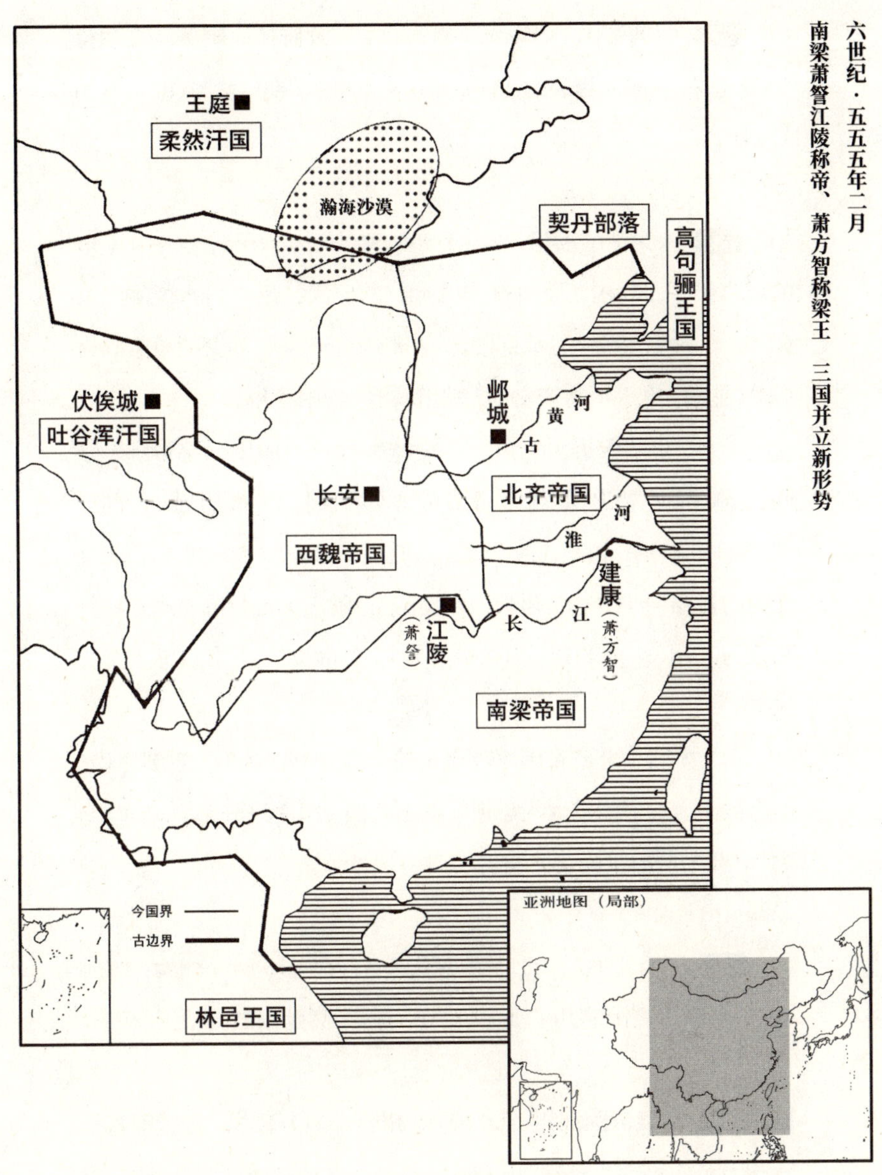

六世纪·五五五年二月

南梁萧詧江陵称帝、萧方智称梁王　三国并立新形势

7 西魏帝国（首都长安〔陕西省西安市〕）政府任命国务院右执行长（右仆射）申徽，当襄州（原南梁之雍州，州政府设襄阳〔湖北省襄阳市〕）州长（刺史）。

8 南梁帝国湘州（州政府设临湘〔湖南省长沙市〕）州长（刺史）王琳的部将侯平，攻击江陵政府（皇帝萧詧）的巴武二州（二州州长〔刺史〕莫勇、魏永寿，时在江陵南岸）。故邵陵郡（湖南省邵阳市）郡长刘棻的总带兵官（主帅）赵朗，诛杀叛将宋文彻，献出城池，归附王琳。

三月，贞阳侯萧渊明到达东关（安徽省含山县西南），南梁帝国总顾问长（散骑常侍）裴之横抵御。北齐帝国军参谋长（军司）尉瑾、仪同三司（宰相级，正二品）萧轨，南下攻击古皖城（晋熙郡，安徽省潜山市），南梁任命的晋州（州政府晋熙）州长（刺史）萧惠，献出土地投降；北齐将晋州改为江州（北齐已有晋州，州政府设平阳〔山西省临汾市〕），命尉瑾当州长（刺史）。

三月六日，北齐帝国军攻克东关（安徽省含山县西南），斩裴之横，俘虏数千人。王僧辩大为恐惧，意志动摇，率军进驻姑孰（安徽省当涂县），开始考虑接受萧渊明。

9 三月十六日，北齐帝高洋返回首都邺城（河北省临漳县西南邺城镇），封老哥高澄的儿子高孝珩当广宁王、高延宗当安德王。

10 南梁帝国湘州（州政府临湘）州长（刺史）王琳，曾派部将孙玚（音yáng〔杨〕）先行进驻广州（州政府设番禺〔广东省广州市〕），孙玚听到江陵（湖北省江陵县）沦陷消息，放弃州城（番禺），逃回王琳大营。曲江侯萧勃乘虚再入州城（番禺）据守（萧勃避居始兴事，参考去年〔五五四〕九月）。

11 西魏帝国太师（三公级）宇文泰，把俘虏王克、沈炯等（诸人被俘事，参考去年〔五五四〕十二月）送回江南（南梁帝国）。宇文泰接待庾季才（参考去年〔五五四〕五月），对他十分优厚，命他参与主持史学事宜。庾季才用他私人的财产，收购被俘作奴隶婢女的亲戚故旧。宇文泰问："你为什么做这种事？"庾季才回答说："我曾经听说，征服一个国家，应先礼遇他们的贤能人才，是古代最重要的政治号召。而今，郢都（南梁首都江陵，湖北省江陵县）覆没，他们的君王（南梁四任帝萧绎）当然有罪，但他们的高级知识分子有什么过错？都成了奴隶婢女！我是困在这里的旅客，不敢冒昧提出建议，但暗中哀怜，所以私下为他们赎身。"宇文泰醒悟说："这是我的过失，如果不是你，将使天下人失望！"因此，下令免除南梁俘虏中被卖作奴隶、婢女的有数千人。

12 夏季，四月十日，北齐帝高洋前往晋阳（山西省太原市）。

13 五月一日，南梁帝国湘州（州政府临湘）州长（刺史）王琳的部将侯平等，生擒江陵政府（皇帝萧詧）任命的武州（州政府武陵）、巴州（州政府巴陵）州长（刺史）莫勇、魏永寿。江陵（湖北省江陵县）沦陷时，永嘉王萧庄（世子萧方等的儿子，参考五五二年十一月）已经七岁；佛教尼姑法慕，把他严密藏匿。现在，王琳迎接萧庄，送到建康（江苏省南京市）。

14 五月十一日，北齐帝高洋返回首都邺城（河北省临漳县西南邺城镇）。

15 南梁帝国立法院总立法长（中书监）王僧辩，派使臣前去

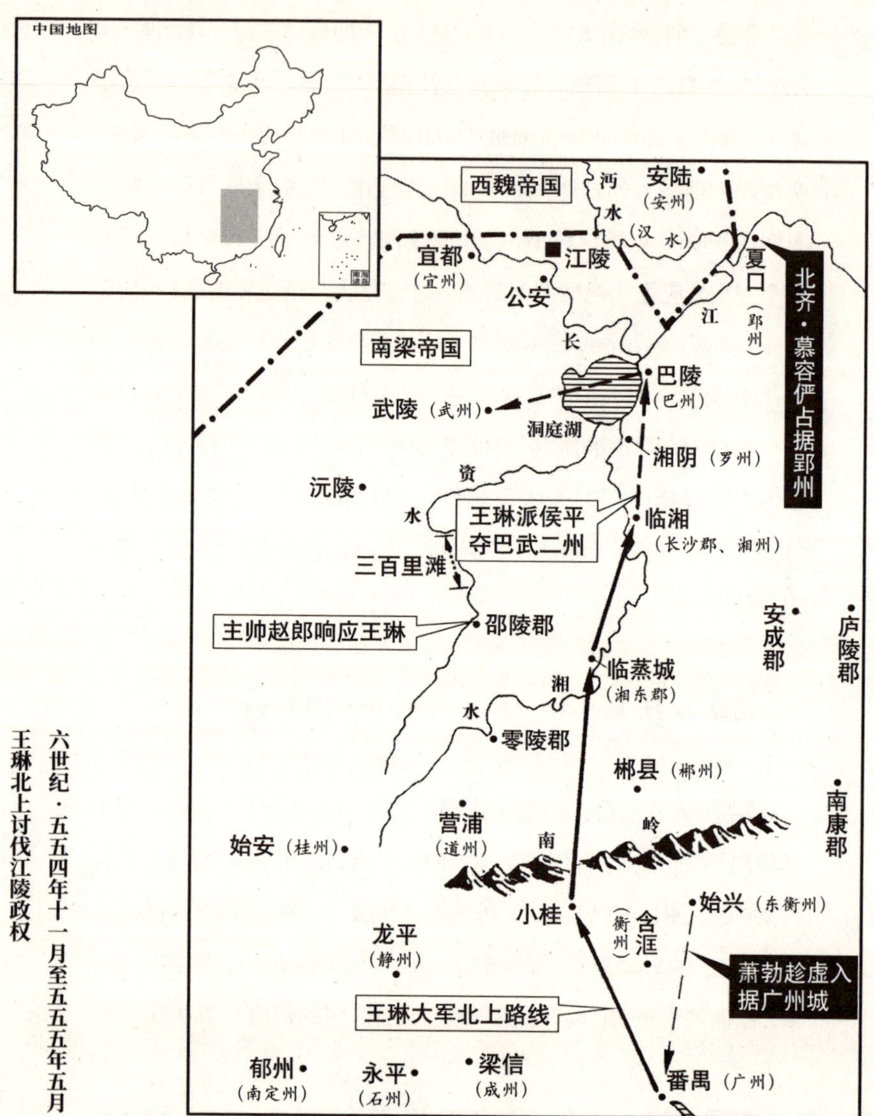

六世纪·五五四年十一月至五五五年五月
王琳北上讨伐江陵政权

北齐帝国（首都邺城），向贞阳侯萧渊明呈递奏章，确定君王和臣属的关系。又另派使节携带奏章，前去邺城（河北省临漳县西南邺城镇），把儿子王显，以及王显的娘亲刘女士、侄儿王世珍，送去充当人质。又派国务院民政部长（左民尚书）周弘正前往历阳（安徽省和县）迎接，因而要求封梁王萧方智当皇太子，萧渊明承诺。萧渊明希望卫士三千人跟随自己南渡，王僧辩恐怕发生变化，只答应接待不成行列的士卒一千人。

五月二十一日，王僧辩派出龙舟和皇帝专用的法驾仪队，北上迎接，萧渊明临行，跟北齐帝国上党王高涣，在长江北岸盟誓。

五月二十二日，萧渊明从采石（安徽省马鞍山市西南）过江，南梁的车轿南渡，北齐的大军北返。王僧辩怀疑北齐军可能乘势过江出击，于是把舰队集中江心，水手及士卒各就战斗位置，严密戒备，不敢靠近西岸（北齐势力范围）。北齐总监督长（侍中）裴英起，护送萧渊明跟王僧辩在江宁（江苏省南京市江宁区西南）会合。

五月二十四日，萧渊明进入建康（江苏省南京市），望见朱雀门，大哭，欢迎官员也大哭。

五月二十七日，萧渊明（年龄不详）登极，正式称帝（五任），改年号天成（自此，南梁帝国有两个中央政府，建康政府向北齐帝国屈膝，江陵政府向西魏帝国屈膝），封梁王萧方智当皇太子，任命王僧辩当最高指挥官（大司马）、陈霸先当总监督长（侍中）。

16 六月一日，北齐帝国动员民夫一百八十万人，兴筑长城，从幽州（州政府设蓟城〔北京市〕）夏口（北京市昌平区西北居庸关），直到恒州（州政府设平城〔山西省大同市〕），全长九百余华里。命定州（州政府设中山〔河北省定州市〕）州长（刺史）赵郡王高叡，率军监工。高叡，是高琛的

六世纪·五五五年正月至五月

北齐护送萧渊明返国继位

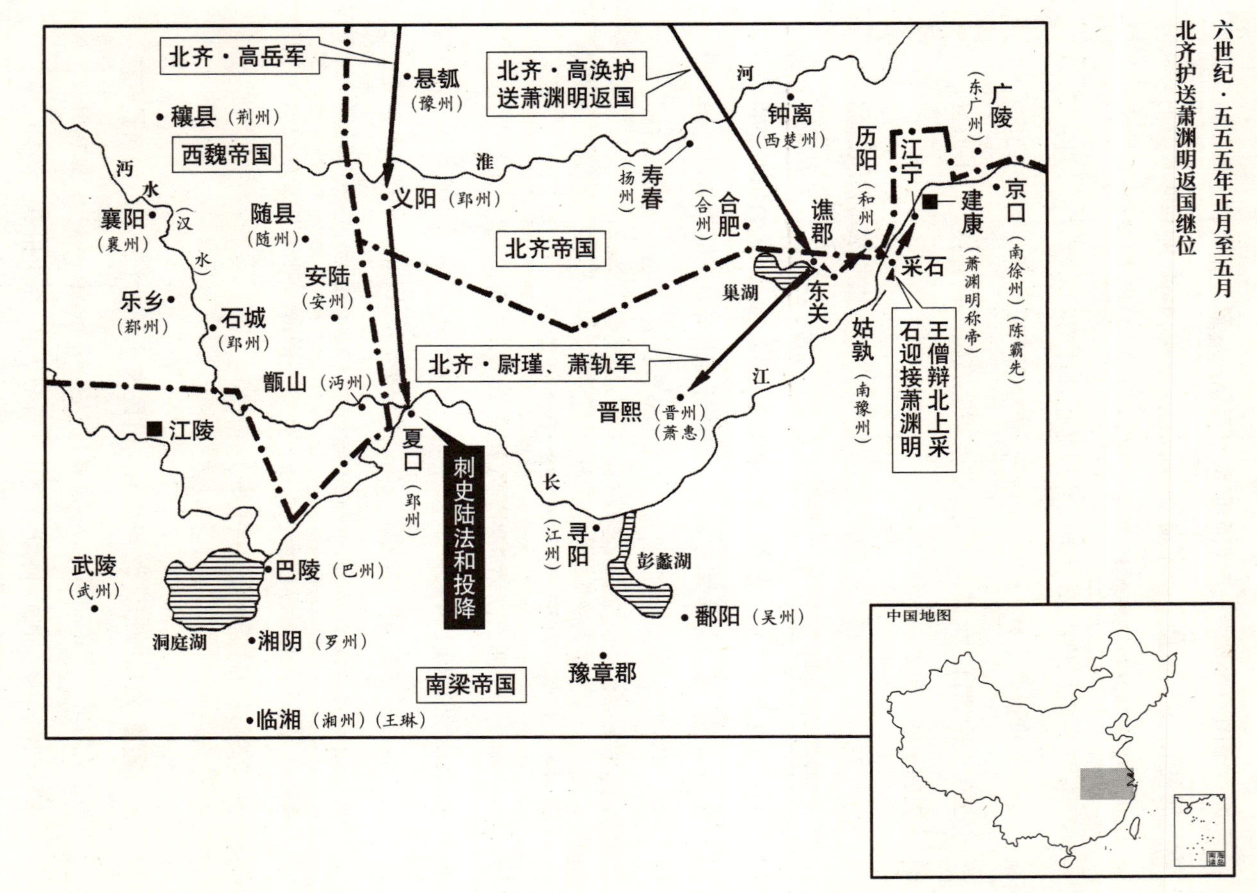

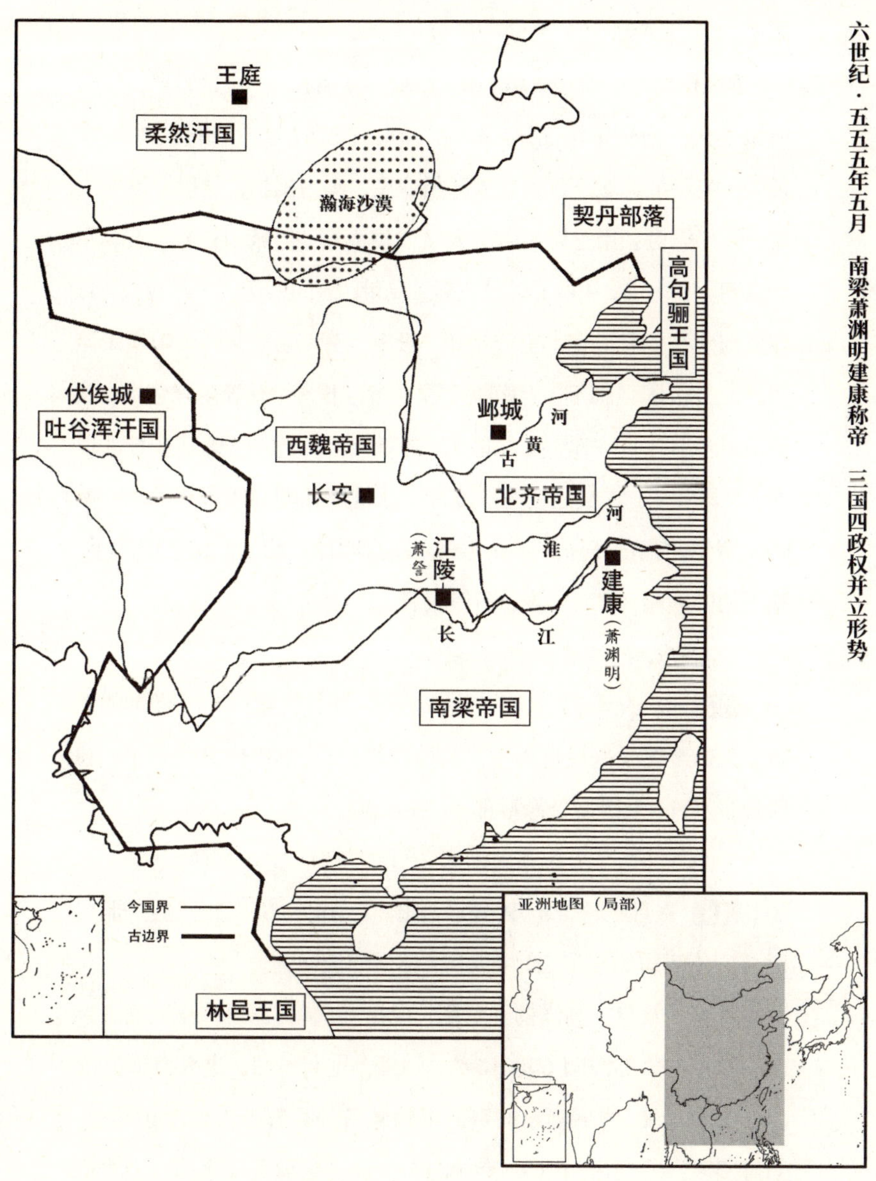

六世纪·五五五年五月　南梁萧渊明建康称帝　三国四政权并立形势

儿子（高琛，是高欢的老弟，参考五三四年六月）。

郢州（南郢州，州政府设夏口〔湖北省武汉市〕）州长（刺史）慕容俨，进入州城不久，南梁帝国江州（州政府设寻阳〔江西省九江市〕）州长（刺史）侯瑱等，突然抵达城下，慕容俨随机应变，竭力抵抗，侯瑱等不能攻克；慕容俨更利用空隙反攻，大破侯瑱等军。但城中粮食吃光，军民煮草根、木皮、树叶，以及皮靴、皮带，连同残渣，一齐吞食，慕容俨与士卒同甘共苦，坚守半年，没有人变心。后来，贞阳侯萧渊明在北齐帝国强制下，当南梁帝国皇帝，下令侯瑱等解除包围，侯瑱遂返豫章（江西省南昌市）。北齐政府认为郢州州城（夏口）在长江以南，难以守卫，遂交还南梁。慕容俨返首都邺城（河北省临漳县西南邺城镇），望见北齐帝高洋，万分悲痛，高洋叫他到面前，握住他的手，脱下他的冠帽，察看头发，不停叹息。

17 南梁帝国吴兴郡（浙江省湖州市）郡长杜龛，是王僧辩的女婿，王僧辩在吴兴设置震州，命杜龛当州长（刺史）；又命老弟、总监督长（侍中）王僧愔当豫章郡（江西省南昌市）郡长。

18 六月三日，北齐帝高洋因南梁帝国（建康政府）已经降服称臣，下诏帝国境内所有南梁人民，都送他们回国。

六月十八日，高洋前往晋阳（山西省太原市）。六月二十三日，亲自率军攻击柔然汗国（瀚海沙漠群）。秋季，七月一日，进入白道（内蒙古呼和浩特市北），留下辎重物资，率轻装备骑兵五千人追击柔然军。七月四日，追到怀朔镇（内蒙古固阳县），高洋亲冒乱箭飞石，一个战斗接一个战斗，大破柔然军，追到沃野镇（内蒙古乌拉特前旗东北），俘虏柔然汗国酋长及部落民二万余人，牛羊数十万头。

七月十四日，高洋返晋阳（山西省太原市）。

19 八月辛巳日（八月己酉朔，没有辛巳），南梁帝国湘州（州政府临湘）州长（刺史）王琳，自蒸城（湖南省衡阳市）返回长沙（临湘，湖南省长沙市）。

20 北齐帝高洋返首都邺城（河北省临漳县西南邺城镇），认为佛教、道教是两个不同的宗教，打算取消一个。于是，命和尚、道士，在高洋面前举行辩论，辩论的结果，高洋裁定取消道教，指令道士都要剃光头发改当和尚。有些道士拒绝接受，高洋一连诛杀四人（我们向这四位殉教的道士致敬），其他道士才屈服，于是北齐帝国境内，成为佛教世界，道士绝迹（佛教的僧侣称“和尚”，道教的僧侣称“道士”）。

21 九月，南梁帝国爆发流血政变。最初，王僧辩与陈霸先，会师联军，共同消灭侯景（参考五五二年），感情亲密；王僧辩为儿子王頠（音wěi〔尾〕）聘娶陈霸先的女儿；不巧王僧辩的娘亲去世，还没有完婚。王僧辩住石头城（建康城西北），陈霸先住京口（江苏省镇江市），王僧辩对陈霸先推心置腹，十分信任，王頠的老哥王顗，不断向老爹提出警告，王僧辩都不理会。后来，王僧辩迎接五任帝萧渊明，陈霸先派人苦苦劝阻，来往三四次，王僧辩不能采纳。陈霸先暗中叹息，对他左右亲信说：“武帝（一任帝萧衍）的子孙多的是，只有孝元帝（四任帝萧绎）可以复仇雪耻，他的儿子有什么罪，而竟然罢黜！我跟王公（王僧辩）同时处在托孤大臣的地位，王公却忽然改变立场，依靠蛮夷（北齐帝国），拥护一个怎么轮都轮不到的人当皇帝，他打算干什么？”乃秘密准备宽袍数千件，以及绸缎、金银，作为将来赏赐之用。

正巧，传来情报：北齐帝国大军在寿春（安徽省寿县）集结，将向南梁帝国攻击。王僧辩派记录官（记室）江旰（音gàn〔干〕）前往京口（江苏省镇江市）通知陈霸先，要他戒备。陈霸先遂把江旰留在京口，计划出军袭击王僧辩。

九月二十五日，陈霸先召集部将侯安都、周文育，及安陆郡（湖北省安陆市）人徐度、钱塘县（浙江省杭州市）人杜稜，共同讨论。杜稜迟疑不敢决定，陈霸先恐怕他走漏消息，用手巾绞住杜稜的脖颈，杜稜昏绝倒地，被囚入密室。陈霸先下令全军进入作战状态，分别赏赐给他们金钱、绸缎，命侄儿、国史编撰官（著作郎）陈昙朗，当留守总部执行官（知留府事），命徐度、侯安都，率船舰一直驶向石头城（建康城西北），陈霸先率步骑混合兵团，从江乘县（江苏省南京市东北）的罗落桥出发（罗落桥，是京口到建康必经大道，刘裕攻击桓玄，也由此出军，参考四〇四年三月一日），约定在石头城会师。当天（九月二十五日）夜晚，水陆两军，同时出发，命悠悠转醒的杜稜同行。当时知道政变阴谋的，只有侯安都等四个人，其他人都认为江旰前来征调人马，抵抗北齐帝国军南下，所以对这次军事行动，一点也不感到奇怪。

九月二十七日，侯安都率领舰队，将前往石头城（建康城西北），陈霸先却拉紧缰绳，没有行动；侯安都魂飞天外，回马找到陈霸先，诟骂说："今天当贼寇盗匪，事情已成定局，是生是死，必须马上决定，你留在后面盼望什么！如果失败，死在一起，难道因你走在后面就可以不砍头！"陈霸先说："侯安都发我的脾气！"遂即出发。侯安都到达石头（建康城西北）城北，舍弃船舰，率军登陆。石头城北方是丘陵地带，没有难以攀登的悬崖和危险的绝壁，侯安都身穿铠甲，手持长刀，士卒把他举起来，推到石头城的短墙里面，部众紧随在后跟进，一直闯到王僧辩的卧房；而陈霸先率军同时也从南门入城。王僧辩正在官厅处理公务，有人进来禀报说外面有军队，转眼之间，军队从内宅杀出。王僧辩逃走，遇见儿子王頠，一同冲出官厅，率左右数十人在官厅前苦战，最后无法抵挡，逃到南门城楼，叩拜请求哀怜。陈霸先打算纵火烧楼，王僧辩跟王頠只好下楼，接受逮捕。陈霸先说："我犯了什么罪，你联合齐国（北齐帝国）军队，对我攻击？"并且质问："真想不到，你竟然丝毫没有戒备？"王僧辩说："把北门托付给你（京口是建康北方门户。王僧辩推荐陈霸先镇守，参考五五二年四月），怎么能说没有戒备？"（这句话至为沉痛！）当天（九月二十七日）夜晚，陈霸先把王僧辩、王頠父子绞死。不久发现，根本没有北齐帝国军在寿春（安徽省寿县）集结这回事，而且也不是陈霸先故意安排的假情报。前青州州长（空头官衔）新安郡（浙江省淳安县）人程灵洗（时在新安郡），率他的部队救援王僧辩，在石头城（建康城西北）奋战攻击，失败，陈霸先派人前往解释，僵持很久，程灵洗才投降。陈霸先嘉许他的道义，任命他当兰陵郡（侨郡，江苏省镇江市）郡长，教他到京口（江苏省镇江市）协防。

九月二十八日，陈霸先发布告全国人民书，列举王僧辩罪状，并且声明："刀斧诛杀，只限于王僧辩父子兄弟，其他王僧辩的亲戚朋友，全不涉及。"

九月二十九日，新登极的皇帝（五任）萧渊明退位，搬出皇宫，进住私宅。文武百官上疏太子萧方智，请求登极。

冬季，十月二日，萧方智（本年十三岁）正式坐上宝座（六任敬帝），大赦，改年号（之前是天成元年，之后是绍泰元年），无论中央或地方，所有官员都擢升一级。任命前任帝（五任）萧渊明当宰相（司徒），封建安公爵。通知北齐帝国说："王僧辩阴谋叛变，因此把他诛杀。仍向陛下称臣，永做藩国。"北齐政府派中央特遣政府总监（行台）司马

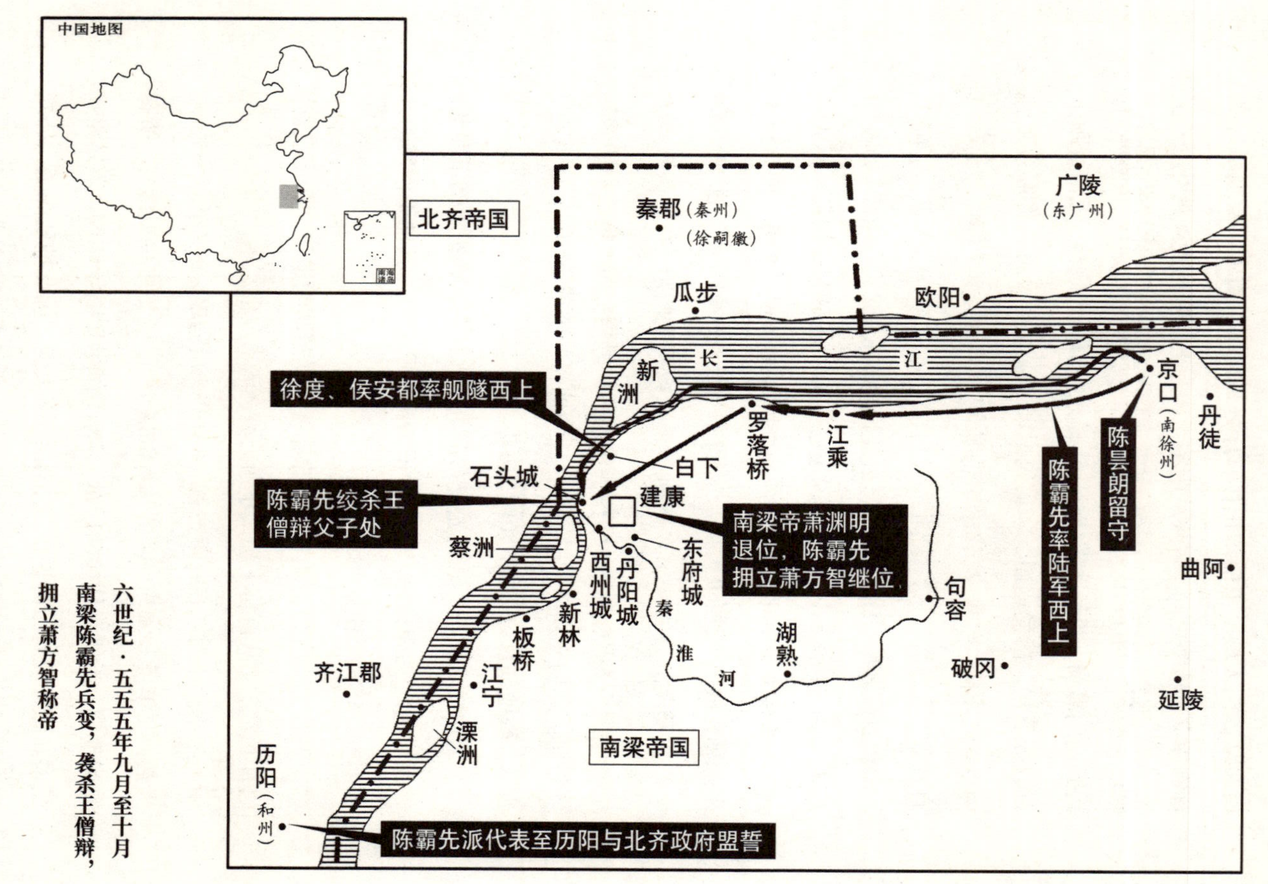

六世纪·五五五年九月至十月
南梁陈霸先兵变，袭杀王僧辩，
拥立萧方智称帝

恭，跟南梁政府（建康政府）代表，在历阳（安徽省和县）盟誓。

22 十月四日，北齐帝高洋前往晋阳（山西省太原市）。

23 十月五日，南梁帝国建康政府（江苏省南京市）加授陈霸先国务院总理（尚书令）、全国各军区总司令长官（都督中外诸军事）、车骑将军、京畿总卫戍司令（扬州刺史）、南徐州（州政府设京口〔江苏省镇江市〕）州长（刺史）。

十月六日，任命宜丰侯萧循当太保（上三公之三），建安公爵萧渊明当太傅（上三公之二），曲江侯萧勃（广州〔州政府番禺〕州长）当全国武装部队总司令（太尉），王琳（湘州〔州政府临湘〕州长）当车骑将军、开府仪同三司（宰相级）。

十月十一日，萧方智尊娘亲夏贵妃（小老婆群第一级）为皇太后，封正妻王女士当皇后。

吴兴郡（浙江省湖州市）郡长杜龛，仗恃岳父王僧辩的势力，对陈霸先一向不太礼敬，在吴兴郡不断用法律制裁陈霸先的家族，陈霸先深为怨恨。后来，陈霸先将要背叛王僧辩时，秘密派侄儿陈蒨返回长城（陈霸先家乡，浙江省长兴县），设立栅栏工事，防备杜龛增援京师（首都建康）。王僧辩既死，杜龛据守吴兴郡（浙江省湖州市），拒抗陈霸先；义兴郡（江苏省宜兴市）郡长韦载，献出郡城，响应杜龛；吴郡（江苏省苏州市）郡长王僧智，是王僧辩的老弟，也固守城池。陈蒨返回长城（浙江省长兴县）后，招兵买马，勉强集结数百人；杜龛派他的部将杜泰，率精锐部队五千人，突然逼近，陈蒨所属将士，互相观望，面色苍白，只陈蒨有说有笑，神情自在，部署十分恰当，军心才定下来；杜泰昼夜不停的猛烈攻击，数十天之久，不能攻克，撤退。陈霸先命周文育进攻义兴（江苏省宜兴市），义兴郡所属各县军队，都是陈霸先的旧部，擅长使用弓箭，韦载集合数十人，用铁链把他们锁住，派亲信监视，教他们射击周文育军，约定说："十次中不能射中两次的，处死。"所以，每发一箭，一定射死一人，周文育稍稍后退。韦载遂在城外沿水设立栅栏，对峙数十天。杜龛派他的堂弟杜北叟率军拒战，杜北叟战败，逃到义兴（江苏省宜兴市）。

陈霸先听到周文育军前方失利消息，十月二十四日，陈霸先上疏皇帝萧方智，要求亲自出军讨伐；命高州（州政府设高凉〔广东省阳江市〕）州长（刺史）侯安都、石州（州政府设永平〔广西藤县〕）州长（刺史）杜稜，驻防宫城（台城）及各政府机关。

十月二十七日，陈霸先率军抵达义兴（江苏省宜兴市）。十月二十九日，攻破韦载兴筑的水上防御栅栏工事。

谯州（州政府设顿丘〔侨县，安徽省滁州市〕）及秦州（州政府设秦郡〔江苏省南京市六合区〕）二州州长（刺史）徐嗣徽的堂弟徐嗣先，是王僧辩的外甥，王僧辩死后，徐嗣先逃亡，投奔徐嗣徽，徐嗣徽遂献出州土，投降北齐帝国（首都邺城）。陈霸先东下攻击义兴（江苏省宜兴市），徐嗣徽秘密结合南豫州（州政府设姑孰〔安徽省当涂县〕）州长（刺史）任约，率精锐部队五千人，乘建康（江苏省南京市）空虚，发动突击。当天（十月二十九日），占领石头城（建康城西北），斥候抵达宫城门下。侯安都紧闭城门，收藏所有旗帜，表示兵力薄弱，下令城中："到城墙上窥探盗贼（徐任联军）的，一律斩首。"当晚，徐嗣徽等撤军回石头城，侯安都连夜备战，天色将亮（十月三十日），徐嗣徽军再抵宫城门下，侯安都率铁甲士卒三百人，大开东西掖门出击（宫城南城，中是端门，左右是东西掖门），大破任徐联军。徐嗣徽等奔回石头城，不敢再逼宫城（台城）。

陈霸先派韦载的族弟韦翙（音huì〔惠〕）携带书信入城向韦载解释。

十月三十日，韦载和杜北叟一同投降，陈霸先对二人的礼遇，十分优厚；任命韦翙当义兴郡（江苏省宜兴市）郡长，而把韦载留在自己左右，作为智囊，共同策划大计。陈霸先命部队卸除铠甲，改穿便装，先返建康（江苏省南京市），而命周文育继续攻击杜龛，增援长城（浙江省长兴县）。

陈霸先的另一部将黄他，攻击王僧智据守的吴郡（江苏省苏州市），不能攻克，陈霸先派宁远将军裴忌增援。裴忌在他部队中挑选精兵，减轻装备，加倍速度的前进，从钱塘（浙江省杭州市）直向吴郡，当天（十月三十日）夜晚，抵达吴郡城下，擂起战鼓，大声呐喊，进逼城池。王僧智误认为大军已到，遂乘轻便小艇，投奔吴兴郡（浙江省湖州市）。裴忌占领吴郡，陈霸先因之任命裴忌当吴郡郡长。

十一月二日，北齐帝国派军五千人，南渡长江，进入姑孰（安徽省当涂县），增援徐嗣徽、任约。陈霸先命合州（南合州，州政府设海康〔广东省雷州市〕）州长（刺史）徐度，在冶城（建康城西南）建筑栅栏防御工事。

十一月三日，北齐帝国又派安州（州政府设渔阳〔北京市通州区〕）州长（刺史）翟子崇、楚州（西楚州，州政府设钟离〔安徽省凤阳县东北临淮关镇〕）州长（刺史）刘士荣、淮州（州政府设淮阴〔江苏省淮安市淮阴区〕）州长（刺史）柳达摩，率军一万人，在胡墅（石头城对岸）运输米粮三万石、马一千匹到石头城（建康城西北）。陈霸先询问韦载的意见，韦载说："齐军（北齐军）如果派出一支部队，切断京师（首都建康）通往三吴（太湖流域及钱塘江流域）交通线，向东方推进，夺取土地，大势将一去不

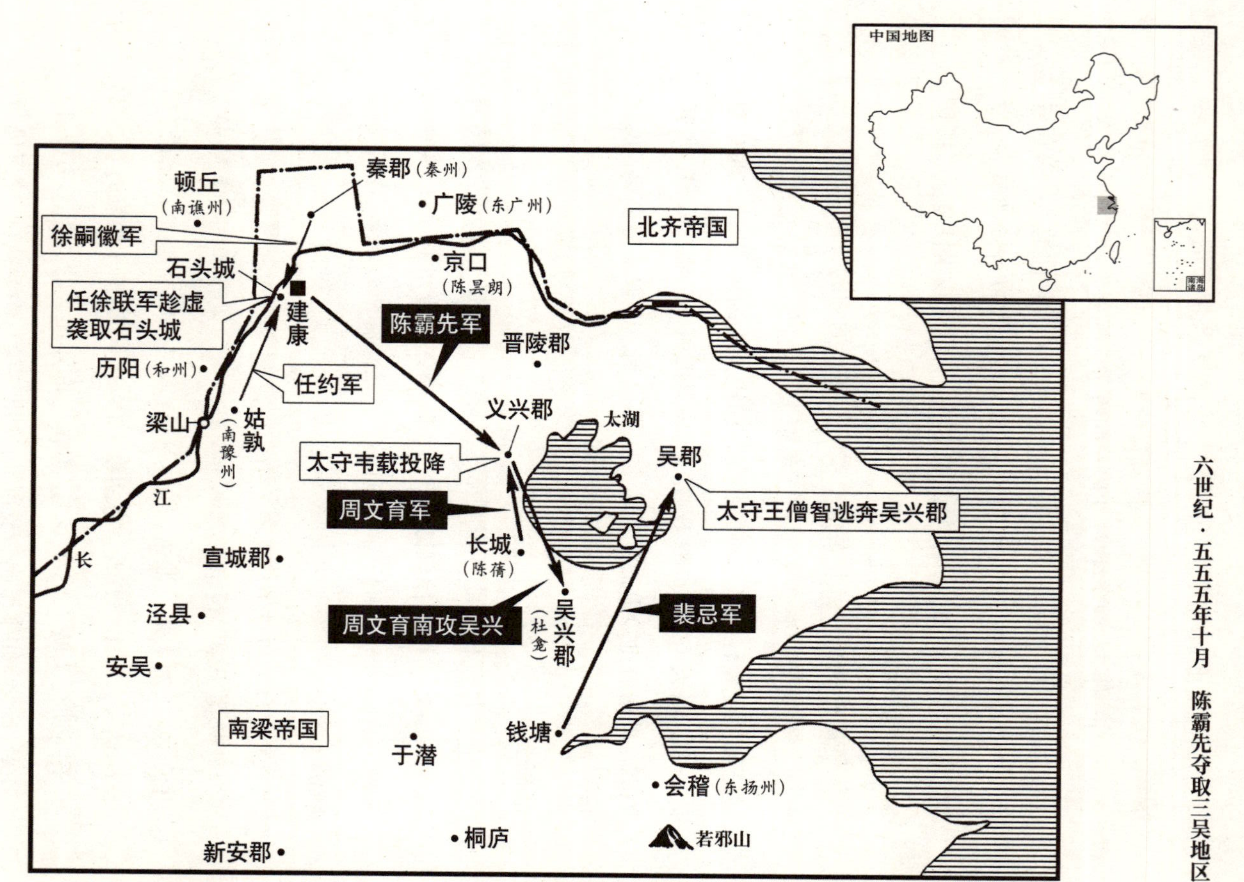

六世纪·五五五年十月　陈霸先夺取三吴地区

返。现在应该在秦淮河以南，利用侯景留下来的营垒，火速构筑防御工事，武装保护东方道路畅通。再分出兵力，断绝他们的补给路线，齐军（北齐军）将领的人头，十天半月，就可以到手。”陈霸先采纳。

十一月六日，命侯安都于夜晚袭击胡墅（石头城对岸），焚烧北齐帝国船舰一千余艘；仁威将军周铁虎切断北齐军运输线，生擒北徐州（州政府设琅邪〔山东省临沂市〕）州长（刺史）张领州。陈霸先派韦载把侯景在朱雀桥残留下来的营垒重加整修，命杜稜率军防守。北齐军分别在石头城（建康城西北）仓城门，和秦淮河以南兴筑两座营寨，跟南梁建康政府（江苏省南京市）军对峙。

十一月十五日，北齐总司令官（大都督）萧轨，率军驻扎长江北岸。

24 最初，北齐帝国平秦王高归彦，从小没有父母，当时东魏帝国的勃海王高欢，命现在封爵清河王（昭武王）的高岳收养（高归彦，是高欢的族弟，参考五四九年正月。高归彦的老爹高徽，在高欢贫苦时，对高欢有恩）。可是高岳对高归彦相当冷漠，高归彦一直记恨在心。等到一任帝（文宣帝）高洋登极称帝，高归彦当中央禁军总监（领军大将军），受到高洋非常的宠信与礼遇。高岳认为高归彦一定感激自己，对高归彦更加倚赖。高岳不断带兵出征，建立功勋，威名远播，但豪华奢侈，喜爱美酒美女，曾在首都邺城（河北省临漳县西南邺城镇）城南兴筑住宅，大厅后面特别设立一个禁闭室。高归彦向高洋打小报告诬陷说：“清河王（高岳）盖房子暗中模仿皇宫，连宫廷式小巷（永巷）都有，只差没有高大宫门罢了。”北齐帝高洋因此开始厌恶高岳。高洋深爱歌舞女郎薛女士，迎娶到皇宫后院，而高岳曾经透过她姐姐的关系，把她接到家里住过。有一天，高洋夜晚到薛家闲逛，薛姐姐请求任命她的老爹当宰相（司徒）。高洋霎时大怒若狂，命武士把薛姐姐悬挂起来，用锯把她锯死。然后斥责高岳跟薛妹妹有奸，高岳誓不承认。高洋更大发雷霆。

十一月二十二日（原文“乙亥”，据《北齐书》改），高洋派高归彦送毒酒给高岳，高岳坚持自己没有犯罪，高归彦说：“你喝下去，一家性命，可以保全。”高岳喝下，毒发身死（年四十四岁）。对高岳的葬礼和奠仪，一切仍依照规定。

高洋十分宠爱薛妹妹，可是，有一天，高洋忽然想起她曾经跟高岳上过床，妒火中烧，下令武士把她斩首，而把人头藏到自己怀里（古人宽袍大袖），出宫到东山（邺城东）宴会，刚刚开始敬酒，高洋忽然从怀里把薛妹妹人头掏出来，投到盘子上。然后下令割她的尸体，把玩她的大腿骨，当作琵琶来弹，座上的人全都大吃一惊。最后，高洋把人头、大腿都收拾起来，流泪哭泣，说：“佳人难再得！”（西汉王朝李延年歌：“北方有佳人／绝世而独立／一顾倾人城／再顾倾人国／岂不知倾城与倾国／佳人难再得。”李延年事，参考前一二〇年）把薛妹妹的尸体放到车上离开，高洋披头散发，在后步行跟随，一面哭一面走。

25 十一月二十七日，南梁帝国反抗军徐嗣徽等，进攻冶城（建康城西南）营垒栅栏，陈霸先亲率精锐部队从西明门（建康城〔都城〕西面北门）出击，徐嗣徽等大败；徐嗣徽命柳达摩等留守石头城（建康城西北），而亲自去采石（安徽省马鞍山市西南）迎接北齐帝国援军。

建康（江苏省南京市）政府（皇帝萧方智）擢升郢州（州政府设夏口〔湖北省武汉市〕）州长（刺史）宜丰侯萧循当太保（上三公之三），广州（州政府设番禺〔广东省广州市〕）州长（刺史）曲江侯萧勃当最高监察长（司空），同时征

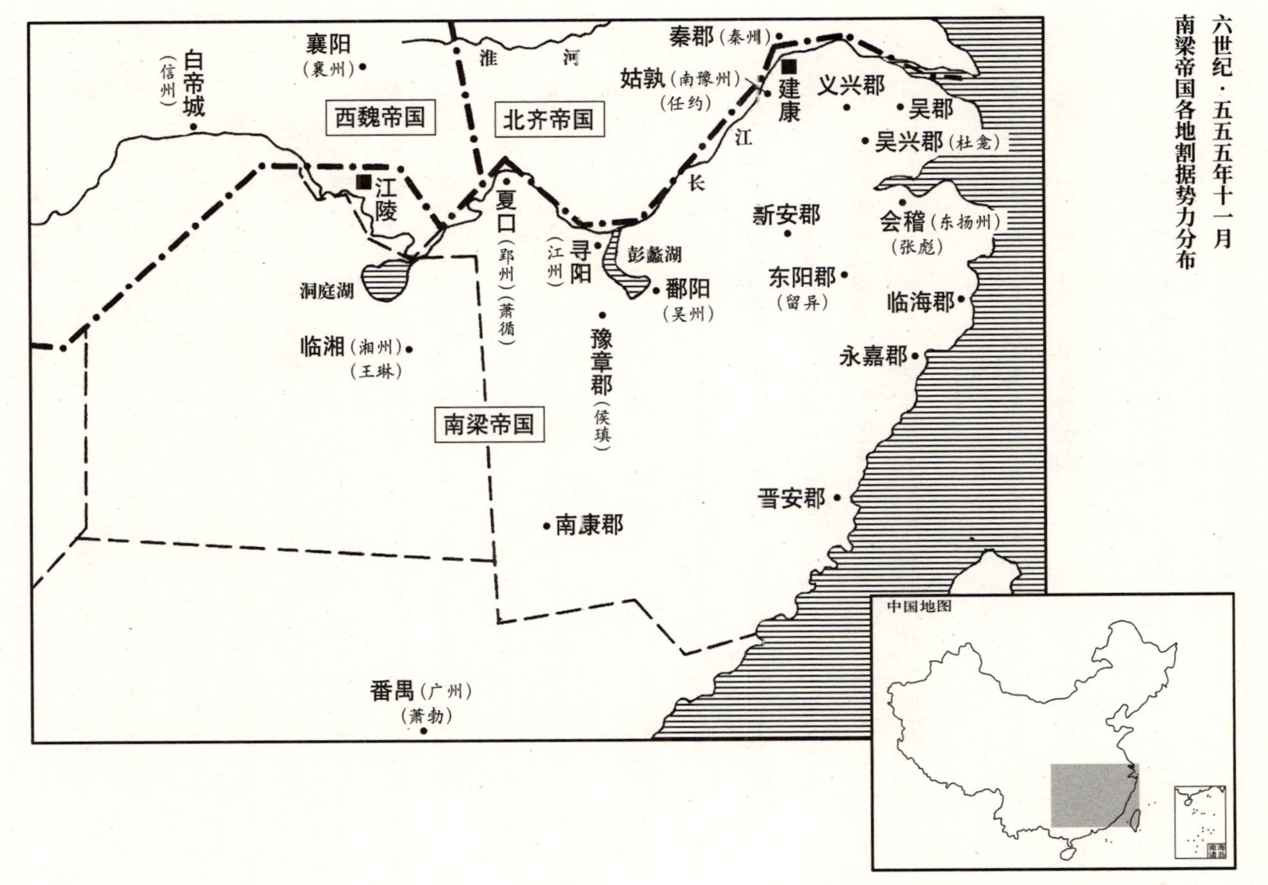

六世纪·五五五年十一月
南梁帝国各地割据势力分布

召他们前来京师（首都建康）供职。萧循接受太保（上三公之三）的任命，但推辞不肯入京，萧勃正在阴谋背叛，根本拒绝接受命令。

26 南梁帝国镇南将军王琳（湘州〔州政府临湘〕州长）攻击西魏帝国（首都长安）。西魏大将军（勋官二级，正九命）豆卢宁拒抗（豆卢，复姓）。

27 十二月七日，南梁帝国建康（江苏省南京市）政府（皇帝萧方智）高州（州政府设高凉〔广东省阳江市〕）州长（刺史）侯安都，袭击秦郡（江苏省南京市六合区），攻击反抗军徐嗣徽的防御工事，生擒数百人。搜索徐嗣徽的私宅，俘获他的乐器琵琶和猎鹰；但马上又派使节把这些东西送回，说："昨天到你那里拿到它们，今天奉还。"徐嗣徽大为恐惧。

十二月十日，建康（江苏省南京市）政府（皇帝萧方智）国务院总理（尚书令）陈霸先，在冶城（建康城西南）用船建立浮桥，全军渡过浮桥前进，攻击反抗军秦淮河南岸两大营垒。石头城守军北齐将领柳达摩等，也渡秦淮河兴筑营阵。陈霸先督促士卒迅速发动攻击，放火焚烧栅栏，北齐军大败，争先恐后抢夺船只，互相推挤，淹死在秦淮河中的，以千为单位计算，哭号呼叫声音，震动天地，陈霸先把北齐船舰，全部俘虏。当天（十二月十日），徐嗣徽跟任约，率领北齐水陆联合兵团一万余人，退回石头城（建康城西北）据守。陈霸先派军前往江宁（江苏省南京市江宁区西南），先行占领险要。徐嗣徽等水陆两路，都不敢挺进，只驻扎江宁浦口（江宁区西，江宁浦注入长江处）。陈霸先派侯安都率船舰袭击，把徐嗣徽击破，徐嗣徽等高级将领乘一艘小艇逃走，陈霸先把徐嗣徽等遗留下的武器，全部接收。

十二月十三日，陈霸先四面围攻石头城（建康城西北），城中没有水，每一升水值绸缎一匹。

十二月十四日，守将淮州（州政府设淮阴〔江苏省淮安市淮阴区〕）州长（刺史）柳达摩，派使节向陈霸先请求和解，但要求陈霸先派遣亲贵充当人质。当时建康（江苏省南京市）空虚，粮食又不能保持正常供应，政府官员都盼望跟北齐帝国谈判，请求陈霸先送他的侄儿陈昙朗去当人质。陈霸先说："现在，各位在座官员，都盼望齐军（北齐帝国军）走得越快越好，使我们暂时得以歇息一下，如果我反对大家的意见，一定认为我爱惜陈昙朗，不爱惜国家。而今，我决心教陈昙朗前去，把他遗弃在蛮夷巢穴。齐国（北齐帝国）言而无信，认为我们力量薄弱，一定会背叛盟约，到那时候，齐国盗寇（北齐帝国军）再来，各位必须为我竭力奋战。"遂命陈昙朗、永嘉王萧庄、首都建康市长（丹阳尹）王冲的儿子王珉（非本年〔五五五〕正月被杀的江夏郡郡长王珉）充当人质；跟北齐帝国官员，在石头城外盟誓，任凭守军分南北两路撤退。

十二月十五日，陈霸先在石头城南门，排列军队，送北齐帝国军北返，徐嗣徽、任约都投奔北齐。陈霸先俘获北齐遗留下的马匹、武器、船舰、粮米，数目多到无法计算。北齐帝高洋诛杀柳达摩。十二月十六日，北齐帝国和州（州政府设历阳〔安徽省和县〕）秘书长（长史）乌丸远，从南洲（安徽省当涂县西长江中小岛）逃回历阳。

南梁帝国江宁（江苏省南京市江宁区西南）县长陈嗣、宫廷监督官（黄门侍郎）曹朗，据守姑孰（安徽省当涂县）反抗建康（江苏省南京市）政府（皇帝萧方智），陈霸先命侯安都等出军讨伐。陈霸先恐怕陈昙朗不肯充当人质逃亡，亲自率步骑兵前往京口（江苏省镇江市）迎接（时陈昙朗当京口留守总部执行官〔知留府事〕）。

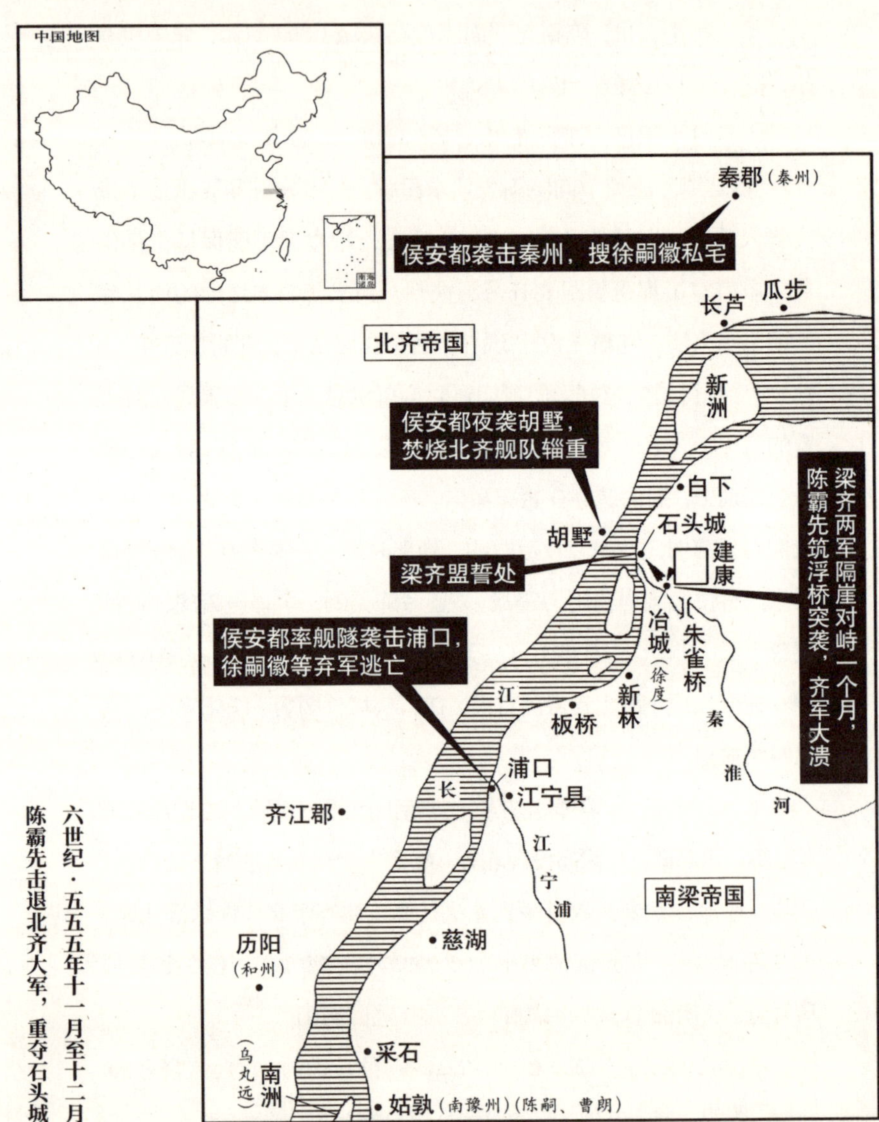

六世纪·五五五年十一月至十二月
陈霸先击退北齐大军，重夺石头城

交州（州政府设龙编〔越南河内市东北北宁省〕）州长（刺史）刘元偃，率领他的部属数千人，归附镇南将军王琳（湘州〔州政府临湘〕州长）。

28 西魏政府任命总监督长（侍中）李远，当国务院左执行长（尚书左仆射）。

益州（州政府设成都〔四川省成都市〕）州长（刺史）宇文贵，派谯淹的侄儿谯子嗣，游说谯淹（南梁武陵王萧纪派前梁州州长谯淹回军救成都事，参考前年〔五五三〕五月），允许授予大将军（勋官二级，正九命）官位。谯淹拒绝，斩谯子嗣。宇文贵大怒，攻击谯淹，谯淹自东遂宁（四川省遂宁市）撤退到垫江（重庆市合川区）。

29 最初，南梁帝国晋安郡（福建省福州市）人陈羽，世代都是闽中（福建省）强大家族，他的儿子陈宝应，擅长权术，性情诡诈，郡民对他既畏惧又佩服。侯景之乱时，晋安郡（福建省福州市）郡长宾化侯萧云把官位让给陈羽，陈羽年纪已老，只能负责行政，而把军事交给陈宝应。当时，帝国东境（浙江省和福建省）一片荒凉饥馑，只晋安郡（福建省福州市）人民生活富裕，陈宝应更不断率船舰北上，到临安郡（应是临海郡。浙江省台州市西北章安街道）、永嘉郡（浙江省温州市）、会稽郡（浙江省绍兴市），抢夺劫掠，或用谷米交易买卖，因此更为富强。侯景消灭后，四任帝（元帝）萧绎任命陈羽当晋安郡（福建省福州市）郡长。陈霸先政变后，陈羽请求把郡长官位传给陈宝应，陈霸先批准。

30 本年（五五五），西魏帝国太师（三公级）宇文泰，暗示淮安王拓跋育，上疏皇帝（〔西〕十八任恭帝）拓跋廓（本年十九岁），请求依照古代政府制度，取消王爵，一律降称公爵，于是皇族亲王都降一级，成为公爵。

31 突厥汗国（新疆东北部）可汗（三任木杆可汗）阿史那俟斤，攻击柔然汗国（瀚海沙漠群）可汗（十八任）郁久闾邓叔子，把柔然汗国消灭（柔然汗国自四〇二年正月在瀚海沙漠群崛起，称霸北方，给北魏帝国造成很大困扰，而于本年〔五五五〕覆亡，立国约一百五十四年，从此，柔然汗国成为历史名词，突厥汗国进入瀚海沙漠群，填补柔然汗国消失后留下的真空，继续成为中国北部边疆最大的灾难）。郁久闾邓叔子集结残余部众，投奔西魏帝国（首都长安）。阿史那俟斤西方击破吠哒王国（首都拔底延城〔阿富汗北部瓦齐拉巴德市〕），东方驱走契丹部落（内蒙古西辽河上游），北方吞并契骨部落（西伯利亚叶尼塞河上游），声威慑服塞外各国。本年（五五五），突厥汗国东自辽海（辽河），西到西海（疑指咸海），东西相距约一万华里；北到瀚海沙漠以北五六千华里（依地望推测，当到贝加尔湖），都属他们版图。阿史那俟斤仗恃自己强大，要求西魏政府诛杀郁久闾邓叔子和他的残余部众，使节一个接连一个，在路上相继奔走。最后，西魏太师（三公级）宇文泰屈服，下令逮捕郁久闾邓叔子，和他的部属三千余人，交给突厥汗国的使节，就在青门（长安西城南头第一门）外全部屠杀。

最初，西魏太师（三公级）宇文泰，认为两汉王朝及北魏帝国的官制，十分繁杂，命苏绰及国务院总理（尚书令）卢辩，依照《周礼》重新厘定官制。

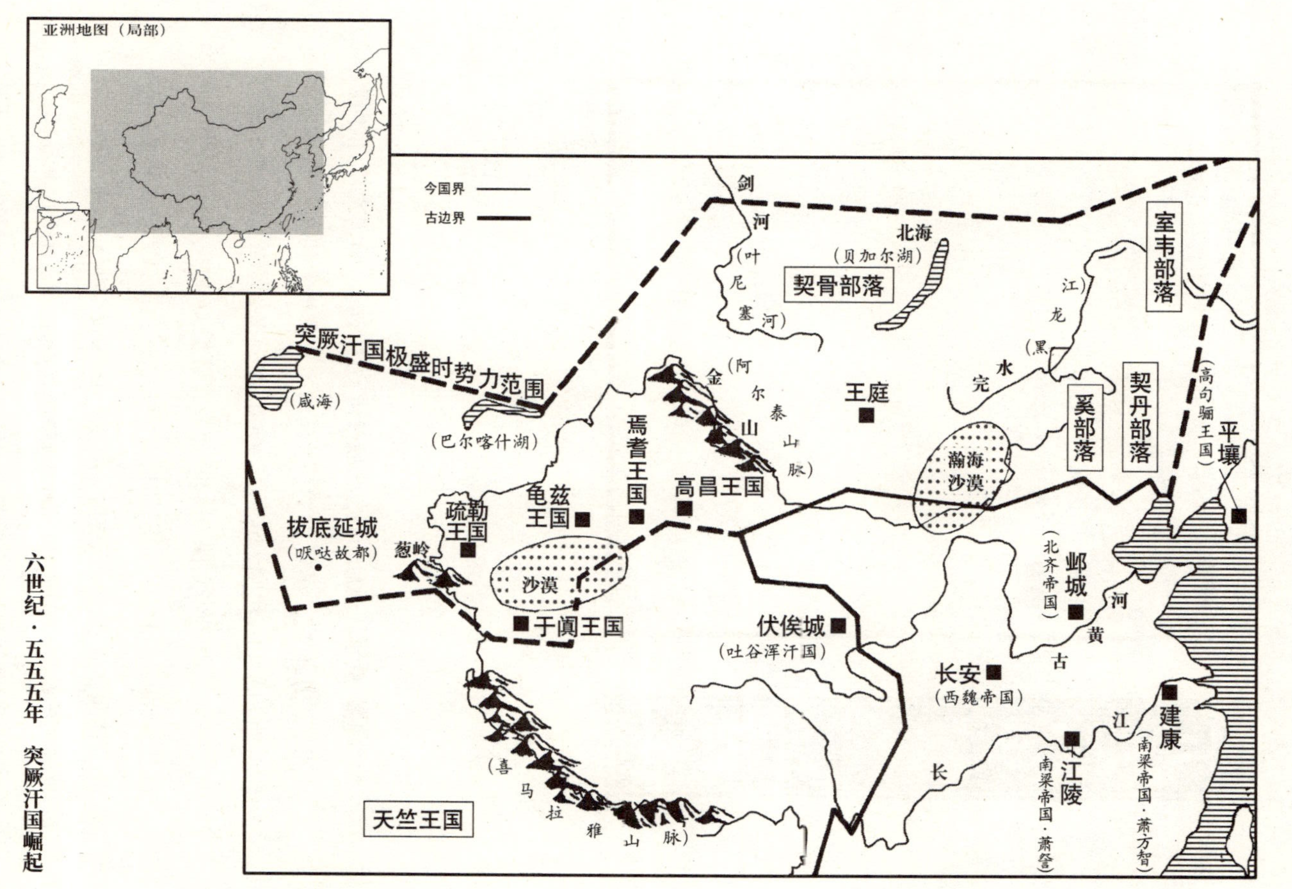

六世纪·五五五年 突厥汗国崛起

五五六年 丙子

南梁	大定	二年
	绍泰	二年
	太平	元年
北齐	天保	七年
西魏	恭帝	三年

1 春季，正月一日，西魏帝国（首都长安〔陕西省西安市〕）依照新定官制改组政府，建立“六官”。任命宇文泰当太师（三公级）兼国务院总理（大冢宰），柱国（勋官一级，正九命）李弼当太傅（三公级）兼内政部长（大司徒），赵贵当太保（三公级）兼教育部长（大宗伯），独孤信当国防部长（大司马），于谨当司法部长（大司寇），侯莫陈崇当农工部长（大司空）。其他文武百官，都仿效《周礼》（这是中国官制史上一次重大改革，苏绰于五四六年逝世，迄今已十一年，他厘定的方案才付诸实施。此项新官制完全仿效纪元前十二世纪周王朝“六官”，除了荣誉职“三公”“三孤”外，中枢组织，则有六“大”：大冢宰、

大司徒、大宗伯、大司马、大司寇、大司空。我们把“大冢宰”译为“国务院总理”，任职时君王必须下达“百官总己以听于冢宰”或“五府总于天官”诏书，才可以总摄五府，如果没有这项附加的后命，“大冢宰”就跟其他五府地位平等，便是“宫廷部长”，而“大司徒”不再是宰相，“大司空”也不再是最高监察长。职掌改变，译名也跟着改变）。

2 正月二日，南梁帝国建康（江苏省南京市）政府（皇帝萧方智）大赦；参与任约、徐嗣徽反抗阴谋的人（参考去年〔五五五〕十月），一概不予追问。

正月七日，国务院总理（尚书令）陈霸先派参谋指挥官（从事中郎）江旰游说徐嗣徽，劝他返回南梁，徐嗣徽逮捕江旰，送往北齐帝国（首都邺城〔河北省临漳县西南邺城镇〕）。

陈蒨、周文育会师攻击杜龛据守的吴兴郡（浙江省湖州市。杜龛反抗陈霸先事，参考去年〔五五五〕十月）。杜龛勇敢而缺少智谋，喜爱饮酒，经常饮得酩酊大醉，他的部将杜泰，暗中跟陈蒨勾结。杜龛在一场会战中失败，杜泰遂游说杜龛归降，杜龛同意。杜龛的妻子王女士（王僧辩的女儿）说：“跟陈霸先的仇恨已到如此地步，怎么可能和解！”捐出私有财产，作为悬赏，再攻击陈蒨等，大破陈蒨军。不久，杜泰向陈蒨投降，而杜龛还大醉未醒，没有发觉，陈蒨派人把他背出来，背到项王寺（吴兴城北门之内）前，斩首（《梁书》《陈书》《典略》，都说杜龛于投降后，被陈霸先诛杀。只《南史》说未投降，斩于项王寺）。王僧智跟他的老弟豫章郡（江西省南昌市）郡长王僧愔，一起投奔北齐帝国（首都邺城）。

东扬州（州政府设会稽〔浙江省绍兴市〕）州长（刺史）张彪，一向受王僧辩礼遇，也不归附陈霸先。

二月五日，陈蒨、周文育，率轻装备士卒，袭击会稽（浙江省绍兴市)，张彪战败，逃到若邪山(浙江省绍兴市南。张彪在若邪山聚众起兵事，参考五五〇年九月)。陈蒨派部将、吴兴(浙江省湖州市)人章昭达追击，斩张彪。东阳郡(浙江省金华市)郡长留异，接济陈蒨军粮，陈霸先任命留异当缙州(州政府东阳)州长(刺史)。

江州(州政府设寻阳〔江西省九江市〕)州长(刺史)侯瑱，本来侍奉王僧辩，手握强兵，据守豫章(江西省南昌市)及江州(寻阳)，反抗陈霸先。陈霸先命周文育当南豫州(州政府设姑孰〔安徽省当涂县〕)州长(刺史)，派他率军攻击湓城(江西省九江市〔寻阳东〕)。

二月十五日，陈霸先再派侯安都、周铁虎，率长江舰队，到梁山(安徽省和县南长江中小岛)构筑栅栏工事，防备江州(侯瑱)攻击。

二月十八日，反抗军徐嗣徽、任约，袭击采石(安徽省马鞍山市西南)，生擒建康(江苏省南京市)政府(皇帝萧方智)任命的驻军司令(戍主)、明州(州政府设交谷〔越南河静市〕)州长(刺史)张怀钧，押送北齐帝国。

江陵政府(湖北省江陵县)皇帝(七任宣帝)萧詧(本年三十八岁)，攻击驻扎公安(湖北省公安县)的王琳的部将侯平(王琳派侯平攻江陵事，参考去年〔五五五〕正月)，侯平跟长沙王萧韶，率军返回长沙(临湘，湖南省长沙市)。王琳(湘州〔州政府临湘〕州长)派侯平镇守巴州(州政府设巴陵〔湖南省岳阳市〕)。

三月七日，建康政府(江苏省南京市)皇帝(六任敬帝)萧方智(本年十四岁)下诏(陈霸先诏)，规定古钱及今钱羼杂使用(南梁政府禁用古钱事，参考五四六年七月)。

3 三月二十三日，北齐帝国(首都邺城〔河北省临漳县西南邺城镇〕)派仪同三司(宰相级，正二品)萧轨、库狄伏连、尧难宗、东方老等，会同任约、徐嗣徽，集结大军十万，对南梁帝国发动大规模攻击，从栅口（濡须口，安徽省无为市东南）出发，直向梁山（安徽省和县南长江中小岛）。南梁帝国建康（江苏省南京市）政府（皇帝萧方智）国务院总理（尚书令）陈霸先的部将、大营突击司令（帐内荡主）黄丛迎战，击破北齐军攻势，北齐军撤退，据守芜湖（安徽省芜湖市）。陈霸先派定州（州政府设郁林〔广西桂平市〕）州长（刺史）沈泰等，前往增援侯安都，共同据守梁山抵御。周文育攻湓城（江西省九江市〔寻阳东〕），不能攻克；陈霸先命他撤回。

夏季，四月十三日，陈霸先前往梁山，视察慰劳各军。

4 四月二十一日，北齐帝国仪同三司（宰相级，正二品）娄叡，攻击鲁阳（河南省鲁山县）蛮夷，击破蛮夷军。

5 南梁帝国建康政府（江苏省南京市）高州（州政府设高凉〔广东省阳江市〕）州长（刺史）侯安都，率轻装备部队，袭击北齐帝国中央特遣政府总监（行台）司马恭据守的历阳（安徽省和县），大破北齐军，俘虏以万为单位计算。

6 西魏帝国太师（三公级）宇文泰，娶十五任帝（孝武帝）元修的妹妹冯翊公主，生略阳公爵宇文觉；小老婆姚夫人生宁都公爵宇文毓。在宇文泰的亲生儿子之中，宇文毓的年龄最长（本年，宇文毓二十三岁），娶国防部长（大司马）独孤信的女儿为妻。宇文泰打算决定继承人，对高官阶层说：“我打算命嫡长子（宇文觉）当继承人，可是恐怕国防部长（大司马独孤信）心里不安，怎么办才好？”大家沉默，都不说话。国务院左执行长（尚书左仆射）李远说：“决定继承人，只要他是嫡子就行，不应考虑年龄。略阳公爵（宇文觉）当然是世子，有什么不妥的！如果认为独孤信是一个障碍，请准许我先斩独孤信。”拔刀跳起来。宇文泰也跳起来，劝阻说：“何至于到这种程度！”独孤信立刻自我解释，李远才停止，高官阶层都赞成李远的意见。李远出来，向独孤信叩拜道歉说：“面对大事，不得不那样。”独孤信也向李远致谢说：“今天也完全依靠你，才决定大计。”宇文泰遂决定宇文觉当世子。

宇文泰到帝国北境巡视。

7 五月，北齐帝国远征军，邀请已罢黜的南梁五任帝萧渊明到大营，诈称允许班师。南梁帝国建康（江苏省南京市）政府（皇帝萧方智）国务院总理（尚书令）陈霸先，派船舰送萧渊明前往。

五月九日，萧渊明背上毒疮溃烂，逝世（年龄不详）。

五月十日，北齐帝国军从芜湖（安徽省芜湖市）出动。

五月十六日，进入丹阳县（安徽省马鞍山市东丹阳镇）。

五月二十二日，进抵秣陵故治（江苏省南京市江宁区南）。陈霸先派周文育驻防方山（江宁区东南，秦淮河流经山下）、徐度驻防马牧（牧马场，江宁区西南秦淮河西畔）、杜稜驻防朱雀桥（大航）南，严阵以待。

8 北齐帝国汉阳王（敬怀王）高洽（北齐帝高洋老弟）逝世。

五月二十七日，北齐兵团跨秦淮河两岸，搭建木栅便桥，命士卒南下，夜晚抵达方山（江苏省南京市江宁区东南，秦淮河流经山下），徐嗣徽等把船舰停泊青墩（安徽省当涂县西南十公里青堆沙），一直排列到七矶（似在秦淮河入长江处附近），用以切断周文育的退路。周文育擂鼓呐喊出动，徐嗣徽等无法阻止。等到天亮（五月二十八日），周文育反攻徐嗣徽。徐嗣徽手下勇将鲍砰，单独乘一只小舰，担任后卫，周文育乘一小艇攻击，跳到鲍砰小舰上，斩鲍砰，拖着小舰而回。徐嗣徽军大为震骇；徐嗣徽遂把船舰留在芜湖（安徽省芜湖市），而自丹阳（安徽省马鞍山市东丹阳镇）步行出击。陈霸先命留在梁山（安徽省和县南长江中小岛）的侯安都、徐度，立刻撤回（增援京师）。

五月二十九日，北齐帝国军从方山（江苏省南京市江宁区东南，秦淮河流经山下）出发，追到倪塘（应在建康城东南），斥候游骑兵抵达宫城（台城），建康（江苏省南京市）震动，人心恐慌，南梁帝（六任敬帝）萧方智亲率皇家禁卫军，出宫驻扎长乐寺，内外戒严。陈霸先在白城（应在江宁区东南秦淮河畔）抵抗徐嗣徽等，正巧跟周文育合军。会战就要开始，而大风扑面，陈霸先警告："兵法说：大军不能迎风作战！"周文育说："事情危急，还管他妈的什么兵法！"抽出铁矛，上马先奔，大军跟随，而风势不久转向，杀伤数百人。侯安都跟徐嗣徽等，在皇帝亲耕农田祭坛的南方会战，侯安都率十二个骑兵突击，大破徐嗣徽兵团，生擒北齐帝国仪同三司（宰相级，正二品）乞伏无劳（乞伏，复姓）。陈霸先秘密撒出精锐部队三千人，配备给沈泰，派他渡长江北上，袭击北齐中央特遣政府总监（行台）赵彦深据守的瓜步（江苏省南京市六合区南长江渡口），掳获船舰一百余艘、粟米一万斛。

六月一日，北齐帝国军秘密进抵钟山（建康城东），南梁将领侯安都跟北齐将领王敬宝，在龙尾（钟山山道）会战，南梁带兵官（军主）张纂阵亡。

六月四日，北齐军进抵幕府山（建康城北），陈霸先派机动部队将领钱明，率舰队从江乘（江苏省南京市东北）出击，截断北齐军粮食供应线，把北齐满载食米的船只，全部俘获。北齐军缺少粮食，宰杀驴马维持。

六月七日，北齐军翻过钟山，陈霸先率各路人马分别驻扎乐游苑东和覆舟山北（覆舟山在玄武湖东南畔，乐游苑在覆舟山南麓），扼住北齐要害。

六月九日，北齐军进抵玄武湖（建康城北）西北，打算占领北郊神坛（晋帝国九任帝司马衍，在覆舟山南麓兴建神坛），南梁军从覆舟山向东移动，进驻神坛北方，跟北齐军对峙。

就在这时，大雨连绵，数日不停，平地积水一丈有余，北齐军日夜生活在泥泞水浆之中，脚趾都泡溃烂，必须把炉灶悬高，才能煮饭。可是，宫城（台中）及潮沟（人工渠）以北，却没有淹水，路面干燥，南梁军可以从容轮调补充。当时，四方交通断绝，粮食无法运到，建康（江苏省南京市）居民逃亡一空，连强行搜刮都没有对象。

六月十一日，天气稍稍晴朗，陈霸先准备攻击，向有人烟的地方强行征收，总算得到一些碎麦，用来煮成稀饭，分配给士卒。稀饭不能吃饱，士卒依旧饥饿疲倦。正巧陈蒨运来稻米三千斛、鸭一千只，陈霸先命煮米宰鸭，每人用荷叶包饭，上面覆盖几片鸭肉。

六月十二日，天还没有亮，士卒各在原地吃饭；拂晓，陈霸先率军从幕府山（建康城北）出击。侯安都对部将萧摩诃说："你的勇猛，闻名天下，可是耳听千次，不如眼见一次。"萧摩诃回答说："今天请你眼见。"会战开始，侯安都栽倒马下，北齐军围上，萧摩诃单人匹马，厉声呐喊，直冲北齐军，北齐军散开，侯安都才逃过一死。陈霸先与吴明彻、沈泰等各路人马，首尾同时发动攻击，投入所有兵力大战。侯安都自白下（建康城北）率军从北齐军背后冲出，北齐军溃败，被杀被擒的有数千人，互相践踏死亡的，无法计数。南梁军生擒徐嗣徽，和他的老弟徐嗣宗，斩首示众。南梁军追到临沂（侨县，江苏省句容市北）。江乘（江苏省南京市东北）、摄山（南京市东北栖霞山）、钟山（建康城东）一带，也相继传出捷报。南梁军生擒北齐军总司令萧轨、东方老、王敬宝等将领四十六人。北齐士卒逃到长江，

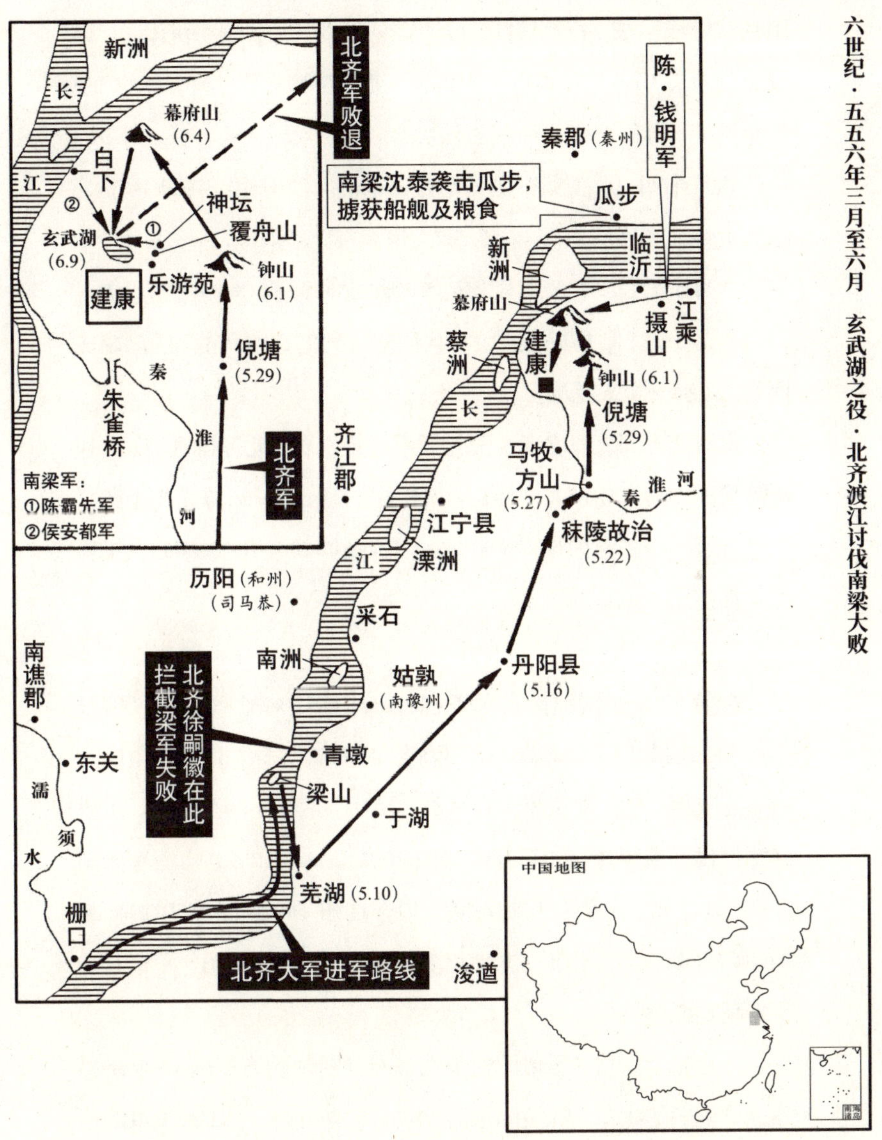
新洲
长
江
幕府山
(6.4)
白下
②
①
神坛
覆舟山
玄武湖
(6.9)
乐游苑
钟山
(6.1)
建康
倪塘
(5.29)
朱雀桥
秦
淮
河
北齐军
北齐军败退
南梁军：
①陈霸先军
②侯安都军
秦郡(秦州)
陈·钱明军
南梁沈泰袭击瓜步，
掳获船舰及粮食
瓜步
新洲
临沂
幕府山
江乘
摄山
建康
蔡洲
钟山 (6.1)
倪塘
(5.29)
马牧
方山
(5.27)
秦
淮
河
秣陵故治
(5.22)
齐江郡
江宁县
溧洲
历阳(和州)
(司马恭)
采石
南洲
姑孰
(南豫州)
丹阳县
(5.16)
南谯郡
东关
濡
须
水
北齐徐嗣徽在此拦截梁军失败
青墩
梁山
于湖
芜湖 (5.10)
栅口
北齐大军进军路线
浚遒
中国地图

用荻草绑成小筏，打算渡江，好不容易划到江心，纷纷沉没，尸体漂流到京口（江苏省镇江市），密密盖住江面，挤撞江岸。只有任约、王僧愔逃掉，得免一死。

六月十四日，南梁帝国各军撤出南洲（安徽省当涂县西长江中小岛），纵火焚烧北齐帝国船舰。（我们不懂，为什么不留下来自己用，而一定要烧？）

六月十五日，南梁帝国建康（江苏省南京市）政府（皇帝萧方智）大赦。

六月十六日，解除戒严。官兵们把得到的赏赐和战利品，拿去换酒，才够一个人喝醉。

六月十七日，把北齐帝国将领萧轨等斩首。北齐得到消息，也斩陈昙朗（陈昙朗充当人质，参考去年〔五五五〕十二月十四日）。陈霸先上疏皇帝萧方智，辞去南徐州（州政府设京口〔江苏省镇江市〕）州长（刺史），推荐侯安都接任（酬庸这次战功）。

9 南梁帝国镇南将军王琳（湘州〔州政府临湘〕州长）的部将侯平，不断击破江陵（湖北省江陵县）政府（皇帝萧詧）军队，但因王琳的兵力不能支援，侯平对王琳渐存轻视，最后，索性不接受命令；王琳派军讨伐。侯平遂格杀巴州（州政府设巴陵〔湖南省岳阳市〕）自卫军副司令（助防）吕旬，并吞吕旬的军队，投奔江州（州政府设寻阳〔江西省九江市〕，属建康政府），江州州长（刺史）侯瑱，跟侯平结成兄弟，王琳军的声势越发低落。

六月二十二日，王琳派使节携带奏章前往北齐帝国（首都邺城），并进贡驯顺的大象。江陵陷落时（参考前年〔五五四〕十二月），王琳的正妻蔡女士、世子王毅，都被西魏帝国（首都长安）俘虏；王琳又向西魏进贡，请求释放妻子儿女。同时，也向江陵政府（湖北省江陵县）皇帝萧詧称臣。

10 北齐帝国征集民夫工匠三十余万人，修筑首都邺城（河北省临漳县西南邺城镇）的三台（东汉王朝末年，丞相曹操所建。二一〇年建铜雀台，二一三年建金虎台，后来又建冰井台）。

一任帝（文宣帝）高洋（本年二十八岁）初当皇帝时（五五〇年五月），留心帝国政务，一切要求简单安静，知人善用，心怀坦荡，每人都能为国尽力。高洋驾驭部属，执法严厉，如果有人违犯，即令他是皇亲国戚，也要处罚（如司马子如、高隆之、高岳），内外严肃，一片新兴气象。至于军事行动，则独断独行，每逢冲锋陷阵，都亲冒乱箭飞石，所到之处，无不建立战功（仅就《资治通鉴》记载，高洋自登极以来，有下列六项武功：对抗西魏帝国〔参考五五〇年十一月〕、进击库莫奚部落〔参考五五二年正月〕、进击契丹部落〔参考五五三年十月〕、进击突厥汗国〔参考五五三年十二月〕、平定境内山胡部落〔参考五五四年正月〕、平定柔然汗国叛变〔参考五五四年三月至六月，及五五五年七月〕；每次都是亲自带兵出征）。但几年之后，渐渐对自己的功绩和事业，感到骄傲，于是纵情饮酒，生活淫乱，随心所欲的残忍凶暴。有时自己唱歌跳舞，日夜不停；有时披头散发，穿上蛮夷服装，挂着彩带；有时光着身体，脸上擦粉描眉；有时骑着驴、牛、骆驼、白象，不用马鞍缰绳；有时教崔季舒、刘桃枝背着自己走，肩担大鼓，由自己擂动。皇亲国戚的私宅，高洋无论什么时候，都会突然闯进去；更经常穿街过巷，有时坐在街头，有时睡在巷子里；有时天气炎热，他脱得赤条条的晒太阳，有时隆冬严寒，他也脱得赤条条的乱跑，侍卫官员都不能忍受，可是高洋却毫不在意。修建三台时，鹰架高达二十七丈，两架相距二百余尺，匠人都认为危险万状，感到胆怯，都身系绳索，以防跌下；可是高洋在鹰架最高层奔走，一点也不恐惧，而且走着走着，还停下来旋转跳舞，回身踏步，配合音乐节拍，看到的人连血液都会冻结。高洋曾在路上问一位妇女:“天子怎么样？”妇女回答说:“疯疯癫癫，算什么天子！”高洋把那位妇女斩首。

皇太后娄昭君因高洋酗酒发狂，用手杖责打他，说:“什么样的老爹，生什么样的儿子！”高洋说:“看我把老娘嫁给老蛮子！”娄昭君大怒，遂不言不笑。高洋打算引娘亲笑，就自己在地上爬，爬到床底下，用身子把床弄翻，娄昭君跌到地上，身受重伤。高洋酒醒后，大为惭愧悔恨，命堆积木柴燃火，打算跳到里面烧死。娄昭君惊慌恐惧，亲自拉住他，勉强笑笑，说:“你那天喝醉了。”高洋在地上摆设公案，命平秦王高归彦手举木棍，高洋自己责备自己，数说自己罪状，脱掉上衣，露出脊背，对高归彦说:“打不出血来，我就杀你。”娄昭君亲自前去抱住，高洋流泪痛哭，苦苦请求，改为棍打脚板五十下，然后，高洋才穿上衣服，向娘亲叩拜道歉，悲哀得难以控制。遂宣布戒酒，可是十天之后，又跟当初一样。

高洋到皇后李祖娥家，用响箭射击李祖娥的娘亲崔女士，诟骂说:“我喝醉了连亲娘都不认识，你这个老太婆又算什么东西！”用马鞭把岳母抽打一百余下。高洋虽然任命杨愔当宰相（时杨愔任国务院右执行长〔尚书右仆射〕），但高洋到厕所拉屎时，总叫杨愔手拿草纸（当时，即令帝王之家，也不用草纸，而是削竹成片，用来刮净肛门；称“厕筹”或“厕简”。马令《南唐书·浮屠传》记载：南唐帝国末任帝李煜跟他的周皇后，亲自给僧侣们削厕筹）。曾用马鞭抽打杨愔脊背，流出的血湿透官袍。有一次，高洋抽出小刀，要划杨愔的肚子，崔季舒在旁说了一句舞台上的戏词:“老小公子恶戏！”（谅是当时家喻户晓的话，译成现代语文，就不可解，更难还原。）好不容易把小刀拿走。高洋又把杨愔装到棺材里，放在灵柩车上。高洋手拿长矛，跨马奔驰，用矛尖刺向左丞相斛律金前胸三次，斛律金屹立不动，高洋遂赏赐给斛律金绸缎一千匹。

高家的妇女，高洋不管是亲是疏，是长辈或是晚辈，多数都被他奸淫过，或赏赐给左右侍从，又用种种横暴的方法对她们侮辱。彭城王高浟的娘亲、太妃尔朱英娥（高洋的庶母），是北魏帝国十一任帝（孝庄帝）元子攸的皇后（尔朱荣的女儿，参考五三〇年八月），高洋要她上床，尔朱英娥拒绝，高洋亲手把她格杀。故东魏帝国乐安王元昂的妻子，是皇后李祖娥的姐姐，十分美貌，高洋不断命她上床，打算把她收到皇宫当昭仪（小老婆群第一级）。于是，召见元昂，命他趴在地上，向他射出响箭一百余支，流血凝结地面，将近一石，终于惨死。李祖娥啼哭悲伤，拒绝饮食，请求把皇后的位置让给姐姐；皇太后娄昭君也出面干预，高洋才算停止。

高洋曾经在百官行列中叫出司令官（都督）韩哲，韩哲并没有犯罪，但立刻被斩首。高洋特别制造大锅、长锯、锉刀、石碓等刑具（侯景也做石碓〔参考五五〇年四月〕，当是北方流行的一种酷刑），放在院子里，高洋每次饮醉，一定要亲手杀人，作为娱乐节目。杀了之后，又要割下四肢，或者投到火中焚烧，或者投到水里喂鱼。杨愔遂集合首都邺城（河北省临漳县西南邺城镇）所有犯死罪的囚犯，安置在殿庭左右卫士轮休的地方，称之为“供御囚”，高洋想杀人时，就带出来供应。三个月不杀，则予以赦免。

开府军事参议官（开府参军）裴谓之，上疏高洋，竭力规劝。高洋对杨愔说：“这个呆子，怎么敢说这种话！”杨愔说：“他打算教陛下把他杀掉，名声就可以流传后世。”高洋说：“卑鄙的家伙，我就是不杀，他成什么名！”高洋跟左右饮酒，呼叫说：“大乐！”司令官（都督）王纮说：“有大乐，就有大苦。”高洋说：“什么意思？”王纮说：“日夜不停的饮酒，竟然看不到国亡身死，就是大苦。”高洋逮捕王纮，捆绑起来，打算斩首，但因他有救高澄的功劳（参考五四九年八月），才把他释放。

高洋游逛东山（邺城东），因关陇（西魏帝国）还没有削平，投下酒杯，赫然震怒，把魏收叫到跟前，立刻撰写诏书，命传播远近，准备大军西征。西魏帝国政府惊骇恐惧，准备随时向陇山以西（甘肃省南部）逃走（胡三省注：“宇文泰了解北齐帝国的实力，怎么可能因高洋一纸西征诏书，就打算向陇山以西逃走？这是北齐帝国撰史官员自夸。”柏杨按：窝里捧过了头，就成为笑柄），但实际上高洋并没有行动。有一天，高洋对着文武官员哭泣流泪，说：“黑獭（宇文泰的乳名）不接受我的命令，怎么办？”司令官（都督）刘桃枝说：“给我三千骑兵，我去长安（西魏首都，陕西省西安市）捉他回来。”高洋认为他壮志凌霄，赏赐绸缎一千匹。赵道德插嘴说：“两国分列东西，强弱大小，都差不多，他可以被我们捉来，我们也可能被他捉去。刘桃枝胡说八道，应该诛杀，陛下怎么能乱赏？”高洋说：“你说得对。”把绸缎一千匹转送给赵道德。高洋骑马，打算从悬崖跳进漳水（流经邺城西北），赵道德抓住缰绳，把马拉回；高洋大怒，要斩赵道德。赵道德说：“我死而无恨，我会在地下报告先帝（高欢），说他的这个孩子酗酒成性，暴虐疯狂，无法教训。”高洋沉静下来，停止行刑。过了几天，高洋对赵道德说：“我饮酒过量，你应该狠狠揍我。”赵道德举棍揍他，高洋逃走，赵道德追赶，呼叫说：“你忘了你是什么人，做出这种事！”

宫廷事务管理员（典御丞）李集，当众向高洋直言规劝，把高洋比作历史暴君姒履癸（桀）、子受辛（纣）。高洋教人把他绑住，把头按到水里，过了很久才拉出来，问他说：“我比姒履癸、子受辛如何？”李集说：“你比姒履癸、子受辛更残暴！”高洋再命把他按到水里，再拉出来，再问；反复三四次，李集一直如此回答。高洋大笑说：“天下竟有如此白痴，我才知道关龙逢、子干（比干），并不是什么明智之士。”把李集释放。一会工夫，高洋传见李集，发现李集似乎又要开口规劝，下令把他架出去，腰斩。高洋喜怒无常，对人赦免或诛杀，没有人能预测。

柏杨曰

一个人开始掌握权力——无论是有限权力还是无限权力之日，都是他被政治狂犬咬了一口，病毒开始侵入体内之时，病毒几乎立刻就蚕食他心灵上从小培养出来的、诸如忠孝仁爱礼义等美德。最后，他的狂犬病——政治狂犬病发作，势不可当。因先天品质和后天修养的差异，抵抗政治狂犬病发作的时间，及发作起来的模式和程度，虽有差异。但是，只一点是毫无差异的：没有人能抵挡得住它的发作。高洋的种种暴行，使人发指，但我们如果念及他不过只是得了政治狂犬病，假如老哥高澄不死，高洋仍是一个他娘亲口中称许的戆直青年，只是在被政治狂犬病毒侵入神经中枢之后，才完全失去自制，岂不应为他悲哀！

然而，野心家偏偏都渴望有一天也被政治狂犬咬自己一口，因为，政治狂犬病患者跟吸食海洛因患者一样，身心同时飘飘然羽化而登仙，永远看不到对人对己所造成的伤害。正因为如此，历史上的暴君暴官，才层出不穷。

北齐帝国因皇帝狂暴，官民一片忧愁，人心痛恨愤怒。但高洋记忆力很强，反应迅速，手段严酷，属下没有不恐惧颤栗，都不敢犯法。同时，高洋把政府全权交给杨愔，杨愔总揽全局，衡量情理，政令推行无阻。所以当时人都说：君王虽然在上昏暴，但下面的政治，却相当清明。杨愔干练而见识不凡，受政府和民间一致尊敬，他小时候经历惊险艰苦（尔朱帮屠杀杨家，只杨愔逃出一命；参考五三一年七月。又因谗言逃到荒岛，高欢把他找回；参考五三五年十一月）；后来，手握权柄，凡是对他有一顿饭之恩的，他都一定重重回报。先前一些要谋杀他的人，他都不去追问。杨愔负责文官任免，历时二十余年，把为国选拔贤才，作为自己的责任：记忆力特好，只要见一面，就不会忘记对方姓名。候补官员鲁漫汉在一次面谈时，说自己地位卑贱，恐怕杨愔再见到他时，已不可能认识，杨愔说："你从前在元子思坊（在邺城〔河北省临漳县西南邺城镇〕，北魏帝国时代元子思住此，故名。元子思，参考五三四年九月），骑一匹短尾巴母驴，看见我时，并没有下驴，反而用竹扇遮住脸，假装没有看见，我怎么会不认识你！"鲁漫汉大吃一惊，至为敬佩。

11 秋季，七月一日，南梁帝国前天门郡（湖南省石门县）郡长樊毅袭击武陵（湖南省常德市），斩武州（州政府武陵）州长（刺史）衡阳王萧护。湘州（州政府设临湘〔湖南省长沙市〕）州长（刺史）王琳派军政官（司马）潘忠攻击，生擒樊毅，班师。萧护，是萧畅的孙儿（萧畅，是一任帝萧衍的老弟，参考四九九年八月十三日）。

七月三日，建康政府（江苏省南京市）皇帝萧方智，任命陈霸先当立法院总立法长（中书监）、宰相（司徒）、京畿总卫戍司令（扬州刺史），晋封长城公爵，其他官职，一律照旧。

最初，余孝顷当豫章郡（江西省南昌市）郡长，而侯瑱率军驻防豫章，余孝顷在新吴县（江西省奉新县），另行构筑木栅阵地，跟侯瑱对峙。侯瑱派他的堂弟侯奫（音yūn〔晕〕）留守豫章，自己率领所有武装部队，进攻余孝顷，很久不能攻克，遂构筑长墙包围。

七月十日，刚跟侯瑱结拜为兄弟的侯平，出军奇袭侯奫，对豫章（江西省南昌市）大肆抢劫，纵火焚烧城池，然后逃往首都建康（投奔陈霸先）。侯瑱的部众得到消息，霎时溃散；侯瑱逃奔湓城（江西省九江市〔寻阳东〕），投靠他的将领焦僧度。焦僧度劝他归降北齐帝国（首都邺城），正巧，陈霸先的记录官（记室）济阳（侨郡，江苏省盱眙县南）人蔡景历西上，说服侯瑱拥护中央政府（建康政府），侯瑱遂前往建康（江苏省南京市）宫门，听候处分。陈霸先为侯瑱复仇，诛杀侯平。

七月十四日，任命侯瑱当最高监察长（司空）。

南昌（豫章郡郡政府所在县）居民熊昙朗，世代都是郡中的名门豪族。熊昙朗勇敢而有力气，侯景之乱时，熊昙朗集结部众，占领丰城（江西省丰城市），兴筑木栅工事（此熊昙朗与五四九年开建康城门迎接侯景的熊昙朗〔参考该年三月三日〕，不是同一人）。四任帝（元帝）萧绎任命他当巴山郡（江西省崇仁县）郡长。江陵（湖北省江陵县）沦陷后（参考前年〔五五四〕十二月），熊昙朗兵力逐渐强大，侵略抢劫邻近郡县。侯瑱在豫章（江西省南昌市）时，熊昙朗表面服从，但心里一直准备背叛，等到侯瑱失败逃走，熊昙朗俘获侯瑱留下来的全部人马武器。

12 七月二十六日，北齐帝国大赦。

13 西魏帝国太师（三公级）宇文泰，派安州（州政府设安陆〔湖北省安陆市〕）秘书长（长史）钳耳康买（钳耳，复姓）到南梁帝国湘州（州政府设临湘〔湖南省长沙市〕）州长（刺史）王琳处聘问，王琳也派秘书长（长史）席豁前往西魏帝国报聘，并请求交还四任帝（元帝）萧绎及太子（愍怀太子）萧方矩的灵柩；西魏太师（三公级）宇文泰允许。

八月七日，南梁帝国郢州（州政府设夏口〔湖北省武汉市〕）州长（刺史）鄱阳王萧循，在江夏（夏口，湖北省武汉市）逝世。老弟丰城侯萧泰，被推举当州政府总部执行官（监郢州事）。王琳派兖州州长（空头官衔）吴藏进攻江夏（夏口），不能攻克，吴藏逝世（病死？阵亡？说不清楚）。

14 西魏帝国太师（三公级）宇文泰，渡河（不知道什么河）北上。

西魏政府任命王琳当大将军（勋官二级，正九命），封长沙郡公爵。

西魏江州（州政府设犍为〔四川省眉山市彭山区〕）州长（刺史）陆腾，讨伐陵州（州政府设陵井〔四川省仁寿县〕）反抗政府的獠民族部落，獠民族部落城池，靠山而筑，很难攻克。陆腾把歌舞女郎带到城下，唱歌跳舞，獠民族部落士卒放下武器，携妻抱子，站在城墙上观看，陆腾暗中率军从其他三面同时攀登上城，杀一万五千人；獠民族部落的反抗，遂完全平息。陆腾，是陆俟的玄孙（陆俟因儿子陆丽诛杀宗爱封东平王，参考四五二年十二月）。

15 八月十八日，北齐帝高洋将要往西方巡视，文武百官在紫陌（河北省临漳县西）集合，恭送圣驾启程，高洋命长矛骑兵把他们团团围住，说："我一举鞭，你们就杀！"可是天色已晚，高洋沉醉，不能起床。宫廷监督官（黄门郎）是连子畅（是连，复姓）说："陛下这个决定，文武百官十分恐惧！"高洋说："恐惧是不是？如果恐惧，就不要杀。"遂前往晋阳（山西省太原市）。

16 九月一日，南梁帝国建康（江苏省南京市）政府（皇帝萧方智）改年号（之前是绍泰二年，之后是太平元年），大赦。任命陈霸先当丞相、主管政府机要（录尚书事）、镇卫大将军、京畿总卫戍司令（扬州牧），封义兴公爵（自县级公爵晋封郡级公爵）；任命国务院文官部长（吏部尚书）王通当国务院右执行长（右仆射）。

17 突厥汗国（瀚海沙漠群）可汗（三任木杆可汗）阿史那俟斤，向西魏帝国借道凉州（州政府设姑臧〔甘肃省武威市〕），袭击吐谷浑汗国（青海省）。西魏太师（三公级）宇文泰派凉州州长（刺史）史宁，率领骑兵在后跟随，大军进到番禾（甘肃省永昌县），吐谷浑汗国发觉，部众纷纷逃向南山（指南方群山）。阿史那俟斤打算分出一部分军队追击，史宁说："树敦（青海省共和县）、贺真（今地不详）二城，是吐谷浑的巢穴，只要能拔除根本，残余的部众自然溃散。"阿史那俟斤同意。于是，阿史那俟斤从北道直向贺真，史宁从南道直向树敦。吐谷浑可汗（十五任）慕容夸吕正在贺真，派他的征南王（姓名不详）率数千人守卫树敦。阿史那俟斤攻破贺真，俘虏慕容夸吕的妻子儿女；史宁攻破树敦，俘虏征南王。西魏、突厥两国大军在青海湖会师，回军。阿史那俟斤赞叹史宁英勇果断，赠送的礼物，十分丰厚。

18 九月二十三日，南梁帝国反抗军、湘州（州政府临湘）州长（刺史）、被西魏帝国封长沙郡公爵的王琳，出动舰队袭击江夏（夏口，湖北省武汉市）。

冬季，十月一日，郢州（州政府夏口）总部执行官（监州事）、丰城侯萧泰献出州土，投降。

19 北齐帝国强迫征调山东（崤山以东）寡妇二千六百人，婚配军中单身士卒，有丈夫而硬被认定是寡妇、强迫婚配的占十分之二三（其中多少冤屈，多少眼泪，多少怨仇，多少恨，多少家庭被毁）。

20 西魏帝国太师（三公级）、安定公爵（文公）宇文泰，从北方巡视回京（首都长安）途中，走到牵屯山（宁夏固原市南），卧病，用政府驿马车召见中山公爵宇文护。宇文护走到泾州（州政府设安定〔甘肃省泾川县〕），跟宇文泰见面。宇文泰对他说："我所有的孩子，年纪还都小，而外面贼寇（指北齐帝国）的势力正在强大，天下大事，交到你手，应该努力向前，完成我的志愿。"

十月四日，宇文泰在云阳（陕西省泾阳县西北）逝世（年五十岁）。宇文护护送灵柩返回首都长安（陕西省西安市），发布死讯，举行祭悼大典。宇文泰统御英雄豪杰，能得到他们誓死效忠；性情爽直朴素，不喜爱虚浮豪华，对政治运作，明白练达，崇敬儒家学派，崇拜古人古事，所有的行政措施，都效法三代（夏商周）制度（官制照抄周王朝"六官"，就是证明）。

十月五日，世子宇文觉继承老爹官职和爵位，当太师（三公级）、柱国（勋官一级，正九命）、国务院总理（大冢宰），出京前往同州（州政府设武乡〔陕西省大荔县〕）坐镇（自曹操坐镇邺城，遥控许昌以来，遥控遂成为一种篡夺模式。在这种模式中，军队指挥官住在他选择的绝对安全基地，发号施令，皇帝成为橡皮图章。如尔朱荣坐镇晋阳，遥控洛阳；高欢也坐镇晋阳，遥控邺城；宇文泰则坐镇同州〔从前的华州〕，遥控长安）。本年（五五六），宇文觉十五岁。

中山公爵宇文护的名望地位一向卑微，虽然是宇文泰亲口吩咐，但各公爵都希望掌握政权，不肯服从。宇文护向司法部长（大司寇）于谨，请教如何因应，于谨说："我很早就受先公（宇文泰）非常的知遇，恩情深过骨肉；今天的事情，我要用性命去争。但是，如果当众决定人选，你千万不可谦让。"第二天，高阶层官员举行会议，于谨说："从前，皇家倾危，没有安定公爵（宇文泰），就不会有今天，现在，他刚刚逝世，世子（宇文觉）年纪还小，中山公爵（宇文护）是他亲兄长的儿子，而且受到托孤重任，军国大事理应由他继续领导。"面色言辞，十分严厉，气氛严肃震撼，宇文护说："这是我们的家事，我虽然拙笨愚昧，但怎么敢推辞！”于谨原来跟宇文泰是同一辈分，宇文护也常向于谨行礼，而现在，于谨站起来宣布：“你如果统御军国大事，我们都有依靠。”遂深深叩头，其他高级官员在于谨造成的压力下，不得不跟着深深叩头，于是议论才告停止。宇文护治理内外，安抚文武百官，人心逐渐安定。

21 十一月一日，南梁帝国前郢州（州政府设夏口〔湖北省武汉市〕）总部执行官（监州事）、丰城侯萧泰，投奔北齐帝国（首都邺城），北齐政府任命萧泰当永州（州政府设楚王城〔河南省信阳市北〕）州长（刺史）。北齐政府征召王琳到首都邺城（河北省临漳县西南邺城镇）担任最高监察长（司空），王琳拒绝前往，留他的将领潘纯陀当郢州（州政府夏口）总部执行官（监郢州），而自己返回长沙（临湘，湖南省长沙市）。西魏帝国（首都长安）送还王琳的妻子儿女（王琳妻儿被俘事，参考本年〔五五六〕六月二十二日。王琳此时拥有湖北省的一部分及湖南省部分地区，虽向所有的邻国称臣，但实是一个强大的第三势力）。

22 十一月十二日，北齐帝高洋下诏，说：“魏国（东魏帝国）末年，豪门强族，集结乡里民众，利用机会，请求拜托，各自成立州郡，从旧州郡分割出来的多，而由旧州郡合并的少，于公于私，都是一种消耗浪费，虽然人口数目，远少于当初，可是郡长县长却比往常多出一倍（北魏帝国的民变及国家之分裂所带来的战争，固然使人口大量死亡，但户籍人口大幅的减少，也由于人民逃避赋税差役而流落外郡，不愿定居故乡。东魏帝国时代，曾一次查出六十余万没有户籍的人民，参考五四四年十月）。有关远方蛮荒接受中国（北朝）文化情形，以前的报告一向都不确切，一个只有一百家的县，竟然算一个州；一个只有三家的村庄，竟然算一个郡。现在开始整理，名称应与实际相符，既有名称，不应没有实际。”于是撤销三个州、一百五十三个郡。

23 南梁帝国建康（江苏省南京市）政府（皇帝萧方智）下诏，分割江州（江西省）四个郡，设立高州，任命明威将军黄法氍（音qú〔渠〕。黄法氍守新淦，参考五五〇年七月）当州长（刺史），州政府设巴山（江西省崇仁县）。

十二月二日，任命广州（州政府设番禺〔广东省广州市〕）州长（刺史）、曲江侯萧勃当太保（上三公之三）。

24 十二月十四日，西魏帝国政府把安定公爵（文公）宇文泰安葬（陵墓称成陵，今陕西省富平县北）。

十二月十七日，封安定公爵（宇文泰）世子宇文觉当周公爵，把岐阳（陕西省宝鸡市凤翔区）作为采邑。

25 最初，南梁帝国侯景之乱时，临川郡（江西省南城县）居民周续，在本郡聚众起兵，郡长、始兴郡（广东省韶关市）人王毅，把郡长让给他离去（此处有误，王毅死于郡长任内，参考五五〇年三月）。周续部将都是本郡的强宗豪族，多数骄傲蛮横；周续予以制裁，各将领心怀怨恨，联合起来诛杀周续。周续族人周迪，英勇无比，大家推举他继任领袖。周迪出身卑贱寒微，恐怕郡人不服，而同郡人周敷，家世煊赫，名望尊贵，周迪采取低姿态结交周敷，周敷对周迪也十分谨慎恭敬。周迪据守上塘（即工塘，江西省抚州市临川区东南），周敷据守郡城（江西省南城县）。中央任命周迪当衡州（州政府设含洭〔广东省英德市西北浛洸镇〕）州长（刺史），兼临川郡郡长（内史）。当时，人民经过侯景之乱造成的灾难，都不愿再去种田，而愿聚在一起，当强盗抢劫。只有周迪率领部众，开山垦荒，种桑耕田，结果各地储蓄都有盈余，政令严格明确，征收的赋税，在限期之内，人民都会送到；其他各郡遇到困乏，都靠他供应。周迪性情朴实，仍保持老农本色，不炫耀权势，不端架子，平常日子，都赤着双脚，虽然门外卫士戒备森严，内院歌女舞女罗列，周迪手搓麻绳、刀劈竹节，好像旁边没有别人。周迪口舌木讷，不善于说话，但忠厚诚实，临川人民对他信赖归附。

26 北齐帝国自西河总秦戍（西河〔山西省西部〕一带有服秦城，在姚襄城〔山西省吉县西〕之东，北齐长城经此地）开始修筑长城，直到东方大海（渤海），前后修筑的长城，东西长达三千余华里，平均每十华里一个驻军堡垒，在重要军事据点则设立“州”“镇”，共二十五所（综合《资治通鉴》记载，北齐帝国之长城，似始于国土东部边疆、吕梁山脉南端，长城沿山脉而筑，北至管涔山一带之后，再东转，沿燕山山脉而筑，直入渤海。长城鸟瞰像L字形，直线距离一千一百公里）。

27 西魏帝国中山公爵宇文护，因周公爵宇文觉幼弱，打算早日扶他登上宝座，用以安定人心。

十二月三十日（除夕），命西魏帝（〔西〕十八任恭帝）拓跋廓（本年二十岁），下诏逊位，把皇帝宝座禅让给周公爵宇文觉（北魏帝国自三八六年建立，共十八任君、十九位帝，立国一百七十一年，至本年〔五五六〕灭亡。不久，在邺城和长安，发生对拓跋皇族灭种性的屠杀，他们在历史上的痕迹，更被完全抹去）。宇文护命教育部长（大宗伯）赵贵向宇文觉呈递皇帝符节及禅让诏书，济北公爵拓跋迪则呈递皇帝玉玺。拓跋廓出宫，居住国防部官舍（大司马府）。

五五七年 丁丑

南梁	大定	三年
	太平	二年
陈	永定	元年
北齐	天保	八年
北周	闵帝	元年
	明帝	元年

1 春季，正月一日，西魏帝国周公宇文觉（本年十六岁）登上宝座，不称皇帝，而称天王（这个充满了复古及蛮夷习俗的短命政权，史称北周帝国），在神坛上焚烧木柴，禀告上天；在宫城大门接受文武官员朝拜祝贺；追尊老爹宇文泰绰号文王、娘亲元女士绰号文后；大赦。封逊位的西魏帝国末任帝（〔西〕十八任恭帝）拓跋廓当宋公爵。因为北魏帝国受水神保护（参考四九二年正月），北周帝国受木神保护，而木神

继承水神，为配合“五行”的运转（“五行”是一种神秘学问，不懂），所以采用夏王朝的历法，定黑色为帝国最尊贵颜色。擢升李弼当太师（三公级）、赵贵当太傅（三公级）、国务院总理（大冢宰）独孤信当太保（三公级）、教育部长（大宗伯）中山公爵宇文护当国防部长（大司马。本年，中国版图内，仍是三国鼎立：南梁帝国、北齐帝国、北周帝国）。

2 南梁帝国建康（江苏省南京市）政府（皇帝萧方智）下诏，任命王琳当最高监察长（司空）、骠骑大将军；国务院右执行长（尚书右仆射）王通当国务院左执行长（左仆射）。

3 北周帝国（首都长安〔陕西省西安市〕）天王（一任闵帝）宇文觉，在圆形神坛上祭祀天神。宇文皇族自称他们的祖先是炎帝神农氏（姓姜）的后裔，所以当天王在圜坛上祭祀天神，在方坛上祭祀地神时，都由神农氏配享香火。始祖献侯宇文莫那在南北郊祭坛配享香火（宇文莫那是三世纪时〔中国三国时代〕宇文部落酋长）；老爹宇文泰在皇家大会堂（明堂）配享香火，祭庙称太祖。

正月三日，宇文觉在方形神坛祭祀地神。

正月四日，在大型神坛（社稷）祭祀农神。废除“市场税”（北魏帝国所创，参考五二六年十一月）。

正月五日，宇文觉祭祀皇家祖庙，一切礼仪都依照郑玄所著《礼记注》（郑玄，参考一六六年七月）。遂兴建老爹宇文泰庙一座，称太祖庙；另兴建两座昭庙、两座穆庙，共计五庙（《礼记·王制》：皇家祖庙，共有七座，居中是始祖庙，二世庙、四世庙、六世庙〔双数系列〕位始祖左方，称昭；三世庙、五世庙、七世庙〔单数系列〕位始祖右方，称穆）。祖先中有特别德行的，则另建祧庙，永不毁弃。

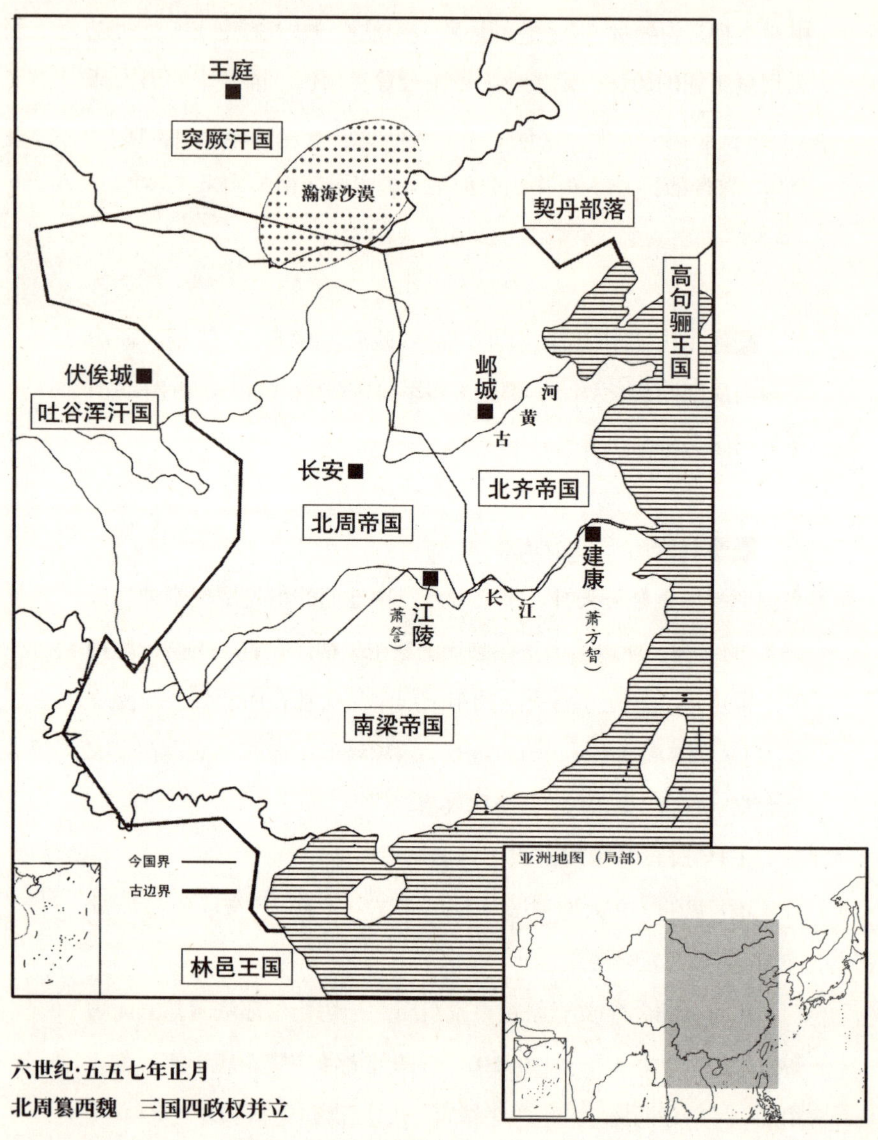

六世纪·五五七年正月

北周篡西魏　三国四政权并立

正月十一日，宇文觉到首都长安南郊祭祀天神。

正月十二日，封正妻元胡摩当王后。元胡摩，是西魏帝国十六任帝（文帝）元宝炬的女儿晋安公主。

4 北齐帝国（首都邺城〔河北省临漳县西南邺城镇〕）南安（湖北省武汉市新洲区）城防司令（城主）冯显，向北周帝国投降。北周柱国（勋官一级，正九命）宇文贵，派丰州（州政府设武当〔湖北省丹江口市西北〕）州长（刺史）太原郡（山西省太原市）人郭彦，率军迎接，北周军遂占领南安。

5 吐谷浑汗国（青海省）大举侵入北周帝国边界，攻击凉州（州政府设姑臧〔甘肃省武威市〕）、鄯州（州政府设乐都〔青海省海东市乐都区〕）、河州（州政府设枹罕〔甘肃省临夏市〕）。北周秦州军区（总部设上封〔甘肃省天水市〕）总司令官（都督）派渭州（州政府设襄武〔甘肃省陇西县〕）州长（刺史）于翼出军增援（北周帝国废除“都督某地诸军事”〔参考五五九年正月〕，此处“秦州都督”，即秦州军区司令，辖区包括河州、渭州、鄯州等。“都督”在新官制中，属勋官九级、正七命），于翼不接受。部属提出异议，于翼说：“攻城略地战争，蛮夷并不擅长，吐谷浑这次入境攻击，不过沿边抢劫牲口，既抢不到东西，自会撤退。我们劳师动众赶去，他们早已远走高飞，我筹划得很仔细，你们不必多说。”数日后，进一步的情报传来，果然像于翼预料。

6 最初，南梁帝国四任帝（元帝）萧绎，把始兴郡（广东省韶关市）升为东衡州，任命欧阳頠（音wěi〔尾〕）当州长（刺史）。很久之后，调欧阳頠当郢州（州政府设夏口〔湖北省武汉市〕）州长（刺史），可是当时的广州（州政府设番禺〔广东省广州市〕）州长萧勃，强行留下欧阳頠，不准他到任。后来，萧绎命王琳代替萧勃当广州州长（刺史），萧勃派部将孙荡当广州总部执行官（监广州），而自己率领部队，移住始兴（广东省韶关市），以免和王琳发生冲突（参考五五四年五月）。欧阳頠另驻一个城池，不理会萧勃，关闭城门自守。萧勃大怒，派兵袭击，生擒欧阳頠，俘虏他所有的辎重、马匹、武器；但不久又把欧阳頠赦免，送他们回始兴，并跟他盟誓。等到首都江陵（湖北省江陵县）陷落，欧阳頠遂决心追随萧勃。

二月一日，萧勃在广州（州政府番禺）正式宣布反抗建康（江苏省南京市）政府（皇帝萧方智），出军北伐。派欧阳頠跟他的部将傅泰、萧孜当前锋。萧孜，是萧勃的堂侄；南江州（州政府设新吴〔江西省奉新县〕）州长（刺史）余孝顷响应，率军会师。建康政府下诏（陈霸先诏），命平西将军周文育率各军讨伐。

7 二月四日，北周帝国天王宇文觉，到首都长安（陕西省西安市）东郊，朝拜太阳。

二月九日，在大型神坛（社稷）祭祀农神。

楚公爵赵贵、卫公爵独孤信，在西魏帝国时代，原跟太师（三公级）宇文泰地位相等，平起平坐（三人都是“八柱国”之一，参考五五〇年十二月），等到晋公宇文护独揽大权，控制政府，大家都感到落寞，不肯屈服。赵贵打算诛杀宇文护，独孤信竭力劝阻。开府仪同三司（勋官五级）宇文盛告密。

二月十八日，赵贵入朝，宇文护逮捕赵贵，诛杀；并免除独孤信官职。

8 南梁帝国建康（江苏省南京市）政府（皇帝萧方智）中央禁军总

监（领军将军）徐度，从东关（安徽省含山县西南）出军攻击北齐帝国。

二月十九日，抵达合肥（安徽省合肥市），纵火烧毁北齐船舰三千艘。

反抗军前锋欧阳頠等，从南康（江西省赣州市）出发北上，驻军豫章（江西省南昌市）苦竹滩（江西省丰城市北），傅泰驻军蹠口城（江西省南昌市南），余孝顷留他的老弟余孝劢镇守郡城（新吴，江西省奉新县），而亲自率军从豫章前往石头（江西省南昌市新建区）。巴山郡（江西省崇仁县）郡长熊昙朗（时据丰城〔江西省丰城市〕）假装响应欧阳頠，跟欧阳頠约定联合袭击高州（州政府巴山）州长黄法氍；但同时却向黄法氍通风报信，约定共同攻击反抗军，要求："胜利之时，马匹武器归我。"于是，出军跟欧阳頠同时进发，抵达黄法氍城下时，熊昙朗假装战败后撤，黄法氍乘势追击，欧阳頠突然失去援手，不能支持，逃走。熊昙朗把他的马匹武器，全部接收，返回巴山。

建康政府（江苏省南京市）平西将军周文育，缺乏船舰，而余孝顷却有船舰泊在上牢（应在江西省奉新县东北）。周文育派带兵官（军主）焦僧度前往袭击，全部俘获而归；于是，遂在豫章（江西省南昌市）构筑栅栏防御工事。军中粮食吃完，各将领打算撤退，周文育不同意，派人从小道送信给临川郡（江西省南城县）郡长（内史）周迪，愿结拜为异姓兄弟，周迪看到信，大为高兴，承诺供应粮食。周文育分别命老弱士卒，乘原有船舰，顺赣水而下，一面放火焚烧豫章（江西省南昌市）栅栏工事，假装就要撤退。反抗军余孝顷望见，大喜，不再戒备。周文育率军由小路加倍速度前进，占领芊韶（江西省丰城市东北〔苦竹滩东北〕）。芊韶上游有欧阳頠、萧孜，下游有傅泰、余孝顷；周文育恰恰楔入中间，构筑城垒工事，大宴将士，欧阳頠等大为惊骇，遂退回泥溪（江西省新干县南），周文育派严威将军周铁虎等袭击。

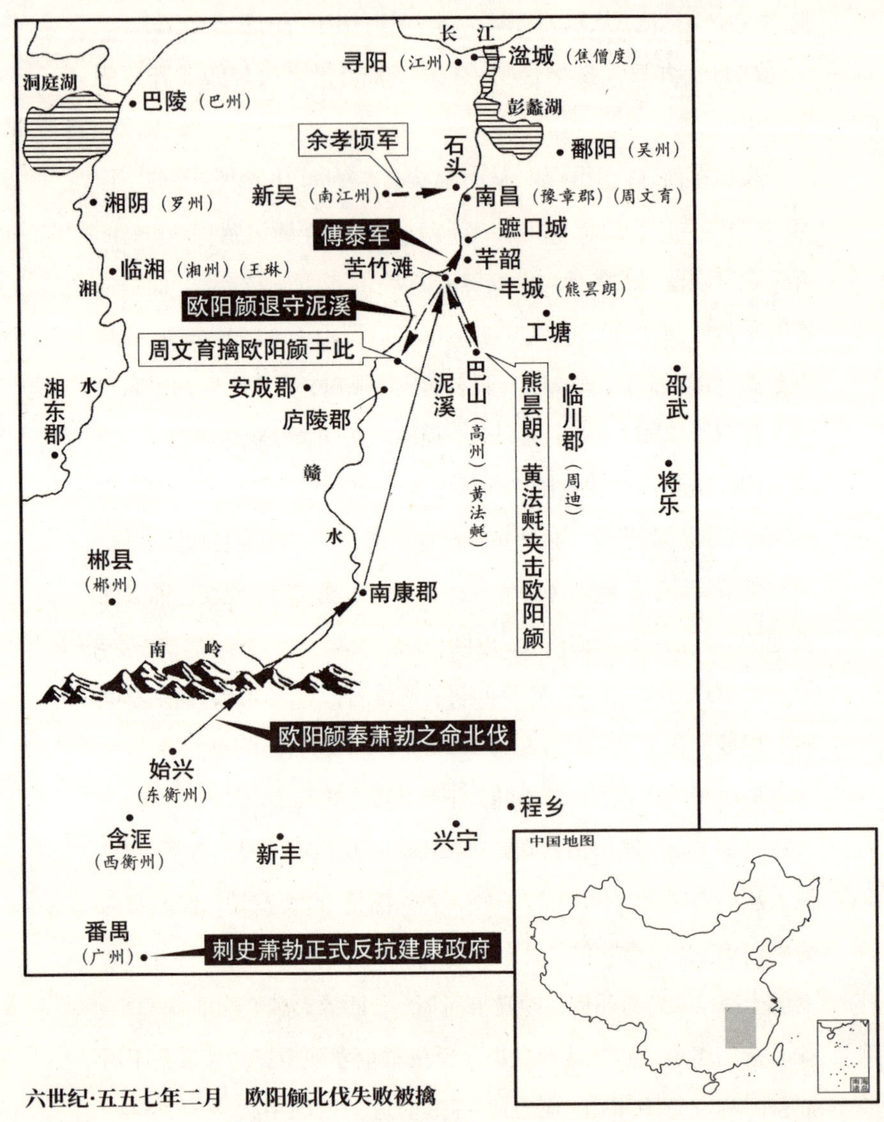

六世纪·五五七年二月　欧阳頠北伐失败被擒

二月二十四日，生擒欧阳頠。周文育大张旗鼓，铠甲耀眼，在船上设宴招待欧阳頠，驶到豫口城（南昌市南），派将领丁法洪攻击傅泰，生擒。萧孜、余孝顷退走。

9 二月二十五日，北周帝国政府任命于谨当太傅（三公级），教育部长（大宗伯）侯莫陈崇当太保（三公级）；晋公爵宇文护当国务院总理（大冢宰），柱国（勋官一级，正九命）武川（内蒙古武川县）人贺兰祥当国防部长（大司马），高阳公爵达奚武当司法部长（大司寇）。

北周政府诛杀西魏帝国逊位皇帝拓跋廓（年二十一岁）。

10 三月一日，南梁帝国建康政府（江苏省南京市）平西将军周文育，把欧阳頠、傅泰，送到建康，丞相陈霸先跟欧阳頠是老友，把他们释放，特别优待（陈霸先在岭南〔南岭以南〕发迹，所以岭南有很多老友）。

11 北周帝国晋公爵宇文护，认为赵公爵（景公）独孤信名高望重，不愿对他公开处死。三月十日，逼独孤信自杀（年五十五岁）。

12 三月五日，南梁帝国建康政府（江苏省南京市）任命最高监察长（司空）王琳当湘州（州政府设临湘〔湖南省长沙市〕）、郢州（州政府设夏口〔湖北省武汉市〕）二州州长（刺史）。

曲江侯萧勃在南康郡（江西省赣州市）听说前锋欧阳頠等战败，军心震撼恐惧。

三月十五日，德州（州政府设九德〔越南荣市〕）州长（刺史）陈法武、前衡州（西衡州，州政府设含洭〔广东省英德市西北浛洸镇〕）州长（刺史）谭世远，联军攻击，诛杀萧勃。

夏季，四月十一日，南梁建康政府（江苏省南京市）铸造“四柱钱”，一钱当二十钱。

13 北齐帝国政府派使节出使南梁帝国建康政府（江苏省南京市），请求和解。

14 四月十四日，北周帝国天王（一任闵帝）宇文觉，祭奠老爹宇文泰墓（成陵，陕西省富平县北）。

四月十七日，回宫。

15 北齐帝国任命太师（上三公之一）斛律金当右丞相，前车骑大将军可朱浑道元当太傅（上三公之二。北齐帝国官制，丞相、太宰，二官地位最尊；太师、太傅、太保，是为“三师”，比古代上公；功勋德行声望，都相当崇高的人，才可担任。其次是最高统帅〔大将军〕、最高指挥官〔大司马〕，是为“二大”，同时控制军事。再其次则是全国武装部队总司令〔太尉〕、宰相〔司徒〕、最高监察长〔司空〕，是为“三公”；都是正一品〔如同北周帝国的正九命〕。骠骑将军、车骑将军加“大”者，在开国郡公爵之下，从一品〔从九命〕），开府仪同三司（宰相级，从一品）贺拔仁当太保（上三公之三），国务院总理（尚书令）常山王高演当最高监察长（司空），主管政府机要（录尚书事）长广王高湛当国务院总理（尚书令），国务院右执行长（右仆射）杨愔当国务院左执行长（左仆射），仍加授开府仪同三司（宰相级，从一品）。驻并州国务院右执行长（并省尚书右仆射）崔暹当左执行长（左仆射），上党王高涣主管政府机要（录尚书事。东魏帝国时代，高欢住晋阳〔山西省太原市〕，设中央特遣政府国务院总执行长、执行长〔行台尚书令、仆〕等官。北齐帝国既建，改中央特遣政府国务院〔行台尚书〕为驻并州国务院〔并省〕，官位及职权亚于首都邺城〔河北省临漳县西南邺城镇〕中央国务院〔邺省〕）。

16 四月十九日，北周帝国天王（一任闵帝）宇文觉，祭祀皇家祖庙（太庙）。

17 四月二十四日，南梁帝国建康政府（江苏省南京市）的“四柱钱”贬值，一钱当十钱。

四月二十八日，再度禁止细钱（“细钱”是民间私铸的钱，参考五二九年七月；细钱质地既薄又劣，使用时装到车上，不再计数〔情形好像第一次世界大战后的德国马克〕）。

18 南梁帝国反抗军故曲江侯萧勃部将、总带兵官（主帅）兰敱（音ái〔癌〕），击斩谭世远；带兵官（军主）夏侯明彻，再击斩兰敱，携带萧勃的人头，投降建康政府（江苏省南京市）。萧勃从前的记录官（记室）李宝藏，拥护怀安侯萧任，继续据守广州（州政府设番禺〔广东省广州市〕）。反抗军将领萧孜、余孝顷，仍据守石头（江西省南昌市新建区），有两座城堡，每人据守一座，建造很多船舰，夹赣水构筑营阵。丞相陈霸先派平南将军侯安都增援平西将军周文育，共同出军。

四月三十日，侯安都暗中前进，于夜晚突入反抗军阵地，焚烧船舰；周文育率水军，侯安都率陆军，联合进攻，萧孜出寨投降；余孝顷逃回新吴（江西省奉新县），周文育等遂率军撤退。丞相陈霸先因欧阳頠在南方声望极高，再派他当衡州（东衡州，州政府设始兴〔广东省韶关市〕）州长（刺史），命他负责讨伐岭南（南岭以南）叛乱。欧阳頠还没有到衡州（东衡州）任所，他的儿子欧阳纥，已攻克始兴（广东省韶关市）。欧阳頠抵达岭南（南岭以南），各郡纷纷归降，于是收复广州（州政府设番禺〔广东省广州市〕），岭南（南岭以南）全部平定。

19 北周帝国仪同三司（勋官四级，从九命）齐轨，对国务院（天官府）立法司副司长（御正中大夫）薛善说："军国大事，应由天子决定，怎么可以握在权贵大臣之手！"薛善报告晋公爵宇文护，宇文护诛杀齐轨，任命薛善当全国各军区总司令部军政官（中外府司马）。

20 五月三十日，南梁帝国反抗军将领余孝顷（原西江州〔州政府新吴〕州长）派使节到建康（江苏省南京市），请求投降。

最高监察长（司空）王琳（时割据湘州〔湖南省中部〕）既拒绝接受建康（江苏省南京市）政府（皇帝萧方智）征召前往中央就职，于是大量建造船舰，准备攻击丞相陈霸先。

六月十一日，陈霸先命开府仪同三司（宰相级）侯安都当西路军司令官（西道都督）、周文育当南路军司令官（南道都督），率水军二万人，在武昌（湖北省鄂州市）会师，联合进击。

21 秋季，七月十四日，北周帝国天王（一任闵帝）宇文觉，到皇家祖庙祭祀祖先。

22 华北大平原发生蝗灾。北齐帝（一任文宣帝）高洋（本年二十九岁），问首都邺城市政府主任秘书（魏郡丞）崔叔瓒说："怎么会有蝗虫？"崔叔瓒说："《汉书·五行志》说：农民正忙时候，大兴土木，蝗虫就会成灾。现在外修长城，内建三台，莫非就是这个原因（修筑长城，参考前年〔五五五〕六月及去年〔五五六〕十二月；修筑三台，参考去年〔五五六〕六月）！"高洋大怒，命左右卫士加以殴打，抓住崔叔瓒的头发，把粪便浇到他头上，拉住他的脚，倒拖出去。崔叔瓒，是崔季舒（国务院左执行长〔尚书左仆射〕）的老哥。

23 八月一日，北周帝国把南梁帝国四任帝（元帝）萧绎的灵柩，以及各将领的家属一千余人，送回给王琳。

八月二日，北周天王（一任闵帝）宇文觉，到大型神坛（社稷）祭祀农神。

24 八月二十八日，南梁帝国建康政府（江苏省南京市）擢升丞相陈霸先当太傅（上三公之二），加授帝王诛杀时专用的铜斧（黄钺），特殊礼遇，奏事时只称官衔，不称名字。

九月五日，再擢升陈霸先当相国，总管全国文武官员，封陈公爵，赏赐九锡（参考四年），在采邑陈国之内，设立政府机构（篡夺列车加速前进）。

25 北周帝国天王（一任闵帝）宇文觉，性情刚强果敢，对晋公爵宇文护手揽大权，独断专行，非常反感。国务院财政司长（天官府司会中大夫）李植，自宇文泰时，就当丞相府审理官（相府司录），参与政府作业。国防部军政司长（夏官府军司马中大夫）孙恒，也久居权要职位。后来，宇文护当权，李植、孙恒，恐怕受到排斥，遂跟国务院宫廷司长（天官府宫伯中大夫）乙弗凤、贺拔提等，共同在天王宇文觉面前，打宇文护的小报告。李植、孙恒说：“宇文护自从诛杀赵贵以来，威望权势，日益上升，有谋略的智囊、沙场上的老将，都争着向他靠拢，军国大小事务，都由宇文护裁决。依照我们的观察，他不可能保持臣属的节操，希望陛下早日下手。”宇文觉认为正确。乙弗凤、贺拔提说：“像先王（宇文泰）那样的英明，还把政府交给李植、孙恒。而今，把这件事交给他们，何必担心不成功？而且，宇文护总是把自己比作姬旦（周公），我们知道，姬旦摄政的时间是七年，陛下怎么能委屈七年？”宇文觉越发相信，不断召唤武士到皇宫后院训练，教他们学习搏击擒拿之术。李植等又引进国务院另一宫廷司长（宫伯）张光洛，共同密商（天官府有左右宫伯，此处只写宫伯，未写左右，所以一个长官，出现两人），可是张光洛却报告宇文护。宇文护遂外放李植当梁州（州政府设南郑〔陕西省汉中市〕）州长（刺史），孙恒当潼州（州政府设涪城〔四川省绵阳市〕）州长（刺史），打算拆散他们的结合。后来，天王宇文觉思念李植等，总是想把他们调回京师（首都长安）。宇文护流泪劝阻说："天下最亲密的人，谁能超过兄弟？假如连兄弟都互相疑心猜忌，别的人谁还可以相信！太祖（宇文泰）因陛下年纪还小，所以把身后之事，交付给我，对帝国和对家族，我有双重感情（在国是君臣，在家是兄弟），一心要尽我辅佐的责任。如果陛下能够亲自处理政务，威望远播四海，那么，我死的那一天，也跟活着的时候，同样欢欣。可是，只恐怕把我除掉之后，奸邪的人当权，不但对陛下不利，也对帝国不利，将使我在九泉之下，无脸再见太祖（宇文泰）。我既是天子的兄长，官位已到宰相，还有什么不满足的！盼望陛下不要听信挑拨离间的话，疏远骨肉！”宇文觉才不再征召，但心中仍疑虑不安。

乙弗凤等越发恐惧，阴谋更为积极，已约定日子召集各高官入宫宴会，而就在宴席之上，逮捕宇文护诛杀；张光洛又告诉宇文护。宇文护遂召见柱国（勋官一级，正九命）贺兰祥、领军将军（非"中央禁军总监"）尉迟纲等讨论对策，贺兰祥劝宇文护罢黜天王，另立新君。当时，尉迟纲是禁卫军总司令，宇文护命尉迟纲到宫中召唤乙弗凤等商议公务，等到乙弗凤等抵达，一个个逮捕，送到宇文护私宅，遂即解散禁宫侍卫（宫廷司〔宫伯〕部属）。这时，天王宇文觉才发现情势有变，独自坐在内殿，命宫女宦官手拿武器守卫。宇文护派贺兰祥强迫宇文觉退位，囚禁前略阳公爵旧宅。宇文护召集全体高官会议，就罢黜宇文觉当略阳公爵、迎接岐州（州政府设雍县〔陕西省宝鸡市凤翔区〕）州长（刺史）宁都公爵宇文毓两件大事，征求大家意见，高官一致回答：“这是你家的事，怎么敢不唯命是从！”于是，把乙弗凤等拉到宫门外斩首，孙恒也被诛杀。

当时，李植的老爹柱国大将军（勋官一级，正九命）李远，镇守弘农（河南省灵宝市东北），宇文护征召李远及李植回京（首都长安）。李远警觉到一定发生什么事情，考虑很长一段时间，最后决定说：“大丈夫宁做一个忠心的鬼，也不可做一个叛逆的臣！”遂接受命令。回到首都长安（陕西省西安市），宇文护因李远的功劳和威名，素来显著，仍打算保全他，特别接见，告诉他说：“你的儿子主持一项阴谋，不止要杀我，而且还要颠覆帝国；乱臣贼子，依理你我都会一同痛恨，请你自己早早处理。”遂把李植交给李远。李远一向疼爱这个儿子，而李植又有口才，向老爹声称冤枉，誓言没有任何阴谋。李远相信李植的话，第二天一早，带领李植晋见宇文护，宇文护认为李植已被处死，可是左右侍从报告李植也在门口，宇文护大怒说：“李远不信任我！”但仍请他们进去，而且与李远同坐，而命逊位的前任天王（一任闵帝）宇文觉，当面跟李植对质，李植张口结舌，无法回答，只好对宇文觉说：“当初如此设计，目的只在保护政府，为陛下争取权力，事情已到今天这种地步，还谈这些废话干什么？”李远在旁边听到，从自己座位上跳下来，哀号说：“果真如此，实在应该死一万次！”宇文护遂斩李植，并逼令李远自杀（李远年五十一岁）。李植的老弟李叔诣、李叔谦、李叔让，也被处死；李远的其他儿子，因年纪还小，得以免死。最初，李远的老弟、开府仪同三司（勋官三级，从九命）李穆，看出李植不是保家的人，常劝李远把这个儿子除掉，李远不能接受。李远临死，对李穆哭泣说：“我不听你的话，才成今天这个样子。”李穆本来也要受连坐处分，因为说过劝除掉李植的话，特免一死，仅削除所有官爵，贬作平民。李穆的子弟，也一律免除官职。李植的另一老弟、淅州（州政府设修阳〔河南省西峡县北〕）州长（刺史）李基，娶义归公主（宇文泰的女儿）为妻，依法也要连坐，李穆请求用两个儿子的性命，代替李基一死；宇文护对两家全都赦免。

一个多月后，宇文护诛杀宇文觉（年十六岁），强迫王后元胡摩出家去当尼姑。

柏杨曰

北周帝国初建，跟西汉王朝八任帝刘弗陵在位时的情形一样，都是主少国疑。可是，刘弗陵的年龄较宇文觉仍小，他却有能力发觉上官桀等人对霍光的诬陷（参考前八〇年），宇文觉小娃却被几个野心家拨弄得急吼吼的要杀人夺权。以一个十六岁的孩子，我们没有理由相信他夺权后不变得跟高洋相同。直到目前为止，宇文护对帝国对皇家，都有不可抹灭的贡献，他的杀戮出于自卫。以李植等的躁进和无理取闹，我们也没有理由相信他们不会变成陈霸先。

宇文觉小娃的愚昧，不但为自己招来大祸，也紧逼宇文护走上不归之路：最后不是登上宝座当圣帝贤王，就是摔下来当乱臣贼子。

九月二十七日，宁都公爵宇文毓（宇文泰的庶长子），自岐州（州政府设雍城〔陕西省宝鸡市凤翔区〕）抵达首都长安（陕西省西安市）。

九月二十八日，宇文毓（本年二十四岁）登极继任天王（二任明帝），大赦。

26 冬季，十月三日，南梁帝国建康政府（江苏省南京市）皇帝（六任敬帝）萧方智（本年十五岁），晋封陈公陈霸先当陈王。

十月六日，萧方智把皇帝宝座禅让给陈霸先。

27 十月八日，北周帝国太师（三公级）、魏公爵（武公）李弼逝世（年六十四岁）。

28 陈王陈霸先命立法院立法官（中书舍人）刘师知，率宣猛将军沈恪率军进宫，护送退位的南梁帝国建康政府（江苏省南京市）皇帝萧方智，出宫居住其他宫殿。沈恪推开殿门晋见陈霸先，叩头道歉说：“我曾经事奉过萧家（《陈书·沈恪传》：侯景围宫城时，沈恪是右军将军，因战功封东兴县侯），今天的事，不忍心看见。我知道违抗命令会死，但我不敢接受。”陈霸先嘉许他的忠心，不再勉强，另派突击司令（荡主）王僧志代替沈恪。

十月十日，陈霸先（本年五十五岁）在建康（江苏省南京市）南郊，登极称帝（一任武帝），回宫，大赦，改年号（之前是南梁太平二年，之后是陈永定元年）。封逊位的萧方智当江阴王、皇太后夏女士当太妃、皇后王女士当王妃（短命的陈帝国建立。南梁帝国建康政府〔江苏省南京市〕瓦解，但江陵政府〔皇帝萧詧〕仍在。中国版图上，四国并立：南梁帝国、陈帝国、北齐帝国、北周帝国）。

陈霸先任命副总监督长（给事黄门侍郎）蔡景历当皇家图书馆长（秘书监），兼立法院立法官（兼中书通事舍人）。陈帝国政事都由立法院

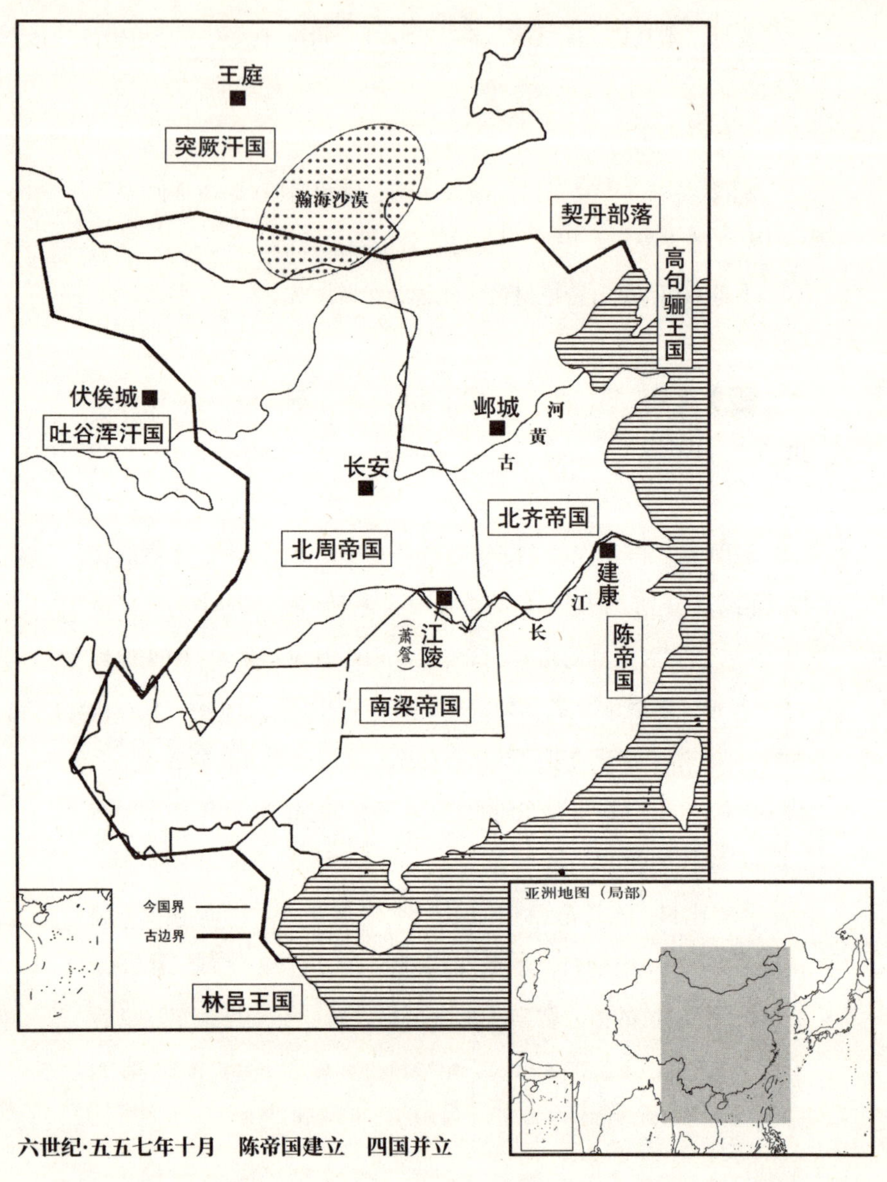

六世纪·五五七年十月　陈帝国建立　四国并立

(中书省)决定，设二十一局，性质如同国务院各部司(尚书各曹)，总揽军国机要，国务院(尚书省)只不过坐在那里听候差遣。

十月十一日，新登极称帝的陈霸先前往钟山(建康城东)，到蒋子文庙祭祀(蒋子文事，参考四〇一年六月注)。

十月十五日，陈霸先在杜姥宅(宫城南掖门外)取出佛牙(《陈书·武帝纪》：六世纪〇〇年代，佛教总监〔僧统〕法献，在乌缠国〔今地不详〕得到佛牙，经常安置在定林上寺。一〇年代稍后，归由摄山庆云寺和尚慧兴保藏。慧兴临终时，交给弟子慧志，五〇年代中叶，慧志秘密送给陈霸先，现在才取出)。设立“信徒宽容祈祷大会”(无遮大会)，陈霸先亲自出宫叩拜。

十月十六日，陈霸先追尊老爹陈文赞绰号景皇帝，祭庙称太祖，娘亲董女士绰号安皇后，亡妻钱女士绰号昭皇后(同郡钱仲方的女儿，早逝)，亡儿陈克绰号孝怀太子；封正妻章要儿当皇后。章要儿，是乌程(浙江省湖州市)人。

设立法令修订司司长(删定郎。属国务院〔尚书省〕文官部〔吏部〕)，负责法律政令的修订。

29 十月二十日，北周帝国天王(二任明帝)宇文毓，前往圆形神坛祭祀天神。

十月二十一日，再往方形神坛祭祀地神。

十月二十九日，再往大型神坛(太社)祭祀农神。

30 十月二十三日，陈帝陈霸先把老爹陈文赞的牌位，送入皇家祖庙；七庙共用一个太牢(牛羊猪各一)。始祖庙用牛羊猪的头献祭，其他各庙用牛羊猪的肢体献祭。

讨伐反抗军王琳的两路大军，西路军司令官(西道都督)侯安都，进抵武昌（湖北省鄂州市），王琳部将樊猛，放弃城池逃走；南路军司令官（南道都督）周文育自豫章（江西省南昌市）出发，跟侯安都会师。正在此时，传来陈霸先篡夺政权、接受禅让消息，侯安都叹息说："我们这次一定失败，因为师出无名。"（王琳反抗南梁帝国建康政府〔江苏省南京市〕，才出军讨伐，而今陈霸先却自己把建康政府颠覆，理不直则气不壮。）当时，两位将领联军前进，没有统帅，他们的部下又发生争执，以致引起两人间的抱怨不满。大军进抵郢州（州政府设夏口〔湖北省武汉市〕），王琳部将潘纯陀在城上，遥向陈帝国军射箭，侯安都大怒，率军包围城池，但不能攻克，而王琳率领的增援部队，已到弇口（湖北省武汉市西南三十公里长江北岸）。侯安都解除郢州（州政府夏口）包围圈，率所有兵力直向沌口（湖北省武汉市西南，沌水注入长江处），留沈泰一支军队驻守汉曲（汉水弯曲处）。侯安都正遇逆风，舰队无法前进，王琳驻军东岸，侯安都紧傍西岸，双方僵持数日，最后，会战，陈政府军大败，侯安都、周文育及副将徐敬成、周铁虎、程灵洗，全被王琳生擒（一次不起眼的战役中，使对方全军覆没，悍将一网打尽，实是震撼性的奇迹。可惜王琳没有政治才能，不能扩大战果），沈泰率军向东方逃走。王琳接见他的俘虏谈话，周铁虎言辞气色不肯屈服，王琳诛杀周铁虎，而囚禁侯安都等，用一条长铁链拴在一起，锁到王琳坐舰的底舱，命亲信王子晋看管。王琳遂把设在湘州（州政府设临湘〔湖南省长沙市〕）的总部（军府），移到郢城（夏口，湖北省武汉市），又派他的将领樊猛，袭取江州（州政府设寻阳〔江西省九江市〕）。

十一月一日，陈霸先封侄儿陈蒨当临川王、陈顼当始兴王，堂侄陈昙朗已被北齐帝国诛杀（参考去年〔五五六〕六月），但陈霸先还不知道，仍遥封南康王（陈顼时在长安〔北周首都，陕西省西安市〕，也是遥封）。

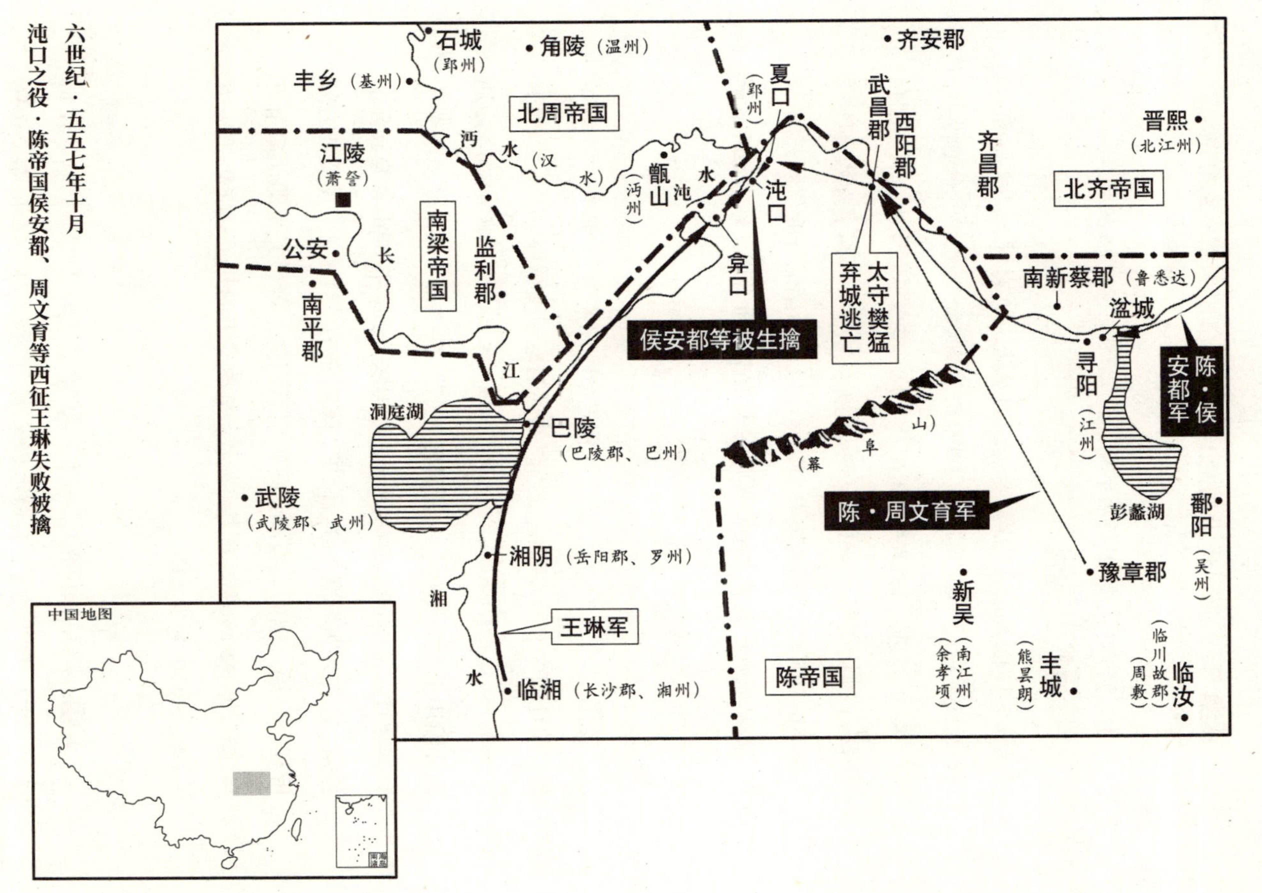

六世纪·五五七年十月

沌口之役·陈帝国侯安都、周文育等西征王琳失败被擒

31 十一月五日，北周帝国天王宇文毓，祭祀皇家祖庙。

十一月十二日，在圆形神坛上祭祀天神。

十二月六日，祭祀老爹宇文泰墓园（成陵，陕西省富平县北）。

十二月九日，返宫。

南梁帝国残留在巴蜀（四川省）的部队、前梁州（州政府设南郑〔陕西省汉中市〕）州长（刺史）谯淹（谯淹奉萧纪命救成都，参考五五三年五月。退屯垫江〔重庆市合川市〕，参考前年〔五五五〕十二月），率水军七千人、老弱部众三万人，顺长江东下，打算投奔王琳（三万人的庞大船团，武装部队只有七千人，如何穿过江陵政府〔皇帝萧詧〕控制的江面）。北周帝国命开府仪同三司（勋官三级，从九命）贺若敦、叱罗晖等对他攻击，斩谯淹，俘虏他的全部部众。

32 本年（五五七），陈帝陈霸先命副总监督长（给事黄门侍郎）萧乾，前往闽中（福建省）招降。当时熊昙朗据守豫章郡（江西省南昌市。熊昙朗原据丰城〔江西省丰城市〕，当是趁周文育西征王琳之际，趁虚占据豫章郡）、周迪据守临川郡（江西省南城县）、留异据守东阳郡（缙州，浙江省金华市）、陈宝应据守晋安郡（闽州，福建省福州市），互相联合，闽中（福建省）豪族强宗首领，往往兴筑城寨，自我保护。陈霸先十分忧虑，命萧乾前去分析利害祸福，他们率领部众纷纷请求归降。陈霸先遂即任命萧乾当建安郡（福建省建瓯市）郡长。萧乾，是萧子范的儿子（萧子范，是南齐帝国豫章王萧嶷的儿子，参考五〇二年四月）。

33 最初，南梁帝国兴州（州政府设武当〔湖北省丹江口市西北〕）州长（刺史）席固，献出州土，投降西魏帝国。西魏太师（三公级）宇文泰任命席固当丰州（州政府仍设武当）州长（刺史）。北周帝国建立，席固仍使用南梁帝国法令官制，拒绝改变，北周政府暗中打算派人接替他的官职，但人选困难，乃命司法部审判司长（秋官府司宪中大夫）令狐整暂时镇守丰州，事先教导他取代席固的谋略。令狐整到任后，恩威并用，亲身结交各阶层官民，数月工夫，州政府一片和谐；于是，中央正式任命令狐整当丰州州长（刺史）；而调任席固当湖州（州政府设湖阳〔河南省唐河县南湖阳镇〕）州长（刺史）。令狐整把州政府迁到武当（丰州州政府原来就在武当），十天半月之间，城墙及总部官舍，都修建完成，迁到新城的人，好像回到自己故乡。席固走时，他的私人军队很多愿留下来在令狐整左右，令狐整告诉他们政府法令规定，不许；大家都流泪而去。

34 北齐帝国在长城内，再兴筑第二道长城，自库洛枝（今地不详）东到鸣纥戍（今地不详），长达四百余华里。

最初，东魏帝国时代，有法术士预言：“灭高家的，身穿黑衣。”当时最高统帅（大将军）高澄，每次外出，都不愿看到佛教和尚（因和尚穿黑衣）。高洋在晋阳（山西省太原市），问左右侍从说：“什么东西最黑？”左右回答说：“没有比漆更黑。”高洋认为上党王高涣在兄弟中排行第七（“七”“漆”同音），命侍卫司令官（直库都督）破六韩伯升（破六韩，三字姓）去首都邺城（河北省临漳县西南邺城镇）征召高涣前来晋阳（山西省太原市）。高涣走到紫陌桥（邺城西），击斩破六韩伯升，逃亡，渡黄河南下，逃到济州（州政府设碻磝〔山东省聊城市茌平区西南〕），被捕获（既渡黄河南下，怎么会再向东北，逃到济州？地理可能有误），送至邺城。

高洋当太原公爵时，跟永安王高浚（高欢第三子），一起去见高澄（高欢长子），高洋正好流出鼻涕，高浚斥责高洋左右侍从说：“为

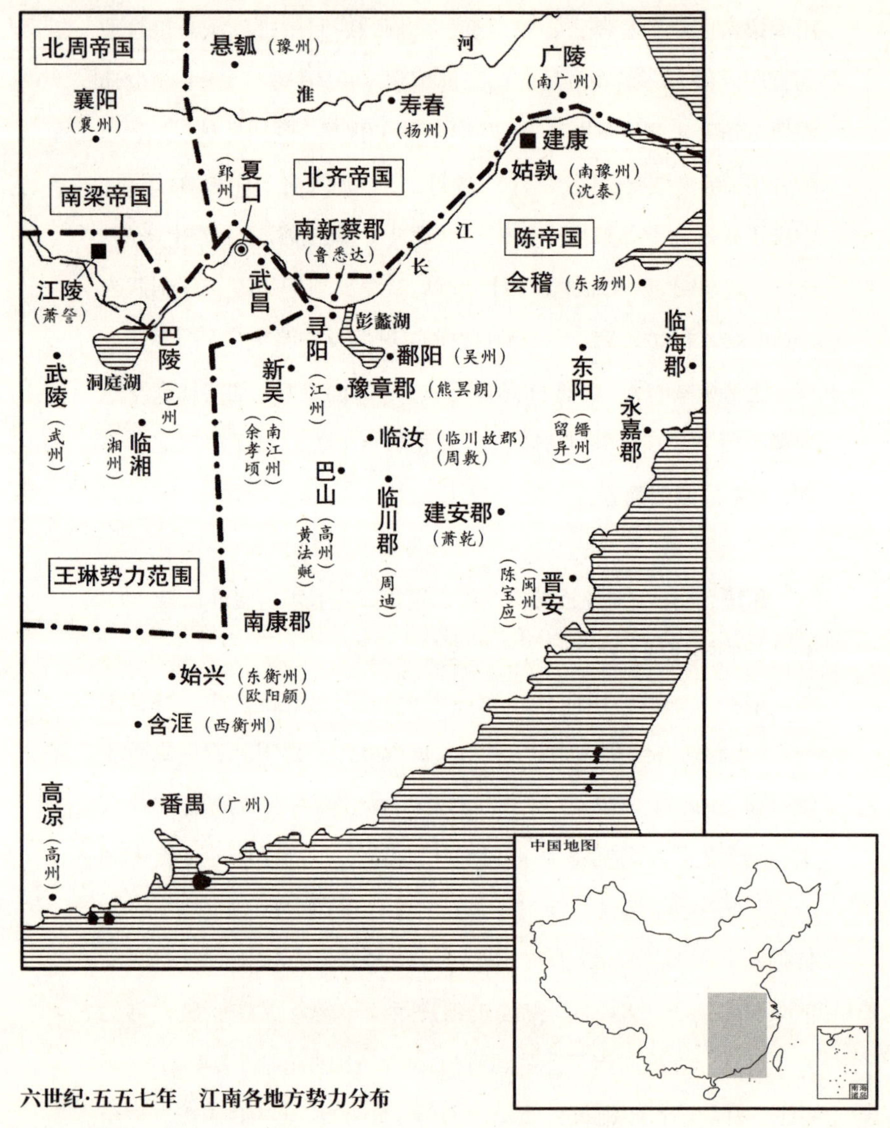

六世纪·五五七年　江南各地方势力分布

什么不给俺二哥擦鼻涕（高洋是高欢第二子）！”高洋记恨在心，等当上皇帝，高浚则当青州（州政府设东阳〔山东省青州市〕）州长（刺史），聪明宽厚，官民悦服，高浚因高洋酗酒，背后对亲信说：“二哥饮酒过度，败坏德行，政府官员没有人敢直言劝阻。大敌当前（指北周帝国），仍没有消灭，使人忧虑。我打算乘政府驿马车到邺城（河北省临漳县西南邺城镇）当面进言，不知道肯不肯听从？”有人把这些话打小报告给高洋，高洋对他越发愤怒。高浚到邺城朝见，陪同高洋前往东山（邺城东群山），高洋脱光衣服，赤身露体，大为快乐，高浚规劝说：“这动作对一个帝王而言，并不适合！”高洋大不高兴。高浚又在背后召见杨愔（国务院右执行长〔尚书右仆射〕），讥讽他为什么不向皇帝规劝。当时，高洋最忌讳政府高官跟各亲王来往，杨愔恐惧，把情形报告高洋。高洋暴跳说：“卑鄙的小人物一向教人忍不住！”遂撤除筵席，还宫。不久，高浚返回任所，又上疏恳切规劝。高洋下诏征召高浚，高浚恐怕大祸临头，声称有病不去，高洋派钦差大臣乘驿马车前去逮捕高浚，州民男女老幼哭号送行的有数千人。高浚抵达邺城（河北省临漳县西南邺城镇）后，跟上党王高涣，同被囚在铁笼中，放到北城地牢，喝水、吃饭、拉屎、撒尿，都在里面。

五五八年 戊寅

南梁　大定　四年
陈　永定　二年
北齐　天保　九年
北周　明帝　二年
（南梁帝国皇帝萧庄天启元年）

1 春季，正月，陈帝国（首都建康〔江苏省南京市〕）大军攻击下的反抗军首领王琳，自郢城（夏口，湖北省武汉市）东下，抵达湓城（江西省九江市〔寻阳东〕），驻军白水浦（江西省九江市西），武装部队有十万人之多。王琳任命北江州（州政府设鹿城关〔湖北省武汉市黄陂区北〕）州长（空头官衔。此时鹿城关属北齐）鲁悉达当镇北将军（鲁悉达据南新蔡郡，参考五五二年五月）；陈帝（一任武帝）陈霸先（本年五十六岁）则任命鲁悉达当征西将军。王琳及陈霸先都赠送他一组乐队和一队歌女。鲁悉达全都收下，但一直迟疑观望，不肯就任任何一方的官职。陈霸先派安西将军沈泰袭击鲁悉达，不能攻克。王琳打算率军东下，可是鲁悉达正控制长江中游，王琳派人前往劝他归降，鲁悉达始终拒绝。

正月五日，王琳派记录官（记室）宗虩（音xì〔细〕），向北齐帝国（首都邺城〔河北省临漳县西南邺城镇〕）请求援助，并请求送回南梁帝国永嘉王萧庄，主持萧姓皇族的香火（萧庄被陈霸先送去当人质事，参考五五五年十二月）。

衡州（西衡州，州政府设含洭〔广东省英德市西北浛洸镇〕）州长（遥领）周迪打算据守南川（江西省），于是召集所属八个郡的郡长县长，结盟立誓，一致宣称出军增援京师（首都建康），陈霸先恐怕他们利用机会叛变，特别厚待安抚。

新吴（南江州州政府所在县，江西省奉新县）山区司令官（洞主）余孝顷，派佛教和尚道林，向王琳建议说："周迪、黄法𣰰（高州〔州政府巴山〕州长。𣰰，音qú〔渠〕,）都投靠陈国（陈帝国），而暗中寻找机会下手，你如果率大军一直东下，他们定是后患。不如先安定南川（江西省），然后再向东推进，我愿献出我的全力，追随左右。"王琳乃派轻车将军樊猛、平南将军李孝钦、平东将军刘广德，率军八千人增援余孝顷，命余孝顷指挥三位将领，驻防临川故郡（临汝县，江西省抚州市临川区。周敷基地），一面向周迪征召士卒，征收粮食，观察他的动静。

陈霸先任命开府仪同三司（宰相级）侯瑱当最高监察长（司空），衡州（东衡州，州政府设始兴〔广东省韶关市〕）州长欧阳頠当交广等十九州军区司令长官（都督交广等十九州诸军事。十九州：交广越成定明新高合罗爱建德宜黄利安石双；范围几近整个岭南〔南岭以南〕地区），兼广州（州政府设番禺〔广东省广州市〕）州长（刺史）。

2 北周帝国（首都长安〔陕西省西安市〕）擢升晋公爵宇文护当太师（三公级）。

3 正月七日，陈帝陈霸先到首都建康（江苏省南京市）南郊祭祀天神，大赦。

正月十一日，再到北郊祭祀地神。

4 正月十七日，北周帝国天王（二任明帝）宇文毓（本年二十五岁）亲自主持耕田大典。

正月十九日，宇文毓封正妻独孤女士当王后（独孤王后是独孤信的女儿）。

5 正月二十四日，陈帝陈霸先在皇家大会堂（明堂）举行祭祀大典。

二月九日，南豫州（州政府设姑孰〔安徽省当涂县〕）州长（刺史）沈泰，投奔北齐帝国（胡三省注：沈泰不能救侯安都的覆没，又不能克制鲁悉达的倔强，因恐惧受到惩罚而逃亡）。

6 北齐帝国北豫州（州政府设虎牢〔河南省荥阳市西北汜水镇〕）州长（刺史）司马消难，因北齐帝高洋的昏庸凶暴，越来越甚，暗中策划自救方案，竭尽心力争取部属的效忠。司马消难娶高欢的女儿，感情不睦，公主向高洋（她的兄弟）诉说怨恨。上党王高涣逃亡时，首都邺城（河北省临漳县西南邺城镇）骚动，大家疑心他投奔成皋（县政府设虎牢)。司马消难的堂侄司马瑞，在国务院任左秘书长(尚书左丞)，跟总监察官(御史中丞)毕义云结怨，毕义云派监察官(御史)张子阶，前往北豫州(州政府虎牢)巡视调查，首先软禁司马消难的收发官(典签)和家中来往的宾客等，司马消难恐惧，秘密派他的亲信、大营军事参议官(中兵参军)裴藻，借口休假外出，从小道前往北周帝国(首都长安)，请求准许投降。

三月一日，北周政府派柱国(勋官一级，正九命)达奚武、大将军(勋官二级，正九命)杨忠，率骑兵五千人，迎接司马消难。大军从小路奔驰，深入北齐国境五百华里，前后派出三次信差，先行通知司马消难准备，都得不到回答。距虎牢(河南省荥阳市西北汜水镇)三十华里，仍没有动静，达奚武怀疑有什么变化，打算撤退。杨忠说："只有冒死前进，决不后退求生。"单独率骑兵一千人，于夜晚抵达城下。虎牢关四面悬崖绝壁，戒备森严，只听到巡夜士卒敲打木梆声音。达奚武随后追来，发现情势紧张，亲自指挥杨忠部队撤退，有数百名骑兵接受命令，离队西行。但杨忠率余军，仍坚持不动，一直等到司马消难从内打开城门，杨忠遂率军进入虎牢，派飞骑报告达奚武。北齐帝国任命的城防总司令(镇城)伏敬远，下令武装战士二千人备战，据守虎牢东城，燃起烽火向中央告警求救。达奚武恐惧，放弃据守虎牢计划，只大肆搜刮金银财宝，护送司马消难和他的眷属，先返北周帝国；而命杨忠率三千骑兵断后。杨忠撤退到洛水之南，大家都下马解鞍，躺下来休息，而北齐的追兵，已抵达洛水北岸。杨忠对将士说："你们只管把肚子吃饱，我们困在死地，盗贼(北齐军)绝对不敢渡过洛水。"后来果然如此，这才慢慢班师。达奚武叹息说："我，达奚武，自认为是天下英雄，今天，我五体投地佩服！"

北周政府任命司马消难当内政部副部长（小司徒）。

7 三月四日，北齐帝（一任文宣帝）高洋（本年三十岁）从晋阳（山西省太原市）返回首都邺城（河北省临漳县西南邺城镇）。

8 北齐帝国出军护送南梁帝国永嘉王萧庄，前往江南（长江以南），任命王琳当丞相、全国各军区总司令长官（都督中外诸军）、主管政府机要（录尚书事）。王琳派侄儿王叔宝，率他辖区内十个州州长（刺史）的子弟，前往邺城（北齐首都，河北省临漳县西南邺城镇），充当人质。王琳拥护萧庄在郢州（州政府设夏口〔湖北省武汉市〕）登极称帝，改年号天启（南梁帝国再度出现两个政府：江陵政府皇帝萧詧，郢州政府皇帝萧庄）。萧庄追尊五任帝萧渊明绰号闵皇帝。萧庄任命王琳当总监督长（侍中）、最高统帅（大将军）、总立法长（中书监）；其他官职，依照北齐帝国的任命，不加变动。

9 夏季，四月二日，陈帝陈霸先前往皇家祖庙（太庙）祭祀祖先。

四月三日，陈霸先派人害死南梁帝国逊位皇帝（六任敬帝）萧方智（年十六岁），封南梁武林侯萧咨的儿子萧季卿当江阴王（萧咨，是一任帝萧衍老弟萧恢的儿子，死于侯景之乱，参考五五〇年十一月二十一日）。

谋反，是一件大事。不到死在眉睫，谁肯铤而走险！只陈霸先是一个例外，简直找不出他非谋反不可的原因，使他大怒若狂的，只有一件，那就是杜龛在吴兴郡（浙江省湖州市），对违法乱纪的陈霸先家族，用法律制裁。只五年时

六世纪·五五八年三月　南梁萧庄郢州称帝　四国五政权并立

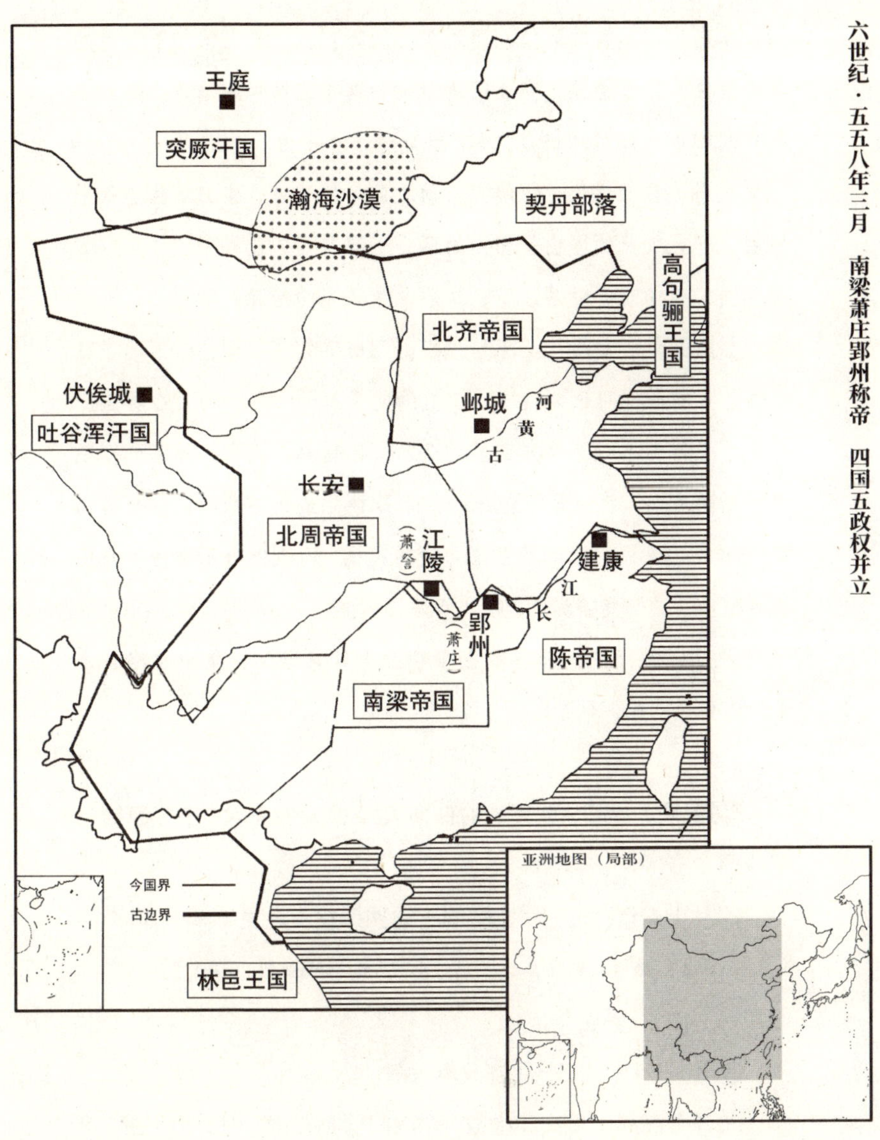

间，陈霸先从卑微的职位，爬到宰相级高官，受最高统帅王僧辩的宠爱信任，托付给他把守北门的重责。瀑布般倾泻到他身上的，全是日渐增加的荣耀和权力，没有丝毫恐惧和压力。

这种人竟然谋反，使研究行动政治学的朋友，张口结舌。如果表面上理直气壮的理由是理由的话，王僧辩因向北齐帝国屈膝，陈霸先同样也向北齐帝国屈膝；如果说陈霸先的屈膝是不得已，王僧辩的屈膝又何尝是得已。陈霸先指出王僧辩的罪状说：萧衍的子孙很多，只有萧绎可以复仇雪耻，他的儿子有什么罪，为什么罢黜！那么，王僧辩不过把萧方智罢黜而已，仍封他当太子；陈霸先则不但罢黜萧方智，而且还把他诛杀！但陈霸先最大的罪恶，却是为江南（长江以南）人民招来北齐帝国入侵的灾祸，而王僧辩正是为了避免这场灾祸，才接受萧渊明，跟北齐帝国和解。

大分裂时代中，创业帝王即令不是英雄好汉，至少也略具才智，只有陈霸先，不过是一个躁进的蟊贼。

10 四月七日，北周政府任命太师（三公级）宇文护，当京畿总卫戍司令（雍州牧）。

四月十二日，天王宇文毓的王后独孤女士逝世（独孤王后的老爹既死于宇文护之手〔参考去年〔五五七〕三月〕，我们有理由怀疑她死于谋杀）。

11 四月十九日，北齐政府大赦。

北齐帝高洋因旱灾的缘故，向西门豹祠祈雨，而雨仍不降，高洋大怒，拆除祠庙，并挖掘西门豹的坟墓（战国时代，魏王国任命西门豹当邺县县长，开凿十二条灌溉渠道，深受人民敬爱。死后，就安葬邺城，人民并为他建立祠庙，庙在邺城东南）。

12 五月一日，南梁帝国郢州（夏口，湖北省武汉市）政府（皇帝萧庄）所属新吴（江西省奉新县）山区司令官（洞主）余孝顷等，率军二万人，驻守工塘（江西省抚州市临川区东南），一连构筑八个城寨，进逼周迪（周迪据守临川郡〔江西省南城县〕）。周迪恐惧，请求和解，并承诺供应兵力及粮食。樊猛等打算接受盟誓回军，可是，余孝顷贪图破城后可以大肆抢劫美女财宝，不肯答应，而更竖立栅栏，加强包围。因此，樊猛等跟余孝顷失去和睦。

13 北周帝国政府任命农工部长（大司空）侯莫陈崇当教育部长（大宗伯）。

14 五月九日，北齐帝高洋命国务院总理（尚书令）、长广王高湛主管政府机要（录尚书事），骠骑大将军平秦王高归彦当国务院左执行长（尚书左仆射）。

五月十二日，任命前国务院左执行长（尚书左仆射）杨愔当国务院总理（尚书令）。

五月二十一日，广陵（江苏省扬州市）南城城防司令（城主）张显和、秘书长（长史）张僧那，各率他们的部队，投降陈帝国。

15 五月二十九日，陈帝陈霸先前往大庄严寺舍身。

五月三十日，文武百官上疏请他回宫。

前面的车已经翻覆（指萧衍），后面的车不知道警戒。只因耳目对于佛教礼仪已经习惯，不能发现其中错误。

只因为自认可以愚弄群众的人，层出不穷，所以世界上的混乱，才层出不穷。只因为再明显的诈欺圈套，都有人往里跳，所以自认可以愚弄群众的人，就永远不会绝迹。

16 六月三日，北齐帝高洋到北方视察，命太子高殷当帝国执政官（监国），遂设立皇家总司令官指挥部（大都督府），与国务院（尚书省）分别处理文武事务，指挥部设立参谋及行政等辅佐人员。高洋对此项人选，十分慎重，特命赵郡王高叡当总监督长（侍中），摄理皇家总司令官指挥部秘书长（摄大都督府长史）。

17 六月七日，陈帝陈霸先命最高监察长（司空）侯瑱，与中央禁军总监（领军将军）徐度率船舰当前锋，攻击南梁帝国郢州政府（皇帝萧庄）丞相王琳。

18 北齐帝高洋抵达祁连池（山西省宁武县西南管涔山天池）。

六月十六日，返晋阳（山西省太原市）。

19 秋季，七月七日，陈帝陈霸先前往石头（建康城西北），送侯瑱等大军出发。

高州（州政府设巴山〔江西省崇仁县〕）州长（刺史）黄法氍、吴兴郡（浙江省湖州市）郡长沈恪（时在会稽郡〔浙江省绍兴市〕）、宁州（州政府设味县〔云南省曲靖市〕）州长（遥领）周敷，联合出军增援周迪（时据守临川郡〔江西省南城县〕），周敷从临川故郡（临汝，江西省抚州市临川区），封锁江口（应在盱水〔抚河〕上。抚河，赣水支流，流经江西省抚州市临川区东），分出一部分军队攻击余

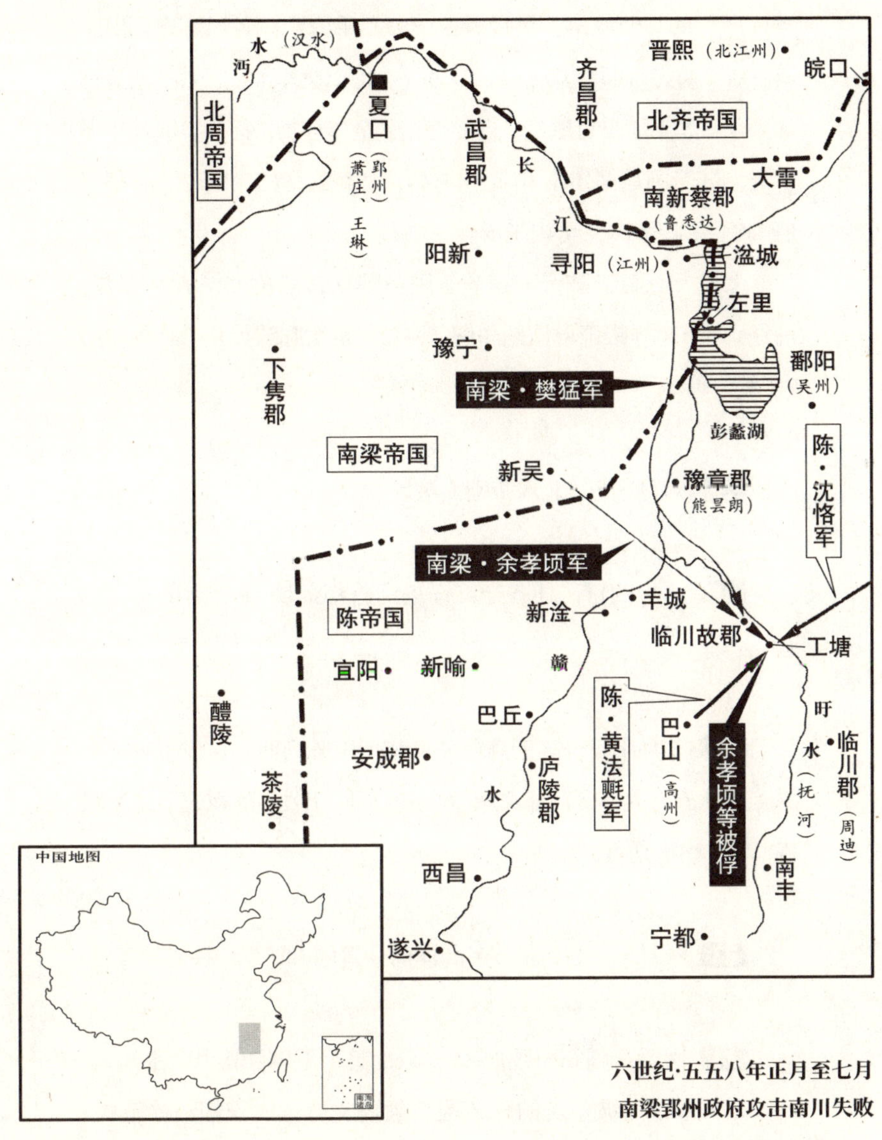

六世纪·五五八年正月至七月

南梁郢州政府攻击南川失败

孝顷所筑的其他城寨。樊猛等在一旁袖手旁观，各城寨遂相继陷落。刘广德先行顺流（盱水〔抚河〕）而下，得以全军而归。余孝顷等都抛弃船舰，上岸步行逃走。周迪追击，全体俘虏，把余孝顷及李孝钦送到陈帝国首都建康（江苏省南京市），把樊猛送给南梁帝国郢州政府（夏口，湖北省武汉市）丞相王琳。

七月十三日，陈帝陈霸先派国务院文官部长（吏部尚书）谢哲，前往郢州（夏口）跟王琳谈判和解。谢哲，是谢朏的孙儿（谢朏事，参考四七九年四月）。

20 八月三日，北周帝国大赦。

21 八月四日，北齐帝高洋返回首都邺城（河北省临漳县西南邺城镇）。

22 八月十日，陈帝陈霸先命临川王陈蒨西上讨伐王琳，率水上舰队五万人，自首都建康（江苏省南京市）出发；陈霸先亲到冶城寺（建康城西南）送行。

23 八月十三日，北齐帝高洋前往晋阳（山西省太原市）。

24 南梁帝国郢州政府（皇帝萧庄）丞相王琳，驻军白水浦（江西省九江市西）；而被俘虏的陈帝国将领周文育、侯安都、徐敬成，向看守他们的王子晋，承诺付给厚重的贿赂，王子晋弄了一条小船，紧挨着王琳的坐船，假装钓鱼，利用夜色掩护，把他们偷运到岸上，逃入草泽地带。周文育等步行投奔陈军营垒，返回首都建康（江苏省南京市），上书陈帝陈霸先，请求处罚。陈霸先接见，全都赦免。

八月十七日，命他们一律官复原职。

谢哲返京（首都建康）复命，王琳愿意和解，回军湘州（州政府设临湘〔湖南省长沙市〕）。陈霸先也下诏命各军班师。

八月二十二日，各军自大雷（安徽省望江县）返京（首都建康）。

25 九月十四日，北周帝国封少师（三孤级）元罗当韩国公爵，延续北魏帝国皇家祭祀香火（元罗原是西魏帝国皇族，后投降南梁帝国，侯景之乱时，曾一度被封王爵，参考五四九年六月；侯景败亡，元罗再投降南梁帝国，参考五五二年三月十九日。江陵陷落，元罗返西魏帝国）。

九月十七日，天王宇文毓前往同州（州政府设武乡〔陕西省大荔县〕）。

冬季，十月一日，返京（首都长安）。

26 南梁帝国余孝顷的老弟余孝劢，跟儿子余公飏，仍据守新吴（江西省奉新县）旧有基地，不肯屈服。

十月十日，陈帝陈霸先命开府仪同三司（宰相级）周文育，率各军从豫章（江西省南昌市）出发讨伐。

27 北齐帝国首都邺城（河北省临漳县西南邺城镇）三台修建完成，改铜雀台名金凤台、金虎台名圣应台、冰井台名崇光台（高洋修筑三台，参考前年〔五五六〕六月）。

十一月五日，北齐帝高洋抵达邺城，大赦。高洋游逛三台，向司令官（都督）尉子辉开玩笑，用长矛向他一刺，尉子辉应声倒毙。

常山王高演因高洋酗酒过度（高演是高欢的第六子，高洋的同母老弟），担忧愤慨的神情，流露无遗，高洋察觉出来，说：“只要有你在，我为什么不大肆快乐！”高演只有哭泣流泪，拜伏在地，一句话也说不出来，高洋也大为悲痛，把酒杯摔到地上，说：“你似乎是讨厌我喝酒，从今以后，胆敢再拿酒给我的，一律斩首！”遂取出所有御用的酒杯，全部砸碎抛弃。可是，没有多久，比过去饮酒更凶。有时候，高洋到一些皇亲国戚家里，跟人比赛拳击（批拉），不管对手的地位是不是很低，但只要高演一到，宅内宅外，都会肃静下来。高演又秘密撰写条陈，打算规劝，亲王宾友（王友，正五品上）王晞认为不可以，高演不接受，遇到机会，恳切直言，高洋果然怒不可遏。高演性情严肃，国务院部长（尚书）、司长（郎中），处理公务错误时，高演就加以拷打；秘书有作奸犯科的，就在狱中拷打毙命。高洋教高演站在面前，用刀柄对准肋骨（表示就要撞杀），召唤被高演处罚过的人，把刀锋架到头上，命他们指控高演的过失，没有一个人诉苦；这才把高演释放（从高演对部属的凶暴看，他也不会是什么好东西，被害人在刀下不指控他的过失，并不表示心服口服，只表示没有人敢承担杀天子之弟的后果，不仅高洋酒醒后有后悔的可能性，皇太后娄昭君也决不会放过陷她儿子于死地的真凶）。王晞，是王昕的老弟（王昕即王元景，参考五三七年七月）。高洋疑心高演所有规劝奏章，都是王晞写的，打算诛杀王晞。高演得到消息，私下对王晞说：“王先生，明天要做一件事，打算救你一命，也保我一命，请体念我的内心，不要见怪。”第二天，在大庭广众之下，责打王晞二十军棍。高洋不久果然对王晞大发脾气，可是听说高演对王晞用刑，因此不再诛杀（认为高演既责备王晞，当不会跟王晞结党），但仍把王晞剃光头发，用皮鞭抽打，发配兵工厂做苦工。这样过了三年，高演又因为规劝、争执，受高洋恶狠的毒打（《北史·齐孝昭帝纪》：高洋把东魏帝国时的宫女，赏赐给高演，酒醒后忘记，指控高演擅自夺取，令卫士用刀柄胡乱猛撞，高演遂伤重不起），高演愤懑，闭口绝食。皇太后娄昭君日夜不停的哭泣，高洋不知道如何是好，说：“这小娃如果真的死掉，我怎么向老娘交代！”于是，不断前往高演家，探问病情，承诺说：“勉强吃饭，我就把王晞还给你。”下令释放王晞，命他晋见高演。高演抱住王晞说：“我只剩下一缕气息，恐怕不能再见。”王晞哭泣说：“天上神明，怎能使你死在这里，至尊（皇帝）是你的亲兄，又是天下的人主，难以计较是非。你不进饮食，太后也不进饮食，你纵不爱惜自己，岂能不顾念太后！”话还没有说完，高演勉强坐起来吃饭。王晞也因此得以免除刑罚，回来仍当亲王宾友（王友，正五品上）。等到高演主管政府机要（录尚书事），被任命当官的人都晋见高演叩谢，上任时，也都晋见高演告辞。王晞对高演说：“官职来自政府委任，却在私宅接受人们感恩，从古以来，都认为不妥当，最好是一概拒绝。”高演听从。很久之后，高演在心情轻松时，对王晞说：“主上喜怒无常，我怎么会因为他一次生气，就再不敢开口，你应该就你眼见耳闻的事情，代我撰写规劝奏章，我当等待机会提出。”王晞遂列出十余条呈递，但也乘势劝阻说：“帝国政府所依靠的，只剩下你一个人，你却去效法平民的耿直忠心，而忽视突然爆发的灾祸。发疯的药使人不知道他在发疯，刀和箭岂能分辨亲疏！一旦在常理之外，大难临头，你家怎么办？皇太后（娄昭君）怎么办？”高演唏嘘悲哀不能克制，说：“竟然会到这种程度！”第二天，高演看到王晞，说：“我想了一夜，打消原意。”命左右侍从取来烛火，就在王晞面前，把王晞的条陈烧掉。可是，到了后来，高演又利用机会向高洋苦苦规劝，高洋命武士把高演的双手绑到背后，拔出佩刀，直指脖颈，诟骂说：“你懂得什么，是谁教你！”高演说：“天下人全都闭口，除了我，谁敢多嘴！”高洋命火速行刑，乱棍痛打数十下；正巧，高洋昏醉过去，高演才算逃脱。高洋专门奸淫高家皇亲国戚妇女，无论到哪里，都流连忘返，只有高演家，总觉索然无味，而远远离开。国务院左执行长（尚书左仆射）崔暹，不断向高洋竭尽忠言。高演对崔暹说："今天，太后不敢说话，我们兄弟也不敢说话，只你一个人当面冒犯，宫内宫外，既感激又惭愧。"（胡三省注："高演，是北齐帝国的贤王，高洋酗酒，高演曾作很多规劝，北齐政府编撰国史的官员，又因高演后来继承帝位之故，对他有很多溢美之词，读者能在字里行间发掘出哪些是溢美部分，就把握住要点。"）

皇太子高殷，自幼温柔敦厚，通情达理，礼敬贤才，博学好问，关心时局，有很好的声誉，可是，高洋却嫌高殷的汉人性情太浓（高洋是汉人，高殷娘亲李祖娥也是汉人，高殷乃纯汉人血统。但高洋却以非汉人自居，对汉人歧视），不太像他，打算罢黜。高洋登金凤台（铜雀台），召见高殷，教高殷亲手处斩囚犯。高殷心肠慈软，脸上露出怜悯颜色，高洋一迭连声催促，高殷仍砍不下囚犯的人头。高洋大怒，亲自用鞭杆撞击他，孩子惊恐之余，遂心悸口吃，精神失常。高洋在欢宴酒醉的时候，好几次说："太子性情懦弱，而帝国责任重大，我看我终于会把宝座传给常山王（高演）。"太子少傅（太子三少之二）魏收对杨愔说："太子，是国家的根本，不可以随便更换。至尊（高洋）三杯下肚之后，总是说要传位给常山王（高演），使臣属疑惑不定，生出二心。如果真要这么做，就应早早决定。把这种事当作儿戏，只有使帝国不安。"杨愔把魏收的话报告高洋，高洋以后才不再提。

高洋十分残忍，有关官员审讯囚犯，没有一个不凶暴非常。有的把铁犁烧红，使囚犯站在上面；有的把铁环（车缸）烧红，使囚犯把手臂穿过去（车轴两端，铁环紧箍，用以保护车轴受得住撞击，这个铁环或铁箍，称“车钉”)。囚犯无法忍受痛苦，全都诬服。只有国务院宫廷保安部囚狱司长(三公郎中)、武强(河北省武强县)人苏琼，在中央及地方都担任过职务，所到之处，都以宽恕公平的原则处理人民的诉讼。当时，赵州(州政府设广阿〔河北省隆尧县〕)、清河(山东省临清市)不断发生控告有人谋反案件，上级都交给苏琼调查审理，很多被诬陷的人，全都查明真相，无罪释放。国务院执行官(尚书)崔昂警告苏琼说：“你如果要立功升官，必须另想办法。不断昭雪叛乱犯，难道不怕杀身夺命！”苏琼严肃的说：“我所昭雪的都是含冤受屈的被告，并不是昭雪叛乱犯。”崔昂大为惭愧。

高洋讨厌临漳县长稽晔(晋王朝为了避六任帝司马邺的讳，把邺城改作临漳，汉赵帝国夺取后，再改称邺城。东魏帝国时代设临漳县)、立法院立法官(舍人)李文思，于是，把二人发配给其他臣属当奴隶。立法院主任立法官(中书侍郎)彭城(江苏省徐州市)人郑颐，打算陷害国务院内政部长(祠部尚书)王昕，故意对稽晔等的遭遇，表示同情和困惑，叹息说：“自古以来，没有官员当奴隶的！”王昕不知道这是一个陷阱，随口回答说；“子胥馀就当奴隶(子胥馀，是商王朝末任帝子受辛〔纣〕的叔父，子爵、采邑箕国，史称箕子)。”郑颐遂报告高洋：“王昕把陛下比作子受辛(纣)。”高洋记恨在心。不久，高洋召集政府官员大肆饮酒，王昕声称有病，不能赴宴，高洋派骑兵逮捕，看见他正在家里摇动膝盖，吟咏诗赋，于是，就在金銮宝殿前斩首，把尸体投入漳水(流经邺城西北)。

高洋在北方修筑长城，在南方帮助萧庄(南梁帝国郢州政府皇帝)，武士战马大量死亡，多到要用数十万为单位计算。更加上重建楼台宫殿(如“三台”)，以及毫无节制的赏赐，国库积蓄枯竭，不能供应，于是减少文武官员的俸禄，克扣军队官兵的粮食，合并裁减“州”“郡”“县”“镇”“戍”官职(参考前年〔五五六〕十一月)，节省费用，供他挥霍。

十二月十九日，高洋任命可朱浑道元（可朱浑，三字姓）当太师（上三公之一），尉粲当全国武装部队总司令（太尉），冀州（州政府设信都〔河北省衡水市冀州区〕）州长（刺史）段韶当最高监察长（司空），常山王高演当最高指挥官（大司马），长广王高湛当宰相（司徒）。

28 十二月二十三日，北周帝国政府大赦。

29 北齐帝高洋前往首都邺城（河北省临漳县西南邺城镇）北城，顺便视察囚禁在地牢中的两位老弟：永安王（简平王）高浚、上党王（刚肃王）高涣（二王被关，参考去年〔五五七〕十二月）。高洋亲临地牢，放声高歌，命高浚等合唱；高浚等惊惶恐惧，而且内心哀痛，不觉歌声颤抖，高洋也觉悲怆，为他们流下眼泪，打算赦免他们出牢，但长广王高湛（高欢第九子），跟高浚平常一直互相怨恨，对高洋说：“猛虎怎么可以出笼！”高洋沉默不语，高浚等听到，高声呼叫高湛的乳名说：“步落稽，皇天见证！”高洋也因为高浚、高涣都雄才大略，放他们出来，恐怕以后报复。于是，亲自用长矛猛刺高涣，又命卫士刘桃枝也向铁笼中两位亲王猛刺。长矛每次刺入，高浚、高涣就伸出手拉住，用力折断，哀叫悲号，哭声震动天地。高洋下令齐投木柴火把，二人遂被活活烧杀，然后用泥土和石头把地牢填平（高浚年不详，高涣年二十六岁）。后来，挖掘他们出来时，发现浑身上下，头发皮肤，全被烧光，尸体被烧得如同一块焦炭，无论远近，都为他们惨死感到悲痛愤恨。高洋因仪同三司（宰相级，正二品）刘郁捷诛杀高浚，遂把高浚的妻子陆女士赏赐给他；冯文洛诛杀高涣，也把高涣的妻子李女士赏赐给冯文洛。这两个人，都是高洋家从前的奴隶。不久，查出高浚对陆女士并不宠爱，得以免除发配。

30 陈帝国高凉郡（广东省阳江市）郡长冯宝逝世，沿海一带秩序混乱（海，指南海）。冯宝的妻子冼女士怀柔安抚各个部落，几个州再度平静（冯宝事，参考五五〇年六月）。冯宝的儿子冯仆，年才九岁，本年（五五八），冼女士派冯仆率各酋长，前往中央朝见。中央任命冯仆当阳春郡（广东省阳春市）郡长。

31 南梁帝国江陵（湖北省江陵县）政府（皇帝萧詧）派最高统帅（大将军）王操，率军夺取郢州（夏口，湖北省武汉市）政府（皇帝萧庄）所属的长沙（临湘，湖南省长沙市）、武陵（湖南省常德市）、南平（湖北省公安县西）等郡（郢州政府丞相王琳大军东下，江陵政府军得以乘虚而入）。

五五九年 己卯

南梁　大定　五年
陈　永定　三年
北齐　天保　十年
北周　明帝　三年
　　　武成　元年
（南梁帝国皇帝萧庄天启二年）

1 春季，正月二十一日，北周帝国（首都长安〔陕西省西安市〕）太师（三公级）宇文护，上疏天王（二任明帝）宇文毓（本年二十六岁），交还政权，宇文毓才开始亲自处理国家事务。但军事方面，宇文护仍然掌握。

北周开始取消“都督州军事”，改称“总管”（“都督州军事”，一向译“军区司令长官”；“总管”意义至为明显，本可不译，但如果译作“军区总司令”，当更易了解）。

2 南梁帝国郢州（夏口，湖北省武汉市）政府（皇帝萧庄）丞相王琳，征召桂州（州政府设始安〔广西桂林市〕）州长（刺史）淳于量；淳于量表面跟王琳要好，但暗中倾向陈帝国（首都建康〔江苏省南京市〕）。

二月三日，陈帝国政府任命淳于量当开府仪同三司（宰相级）。

3 二月二十四日，陈帝国（首都建康〔江苏省南京市〕）最高监察长（司空）侯瑱，向北齐帝国发动火攻（派侯瑱拒抗北齐事，参考去年〔五五八〕六月），在合肥（北齐合州，安徽省合肥市）焚烧北齐帝国船舰。

4 二月二十八日，北齐帝国（首都邺城〔河北省临漳县西南邺城镇〕）皇帝（一任文宣帝）高洋（本年三十一岁）在甘露寺（在山西省左权县）坐禅修炼，闭关期间，只有军国大事，才可以禀报。国务院左执行长（尚书左仆射）崔暹逝世，高洋亲自到他家哭泣祭悼，向崔暹的妻子李女士说："你想不想崔暹？"李女士说："当然想。"高洋说："那么，你亲自去看他！"挥刀斩李女士，把人头扔到墙外。

斛律光率骑兵一万人，攻击北周帝国开府仪同三司（勋官三级，从九命）曹回公，斩首。北周柏谷城（河南省宜阳县南）城防司令（城主）薛禹生放弃城池逃走；斛律光进占文侯镇（山西省稷山县西北），派军驻防，构筑栅栏防御工事，班师。

三月十一日，高洋任命高德政当国务院右执行长（尚书右仆射）。

5 吐谷浑汗国（青海省）攻击北周帝国边境。

三月二十三日，北周政府派国防部长（大司马）贺兰祥迎击。

6 三月二十九日，北齐帝高洋返回邺城（河北省临漳县西南邺城镇）。

7 南梁帝国郢州政府（夏口，湖北省武汉市）皇帝萧庄，抵达郢州，派人前往北齐帝国进贡。丞相王琳命将领雷文策，袭击江陵（湖北省江陵县）政府（皇帝萧詧）监利郡（湖北省监利市）郡长蔡大有，斩首。

8 北齐帝高洋当东魏帝国宰相时，胶州（州政府设东武〔山东省诸城市〕）州长（刺史）、定阳侯（文肃侯）杜弼当秘书长（长史），高洋将篡夺政权时，杜弼劝阻（参考五五〇年五月）。有一次，高洋问："治理帝国，要用什么样的人？"杜弼回答说："鲜卑人只会车马上讨生活，应该用汉人！"高洋认为讥刺自己，记恨在心。建国之后，高德政当权，杜弼不肯听他指挥，曾经在大庭广众中，当面顶撞高德政；高德政报复，不断在高洋面前打小报告陷害；杜弼自认为是高洋小时候的旧部属，从不疑心高洋会对他下手。

夏季，高洋饮酒时，想起杜弼前后过失，派使节前往胶州（州政府东武），就在州政府斩杜弼（年六十九岁）。不久，高洋又忽然后悔，再派使节乘驿马车前往赦免，已来不及。

9 闰四月二日，北周政府命主管官员，重新修订新的历法。

10 闰四月十一日，陈政府派镇北将军徐度，率军在南皖口（皖水注入长江处，安徽省安庆市）构筑城垒。

11 北齐帝国国务院右执行长（尚书右仆射）高德政，跟杨愔同时担任宰相（都是尚书仆射）；杨愔经常嫉妒高德政。北齐帝高洋狂饮酗酒，高德政仗恃旧日亲密关系，屡次直言规劝，高洋大不高兴，对左右说："高德政总是露个脸色给人看！"高德政这时才感到恐惧，声称有病，打算远离高洋。高洋对杨愔说："我真担心高德政的病！”杨愔说：“陛下如果命他当冀州（州政府设信都〔河北省衡水市冀州区〕）州长（刺史），他的病自会痊愈。”高洋听信这项建议。高德政见到人事命令，立刻起床。高洋勃然大怒，召见高德政，说：“听说你有病，我给你针灸！”亲自用小刀乱刺，血流满地。高洋又把他拖下去，命砍下双脚。刘桃枝举起钢刀，不敢砍下（他跟高德政是多年的密友），高洋大声呵责刘桃枝说：“你的人头就要落地！”刘桃枝遂砍下高德政的三个脚趾，而高洋的怒气仍不平息，把高德政囚禁监督院（门下省）；直到夜晚，才用毡轮小车送他回家（用毡裹轮，减少颠簸）。第二天一早，高德政的妻子取出金银珍宝，放满四床，打算寄放亲友家中，想不到高洋突然闯进来，全都看见，咆哮说：“我皇家的饰物管理处（御府）还没有这种东西！”盘问它们的来路，原来都是没落的元姓家族致送的贿赂，遂把高德政拖出，斩首。高德政的妻子出来叩拜，也斩首；高德政的儿子高伯坚，也斩首（高德政的祸事，是南宋帝国颜竣祸事的历史重演；参考四五九年五月）。高洋任命京畿总卫戍司令（司州牧）彭城王高浟当宰相（司徒），总监督长（侍中）高阳王高湜当国务院右执行长（尚书右仆射）。

闰四月十九日，命高浟兼任全国武装部队总司令（兼太尉）。

高洋封皇子高绍廉当长安王。

12 闰四月二十五日，北周帝国政府任命侯莫陈崇当内政部长（大司徒），达奚武当教育部长（大宗伯），武阳公爵豆卢宁当司法部长（大司寇），柱国（勋官一级，正九命）辅城公爵宇文邕当农工部长（大司空）。

闰四月二十九日，天王宇文毓下诏：“有关单位，对大赦之前官员们所犯的过失，不可追究。只有仓库粮食是天下人民所共有，如果被官员盗卖，虽然大赦令后不再定他的罪，但他必须依法赔偿。”

国防部长（大司马）贺兰祥，继续跟吐谷浑汗国（青海省）作战，击破吐谷浑军，占领洮阳（甘肃省临潭县）、洪和（甘肃省卓尼县），设立洮州（州政府洮阳）。

13 五月一日，日蚀。

14 北齐帝国天文台长（太史）奏称：“今年将除旧换新。”北齐帝高洋向“特进”（文散官，正二品）、彭城公爵元韶说：“刘秀（东汉王朝一任帝）怎么能够中兴？”元韶回答说：“因为没有把姓刘的赶尽杀绝。”（元韶懦弱，参考五五一年十二月。）于是高洋下令，把所有姓元的，不分男女老幼，全部屠戮，用以解除将来危机。

五月二十七日，诛杀始平公爵元世哲等二十五家，逮捕囚禁元韶等十九家。元韶被囚禁地牢，高洋断绝他的饮食，元韶吞食衣袖，最后仍然饿死。

自古有人“一言兴邦”，也有人“一言丧邦”，而元韶的一言，可谓世界上最大的丧邦一言。我们固然为他引起的大祸悲痛，同时也奇怪他怎么会说出这种肤浅的荒谬答案。因为每个政权的覆没，毫无例外的，都由于自己的腐败，而不是由于旧势力的反扑。

元韶的见解，虽然肤浅荒谬，却是正统的看法，新兴王朝把旧王朝皇族杀光，成为保护自己的唯一法门，这种肤浅荒谬的见解，一直引导中国的政治运作，除了杀，还是杀，虽然为被压迫的贫贱小民出一口气，却也使暴戾的层次不断升高。

15 陈帝国开府仪同三司（宰相级）周文育（时驻豫章郡〔江西省南昌市〕）、临川郡（江西省南城县）郡长周迪、高州（州政府设巴山〔江西省崇仁县〕）州长（刺史）黄法氍，联合攻击仍坚守新吴（江西省奉新县）的余公飏（余孝顷的儿子，参考去年〔五五八〕十月）；豫章郡（江西省南昌市）郡长熊昙朗，率军会师，士卒数目约一万人。周文育驻扎金口（江西省南昌市新建区西南四十公里，象牙江注入赣江处），余公飏诈降，打算突击擒获周文育，周文育发觉阴谋，囚禁余公飏，送往建康（陈首都，江苏省南京市）。周文育进驻三陂（应在今江西省南昌市新建区西南），南梁帝国郢州政府（皇帝萧庄）丞相王琳，派将领曹庆率军二千人，增援余孝劢（余孝顷的老弟），曹庆派总带兵官（主帅）常众爱，阻止周文育前进，而自己率领部众攻击周迪，和安南将军吴明彻。周迪等战败，周文育也退守金口。熊昙朗眼看陈帝国政府军失利，阴谋叛变，打算诛杀周文育，响应常众爱。监军官（监军）孙白象得到消息，建议周文育反击，先行下手，周文育不接受。当时，周迪放弃船舰，上岸逃走，不知道下落。

五月二十九日，周文育接到周迪来信，亲自拿着去见熊昙朗，熊昙朗就在宴席上斩周文育（年五十一岁），再把周文育的军队并吞，并占领新淦城（江西省樟树市）。熊昙朗率军一万人，袭击宁州（州政府设味县〔云南省曲靖市〕）州长（遥领）周敷（时据临川故郡〔江西省抚州市临川区〕），周敷迎战，击破熊昙朗军，熊昙朗单人匹马逃奔巴山（高州，江西省崇仁县）。

16 半独立状态的北江州（州政府设鹿城关〔湖北省武汉市黄陂区北〕）州长（空头官衔）鲁悉达（参考去年〔五五八〕正月）部将梅天养等，暗中引导北齐帝国军进城（此指鲁悉达据守的南新蔡郡城，今湖北省黄梅县西南。自此，

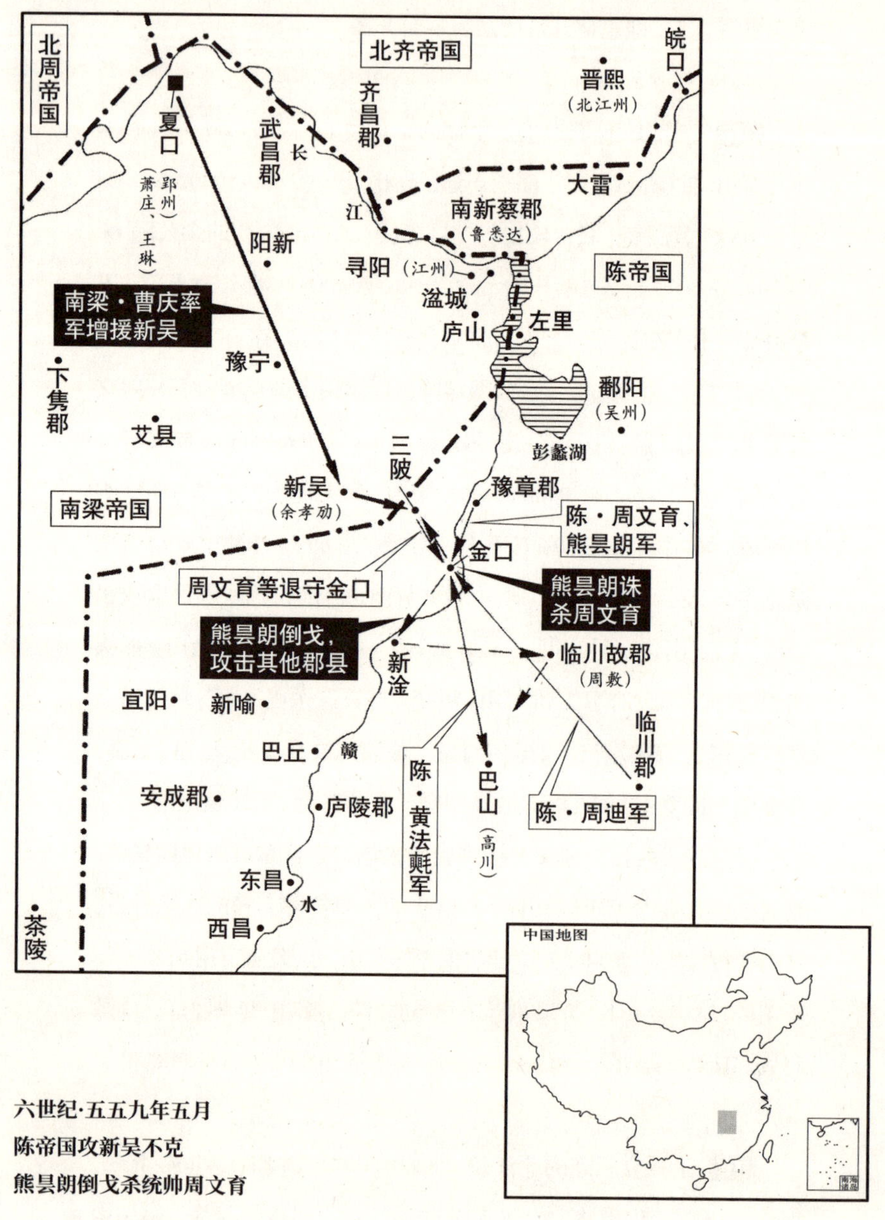

六世纪·五五九年五月

陈帝国攻新吴不克

熊昙朗倒戈杀统帅周文育

北齐帝国完全占领长江以北领土）。鲁悉达率手下数千人，渡长江南下，投降陈帝国；陈政府命鲁悉达当平南将军、北江州州长（镇守南陵郡〔安徽省池州市贵池区〕）。

17 六月三日，北周帝国天王（二任明帝）宇文毓，因大雨连绵，久阴不晴，命文武百官呈递“亲启密奏”，直言建议。最高资政官（左光禄大夫，正八命）猗氏（山西省临猗县）人乐逊上书，陈述四件大事，其一，认为：“最近，郡长县长任职的时间，都很短促，在短促的时间内，要求他做出绩效，只好诉诸猛烈手段。而今，关东（指北齐帝国）人民正陷于水深火热之中，我们如果不能使政令平实，消息传到境外，怎么能使那边受苦受难的人民，投奔乐土！”其二，认为：“过去，北魏帝国建都洛阳（河南省洛阳市东白马寺东），一时繁荣鼎盛，权贵家庭互相竞争豪华奢侈，终于祸乱并起，天下分崩离析，最近政府官员的衣服器具，开始华丽，各行业工匠制品，竭力追求奇异精巧，我深恐风气奢侈，伤害政府形象和善良习俗。”其三，认为：“官员的任免升降，主管单位应集思广益，与大家商量。州郡政府任免地方官吏，还要召集乡里中有德望人士，听取意见，何况主持全国人事行政部门，怎么可以不管当事人的声誉？这不是天下机要，何必保密！当遴选之日，应该使大家心服口服，然后再作奏报。”其四，认为：“高洋盘踞山东（崤山以东），不容易马上制服。好像下围棋时，在“打劫”上僵持（“打劫”，围棋术语），争的是看谁先走一步，只要有一个棋子落错，就可能造成对方有利的形势。实在应该舍弃小事，策划大业。首先保住疆土，不要在边界上贪图尺寸土地的小利，轻举妄动。”

北周帝国隐士韦敻，是韦孝宽的老哥（韦孝宽，参考五三三年十一

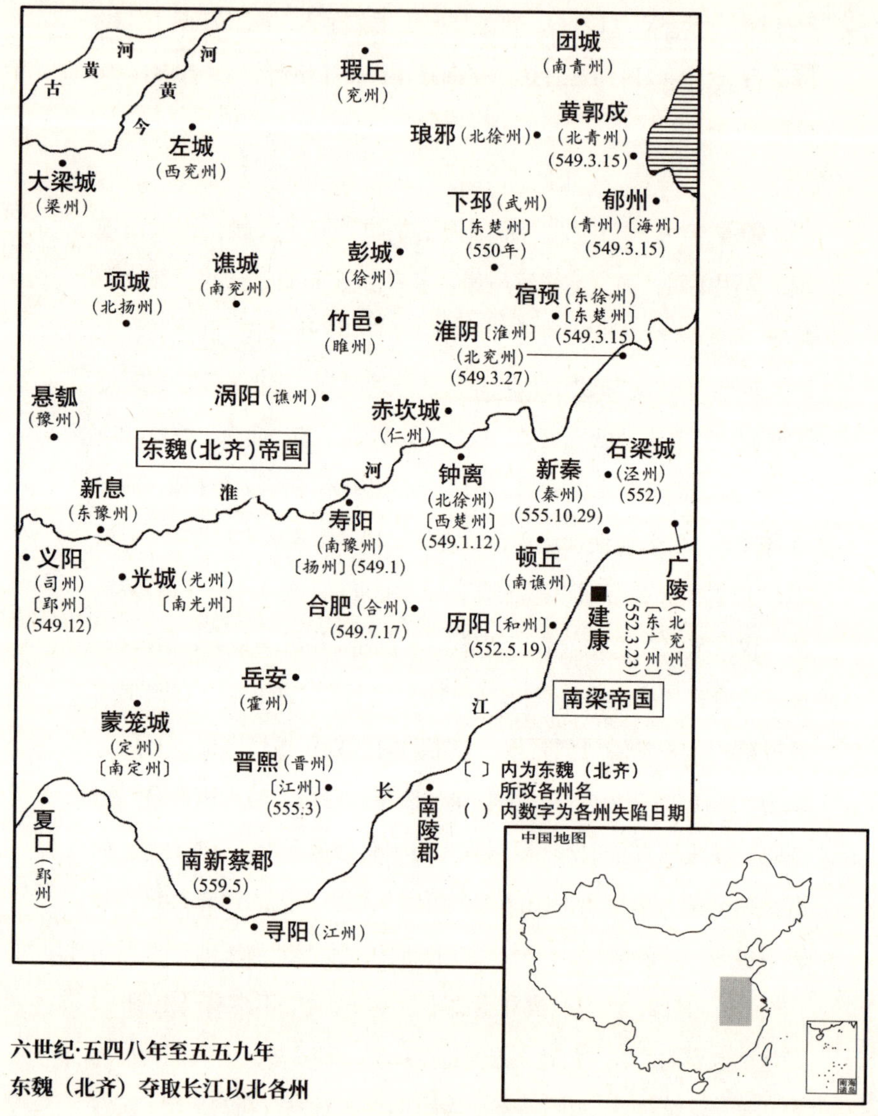

六世纪·五四八年至五五九年

东魏（北齐）夺取长江以北各州

月)，志向淡泊，生活简朴，西魏帝国及北周帝国交替之际，中央曾先后十次征召他出任官职，他都拒绝。太师(三公级)宇文泰对他十分尊重，不予勉强。现任天王(二任明帝)宇文毓，对他尤其礼敬，称他为逍遥公。太师(三公级)、晋公爵宇文护把他请到自己私宅，请教他关于治理国家方略。宇文护大肆修饰住家、房舍，韦夐抬头看一眼厅堂，叹息说："饮酒没有节制、过分沉湎音乐女色、房屋豪华盖世，三种中只要有一种，就不会不败亡。"(《夏书·五子之歌》歌词)宇文护很不高兴。

骠骑大将军(从九命)、开府仪同三司(勋官三级，从九命)寇俊，是寇赞的孙儿(寇赞是北魏帝国名道士寇谦之的老哥，参考四二三年十二月)，自幼就有学问德行。家人曾经卖东西，多拿了对方五匹绸缎，寇俊事后知道，说："得到财物，丧失品德，我不屑于做这种事。"寻找到原主，原物奉还。寇俊对家族成员，十分和睦，衣服食物都跟大家一样，丰富时一同丰富，俭朴时一同俭朴，教训子孙，最重礼义。自本(六)世纪四〇年代中叶，寇俊声称年老多病，不再到金銮宝殿上朝见。天王宇文毓虚心诚意想见到他，寇俊不得已，入宫，宇文毓请他在身旁坐下，询问北魏帝国时代往事。然后用皇家轿车，就在宇文毓面前，请寇俊上车，把他送回，宇文毓对左右侍从说："这种礼遇，只有积善的人，才可以得到。"

18 陈帝国仪同三司(宰相级)周文育讨伐余孝劢时，陈帝陈霸先命南豫州(州政府设姑孰〔安徽省当涂县〕)州长(刺史)侯安都继进。周文育被害，侯安都撤退，中途跟南梁帝国郢州政府(夏口，湖北省武汉市)丞相王琳部将周炅(音jiǒng〔窘〕)、周协的班师部队遭遇(王琳派周炅增援曹庆攻击周迪)，侯安都奋战，生擒二将。余孝劢的老弟余孝猷，率他的部众四千家，晋见侯安都投降。侯安都率军进抵左里（江西省都昌县西北），攻击曹庆、常众爱，击破对方。常众爱逃奔庐山（江西省九江市南）。 556

六月五日，庐山村民斩常众爱，把人头送到建康（陈首都，江苏省南京市）。

陈帝陈霸先命临川王陈蒨，在南皖口（安徽省安庆市）构筑城垒；派东徐州（侨州）州长（刺史）吴兴郡（浙江省湖州市）人钱道戢镇守。

六月十二日，陈霸先生病。

六月二十一日，陈霸先逝世（年五十七岁）。陈霸先在军事行动中，决断制敌，有独到的英明谋略。政治崇尚宽厚简朴，除非是军事上紧急需要，不轻易抽税征夫。性情节俭朴素，平常吃饭，菜肴不过数盘，私人宴会时，都用陶制的器具，把蚌壳当作盘子；菜肴水果，略胜于无而已。后宫妇女，都没有金玉翡翠首饰，也不设立歌女舞女乐队。

当时，陈霸先的亲生儿子陈昌，仍留长安（陈昌被征到江陵当人质事，参考五五二年九月。后来江陵陷落，陈昌被俘到长安），国内没有合法的嫡子继承人，国外又有强敌（北齐帝国、南梁帝国〔郢州政府〕等），老将们都率军在外作战，中央没有身负重望的大臣，只有中央禁军总监（中领军）杜稜，掌握皇家禁卫军，留在建康（陈首都，江苏省南京市）。陈霸先的皇后章要儿，召唤杜稜及立法院主任立法官（中书侍郎）蔡景历，入宫商讨应变方略，决定封锁陈霸先的死讯，急向南皖（安徽省安庆市）召回临川王陈蒨（陈霸先老哥陈道谭的长子）。蔡景历亲自跟宦官、宫女，秘密制作丧事用具，此时，天正盛夏，必须立即把尸体装进棺材，而制作棺材需要斧砍刀削，和刨平、钉接，却又恐怕声音传到外面，于是把尸体泡到蜂蜡之中，暂时防止腐烂。而以皇帝名义发出的文件诏书或训令，照常进行。

侯安都班师，恰巧抵达南皖（安徽省安庆市），遂与临川王陈蒨一同回京（首都建康）。

六月二十九日，抵达首都建康（江苏省南京市），陈蒨进宫，居住立法院（中书省），侯安都跟文武百官决定促请陈蒨继任帝位，陈蒨谦让，表示不敢当；而皇后章要儿仍盼望儿子陈昌出现，不肯同意陈蒨继承；文武百官犹豫，不敢马上决定。侯安都说："而今，四方还没有平定，怎么可能等候远方皇子？临川王（陈蒨）对建立帝国，立有大功（指陈蒨击败杜龛、张彪，参考五五六年正月及二月），我们同心拥护，今天的事情，响应晚的，都要处斩。"手按剑柄上殿，请皇后章要儿交出皇帝玉玺，侯安都又亲自解开陈蒨的头发，推他到嫡长子位置，把陈霸先灵柩迁到太极殿西厢。章要儿这才下令，命陈蒨继承帝位。当天（六月二十九日），陈蒨（本年三十八岁）登极称帝（二任文帝），大赦。

秋季，七月一日，陈蒨尊皇后章要儿当皇太后。

七月六日，任命侯瑱当全国武装部队总司令（太尉）、侯安都当最高监察长（司空）。

19 北齐帝高洋将去晋阳（山西省太原市），先行屠杀元姓家族，有的祖父或老爹曾是王爵，有的自身曾当过大官，全都绑到东市斩首，把儿童抛到空中，然后用矛尖在下面接住，刺穿而死。前后共杀七百二十一人，尸体全投入漳水（流经邺城西北），鱼肚中往往找到人的手指甲或脚趾甲，邺城（河北省临漳县西南邺城镇）住民为了这个缘故，很长一段时间，不敢吃鱼。高洋命宠爱的亲信元黄头连同其他囚犯，各乘一个风筝，自金凤台（邺城三台之一）向西飞，只有元黄头一个人飞到紫陌（邺城西）才掉落地面，但仍把他交付总监察官（御史中丞）毕义云，把元黄头饿死（胡三省注：高洋命死囚们用竹席制成翅膀，从台上飞翔，飞得最远的得以免死。元黄头虽飞得最远，仍被饿死）。只有开府仪同三司（宰相级，从一品）元蛮、国务院内政部抚恤司长（祠部郎中）元文遥等数家，得以逃过这场浩劫。元蛮，是元继的儿子、常山王高演的岳父（元继，参考五一五年八月）。元文遥，是拓跋遵的五世孙（拓跋遵，参考三九五年八月）。定襄（山西省定襄县）县长元景安，是拓跋虔的玄孙（拓跋虔事，参考三九五年九月），打算请求改姓高，堂兄元景皓说："怎么会有舍弃本姓，而姓人家姓的想法！大丈夫宁可玉碎，不要瓦全！"元景安把他的话报告高洋，高洋逮捕元景皓，诛杀；而赐元景安姓高。

20 八月十日（原文"甲申"，据《陈书》改），陈帝国把前任皇帝陈霸先安葬万安陵（江苏省南京市江宁区东南方山西北），绰号武皇帝，祭庙称高祖。

21 八月十四日，北齐帝高洋封皇子高绍义当广阳王，任命国务院右执行长（尚书右仆射）河间王高孝琬当左执行长（左仆射）、国务院法务部长（都官尚书）崔昂当右执行长（右仆射）。

22 最初，陈帝国一任帝陈霸先，追封他老哥陈道谭当始兴王（昭烈王），由次子陈顼继承爵位。等陈蒨登极，陈顼仍留在长安（北周首都，陕西省西安市）没有回来，陈蒨因大宗没有后裔主持祭祀（陈道谭二子：长子陈蒨、次子陈顼），八月十四日，下诏改封陈顼当安成王，封自己的儿子陈伯茂当始兴王（使老爹陈道谭的香火不断）。

23 北周帝国国务院立法副司长（天官御正中大夫）崔猷建议，认为：“圣人制定政治制度，因时代不同，而有所改变。而今，天子只称天王，声威不能制约天下，请遵循秦、汉王朝制度，仍称皇帝，建立年号。”

八月十五日，天王宇文毓开始改称皇帝，追尊老爹宇文泰绰号文皇帝，改年号武成（之前是明帝三年，之后是武成元年）。

24 八月十九日，北齐帝高洋下诏：“民间有的老爹或祖父，曾改作元姓（北魏帝国皇族之姓）；有的假冒被元家收养，也改作元姓的人；不管年代有多久远，都准许改回本姓。”

25 最初，西魏帝国太师（三公级）宇文泰把巴蜀（四川省）收入版图（参考五五三年八月），因地理形势重要，不打算交给有声望的将领镇守，因而问他的儿子们：“谁愿意去？”都不回答，只最小的儿子、安成公爵宇文宪愿意前往。宇文泰因他年纪太小，不肯应许，直到现在。

八月二十八日，北周帝宇文毓才任命宇文宪当益州军区（总部设成都〔四川省成都市〕）总司令（益州总管），宇文宪本年十六岁，善于安抚人民，处理政务，巴蜀（四川省）原住民对他很是喜爱。

九月一日，中央再任命大将军（勋官二级，正九命）天水公爵宇文广当梁州军区（总部设南郑〔陕西省汉中市〕）总司令（梁州总管）。宇文广，是宇文导的儿子（宇文导，是宇文泰的侄儿，参考五三四年四月）。

26 九月七日，陈帝陈蒨封皇子陈伯宗（本年八岁）当皇太子。

27 九月十五日，北齐帝高洋前往晋阳（山西省太原市）。

28 九月十七日，北周帝宇文毓下诏：封皇弟辅城公爵宇文邕当鲁公爵、安成公爵宇文宪当齐公爵、宇文纯当陈公爵、宇文盛当越公爵、宇文达当代公爵、宇文通当冀公爵、宇文逌（音yóu〔由〕）当滕公爵。

29 九月二十一日，陈帝陈蒨封太子的娘亲、吴兴郡（浙江省湖州市）人沈妙容当皇后。

30 北周帝国少保（三孤级）怀宁公爵（庄公）蔡祐逝世（年五十四岁）。

31 北齐帝高洋酗酒狂饮，终于患病，不能吃饭，自己知道活不了多久，对皇后李祖娥说："人，有生就有死，没有什么值得惋惜，只可怜我们的儿子高殷，年龄还小，有人将夺走他的宝座！"又对老弟常山王高演说："夺由你夺，但千万不要杀他！"国务院总理（尚书令）开封王杨愔、中央禁军总监（领军大将军）平秦王高归彦、总监督长（侍中）广汉（四川省广汉市）人燕子献、宫廷监督官（黄门侍郎）郑颐，一同接受遗诏，辅佐新君。

冬季，十月十日，高洋逝世（年三十一岁）。

十月十九日，中央政府发布死讯，举行追悼大典，文武官员大声哀号，却没有一个人滴下眼泪；只杨愔涕泪纵横，泣不成声（再万恶滔天的政治头目，都会有人拥护，当他死时，也都会有人为他哭泣）。太子高殷（年十五岁）登极称帝（二任废帝），大赦。

十月二十六日，北齐帝高殷尊祖母娄昭君为太皇太后、娘亲李祖娥为皇太后。下诏各种土木建筑、炼金铸铁，以及其他各种工程，一律停止。

32 南梁帝国郢州（夏口，湖北省武汉市）政府（皇帝萧庄）丞相王琳，听到陈帝国（首都建康）一任帝陈霸先逝世消息，乃任命宫廷供应部长（少府卿）吴郡（江苏省苏州市）人孙玚（音yáng〔洋〕）当郢州（州政府夏口）州长（刺史）、留守总部司令官（总留任），护卫皇帝萧庄，而自己率军出发进驻濡须口（濡须水注入长江处，安徽省无为市东南）。北齐帝国（首都邺城）中央驻扬州（州政府设寿春〔安徽省寿县〕）特遣政府总监（扬州道行台）慕容俨，率军抵达长江口岸（应是濡须口），在声势上支援。

十一月二日，王琳攻击大雷（安徽省望江县）。陈帝陈蒨派侯瑱、侯安都，及仪同（宰相级）徐度，率军抵抗。安州（州政府设宋寿〔广西钦州市〕）州长（刺史）吴明彻，在夜色掩护下，袭击湓城（江西省九江市〔寻阳东〕），王琳派巴陵郡（湖南省岳阳市）郡长任忠迎击，大破吴明彻军，吴明彻仅逃出一命；王琳遂率军东下。

33 北齐帝国政府任命右丞相斛律金当左丞相，常山王高演当太傅（上三公之二），长广王高湛当全国武装部队总司令（太尉），段韶当宰相（司徒），平原王高淹当最高监察长（司空），高阳王高湜当国务院右执行长（尚书右仆射），河间王高孝瑜当京畿总卫戍司令（司州牧），总监督长（侍中）燕子献当国务院右执行长（尚书右仆射）。

十一月十八日，前任帝高洋的灵柩运到首都邺城（河北省临漳县西南邺城镇）。

十二月十五日，改封上党王高绍仁当渔阳王，广阳王高绍义当范阳王，长乐王高绍广当陇西王。

南北朝

- ◉ 北周帝宇文毓被毒死。
- ◉ 北齐帝高殷被杀。

- ◉ 盎格鲁人在英格兰东北建提伊拉王国。
- ◉ 东罗马与波斯签订五十年和平条约。

五六〇年 庚辰

南梁	大定	六年
陈	天嘉	元年
北齐	乾明	元年
	皇建	元年
北周	武成	二年

（南梁帝国皇帝萧庄天启三年）

1 春季，正月一日，陈帝国（首都建康〔江苏省南京市〕）大赦，改年号天嘉。

2 北齐帝国（首都邺城〔河北省临漳县西南邺城镇〕）大赦，改年号乾明。

3 正月九日，陈帝（二任文帝）陈蒨（本年三十九岁），前往首都建康南郊，祭祀天神。

4 北齐帝国高阳王高湜（高欢第十一子），靠着滑稽奉迎，甘心屈辱，百般谄媚，博得一任帝（文宣帝）高洋的欢心，常在高洋左右，负责捶打各亲王，太皇太后娄昭君恨他入骨。等到高洋逝世，正好高湜被指控犯罪，太皇太后娄昭君下令打他一百余棍。正月十一日，高湜死亡。

5 正月十九日，陈帝陈蒨前往首都建康（江苏省南京市）北郊祭祀地神。

6 北齐帝（二任废帝）高殷（本年十六岁）自晋阳（山西省太原市）回到首都邺城（河北省临漳县西南邺城镇）。

7 二月十三日，陈帝国高州（州政府设高凉〔广东省阳江市〕）州长（刺史）纪机，自前方（纪机随侯瑱出征，参考去年〔五五九〕三月）逃回宣城（安徽省宣城市宣州区）据守，响应南梁帝国郢州政府（夏口，湖北省武汉市）丞相王琳。泾县（安徽省泾县西）县长贺当迁出军讨伐，平定。

8 南梁帝国郢州（夏口，湖北省武汉市）政府（皇帝萧庄）丞相王琳，抵达栅口（濡须口，安徽省无为市东南），陈帝国最高监察长（司空）侯瑱率各路人马，出屯芜湖（安徽省芜湖市），相对僵持一百余日，东关（即濡须坞，安徽省含山县西南）各河流正逢春季涨水，船舰畅通无阻，王琳集结合肥（安徽省合肥市）、巢湖的部众，向前推进，大船小船先后相接，依次东下，军威盛大。侯瑱抵达虎槛洲（安徽省芜湖市长江中小岛），南梁舰队紧沿长江西岸行驶（此时长江由南向北流，故有西岸），隔着一个小岛停泊。第二天，会战，南梁舰队稍稍失利，退守西岸。晚上，东北风突然大作，南梁船舰互相碰撞，搁浅在沙滩上，而江上波浪滔天，船舰无法返回港口，直到第二天早晨，大风平息，才进港整修。侯瑱等率陈帝国舰队，也退守芜湖（安徽省芜湖市）。

9 北周帝国听到王琳东下消息，派荆襄等五十二州军区司令长官（都督荆襄等五十二州诸军事）、荆州（州政府设穰城〔河南省邓州市〕）州长（刺史）史宁，率军数万人，乘虚袭击郢州（夏口，湖北省武汉市），南梁留守总部司令官（总留任）孙玚，登城固守。王琳得到情报，恐怕军心恐慌，部众溃散，乃率舰队东下（希望攻克建康后，回军解围），距芜湖（安徽省芜湖市）十华里停泊，军中查夜士卒敲击木梆的声音，传到陈军大营。北齐帝国仪同三司（宰相级，正二品）刘伯球，率军万余人，协助王琳水上战斗，中央特遣政府总监（行台）慕容恃德的儿子慕容子会，率铁甲骑兵二千人，驻军芜湖对江西岸，助长声势。

二月十四日，侯瑱下令全军早上起身时就在床前进餐，严阵以待。当时西南风正急，王琳大喜，认为得到上天帮助，率领舰队张帆鼓浪，直航建康（陈首都，江苏省南京市）；想不到侯瑱舰队缓缓自芜湖（安徽省芜湖市）出港东下，尾追在王琳舰队之后，西南风竟成为侯瑱助力。王琳下令抛掷火炬焚烧陈军船舰，火炬被西南风吹回，反而焚烧起自己的船舰（逆风而用火攻，一介平民都知不可，王琳久在军伍，何以有如此决定）。侯瑱更用撞击长竿，撞击王琳船舰，发动外蒙牛皮的机动小艇猛烈攻击，又把铁熔成浆液，顺风泼向南梁船舰。南梁舰队霎时大败，官兵跌到长江淹死的有十分之二三，其他士卒都舍弃船舰，登岸逃走，被陈军追杀，几乎死光。西岸北齐帝国军自相践踏，一时之间，全挤到芦苇草丛的烂泥沼之中，马蹄深陷，不能拔出，骑兵纷纷跳下马背逃生，但逃出来的不过十分之二三。陈军生擒刘伯球、慕容子会，斩杀及俘虏的人数，以万为单位计算，把北齐及南梁两军的辎重武器，全部接收。王琳乘小艇突围而出，抵达湓城（江西省九江市〔寻阳东〕），打算集结残兵败将再战，可是已没有人响应，只好携带妻妾以及左右侍从十余人，投奔北齐帝国。

最初，王琳派总监督长（侍中）袁泌、总监察官（御史中丞）刘仲威，保护皇帝萧庄；等到王琳战败，萧庄左右一哄而散。袁泌用一叶小舟，把萧庄送到北齐帝国边境，叩头告别，自己回来，投降陈帝国。刘仲威则跟随萧庄一同前往北齐。袁泌，是袁昂的儿子（袁昂，参考五四〇年九月）。樊猛和他的老哥樊毅，各率各人的军队，一起归降陈帝国。（南梁帝国郢州政府〔夏口，湖北省武汉市〕瓦解，只剩下江陵〔湖北省江陵县〕政府〔皇帝萧詧〕为南梁帝国唯一合法政府，但国土只限于江陵一隅，其他都归陈帝国版图。不过陈帝国也小得可怜，比起南宋帝国，不过二分之一，而失去的二分之一，又全是精华。）

10 北齐帝国政府把前任帝（一任）高洋，安葬武宁陵（今地不详），绰号文宣皇帝，祭庙称高祖，后来又改称显祖。

11 二月十六日，陈帝陈蒨下诏：“官宦之家，将帅士卒，凡是身陷王琳乱党的，一律赦免，并依照他的才干，加以录用。”

12 二月十七日，北齐政府任命常山王高演当太师（上三公之

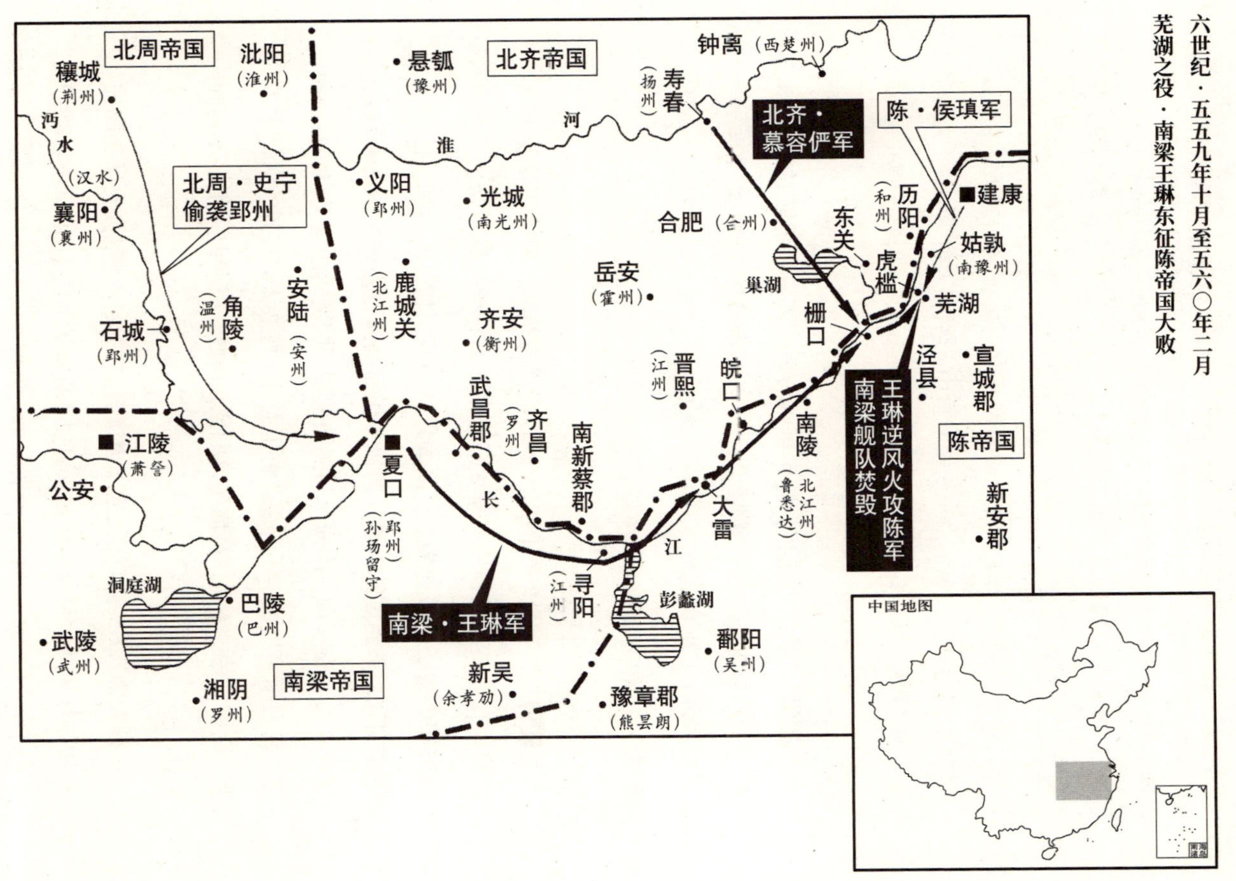

六世纪·五五九年十月至五六〇年二月
芜湖之役·南梁王琳东征陈帝国大败

一），兼主管政府机要（录尚书事）；长广王高湛当最高指挥官（大司马），兼主管国务院并州分院机要（并省录尚书事）；任命国务院左执行长（尚书左仆射）平秦王高归彦当最高监察长（司空）；赵郡王高叡当国务院左执行长（尚书左仆射）。

北齐帝高殷下诏："凡元姓良家子女，发配当奴隶或做苦工，以及赏赐给官宦人家的，一律恢复自由，各回己家。"（去年〔五五九〕五月，屠杀元姓，本年只释放主人，而原是奴隶的，仍当奴隶。）

13 二月二十三日，陈帝国政府命全国武装部队总司令（太尉）侯瑱，当湘巴等五州军区司令长官（都督湘巴等五州诸军事。五州：湘州〔州政府临湘〕、巴州〔州政府巴陵〕、郢州〔州政府夏口〕、江州〔州政府寻阳〕、吴州〔州政府鄱阳〕），镇守湓城（江西省九江市〔寻阳东〕）。

14 北齐帝国一任帝（文宣帝）高洋丧事时，常山王高演常住在皇宫，主持丧葬事宜，皇太后娄昭君有意要他继承帝位，但没有成功。太子高殷登极后，高演只好仍回到朝见的行列，因天子守丧期间，不能过问世事，所以下诏命高演进住东馆（昭阳殿东厢），文武官员启奏事项，都先呈请高演裁决。国务院总理（尚书令）杨愔等，认为高演与长广王高湛，官位太高，血缘太亲，恐怕对幼主不利，暗中猜忌。不久，高演出宫回家，自此，诏书训令很多不再向他请示。

有人警告高演："凶猛的飞禽离开它的巢，一定会发生鸟卵被人吞吃的灾祸，而今，你怎么可以不断出宫？"中山郡（河北省定州市）郡长阳休之晋见高演，高演不见，阳休之对亲王宾友（王友，正五品上）王晞说："从前姬旦早上读一百篇书，晚上见七十个知识分子，

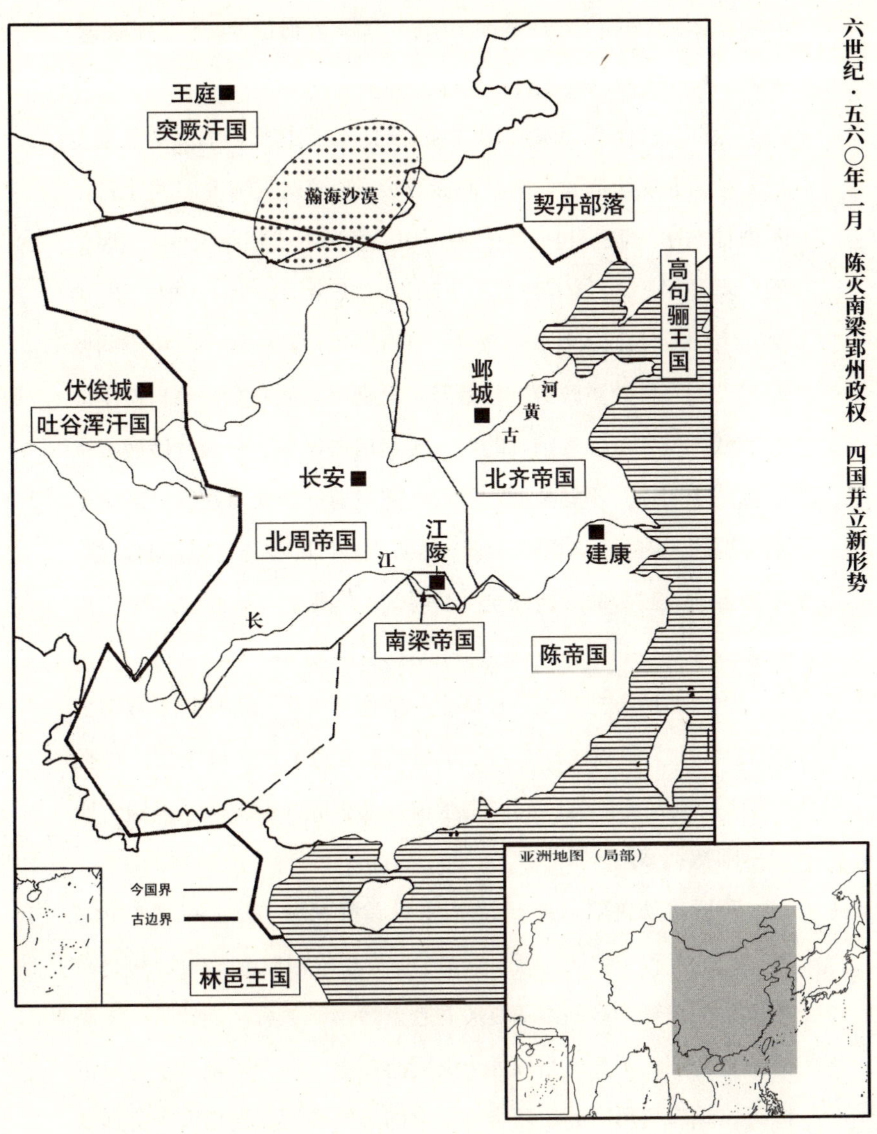

六世纪·五六〇年二月 陈灭南梁郢州政权 四国并立新形势

还恐怕不够，大王（高演）避什么嫌疑，而竟然拒见宾客！”（主少国疑，野心分子纷纷现身。）

之前，一任帝（文宣帝）高洋在位时，文武官员没有人敢保证自己安全，等现任帝（二任废帝）高殷登极，高演对王晞说：“皇上袖手不做什么事，我们也乐得安闲。”并赞叹说：“至尊（高殷）宽厚仁爱，真是保护大业的英主。”王晞说：“先帝（高洋）时，把太子（高殷）交给一个匈奴人保护，而今，天子（高殷）年纪还小，突然间要面对天下万种繁重政务，你最好是早晚都陪伴左右，亲自接受他的旨意，怎么可以教别姓的人，传达诏书训令，和接受臣属奏章报告？要知道，不管是谁，最后必然只有一个人掌握权柄，你虽然想退居王府，什么事都不管，怎么能够！即令你可以如愿以偿，不妨自问，高家命脉能保全多长时间？”高演沉默很久，说：“那我怎么办？”王晞说：“姬旦（周公）扶持姬诵（周王朝二任王成王），摄政七年，然后再把政权归还原主，请你考虑！”高演说：“我怎么能比姬旦！”王晞说：“你今天的地位，要想不当姬旦（周公），怎么可能！”高演不回答。高洋常派匈奴人康虎儿保护太子高殷，所以王晞特别强调。

高殷将从晋阳（山西省太原市）前往首都邺城（河北省临漳县西南邺城镇），文武百官一致认为高演一定会留守皇家根据地（晋阳），可是当权人士却打算命高演跟随高殷同赴京师（首都邺城），而留长广王高湛镇守晋阳；不久，当权人士又疑心高湛，训令两位亲王与皇帝同行。政府官员听到这项措施，全体震骇惊愕。当权人士又训令王晞当并州（州政府晋阳）秘书长（长史）。高演既动身，王晞到郊外送行。高演恐怕有人侦察，命王晞回城，抓住王晞的手说：“努力，保重！”拨转马头，扬鞭而去。

平秦王高归彦负责总管皇家禁卫，杨愔传达北齐帝高殷训令，留随驾禁卫军五千人在西中（西部中央，即晋阳），用以暗中防备非常事变。抵达邺城（河北省临漳县西南邺城镇）数日之后，高归彦才知道，因此对杨愔大为怨恨。

中央禁军总监（领军大将军）可朱浑天和，是可朱浑道元的儿子（可朱浑道元自陇右〔甘肃省〕投奔高欢，参考五三五年正月），娶北齐帝高殷的姑妈东平公主（高欢的女儿），常说："如果不诛杀两位亲王（高演、高湛），幼主没有平安之理。"国务院右执行长（右仆射）燕子献更考虑把太皇太后娄昭君，强行迁移到北宫，而把大权交给皇太后李祖娥。

北齐、北周、陈，三大帝国，数年之间，先后进入瓶颈。这个时期好像台风眼，表面上平静无事，实际上浩劫正在四周酝酿。如果没有强有力的领导，窝里斗就会发生，内斗血流成河。如果有强有力的领导，最后总是被逼上篡夺或屠杀之路，同样血流成河。

自从五五七年以来，北齐的封爵和赏赐，杨愔毫无节制，杨愔打算淘汰整顿。于是，先行上疏辞去开府（宰相级，从一品）及开封王，然后对一切靠拍马功夫、小道手段，使皇帝特别施恩赐给荣耀的人，一一罢黜。于是，这些失去官位的马屁精，纷纷归附常山王高演，和长广王高湛。平秦王高归彦最初跟杨愔、燕子献一条心，但自从杨愔没有跟他们磋商，就留五千人在晋阳（山西省太原市）之后，高归彦中途变卦，而且把变卦原因告诉二位亲王。

总监督长（侍中）宋钦道，是宋弁的孙儿（宋弁事，参考四九二年七月)。一任帝(文宣帝)高洋派他到东宫(太子宫)教导高殷读书识字。现在，宋钦道面告高殷："两位叔父的权势太重，应该马上离得越远越好。"高殷不同意，只说："你可以跟令公(尚书令杨愔)商量。"杨愔打算命两位亲王出京(首都邺城)到外地担任州长(刺史)，因高殷心肠慈爱，恐怕不肯批准，于是上书皇太后李祖娥，详细分析幼主的安危。皇宫女官李昌仪，是高仲密的妻子(高澄强暴李昌仪，逼反高仲密事，参考五四三年正月)，李祖娥因她跟自己同姓，感情十分亲密，李祖娥把杨愔的报告拿给李昌仪看，李昌仪秘密泄漏给太皇太后娄昭君。

杨愔等又商议，认为不可以让二位亲王同时离开京师(首都邺城)前往外地，于是奏准，任命长广王高湛镇守晋阳(山西省太原市)、常山王高演主管政府机要(录尚书事)。两位亲王都正式就职。

二月二十三日，在国务院(尚书省)大宴文武百官。杨愔等将去参加，总顾问长(散骑常侍)兼立法院主任立法官(兼中书侍郎)郑颐劝他不可前往，警告说："事情变化难以预料，行动不要轻率。"杨愔说："我们诚心诚意，效忠帝国，常山王(高演)就职典礼，我怎么能不出席。"

长广王高湛，一早就派他的贴身侍从数十人，在主管政府机要办公厅休息室(录尚书后室)，设下埋伏，并与出席的高官贺拔仁、斛律金等几个人，互相约定说："敬酒敬到杨愔，我们每人都劝他连饮两杯，他一定推辞，我第一次说：'拿酒！'第二次说：'拿酒！'等第三次说：'为什么不拿下！'你们就拿下。"等到宴会开始，依照计划进行，杨愔高声大叫说；"亲王反叛，竟打算谋杀忠良！我尊奉天子，削弱亲王势力，赤胆忠心，奉献国家，犯了什么罪？"高演打算采取缓和手段，高湛说："不行。"侍卫一拥而上，拳头棍杖一顿暴打。杨愔、可朱浑天和、宋钦道，满头满脸，全是鲜血，分别由十个武士擒拿。燕子献力大无穷，头发又少，狼狈冲出大门，斛律光追上捕回。燕子献叹息说："大丈夫谋略迟了一步，弄到今天这种下场。"高湛派太子太保（太子三师之三）薛孤延等到，宫廷医药管理局（尚药局）逮捕郑颐。郑颐叹息说："不听信智者言语，才有这样结果，岂不是命运如此。"

两位亲王跟平秦王高归彦、贺拔仁、斛律金，前呼后拥，押解杨愔等，硬闯云龙门（皇宫内城东门），看到司令官（都督）叱利骚（叱利，复姓），教他上前接应，叱利骚不理，高湛命骑兵击斩叱利骚。开府仪同三司（宰相级，从一品）成休宁抽出佩刀，喝令高演止步，高演教高归彦上前劝告，成休宁厉声拒绝。但高归彦长期担任中央禁军总监（领军），禁卫军官兵一向对他畏服，在听到高归彦命令后，全都放下武器，成休宁叹息，只好作罢。

高演进宫，到昭阳殿；高湛及高归彦停在朱华门外（朱华门在太极殿后，门内即昭阳殿）。北齐帝高殷和祖母、太皇太后娄昭君一同出来，娄昭君升殿，皇太后李祖娥及高殷，站在太皇太后两旁。高演跪下，用头叩地，报告说："我跟陛下是至亲骨肉，杨愔等却打算把持政府，随心所欲的作威作福，王爵公爵以下官员，连脚都不敢抬、连气都不敢喘。奸党互相勾结，制造混乱，如果不早日铲除，定给帝国带来灾害。我跟高湛以国事为重，贺拔仁、斛律金珍惜献武皇帝（高欢）创下的基业，共同逮捕杨愔等入宫，不敢诛杀。我们没有奉到命令，就采取断然措施，应该处死万次。"

当时，殿庭中及两厢禁卫武士二千余人，都身穿铠甲，听候命令，只等小皇帝一句话，即出手搏击。武卫将军娥永乐（娥，姓），勇猛有力，一向受高洋的厚爱，拔刀微微出鞘，抬头上看，可是小皇帝却不看他一眼，而高殷患有口吃毛病（患病原因，参考前年〔五五八〕十一月），面对突然爆发的巨变，仓猝之间，不知道说什么才好。太皇太后娄昭君命禁卫军武士退下，禁卫军武士不退，娄昭君厉声说：“你们这些奴才，今天就人头落地！”禁卫军武士才退下。娥永乐推刀入鞘，泣不成声。

太皇太后娄昭君遂问：“杨郎在哪里？”（杨愔是娄昭君的女婿，所以称杨郎。）贺拔仁说：“一个眼珠已经打出。”娄昭君悲怆说：“杨郎有什么作为，留下他岂不更好！”于是责备小皇帝高殷说：“这种人存心叛逆，打算杀我的两个儿子（高演、高湛），下一步就是杀我，你为什么庇护？”小皇帝高殷仍说不出话。娄昭君既怒又悲（怒他说不出话，悲他说不出话的原因），说：“怎么可以使我们母子，受汉人老太婆（皇太后李祖娥）的摆布！”李祖娥在旁叩头，娄昭君对李祖娥发誓：“高演绝对没有二心，只是除掉迫害他的人而已。”高演叩头不停，李祖娥对高殷说：“你还不去安慰两位叔父！”高殷这时才忽然说出话来：“就是我这个天子也不敢求叔父怜惜，何况那些汉人！只求饶我一命，我自己会下殿回去，那些人随叔父的意见处分。”于是，把杨愔等斩首（杨愔年五十岁）。

长广王高湛因郑颐曾经陷害过自己（史书没有记载是什么事），先把郑颐的舌头拔下来，再砍下手，然后诛杀。高演命平秦王高归彦率禁卫军武士进驻华林园，而命京畿卫戍部队入宫守卫门户楼阁（忠于高洋的贴身卫士调出皇宫，李祖娥母子孤立，成了砧板上的鱼肉），就在华林园，斩娥永乐。

娄昭君亲自祭悼杨愔，哭说：“杨郎忠心耿耿，却被认为有罪！”用御库房黄金做成一只眼，亲自安到杨愔尸体眼眶里，说：“表示我的寸心！”高演不久也后悔诛杀杨愔。但仍由高殷下诏（高演诏），宣布杨愔等罪状，声明："刑罚只限于一身，家属不受牵连。"可是不久，又按照户籍名册，逮捕五人的家属（五人：杨愔、可朱浑天和、燕子献、宋钦道、郑颐），王晞竭力劝阻，高演才准许各家只诛杀一房，无论男女连同怀抱中的婴儿，全部斩首；兄弟辈全部革除官职，褫夺公权（只诛杀一房，应是只诛杀嫡长子一房，兄弟也应是嫡长子的兄弟；杨愔曾遭满族屠灭之祸〔参考五三一年六月〕，自身并没有兄弟）。

高演命立法院最高立法长（中书令）赵彦深，代理杨愔政府领袖职务，藩属事务部副部长（鸿胪少卿）阳休之，私下对人说："我们将要跋涉千里，却杀掉麒麟，换上一头笨驴，没有比这个更为可悲。"

二月二十六日，高殷下诏（高演诏）任命高演当大丞相、全国各军区总司令长官（都督中外诸军事）、主管政府机要（录尚书事）；高湛当太傅（上三公之二）、京畿军区总司令官（京畿大都督）；段韶当最高统帅（大将军）、平阳王高淹当全国武装部队总司令（太尉）、平秦王高归彦当宰相（司徒）、彭城王高淑当国务院总理（尚书令）。

15 南梁帝国江陵（湖北省江陵县）陷落时（五四四年十二月），长城公爵陈霸先的世子陈昌，及立法院主任立法官（中书侍郎）陈顼，都被西魏帝国俘虏，押解长安（西魏首都，陕西省西安市）。陈霸先当皇帝（五五七年十月）后，不断向北周帝国请求，北周帝国允许把陈昌送回，但一直不肯放行。等到陈霸先逝世，北周帝国才命陈昌动身（早送陈昌回去，可以继承一个帝国，对北周有无限好处。陈霸先一死，陈昌不过长安市上一介平民，毫无政治价值；北周帝国有官僚而没有政治家，所以落后一步）。因南梁帝国郢州政府（湖北省武汉市）的大军据守长江中游，道路不通，陈昌不能前进，暂住安陆（北周安州州政府所在县，湖北省安陆市），不久，郢州政府（湖北省武汉市）瓦解，陈昌从安陆（湖北省安陆市）出发，将过长江时，写信给陈帝国现任皇帝（二任文帝）陈蒨，措辞傲慢，陈蒨大不愉快，召见侯安都，心平气和的说：“太子就要回来，我当请求封我一个藩国，退休养老。”侯安都说：“自从古代以来，天子怎么可以交班！我固然愚昧，不敢接受这项命令。”因此请求亲自迎接陈昌。于是，文武百官纷纷上疏，建议封陈昌爵位。

二月二十八日，陈蒨任命陈昌当骠骑将军、湘州（州政府设临湘〔湖南省长沙市〕）全权州长（牧），封衡阳王。

陈昌手无寸铁，身居非被扑杀不可之地，步步走入虎穴，采取最低姿态，都不足以保命，他唯一的保命方法是永不回来，老死异国，这就是政治；而他竟出言不逊，认为陈蒨会被他吓住，满怀歉意的吐出政权。怎么没有想到：那将逼陈蒨除了急下毒手外，别无选择。而侯安都，一个急功好利的莽汉，陈昌没有先把他收买——例如承诺封他一个王爵之类，怎么竟然敢只身过江？

陈昌这个浅碟子，如果他是一个普通人，不过闹些笑话，作为茶余饭后的谈助，偏偏他是皇位继承人，浅碟子只好用来装自己的血。

16 北齐帝国大丞相高演，前往晋阳（山西省太原市），抵达后，对王晞说：“不听你的话，几乎送命。而今，君王身旁奸邪虽然已经肃清，但以后漫长的日子，我将怎么办？”王晞说：“你从前的官位和权势，还可以用人伦、礼教，来决定进退，今天的情形有变，事关天命，不能再遵守平常道理。”高演奏准任命赵郡王高叡当秘书长（长史）、王晞当军政官（司马）。

三月三日，小皇帝高殷下诏（高演诏）：“军国大事，都送往晋阳（山西省太原市），请大丞相（高演）裁决。”

17 最初，北周帝国军对南梁帝国郢州政府（夏口，湖北省武汉市）发动攻击时（参考本年〔五六〇〕二月），郢州自卫军副司令（助防）张世贵，献出外城投降，一时之间，失去军民三千余人。北周兴筑土山，架设长梯，昼夜不停攻击，并乘风势纵火，焚毁内城南面五十余个碉堡。南梁郢州州长（刺史）、留守总部司令官（总留事）孙玚，手下军队不满一千人，但孙玚亲自慰劳，劝酒送饭，官兵都愿死战。北周军无法攻克，北周政府乃加授孙玚：柱国（勋官一级，正九命）、郢州州长（刺史），封一万户人家郡级公爵。孙玚假装接受，以延缓对方攻势，却利用谈判期间，暗中整修防御武器备战，短时间内，完全齐备，于是继续抵抗。不久，北周政府听到王琳溃败，陈帝国大军将乘胜西上消息，遂解围撤退。孙玚召集军事会议，对将领们说：“我跟王公（王琳）一同尽忠皇家（南梁帝国），辛苦不懈，筋疲力尽，而今局势如此，岂不是天意！”遂派使节携带奏章，前往建康（陈首都，江苏省南京市），献出长江中游地区，向陈帝国投降。

南梁帝国郢州政府丞相王琳率军东下时，陈帝陈蒨向南川（江西省）征调援军，江州州长（空头官衔）周迪（根据地在临川郡〔江西省南城县〕）、高州（州政府设巴山〔江西省崇仁县〕）州长（刺史）黄法氍，各率水军出动；豫章郡（江西省南昌市）郡长熊昙朗据守城池，集结船舰，切断援军通道，周迪等跟宁州州长（空头官衔）周敷（根据地在临川故郡〔临汝，江西省抚州市临川区〕）联军包围豫章（江西省南昌市）。王琳失败，熊昙朗军心离散，周迪攻克城池，俘虏男女一万余口。熊昙朗逃走，到了一个村庄，村民把他斩首。

三月六日，人头送到建康（江苏省南京市），中央下令屠杀熊昙朗全族。

18 北齐帝国原先占领鲁山（湖北省武汉市汉水南岸）。三月七日，北齐军放弃城池撤退。陈帝国政府南豫州（州政府姑孰）州长（刺史）程灵洗进驻鲁山。

19 三月十三日，陈帝国设置沅州（州政府设沅陵〔湖南省沅陵县〕）、武州（州政府设武陵〔湖南省常德市〕），任命首都西区卫戍司令（右卫将军）吴明彻当武州州长（刺史），孙玚当沅州州长（刺史）。孙玚心怀疑惧，请求放弃兵权，调往中央，态度坚决。中央征召孙玚当中央禁军总监（中领军）；孙玚还没有到任，再任命他当吴郡（江苏省苏州市）郡长。

20 三月二十一日，北齐帝高殷封伯父高澄的儿子高孝珩当广宁王、高长恭当兰陵王。

21 三月二十三日，陈帝国衡阳王（献王）陈昌，进入陈帝国边境，陈帝陈蒨下诏，派立法院文书助理官（主书）、立法院立法官（舍人），沿途迎接侍候。

三月二十五日，陈昌上船南渡长江，走到江心，被谋杀丧命（年二十四岁），尸体投入长江。迎接的使节（侯安都）回京（首都建康）报告说：陈昌自行失足落水淹死。侯安都因建立这次大功，晋封清远公爵。

最初，陈霸先派荥阳（侨郡）人毛喜，随从侄儿陈顼前往江陵（当时南梁首都，湖北省江陵县），南梁帝国四任帝（元帝）萧绎命毛喜当立法院主任立法官（侍郎），后来被掳往长安（西魏、北周首都，陕西省西安市），跟陈昌同时回国，向中央提出跟北周帝国和解政策，陈帝陈蒨同意，派总监督长（侍中）周弘正，前往北周聘问。

夏季，四月六日，陈蒨封皇子陈伯信当衡阳王，负责陈昌的祭祀。

22 北周帝宇文毓，聪明敏捷，有见识度量，晋公爵宇文护心中畏惧，命国务院御厨司长（天官膳部中大夫）李安，把毒药放到糖饼中进呈，宇文毓吃下后，知道受到暗算。

四月十九日，病情危急，口述遗诏五百余言，吩咐："我的儿子年纪很小，不堪担负帝国重任。鲁公爵（宇文邕）是我的老弟，宽厚仁爱，豁达大度，全国人民，共知共闻，使帝国弘大，必定是他。"

四月二十日，宇文毓逝世（年二十七岁）。

宇文邕从小就有高贵气质，很受老哥宇文毓的爱护，政府大事，多半跟他商议。宇文邕性情沉静稳重，有眼光见识，除非有人征求他的意见，他从不开口多言。宇文毓常赞叹说："这个人平常不多说话，每次说话，一定中肯。"

四月二十一日，宇文邕（本年十八岁）登极继承帝位（三任武帝）；大赦。

23 五月二日，北齐帝国任命开府仪同三司（宰相级，从一品）刘洪徽，当国务院右执行长（尚书右仆射）。

24 南梁帝国清远公爵侯安都的老爹侯文捍，当始兴郡（广东省韶关市）郡长，死在任所。陈帝陈蒨迎接侯安都的娘亲回京（首都建康），娘亲一再请求留在乡下（侯安都是始兴郡曲江县〔郡政府所在县〕人）。

五月五日，陈蒨特别为侯家设立东衡州（南梁帝国本来就在始兴设东衡州〔参考五五七年正月〕，当是已经撤销，而今恢复），任命侯安都的堂弟侯晓当州长（刺史）。侯安都的儿子侯祕，只有九岁，陈蒨命他当始兴郡郡长，一同在乡下侍奉祖母。

六月十二日，陈蒨下诏，把南梁帝国四任帝（元帝）萧绎的灵柩安葬江宁（江苏省南京市江宁区西南。五五七年八月，北周帝国把萧绎的灵柩，归还南梁帝国郢州政府。郢州政府瓦解，陈帝国再加安葬）。车马旗帜、典礼仪式，全依照南梁帝国规定。

25 北齐帝国政府收殓永安王高浚、上党王高涣的尸体，重新安葬。北齐帝高殷训令高涣的王妃李女士，恢复自由，返回王府（二王被杀及李女士强配家奴冯文洛事，参考前年〔五五八〕十二月）。冯文洛在李女士发配期间，跟她有同床共枕之情，乃服装整齐，前往相会，李女士出动大队侍卫武士，左右排列，命冯文洛站在台阶下面，教训他说："身受大难，流离失所，以至受到难忍的奇耻大辱，只因我意志不够坚定，不能自杀。现在幸蒙诏书恩典，得以回到王府，你是什么东西，还想再来侮辱！"打冯文洛一百军棍，血流满地。

26 秋季，七月七日，陈帝陈蒨封皇子陈伯山当鄱阳王。

27 北齐帝国大丞相高演，因智囊王晞的儒家学派气息太重，而性情又很缓慢，恐怕不合将领们的心意，不敢公开跟他有密切关系，于是，每天晚上把王晞秘密接到王府密谈；白天见面时，却故意表示疏远，不跟他讲话。曾经把王晞带入密室，对王晞说："最近，一些王侯将相，屡次给我压力，劝我采取行动，警告我说：违背天意的人，不会吉祥，恐怕将来爆发政变；我打算用法律对他们制裁，你认为如何？"王晞说："皇上（高殷）前些时疏远亲人（指叔父高演等），你仓猝之间所作的激烈反应（杀杨愔等），已不再是人臣应做的事。天子（高殷）看见你就好像芒刺在背，君臣上下，互相猜疑，这种局面怎么可能维持太久！你虽然想谦让退避，轻视宝座，恐怕实在是违反天意，坠毁先帝（指高欢）基业。"高演说："你怎么敢发表这种谋反言论，势必要受法律制裁！"王晞说："天时人事，都同此心，所以我才敢冒着被刀斧诛杀的危险，不过，我相信神明一定赞许。"高演说："救国救民，矫正时代弊端，当等候圣贤莅临，我怎么敢私下策划，最好不要告诉别人。"丞相府参谋指挥官（丞相从事中郎）陆杳，将出使外地，握住王晞的手，希望王晞劝告高演早日登上宝座。王晞把陆杳的话告诉高演，高演说："如果里外的人都有这种意思，赵彦深早晚都在左右，为什么他连一句话都没有！"王晞乘着公务闲暇，私下询问赵彦深。赵彦深说："最近，我也很惊讶朝野人士发出一致拥护的声音，可是每次想向丞相（高演）报告，就口颤心跳，你既然已开了头，我也当冒死显示我对他的肝胆相照。"遂共同劝告高演。

最后，高演报告太皇太后娄昭君。赵道德说："相王（亲王兼丞相高演）不效法姬旦（周公）辅佐姬诵（周王朝二任王成王），却打算夺取骨肉的宝座，难道不怕后世抨击你篡位！"娄昭君说："赵道德的话有理。"可是，不久，高演又报告："天下不安，人心浮动，恐怕忽然发生变化，应早一天确定名位！"娄昭君同意，一次不流血政变在暗中紧急进行。

八月三日，娄昭君下令：罢黜北齐帝高殷（本年十六岁），改封济南王，搬出皇宫，另住其他宫殿。而命常山王高演（本年二十六岁）入继帝位，警告高演说："不要使你的侄儿（高殷）发生意外。"高演遂在晋阳（山西省太原市）登上宝座（三任孝昭帝），大赦，改年号皇建（之前是乾明元年，之后是皇建元年）。太皇太后娄昭君改称皇太后；皇太后李祖娥改称文宣皇后，住处称昭信宫。

八月六日，高演下诏，封功臣后代，赏赐有品德声望老年人礼物（黄帽、鸠头手杖），接见耿直人士，垂听批评言论，褒奖为国牺牲的官兵，对死去的知名官员，追赠绰号。

高演对王晞说："为什么你变得跟外人一样，也不来见个面。从今以后，即令不是你主管的事情，只要有意见，就随便写到一张纸上，等我一有空，就递给我。"因此训令王晞，和国务院执行官（尚书）阳休之、藩属事务部长（鸿胪卿）崔劼等三人，每天下班，一起进宫到寝殿东厢，共同研究历代礼仪、音乐、官制、土地赋税等，有的现在已发生弊端，但仍一直沿用，有的古时候有利，但今天却有害；有些人品德高尚，却长久被迫害压制；有些人则花言巧语，行为邪恶，妨碍政令推行。对以上种种，高演都命他们多方考虑，仔细检讨，逐条列出奏报。早晚由御厨房供应饮食，夕阳西下后才准他们回家。

高演有见识、有度量，沉着而敏捷，从小就进入政府，对于法令规章，行政运作，都很了解熟练。当了皇帝之后，尤其勤勉努力；对一任帝（文宣帝）高洋时代的苛法暴政，大量改革，时人敬佩他的英明，但也嫌他过分挑剔。高演曾经问立法院立法官（舍人）裴泽，在外面听到些什么对时政得失的批评。裴泽没有思考就直率回答:“陛下聪明，大公无私，自可远比古代圣王。但是有见识的人士，都说陛下做事琐碎，对一个帝王而言，胸襟不能算宽大。”高演笑说:“你说的一点不错，我开始处理帝国万种机要大事，考虑不够周详，所以才出毛病，不可能一直如此！问题是，如果不这么全神贯注，恐怕往后又会发生疏阔遗漏！”裴泽自此受高演宠信礼遇。

有一天，库狄显安（库狄，复姓）在旁陪坐，高演说:“显安，你是我姑妈的儿子（库狄显安的老爹库狄干，娶高欢的妹妹乐陵长公主，是高演兄弟们的姑父，参考五四四年三月），今天只论我们的亲戚关系，抛开君臣之间那一套，请告诉我，我有什么过失？”库狄显安说:“陛下常说假话。”高演说:“何以见得？”库狄显安说:“从前，你看到文宣皇帝（一任帝高洋）用马鞭打人，常认为那是不对，可是现在陛下也常用马鞭打人，过去说的岂不是假话？”高演握住他的手道歉，命他继续批评。库狄显安回答说:“陛下处理事情太琐碎，堂堂天子，倒更像一个事务员。”高演说:“我也很了解这一点，只因为没有法律的日子太久，我要把它整顿到无为而治。”高演用同样话题询问王晞，王晞说:“库狄显安的话对了。”库狄显安，是库狄干的儿子。文武百官建议或批评，高演都能心平气和接受。高演性情十分孝顺，娘亲娄昭君害病，高演走路时小心谨慎，连木屐都穿不正，面貌憔悴，在病床前侍候，衣服都没有时间更换，将近四十天之久。娘亲的病势稍稍加重，高演在病房外打地铺，饮食医药，都亲手料理。娘亲曾经发作过难以忍受的心痛，高演在帷帐前侍候，用指爪掐自己手掌代替娘亲痛苦，以致掐出鲜血，流出袖外；对每位老弟都很友爱，不因他是君王之故，产生隔阂。

八月九日，高演任命长广王高湛当右丞相、平阳王高淹当太傅（上三公之二）、彭城王高湝当最高指挥官（大司马）。

28 北周帝国国防部军政司长（夏官军司马中大夫）贺若敦，率军一万人，突然袭击陈帝国的武陵（湖南省常德市），武州（州政府武陵）州长（刺史）吴明彻不能抵抗，率军退回巴陵（湖南省岳阳市）。

南梁帝国江陵（湖北省江陵县）陷落时（参考五五四年十二月），巴湘地区（湖南省中部北部）全部落到北周帝国之手，北周帝国转交南梁帝国江陵政府（皇帝萧詧）派军镇守（江陵陷落时，湘州〔州政府临湘〕一带，都是王琳势力范围，当在王琳东迁至郢州〔州政府夏口〕之后，后防空虚，萧詧乘机夺取）。陈帝国全国武装部队总司令（太尉）侯瑱等（时侯瑱驻守湓城，参考本年〔五六〇〕二月二十三日），率军进逼湘州（州政府设临湘〔湖南省长沙市〕），贺若敦率步骑兵乘胜深入，驰往增援，大军抵达湘川（湘江）。

九月七日，北周帝国将领独孤盛率船舰跟贺若敦水陆并进。

九月十三日，陈帝国政府派仪同三司（宰相级）徐度，率军抵达巴丘山（湖南省岳阳市西南），跟侯瑱会师。正巧秋季水涨，泛滥成灾，北周独孤盛、贺若敦，粮食吃完，援军断绝，只好派军四出抢夺，供应军需。贺若敦恐怕侯瑱发觉他粮食不继，就在大营中堆积很多土堆，在上面覆盖稻米，然后召唤附近村落居民，假装查询别的事情，查询后放他们回去。侯瑱遂辗转得到报告，认为北周大军粮食充裕。贺若敦又增筑营垒碉堡，以及眷属房舍，表示将长期驻扎。湘州（州政府临湘）、罗州（州政府设湘阴〔湖南省湘阴县北〕）一带，陷于两大帝国的拉锯战中，人民无法农耕，侯瑱等束手无策。

最初，当地居民经常驾轻便小船，把粮食鸡鸭等送给侯瑱等大军。贺若敦十分忧虑，遂派出同样的轻便小船，由士卒假扮当地居民，满装供应物品，而在舱内埋伏武士。侯瑱官兵望见，认为运

六世纪·五六〇年八月至十月 周陈湘南争夺战

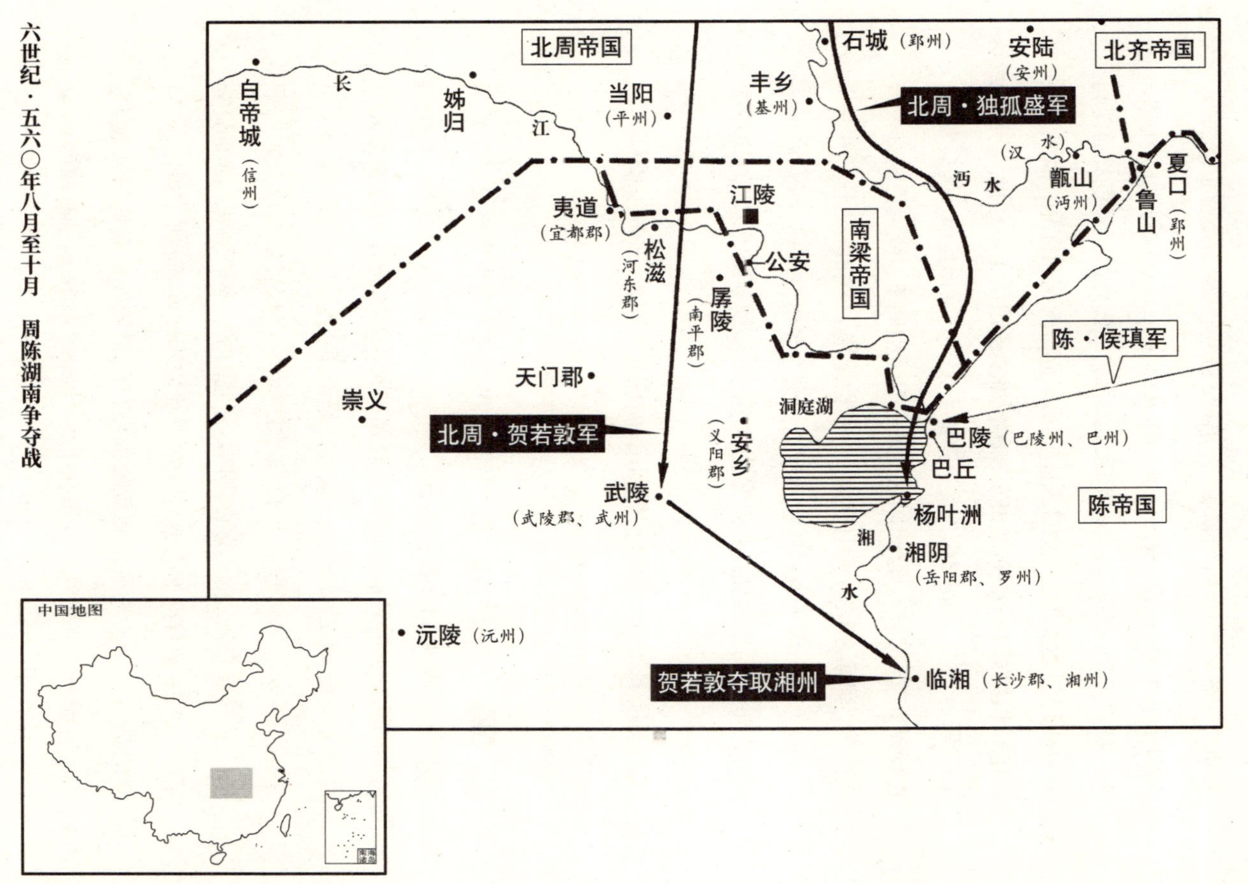

粮船到，争先恐后向前迎接，北周伏兵发动，把侯瑱军生擒活捉。北周军又不断有官兵叛变，骑马投降陈军。贺若敦特别选出一匹马，带它上船，而命船上人用鞭迎头抽打；如此再三再四，那匹马就对船只深为畏惧，不肯上船。然后，贺若敦伏兵江边，而派人骑那匹畏惧船只的马，向侯瑱军宣称投降。侯瑱派士卒迎接，纷纷上前牵马。可是，马既畏惧船只，不敢上船，支撑挣扎时，伏兵发动，把侯瑱军全部击斩。自此以后，真正的运粮船来，或真正的有人骑马投降，侯瑱总认为其中有诈，一律拒绝接受，加以攻击。

冬季，十月十五日，侯瑱利用机会，袭击驻守杨叶洲（湘江注入洞庭湖处小岛）的独孤盛。独孤盛放弃小岛，集结部队上岸，兴筑城垒自保。

十月十九日，陈帝陈蒨下诏，命最高监察长（司空）侯安都率军跟侯瑱会师，共同讨伐。

29 十一月四日，北齐帝高演封正妻元女士当皇后，世子高百年当太子。高百年本年五岁。

高演征召前开府仪同三司府秘书长（前开府长史）卢叔虎当太子宫政务署长（太子中庶子）。卢叔虎，是卢柔的堂叔（卢柔，参考五三四年六月）。高演向卢叔虎征求对时局的意见，卢叔虎建议攻击北周帝国，说："我们强，他们弱，我们富，他们贫，形势悬殊。然而战争不断，始终没有把他们吞并，在于我们不能发挥我们的强富。轻率的把大军投入野战，胜负难以预料，是匈奴骑兵的一种战术，不是万无一失的谋略！应该在平阳（晋州州政府所在县，山西省临汾市）设立军事重镇，跟他们的蒲州（州政府设蒲阪〔山西省永济市〕）遥遥相对，然后深挖壕沟，加高城墙，集中粮食和武器铠甲。他们如果紧闭关卡不敢出战，我们就像蚕一样慢慢吃掉他们的河东（山西省西南部）土地，使他们每天萎缩。他们如果出战，则除非十万以上大军，否则根本不够资格跟我们对抗；而他们消耗的粮食，全部出自关中（陕西省中部）。我们的部队，每年轮调，军用富饶。他们如果主动攻击，我们不作反应。他们如果退走，我们就利用他们疲惫。长安（北周首都，陕西省西安市）以西，人口稀少，城池稀疏。如果深入来往，实在辛苦艰难（因没有村落可以抢掠，无法获得补给）。但一旦跟我们僵持，农田就会荒芜，用不了三年，他们自然残破瓦解。”高演认为分析中肯，判断正确。

高演亲率大军攻击入侵的库莫奚部落（内蒙古西拉木伦河上游），进抵天池（山西省宁武县西南管涔山上）。库莫奚部落穿过长城（高洋所筑，参考五五六年十二月），向北逃走。高演分兵数路追击，俘获牛羊七万头，班师。

30 十二月十八日，陈帝陈蒨下诏，说：“自初春到夏，自动招认的死刑囚犯，暂时停止执行死刑。”

31 十二月二十二日，北周帝国巴陵（湖南省岳阳市）城防司令（城主）尉迟宪，向陈帝国投降；陈帝国派巴州（州政府巴陵）州长（刺史）侯安鼎接收镇守。

十二月二十三日，北周将领独孤盛率领残余军队，从杨叶洲（湘江注入洞庭湖小岛）秘密撤退逃走（贺若敦形势更孤立）。

32 十二月二十九日，北齐帝高演返晋阳（山西省太原市）。

高演在金銮宝殿上处决囚犯，问王晞说：“这个人应不应死？”王晞说：“应死，但遗憾的是他死的不是地方。我听说：‘在街市诛杀囚犯，使人民看到，共同唾弃。’（《礼记·王制》）殿庭高贵之地，不是杀人场所。”高演面色严肃，道歉说：“今后当为你改正我的过错。”

高演准备任命王晞当总监督长（侍中），王晞苦苦推辞，不肯接受。有人劝王晞不可以自己故意跟皇帝疏远，王晞说：“我从小时候到现在，所见过的权贵，多如牛毛，一旦洋洋得意，用不了多久，很少不跌倒失败！而且我的性情实在疏阔缓慢，不适合负责实际政治。人主私人的恩典宠爱，怎么可以依靠！万一发生变化，想退一步已没有立足之地，并不是我不想当权贵高官，只是我考虑得太透彻而已！”

最初，一任帝（文宣帝）高洋末年，粮食价格飞涨。二任帝（废帝）高殷登极后，国务院左秘书长（尚书左丞）苏珍芝建议，在石鳖（阳平郡城，江苏省淮安市洪泽区）等地推行武装部队开荒垦田，自此，淮南（淮河以南）驻军粮食充足。三任帝（孝昭帝）高演登极，平州（州政府设肥如〔河北省卢龙县北〕）州长（刺史）嵇晔，建议开发督亢陂（河北省涿州市东南小平原），也用武装部队垦田，每年收割稻米及粟米数十万石，北方边境人民，得以温饱。北齐政府更在河内地区（河南省北部）设“怀义屯垦区”（怀义，指怀州〔州政府野王，河南省沁阳市〕、义州〔州政府枋头城，河南省淇县东南淇门渡〕）等，用来供应河南（黄河以南）军需。从此，转运军粮的辛劳，稍稍减轻。

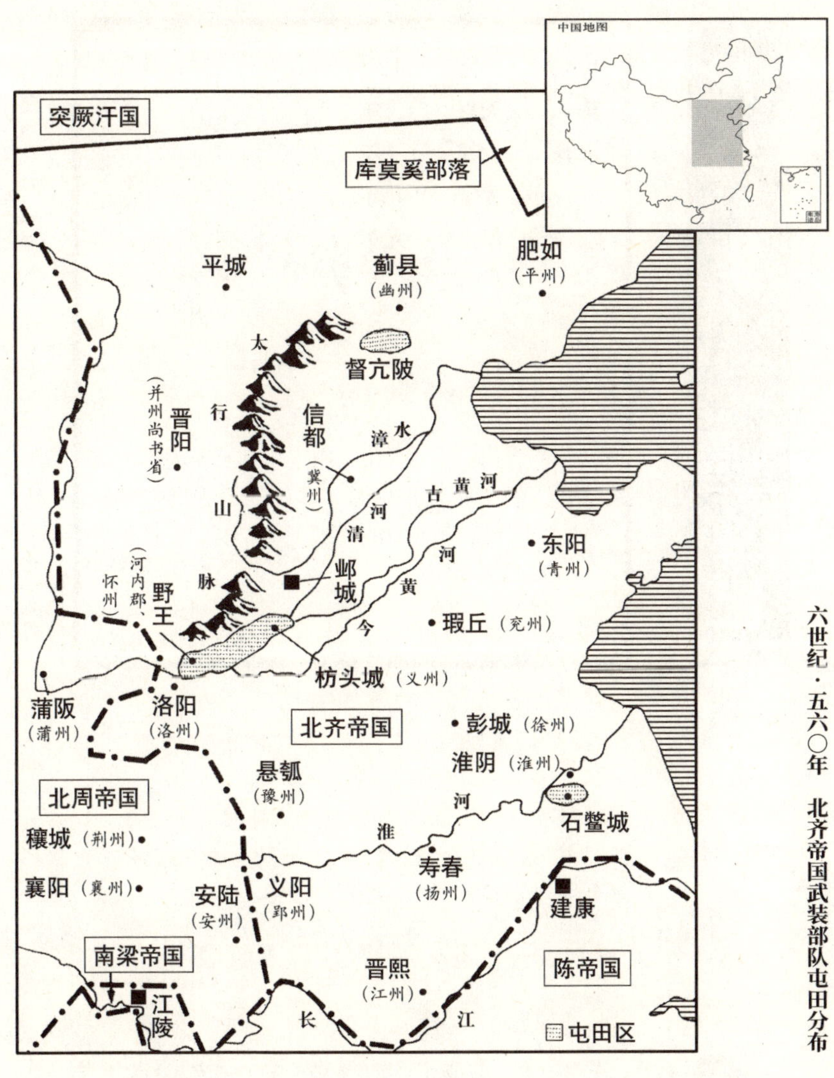

六世纪·五六〇年 北齐帝国武装部队屯田分布

五六一年

辛巳

南梁	大定	七年
陈	天嘉	二年
北齐	皇建	二年
	太宁	元年
北周	保定	元年

1 春季，正月一日，北周帝国（首都长安〔陕西省西安市〕）改年号保定。任命国务院总理（大冢宰）宇文护当全国各军区总司令长官（都督中外诸军事）；命五部（五府）都受国务院监督（五府总于天官），事情不管大小，都先行裁定，然后奏报（北周帝国政府用“六官”制，天官大冢宰〔国务院总理〕、地官大司徒〔内政部长〕、春官大宗伯〔教育部长〕、夏官大司马〔国防部长〕、秋

官大司寇〔司法部长〕、冬官大司空〔农工部长〕）。

2 正月三日，陈帝国（首都建康〔江苏省南京市〕）大赦。

3 北周帝国（首都长安〔陕西省西安市〕）皇帝（三任武帝）宇文邕（本年十九岁）前往圆形神坛，祭祀天神。

4 正月四日，北齐帝国（首都邺城〔河北省临漳县西南邺城镇〕）皇帝（三任孝昭帝）高演（本年二十七岁）前往圆形神坛，祭祀天神。

正月五日，再前往皇家祖庙（太庙）祭祀祖先。

5 北周帝宇文邕前往方形神坛，祭祀地神。

正月七日，前往首都长安南郊，祭祀“感生帝”（自西汉王朝以来，儒家系统提倡君尊臣卑，帝王遂被神化，认为帝王们的祖先全是太微星和五色帝的精子相感而生。传说商王朝始祖子契的娘亲，吃了大蛋而怀孕；周王朝始祖姬弃的娘亲踩了一下男人的脚印而怀孕。大蛋和脚印，都被称感生帝）。

正月八日，又前往大型神坛（大社）祭祀农神。

6 北齐帝高演命王琳前往合肥（安徽省合肥市），招募南方地痞流氓，另谋发展。陈帝国合州（州政府侨置长江南岸）州长（刺史）裴景徽，是王琳老哥王珉的女婿，愿率领私人军队，作为向导（王珉，参考五五五年十二月）。高演命王琳会同中央特遣政府政务秘书长（行台左丞）卢潜，率军南下协助，王琳迟疑沉吟，不敢决定。裴景徽恐怕事情泄漏，先拔身投奔北齐帝国。高演任命王琳当骠骑大将军、开府仪同三司（宰相级，从一品）、扬州（州政府寿阳）州长（刺史），镇守寿阳（安徽省寿县）。

7 正月二十二日，北周帝宇文邕在皇家祖庙（太庙）祭祀祖先，颁布老爹宇文泰制定“六官”的著作（北周帝国官制，完全模仿周王朝，而周王朝距北周帝国，有一千七百年之久，这种复古的狂热行动，植根于儒家学派心灵深处，一有机会，就要呈现。一千七百年前的社会，用六个部治理，可能胜任愉快，一千七百年后的社会，六个部绝对无法负荷，而苏绰、宇文泰等强行复古的结果，只不过在历史上留下一连串古怪的官名，供后人凭吊）。

正月二十四日，北周帝国湘州（州政府设临湘〔湖南省长沙市〕）城防司令（城主）殷亮，向陈帝国围城军投降；湘州（湖南省中部）纳入陈帝国版图。

陈帝国全国武装部队总司令（太尉）侯瑱，跟北周帝国国防部军政司长（夏官军司马中大夫）贺若敦，僵持日久（参考去年〔五六〇〕九月），而侯瑱无法取胜。最后，侯瑱提出和解，愿借给贺若敦船只，送他渡长江北返。贺若敦怀疑是一个圈套，拒绝，但回答说：“湘州（湖南省中部）本是我国疆土，受到你们侵略压迫。如果真心诚意要我回军，就请你们撤退到一百华里之外。”侯瑱同意，把空船留在江岸，率军离去。贺若敦遂拔营北返，官兵病死的占十分之五六。武陵（湖南省常德市）、天门（湖南省石门县）、南平（侨郡，湖南省安乡县北）、义阳（侨郡，湖南省安乡县）、河东（侨郡，湖北省松滋市西北）、宜都（湖北省宜都市）等郡，全归陈帝国版图。北周帝国晋公爵宇文护，认为贺若敦丧失国土，无功而还，撤除贺若敦官职，贬作平民。

二月十八日，黎明，北周帝宇文邕在首都长安（陕西省西安市）东郊，祭拜日神（上古时，春季黎明祭拜日神，秋季黄昏祭拜月神；北周帝国是一个复古王朝，在祭祀上尤其突出）。

北周政府因内政部副部长（小司徒）韦孝宽，曾经在玉壁（山西省稷山县）建立功勋（参考五四六年十月），于是在玉壁设立勋州，命韦孝宽当州长（刺史）。韦孝宽待人有恩，言出必行，精通间谍斗智。有些北齐人接受韦孝宽的金钱或礼物，常常遥通信息。所以北齐帝国的一举一动，韦孝宽都能知道。一位名叫许盆的总带兵官（主帅），献出驻防的城池向北齐投降，韦孝宽派间谍前往惩罚，不久，提着许盆的人头回来。

离石（山西省吕梁市离石区）以南的生胡（仍保持原始生活的匈奴人），经常出没北周国境，抢掠民间的财产牲畜，生胡既住北齐国内，北周政府无法出军讨伐。韦孝宽打算在险要地方筑城，扼住生胡的咽喉，于是征调河西（汾水以西）囚犯及民夫十万人，另派武装士卒一百人，命开府仪同三司（勋官三级，从九命）姚岳监工。姚岳因兵力太少，心中恐惧，不敢前往。韦孝宽对他分析说："计算筑城的时间，十天足够，这个要塞距齐国（北齐帝国）晋州（州政府设平阳〔山西省临汾市〕）四百余华里，我们第一天动工，敌人第二天才能发觉，即令晋州紧急动员，也需要三天时间，才能集结完成，加上召开军事会议，准备粮秣武器，又得耽误两天，出发行军，非两天不能赶到，等他们真的赶到，我们的城墙和护城壕沟，已经完成。"下令进行。北齐帝国人马果然进逼边境，疑心北周设有埋伏，停留在那里，不敢前进。当天夜晚，韦孝宽命汾水以南，南到介山（山西省万荣县南）、稷山（万荣县东南），齐燃灯火，北齐人马认为是北周一连串军营，就退回基地，加强防御。姚岳终于把边城筑成，班师。

8 三月九日，陈帝国全国武装部队总司令（太尉）、零陵公爵（壮肃公）侯瑱逝世（年五十二岁）。

9 三月二十日，北周帝国改进兵役制度，本是八个梯次轮调，改为十二个梯次轮调，平均每一役男每年服役一个月。

10 夏季，四月一日，日蚀。

11 北周帝国政府任命少傅（三孤级）尉迟纲当农工部长（大司空）。

五月一日，北周政府封一任帝（闵帝）宇文觉的儿子宇文康当纪国公爵、皇子宇文赟当鲁国公爵。宇文赟，是皇后李娥姿生的儿子。

六月十一日，派国务院立法司长（天官御正上大夫）殷不害，前往陈帝国聘问。

秋季，七月，北周再铸新钱，钱上有“布泉”字样。一枚布泉钱，折合民间使用的五枚钱，跟五铢钱同时流通。

七月五日，北周帝宇文邕追封伯父宇文颢当邵国公爵，命晋公爵宇文护的儿子宇文会继承爵位；封宇文颢的老弟宇文连当杞国公爵，命章武公爵宇文导的儿子宇文亮继承爵位；封宇文连的老弟宇文洛生当莒国公爵，命宇文护的儿子宇文至继承爵位；追封宇文泰的儿子武邑公爵宇文震当宋公爵，命二任帝（明帝）宇文毓的儿子宇文实继承爵位（宇文颢与卫可孤〔参考五二四年十月〕战时阵亡，有三子：宇文什肥、宇文导、宇文护。宇文什肥跟他的叔父宇文连，被高欢诛杀，没有后裔。宇文洛生被高欢诛杀，宇文震很早逝世，也没有后裔。在这次大封爵中，获得实际利益的是宇文护，他有两个儿子、一个侄儿，继承爵位。如果不是宇文邕蓄意安抚，就是宇文护贪得无厌）。

12 北齐帝高演发动政变，铲除杨愔、燕子献时（参考去年〔五六〇〕二月），承诺封长广王高湛当皇太弟。可是，不久却改封皇子高百年当皇太子，高湛心中大不高兴。高演在晋阳（山西省太原市），高湛留守邺城（河北省临漳县西南邺城镇），总顾问长（散骑常侍）高元海，是高欢的族孙（高元海的老爹上洛王高思宗，是高欢的堂侄），负责处理机密业务。高演命中央禁军总监（领军）、鲜卑人（代人）库狄伏连（库狄，复姓）当幽州（州政府设蓟城〔北京市〕）州长（刺史），而命斛律光的老弟斛律羡当中央禁军总监（领军），用以分割高湛权柄。高湛留下库狄伏连，不让他到任，又不准斛律羡就职。

从前，被罢黜的二任帝（废帝）高殷，经常住在邺城（河北省临漳县西南邺城镇）；以望云气为主的法术师警告高演说："邺城有天子气！"平秦王高归彦恐怕高殷可能有一天会再登上宝座，将对自己不利，就劝高演除掉高殷。高演遂命高归彦去邺城，征召高殷前来晋阳（山西省太原市）。

高湛内心不安，向高元海请教应变策略。高元海说："皇太后（娄昭君）身体健康，至尊（高演）非常孝顺，对兄弟手足，又非常友爱，你不需要忧虑！"高湛说："你跟我说表面应酬话，岂是我推心置腹待你的本意！"高元海请求回家作一夜长时间的思考，高湛不准，而把他留在王府后院，高元海通宵达旦，不能入睡，只是绕着床铺走动。天还没有破晓，高湛已经在他面前出现，问他说："有什么神机妙算？"高元海说："有三个策略，但恐怕没有一个可以实行。第一，请你效法西汉王朝梁王刘武的办法，率领几个贴身侍卫，骑马前往晋阳（山西省太原市），先进宫晋见皇太后（娄昭君），请求哀怜（刘武事，参考前一四八年），然后再见主上（高演），交出兵权，直到老死，不问政府事务，绝对可以保证比泰山还要安稳，这是上策。第二，假定不这样做，不妨上疏说：因权势太重，威望太高，恐怕受到诬陷或诽谤，请求外放当青州（州政府设东阳〔山东省青州市〕）、齐州（州政府设历城〔山东省济南市〕）州长（刺史），退居偏远地方，心境清静，一定不会招惹议论，这是中策。”高湛问他下策，高元海说：“话一出口，恐怕全族就被诛杀。”高湛坚持他非出口不可，高元海说：“济南王（被罢黜的二任帝高殷被封济南王）是皇家大宗的嫡长孙，主上（高演）假借皇太后（娄昭君）的命令，强行篡夺。而今，你召集文武百官，出示济南王（高殷）交付给你的训令，逮捕斛律羡，诛杀高归彦，拥护济南王（高殷）复位，向天下发号施令，用正义讨伐叛逆，这是万世难遇的良机。”高湛大为高兴。可是，他生性懦怯，而又狐疑猜忌，不敢行动，命法术师郑道谦等占卜，一致回答说：“行动十分不利，静止一定吉祥。”林虑（河南省林州市）县长潘子密，精通观察气象，预测未来，暗中对高湛说：“皇上（高演）就要逝世，你会成为天下之主。”高湛把潘子密拘留在王府，等候预测验应。又命男女巫师占卜，多数人都说：“不需要动刀兵，自会有大的庆祝。”

这时候，高湛才执行高演的诏书，派数百名骑兵，护送高殷前往晋阳（山西省太原市）。

九月，高演派杀手送给高殷毒酒，高殷拒不肯饮，杀手把他扼死（高殷年十七岁）。不久，高演就深感后悔。

13 冬季，十月一日，日蚀。

14 十月四日，北齐帝高演任命彭城王高浟当太保（上三公之三）、长乐王尉粲当全国武装部队总司令（太尉）。

高演出去打猎，一只野兔突然出现，使御马受惊，高演从马背摔到地上，肋骨折断。娘亲皇太后娄昭君亲自到床边探病，问孙儿高殷在什么地方，问了三四次，高演不能回答。娄昭君大怒说：“你是不是把他杀掉？不听我的话，你应该死！”（娄昭君警告高演语，参考去年〔五六〇〕八月。）站起来就走，头也不回。

十一月二日，高演下诏：认为太子高百年年纪太小，特派国务院右执行长（尚书右仆射）赵郡王高叡传旨，征召长广王高湛继承帝位。又写信给高湛，说：“百年没有罪，你可随你的意处置他，只求不要杀他！”当天（十一月二日），高演在晋阳宫逝世（年二十七岁）。临死，叹息没有为娘亲送终，深为遗憾。

高演天性孝顺，可惜不知道如何避免做出不孝的事，才有这样结局，这都是不读儒家学派经典之故。

赵郡王高叡先派宫廷监督官（黄门侍郎）王松年，飞马前往邺城（河北省临漳县西南邺城镇），宣布高演遗诏。高湛仍怀疑是一个圈套，派亲信前往高演停放灵柩的地方，开棺验尸，等到亲信回邺城报告，高湛大喜，飞骑奔向晋阳（山西省太原市），命河南王高孝瑜先入宫警戒，宫廷侍卫全部撤换。

十一月十一日，高湛在晋阳南宫，登极称帝（四任武成帝），大赦，改年号太宁（之前是皇建二年，之后是太宁元年。高湛是高欢的第九子、高演同一个娘亲的弟弟，本年二十五岁）。

15 北周帝国政府，承诺送回陈帝（二任文帝）陈蒨的老弟、已被封为安成王的陈顼（陈顼于五五四年十二月江陵陷落时被俘），派国务院财政司田赋官（天官府司会上士）杜杲，前往陈帝国聘问，陈蒨（本年四十岁）十分高兴，立即派使节报聘，愿用黔中（贵州省），以及鲁山城（湖北省武汉市汉水南岸），作为交换（程灵洗夺取鲁山，参考去年〔五六〇〕三月）。

16 北齐帝国新皇帝高湛，任命彭城王高浟当太师（上三公之一）、主管政府机要（录尚书事），平秦王高归彦当太傅（上三公之二），尉粲当太保（上三公之三），平阳王高淹当太宰（上公），博陵王高济当全国武装部队总司令（太尉），段韶当最高指挥官（大司马），丰州（州政府设涅城〔山西省武乡县〕）州长（刺史）娄叡当最高监察长（司空），赵郡王高叡当国务院总理（尚书令），任城王高湝当国务院左执行长（尚书左仆射），并州（州政府设晋阳〔山西省太原市〕）州长（刺史）斛律光当国务院右执行长（尚书右仆射）。娄叡，是娄昭的老哥（娄拔）的儿子（娄叡与高湛是表兄弟）；改封太子高百年当乐陵王。

17 十一月十五日，北周帝宇文邕，前往岐阳（陕西省宝鸡市凤翔区境）狩猎。

十二月十一日，返回首都长安（陕西省西安市）。

18 陈帝国太子宫顾问官（太子中庶子）余姚（浙江省余姚市）人虞荔、总监察官（御史中丞）孔奂，因国库收入不够支出，上疏请求制定盐税及酒税法令，陈帝陈蒨批准。

最初，一任帝（武帝）陈霸先把女儿丰安公主，嫁给土豪、缙州（州政府设东阳〔浙江省金华市〕）州长（刺史）留异的儿子留贞臣，曾经征召留异当南徐州（州政府设京口〔江苏省镇江市〕）州长（刺史），留异推托迁延，不肯离开根据地就任。陈蒨登极后，仍命留异当缙州州长（刺史），兼东阳郡（浙江省金华市）郡长。留异经常派他的秘书长（长史）王澌到首都建康（江苏省南京市）谒见，王澌每次都强调政府软弱无力，留异深信不疑，所以表面虽然服从中央，但实际另有想法，暗中派遣使节越过鄱阳郡（江西省鄱阳县）信安岭（应是今浙江省与江西省省界玉山），跟南梁帝国郢州政府（夏口，湖北省武汉市）丞相王琳来往。王琳失败后，陈蒨派首都东区卫戍司令（左卫将军）沈恪，接替留异官职，实际上是向留异发动袭击。留异派军队在下淮（浙江省杭州市富阳区西南）构筑营垒，拒绝沈恪前进；沈恪攻击，战败，退回钱塘（浙江省杭州市）；留异则上疏陈蒨，措辞谦逊恭敬，解释跟沈恪间的误会，请求对自己处罚。当时，中央各路人马集中湘州（州政府设临湘〔湖南省长沙市〕）、郢州（州政府设夏口〔湖北省武汉市〕），不能抽调出兵力，陈蒨乃颁发诏书，劝解安抚，特别笼络。但留异知道中央终有一天要出军攻击自己，于是在下淮（浙江省杭州市富阳区西南）和建德（浙江省建德市）驻扎军队，戒备中央水军。

十二月十五日，陈蒨下诏，命最高监察长（司空）、南徐州（州政府京口）州长（刺史）侯安都，讨伐留异。

五六二年

壬午

南梁	大定	八年
	天保	元年
陈	天嘉	三年
北齐	太宁	二年
	河清	元年
北周	保定	二年

1 春季，正月，北周帝国凉国公爵（景公）贺兰祥逝世（年四十八岁）。

正月一日，北周政府在蒲州（州政府设蒲阪〔山西省永济市〕）挖掘河渠，在同州（州政府设武乡〔陕西省大荔县〕）挖掘龙首渠，灌溉农田。

正月六日，北周政府任命陈顼当柱国大将军（勋官一级，正九命），派国务院财政司田赋官（天官府司会上士）杜杲，护送他回陈帝国（首都建康）。

2 正月十日，陈帝国（首都建康〔江苏省南京市〕）皇帝（二任文帝）陈蒨（本年四十一岁），前往首都建康南郊，祭拜天神，由始祖妫满，陪同享受香火（妫满，周王朝时陈国第一任封国国君，新王朝时追封胡王，参考九年正月。妫满被后世公认为陈姓的始祖）。

正月二十日（原文误置于二月，据《陈书》改），陈蒨前往北郊祭祀地神。

3 二月五日（《资治通鉴》原文记载本年一系列有关北齐帝国的事，放在正月，这是根据北齐历法；但据陈帝国历法，北齐的正月，就是陈的二月〔因两国闰月不同〕。《资治通鉴》一直以南朝历为"正朔"，唯独此处忘了转换为陈历，如今按前例还原），北齐帝国（首都邺城〔河北省临漳县西南邺城镇〕）皇帝（四任武成帝）高湛（本年二十六岁），自晋阳（山西省太原市）抵达首都邺城。

二月十一日，前往邺城南郊，祭祀天神。

二月十二日，前往皇家祖庙（太庙）祭祀祖先。

二月十六日，封正妻胡女士当皇后，皇子高纬（本年六岁）当皇太子。胡皇后，是北魏帝国兖州（州政府设瑕丘〔山东省济宁市兖州区〕）州长（刺史）、安定（甘肃省泾川县）人胡延之的女儿。

二月十八日，大赦。

二月二十九日，任命冯翊王高润当国务院左执行长（尚书左仆射）。

闰二月七日，北齐帝高湛任命太宰（上公）、平阳王高淹当青州（州政府设东阳〔山东省青州市〕）州长（刺史），太傅（上三公之二）、平秦王高归彦当太宰（上公）、冀州（州政府设信都〔河北省衡水市冀州区〕）州长（刺史）。

高归彦深受三任帝（孝昭帝）高演的宠信，骄傲蛮横，不可一世，对所有的皇亲国戚，都看不到眼里，往往仗势凌辱。高湛登极后，总监督长（侍中）、开府仪同三司（宰相级，从一品）高元海，总监察官（御史中丞）毕义云，宫廷监督官（黄门郎）高乾和，不断在高湛面前，攻击高归彦的短处，警告说：“高归彦权势声威，震撼人主，迟早要引起灾难。”高湛追查高归彦反复无常的往事，对他渐渐不敢放心（高归彦寄养高岳家，陷害高岳；受高洋器重，背弃杨愔，攀附高演，诛杀高洋的儿子高殷；高演死亡，又迎接高湛，成为佐命功臣）。有一天，乘高归彦休假，高湛召唤魏收入宫，当面起草诏书，任命高归彦当冀州（州政府设信都〔河北省衡水市冀州区〕）州长，草稿批准后，命高乾和缮写。时正白天，高湛训令宫门卫士，不准高归彦入宫。高归彦正在外面饮酒取乐，过了一夜，还不知道发生变化。第二天天亮，打算进宫朝见，走到宫门才被告知，大为惊骇，狼狈退回。等到上疏自请惩罚，人事命令已经发表，高湛另外赏赐很多金银绸缎，特别命司令官（督将）以上高级官员，全体到清阳宫（邺城东）送行。文武百官遵令前往，但直到告别，没有人敢和远行赴任的高归彦说一句话。只有赵郡王高叡跟他相谈很久，但没有人听到他们谈些什么。

高湛当长广王时候，清都（首都邺城）人和士开（和，姓）因精通“握槊”赌博游戏，又会弹奏琵琶，受高湛宠爱，高湛任命他当开府副军事参议官（开府行参军）。高湛当了皇帝，和士开不断升迁，不久就担任副总监督长（给事黄门侍郎）。高元海、毕义云、高乾和，都受到威胁，对他妒恨交加，打算揭露他的隐私，加以陷害。和士开先下手为强，上疏指控高元海等结党营私，打算作威作福。高乾和遂被高湛疏远，毕义云见风转舵，用金银财宝贿赂和士开，因被任命当兖州（州政府设瑕丘〔山东省济宁市兖州区〕）州长（刺史）。

4 陈帝陈蒨征召江州州长（刺史）周迪，移驻湓城（周迪虽是江州州长，但仍留根据地临川郡〔江西省南城县〕；湓城，江西省九江市〔寻阳东〕），又征召他的儿子到首都建康（江苏省南京市）当人质。周迪推托观望，既不前往湓城，又不送儿子动身。其他南江（江西省）各地割据称霸的地方势力，私自委派县长，多数不接受中央命令；中央没有时间讨伐，只好在表面上做笼络功夫，使他们不致公然叛变。只有豫章郡（江西省南昌市）郡长周敷首先到中央朝见，中央擢升周敷当安西将军，赏赐乐队一支，又赏赐给周敷歌女、舞女、金银、绸缎，命他仍回豫章（周敷先驻临川故郡〔临汝，江西省抚州市临川区〕，既诛杀熊昙朗〔参考五六〇年三月〕，可能移驻豫章）。周迪认为周敷是自己提拔起来的，心中妒愤交加，乃暗中跟留异（缙州〔州政府东阳〕州长）结交，派老弟周方兴袭击周敷，周敷迎战，击破周方兴。周迪又派侄儿在船中埋伏武士，假装商人，打算袭击湓城（江西省九江市〔寻阳东〕），还没有发动，就走漏消息，寻阳郡（江西省九江市）郡长、江州总部执行官（监江州事）、晋陵（江苏省常州市）人华皎，派军迎战，赶走伏兵，俘虏所有船只和武器。

陈蒨任命闽州（州政府设晋安〔福建省福州市〕）州长（刺史）陈宝应的老爹（陈羽）当高级资政官（光禄大夫），子女们也都受封爵位，并命皇族事务部（宗正）把陈宝应家属收入皇族家谱。但陈宝应却娶留异的女儿为妻，暗中跟留异结合。

虞荔的老弟虞寄，流落寄住闽中（福建省），虞荔想念老弟，以致生病，陈蒨为了虞荔的缘故，下诏征召虞寄前来京师（首都建康），陈宝应留住虞寄不放。虞寄曾经心平气和的向陈宝应解释服从中央及背叛中央的分别，陈宝应却故意用别的话岔开。陈宝应曾经命人诵读《汉书》，自己躺在床上谛听，听到蒯通游说韩信："看你的背相，富贵无法形容。"（参考前二〇三年二月）蓦然坐起来，说："这真是智囊。"虞寄说："蒯通一句话杀三个贤士，怎么能称之为智囊

（三个贤士，泛指贤士，不确定是三个）！怎比得上班彪的《王命论》（参考二九年四月），懂得回归天命！”虞寄知道陈宝应已听不进去任何规劝的话，恐怕一旦发生大祸，将连累自己，乃改穿隐士服装，移住东山寺（东山，在晋安城东五公里），对外宣称患有脚病。陈宝应派人烧他的房子，虞寄躺在床上一动也不动，左右亲近打算扶他出来，虞寄说：“我的命悬在刀口之下，往哪里躲避！”纵火的暴徒只好再把他救出来。

5 闰二月十五日，北齐帝高湛任命任城王高湝当宰相（司徒）。

北齐扬州（州政府设寿阳〔安徽省寿县〕）州长、中央特遣政府总监（行台）王琳，几次都率军南下，但特遣政府执行官（尚书）卢潜，每次都认为时机还没有成熟。陈帝陈蒨写信到寿阳，打算跟北齐帝国和解。卢潜把信件奏报中央政府，并上疏北齐帝高湛，建议接受。高湛同意，派总顾问长（散骑常侍）崔瞻到陈帝国聘问，并且把陈昙朗的灵柩交还陈帝国（诛杀陈昙朗事，参考五五六年六月）。王琳遂跟卢潜结怨，二人分别上疏，互相控告。高湛征召王琳前往邺城（北齐首都，河北省临漳县西南邺城镇），命卢潜当扬州（州政府设寿阳〔安徽省寿县〕）州长，兼中央特遣政府执行官（领行台尚书）。崔瞻，是崔㥄的儿子（崔㥄建议罢黜北魏帝元恭，参考五三二年四月）。

6 本世纪（六）五〇年代，侯景之乱后，南梁帝国境内铁钱不能流通，民间遂私自铸造鹅眼钱。

闰二月二十四日，陈帝国政府改铸五铢钱，一枚五铢钱，折换十枚鹅眼钱。

7 南梁帝国（首都江陵〔湖北省江陵县〕）皇帝（七任宣帝）萧詧，节俭朴素，不喜饮酒，不好女色；虽然对人心怀猜忌，但是待将士有恩。因疆域大幅缩小（迄今只剩下一个郡的面积），城池村落，全都残破，而战争不停，心情忧郁落寞，背上竟生出疽疮，逝世（年四十四岁），安葬平陵（江陵城北纪山），绰号宣皇帝，祭庙称中宗。太子萧岿（本年二十一岁。岿，音kuī〔亏〕）继承帝位（八任孝明帝），改年号天保（之前是大定八年，之后是天保元年），尊皇太后龚女士当太皇太后，嫡母王皇后当皇太后，娘亲曹贵嫔当皇太妃。

8 三月七日，陈帝陈蒨的老弟、安成王陈顼返国，抵达建康（江苏省南京市），陈蒨任命陈顼当立法院总立法长（中书监）、首都中区卫戍司令（中卫将军）。陈蒨对北周帝国护送官员杜杲说："我老弟今天被礼遇送回，实在是贵国的恩赐，然而，如果不把鲁山（湖北省武汉市汉水南岸）送过去，恐怕我老弟也未必能够回来（陈蒨以鲁山、黔中交换陈顼，参考去年〔五六一〕十一月）。"杜杲说："安成王（陈顼），在长安（北周首都，陕西省西安市）不过一个普通平民，但在贵国，却是皇上的老弟，他的价值岂仅仅值一个城而已。敝国渴望天下所有亲属，都十分和睦，推己及人，上遵太祖（宇文泰）的遗言，下思两国长久的友谊，所以才送他南返。而今，陛下却说成把一块无关紧要的土地，交换骨肉至亲，这种话我真不敢相信！"陈蒨很是惭愧，说："刚才不过一句玩笑话！"对杜杲的礼遇更加厚重。

陈顼的正妻柳妃和儿子陈叔宝，仍留在穰城（北周荆州，河南省邓州市），陈蒨再派毛喜前去北周帝国交涉，北周政府全都送还。

三月八日，陈帝国政府任命安右将军吴明彻当江州（州政府设寻阳〔江西省九江市〕）州长（刺史），率领高州（州政府设巴山〔江西省崇仁县〕）州长（刺史）黄法氍、豫章郡（江西省南昌市）郡长周敷，共同讨伐周迪。

三月十五日，陈帝国大赦。

缙州（州政府设东阳〔浙江省金华市〕）州长（刺史）留异，最初认为中央水军一定从钱塘（浙江省杭州市）逆浙江（富春江）而上，想不到侯安都率步兵从诸暨（浙江省诸暨市）出发，攻击永康（浙江省永康市），留异大为惊骇，逃往桃枝岭（浙江省缙云县西南冯公岭，被形容为东方剑阁），在悬崖绝壁上筑城，竖立栅栏，阻止侯安都军前进。侯安都被流箭射中，鲜血流到足踝，但仍乘坐小轿，指挥作战，面色举止，丝毫不变。遂顺着山势，逼近栅栏构筑堤防，正巧山水倾泻，河水满盈，侯安都率船舰进入堤内，制造高楼战舰，跟留异的城墙一样高度，发动撞击长杆攻城，击碎城楼城垛；留异跟他的儿子留忠臣逃脱，投奔晋安（福建省福州市），依靠陈宝应（闽州〔州政府晋安〕州长）。侯安都掳获留异的妻子及其他儿子，接收所有铠甲、武器，回军。

留异的同党向文政，据守新安郡（浙江省淳安县），陈蒨命贞毅将军程文季当新安郡郡长；率轻装备精锐武士三百人，前往攻击。向文政战败，投降。程文季，是程灵洗的儿子（程灵洗任南豫州州长，参考前年〔五六〇〕三月）。

9 夏季，四月二日，北齐帝国皇太后娄昭君逝世（年六十二岁）。北齐帝高湛不肯改穿白色丧服，仍穿他的红袍，没有多久，登上三台（高洋所筑），摆下宴席，饮酒作乐，宫女送上白衣丧服，高湛把它扔到台下。总顾问长（散骑常侍）和士开请求停止演奏，高湛怒不可遏，打和士开耳光。

四月六日，北齐政府派遣使节前往陈帝国（首都建康）聘问。

青州州政府（设东阳〔山东省青州市〕）上疏，声称黄河河水变清。高

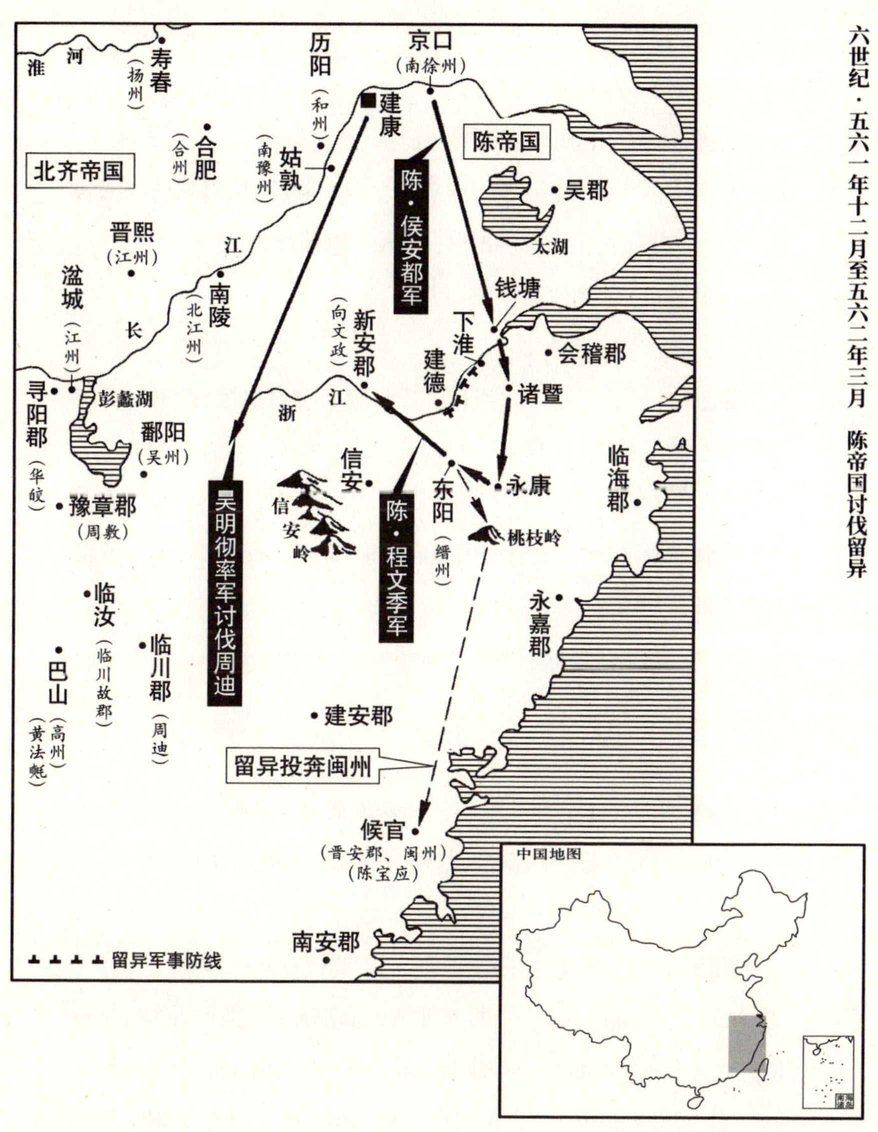

六世纪·五六一年十二月至五六二年三月　陈帝国讨伐留异

湛派使节前去祭祀河神，改年号河清（之前是太宁二年，之后是河清元年）。

10 最初，北周帝国的爵位，都没有薪俸。四月二十四日，北周帝宇文邕下诏指示：柱国（勋官一级，正九命）等权贵采邑境内居民，不一定非住在采邑境内不可，人人可以移住外县。

五月一日，北周政府大赦。

11 五月二十日，北齐政府任命国务院右执行长（右仆射）斛律光当国务院总理（尚书令）。

12 五月二十三日，北周政府任命柱国（勋官一级，正九命）杨忠当农工部长（大司空）。

六月一日，任命柱国（勋官一级，正九命）、蜀国公爵尉迟迥当国防部长（大司马）。

13 秋季，七月二十一日，陈帝陈蒨为太子陈伯宗娶王女士当太子妃。王妃，是特级资政官（金紫光禄大夫）王固的女儿。

14 北齐帝国平秦王高归彦，抵达冀州（州政府设信都〔河北省衡水市冀州区〕）后，内心不安，打算乘北齐帝高湛前往晋阳（山西省太原市）时，乘虚进入首都邺城（河北省临漳县西南邺城镇）。王国禁卫官司令（王国郎中令）吕思礼告密。北齐帝高湛命最高指挥官（大司马）段韶、最高监察长（司空）娄叡，出军讨伐。高归彦在南方州界私自设立驿马车站，一听大军将要到达，立即关闭城门抵抗。秘书长（长史）宇文仲鸾等不肯服从，全被高归彦诛杀。高归彦自称大丞相，部众有四万人。高湛因国务院法务部长（都官尚书）封子绘，是冀州（古冀州，河北省中部南部）人，父祖几代都当冀州州长，深受人民爱戴（封子绘的老爹封隆之，祖父封回），遂命封子绘乘政府驿马车前往信都（河北省衡水市冀州区），绕城一周，向城中官兵解释分析祸福道理，官员民众相继投降，城中一举一动，无论大小，中央军了如指掌。

高归彦登城，大声呼喊："孝昭皇帝（高演）刚逝世时，大小六军，有一百万之多，权柄握在我手，而我却动身投向邺城（河北省临漳县西南邺城镇），迎接陛下。当时不叛变，今天怎么会叛变！只是我恨高元海、毕义云、高乾和，欺骗蒙蔽圣上，忌恨忠良，只要陛下能诛杀这三个人，我就在城上自刎。"不久，城被攻破，高归彦单人匹马，向北逃亡，走到交津（河北省武强县东），被捕获，锁上铁链，送到邺城。

七月二十七日，把高归彦装到无篷马车上，口衔木条（防止他诟骂），双手缚在背后，刘桃枝把钢刀架到他脖子上，鼓队的鼓声不断，跟在车后，于是，连同高归彦的子孙十五人，在街市上一次斩首。高湛命封子绘当冀州（州政府信都）总部执行官（行冀州事）。

高湛仍记得高归彦陷害清河王高岳往事（参考五五五年十一月），遂把高归彦家人，不论主人或奴仆，一百余口，全部赏赐给高岳家当奴仆。追赠高岳官位：太师（上三公之一）。

七月二十九日，擢升段韶当太傅（上三公之二）、娄叡当宰相（司徒）、平阳王高淹当太宰（上公）、斛律光当最高监察长（司空）、赵郡王高叡当国务院总理（尚书令）、河间王高孝琬当国务院左执行长（左仆射）。

七月癸亥日（七月己巳朔，没有癸亥），高湛前往晋阳（山西省太原市）。

15 陈帝陈蒨派使节前往北齐帝国报聘。

16 九月一日，日蚀。

17 陈帝国政府擢升总监督长（侍中）、国务院法务部长（都官尚书）到仲举（到，姓）当国务院右执行长（尚书右仆射）兼首都建康市长（丹阳尹）。到仲举，是到溉的侄儿（到溉，参考五〇二年四月）。

安右将军吴明彻抵达临川郡（江西省南城县），攻击周迪，不能攻克。

九月二十日，陈蒨改命安成王陈顼接替吴明彻任务。

冬季，十月二日，陈蒨下诏说："军费浩繁，人民穷苦，凡是供应宫廷车轿、饮食、衣服，以及其他各种项目的开支，一律减少。文武百官，也应该注意节约。"

18 十一月一日，北周政府任命赵国公爵宇文招当益州军区（总部设成都〔四川省成都市〕）总司令（总管）。

19 十一月十一日，北齐帝国派兼任总顾问长（兼散骑常侍）封孝琰，前往陈帝国聘问。

十二月二十一日，北齐帝高湛返首都邺城（河北省临漳县西南邺城镇）。

高湛逼奸高洋的皇后李祖娥，警告她说：“你如果拒绝，我就杀你的儿子。”李祖娥恐惧，遂听他摆布。后来，怀了身孕，她的儿子、太原王高绍德到阁门，李祖娥不准他进来见面，高绍德恼火，说：“难道我不知？姐姐（鲜卑人称娘亲为姐姐）肚子大，所以不见我。”李祖娥深感羞惭，之后，生下一个女儿，抛弃不养。高湛听到消息，暴跳如雷，手提佩刀，向李祖娥诟骂说：“你杀我的女儿，我就杀你的儿子！”就在李祖娥面前，用刀柄捣死高绍德。李祖娥大哭，高湛越发愤怒，把李祖娥脱得一丝不挂，加以痛打，李祖娥号哭上苍！高湛把她装到绢制的布袋中，血流满地，把她丢到水沟里，打捞出来，很久之后，李祖娥才悠悠苏醒，高湛命用一辆小牛车，拉她到妙胜寺当尼姑。（萧衍生了一窝强盗，高欢生了一窝畜生，南北互相呼应，蔚为奇观！）

黄龙汤

导读

我们把本册定名《黄龙汤》，内心至为沉痛，中国官场文化是中国传统文化中特有的一部分，官场文化谄媚术，到“黄龙汤”而达到仙境，一个国家的品质，由政府中谄媚行为的多寡和深度而定，一群畜牲组成的政府，连谄媚也是畜牲型的，那就是：无耻而大胆，而且把无耻当作光荣。

随“黄龙汤”而来的，一连发生两次最大的千古奇冤。斛律光先生和崔季舒先生等的被屠，不是孤立事件，而是禽兽王朝必然的产物，摇尾分子同时也是鲨鱼，鲨鱼群则一定精于摇尾，否则便没有了钢牙。

六世纪七〇年代提供很多官场斗争的实例，使我们叹息。

柏杨　一九八七·六·一五

目录

六世纪

六〇年代

五六三—五六九年

南北朝

◎ 陈帝国诬杀侯安都。
◎ 周突联军侵北齐，大掠，七百华里无人烟。
◎ 陈帝陈伯宗被废。
◎ 陈帝国陈宝应、华皎叛变。

◎ 查士丁尼大帝卒。《查士丁尼法典》全部完成公布。
◎ 法兰克王国国土被瓜分三区。
◎ 伦巴人入侵意大利，基督教罗马主教渐成安定力量。

五六三年 癸未

南梁 天保 二年
陈 天嘉 四年
北齐 河清 二年
北周 保定 三年

1 春季，正月，北齐帝国（首都邺城〔河北省临漳县西南邺城镇〕）政府任命太子少傅（太子三少之二）魏收，兼任国务院右执行长（兼尚书右仆射）。当时，北齐帝（四任武成帝）高湛（本年二十七岁）整天酗酒，政府事务全交给总监督长（侍中）高元海。高元海天生庸俗，高湛也瞧不起他；认为魏收的才干和声望，同时具备，所以特别重用。可是魏收懦怯怕事，不久被指控故意放纵，免除官职，褫夺公权。

兖州（州政府设瑕丘〔山东省济宁市兖州区〕）州长（刺史）毕义云，写信给高元海，谈论时事。高元海进宫时，一不小心，掉到地上。御前监督官（给事中）李孝贞把信捡起，奏报高湛，高湛从此跟高元海疏远。高湛擢升李孝贞兼立法院立法官（兼中书舍人），征召毕义云返京（首都邺城）。和士开再在高湛面前陷害高元海，高湛打高元海六十马鞭，斥责说："从前，你教唆我叛变（参考前年〔五六一〕七月），老弟背叛老哥，何等的不仁不义！你又教唆用邺城的军队去对抗并州（州政府设晋阳〔山西省太原市〕），是何等的没有头脑！"贬他出去当兖州（州政府瑕丘）州长（接替毕义云）。

2 正月十九日，陈帝国（首都建康〔江苏省南京市〕）反抗军、江州州长（空头官衔）周迪（时被围在临川郡〔江西省南城县〕），部众溃散，城池陷落，周迪逃出包围圈，翻越山岭（东兴岭，江西省黎川县杉岭），投奔晋安郡（福建省福州市），依靠闽州（州政府晋安）州长（刺史）陈宝应。中央军攻克临川郡（江西省南城县），擒获周迪的妻子。陈宝应派军协助周迪反击，留异（缙州〔州政府东阳〕州长）也派儿子留忠臣率军跟随。

隐士虞寄写信给陈宝应，列举十件事，向他直言规劝，说：

"自从上天厌弃梁国（南梁帝国），英雄豪杰四方崛起，人人都自认为可以夺到宝座，可是翦除凶蛮、削平叛乱，四海之内民心乐意拥护的，只有一个陈家，岂不是一切都有定数，上天旨意如此，这是之一。王琳那么强大，侯瑱那么有力，进一步可以摇动中原，争夺天下；退一步可以在江南（长江以南）建立霸权，称雄一方。然而，前者中央派一支军队，后者中央派一位智士，王琳瓦解，逃往异国（参考五六〇年二月），侯瑱则叩头到地，将性命交给政府（参考五五六年七月），正是上天把威力恩赐陈家，使他铲除祸患，这是之二。

"而今，将军以皇亲国戚的尊贵身份，率领东南地区广大的土地和人力，效忠中央，尽心政府，功勋岂不高过窦融（窦融归附刘秀，参考三六年十二月），宠信岂不超过吴芮（吴芮归附刘邦，参考前二〇二年二月）！赏赐爵位，分封采邑，自然面向南方，向人称'孤'（皇帝自称"朕"，王爵自称"孤"），这是之三。圣明的主上（陈帝陈蒨）心胸宽大，遗忘

六世纪·五六二年三月至五六三年正月

陈帝国讨伐周迪，攻陷临川

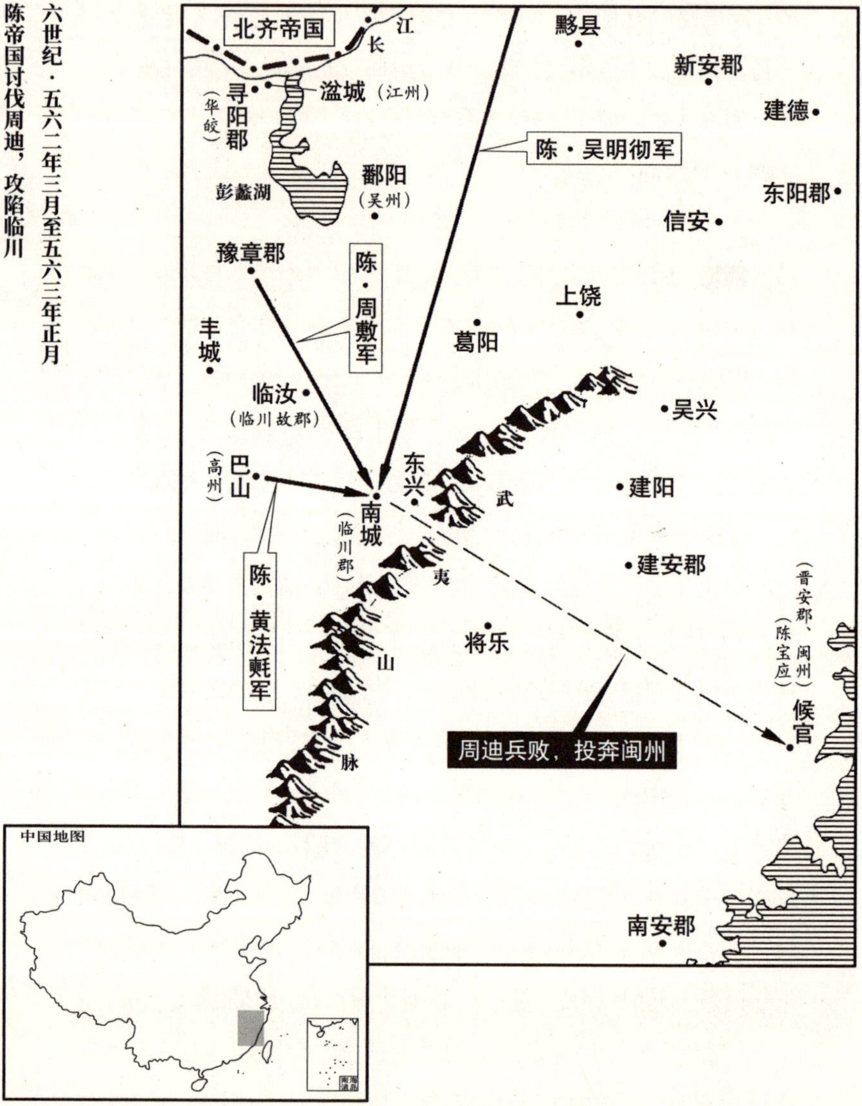

北齐帝国
长
江
寻阳郡
（华皎）
湓城
（江州）
彭蠡湖
鄱阳
（吴州）
豫章郡
陈·周敷军
丰城
临汝
（临川故郡）
巴山
（高州）
陈·黄法𣰰军
南城
（临川郡）
东兴
黟县
新安郡
建德
陈·吴明彻军
东阳郡
信安
上饶
葛阳
吴兴
武
夷
山
脉
建阳
建安郡
将乐
（晋安郡、闽州）
（陈宝应）
候官
周迪兵败，投奔闽州
南安郡
中国地图
南海诸岛

瑕疵，不记过错，待人十分宽厚，像余孝顷、潘纯陀、李孝钦、欧阳頠等，全把他们当作心腹亲信，命他们手握军权；恢弘开朗，没有一点痕迹。何况，将军所闯出的祸事，远小于张绣；叛变的罪行，更跟毕谌不同（张绣在一次叛变突击中，格杀曹操长子曹昂，参考一九七年正月；后来张绣再降，曹操仍对他厚待，参考一九九年十一月。《三国志 · 魏书 · 武帝纪》：曹操当兖州〔山东省西部〕州长〔刺史〕时，用毕谌当行政官〔别驾〕。后来张邈据兖州叛变〔参考一九四年四月〕，劫持毕谌的娘亲、老弟、妻子、儿子当人质，曹操送毕谌离开，毕谌叩头，誓言没有二心，可是一出城就逃走。后来，曹操击破吕布〔参考一九八年十月〕，生擒毕谌，大家替毕谌担心，曹操说：“一个人孝顺父母，一定尽心君王，我正需要这种人。”命他当鲁国宰相），有什么使你忧虑危亡？担心失去富贵！这是之四。

“而今，周齐两国（北周帝国与北齐帝国），跟陈国（陈帝国）的邦交十分和睦，边界平静，没有烽火，中央势将撤回边防军，集中全国力量，不是早晨，就是晚上，定会发动攻击。目前已不是刘邦、项羽争霸时代，也不是楚王国、赵王国合纵连横形势，怎能允许你安坐高堂，从容效法姬昌（周王朝一任王姬发的老爹）！这是之五。而且，留将军（留异）据守一方，不断受到挫败，声望和实力，都直线下落，胆量与士气，也同时衰退，他部下的将领，意志已经动摇，只看到个人利益，谁肯身披坚甲，手拿利矛，长驱直入，拴住战马，埋住车轮（《孙子兵法》：“方马埋轮。”誓死不退之意），为你不顾性命，身先士卒，冲锋陷阵！这是之六。

“将军的强大，比侯景如何？将军的部众，比王琳如何？先帝（一任帝陈霸先）消灭侯景于前，今帝（二任帝陈蒨）击败王琳于后，这是上天安排，不是纯靠人力所能办到。而且经过大动刀兵，民心厌弃战乱，谁肯远离祖先坟墓，抛弃妻子儿女，出生入死，不顾性命，追随将军，投身刀锋之下？这是之七。纵观古代往事，公孙述（参考三六年)、隗嚣(参考三三年),先后覆灭,骆馀善(参考前一一一年)、卫右渠(参考前一〇八年),相继败亡。上天的旨意使人畏惧,山川的险要难以仗恃。何况,将军打算用几个郡的土地,面对全国武装部队,凭借一个封国的资源,拒抗天子的命令,强和弱、顺和逆,怎么可以相提并论!这是之八。

“不是我们同类,他的想法一定跟我们不同,一个人不爱他的至亲,又怎能爱他的朋友?留将军(留异)身受中央封爵,儿子又娶公主,对这种皇亲国戚的身价,他都看不到眼里,背叛英明的君王,而宁使自己孤立。一旦到了情势危急,又怎么可能跟你分担忧患,而不对你背弃!一旦战争胶着,士卒疲惫,力量不继,有人恐惧被诛,而又贪图奖赏,定会发生晋阳围城、韩魏倒戈之事(参考前四〇三年);和井陉战役,张耳要斩陈馀之变(参考前二〇四年十月)!这是之九。中央政府军一旦南下,万里远征,锐不可当,而将军却是在自己土地上作战,每人都顾念自己的家属,难以拼死;人数没有中央的多,将领也没有中央优秀。我们如果主动攻击,不但师出无名,而且也没有机会,在这种情形下反抗中央,看不出有好的结局,这是之十。

“我为将军设计,最高明的策略,莫过于跟留家断绝亲戚关系(陈宝应娶留异的女儿,参考去年〔五六二〕闰二月),命士卒脱掉铠甲,放下武器,遵照中央命令行事。而今,亲王还少,皇子们年纪又都幼小,凡被列为皇族,都受到宠爱和封爵(陈帝陈蒨把陈宝应家属收入皇族家谱)。何况,以将军的地位、将军的才干、将军的名望、将军的力量,而能严守名分,面向北方称臣,将军的功劳事业,岂仅只刘泽第二而已(刘泽是西汉王朝一任帝刘邦疏远亲属,参考前一八一年七月)。我感谢将军的恩德,不知不觉,口出狂言,如果受到刀斧诛杀,也能甘心。”

陈宝应看到这封信，勃然大怒。有人对陈宝应说：“虞寄病势沉重，说话不知所云。”陈宝应怒气才稍稍平息，同时也因为人民对虞寄都很尊敬，所以特别包容。

3 北周帝国（首都长安〔陕西省西安市〕）梁公爵（躁公）侯莫陈崇，随从北周帝（三任武帝）宇文邕（本年二十一岁），前往原州（州政府设高平〔宁夏固原市〕）；宇文邕忽然连夜赶回长安（陕西省西安市），政府官员们暗中感到惊奇，侯莫陈崇对亲信说：“我最近听一些法术师说：晋公爵（宇文护）今年不利，皇上现在又忽然半夜回京（首都长安），不外乎是公爵（宇文护）死掉。”有人告发。

正月二十日，宇文邕把高级官员召集到大德殿，当面责备侯莫陈崇，侯莫陈崇惶恐，请求处罚。当天晚上，国务院总理（大冢宰）宇文护派将领率军包围侯莫陈崇住宅，逼侯莫陈崇自杀，安葬仪式如同自然死亡。

4 正月二十七日，陈政府任命高州（州政府设巴山〔江西省崇仁县〕）州长（刺史）黄法氍当南徐州（州政府设京口〔江苏省镇江市〕）州长（刺史），临川郡（江西省抚州市临川区）郡长周敷当南豫州（州政府设姑孰〔安徽省当涂县〕）州长（刺史）。

5 北周帝宇文邕命司法部审判司长（秋官司宪中大夫）拓跋迪制定《大律》二十五篇（原文“十五篇”误）。

二月六日，颁布施行。规定刑罚种类及等级：一是“杖刑”，自十棍到五十棍。二是“鞭刑”，自六十鞭到一百鞭。三是“徒刑”，自一年到五年。四是“流刑”，自二千五百华里到四千五百华里。

五是“死刑”，又分“磬刑”（磬，音qìng〔庆〕。磬刑，吊死）、“绞刑”（勒死）、“斩刑”（砍下人头）、“枭刑”（把砍下的人头悬挂高处示众）、“裂刑”（五马分尸）。每类再分五级，共二十五级。

6 二月十六日，陈政府调最高监察长（司空）、南徐州（州政府设京口〔江苏省镇江市〕）州长（刺史）侯安都，当江州（州政府设湓城〔江西省九江市〕）州长（刺史）。

7 二月二十七日，北周帝宇文邕下诏：“国务院总理（大冢宰）、晋国公爵（宇文护），论亲属关系是我的堂兄，论职务位置是我的首席助理。从今开始，无论诏书、文告，以及政府文武机关公文书，不可直接书写他的名字。”宇文护上疏一再辞让。

8 三月一日，日蚀。

9 北齐帝高湛命最高监察长（司空）斛律光，率步骑兵二万人，在轵关（河南省济源市西北）兴筑勋掌城，并兴筑长城二百华里，设十二个据点。

三月二十二日，高湛命兼任国务院右执行长（兼尚书右仆射）赵彦深，当实任国务院左执行长（左仆射）。

10 夏季，四月二日，北周政府任命柱国（勋官一级）达奚武当太保（三公级）。

北周帝宇文邕打算视察学校，命太傅（三公级）、燕国公爵于谨当最高教育官（三老）。于谨上疏再三辞让，宇文邕不准，特别赏赐给他延年手杖。

四月二十五日，宇文邕亲到国立中央大学（太学）。于谨进门时，宇文邕在大门与屏风之间，迎接叩拜，于谨叩拜答礼，主管官员在中央摆上最高教育官（三老）的座位，面向南方。太师（三公级）宇文护登上台阶，摆设几案，于谨也登上台阶，面向南方，紧挨几案坐下。国防部长（大司马）豆卢宁随后上去，把于谨的木屐放在正确位置。最后宇文邕登上台阶，站在画着斧头的屏风之前，面向西方，主管官员送上菜饭，宇文邕跪起来（不是"跪下来"；跪起来者，只是在席垫上挺直上身），亲自递上酱碟，又卷袖露臂，亲自切肉。于谨进餐已毕，宇文邕再跪起来送递漱口酒。然后，主管官员撤除筵席。宇文邕起立，面向北方（正对于谨），请求最高教育官（三老）指教治国之道。于谨也起立，站在几案后边，回答说："木材经过墨绳测量，才能削直；君王接受正直劝告，才能圣明。所以圣明的君王一定虚心采纳正直的规劝，才能知道是对是错，天下才能平安。"又说："可以没有粮食，可以没有军队，但不可以没有诚信（《论语》孔丘语），希望陛下遵守承诺，不要食言。"又说："对有功的人要赏，对有罪的人要罚，则负责任的人自必日多，不负责任的人自必日少。"又说："言行合一，是建立完整品格的基础，希望陛下经过三次考虑，然后发言；九次考虑，然后施行，不要使言行有失。天子所犯的错误，就像日蚀月蚀，人人都看得见，请特别谨慎。"宇文邕叩头接受教导，于谨也叩头回礼。仪式完成后，宇文邕才离开国立中央大学（三代〔夏商周〕之后的"视学""养老""乞言"典礼，只有东汉王朝二任帝刘庄〔参考五九年十月〕、北魏帝国七任帝拓跋宏〔参考四九二年八月〕和宇文邕实行过）。

11 陈帝国最高监察长（司空）侯安都，仗恃自己的功劳，骄傲蛮横。经常聚集文士武将，骑马射箭，吟诗作赋，总部招待的宾客，动不动总有一千人。部下将领，大都不遵守国法军令。政府通缉逮捕时，他们都投奔侯安都。陈帝（二任文帝）陈蒨（本年四十二岁），性情严肃方正，不免心中记恨，可是侯安都却丝毫没有察觉。侯安都呈递奏章时，已经封口，发现忘了些事，他就打开封口，提笔在奏章上另批："再启：某事某事。"在出席宫中御宴时，酒酣耳热，侯安都往往两腿分开，斜靠几案。有一次，陪陈蒨到乐游园"上巳日"祭祀饮酒（上巳修禊，参考三一六年正月），侯安都问陈蒨说："比起当临川王时，怎么样？"陈蒨不回答，侯安都再三逼问，陈蒨说："虽然是天命，但也依靠你的尽力。"宴会已毕，侯安都请求把所有帷帐、御船、装饰物，借给他一用，打算让他的妻妾内眷，在御堂举行宴会。陈蒨虽然答应，但心里越发不高兴。第二天，侯安都坐在皇帝坐的御座上，宾客们坐在臣属坐的位置上，举杯向侯安都敬酒祝福。正巧，重云殿火灾，侯安都率将士救火时，全副武装进入宫殿，陈蒨到此已忍无可忍，秘密准备。

等到周迪叛变（参考去年〔五六二〕正月），高级官员讨论，认为应派侯安都讨伐，但陈蒨另派吴明彻；同时不断派出钦差，调查审问侯安都的部下，搜捕躲藏在侯安都处的逃犯。侯安都这时才似乎开始觉得有点不对劲，命总务官（别驾）周弘实，暗中结交立法院立法官（舍人）蔡景历，推心置腹，打听中央消息。蔡景历记下交往情形，详细奏报，揣摩迎合陈蒨的意思，指控侯安都阴谋叛变。陈蒨考虑如果征召侯安都时，侯安都可能拒绝；因此，用人事命令发表侯安都当江州（州政府设湓城〔江西省九江市〕）州长（刺史）。

五月，侯安都自京口（江苏省镇江市）返回建康（陈首都，江苏省南京市），所率领的部队，驻扎石头（建康城西北）。

六月，陈蒨布置妥当，召请侯安都到嘉德殿出席御宴，一面命侯安都部下将领，在国务院（尚书朝堂）集合。就在宴会座位上，逮捕侯安都，囚禁嘉德殿西厢（立法院〔中书省〕）；同时逮捕侯安都部下将领，但在没收他们的马匹、武器后，又都释放。此时，陈蒨才公布蔡景历的奏章，使政府官员了解，然后下诏宣布侯安都的罪状。第二天，命侯安都自杀（年四十四岁）。陈蒨赦免侯安都的妻子儿女，由政府发给安葬费用。

最初，陈霸先镇守京口（江苏省镇江市）时，曾经跟各将领宴会，杜僧明、周文育、侯安都敬酒祝福，各自夸耀功劳。陈霸先说："你们都是一代良将，但也各有缺点。杜僧明志向远大，但见识不高，跟部下互相戏弄，对上级又态度骄傲。周文育交友忠诚，但不选择对象，对人太过诚心。侯安都傲慢得离了谱，不知道适可而止，而且又轻佻任性。凡此种种，都不是保全性命的方法。"各人的结局，都不出陈霸先的预料。

12 六月二十三日，北齐帝高湛派兼任总顾问长（兼散骑常侍）崔子武，前往陈帝国报聘。

北齐总监督长（侍中）、开府仪同三司（宰相级）和士开，深得北齐帝高湛的宠爱与信任。高湛无论在政府办公，或在宫内欢宴，片刻时间都不能不跟和士开见面。和士开有时候几天不能回家，或一天进宫好几次，或准他回家，但一转眼间，高湛又命他进宫；在还没有赶到之前，钦差飞骑催促，接连在路上奔驰。和士开千方百计谄媚迎合，使高湛对他的喜爱日增，前后所得的赏赐，多到无法计数。和士开在高湛身旁时，言谈行动，十分卑鄙猥亵，日夜厮混在一起，没有一点君臣之间的礼节。和士开时常提醒高湛说："自古以来，所有帝王，都成灰土，伊祁放勋（尧）、姚重华（舜）、姒履癸（桀）、子受辛（纣），有什么分别！陛下应该乘年轻力壮，尽情任性的拼命享受，想怎么做就怎么做。一天的奇异快乐，可以抵一千年平凡生活。国家全交付给高级官员，不必担心办不妥！何苦虐待自己，把自己约束得不能动弹。”高湛大为感动，于是授权赵彦深负责人事行政，高文遥（元文遥）负责财政经济，唐邕负责地方军事司（外兵）及骑兵司（骑兵），信都（河北省衡水市冀州区）人冯子琮、胡长粲，负责辅导太子高纬。高湛每隔三四天出席一次朝会，不过批写几个字而已，一语不发，朝会霎时间就告结束，高湛即转身入宫。胡长粲，是胡僧敬的儿子（胡僧敬，参考五四一年十一月）。

高湛命和士开跟胡皇后挤在一起“握槊”（一种赌博，参考五三七年九月注），河南王（康献王）高孝瑜（高澄的儿子）劝告说：“皇后，是天下母亲的表率，怎么可以跟臣属手碰手。”高孝瑜又说：“赵郡王（高叡）的老爹（高琛）死于非命，最好不要亲近。”（高琛是高欢的老弟，因跟高欢的小老婆通奸，死在高欢杖下。）因此，和士开跟高叡共同陷害高孝瑜。和士开抨击高孝瑜奢侈豪华，超过规定。高叡警告高湛：“山东（太行山以东）人民只听说有河南王（高孝瑜），没听说有陛下！”高湛因此猜忌。有一次，高孝瑜跟尔朱御女密谈（御女，小老婆群第六级，共八十一人，每人另有名号，尔朱名号不明），高湛接到报告，大怒。

六月二十八日，高湛强灌高孝瑜烈酒三十七杯。高孝瑜高大肥胖，腰带长达五尺，高湛命左右侍从娄子彦把高孝瑜送出去，就在车上，再灌他毒酒；走到西华门（邺城南城西面南数第二门），高孝瑜烦躁痛苦，身如火烧，投到水里淹死。高湛下诏追赠高孝瑜全国武装部队总司令（太尉）、主管政府机要（录尚书事）。仍留在宫中的各亲王，没有一个敢吭一声；只有河间王高孝琬（高孝瑜的老弟）放声大哭，踉跄奔出。

13 秋季，七月六日，北周帝宇文邕前往原州（州政府设高平〔宁夏固原市〕）。

14 八月十日，北齐帝国（首都邺城〔河北省临漳县西南邺城镇〕）改三台宫为大兴圣寺（三台，一任帝高洋所筑，参考五五八年十月）。

15 九月一日，陈帝国广州（州政府设番禺〔广东省广州市〕）州长（刺史）、阳山公爵（穆公）欧阳𬱟逝世（年六十六岁）。陈帝陈蒨命他的儿子欧阳纥，继承老爹的爵位。

16 九月三日，北周帝宇文邕自原州（州政府高平）登上陇山。

17 陈帝国反抗军将领、投奔闽州（州政府设晋安〔福建省福州市〕）的周迪，再越过东兴岭（江西省黎川县杉岭）反攻。

九月十日，中央命中央军事总监（护军）章昭达（时兼任郢州〔州政府夏口〕州长），率军讨伐。

18 九月二十五日，北周帝宇文邕前往同州（州政府设武乡〔陕西省大荔县〕）。

最初，北周政府打算会同突厥汗国（瀚海沙漠群）可汗（三任木杆可汗）阿史那俟斤，联军攻击北齐帝国，承诺娶阿史那俟斤的女儿当皇后；遂派国务院侍从司长（天官御伯中大夫）杨荐，及国防部东翼警备司长（夏官左武伯中大夫）太原郡（山西省太原市）人王庆，前往缔结盟约。北齐政府得到消息，大为恐惧，也派使节前往突厥请求缔结婚约，致送的礼物，十分丰厚。阿史那俟斤贪图北齐的金银财宝，打算逮捕杨荐等，交北齐政府发落。杨荐得到消息，责备阿史那俟斤说："太祖皇帝（宇文泰）从前跟可汗共同建立两国之间和睦的邦交，蠕蠕（柔然汗国）数千人前来投降，太祖（宇文泰）把他们全部交出，使可汗称心快意（参考五五五年十二月），为什么就在今天忘恩负义，难道不怕愧对鬼神！"阿史那俟斤面无人色，过了很久说："你说得对，我已经决定联合你们，共同削平东方盗贼（指北齐帝国），然后把女儿送过去。"杨荐等回国报告。

北周政府官员请求发动十万人大军东征，只有柱国（勋官一级）杨忠，认为一万人骑兵，足足够用。

九月二十七日，北周帝宇文邕命杨忠率步骑兵一万人，会同突厥从北方南下的大军，向北齐发动总攻。又派大将军（勋官二级）达奚武率步骑兵三万人，从南方攻击平阳（山西省临汾市），预期南北两大兵团，在晋阳（山西省太原市）会师。

19 冬季，十一月一日，陈帝国中央军事总监（护军）章昭达大破周迪。周迪脱身逃走，暗中潜入深山峻谷，居民互相掩护他。政府军虽然不断诛杀，但没有人肯说出周迪所在。

20 十二月一日，北周帝宇文邕返首都长安（自同州〔武乡，陕西省大荔县〕返）。

21 十二月六日，陈帝国大赦。

中央军事总监（护军）章昭达乘胜东进，越过东兴岭（江西省黎川县杉岭），直指建安（福建省建瓯市），讨伐反抗军、闽州（州政府设晋安〔福建省福州市〕）州长（刺史）陈宝应。陈帝陈蒨下诏命益州州长（空头官衔）余孝顷，率会稽（浙江省绍兴市）、东阳（浙江省金华市）、临海（浙江省台州市西北章安街道）、永嘉（浙江省温州市）各郡水军，由海路东下会师（《陈书·陈宝应传》：余孝顷自临海郡〔浙江省台州市西北章安街道〕出海）。

本年（五六三），陈蒨在首都建康（江苏省南京市），开始祭祀老爹陈道谭（陈道谭是陈霸先的老哥，陈蒨入继陈霸先，而由自己的次子陈伯茂继承陈道谭），用祭祀天子的礼仪。

22 北周大将军（勋官二级）杨忠，一连攻陷北齐二十余座城池（《资治通鉴》没有交代杨忠进军路线。《周书·杨忠传》则说杨忠自什贲〔内蒙古杭锦旗北黄河南岸〕进军武川〔内蒙古武川县〕，席卷二十余城）。北齐军固守陉岭（山西省代县西北句注山）险要，杨忠攻克。突厥可汗阿史那俟斤，及酋长阿史那地头、阿史那步离，率骑兵十万人前来会师。

十二月十九日（原文“己酉”，据《北齐书》改），周突联军从恒州（州政府设平城〔山西省大同市〕）分三路深入北齐国土。当时，大雪纷飞，几十天不停，南北一千余华里，平地深达数尺（雪深超过足踝，行动就很困难）。北齐帝高湛率军自邺城（北齐首都，河北省临漳县西南邺城镇）出发，加倍速度前进。

十二月二十八日，高湛抵达晋阳（山西省太原市），大将斛律光率步兵三万人进驻平阳（山西省临汾市，拒抗北周达奚武兵团）。

十二月二十九日，北周杨忠兵团跟突厥大军，逼近晋阳。高湛发现敌人竟如此强大，大为震惊，身穿军服，率领宫中妇女，打算向东逃走躲避。赵郡王高叡、河间王高孝琬，拦住马头劝阻。高孝琬请求把城防军事交给高叡，保证可以恢复秩序。高湛听从，命六军行动全听高叡号令，而命并州（州政府晋阳）州长（刺史）段韶负责军政。

五六四年 甲申

南梁 天保 三年
陈 天嘉 五年
北齐 河清 三年
北周 保定 四年

1 春季，正月一日，北齐帝国（首都邺城〔河北省临漳县西南邺城镇〕）皇帝（四任武成帝）高湛（本年二十八岁），登晋阳（山西省太原市）北城，军队严肃整齐，突厥汗国（瀚海沙漠群）官员抱怨北周帝国（首都长安〔陕西省西安市〕）官员说："你们说齐国（北齐帝国）已陷混乱，所以出军，而今，他们眼神锐利如铁，怎能抵挡得住！"

北周兵团用步兵作前锋，顺西山（西方山群）山麓南下，挺进到距晋阳（山西省太原市）约二华里地方。北齐各将领打算迎头拦击，并州（州政府晋阳）州长（刺史）段韶说："步兵的威力有限，现在积雪如此深厚，迎战徒消耗体力，不是办法，不如严阵以待。他们疲劳，我们安逸，一定可以把他们击溃。"北周步兵既到城下，北齐集中精锐，擂鼓呐喊，全部出击。突厥军大为惊惶，撤退到西山（西方山群），不肯应战；北周兵团孤立无援，大败逃走。突厥军不敢单独逗留，向塞外（长城外）撤退，沿途放纵士卒大肆抢掠，自晋阳（山西省太原市）以北七百余华里，中国（北齐帝国）人民和牲畜，没有留下一个活口。段韶追击，不敢逼近。突厥大军走到陉岭（山西省代县西北句注山）时，地冻路滑，人畜寸步难行，只好用毡毯铺路，才算勉强通过，战马在严寒中瘦成枯骨，膝盖以下的毛，全被啃光磨光；等退到长城，战马几乎死尽。官兵折断长矛，当作手杖，扶住它一步一步走回。

北周大将军（勋官二级）达奚武，率军进抵平阳（山西省临汾市），还不知道杨忠败退消息；守将、北齐国务院总理（尚书令）斛律光写信给达奚武说："鸿雁已飞上辽阔的穹苍，猎人还在草泽洼地瞪大眼睛寻找！"达奚武看到后，也撤退。斛律光追逐，深入北周国境，俘虏二千余人而返。

斛律光到晋阳（山西省太原市）晋见北齐帝高湛，高湛因刚受到外国强敌攻击，抱住斛律光的头，大放悲声。任城王高湝劝解说："何至于到这种程度！"高湛才止。

最初，一任帝（文宣帝）高洋在位（五〇年代），北周经常恐惧北齐军西征，每到冬季黄河结冰时，就加强戒备，击碎冰层（阻止冰上行军，发动偷袭）。等四任帝高湛在位，亲信弄臣当权，政治逐渐腐败，每到冬季黄河结冰时，轮到北齐边防军击碎黄河冰层，阻止北周东进。斛律光十分忧虑，说："我们常有吞并关陇（北周帝国）的大志，

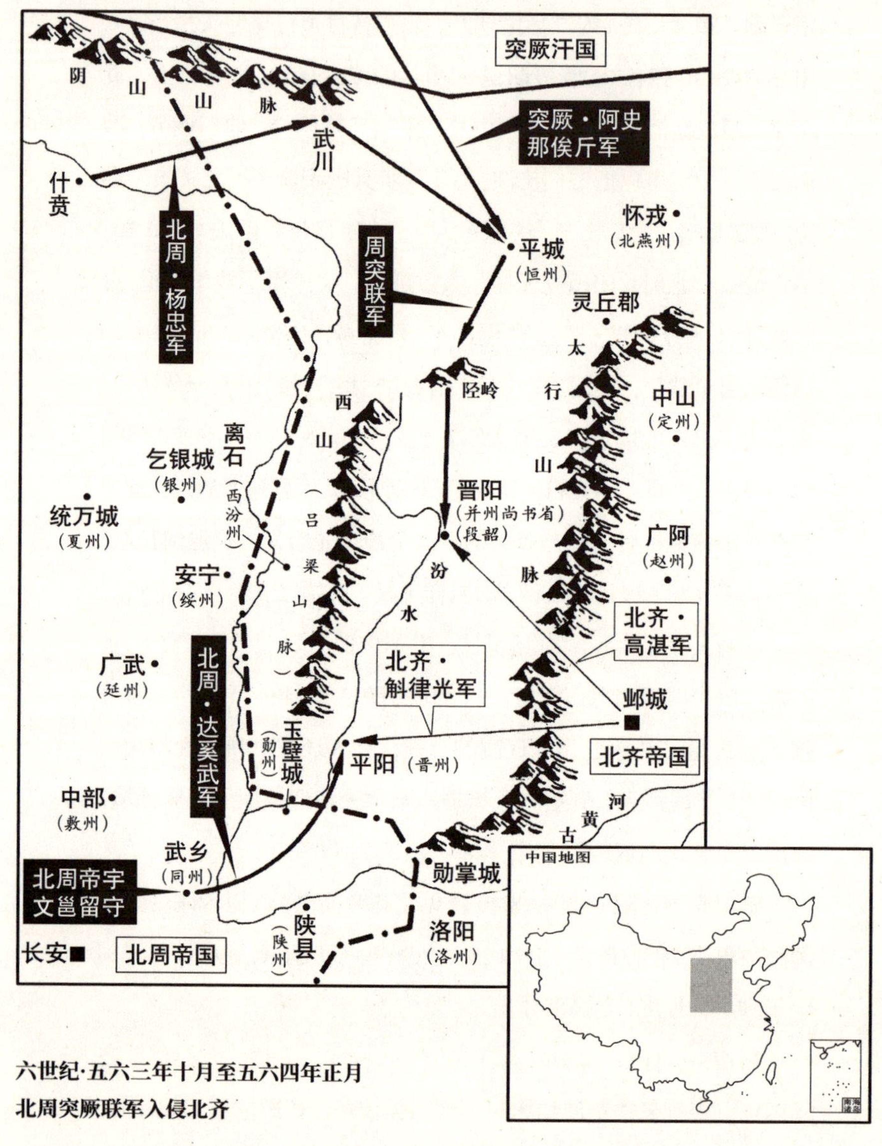

六世纪·五六三年十月至五六四年正月

北周突厥联军入侵北齐

今天到这种地步，怎么仍只沉醉在女色享乐之中！”

2 正月二十二日，陈帝国（首都建康〔江苏省南京市〕）皇帝（二任文帝）陈蒨（本年四十三岁），前往建康南郊，祭祀天神。

3 二月一日，日蚀。

4 最初，北齐帝国一任帝高洋，命有关官员修订北魏帝国的《麟趾条例》，改称《北齐帝国刑法》（《齐律》，参考五五〇年八月），很久不能完成。当时帝国的军事政治，都十分紧张，法官判决人民诉讼案件，很少依照法律，全看自己高兴或不高兴，相沿下来，称之为“变法从事”（因时因地，机动判决）。高湛登极，打算改革司法弊端，遂督促参与修订法律的各官员，加快进度。至本年（五六四），《北齐帝国刑法》制成，共十二篇（《隋书·刑法志》记载，十二篇是：一、《名例》，二、《禁卫》，三、《婚户》，四、《擅兴》，五、《违制》，六、《诈伪》，七、《斗讼》，八、《贼盗》，九、《捕断》，十、《毁损》，十一、《厩牧》，十二、《杂律》）。《北齐帝国刑法判例》也制成，共四十卷。刑罚五种：一为“死刑”，最重的是肢解分尸，其次是人头悬挂高竿，再其次是斩首，再其次是绞颈。二为“流刑”，充军到偏远地区当兵。三为“徒刑”，最少一年，最多五年。四为“鞭刑”，最少四十鞭，最多一百鞭。五为“杖刑”，最少十棍，最多三十棍；共十八等（死刑四等、流刑一等、徒刑五等、鞭刑五等、杖刑三等）。九品以下的低级官吏（流外官），以及老人、儿童、天阉、白痴，因过失被裁定可以缴赎金免罪的，此后都用绸缎代替。

三月三日，颁布施行，大赦。自此以后，北齐帝国法官才开始有法律可以遵守。高湛又训令官宦之家的子弟，经常研究法律，所以北齐人民，多数了解法令。

高湛又下诏，命人民十八岁接受政府分配的田地，开始缴纳田赋捐税；二十岁服兵役，六十岁免除差役，六十六岁把田地交还政府，同时也停止缴纳田赋捐税。男子十八岁以上，配给没有果树的田地（露田）八十亩，女子配给四十亩，奴隶婢女跟自由人一样；有一头牛的，多配给六十亩。一夫一妻每年缴绸缎一匹、棉花八两。田赋每年缴粟米二石，附加乐捐（义租）五斗，奴隶婢女只缴一半（并不是政府对奴隶婢女优待，而是政府经常征召他们做苦工）；每头牛每年捐税绸缎二尺，每年田赋粟米一斗，附加乐捐五升。田赋捐税，都送中央；附加乐捐，则送郡政府，用以防备水灾、旱灾时人民粮食缺乏。

三月十一日，北齐首都邺城（河北省临漳县西南邺城镇）变民首领田子礼等数十人，阴谋劫持太师（上三公之一）、彭城王（景思王）高浟，拥护他当皇帝（高浟几乎夺嫡，参考五三五年正月）。田子礼宣称他是钦差使节，奔向高浟家宅，一直走到寝室，声称奉诏而来，拉高浟上马，而把钢刀架到他脖子上，打算前往南殿。高浟高声大喊，拒绝听从，变民遂斩高浟（年三十二岁）。

5 三月二十二日，北周政府下令：文武百官朝见时，应手拿笏板。

6 北齐政府任命斛律光当宰相（司徒），武兴王高普当国务院左执行长（尚书左仆射）。高普，是高归彦的侄儿（高归彦被杀，参考前年〔五六二〕七月）。

三月二十六日，任命冯翊王高润当最高监察长（司空）。

夏季，四月三日，北齐帝高湛派兼任总顾问长（兼散骑常侍）皇甫亮，前往陈帝国聘问。

7 四月十二日，北周帝（三任武帝）宇文邕（本年二十二岁），派使节前往陈帝国聘问。

四月十五日，任命邓公爵、河南郡（河南省洛阳市东白马寺东）人窦炽当教育部长（大宗伯）。

五月五日，封二任帝（明帝）宇文毓的儿子宇文贤当毕公爵。

8 五月七日，北齐帝高湛返回首都邺城（河北省临漳县西南邺城镇）。

五月二十五日，北齐政府任命赵郡王高叡当主管政府机要（录尚书事），前宰相（司徒）娄叡当全国武装部队总司令（太尉）。

五月二十七日，任命段韶当太师（上三公之一）。

五月三十日，任命任城王高湝当最高统帅（大将军）。

五月壬辰日（五月戊午朔，没有壬辰），北齐帝高湛前往晋阳（山西省太原市）。

9 北周政府任命太保（三公级）达奚武当同州（州政府设武乡〔陕西省大荔县〕）州长（刺史）。

10 六月，北齐帝高湛诛杀乐陵王高百年（三任孝昭帝高演的太子）。当时，有白虹环绕太阳两圈，横贯太阳，却当中切断，不能贯穿，天上又出现赤红星光。高湛想用他的侄儿高百年小娃的性命，化解这场天象显示即将来临的灾难。正巧，博陵郡（河北省安平县）人贾德胄，教高百年写字，高百年曾经写过几个“敕”字（敕，音chì〔赤〕。只有皇帝才可以用敕字。意思是“皇帝指令”“皇帝训令”），贾德胄就把这几个“敕”字封起来奏报。高湛震怒，派人召唤高百年入宫。高百年知道难逃一死，就割下所戴的玉玦（音jué〔决〕），留给他的小妻子斛律女士，然后进宫到凉风堂叩见高湛，高湛命高百年写“敕”字，对照贾德胄封奏的“敕”字，笔迹完全相同，遂命左右对高百年乱棒捶击，拖住他绕着凉风堂，一面打一面走，哀号震天，血流遍地，最后直打到只剩下一口气，才把他斩首（年九岁），尸体扔到水池，池水染成一片赤红。斛律女士手握玉玦，悲哀啼哭，不肯吃饭，绝食一月有余而死（年十四岁），死时，手握玉玦，无法掰开；她的老爹斛律光亲自去掰，手才打开。

11 六月三日，北周帝国改“御伯中大夫”为“纳言中大夫”（国务院侍从司长）。

最初，宇文泰追随贺拔岳在关中（陕西省中部）时（五三〇年七月），派人前去晋阳（山西省太原市）迎接他的侄儿宇文护。宇文护的娘亲阎女士，和宇文泰的妹妹，都留在晋阳；高欢把她们发配到中山宫当女奴（中山宫在河北省定州市）。等到宇文护在北周政府当权，派遣间谍密使，前往北齐寻访，走遍各地，得不到音信。稍后，北齐政府派使节前往玉壁（北周勋州州政府所在城，山西省稷山县），要求通商。宇文护为了寻找娘亲和姑妈，命国防部军政副司长（夏官军司马下大夫）尹公正，赶到玉壁，跟北齐使节谈判，北齐使节乐意尽力协助。勋州（州政府玉壁）州长（刺史）韦孝宽俘虏关东（北齐帝国）人，再把他们释放，委托他们携带信件，表示北周打算和平共存的诚意。当时，北周因上次进攻晋阳（山西省太原市），不能攻克，密谋联合突厥汗国，再发动攻击。北齐帝高湛得到消息，大为恐惧。承诺护送宇文护的娘亲西归，为了表示跟北周和好诚意，先行送宇文护的姑妈（宇文泰的妹妹）回去。

12 秋季，八月一日，日蚀。

13 北周帝国（首都长安）派柱国（勋官一级）杨忠，与突厥汗国（瀚海沙漠群）会师，再攻北齐帝国（首都邺城），进军到北河（黄河河套乌加河），班师。

八月二日，北周帝宇文邕任命齐公爵宇文宪，当京畿总卫戍司令（雍州牧），宇文贵当内政部长（大司徒）。

九月二日，任命卫公爵宇文直当农工部长（大司空）。追认开国功臣的功劳，封开府仪同三司（勋官三级）、陇西公爵李昞当唐公爵，国防部交通司长（夏官府太驭中大夫）长乐公爵若干凤当徐公爵。李昞，是李虎的儿子（李虎，参考五三四年二月）。若干凤，是若干惠的儿子（若干惠，沙苑战役十二将领之一，参考五三七年十月）。

14 九月十日，北齐帝高湛封他的儿子高绰当南阳王、高俨当东平王。高俨，是太子高纬的亲弟。

15 突厥汗国攻击北齐帝国幽州（州政府设蓟城〔北京市〕），部众十余万人，进入长城，大肆抢掠而回。

16 北周帝宇文邕的姑妈（宇文泰的妹妹），由北齐帝国回到长安（北周首都，陕西省西安市）。北齐帝高湛命人替晋公爵宇文护的娘亲，写一封信给宇文护，叙述宇文护小时候的若干往事，把宇文护小时候穿的锦袍也一并送去，作为证物，信上说："我遇到千年难逢的良机，蒙大齐（北齐帝国）的恩德，怜惜我老，特开宏恩，允许我跟你见面。飞禽走兽生长在草木之间，母子们尚且相依为命，我犯了什么罪，竟命我跟我儿分离？而今我又有什么积德，有幸能与我儿重逢！话到此处，悲喜交集，昏厥而又复苏。世界上任何东西如果寻找，都可以得到，母子分别在两个国家，又往何处寻找？假设你的官位高到王爵公爵，财富如山如海；而你的老母，以八十岁之年，流落千里之外，随时都会死亡，竟连一次短暂的相见，一次短暂的相处，都办不到。天冷时得不到我儿供应的衣服，腹饿时得不到我儿供给的饮食。我儿虽享有全世界最高荣耀，光耀世间，对我有什么意义？今天之前，你不能奉养娘亲，事情已经过去，不必再谈。今天之后，我残余的生命，握在我儿之手，头上有青天，脚下有黄土，中间有鬼神，不要认为鬼神无知，可以欺骗。"

宇文护接到娘亲的信，无限悲痛，写回信说："天下大乱，导致国土分裂，人民离散，我远离娘亲，算来已三十五年。任何有气息的动物，都知道母子亲情，谁像萨保（宇文护自称乳名），如此不孝？儿子贵为公侯，娘亲却当俘虏家奴，天暑时不知娘亲热不热，天冷时不知娘亲寒不寒，既不知娘亲有没有衣裳，更不知娘亲能不能吃饱，好像漂泊在天地之外，无法打听到一丝一毫消息，怀抱怨恨酷痛，终此一生，只希望死后有知，在九泉之下，再奉养娘亲。想不到齐国（北齐帝国）解除禁网，赐下好音，允许放回阿磨敦（鲜卑人唤娘亲"阿磨敦"）、四姑（宇文泰的妹妹）。刚听到这个消息时，大声欢呼，叩天谢地，无法自制，魂魄就要飞越关山。齐国（北齐帝国）这样盛大的恩德，既然已经像春雨一样降下，有家有国的领导人物，信义是最大根本，我暗中计算：他们送娘亲动身前来，当已确定时日。只求早一天看到娘亲慈颜，便完成此生唯一心愿。即令死人得以复生，枯骨得以再长肌肉，也没有比此更大的恩惠。我纵有身负山岳的力量，也难以承受齐国（北齐帝国）赐给的大德。”

北齐政府仍羁留宇文护的娘亲不放，但命阎女士再写信给宇文护，要胁宇文护作更大的回报，信差来往两三次。当时，段韶（并州〔州政府晋阳〕州长）在北方边塞抵抗突厥军（瀚海沙漠群）南侵，高湛派宫廷监督官（黄门）徐世荣，乘政府驿马车，携带宇文护的信件，询问段韶的意见，段韶说：“周国（北周帝国）反复无常，无信无义，从他们突然攻击晋阳（山西省太原市）这件事上，可以证明。宇文护名义上虽是宰相，其实是一国之主，既然为了娘亲的缘故，要求和解，却连一个正式使节，都不肯派出。如果只根据他们母子间的私人函件，就送他娘亲回去，恐怕显示我们软弱。不如表面上答应，但等到和解成为事实，然后再送她回去，并不嫌晚。”高湛不采纳，而立即把宇文护的娘亲送回（晋阳之围，高湛丧胆，唯恐怕触怒宇文护，所以迫不及待）。

阎女士抵达北周国境，政府全体官员举行庆祝，北周帝宇文邕为了婶母得以回国，大赦天下。对阎女士的供应侍候，极尽豪华盛大。一年四季的节日，以及夏天“伏祭”、冬天“腊祭”，宇文邕都率领皇亲国戚，向阎女士叩拜，像普通平民家中行礼一样，敬酒祝福。

17 突厥汗国从北齐帝国幽州（州政府设蓟城〔北京市〕）撤退，但仍驻扎塞北，继续集结各部落兵马，派使节通知北周帝国，打算两国像上次一样，共同行动。

冬季，十月二十日（原文一系列记载于闰九月及十月的事，皆依照北齐历，今据陈历统一，改为十月及闰十月），突厥再攻击幽州（州政府蓟城）。

北周晋公爵宇文护，因娘亲新近回来，并不打算对北齐采取军事行动。可是又恐怕如果不答应，突厥可能认为背弃盟约，将招来边患。迫不得已，宇文护下令动员二十四军（六柱国及十二大将军所统"府兵"），及左右两翼禁卫军、秦陇（甘肃省东部南部）、巴蜀（四川省）各地隶属禁卫军的地方部队，以及已归化的外籍兵团——羌部落军、匈奴部落军，共集结二十万人。

闰十月十日（陈历），北周帝宇文邕在皇家祖庙大庭中，加授宇文护：皇帝诛杀时专用的铜斧。

闰十月十三日（陈历），宇文邕又亲自到沙苑（陕西省大荔县南）慰劳出征大军。

闰十月十九日（陈历），宇文邕自沙苑回宫。

宇文护率军抵达潼关（陕西省潼关县），派柱国（勋官一级）尉迟迥率精锐部队十万人当前锋，直指洛阳（河南省洛阳市东白马寺东）；大将军（勋官二级）权景宣（时任江陵〔南梁首都，湖北省江陵县〕协防司令）率山南（荆州〔穰城〕、襄州〔襄阳〕）武装部队，攻击悬瓠（河南省汝南县）；少师（三孤级）杨标，攻击轵关（河南省济源市西北）。

18 陈帝国反抗军首领周迪，再从东兴岭（江西省黎川县杉岭）出兵，宣城郡（安徽省宣城市宣州区）郡长钱肃，镇守东兴（江西省黎川县），献出城池投降；吴州（州政府设鄱阳〔江西省鄱阳县〕）州长（刺史）陈详率军攻击，大败，周迪的声势再起。

南豫州（州政府设姑孰〔安徽省当涂县〕）州长（刺史）、西丰侯（脱侯）周敷率部队攻击，进军定川（江西省抚州市临川区北），跟周迪营垒相对。周迪向周敷声称：“从前，我跟你同心协力，共建功业（参考五五六年十二月），怎么会想到有一天竟然互相伤害。现在，我深知错误，希望前往中央认罪，但要先向你披露我的诚意，盼望你出来跟我共结盟誓。”周敷同意。然而，就在举步要登神坛之时，周迪斩周敷（年三十五岁）。

反抗军闽州（州政府设晋安〔福建省福州市〕）州长（刺史）陈宝应，据守晋安、建安（福建省建瓯市）二郡，水陆两路，全都布置栅栏，抵抗节节进逼的中央军事总监（护军）章昭达（章昭达击溃周迪，参考去年〔五六三〕十一月）。章昭达进攻，不太顺利，遂据守闽江上游，命士卒砍伐木材，制造木筏，在木筏上设置撞击长竿。正巧，天降大雨，闽江猛涨，章昭达放出所有木筏，直冲陈宝应的水上栅栏，栅栏全被破坏；章昭达再出军攻击陈宝应的步兵，正要会战，益州州长（空头官衔）余孝顷率领舰队，恰巧赶到，进入闽江（陈蒨派余孝顷增援事，参考去年〔五六三〕十二月），水陆联合攻击。

十一月五日，陈宝应大败，逃到莆口（福建省莆田市东北），对儿子说：“早听虞寄的意见，不至有今天这种结局。”章昭达追捕，生擒陈宝应，连同留异（原缙州〔州政府东阳〕州长）以及留异的同族同党，送到建康（陈首都，江苏省南京市），斩首。留异的儿子留贞臣因娶公主，得以免死；陈宝应所有宾客，全部诛杀。

陈蒨听说虞寄曾经劝阻过陈宝应，命章昭达特别优待他，派人护送到建康（陈首都，江苏省南京市）。陈蒨看到虞寄，慰劳他说：“管宁，你可安好！”（东汉王朝末年，管宁寄居辽东〔辽宁省辽阳市〕，不接受公孙度的封爵和任官〔参考一九一年十月〕，后来终于返回乡里）命虞寄当衡阳王（陈伯信）总机要秘书（掌书记）。

六世纪·五六三年九月至五六四年十一月
陈帝国章昭达讨伐陈宝应，平定闽中

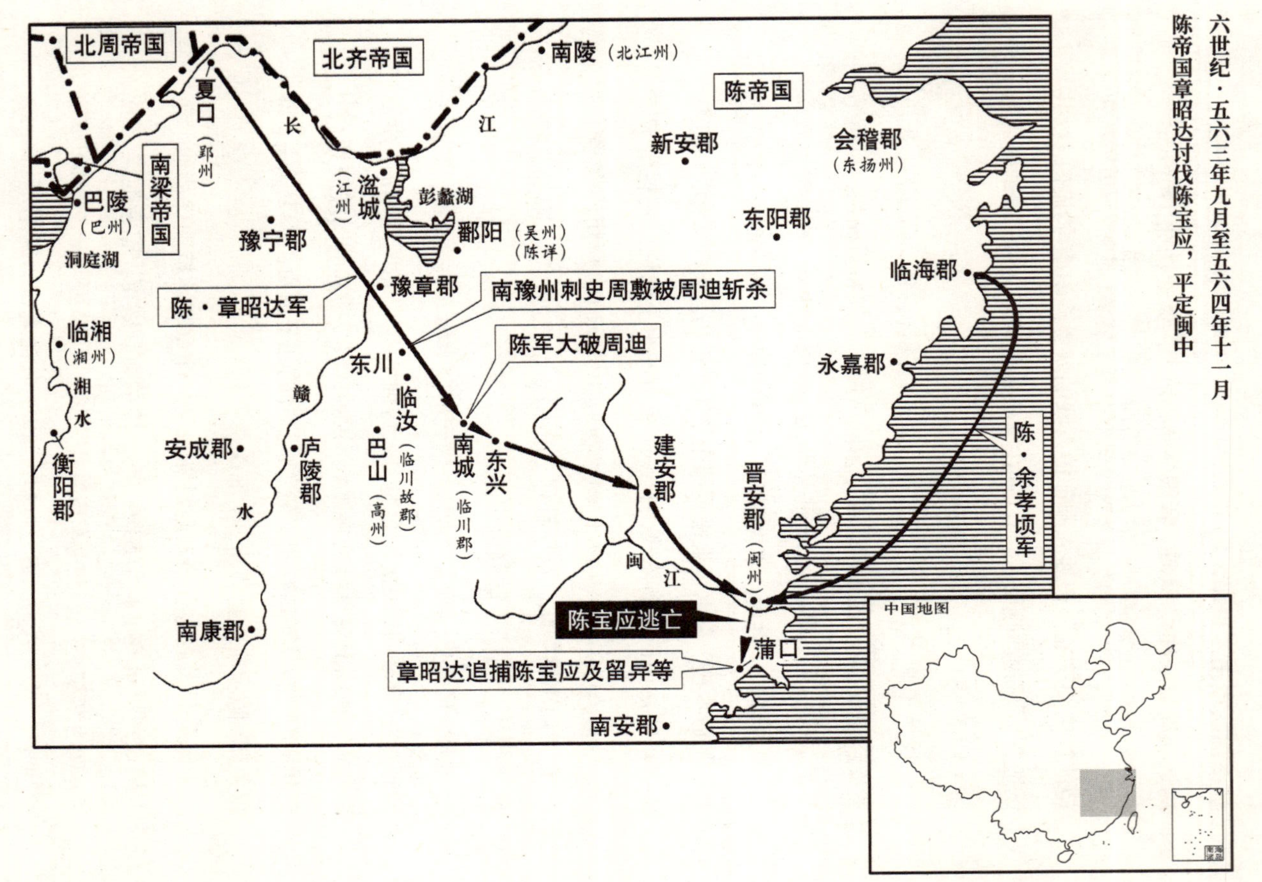

19 北周晋公爵宇文护进军弘农（河南省三门峡市），柱国（勋官一级）尉迟迥包围洛阳（河南省洛阳市东白马寺东），京畿总卫戍司令（雍州牧）齐公爵宇文宪、同州（州政府设武兴〔陕西省大荔县〕）州长（刺史）达奚武、泾州军区（总部设安定〔甘肃省泾川县〕）总司令（总管）王雄，驻守邙山（洛阳城北）。

20 十一月十四日，北齐帝（四任武成帝）高湛派兼任总顾问长（兼散骑常侍）刘逖，前往陈帝国聘问。

21 最初，北周少师（三孤级）杨标，当邵州（州政府设阳胡城〔山西省垣曲县东南〕）州长（刺史），捍卫东方边境二十余年，屡次跟北齐军交战，没有一次不取得胜利，因此对北齐军相当轻视。此次攻击轵关（河南省济源市西北），单独深入敌人国土，却毫不戒备。

十一月二十日，北齐全国武装部队总司令（太尉）娄叡，率军突击，大破北周军，杨标投降（北路军失败）。

北周大将军（勋官二级）权景宣包围悬瓠（河南省汝南县）。

十二月，北齐中央派驻豫州特遣政府总监（行台）、豫州（州政府悬瓠）州长（刺史）太原王高士良，永州（州政府设楚王城〔河南省信阳市北〕）州长（刺史）萧世怡，先后献出城池投降。权景宣派开府（勋官三级）郭彦镇守豫州（悬瓠），谢彻镇守永州（楚王城）。而把高士良、萧世怡，及投降的官兵一千人，送到首都长安（陕西省西安市）。

北周中路军抵达洛阳城下，建筑土山，挖掘地道，猛烈攻击；历时三十天，不能攻克。晋公爵宇文护命各将领切断河阳（河南省孟州市）通往洛阳的道路，阻止北齐军增援，然后把自己所率主力投入，与柱国（勋官一级）尉迟迥合力攻打洛阳。各将领认为北齐守军一定不敢出战，所以戒备并不严密，仅只派出斥候，作例行侦察。

北齐政府派兰陵王高长恭、最高统帅（大将军）斛律光，增援洛阳；但畏惧北周围城军强大，不敢前进。北齐帝高湛征召并州（州政府设晋阳〔山西省太原市〕）州长（刺史）段韶，问他："洛阳危急，我打算请你前往援救。可是突厥（突厥汗国）正在北方压境，也需要抵抗，怎么办？"段韶说："北方强虏侵扰边境，不过癣疥小病。西方邻居逼迫，才是心腹大患，如果有命令，我愿南下。"高湛说："我的意思也是如此。"命段韶率精锐骑兵一千人，从晋阳出发。

十二月三日，高湛率军自晋阳续出，增援洛阳。

十二月五日，太宰（上公）、平原王（靖翼王）高淹逝世。

段韶自晋阳（山西省太原市）南下，行军五天，渡过黄河，正遇天降大雾，一连数日，阴风习习。对段韶的逼近，北周围城军丝毫没有察觉。

十二月八日，段韶抵达洛阳（河南省洛阳市东白马寺东），率帐下骑兵三百人，跟各将领登邙山（洛阳城北），观察北周围城军形势，挺进到太和谷（洛阳城东北），才跟北周围城军遭遇，段韶派人飞骑传令各营，紧急集合骑兵，结阵等待。段韶担任左翼，兰陵王高长恭担任中路，斛律光担任右翼。北周围城军大出意外，人心恐惧。段韶远远质问北周围城军说："你们宇文护刚接到娘亲，就翻脸无情，当起强盗，为什么？"北周围城军说："上天派我们来，有什么可问的。"段韶说："上天奖励善良，惩罚罪恶，你们说上天派你们来，莫非上天派你们来送死。"北周军命步兵在前，攀登邙山攻击，段韶为了消耗敌人体力，一面迎战一面撤退，等到北周士卒筋疲力尽，然后下令所有骑兵下马，猛烈反攻，北周军霎时间土崩瓦解，纷纷逃命求生，有的坠落谷底，有的跳河投溪，死伤无数。

兰陵王高长恭率骑兵五百人，突入北周围城军阵地，杀开血路，直到金墉城（洛阳城西北角）。守军不知道他是谁，高长恭脱下头盔，让他们辨识，守军才缒下弓箭手支援。北周仍留在城下的围城军，撤退逃走，抛弃营幕篷帐，自邙山（洛阳城北）到谷水（流经洛阳城西），三十华里之间，辎重及武器，堆满河川草泽。只有齐公爵宇文宪、同州（州政府设武兴〔陕西省大荔县〕）州长（刺史）达奚武、庸公爵（忠公）王雄殿后，边走边战。

王雄骑马冲入斛律光阵地，斛律光退走，王雄追赶。斛律光左右卫士统统逃散，只剩一个家奴和一支箭。王雄手按长矛，并不刺出，在距斛律光不到一丈余地方，向斛律光号叫说："我爱惜你，不肯杀你，当活捉你去见天子。"斛律光一箭射出，正中王雄前额，王雄俯身抱住马颈，掉转马头奔回，到大营后，伤重而死，北周军更为畏惧。

齐公爵宇文宪到各营视察，督促鼓励，人心稍稍安定。夜晚，集结各营残兵败将，宇文宪打算第二天再战。达奚武说："洛阳大军溃散，人心震骇惶恐，如果不连夜迅速撤退，明天想回都回不去。我在军中时间够久，情势变化，看得太多。你年纪稍轻，经历的事情较少，怎么可以把几个营的战士，投到虎口之中？"于是回军（中路军失败）。大将军（勋官二级）权景宣也放弃豫州（州政府设悬瓠〔河南省汝南县〕），撤退（南路军失败）。

22 十二月十三日，北齐帝高湛抵达洛阳（河南省洛阳市东白马寺东）。

十二月十五日，任命段韶当太宰（上公），斛律光当全国武装部队总司令（太尉），兰陵王高长恭当国务院总理（尚书令）。

十二月十八日，高湛前往虎牢（河南省荥阳市西北汜水镇），经过滑台（河南省滑县），再往黎阳（河南省浚县）。

十二月二十二日，高湛返抵首都邺城（河北省临漳县西南邺城镇）。

23 北周三路大军东征时，柱国（勋官一级）杨忠率军向沃野（内蒙古乌拉特中旗南）进发，打算接应突厥军（瀚海沙漠群）。不料粮秣供应中断，各将领深为忧惧，而且束手无策。杨忠遂引诱各稽胡部落（散居陕西省北部匈奴人）酋长前来参与会议，会议进行中，命河州（州政府设枹罕〔甘肃省临夏市〕）州长（刺史）王杰，率军在震天战鼓声中到达，宣称："国务院总理（大冢宰宇文护）已夺取洛阳，打算联合突厥，共同讨伐不肯顺服的稽胡。"在座各酋长大为震恐，杨忠对他们恳切安慰，然后放他们回去。于是，各稽胡部落一个接一个，运转粮秣供应，大营之中，粮秣山积，后来，东征大军撤退，杨忠也班师。

晋公爵宇文护本来没有统帅的才干，而这一次东征，又不是他的本意，所以没有建立功业，率领各将领向北齐帝宇文邕叩头请求处罚，宇文邕慰劳赦免。

24 本年（五六四），北齐帝国山东（太行山以东）大水成灾，人民饿死的无法计数（可悲）！

25 半独立状态的宕昌王（甘肃省宕昌县）梁弥定，不断攻击北周帝国边境，北周大将军（勋官二级）田弘，出军讨伐，把宕昌国消灭，就在原地设立宕州（宕昌国最早出现于四二四年十二月，迄今灭亡）。

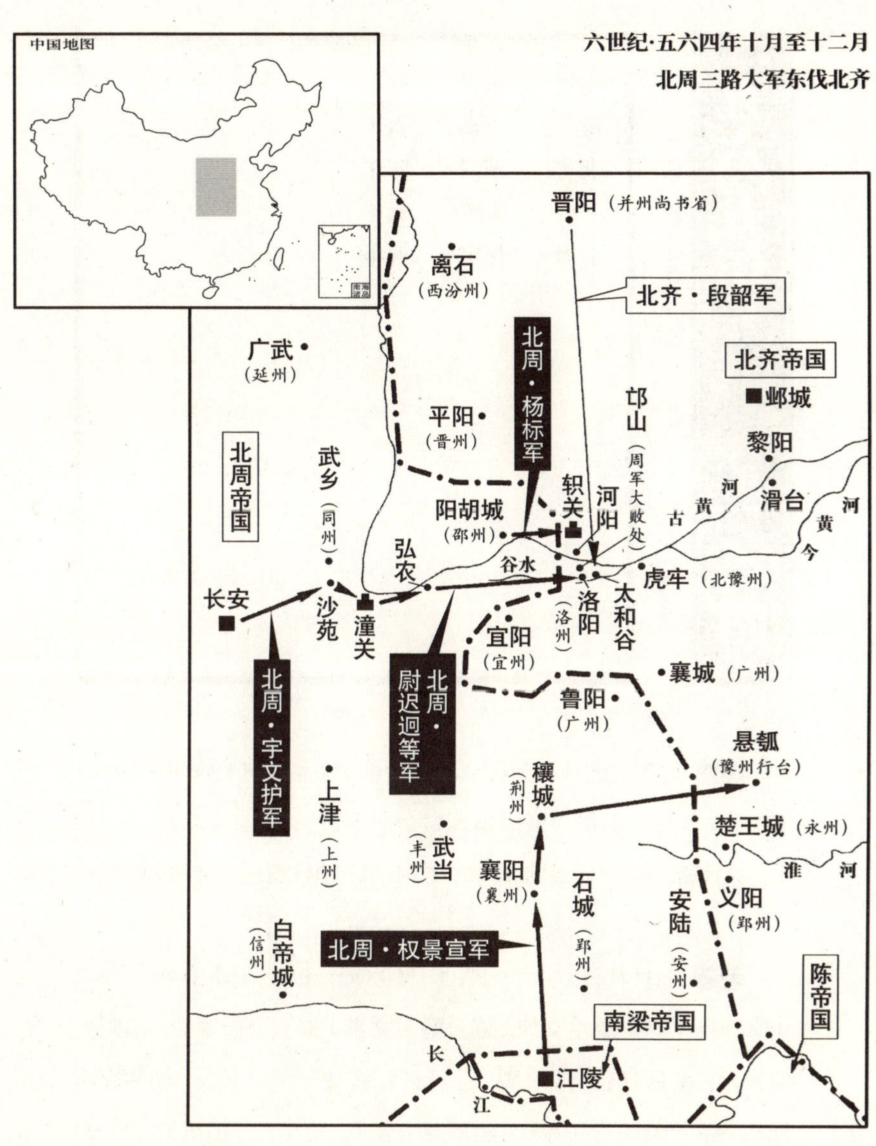
六世纪·五六四年十月至十二月
北周三路大军东伐北齐
中国地图
晋阳（并州尚书省）
离石（西汾州）
北齐·段韶军
北周·杨标军
广武（延州）
北齐帝国
邺城
邙山（周军大败处）
平阳（晋州）
黎阳
北周帝国
武乡（同州）
轵关
河阳
滑台
阳胡城（邵州）
古黄河
今黄河
弘农
谷水
长安
沙苑
潼关
洛阳（洛州）
太和谷
虎牢（北豫州）
宜阳（宜州）
襄城（广州）
北周·宇文护军
北周·尉迟迥等军
鲁阳（广州）
悬瓠（豫州行台）
穰城（荆州）
上津（上州）
武当（丰州）
楚王城（永州）
淮河
襄阳（襄州）
石城（郢州）
安陆（安州）
义阳（郢州）
白帝城（信州）
北周·权景宣军
陈帝国
南梁帝国
长江
江陵

五六五年 乙酉

南梁	天保	四年
陈	天嘉	六年
北齐	河清	四年
	天统	元年
北周	保定	五年

1 春季，正月二十日，北齐帝国（首都邺城〔河北省临漳县西南邺城镇〕）任命任城王高湝当最高指挥官（大司马）。

北齐帝（四任武成帝）高湛（本年二十九岁），前往晋阳（山西省太原市）。

2 二月八日（原文“辛丑”，据《周书》改），北周帝国（首都长安〔陕西省西安市〕）派陈公爵宇文纯、许公爵宇文贵、神武公爵窦毅、南阳公爵杨荐，率领皇后仪队、警卫、行宫和宫女一百二十人，前往突厥汗国（瀚海沙漠群）王庭御帐，迎接突厥公主。窦毅，是窦炽的侄儿（时窦炽任教育部长〔大宗伯〕）。

二月十三日，中央任命柱国（勋官一级）安武公爵李穆当农工部长（大司空）、绥德公爵陆通当司法部长（大司寇）。

二月十九日，北周帝（三任武帝）宇文邕（本年二十三岁），前往岐州（州政府设雍城〔陕西省宝鸡市凤翔区〕）。

3 夏季，四月二日，陈帝国（首都建康〔江苏省南京市〕）任命安成王陈顼当最高监察长（司空）。

陈顼是陈帝（二任文帝）陈蒨（本年四十四岁）的老弟，十分尊贵，地位和权势压倒政府其他官员。王府后勤官（直兵）鲍僧叡，仗恃陈顼的势力，做事违法乱纪。总监察官（御史中丞）徐陵提出弹劾，由总监察署（南台）官员手捧奏章，跟随入宫。陈蒨看见徐陵官服整齐，面色严肃，自己也立刻态度端庄，把身子坐正。徐陵上前，宣读奏章内文，当时，陈顼正站在陈蒨身旁，注视陈蒨的表情，不禁满头出汗，脸色大变。徐陵派金殿监察官（殿中御史）带领陈顼下殿；陈蒨为了尊重徐陵，特地免除陈顼的总监督长（侍中）、立法院总立法长（中书监）官职。政府官员纲纪，焕然一新。

4 四月六日，北齐帝国最高统帅（大将军）、东安王娄叡，被控有罪，免职。

皇家图书馆国史编撰官（著作郎）祖珽，有写作才华，也有其他多方面能力，但性情疏忽粗率，人品低劣。曾经当过高欢的全国各军区总司令部人事官（中外府功曹，参考五四六年十月）。某次宴会上，一只金酒杯忽然失踪，高欢命作地毯式搜查，结果在祖珽发髻中搜出来，正巧他被控盗领粟米三千石，于是打祖珽二百皮鞭，发配兵工厂做苦工。一任帝（文宣帝）高洋时，祖珽当皇家图书馆主任秘书（秘书丞），盗卖《华林遍略》（《隋书·经籍志·子部》：“《华林遍略》六百二十卷，南梁绥安〔江苏省宜兴市西南〕县长徐僧权等撰写。”内容不详，推想可能是一种类书，当时没有辞典字典，所以类书价值极高，左思的《三都赋》之能洛阳纸贵，就因它可以当类书读。《北齐书·祖珽传》：一天，有南方人拿《华林遍略》到邺城〔北齐首都，河北省临漳县西南邺城镇〕晋见高澄，请求收购，高澄集合很多文书员，分工合作，一日一夜之间抄完，把书退还，说："我们不需要。"祖珽偷出几卷，典当换钱赌博；后来又继续盗卖一部），再加上其他的贪赃枉法事件，被判绞刑，但仅只削除官爵，贬作平民。高洋十分憎恨他不争气，总是犯法，但也非常欣赏他的才干技能，命他到立法院（中书省）值班（负责皇帝的诏书）。

现任帝（四任）高湛当长广王时，祖珽曾呈献他自己调制的胡桃油（绘画用），借机对高湛说："殿下的骨骼，在相法上看，非常尊贵，我曾经梦见你骑一条龙上天。"高湛说："如果那样的话，一定使老哥大富大贵。"高湛登极后，命祖珽当立法院主任立法官（中书侍郎），升任顾问院总顾问长（散骑常侍）；跟和士开一同向高湛谄媚拍马，狼狈为奸。祖珽私下游说和士开，说："你所受君王的宠爱，自古到今，没有人可以跟你相比。可是，皇上一旦驾崩，你以后日子怎么过？"和士开向他请教因应方法。祖珽说："最好是告诉皇上：'文襄（高澄）、文宣（高洋）、孝昭（高演）的儿子，都不能继承帝位（事实上，一任帝高洋子高殷，曾继承皇位〔参考五五九年十月〕，但不久被叔父高演赶下宝座）。现在，就应该命皇太子（高纬）早早坐上宝座，使君臣的名分确定，临时就不会生变。'如果事情成功，连皇后和少主，都会对你感恩，这是万无一失的计谋。你只要略微在主上面前提一提，使他有一个粗浅印象。其他的事，都交给我，我会在外面上疏讨论。"和士开承诺。

正巧，天上出现彗星，天文台长（太史）奏称："彗星，象征除旧布新，人间当更换君王。"祖珽于是上疏，说："陛下虽然身为天子，可是仍不能算极度尊贵；如果身为天子之父，那才算极度尊贵。所以陛下应把宝座传给皇太子（高纬），用以顺应天心。”于是，陈述北魏帝国六任帝（献文帝）拓跋弘禅让给儿子元宏（七任孝文帝）的详细情节（参考四七一年八月）；高湛听从这项建议。

四月二十四日，高湛命太宰（上公）段韶“持节”，携带皇帝玉玺，把帝位传给皇太子高纬（本年九岁）。高纬在晋阳宫登极（五任帝），大赦，改年号天统（之前是河清四年，之后是天统元年）。高湛下诏封太子妃斛律女士当皇后（九岁的小娃就已娶妻，皇家早婚，更胜于民间）。高级官员群上高湛尊号“太上皇帝”，军国大事，照旧奏报。派宫廷监督官（黄门侍郎）冯子琮、国务院左秘书长（尚书左丞）胡长粲，辅佐幼主，出入宫廷，负责奏章管理。冯子琮，是高湛正妻胡皇后的妹夫。

祖珽当皇家图书馆长（秘书监），加授仪同三司（宰相级），很受高湛宠爱，同时也受胡太后及皇帝高纬器重。

四月二十五日，北齐政府任命贺拔仁当太师（上三公之一）、侯莫陈相当太保（上三公之三）、冯翊王高润当宰相（司徒）、赵郡王高叡当最高监察长（司空）、河间王高孝琬当国务院总理（尚书令）。

四月二十六日，任命瀛州（州政府设赵都军城〔河北省河间市〕）州长（刺史）尉粲当全国武装部队总司令（太尉）、斛律光当最高统帅（大将军）、东安王娄叡当太傅（上三公之二。原文“太尉”误）、国务院右执行长（尚书右仆射）赵彦深当国务院左执行长（左仆射）。

5 五月，突厥汗国（瀚海沙漠群）派使节到北齐帝国，两国开始往来。

6 六月十八日，北齐政府派兼任总顾问长（兼散骑常侍）王季高，前往陈帝国聘问。

7 秋季，七月一日，日蚀。

8 陈帝陈蒨派司令官（都督）程灵洗，自鄱阳（江西省鄱阳县）小路出击反抗军首领周迪，击破周迪的抵抗。周迪率领部属十余人逃进深山，躲藏洞穴之中。最初，大家还可忍受，但时间一久，追随他的人开始感到不堪，后来，周迪命一位侍从暗中出来到临川（周迪在临川郡之势力被铲除之后，郡政府从南城〔江西省南城县〕迁至临汝〔临川故郡，江西省抚州市临川区〕）购鱼买菜，临川郡郡长骆牙把他捕获，命他交出周迪赎罪，并派心腹武士随那人入山。那人引诱周迪外出狩猎，武士们在中途设下埋伏，遂斩周迪。

七月六日，把周迪的人头送到建康（陈首都，江苏省南京市）。

9 七月十日，北周帝宇文邕前往秦州（州政府设上封〔甘肃省天水市〕）。

八月二十六日，返首都长安（陕西省西安市）。

10 八月二十九日，陈帝陈蒨封皇子陈伯固当新安王、陈伯恭当晋安王、陈伯仁当庐陵王、陈伯义当江夏王。

11 冬季，十月二日，北周政府把函谷关（河南省新安县）改名通洛防，任命金州（州政府设魏兴〔陕西省安康市〕）州长（刺史）贺若敦当中州（州政府通洛）州长（刺史），镇守函谷关。

贺若敦仗恃自己的才能，不肯向人低头，看到他那一帮平起平坐的朋友，都当了大将军（勋官二级），而只有自己什么都不是，再加上湘州那次战役，他把长征部队安全带回，认为应受到赏赐，想不到反而受到免职处分（参考五六〇年八月至五六一年正月）。本年（五六五），他对中央派来的使节，口出怨言。晋公爵宇文护得到报告，大怒，征召他回京师（首都长安），逼他自杀。贺若敦临死时，对他的儿子贺若弼说：“我曾立下大志，要平定江南（陈帝国），而今不能实现，你要完成为父的心愿。我因话太多招来杀身之祸，你要特别警惕。”遂用针把贺若弼的舌头刺出鲜血，作为告诫。

12 十一月五日，北齐太上皇高湛，抵达首都邺城（河北省临漳县西南邺城镇）。

高湛当长广王时，经常被老哥、一任帝高洋捶打，心中怨恨。而高洋每次看到祖珽，就喊他“毛贼”，所以祖珽心中也很怨恨，而且，祖珽也为了拍高湛的马屁，就提出建议：“文宣皇帝（高洋）狂暴，绰号怎么称‘文’？既不是创业君王，庙号又怎么称‘祖’（高洋虽是一任帝，但北齐政府把高欢、高澄也追称皇帝，所以高洋便不算开国皇帝）？如果文宣（高洋）称‘祖’，陛下千岁万岁之后，又称什么？”高湛认为有理。

十一月十一日，高湛改高欢的原绰号太祖献武皇帝为高祖神武皇帝，改娘亲娄昭君原绰号献明皇后为武明皇后；下令主管单位，重新讨论高洋的绰号。

13 十二月七日，陈政府封皇子陈伯礼当武陵王。

14 十二月十四日，北齐太上皇高湛，前往晋阳（山西省太原市）。

十二月二十二日，主管单位改一任帝高洋绰号为景烈皇帝，庙号威宗（原称显祖文宣皇帝，参考五六〇年二月）。

五六六年 丙戌

南梁	天保	五年
陈	天嘉	七年
	天康	元年
北齐	天统	二年
北周	保定	六年
	天和	元年

1 春季，正月二日，日蚀。

2 正月六日，北周帝国（首都长安〔陕西省西安市〕）大赦，改年号天和（之前是保定六年，之后是天和元年）。

3 正月十四日，北齐帝国（首都邺城〔河北省临漳县西南邺城镇〕）皇帝（五任）高纬（本年十岁）前往圆形神坛，祭祀天神。

正月十六日，高纬再往皇家祖庙，举行祫祭（祫，音xiá〔匣〕。参考四九一年八月注）。

正月十九日，北齐政府任命国务院文官部长（吏部尚书）尉瑾当国务院右执行长（右仆射）。

4 正月二十二日，北周帝（三任武帝）宇文邕（本年二十四岁）举行亲自耕田大典。

5 正月二十三日，北齐帝高纬前往晋阳（山西省太原市）。

6 北周政府（首都长安）派内政部地政副司长（地官小载师下大夫）杜杲，前往陈帝国（首都建康）聘问。

7 二月三日，北齐太上皇（四任武成帝）高湛（本年三十岁），返首都邺城（河北省临漳县西南邺城镇）。

8 二月二十九日，陈帝国（首都建康〔江苏省南京市〕）大赦，改年号（之前是天嘉七年，之后是天康元年）。

三月三日，任命安成王陈顼当国务院总理（尚书令）。

9 三月三十日，北周帝宇文邕到首都长安（陕西省西安市）南郊，祭祀天神。

夏季，四月五日，因天大旱，宇文邕主持祈雨大祭。

10 陈帝（二任文帝）陈蒨，身体不适，下令：无论宫廷或政府大事，由国务院执行长（尚书仆射）到仲举、国防部长（五兵尚书）孔奂，共同讨论决定。孔奂，是孔琇之的曾孙（孔琇之事，参考四九四年九月）。陈蒨病势转重，到仲举、孔奂，与最高监察长（司空）、国务院总理（尚书令）、京畿总卫戍司令（扬州刺史）、安成王陈顼，国务院文官部长（吏部尚书）袁枢，立法院立法官（中书舍人）刘师知，一同进宫，在病榻旁照顾医药。袁枢，是袁君正的儿子（袁君正事，参考五四九年三月十四日）。皇太子陈伯宗个性软弱，陈蒨担心他不能保持皇帝的位置，对老弟陈顼说："我打算效法吴太伯往事（吴太伯事，参考二五二年闰四月注。此处暗示让位给老弟）。"陈顼伏身地上，哭泣流泪，坚决辞让。陈蒨又对到仲举、孔奂等说："而今，三国鼎立（陈蒨故意抹杀仍然存在的南梁帝国），四海之内，事务繁重，需要年长的君王。时间最近的，我打算效法司马衍（晋帝国九任帝成帝），时间最远的，我打算效法商王朝帝位传递法则（司马衍传位老弟司马岳〔十任康帝〕，参考三四二年六月。商王朝兄终弟及，传弟不传子）。你们应服从我的意思。"孔奂流泪回答说："陛下不过饮食上一时失调，不久就会痊愈。皇太子（陈伯宗）年纪还轻，但高贵的品德，每天都在进步。安成王（陈顼）以陛下老弟的崇高地位，足可以担任姬旦（周公）的角色。陛下如果有心罢黜太子，另立新君，我们愚昧，不敢接受命令。"陈蒨说："古人的正直风范，在你们身上再现。"命孔奂当太子宫总管（太子詹事）。

身为臣属，事奉君王，最标准的态度是：当君王显示美德时，臣属应顺势赞扬；当君王言行失误时，臣属应竭力补救。孔奂在陈帝国是核心人物，身负重任，裁决帝国的大计方针。假如认为陈蒨的话并不诚实，应该像窦婴那样提出分辩、像袁盎那样当面澄清（二事均参考前一五四年正月），在小的地方就要着手防范杜绝窥伺宝座的野心。如果认为陈蒨的话真心真意，则应该当时就请陈蒨颁发诏书，昭示中外，让陈蒨显示子力所有的美德（子力事，参考前一四八年九月），而使陈项免除芈围（楚王国十任王灵王）所犯的罪恶（楚王国八任王康王芈昭病重，老弟芈围进宫问安，就在病床上把芈昭缢死，又把芈昭的两个儿子杀掉，而自己篡位）。否则，既然认为太子是唯一合法继承人（正嫡），不可以随便更换，打算辅佐保驾，就应该竭尽忠心，守节不屈，像晋国的荀息、赵王国的肥义（《左传》前六五一年，晋国十九任国君〔献公〕姬诡诸病重，把儿子姬奚齐托孤给国务官〔大夫〕荀息，荀息叩头回答说："我自当竭尽全力，献出忠心，如果失败，只有一死。"姬诡诸逝世，姬奚齐登位〔二十任国君〕，另一国务官〔大夫〕里克诛杀姬奚齐。荀息再拥护姬奚齐的老弟姬卓子〔二十一任国君〕，里克再诛杀姬卓子，荀息殉难。肥义事，参考前二九五年）。为什么当君王还活的时候，揣摩他内心深处的隐密，去迎合他；等他死了之后，面对当权分子篡夺帝位，却不能挽救，继承人失去帝位，又不死节，这才是最大的奸恶谄媚。而陈蒨竟称之为有古代正直的遗风，而把孤儿寡妇托付给他，岂不荒谬。

柏杨曰

孔奂先生不过一个平庸的凡夫俗子，既不特别好，也不特别坏；臣属对君王的效忠，本来就是一种揣摩心意、拍马摇尾，有趣而又危险的游戏，杀机四伏，谎言泉涌。孔奂在陈蒨面前拥护太子，不过是保护自己的一种自然反应，他焉知道陈蒨不是在那里引蛇出洞？而司马光竟责备稍后陈伯宗小娃帝位被篡夺时，孔奂没有死节！这是一种慷他人之慨的心理，对别人的生命自由，毫不吝惜，认为别人随时随地都应该为君王（或为其他类似的玩意）血溅五步，人头落地。这跟我们的认知恰恰相反，我们的认知是：生命尊严，自由可贵。我们绝不动辄要求人去死，而

四月二十七日，陈蒨逝世（年四十五岁）。陈蒨从穷苦艰难的环境中崛起，深知民间痛苦。对事观察细微，性情节俭。每天晚上都要命人不断打开寝宫小门，把紧急呈递的奏章取出来，连夜批阅。训令殿中巡逻卫士，在接交木牌时，一定要把木牌投到石阶上，使它发出响声，陈蒨说："我虽然已经睡熟，也要教我惊醒。"（陈蒨是大分裂时代少数最好的帝王之一，但每夜都要被不断惊醒，不能安枕，没有这个可能，也没有这个必要。）

太子陈伯宗（本年十五岁）登极（三任废帝），大赦。

五月三日，尊皇太后章要儿为太皇太后，皇后沈妙容为皇太后。

11 五月九日，北齐政府擢升兼任国务院左执行长（兼尚书左仆射）、武兴王高普当国务院总理（尚书令）。

12 吐谷浑汗国（青海省）龙涸王慕容莫昌，率领他的部落，归附北周帝国。北周政府把他所在的地区，改称扶州（州政府设嘉诚〔四川省松潘县〕）。

13 五月十四日，陈帝国任命安成王陈顼，当骠骑大将军、宰相（司徒）、主管政府机要（录尚书事）、全国各军区总司令长官（都督中外诸军事）。

五月二十一日，再任命中军大将军、开府仪同三司（宰相级）徐度当最高监察长（司空）；国务院文官部长（吏部尚书）袁枢当国务院左执行长（左仆射）；吴兴郡（浙江省湖州市）郡长沈钦当国务院右执行长（右仆射）；总监察官（御史中丞）徐陵当国务院文官部长（吏部尚书）。

徐陵认为，南梁帝国末年以来（此只计算至六任帝萧方智的建康政府〔江苏省南京市〕为止，而不包括七任帝萧詧以后的江陵政府〔湖北省江陵县〕），任用官员，一团混乱，于是撰写文告，公布周知，说："萧绎（南梁四任帝）继承侯景遗留下来的凶暴荒谬局面，王僧辩接受荆州（南梁江陵政府〔湖北省江陵县〕）覆败带来的灾祸，政府精力，全都投入，没有时间处理其他事务。五〇年代末叶，圣明王朝（陈帝国）草创初期，要钱没有钱，但要一张官员的任命状，却想当什么官就有什么官。同时，政府也用官位代替金钱绸缎，作为赏赐。结果'员外''常侍'满街都是；'咨议''参军'市场上多得数都数不清。政府的法令规章，难道就是如此泛滥？而今社会秩序及政府运作，日渐纳入常轨，人们怎么可以仍存非分之想！"大家佩服。

14 五月二十三日，北齐政府封太上皇高湛的儿子高仁弘当齐安王、高仁固当北平王、高仁英当高平王、高仁光当淮南王。

六月，派兼任总顾问长（兼散骑常侍）韦道儒，前往陈帝国访问。

15 六月二十一日，陈政府把前任皇帝陈蒨，安葬永宁陵（建康城东蒋山东北），祭庙称世祖，绰号文皇帝。

16 秋季，七月三日，北周政府兴筑武功（陕西省武功县西）等城，派遣武装部队驻防（除武功城外，还兴筑郿城〔陕西省眉县东〕、斜谷城〔陕西省眉县〕、武都城〔陕西省宝鸡市陈仓区〕、留谷城〔陕西省宝鸡市〕、津坑城〔今地不详〕等）。

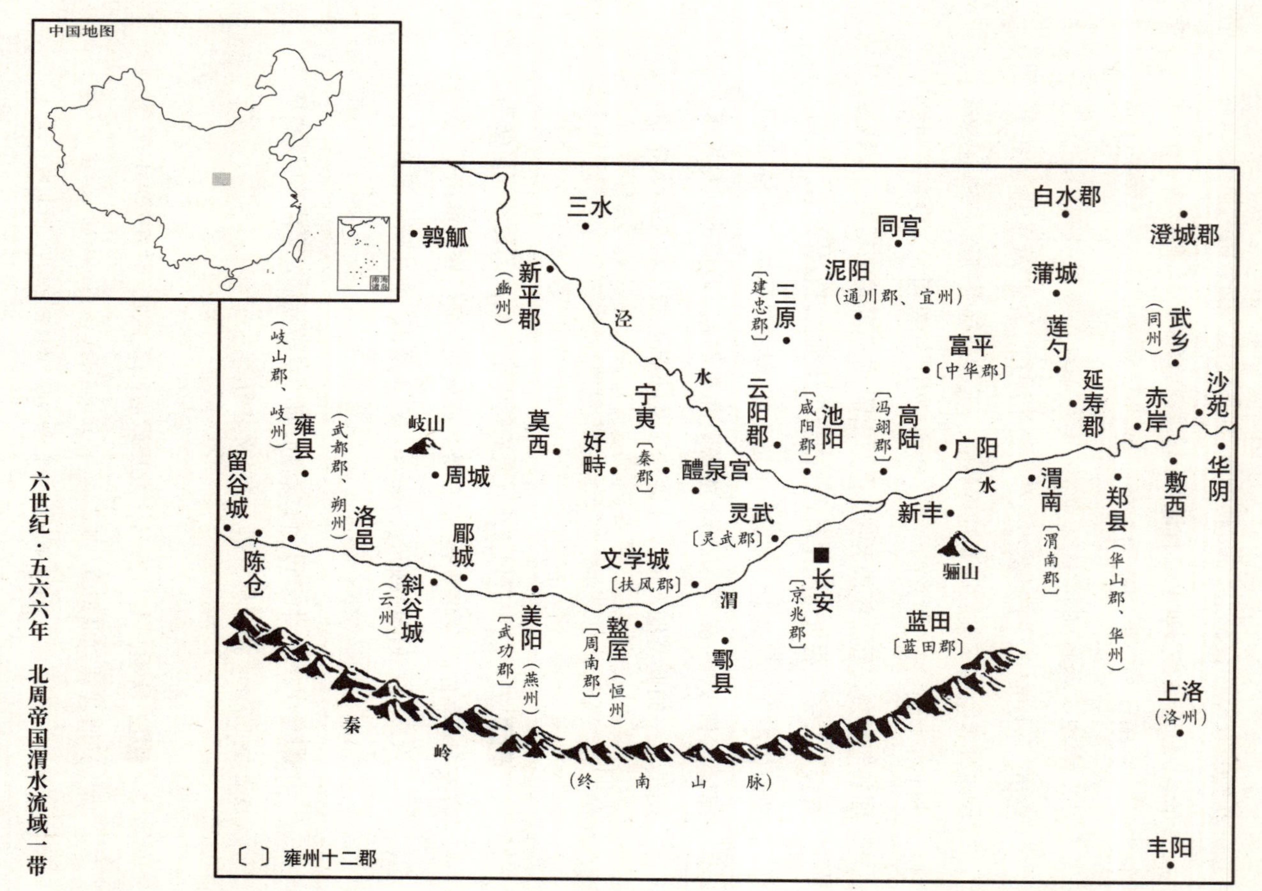

六世纪·五六六年　北周帝国渭水流域一带

17 七月二十二日，陈帝（三任废帝）陈伯宗，封太子妃王女士当皇后。

18 八月，北齐太上皇高湛，前往晋阳（山西省太原市）。

19 北周帝国信州蛮（重庆市奉节县一带蛮夷）酋长冉令贤、向五子王（五子王，三字名）等，据守巴峡（重庆市奉节县东〔白帝城东〕）起兵，攻陷白帝（重庆市奉节县东）；变民蜂起，蔓延两千余华里（向五子王事，参考五五四年五月）。北周政府前后派开府仪同三司（勋官三级）元契、赵刚等讨伐，都不能攻克。

九月，北周帝宇文邕下诏再命开府仪同三司（勋官三级）陆腾，率另一开府仪同三司王亮、司马裔，再作讨伐。

陆腾驻军汤口（重庆市云阳县，汤溪注入长江处。《周书·陆腾传》记载，陆腾自益州〔州政府成都〕沿外水〔岷江〕进军）；冉令贤在江南（长江以南）各地险要，连筑十个城堡，跟遥远东方的涔阳蛮（湖南省澧县一带蛮夷，时属陈帝国境内）结盟，作为声援，而自己率精锐部队驻防水逻城（重庆市奉节县东）。陆腾召开军事会议，征求大家意见，各将领都打算先行攻击水逻城，然后再攻江南（长江以南）。陆腾说："冉令贤在内仗恃水逻城，认为是铁打的江山，在外结交涔阳（涔水之北，湖南省澧县一带）蛮夷作为声援，粮秣充足，武器精良新颖，我们是深入敌境的一支孤军，直接进攻防卫严密的大城，万一不能攻克，更助长他们的气焰。不如就停在汤口（重庆市云阳县，汤溪注入长江处），先扫荡江南（长江以南），把它的羽毛剪光，然后再进军水逻城（重庆市奉节县东），这是稳操胜算的策略。"遂派王亮率军南渡长江，十天时间，一连攻克八城，俘虏及收容投降过来的官兵，各有一千人左右。于是，选拔及征求敢死勇士，分兵数道，进攻水逻城。蛮夷两位将领冉伯犁、冉安西，一向跟冉令贤有仇，陆腾派人说服他们，又用金银绸缎贿赂，使二人同意充当向导。水逻城旁有石胜城，冉令贤命他的侄儿冉龙真驻守，在陆腾暗中引诱下，冉龙真献出城池投降；水逻城遂告崩溃，政府军斩杀一万余人，俘虏一万余人。冉令贤逃走，政府军追赶，捕获，斩首。陆腾把所有尸首堆积在水逻城附近，用土覆盖，筑成高台。以后，蛮夷看到它就放声大哭，不敢再反抗。

美国印第安酋长“杰克上尉”有一段沉痛的话：“你们白人并没有打垮我们，打垮我们的是我们的同族。”信州蛮酋长冉令贤也可以重复这段沉痛的话：“你们汉人并没有打垮我们，打垮我们的是我们的同族！”

向五子王驻军石墨城（重庆市奉节县东北），命他的儿子向宝胜据守双城（重庆市巫溪县西）。水逻城（重庆市奉节县东）陷落后，陆腾不断派人前来游说沟通，但向五子王拒绝投降。陆腾挥兵进击，生擒向五子王父子，于是把向姓酋长全部斩首，俘虏一万余人。

信州州政府原设白帝城（重庆市奉节县东），陆腾把它迁到八阵滩（奉节县）之北（传说诸葛亮在奉节县江边，鱼复平沙之上，垒积八堆石头，筑成迷阵。夏季被水淹没，水退后八阵屹立如故），北周中央任命司马裔当信州州长（刺史）。

北周国防部考核副司长（夏官小吏部下大夫）陇西郡（甘肃省陇西县）人辛昂，奉命视察梁州（古梁州地区，陕西省南部）、益州（古益州地区，四川省中南部），并且督运军粮，支援陆腾兵团。当时，临州（州政府设临江〔重庆市忠县〕）、信州（州政府白帝城）、楚州（州政府设巴县〔重庆市〕）、合州（州政府设石镜〔重庆市合川区〕）等州居民，很多人参加反抗军，辛昂向他们分析祸福，于是投降政府的人，像回到自己家乡。辛昂命年老力弱的人运送粮秣，命年轻力壮的人参与战斗，人民都乐意于听他的支配。辛昂任务完成后，回京（首都长安），正巧，巴州（州政府设梁广〔四川省巴中市〕）万荣郡（四川省达州市达川区西）变民聚众起兵，围攻郡城，切断山区道路。辛昂对他的部属说："叛徒猖狂，如果奏报中央，等待中央指示，一座孤城，早已陷落。只要有利于人民，应该专断。"于是在通州（州政府设石城〔四川省达州市达川区〕）、开州（州政府设西流〔重庆市开州区〕），就地招兵买马，集结三千人，加倍速度前进；大出变民军意料之外，等到发觉时，政府军已经抵达垒下。变民军认为政府大军已到，没有抵抗，望风瓦解，一个郡得以平安。北周中央政府对辛昂反应能力之强，十分嘉许，命他当渠州（州政府设流江〔四川省渠县〕）州长（刺史）。

20 冬季，十月，北齐政府任命侯莫陈相当太傅（上三公之二）、任城王高湝当太保（上三公之三）、娄叡当最高指挥官（大司马）、冯翊王高润当全国武装部队总司令（太尉）、开府仪同三司（宰相级）韩祖念当宰相（司徒）。

21 十月十七日，陈帝陈伯宗到皇家祖庙祭祀祖先。

22 十一月二日，北周政府派使节到陈帝国，祭悼前任陈帝（二任文帝）陈蒨。

十一月十三日，北周帝宇文邕视察武功（陕西省武功县西）等新筑城池。

十二月十八日，宇文邕返首都长安（陕西省西安市）。

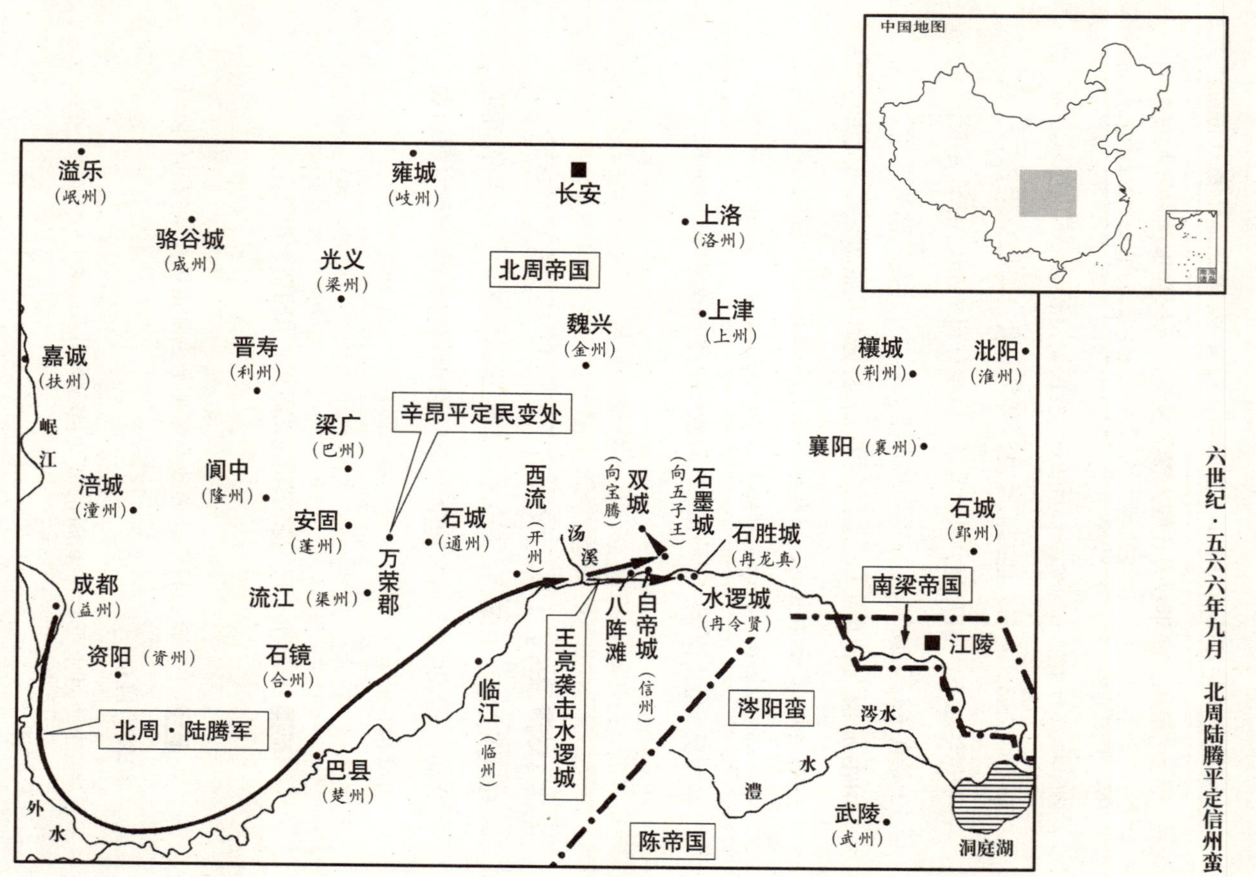

六世纪·五六六年九月　北周陆腾平定信州蛮

23 北齐帝国河间王高孝琬（高澄第三子），怨恨当权人士（怨恨和士开、祖珽谗言陷害高孝瑜，参考五六三年六月），曾经用草束扎成他们的形状，作为箭靶。和士开、祖珽暗中向太上皇高湛诬陷说："草人，就是陛下，也就是射击陛下。上一次，突厥军（瀚海沙漠群）攻击并州（州政府设晋阳〔山西省太原市〕），高孝琬曾脱下头盔，投掷到地上，说：'我又不是老太婆，吓得要死要活，非戴它不行。'这正是讥刺陛下（当时，高湛惊恐过度，全副武装，打算东逃；参考五六三年十二月）。北魏帝国时代，民间有歌谣说：'河南种谷河北生／白杨树上金鸡鸣。'河南、河北之间，就是'河间'，暗示身为河间王的高孝琬，将要设立'金鸡'，大赦天下。"（《隋书·刑法志》："北齐帝国传统，大赦之日，皇城保安司令部皇家军械库管理官〔武库令〕在阊阖门〔端门之内〕右边，摆设金鸡及皮鼓，把囚犯带到阊阖门前，主管官员擂鼓一千声，然后把囚犯释放。"又，《尔雅翼》引用《海中星占》："天鸡声动为有赦。"）高湛疑心顿起。

正巧，高孝琬新得到一颗佛牙，放在家里，晚上发出光芒。高湛接到报告，派人搜查，搜出镇库用长矛上挂的旗帜数百个，高湛遂一口咬定那就是谋反的证据，逮捕高孝琬审讯。高孝琬小老婆群中有位陈女士，因为不受宠爱，遂诬告说："高孝琬常画陛下的像，在像前哭泣。"其实画的是老爹高澄的像。高湛大为震怒，命武卫将军赫连辅玄，用"倒鞭"抽打（手握皮鞭，而用鞭杆抽打），高孝琬苦不能忍，高喊叔父。高湛说："你怎么敢叫我叔父！"高孝琬说："我是神武皇帝（高欢）的嫡孙、文襄皇帝（高澄）的嫡子、魏国（东魏帝国）孝静皇帝（末任帝元善见）的外甥，为什么不能叫你叔父！"高湛更怒不可遏，打断高孝琬的两腿，高孝琬哀号而死。

安德王高延宗（高澄第五子）对高孝琬的死，痛哭，眼泪哭尽，哭出鲜血，也缚一个草人，一面鞭打，一面呵责："为什么杀我老哥！”家奴告发，高湛命高延宗趴在地上，抽打二百马鞭，高延宗几乎断气。

本年（五六六），高湛特准总监督长（侍中）、立法院总立法长（中书监）元文遥改姓高（元文遥是北魏帝国皇族后裔，参考五五九年七月）。不久，擢升高文遥（元文遥）当国务院左执行长（尚书左仆射）。

自北魏帝国末年以来，县长一职，大多数都用家奴仆役担任，知识分子深以当县长是一种羞耻，不肯去做。高文遥（元文遥）认为，县长是政府治理人民最基层的组织，遂请求改变办法，秘密遴选官宦人家的子弟，用皇帝名义，颁发训令，一一委派，但仍恐怕他们不停申诉，不肯到任，于是，把他们全召集到神武门（端门内西门），命赵郡王高叡宣称奉皇上诏令，高声点名，每人都加以安慰勉励，送他们前往任所。北齐帝国官宦世家知识分子当县长，从此时开始。

五六七年 丁亥

南梁	天保	六年
陈	天康	二年
	光大	元年
北齐	天统	三年
北周	天和	二年

1 春季，正月一日，日蚀。

2 陈帝国（首都建康〔江苏省南京市〕）国务院左执行长（尚书左仆射）袁枢逝世（年五十一岁）。

正月三日，陈政府大赦，改年号（之前是天康二年，之后是光大元年）。

正月十九日，陈帝（三任废帝）陈伯宗（本年十六岁）前往首都建康南郊，祭祀天神。

3 正月二十日，北齐帝国（首都邺城〔河北省临漳县西南邺城镇〕）太上皇（四任武成帝）高湛（本年三十一岁），返首都邺城。

4 正月二十七日，北周帝国（首都长安〔陕西省西安市〕）皇帝（三任武帝）宇文邕（本年二十五岁），举行亲自耕田大典。

5 二月一日，北齐帝（五任）高纬（本年十一岁），举行加冠典礼。大赦。

6 当初，陈帝国一任帝（武帝）陈霸先当南梁帝国丞相时，用刘师知当立法院立法官（中书舍人。参考五五七年十月）。刘师知读过很多书，又能撰写文章，熟悉典章制度，后来，到了二任帝（文帝）陈蒨在位，官职虽然没有升迁，但对他仍十分器重信任，跟京畿总卫戍司令（扬州刺史）安成王陈顼、国务院执行长（尚书仆射）到仲举，一同接受遗诏，辅佐幼主（陈伯宗）施政。刘师知、到仲举，经常居住皇宫，参与决策，陈顼率左右侍从三百人，进住国务院（尚书省）。刘师知看见陈顼的地位、声望、权势，受到所有官员的肯定，心中兴起猜忌，跟国务院左秘书长（尚书左丞）王暹等，秘密计划把陈顼逐出中央；大家犹豫不决，不敢行动。太子宫初级随从官（东宫通事舍人）殷不佞，素来以声名节操自负，职务又是二任帝陈蒨亲自委派，于是，独自前往宰相府，宣称传达皇帝指令，对陈顼说："现在，天下太平，大王不必留在宫内，可以返回东府（建康城南），处理京畿（扬州）公务。"

陈顼得到消息，打算出宫，高级记录官（中记室）毛喜飞奔而入，晋见陈顼说："陈帝国建立的时间还短，大祸不断，内外人心疑惧不安，皇太后（沈妙容）深思远虑，命大王入居国务院，共同领导文武百官。今天殷不佞所传达的皇上（陈伯宗）指令，一定不是皇太后（沈妙容）的意思，帝国大业，请你再三考虑，应该再作奏报，澄清真假，不要使邪恶的人阴谋实现。今天一出皇宫，立刻被人控制；好比曹爽，就是想当一个富家老汉，又怎么能够（曹爽事，参考二四九年正月）？”陈顼即令毛喜与中央禁军总监（领军将军）吴明彻，共同讨论如何因应，吴明彻说：“皇上（陈伯宗）正在守丧，不能处理事务，对国家大事，很多忽略，殿下在亲属关系上好像姬旦（周公）、姬奭（召公），有责任保护帝国，请留在皇宫，不可不坚定。”

于是，陈顼宣称患病，召见刘师知，留下他闲话家常，而派毛喜先行入宫晋见皇太后沈妙容。沈妙容说：“现在，伯宗年纪还小（本年十六岁），政府事务全都委任二郎（陈蒨老大，陈顼老二，故称二郎），免除二郎（陈顼）职务，不是我的主意。”毛喜又报告陈伯宗，陈伯宗说：“这是刘师知等干的事，我并不知道。”毛喜出来，报告陈顼。陈顼立刻逮捕刘师知，进宫晋见皇太后沈妙容及陈帝陈伯宗，极力指控刘师知的罪状，亲自撰写皇帝训令草稿，请求批准发布，于是，把刘师知交付最高法院（廷尉），当天夜晚，就在监狱中逼刘师知自杀。而贬谪到仲举当特级资政官（金紫光禄大夫）。王暹、殷不佞，一并交付有关单位，依法判刑。殷不佞，是殷不害的老弟，从小就以孝顺父母闻名于世（《陈书·殷不佞传》：殷不佞在为老爹守丧期间，顶尖的孝行已被称道。江陵陷落时〔五五四年十二月〕，殷不佞的娘亲，被乱兵格杀，殷不佞正在建康〔江苏省南京市〕，道路隔绝，不能奔丧，四年之中，日夜不停的哀号哭泣，所住的地方及日常饮食，都遵照儒家学派丧礼的规定。后来，他的老哥殷不齐把娘亲的灵柩迎回安葬。殷不佞的举动，跟刚刚接到娘亲死讯时一样，凡三年之久。亲自挑土筑坟，亲手种植松柏，每年四季节日及伏祭、腊祭，都三天不进饮食），陈顼对殷不佞一向敬重，所以只有他一个人可以不死，仅只免除官职；王暹被诛杀。从此，政权全归陈顼（胡三省注：“刘师知的事，十分类似杨愔〔参考五六〇年二月〕。”陈顼也十分类似高演）。

陈帝国首都西区卫戍司令（右卫将军）会稽郡（浙江省绍兴市）人韩子高，坐镇中央禁军总监部（领军府）；在建康（陈首都，江苏省南京市）各将领中，兵马最多，参与到仲举的政变阴谋，还没有发动。毛喜向陈顼建议，挑选人马，配备韩子高，并发给他生铁及煤炭，使他补充整修铠甲武器。陈顼吃惊说：“韩子高阴谋叛变，正应该逮捕归案，为什么反而增加他的实力？”毛喜说：“刚刚把先帝（二任帝陈蒨）安葬完毕，边疆的盗贼仍然很多。韩子高受先帝（陈蒨）委任，外表上名正言顺，如果立即逮捕，恐怕他不肯接受，可能造成后患。我们应该对他推心置腹，然后引诱他增加信心，使他不再对我们猜疑，那时找个机会把他除掉，不过一个勇士就足够。”陈顼完全同意。

到仲举既被罢黜，回归私宅，心中惊疑不定；他的儿子到郁，娶二任帝陈蒨的妹妹信义长公主，被任命当南康郡（江西省赣州市）郡长（内史），还没有前往到任。韩子高也感觉到危机四伏，请求出京（首都建康）担任衡州（州政府设含洭〔广东省英德市西北浛洸镇〕）或广州（州政府设番禺〔广东省广州市〕）军事或行政主管。到郁经常乘坐小轿，伪装成妇女，跟韩子高密谋。而就在此时，前上虞（浙江省绍兴市上虞区）县长陆昉，及韩子高的部将、带兵官，告发他们二人谋反。陈顼正在国务院（尚书省），遂宣称召集所有在位的文武百官，讨论遴选太子事宜。第二天天亮后，到仲举、韩子高等到国务院（尚书省），立刻被陈顼逮捕，连同到郁，一起送交最高法院（廷尉）。陈帝陈伯宗下诏（陈顼诏），命二人在狱中自杀（到仲举年五十一岁），对同谋党羽，一概不加追究。

二月十日，南豫州（州政府设姑孰〔安徽省当涂县〕）州长（刺史）余孝顷被控告谋反，诛杀。

二月十二日，任命东扬州（州政府设会稽〔浙江省绍兴市〕）州长（刺史）始兴王陈伯茂，当中卫大将军、开府仪同三司（宰相级）。陈伯茂，是陈帝陈伯宗同一个娘的亲弟；刘师知、韩子高的密谋，陈伯茂都实际参与。宰相（司徒）陈顼唯恐怕陈伯茂引起骚动，所以发表他当中卫大将军，使他专心保护宫廷，居住宫内，跟陈伯宗一起游戏（陈伯茂本年顶多十六岁，这么小的年龄，不过高中学生，竟参与足以造成大流血的政变，使人扼腕）。

三月二十三日，任命国务院右执行长（尚书右仆射）沈钦，当总监督长（侍中）、国务院左执行长（左仆射）。

7 夏季，四月十三日，北齐政府派总顾问长（散骑常侍）司马幼之，前往陈帝国报聘。

8 陈帝国湘州（州政府设临湘〔湖南省长沙市〕）州长（刺史）华皎，听到韩子高处死消息，内心疑惧不安（刘师知、韩子高、华皎，都是二任帝陈蒨亲信），于是修理武器，招兵买马，对部属耐心安抚；一面请求调往广州（州政府设番禺〔广东省广州市〕），用来观察中央（指陈顼）的态度。宰相（司徒）陈顼假装同意，可是一直不发布人事命令。华皎派使节暗中引导北周帝国（首都长安）军南下；同时向南梁帝国（首都江陵〔湖北省江陵县〕）归降，命他的儿子华玄响前往充当人质。

五月二十三日，陈顼任命首都建康市长（丹阳尹）吴明彻当湘州（州政府临湘）州长（接替华皎）。

9 五月二十四日，北齐政府任命东平王高俨（本年十岁）当国务院总理（尚书令）。

10 陈帝国宰相（司徒）陈顼命吴明彻率水军三万人，直驶郢州（州政府设夏口〔湖北省武汉市〕）。

五月二十六日，又命征南大将军淳于量率水军五万人，继续出发；又命冠武将军杨文通，率步兵从安成（江西省安福县）陆路，攻击茶陵（湖南省茶陵县）；巴山郡（江西省丰城市。陈政府把郡政府从巴山〔江西省崇仁县〕迁至丰城）郡长黄法慧，从宜阳（江西省宜春市）攻击澧陵（醴陵·湖南省醴陵市）；共同袭击华皎，并会同江州（州政府设湓城〔江西省九江市〕）州长（刺史）章昭达、郢州（州政府设夏口〔湖北省武汉市〕）州长（刺史）程灵洗，商议进军讨伐。

六月三日，任命最高监察长（司空）徐度当车骑将军，率领中央各军步骑兵混合兵团，从陆路直指湘州（州政府设临湘〔湖南省长沙市〕）。

11 六月十二日，北周帝宇文邕，尊称娘亲叱奴女士（叱奴，复姓）为皇太后。

12 六月二十日，北齐帝高纬，封皇弟高仁机当西河王、高仁约当乐浪王、高仁俭当颍川王、高仁雅当安乐王、高仁直当丹阳王、高仁谦当东海王。

13 陈帝国反抗军首领华皎的使节，抵达长安（北周首都，陕西省西安市）；南梁帝（八任孝明帝）萧岿（本年二十六岁），也上书北周政府，报告陈帝国内乱情势，请求出兵。北周政府准备派军呼应，国务院财政司长（天官司会中大夫）崔猷说："前些年，大军东征（洛阳之役，参考五六四年十月），战死及负伤战士，超过一半，虽然经过救助安抚，但元气并没有恢复。而今，陈国（陈帝国）退保边境，休养人民，两国邦交和睦，怎么可以贪图他们的土地，接受他们的叛徒，违背盟誓，兴无名之师！"晋公爵宇文护不同意。

闰六月九日，北周政府派襄州军区（总部设襄阳〔湖北省襄阳市〕）总司令（总管）卫公爵宇文直，率领柱国（勋官一级）陆通、大将军（勋官二级）田弘、权景宣、元定等，援助华皎。

14 闰六月十二日，北齐帝国左丞相、咸阳王（武王）斛律金逝世，享年八十岁。斛律金的长子斛律光当最高统帅（大将军），次子斛律羡及孙儿斛律武都，都当开府仪同三司（宰相级），分别出任地方政府首长（斛律羡任幽州〔州政府蓟城〕州长，斛律武都任梁〔州政府大梁城〕、兖〔州政府瑕丘〕二州州长），其他子孙，很多被封侯爵，声势显贵。一门之中，出了一个皇后（五任帝高纬妻）、两个太子妃（高百年妻、高纬当太子时妻）、娶了三位公主（斛律光的儿子斛律武都、斛律世雄、斛律恒伽，都娶公主），在北齐帝国中，富贵荣华，一连三代，没有人可以相比。自三任帝（孝昭帝）高演以来，对斛律金的礼遇尤其优厚，每当朝会时，总是特准他乘坐人拉的小车，直到金殿阶前，有时皇帝甚至派羊车出宫迎接。然而，斛律金并不因此高兴，曾经对斛律光说："我虽然没有读过书，但是却听说过，自古以来，皇后娘家能够保全家门的很少。女儿被皇上宠爱，一定会受其他贵族嫉妒，女儿不被皇上宠爱，则直接受到皇上憎恶。我们家全靠战功和工作劳苦，才享荣华富贵，为什么依靠女儿得宠？"

闰六月十三日，北齐政府任命东平王高俨，主管政府机要（录尚书事)，任命国务院左执行长（左仆射）赵彦深当国务院总理（尚书令），国务院并州分院左执行长（并省尚书左仆射）娄定远当中央国务院左执行长（左仆射），立法院总立法长（中书监）徐之才当国务院右执行长（右仆射）。娄定远，是娄昭的儿子（娄昭，是太皇太后娄昭君的老弟）。

15 秋季，七月十日，陈帝国封皇子陈至泽（本年二岁）当太子。

16 八月，北齐帝国政府任命任城王高湝当太师（上三公之一）、冯翊王高润当最高指挥官（大司马）、段韶当左丞相、贺拔仁当右丞相、侯莫陈相当太宰（上公）、娄叡当太傅（上三公之二）、斛律光当太保（上三公之三）、韩祖念当最高统帅（大将军）、赵郡王高叡当全国武装部队总司令（太尉）、东平王高俨当宰相（司徒）。

高俨深受太上皇高湛及胡太后的宠爱（高俨是高湛第三子，本年十岁），此时，高俨小娃身兼京畿总司令官（兼京畿大都督），又兼中央禁军总监（领军大将军），又兼总监察官（领御史中丞）。北魏帝国前例：总监察官（御史中丞）出门，跟皇太子分道而行（总监察官〔御史中丞〕如果像普通官员一样，也要避到一旁，便不能显示监察权的尊严），王爵公爵跟总监察官（御史中丞）相遇时，远远的都要停住车子，把拉车的牛解下，使车辕抵触地面，等待总监察官（御史中丞）过去后，才可以重新驾车前进。如果停车卸牛，或抵触地面的动作稍慢，总监察官（御史中丞）的开道卫队，立即就用赤红警棍殴打。然而，自五三四年迁都邺城（河北省临漳县西南邺城镇）后，这种规矩已经废除。太上皇高湛打算使他这个十岁的儿子更尊贵荣耀，下令恢复旧有制度。高俨刚从北宫出来，前往总监察署办公，所有京畿范围内的野战军步骑兵、中央禁军总监部（领军）所有官员、总监察官（中丞）卫士、宰相（司徒）卫士，全体出动跟随。太上皇高湛及胡太后在华林园东门外设立篷帐，坐在篷帐下观看，派宫廷特使骑马飞奔，直闯总监察官（御史中丞）的开道卫队，被开道卫队拦阻，宫廷特使声称奉有皇帝指令，话刚出口，开道卫队的赤红警棍，已击碎马鞍，坐骑受惊，高举前蹄长嘶，宫廷特使从马上跌下。高湛大笑，认为真是过瘾。命高俨停下座车，慰问很久；邺城居民几乎全都出来观看。

高俨经常留在皇宫，登含光殿办公，叔父们都向他叩拜。太上皇高湛有时前往并州（州政府设晋阳〔山西省太原市〕），高俨一定留守京师（首都邺城）。高俨每次给老爹送行，有时送到半路，有时索性送到晋阳（山西省太原市）才回。所用的器具、珍宝、服装、饰物，跟皇帝高纬，完全相同，一切供应，全由政府负担。有一次，在南宫看见刚从冰库中取出的新鲜李子，回来后（高纬住南宫，高俨随父母住北宫），大发脾气说："俺哥有，我为什么没有？"从此，只要高纬比他先得到新奇的东西，供应官及工人，一定受到惩罚。高俨性情刚强明快，曾经问老爹："俺哥懦弱，怎么能领导帝国？"高湛不断夸奖他是一个奇才，有意罢黜高纬，命高俨登极；胡太后也劝他如此做，但并没有认真，不久也就不再谈及。

读史读到高湛先生如此这般宠爱他的儿子高俨，用不着再往下读，就可以知道高俨会有什么结局（参考五七一年九月）。历史的教训对当权派的影响甚微，但对旁观者，却能增加分析能力，只可怜高俨这个十岁小娃，白白被浑蛋老爹断送。

17 陈帝国反抗军首领华皎，派使节游说江州（州政府设湓城

〔江西省九江市〕）州长（刺史）章昭达，章昭达逮捕使节，押送建康（陈首都，江苏省南京市）。华皎再派使节游说郢州（州政府设夏口〔湖北省武汉市〕）州长（刺史）程灵洗，程灵洗把使节斩首。华皎因武州（州政府设武陵〔湖南省常德市〕）处于自己心脏地带，也派使节前往游说司令官（都督）陆子隆，陆子隆拒绝；华皎派军进击，不能攻克。巴州（州政府设巴陵〔湖南省岳阳市〕）州长（刺史）戴僧朔等，都隶属华皎（华皎是湘巴等四州军区司令长官〔另二州应是武、沅〕），而长沙郡（湖南省长沙市）郡长曹庆等，本来就是华皎的部属，于是一起效忠华皎。宰相（司徒）陈顼恐怕长江上游郡长县长都归附华皎，于是，特别赦免湘巴二州。

九月七日，陈政府把华皎留在建康（陈首都，江苏省南京市）的家属，全部诛杀。

南梁政府（首都江陵）任命华皎当最高监察长（司空），派柱国（仿效北周帝国官制）王操，率军两万人支援华皎。北周大将军（勋官二级）权景宣率水军、元定率陆军，襄州军区（总部设襄阳〔湖北省襄阳市〕）总司令（总管）卫公爵宇文直当总指挥，会同华皎，顺长江东下。陈征南大将军淳于量，率舰队进抵夏口（湖北省武汉市）；宇文直军进抵鲁山（武汉市汉水南岸），命元定率步骑兵数千人包围郢州（州政府夏口），华皎驻军白螺（湖北省监利市东南长江西岸），跟陈湘州（州政府临湘）州长（刺史）吴明彻等对峙。陈军另两位将领徐度、杨文通，由岭路（云霄山〔江西省与湖南省界山〕横亘路）西进，袭击湘州（州政府临湘），俘虏华皎留守基地所有官兵家属。

华皎自巴陵（湖南省岳阳市）跟北周、南梁联军，顺流乘风东下，声威夺人，与陈军在沌口（湖北省武汉市西南，沌水注入长江处）会战，淳于量、吴明彻征召军中小艇，赏赐很多金银，命他们攻击联合舰队中的巨舰，承受巨舰的撞击长杆的撞击。小艇出发，等到联合舰队的撞击长杆因撞击过度而全部毁坏时，淳于量等再出动自己的巨舰，用撞击长杆猛烈撞击联合舰队的巨舰，联合舰队所属巨舰，全被撞击粉碎，在江心沉没。联合舰队又用小船装满木材，顺风纵火，可是一会工夫，风向倒转，大火烧上自己船舰，联合舰队遂大败。华皎与戴僧朔，乘一叶小舟逃走，经过巴陵（湖南省岳阳市）不敢靠岸，一直投奔江陵（南梁首都，湖北省江陵县）；北周卫公爵宇文直，也投奔江陵。只剩包围郢州（州政府设夏口〔湖北省武汉市〕）的元定，成为一支孤军，进不能进，退不能退，于是解围，从陆路逃向巴陵（湖南省岳阳市），沿途翻山越岭，砍伐竹林，辟出小径，一面战斗一面退却，好不容易退到巴陵，而巴陵已被徐度等占领。徐度等派人晋见元定，跟元定盟誓，承诺元定所率的北周军队，安全回国。元定相信盟誓，放下武器，晋见徐度；徐度遂逮捕元定，把北周军队全部俘虏；生擒南梁最高统帅（大将军）李广。元定愤怒怨恨，发病而死。

反抗军其他将领曹庆等四十余人，全被陈帝国政府诛杀。只有岳阳郡（湖南省湘阴县北）郡长章昭裕，是章昭达的老弟；桂阳郡（湖南省郴州市）郡长曹宣，是一任帝（武帝）陈霸先的老部属；衡阳郡（湖南省株洲市西南）郡长（内史）汝阴郡（侨郡，安徽省合肥市）人任忠，曾经跟中央私通消息，受到赦免。

陈帝国湘州（州政府临湘）州长（刺史）吴明彻，乘胜西上，进攻南梁河东郡（侨郡，湖北省松滋市西北），攻克。

北周卫公爵宇文直把此次远征失败的责任，推给南梁柱国（勋官一级）殷亮。南梁帝萧岿知道殷亮没有错误，但不敢违抗；于是，斩殷亮。

18 北周帝国既跟陈帝国翻脸成仇，北周沔州（州政府设甑山

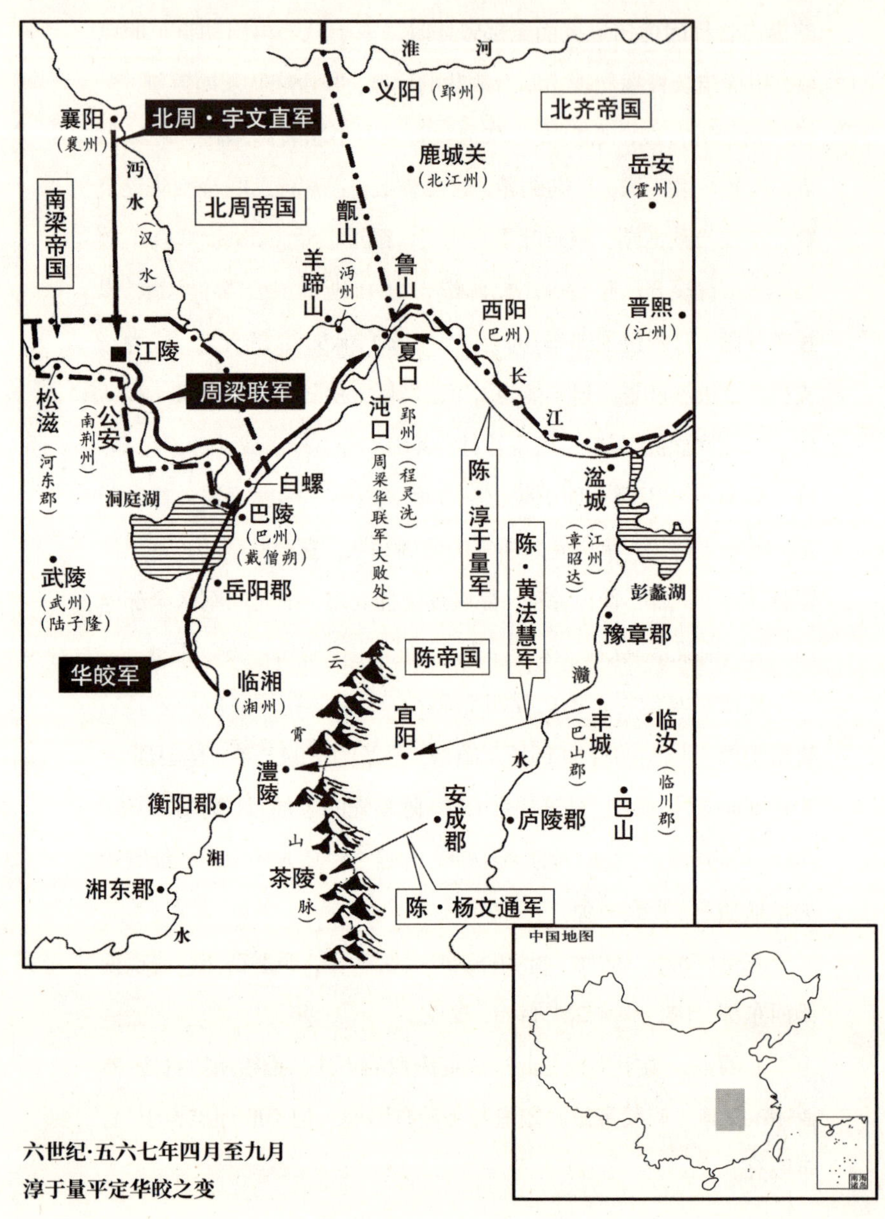

六世纪·五六七年四月至九月

淳于量平定华皎之变

〔湖北省汉川市〕）州长（刺史）裴宽，报告襄州军区（总部设襄阳〔湖北省襄阳市〕）总司令官（总管）宇文直，请求增援，并且把州政府迁到羊蹄山（湖北省汉川市境），以躲避水患。援军还没有到达，而陈郢州（州政府设夏口〔湖北省武汉市〕）州长（刺史）程灵洗所率的水军，突然在城下出现。正巧天降大雨，江河水涨，程灵洗率巨舰紧靠城墙，用撞击长杆猛烈撞击城墙，城楼城垛，全都毁坏；飞石射箭，昼夜不停的攻打。历时三十余日，陈军攀登城墙而上，裴宽仍率军使用短武器抵抗；苦战两天，陈军生擒裴宽。

19 九月十九日，北齐太上皇高湛前往晋阳（山西省太原市）。

山东（崤山以东）大水成灾，饥馑，道路上躺满饿死的尸体（人间惨事）。

20 冬季，十月十七日，陈帝陈伯宗前往皇家祖庙祭祀。

21 十一月一日，日蚀。

22 十一月九日，北齐政府大赦。

23 十一月十六日，北周许公爵（穆公）宇文贵，从突厥汗国（瀚海沙漠群）回来（宇文贵前往迎接公主，被突厥强留，因病先行送回），走到张掖（甘肃省张掖市），逝世。

24 北齐太上皇高湛，返首都邺城（河北省临漳县西南邺城镇）。

25 十二月，北周晋公爵宇文护的娘亲阎女士逝世。北周帝宇文邕下诏，不准宇文护守丧，强制他恢复办公。

26 北齐皇家图书馆长（秘书监）祖珽，跟宫廷监督官（黄门侍郎）刘逖，至为友好。祖珽希望当宰相，所以必须排除他的一些老友，于是，祖珽撰写赵彦深、高文遥（元文遥）、和士开三人罪状，请托刘逖奏报，刘逖不敢。而赵彦深等已经得到消息，先晋见高湛申辩解释，高湛大发雷霆，逮捕祖珽，加以盘问。祖珽当面检举和士开、高文遥（元文遥）、赵彦深等互相勾搭，结党组派，玩弄政府权力，卖官鬻爵、贪赃枉法等事情。高湛说："说来说去，你原来要败坏我的名声！"祖珽说："我不敢败坏陛下名声，但陛下却抢夺民间女子入宫。"高湛说："我是因为她们饥饿，收养她们。"祖珽说："为什么不开仓赈济，一定要入宫！"高湛怒不可遏，用刀柄铁环，猛撞他的嘴巴，左右侍卫一齐动手，马鞭木棍，没头没脸打下，就要捶毙阶前。祖珽大叫说："陛下不要杀我，我替陛下配制仙丹。"这才不再捶打，但仍被擒拿，祖珽说："陛下有一个范增（参考前二〇八年七月），却不能用。"高湛又大怒说："你自认为你是范增，岂不认为我是项羽（西楚王国一任王）！"祖珽说："项羽不过一个平民，率领一群乌合之众，只五年工夫，就统一全国，建立霸权。陛下依靠老爹、老哥留下的产业，才登上尊位，我认为陛下没有资格轻视项羽。”高湛被逼到死角，不能还口，于是暴跳如雷，用土塞住祖珽的嘴，祖珽一面往外吐土，一面不停的说话。高湛简直要疯，最后，打祖珽二百皮鞭，发配兵工厂做苦工；不久，再贬逐到光州（州政府设东莱〔山东省莱州市〕），高湛训令：“牢掌。”州政府总务官（别驾）张奉福说：“牢，就是地牢。”把祖珽囚禁在地牢中，脚镣手铐等刑具，都不能解除。到了夜晚，用蔓菁子当燃料，燃烧照明，祖珽被烟所熏，双眼全盲（蔓菁，又名芜菁，有别于大头菜，果实像一个栗子，北方黄河流域民间，用来煮食，味道香甜）。

北齐国务院国防部长（七兵尚书）毕义云，残忍暴虐，对待部属，狠毒超出人类想象；对待家里的人，手段尤其可怖。一天夜晚，被刺客诛杀，刺客把凶刀留在床上，检验结果，竟是他儿子毕善昭的佩刀。主管官员逮捕毕善昭，斩首。

法律的基础建立在正义和公道之上，才有不可侵犯的尊严。当法律落到恶棍之手，用法律横肆残酷时，则上帝欣赏人民自救。

五六八年 戊子

南梁	天保	七年
陈	光大	二年
北齐	天统	四年
北周	天和	三年

1 春季，正月三日，陈帝国（首都建康〔江苏省南京市〕）安成王陈顼晋升太傅（上三公之二），兼任宰相（领司徒），加授特别礼遇。

2 正月五日，北周帝国（首都长安〔陕西省西安市〕）皇帝（三任武帝）宇文邕（本年二十六岁），前往首都长安南郊，祭祀天神。

3 正月二十七日，北齐帝国（首都邺城〔河北省临漳县西南邺城镇〕）

皇帝（五任）高纬（本年十二岁），派兼任总顾问长（兼散骑常侍）郑大护，前往陈帝国报聘。

4 陈帝国湘东公爵（忠肃公）徐度逝世（年六十岁）。

5 二月二日，北周帝宇文邕，前往武功（陕西省武功县西）。

6 突厥汗国（瀚海沙漠群）可汗（三任木杆可汗）阿史那俟斤，背叛跟北周帝国缔结的盟誓，而跟北齐帝国另订婚约，扣留北周迎亲使节陈公爵宇文纯等，数年之久，不释放他们回国（北周派宇文纯迎接突厥公主事，参考五六五年二月）。正巧天响巨雷，又刮狂风，十数日不停，摧毁突厥大量篷帐；阿史那俟斤大为恐惧，认为是上天降下惩罚，遂即准备嫁妆，送他的女儿前往北周，迎亲使节宇文纯等遂护送突厥公主南返。

三月八日，宇文纯等抵达长安（北周首都，陕西省西安市），北周帝宇文邕亲自出宫迎接。

三月九日，北周政府大赦。

7 三月十日，北齐政府任命东平王高俨（本年十一岁）当最高统帅（大将军）、南阳王高绰当宰相（司徒）、开府仪同三司（宰相级）徐显秀当最高监察长（司空）、广宁王高孝珩当国务院总理（尚书令）。

8 三月二十三日，北周帝国燕公爵（文公）于谨逝世（年七十五岁）。于谨虽然功大勋高，地位尊贵，但事奉皇帝，态度十分恭敬，每次前往金殿朝见，不过三五个骑兵随从。政府发生大事，掌权人物总要征求于谨的意见。于谨每次也都竭尽忠心，提出具体建议。在元老功臣中，于谨特别受到亲信，对他的礼遇，十分优厚，从始到终，没有一点猜忌。于谨常教训他的儿子：要心存恬静，凡事宁愿退后一步；子孙繁衍众多，大都享有名声和富贵。

9 陈帝国湘州（州政府设临湘〔湖南省长沙市〕）州长（刺史）吴明彻乘战胜余威（沌口击败华皎，参考去年〔五六七〕八月），进攻南梁帝国首都江陵（湖北省江陵县），掘开堤防，用水围困城池。南梁帝（八任孝明帝）萧岿（本年二十七岁）逃到纪南城（春秋时代楚王国首都，江陵城北）躲避。北周帝国协防司令（总管）田弘，护送萧岿前往；协防副司令（副总管）高琳，与南梁国务院执行长（仆射）王操，留下来坚守江陵三城（三城：西城、东城、金城〔子城〕。南梁皇宫在东城，北周协防司令部在西城，参考五五四年十二月），日夜不停的抵抗攻击，支持一百天。南梁将领马武、吉彻反攻，击败吴明彻。吴明彻撤退到公安（陈南荆州州政府所在县，湖北省公安县），萧岿才返江陵（湖北省江陵县）。

10 夏季，四月十七日，北周政府任命达奚武当太傅（三公级），尉迟迥当太保（三公级）；齐公爵宇文宪当国防部长（大司马）。

11 北齐太上皇（四任武成帝）高湛（本年三十二岁），前往晋阳（山西省太原市）。

国务院左执行长（尚书左仆射）徐之才，精通医药，高湛患病，徐之才为他诊治，病愈之后，立法院总立法长（中书监）和士开，不想依照正常秩序升迁，遂任命徐之才当兖州（州政府设瑕丘〔山东省济宁市兖州区〕）州长（刺史）。

五月九日，擢升国务院右执行长（尚书右仆射）胡长仁当左执行长（左仆射）；和士开当右执行长（右仆射）。胡长仁，是太上皇后胡女士的老哥。

12 五月十六日，北周帝宇文邕前往皇家祖庙，祭祀祖先。

五月二十六日，宇文邕前往醴泉宫（陕西省礼泉县东南）。

13 五月二十八日，北齐太上皇高湛返首都邺城（河北省临漳县西南邺城镇）。

14 秋季，七月九日，北周随公爵（桓公）杨忠逝世（年六十二岁），儿子杨坚继承爵位。杨坚担任开府仪同三司（勋官三级）、国务院宫廷副司长（天官小宫伯下大夫）。晋公爵宇文护打算跟他结交，收作心腹亲信。杨坚报告杨忠，杨忠说：“两个婆婆之间，小媳妇最难做，你最好不要去。”杨坚婉转拒绝宇文护的盛情。

15 七月十三日，陈帝（三任废帝）陈伯宗（本年十七岁）前往皇家祖庙，祭祀祖先。

16 七月二十五日，北周帝宇文邕返首都长安（陕西省西安市）。

17 七月二十九日，陈帝国封皇弟陈伯智当永阳王、陈伯谋当桂阳王。

18 八月，北齐政府向北周请求和解，北周积极反应，派国防部军政司长（夏官军司马中大夫）陆程，前往北齐聘问。

九月四日，北齐派总监督长（侍中）斛斯文略，前往北周报聘。

19 冬季，十月二日，北周帝宇文邕前往皇家祖庙，祭祀祖先。

20 十月九日，陈帝陈伯宗前往皇家祖庙，祭祀祖先。

21 十月二十日，北齐政府任命广宁王高孝珩主管政府机要（录尚书事），国务院左执行长（尚书左仆射）胡长仁当国务院总理（尚书令），右执行长（右仆射）和士开当左执行长（左仆射），立法院总立法长（中书监）唐邕当国务院右执行长（右仆射）。

22 十一月一日，日蚀。

23 北齐政府派兼任总顾问长（兼散骑常侍）李谐，前往陈帝国聘问。

24 十一月十三日，北周帝宇文邕，前往岐阳（岐阳宫，陕西省宝鸡市凤翔区境）。

北周政府派开府仪同三司（勋官三级）崔彦等，前往北齐报聘。

25 陈帝国始兴王陈伯茂，眼看皇叔安成王陈顼专权独裁，心中愤愤不平，不断口出恶言，陈顼遂发动政变。

十一月二十三日，陈顼用太皇太后章要儿（一任帝陈霸先正妻）名义下诏，诬指陈帝陈伯宗：跟刘师知、华皎等勾结。宣称："文皇帝

（二任帝陈蒨）知道自己的儿子不堪担负重任，好像伊祁放勋（帝尧）；而把宝座传给老弟的决定，类似吴太伯（参考前二〇七年十二月注）。而今，应该实现文皇帝（陈蒨）昔日心愿，遴选贤明新君。”于是罢黜陈伯宗，改封临海王，命陈顼继承帝位。同时，又下诏免除陈伯茂王爵，改封温麻侯，安置在另外一个居处，在移解必经的道路上，陈顼埋伏杀手，就在车上，刺死陈伯茂（年龄不详。《陈书·陈伯茂传》记载，年十八岁，应误）。

26 北齐太上皇高湛，旧病忽然发作，派驿马车火速迎接徐之才，徐之才还没有赶到。十二月十日（原文误置于十一月，据《北齐书》改），高湛病势转重，把死后的事，交付和士开，握住和士开的手说：“不要辜负我！”就这样握着和士开的手逝世（本年三十二岁）。第二天（十二月十一日），徐之才抵达，和士开命他返回兖州（州政府设瑕丘〔山东省济宁市兖州区〕）。

和士开封锁高湛逝世消息，到第三天，仍不发布，宫廷监督官（黄门侍郎）冯子琮问他缘故，和士开说：“神武（高欢）、文襄（高澄）逝世，都封锁消息（高欢死事，参考五四七年正月；高澄死事，参考五四九年八月），而今，皇上（高纬）年纪还小（本年十二岁），恐怕亲王公爵中，有人怀有二心。我打算把大家全体集合凉风堂（晋阳宫大殿），公开商讨应变措施。”和士开对全国武装部队总司令（太尉）、主管政府机要（录尚书事）赵郡王高叡，及中央禁军总监（领军）娄定远，一向猜忌；冯子琮恐怕和士开假传圣旨，把高叡派到外地，或剥夺娄定远所掌握的禁卫军兵权；于是，乘势说服他：“大行皇帝（刚死的皇帝）早已把帝位传给现任皇帝（五任高纬），群臣所享受的荣华富贵，都出于陛下（高纬）父子的恩典。只要保证全不更动贵族高官，亲王公爵一定没有异议。世界已经不同，事件更有差别，怎么可以跟夺权时代（霸朝）相比。而且，你不出宫，已有多天，太上皇（高湛）逝世消息，道路上已开始传播，拖的时间太久，恐怕引起其他变化。”和士开这才发布高湛逝世消息。

十二月十五日，北齐政府大赦。

十二月十七日，北齐帝高纬尊太上皇后胡女士为皇太后。

总监督长（侍中）、国务院左执行长（尚书左仆射）高文遥（元文遥），认为冯子琮是胡太后的妹夫，恐怕他煽动胡太后干涉政府，遂跟赵郡王高叡、和士开共同商议，命冯子琮出任郑州（州政府设临颍〔河南省临颍县西北〕）州长（刺史）。

高湛骄傲奢侈，荒淫逸乐，以致民间的捐税差役，繁多而又沉重，官民都感愁苦。

十二月二十三日，北齐帝高纬下诏：“正在进行中的各种制作，全部停止。邺下（首都邺城）、晋阳、中山三宫的宫女及女奴（罪犯的家属）年纪已老或患病的，于调查后一律释放。自身不是正犯，而因亲属关系被连累放逐贬所的，准他们回家。”

27 北周帝国梁州（州政府设光义〔即南郑，陕西省汉中市〕）恒稜獠（四川省营山县及蓬安县一带獠族蛮夷），聚众起兵，反抗政府。梁州军区（总部设光义）总司令部秘书长（总管长史）、南郑（光义县政府所在城）人赵文表，率军讨伐，各将领打算从四面八方同时进攻，赵文表说："四面八方同时进攻，獠人没有生路，一定拼死抵抗，不容易克服。如今，我们恩威并用，对做坏事的人诛杀，对守法的人安抚，善恶既然分开，击破他们就比较容易。"就把这个方略通令全军，一体遵行。当时，军中有熟獠士卒（已汉化的獠族士卒），很多人在恒稜（四川省营山县及蓬安县一带）生獠（未汉化的野蛮部落）中，仍有亲戚朋友，就把赵文表这些话，据实传报。但恒稜生獠仍犹豫迟疑，不敢决定，而赵文表大军已南下抵达生獠聚集山区。通往山区有两条路，一条平坦，一条险要。有几位獠部落酋长求见赵文表，愿意担任向导，赵文表说："这条路那么宽广平坦，不需要向导。你们先回去规劝你们的子弟，教他们前来投降。"送他们回去。赵文表告诉各将领："这些酋长认为我们会从平坦大道进军，一定在那里设下埋伏，等我们跳进圈套；现在，正要出其不意。"亲自率军，从险道进入，登上高处眺望，果然看到伏兵。獠部落既然在谋略上被击败，争着率领人马投降。赵文表一一安抚，因而命他们缴纳田赋捐税，没有人敢违背。

北周政府遂命赵文表当蓬州（州政府设安固〔四川省营山县西绿水镇〕）州长（刺史）。

五六九年 己丑

南梁	天保	八年
陈	光大	三年
	太建	元年
北齐	天统	五年
北周	天和	四年

1 春季，正月一日，北周帝国（首都长安〔陕西省西安市〕）皇帝（三任武帝）宇文邕（本年二十七岁），因北齐帝国（首都邺城〔河北省临漳县西南邺城镇〕）四任帝高湛逝世（参考去年〔五六八〕十二月），特别取消元旦朝会，派国务院财政司长（天官司会中大夫）李纶，前往北齐祭吊哀悼，致送奠仪，并参加葬礼。

2 正月四日，陈帝国（首都建康〔江苏省南京市〕）安成王陈顼（本年四十二岁)，登极称帝(四任宣帝)，改年号(之前是光大三年，之后是太建元年)，大赦。太皇太后章要儿仍称皇太后，皇太后沈妙容改称文皇后。陈顼封正妻柳敬言当皇后，世子陈叔宝(本年十七岁)当太子；封另一儿子陈叔陵当始兴王，继承陈道谭香火(陈蒨教儿子陈伯茂继承老爹香火，参考五五九年八月；陈顼既杀陈伯茂，也教儿子继承老爹香火)。

正月五日，陈顼晋谒皇家祖庙。

正月七日，任命国务院执行长(尚书仆射)沈钦当国务院左执行长(左仆射)，国务院财政部长(度支尚书)王劢当右执行长(右仆射)。王劢，是王份的孙儿(王份，参考五二〇年正月)。

正月十一日，陈顼前往建康南郊，祭祀天神。

正月十二日，封皇子陈叔英当豫章王、陈叔坚当长沙王。

正月二十八日，陈顼前往皇家祖庙，祭祀祖先。

3 北齐帝国(首都邺城〔河北省临漳县西南邺城镇〕)博陵王(文简王)高济，是四任帝高湛的亲弟，当定州(州政府设中山〔河北省定州市〕)州长(刺史)，曾对人说："依照次序，该轮到我了。"北齐帝(五任)高纬(本年十三岁)听到消息，暗中派杀手到定州(州政府中山)刺死高济；葬礼、奠仪，全遵照规定。

4 二月十五日，陈帝陈顼，主持亲自耕田典礼。

5 二月二十四日，北齐政府把四任帝高湛，安葬永平陵(今地不详)，绰号武成皇帝，庙号世祖。

二月二十九日，改封东平王高俨当琅邪王。

北齐政府派总监督长(侍中)叱列长义(叱列，复姓)，前往北周帝国聘问。

北齐政府任命最高监察长（司空）徐显秀当全国武装部队总司令（太尉）。国务院并州分院总执行长（并省尚书令）娄定远当最高监察长（司空）。

最初，总监督长（侍中）、国务院右执行长（尚书右仆射）和士开，深受四任帝高湛的信任和亲昵，可以随时随地出入高湛卧房，十分自由，遂跟胡太后发生奸情。等到高湛逝世，现任帝（五任）高纬（本年十三岁），因和士开是顾命大臣，对他十分尊敬，和士开的威望及权势，一天比一天升高，跟娄定远、主管政府机要（录尚书事）赵彦深、总监督长（侍中）国务院左执行长（尚书左仆射）高文遥（元文遥）、开府仪同三司（宰相级）唐邕、中央禁军总监（领军）綦连猛（綦连，复姓）、高阿那肱、国务院财政部长（度支尚书）胡长粲，同时掌握权柄，时人称为“八贵”。然而，不久，就掀起激烈内斗，全国武装部队总司令（太尉）赵郡王高叡、最高指挥官（大司马）冯翊王高润、安德王高延宗，以及“八贵”中的娄定远、高文遥（元文遥），都向北齐帝高纬建议把和士开外放担任地方政府首长。正巧，胡太后在前殿设筵款待政府高级官员，高叡当着和士开的面，向胡太后指控他的过失，说：“和士开不过是一个专供先帝（高湛）娱乐的弄臣，但也使他成为躲在城墙中的狐狸，或把洞穴藏在农神祭坛（社稷）里的老鼠（城狐社鼠，人们既不愿为了铲除狐狸拆城墙，也不敢为了捕捉老鼠拆祭坛，狐狸老鼠遂有安全保障，任意作恶），收受贿赂，淫乱宫廷，我们在大义上不能闭口不言，冒着被处死的危险，直言陈述。”胡太后说：“先帝（高湛）在世时，你们为什么不说话？今天是不是打算欺负我们孤儿寡妇！请大杯饮酒，不要再谈！”但高叡等不肯放弃，面色言辞，越发严厉。仪同三司（宰相级）安吐根说：“我本来是外国商人（《北史·安吐根传》:“安吐根本是安息〔伊朗〕人,本世纪〔六〕三〇年代初期,柔然汗国派安吐根当使节,前往晋阳〔山西省太原市〕,安吐根秘密警告东魏帝国丞相高欢,高欢严密戒备,柔然果然入塞,但抢掠不到东西,班师。后来,柔然跟东魏和解,结成姻亲之国〔参考五三五年十二月〕,交通来往都由安吐根担任外交使节。后来,安吐根在柔然为人所谗,遂投奔高欢,被当作亲信。”),荣幸的追随在各位贵官们之后,我既受到厚恩,怎么敢珍惜自己的生命!如果不教和士开离开中央政府,政治不会安定。”胡太后说:“这件事改天再讨论,各位暂且解散。”高叡等大失所望,有的把冠帽投掷到地上,有的拂袖而去。第二天,高叡等再往云龙门(端门内东门),命高文遥(元文遥)进宫启奏,出入三次,胡太后仍不肯听从。左丞相段韶派胡长粲出宫,传达胡太后的话,说:“先帝(高湛)灵柩还没有安葬,就马上罢黜托孤大臣,显得十分仓猝,请各位再加考虑。”高叡等都叩头道歉。胡长粲回宫复命,胡太后说:“成全我们母子的,都是你的力量(胡长粲是胡太后的老哥)。”厚厚的赏赐高叡等,送他们回去。

胡太后及小娃皇帝高纬,召见和士开,问他如何因应这项压力,和士开回答说:“先帝(高湛)在文武百官之中,待我最是恩重如山。陛下刚开始守丧,高官们一个个野心勃勃,如果把我外放,等于剪除陛下的翅膀。但也不能强烈反对,最好告诉高叡说:‘高文遥(元文遥)跟和士开,都被先帝(高湛)重用,怎么可以一人外放,一人仍留中央?应该一起出去担任州长!现在暂时仍维持原来官职,等先帝(高湛)安葬之后,再前往到差。’高叡认为我真的要被贬谪,心里一定高兴。”高纬及胡太后认为这是上策,把和士开的话,用自己的语气,告诉高叡等;遂发表人事命令,派和士开当兖州(州政府设瑕丘〔山东省济宁市兖州区〕)州长(刺史),高文遥(元文遥)当西兖州(州政府设左城〔山东省菏泽市定陶区西〕)州长(刺史)。丧事过后,高叡等催促和士开动身，而胡太后却打算留和士开过了高湛的“百日”再走（人死之后，家属要到一百天才停止哭泣），高叡拒绝。几天期间，胡太后为这件事说了很多次，宦官中有人知道胡太后心中的盼望，对高叡说：“太后既然有这个意思，殿下何必苦苦违背！”高叡说：“先帝（高湛）托孤给我，责任不轻，现在皇上（高纬）年纪还小，怎么可以把奸臣留在身旁，我如果不能用死亡表明我的主张，还有什么颜面头顶青天！”遂入宫再见胡太后，反复解释，一再请求。胡太后命宫女向高叡敬酒，高叡严肃的说：“我今天来是为了讨论国家大事，不是为了饮一杯酒。”说罢，掉头而出。

和士开把两位美女和一挂珍珠编织的帘子，亲自送给娄定远，叩谢说：“有些当权的贵人要杀我，蒙大王鼎力援救（高湛封娄定远为临淮郡王），使我保住一命，又恩赐我出任州长。现在别离在即，送上两位美女，一挂珠帘。”娄定远大喜，问和士开说：“你还想不想再回来？”和士开说：“过去在宫中的时间太久，每天都提心吊胆，而今得以外放，实在是我本来的心愿，不想再回中央。但愿大王居中保护，使我能长期当大州州长（刺史），就心满意足。”娄定远完全相信，送客到大门时，和士开说：“而今就要远行，盼望能面见二宫叩辞（二宫：皇宫及太后宫）。”娄定远满口答应。和士开于是得以入宫，晋见胡太后及高纬，告诉他们说：“先帝（高湛）逝世之时，我惭愧不能自杀相随。观察当权高官们的意思，不过是打算把陛下当作济南王（二任帝高殷）处理（参考五六〇年八月）。我走之后，定有大变发生，我还有什么面目在地下再见先帝（高湛）！”说完，放声大哭，胡太后及高纬也泣不成声，问说：“那将怎么办？”和士开说：“我已经入宫，还怕什么，只要写几行诏书就行。”于是，高纬发布诏书（和士开诏），外放娄定远当青州（州政府设东阳〔山东省青州市〕）州长（刺史)，谴责赵郡王高叡缺乏人臣节操。

第二天一早，高叡准备在朝会上再向胡太后、高纬规劝，妻子儿女们竭力阻止，高叡说：“国家大事，我宁愿牺牲性命，报答先帝(高湛)，不忍心看到政府瓦解流离。”走到殿门，有人警告他：“殿下不可进去，事情恐怕有变。”高叡说：“我上不负天，就是死也没有遗憾。”入宫后，晋见胡太后，胡太后再向他要求留和士开到“百日”，高叡仍然不肯，而态度更为坚决。高叡出来，走到永巷，遇到伏兵，被擒拿到华林园雀离佛院(《释氏西域记》：西域龟兹国〔新疆库车市〕北四十华里有雀离庙，北魏帝国仿建)，胡太后命刘桃枝把他扼死(年二十六岁)。高叡主持政府的时间很久，清廉正直，无论中央或地方，都认为他含冤而终，无不痛惜。于是，高纬再命和士开当总监督长(侍中)、国务院左执行长(尚书左仆射)。接受和士开贿赂的娄定远，发现自己闯下大祸，把二位美女和一挂珠帘，再加上自己的金银财宝，一并送还和士开(和士开入宫，使人想到张让，一件小事，历史重演；参考一八九年八月)。

三月，高纬前往晋阳(山西省太原市)。

夏季，四月五日，高纬把国务院并州分院(并州尚书省)施舍给佛教，改作大基圣寺，把晋祠(晋阳城西南)改作大崇皇寺。

四月六日，高纬返首都邺城(河北省临漳县西南邺城镇)。

高纬还是一个少年(本年十三岁)，有很多宠爱的美女和弄臣。武卫将军高阿那肱，因为精于谄媚逢迎，而被高湛及和士开欣赏，高湛常派高阿那肱到东宫(太子宫)侍候小娃高纬，因此受到高纬宠信，最后竟高升到国务院并州分院总执行长(并省尚书令)，封淮阴王。

高湛曾遴选司令官(都督)二十人，派他们保卫东宫(太子宫)，昌黎郡（辽宁省朝阳市）人韩长鸾，是其中之一，而且也只有他，被高纬欣赏。韩长鸾，本名韩凤，长鸾是他的别名，对外用别名当正名，最后升迁到总监督长（侍中）、中央禁军总监（领军）、主管宫廷机要（总知内省机密）。

宫女陆令萱，她的丈夫汉阳郡（甘肃省礼县南）人骆超，因叛乱罪处死，陆令萱被发配皇宫当奴，她的儿子骆提婆，也同时当奴。高纬还在襁褓中时，陆令萱被指派当他的保姆。陆令萱聪明灵巧，善体人意，精于谄媚，很受胡太后的宠爱，宫廷之中，作威作福，胡太后封她郡级女侯爵（郡君）。和士开、高阿那肱，都拍她的马屁，当她的养子。高纬命陆令萱当宫内监督长（女侍中）。陆令萱引荐她的儿子骆提婆进宫陪伴高纬，从早到晚，在一起嬉戏玩耍。高纬不断擢升骆提婆，最后擢升到开府仪同三司（宰相级）、武卫大将军。宫女穆舍利，是斛律皇后的婢女，受高纬的宠爱，陆令萱打算拍她的马屁，就自愿当她的干妈，并推荐她成为高纬的正式小老婆，封弘德夫人（小老婆群第三级“夫人”，位比三公。第一级为“左昭仪”，第二级为“右昭仪”，此时虚位），又命骆提婆改姓穆。然而，在高纬的摇尾系统中，和士开掌权的时间最久，一群弄臣都依附在他手下，借以保护自己的宠爱不衰。

高纬非常思念祖珽，于是派使节前往光州（州政府设东莱〔山东省莱州市〕）地牢（祖珽囚禁地牢事，参考前年〔五六七〕十二月），任命他当海州（州政府设朐山〔江苏省连云港市〕）州长（刺史）。祖珽遂写信给陆令萱的老弟、仪同三司（宰相级）陆悉达说：“赵彦深富于心机，打算效法伊尹、霍光行事（伊尹罢黜商王朝三任帝子仲壬，参考前八五年正月注；霍光罢黜西汉王朝九任帝刘贺，参考前七四年六月），你们姐弟怎么可能平安，为什么不早用智囊？”和士开也认为祖珽有胆量见识，更有谋略，打算收服他当助手。于是，把从前的恩怨（参考前年〔五六七〕十二月）一笔勾销，虚心诚意的再跟他结交，会同陆令萱，向高纬进言说：“文襄（高澄）、文宣（一任帝高洋）、孝昭（三任帝高演）的儿子，都不能继承帝位，只有陛下高登宝座，这是祖珽的功劳（参考五六五年四月），对于有功劳的人，不可以不回报。祖珽的用心和行为，虽然轻薄，但奇异的策略，往往出人意表，遇到紧急情况，可以发挥作用。而且，他双眼已被熏瞎（参考前年〔五六七〕十二月），决不会有叛逆之心，请求召他回京（首都邺城），询问他安邦定国之道。”高纬同意，命他返回中央，当皇家图书馆长（秘书监），加授开府仪同三司（宰相级）。

和士开向高纬诬陷国务院总理（尚书令）陇东王胡长仁，捏造事实说：胡长仁骄傲放肆；于是外放当齐州（州政府设历城〔山东省济南市〕）州长（刺史）。胡长仁怨恨愤怒，打算暗中派刺客诛杀和士开，事情败露，和士开跟祖珽商量，祖珽建议引用西汉王朝五任帝刘恒诛杀舅父薄昭前例（参考前一七〇年）；高纬派使节前往齐州（州政府历城），命胡长仁自杀（胡长仁是高纬舅父，参考去年〔五六八〕五月）。

6 五月二十二日，北周帝宇文邕前往醴泉宫（陕西省礼泉县东南）。

7 五月二十九日，陈政府任命国务院文官部长（吏部尚书）徐陵，当国务院左执行长（左仆射）。

秋季，七月四日，皇太子陈叔宝娶太子妃沈婺华。沈婺华，是国务院文官部长（吏部尚书）沈君理的女儿。

8 七月二十四日，北周帝宇文邕，返首都长安（陕西省西安市）。

八月二十三日，变民首领击斩孔城（河南省伊川县）自卫军司令（防主），献出城池，投降北齐帝国。

九月五日，北周政府派齐公爵宇文宪，与柱国（勋官一级）李穆，率军前往宜阳（河南省宜阳县西），兴筑崇德等五城。

9 陈帝国广州（州政府设番禺〔广东省广州市〕）州长（刺史）欧阳纥（音hé〔合〕），在广州（番禺）十余年（五五八年，欧阳纥随老爹欧阳頠，平定广州，迄今十二年），威望恩德普及百越（南岭以南）。陈帝陈顼自从华皎叛变（参考前年〔五六七〕四月），对欧阳纥也起疑心，于是，命欧阳纥进京（首都建康）当首都东区卫戍司令（左卫将军）。欧阳纥恐惧，他的部属中很多人都劝他反抗，欧阳纥遂拒绝接受命令，派军攻击衡州（东衡州，州政府设始兴〔广东省韶关市〕）州长（刺史）钱道戢（音jí〔及〕）。

陈帝陈顼派立法院主任立法官（中书侍郎）徐俭，“持节”，前往沟通解释。欧阳纥接见徐俭时，戒备森严，警卫盛大，言辞态度都很傲慢，徐俭说：“吕嘉的事，诚然距我们太远（参考前一一二年、前一一一年），但是，将军难道没有看见周迪（参考五六五年七月）、陈宝应（参考五六四年十一月）！变祸为福，时间还不算晚。”欧阳纥沉默不回答，把徐俭安置在孤园寺（今地不详），一连几十天，都不放他回去。欧阳纥曾经外出，看到徐俭，徐俭对他说：“将军已经起兵举事，我自当回去奏报天子。我的性命，虽然握在将军之手；但将军是成是败，我却没有一点影响，希望不要羁留。”欧阳纥遂送徐俭返京

(首都建康)。徐俭，是徐陵的儿子(徐陵，参考五四八年五月)。

冬季，十月十五日，陈顼下诏命车骑将军章昭达，讨伐欧阳纥。

十月二十六日，陈顼前往皇家祖庙，祭祀祖先。

10 十一月十六日，北齐政府任命斛律光当太傅(上三公之二)、冯翊王高润当太保(上三公之三)、琅邪王高俨当最高指挥官(大司马)。

11 十一月二十六日，北周鄫公爵(文公)长孙俭逝世。

12 十二月十五日，北齐政府任命兰陵王高长恭当国务院总理(尚书令)。

十二月二十五日，任命立法院总立法长(中书监)魏收当国务院左执行长(左仆射)。

13 北周齐公爵宇文宪等，包围北齐宜阳(河南省宜阳县西)，切断运粮道路。

14 陈帝国自华皎叛变(参考前年〔五六七〕六月)，跟北周帝国的邦交完全断绝。本年(五六九)，北周政府派国务院立法副司长(天官御正中大夫)杜杲，前往陈帝国聘问，请求恢复两国友谊。陈帝陈顼同意，派使节前往北周报聘。

六世纪

七〇年代

五七〇—五七五年

南北朝

◎ 北齐“三贵”专政，大兴冤狱，诛杀斛律光、张雕、崔季舒。

◎ 北周帝国禁佛道二教（佛教三武之祸二）。

◎ 伊斯兰教创始人穆罕默德，生于阿拉伯半岛麦加城。

◎ 新罗王国铸一丈六尺高佛像，用铜三万五千余斤。

◎ 东罗马帝国皇帝查士丁二世，任命禁卫军统帅提比留当凯撒，共管帝国。

五七〇年 庚寅

南梁	天保	九年
陈	太建	二年
北齐	武平	元年
北周	天和	五年

1 春季，正月一日，北齐帝国（首都邺城〔河北省临漳县西南邺城镇〕）改年号武平。

东安王娄叡逝世。

2 正月二十二日，陈帝国（首都建康〔江苏省南京市〕）皇帝（四任宣帝）陈顼（本年四十三岁），前往皇家祖庙，祭祀祖先。

3 正月二十四日，北齐政府（首都邺城）派兼任总顾问长（兼散骑常侍）裴谳之，前往陈帝国（首都建康）聘问。

太傅（上三公之二）斛律光，率步骑兵混合兵团三万人，南下解救被北周帝国（首都长安〔陕西省西安市〕）大军包围的宜阳（参考去年〔五六九〕

十二月），不断击破北周军，兴筑统关、丰化二城（今地均不详），用以保护宜阳（河南省宜阳县西）对外交通线，即行班师。北周军追击，斛律光反击，再击破北周军，生擒北周开府仪同三司（勋官三级）宇文英、梁景兴。

二月十五日，北齐政府任命斛律光当右丞相、并州（州政府设晋阳〔山西省太原市〕）州长（刺史）；又任命任城王高湝当太师（上三公之一），贺拔仁主管政府机要（录尚书事）。

4 陈帝国广州（州政府设番禺〔广东省广州市〕）州长（刺史）欧阳纥，召唤阳春郡（广东省阳春市）郡长冯仆到南海郡（郡政府番禺），引诱他一起叛变。冯仆派人报告娘亲冼女士，冼女士说："我们冯家，两代忠贞（丈夫冯融及儿子冯仆），不能为了儿子，背叛国家。"动员武装部队，在边境一带戒备，率各部落酋长迎接中央讨伐军统帅章昭达。

章昭达加倍速度行军，抵达始兴（东衡州州政府所在城，广东省韶关市）。欧阳纥听到章昭达大军突然出现消息，内心慌乱，不知道如何才好，只有率军进驻洭口（广东省英德市西南，洭水〔连水〕注入溱水〔北江〕处），大量聚集石头沙子，装进竹笼，沉到木栅之外，用来遏阻中央船舰。章昭达驻军上游，重新装备船舰，制造撞击长杆；命蛙人口衔利刃，潜入水中，砍破竹笼，石沙四散流出；巨舰乘水势突击，欧阳纥军大败。章昭达生擒欧阳纥，押送京师（首都建康）。

二月二十九日，在建康闹市，把欧阳纥斩首（年三十三岁）。

欧阳纥叛变时，流亡寄居岭南（南岭以南）的知识分子，都惶恐惊骇。只有皇家图书馆前国史编撰助理官（著作佐郎）萧引，十分坦荡，说："管宁、袁涣（管宁，东汉王朝末年流亡辽东〔辽宁省辽阳市〕，依靠公孙度，参考一九一年十月；袁涣最初被吕布拘留，但不接受吕布胁迫，参考一九六年十一月），

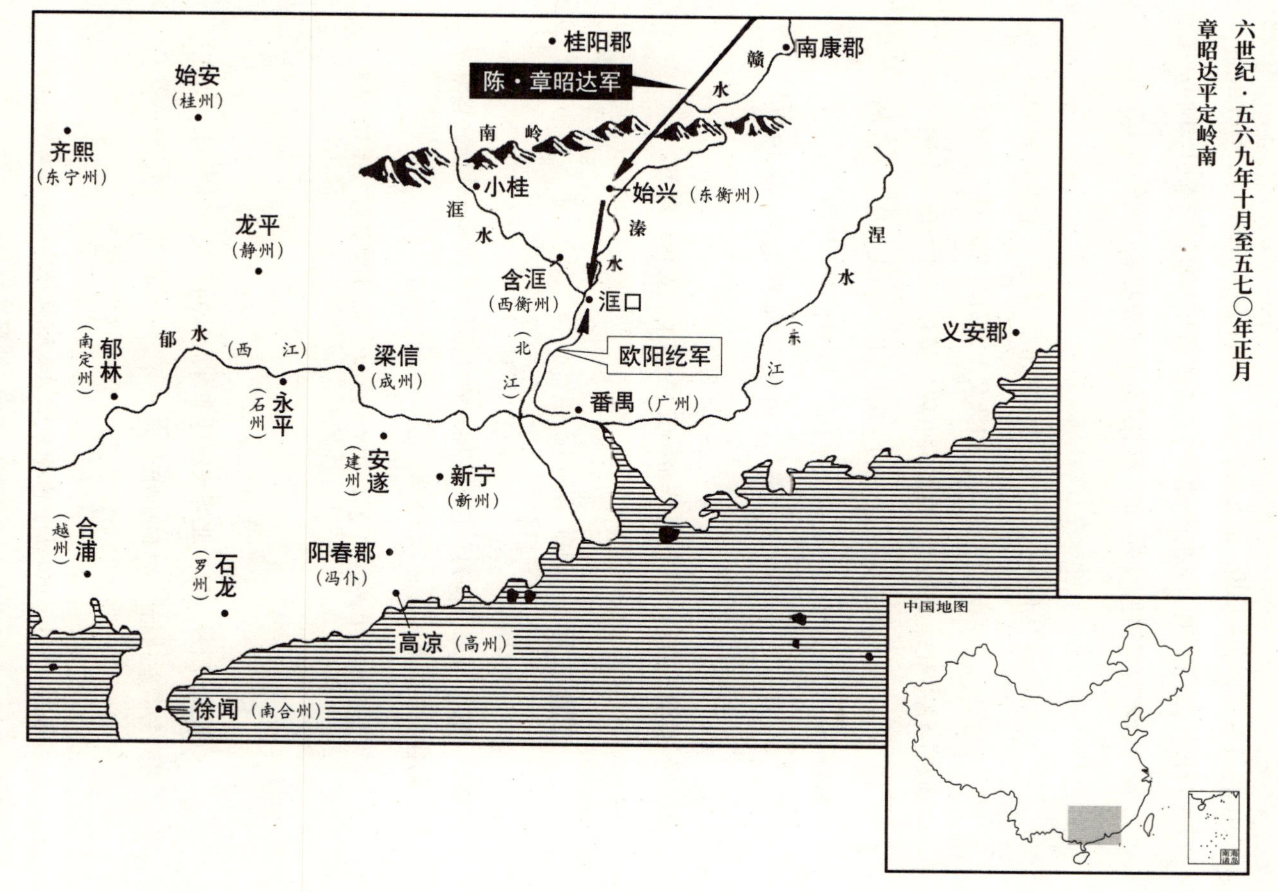

六世纪·五六九年十月至五七〇年正月
章昭达平定岭南
桂阳郡
南康郡
陈·章昭达军
赣水
始安（桂州）
齐熙（东宁州）
南岭
小桂
始兴（东衡州）
洭水
溱水
涅水
龙平（静州）
含洭（西衡州）
洭口
（东江）
义安郡
郁林（南定州）
郁水（西江）
梁信（成州）
（北江）
欧阳纥军
永平（石州）
番禺（广州）
安遂（建州）
新宁（新州）
合浦（越州）
石龙（罗州）
阳春郡（冯仆）
高凉（高州）
徐闻（南合州）
中国地图
南海诸岛

也只有安心坐在那里，正人君子走正直的道路，不离正义，有什么可以忧虑、恐惧！”欧阳纥事变平定后，陈帝陈顼征召萧引当国务院财政部财务司长（金部侍郎）。萧引，是萧允的老弟（萧允事，参考五四九年三月十二日）。

冯仆因娘亲冼女士的功劳，封信都侯，调任石龙郡（广东省化州市）郡长，派钦差大臣“持节”，封冼女士为石龙太夫人，赏赐绣花绸缎篷帐、轮辋全部经过油漆、四匹马驾辕、坐卧两用的车辆（即安车）一部，另赏赐乐队一支，外加指挥旌旗，和代表皇家荣耀的其他旗帜；出门时喝道净街的前导卫队，跟州长完全相同。

三月十三日，皇太后章要儿（一任帝陈霸先正妻）逝世（年六十五岁）。

5 三月十五日，北齐帝国安定王（武王）贺拔仁逝世。

6 三月二十四日，陈帝国大赦。

7 夏季，四月一日，北周政府任命柱国（勋官一级）宇文盛当教育部长（大宗伯）。

北周帝（三任武帝）宇文邕（本年二十八岁），前往醴泉宫（陕西省礼泉县东南）。

8 四月八日，北齐政府任命开府仪同三司（宰相级）徐之才当国务院左执行长（尚书左仆射）。

9 四月二十五日，陈政府把皇太后章要儿安葬万安陵（一任帝陈霸先墓，江苏省南京市江宁区东南方山西北），绰号武宣皇后。

闰四月二十五日，陈帝陈顼前往皇家祖庙，祭祀祖先。

10 五月三十日，北齐政府派使节前往陈帝国，祭吊皇太后章要儿。

六月三日，北齐帝（五任）高纬（本年十四岁）任命广宁王高孝珩（高澄的儿子）当最高监察长（司空）。

六月二十二日，高纬的小老婆、弘德夫人（小老婆群第三级）穆舍利，生男孩高恒。高纬这时还没有儿子（分析这句话，本年高纬已有女儿），为庆祝嫡长子诞生，特别大赦。陆令萱计划要这个婴儿将来当皇太子并继承帝位，恐怕斛律皇后怨恨反对，就报告高纬，把婴儿交给斛律皇后，由斛律皇后以母亲身份喂养。

六月二十七日（原文"己丑"，据《北齐书》改），高纬任命开府仪同三司（宰相级）唐邕，当国务院右执行长（尚书右仆射）。

秋季，七月二日，高纬封三任帝（孝昭帝）高演的儿子高彦基当城阳王、高彦忠当梁郡王。

七月三日，高纬命国务院总理（尚书令）兰陵王高长恭主管政府机要（录尚书事），兼中央禁军总监（中领军）；和士开当国务院总理（尚书令），封淮阳王。

和士开的权势和威望，一天比一天尊贵，政府中有些无耻官员，有的甚至甘愿做他的养子，跟一些做生意的富商，混在一起（二十世纪以前，中国一直是一个重农轻商社会，商人没有社会地位）。曾经有一次，和士开患病，一个知识分子晋见问候和士开，正碰上医生给和士开诊治。开药方时，医生说："大王所害的伤寒，病势严重，其他药物都没有效，要想活命，只有饮下黄龙汤。"（传统的中国医药，任何东西都可以列入处方。六世纪时，民间常把人粪装到瓮里，塞住瓮口，放到仓库之中，若干年后，粪便化成浓汁，颜色漆黑，味道臭苦，名“黄龙汤”；据说对治瘟疫有特别功效，有时病人就要断气，服用黄龙汤之后，都会痊愈。）和士开听了，脸上露出为难的表情，那个知识分子说：“黄龙汤容易下肚得很，大王不要担心，我先替大王尝尝。”把盛着粪汁的碗，举到口边，一口气喝光。和士开被他的诚心感动，勉强服下，病竟痊愈。

摇尾分子在飞黄腾达之后，人们往往诟骂他的谄媚，却没有想到，摇尾分子都是用特殊材料做成的，不是每个人都能胜任，至少，如果不能大量喝黄龙汤，他就不能成为一个注册合格的一等一级马屁精。

11 七月四日，北周帝宇文邕，返首都长安（陕西省西安市）。

12 七月二十二日，北齐政府任命华山王高凝当太傅（上三公之二）。

13 陈帝国最高监察长（司空）章昭达，乘战胜余威，回军进攻南梁帝国首都江陵（湖北省江陵县）。南梁帝（八任孝明帝）萧岿（本年二十九岁），跟北周帝国协防司令（总管）陆腾，率军抵抗；北周军于峡口（湖北省宜昌市西）南岸，兴筑安蜀城，在长江上架起用粗大草绳编制成的吊桥，用来运输军粮。章昭达命士卒手拿长戟（戟上有刀），站在楼船之上，仰头切割绳索，吊桥断裂，粮秣也无法补给。章昭达出动军队攻击安蜀城，攻克（不久，陈政府把已沦入北周手中的信州〔白帝城，重庆市奉节县东〕州政府，侨设于安蜀城）。

萧岿向北周襄州军区（总部设襄阳〔湖北省襄阳市〕）总司令（总管）卫

公爵宇文直，紧急求救，宇文直派大将军（勋官二级）李迁哲率军增援，李迁哲命他的部下据守江陵外城，而亲自率骑兵出南门，命步兵出北门，首尾攻击陈军，陈军士卒很多阵亡。当天夜晚，陈军暗中用长梯攀登西城，已爬上数百人，李迁哲及陆腾奋力反击，才把陈军逐退。

章昭达又凿开龙川（湖北省江陵县西南）宁朔堤，水淹江陵，陆腾率军在堤西发动攻击。章昭达作战不利，于是，撤退。

14 八月十日，北齐帝高纬抵达晋阳（山西省太原市）。

九月乙巳日（九月辛亥朔，没有乙巳。《北齐书》及《北史》的《幼主纪》皆说是十月立太子，十月乙巳即二十五日），高纬封皇子高恒（本年一岁）当太子。

15 冬季，十月一日，日蚀。

16 北齐政府任命广宁王高孝珩当宰相（司徒）、上洛王高思宗当最高监察长（司空）。再任命南梁帝国永嘉王萧庄当开府仪同三司（宰相级），封梁王（萧庄返北齐事，参考五六〇年二月），承诺帮助他夺取政权，但后来无法兑现。等到北齐覆亡（五七七年正月），萧庄愤恨忧郁，就在邺城（河北省临漳县西南邺城镇）逝世（五五五年时，萧庄年七岁〔参考该年五月一日〕，则到了五七七年时，已二十九岁）。

17 十月五日，陈帝陈顼前往皇家祖庙，祭祀祖先。

18 十月九日，北齐帝国恢复一任帝高洋的绰号文宣皇帝、庙号显祖（改绰号事，参考五六五年十二月）。

19 十月十七日，北周帝国郑公爵（桓公）达奚武逝世。

20 十二月八日，北齐帝高纬，返首都邺城（河北省临漳县西南邺城镇）。

21 北周大将军（勋官二级）郑恪，率军平定越巂（四川省西昌市），设立西宁州（州政府越巂）。

22 北周与北齐争夺宜阳（河南省宜阳县西），拉锯战一年有余，不能决一胜负（自去年〔五六九〕十二月迄今）。勋州（州政府设玉壁〔山西省稷山县〕）州长（刺史）韦孝宽，对他的部属说："宜阳（河南省宜阳县西）不过一个城池，并不重要，两大帝国为它打仗，劳师动众，一连几年。对方难道没有智囊？如果放弃宜阳，而在汾北（汾水以北）发动攻势，我们一定丧失大片国土。而今只有迅速在华谷（山西省稷山县西北）及长秋（山西省新绛县西北）一带，兴筑城堡，作为阻吓。如果对方先行动手，我们再去夺回来，就十分困难。"乃绘制地图，把情况奏报中央，晋公爵宇文护对使者说：“韦公（韦孝宽）的子孙虽然多，仍不满一百，在汾北（汾水以北）筑城，派谁去守！”筑城方案遂没有实施。

北齐太傅（上三公之二）斛律光，果然从晋州（州政府设平阳〔山西省临汾市〕）出动，在汾北（汾水以北）筑华谷、龙门二城（今地均不详），斛律光进抵汾东（汾水以东），跟韦孝宽相见，斛律光说：“宜阳一城，两国抢来抢去，时间太久，我们决定放弃；而打算在汾北（汾水以北）取得补偿，请不要见怪。”韦孝宽说：“宜阳，是你们的边塞关卡；汾北土地，我们早已抛弃。我们抛弃，你们捡起，怎么能说补偿！你辅佐年幼的君王，位高望重，不知道安抚人民，却去发动战争，贪图一块平常疆土，使生灵受到灾难，我不认为你的做法恰当。”

斛律光进军包围定阳（山西省吉县），筑南汾城（定阳西北）加强压力。北周政府解除宜阳（河南省宜阳县西）包围，增援汾北（汾水以北）。晋公爵宇文护向齐公爵宇文宪请教如何因应，宇文宪建议：“你最好暂时出征，驻军同州（州政府设武乡〔陕西省大荔县〕），遥作声援，我则率精锐部队作为前锋，见机而动。”宇文护同意。

五七一年 辛卯

南梁	天保	十年
陈	太建	三年
北齐	武平	二年
北周	天和	六年

1 春季，正月九日，北齐帝国（首都邺城〔河北省临漳县西南邺城镇〕）派兼任总顾问长（兼散骑常侍）刘环俊，前往陈帝国（首都建康〔江苏省南京市〕）聘问。

2 正月十三日，陈帝（四任宣帝）陈顼（本年四十四岁）前往建康南郊，祭祀天神。

正月十七日，陈政府任命国务院右执行长（尚书右仆射）徐陵，当国务院左执行长（左仆射）。

正月二十三日，陈帝陈顼前往建康北郊，祭祀地神。

3 北齐太傅（上三公之二）斛律光，在汾北（汾水以北）一连兴筑十三个城堡。斛律光骑在马上，用马鞭依照地势指画，城堡建成后，开拓国土五百华里，但他从来不夸耀自己的功劳；又迎击北周帝国（首都长安〔陕西省西安市〕）勋州（州政府设玉壁〔山西省稷山县〕）州长（刺史）韦孝宽，在汾北（汾水以北）会战，攻破北周军。北周齐公爵宇文宪率各将领东进，抵抗斛律光。

4 二月三日，陈帝陈顼前往皇家大会堂（明堂）祭祀。

二月十九日，陈顼主持亲自耕田典礼。

5 二月二十四日，北齐政府任命兰陵王高长恭当全国武装部队总司令（太尉），赵彦深当最高监察长（司空），和士开主管政府机要（录尚书事），徐之才当国务院总理（尚书令），唐邕当国务院左执行长（左仆射），国务院文官部长（吏部尚书）冯子琮当国务院右执行长（右仆射），继续摄理文官部考选职务（摄选）。

冯子琮一向谄媚依附和士开，现在，自认为是胡太后亲戚，而且负责全国官员的任免升降，就乘机培植私人势力，对官员遴选不再禀告和士开，因此跟和士开之间，产生裂痕。

6 三月三十日，陈帝国大赦。

7 北周齐公爵宇文宪，自龙门（山西省河津市西黄河渡口）渡河，北齐太傅（上三公之二）斛律光，向后撤退，据守华谷（山西省稷山县西北），宇文宪一连攻破斛律光所筑的五个城堡。

北齐太宰（上公）段韶、兰陵王高长恭，率军南下抵抗北周军；攻柏谷城（河南省宜阳县南），攻克，班师（北齐在南方发动的牵制攻势）。

8 夏季，四月一日，日蚀。

9 四月五日，北齐政府任命琅邪王高俨当太保（上三公之三）。

四月十五日，北齐政府派使节前往陈帝国聘问。

10 北周陈公爵宇文纯，攻克北齐宜阳（河南省宜阳县西）等九城。北齐太傅（上三公之二）斛律光，率步骑兵混合兵团五万人，南下应战。

11 五月十七日，北周政府派国务院侍从司长（天官纳言中大夫）郑诩，前往陈帝国报聘。

12 北周晋公爵宇文护，派全国各军区总司令部军事参议官（中外府参军）郭荣，在姚襄城（山西省吉县西）南，和定阳城（山西省吉县）西，分别筑城。北齐太宰（上公）段韶率军袭击，大破北周军。

六月，段韶包围定阳城（山西省吉县），北周汾州（州政府定阳）州长（刺史）杨敷，坚苦守卫，北齐军不能攻克，段韶发动猛攻，攻克外城，屠杀所有居民。当时，段韶有病，对兰陵王高长恭说："这个城三面都是万丈悬崖，没有人走的道路。唯一可虑的是东南一条小径，盗贼（定阳北周守军）一定从那里闯关，最好遴选精兵，严密把守，一定可以生擒活捉。”高长恭遂派勇士一千余人，在东南谷口埋伏。定阳城中粮食吃完，齐公爵宇文宪增援部队抵达，可是对段韶心存忌惮，不敢前进。杨敷绝望，率领所有残余部队，乘夜突围；北齐军发动埋伏，把杨敷和他的部众，全体俘虏。

六月二十九日，北齐军正式进入北周汾州（州政府设定阳〔山西省吉县〕）及姚襄城，只有郭荣所筑城堡，仍屹立不降。杨敷，是杨愔的族侄（杨愔为三任帝高演所杀，参考五六〇年二月）。

杨敷的儿子杨素，从小就多才多艺，志向远大，不拘小节，因老爹不肯投降而身陷北齐帝国，政府没有追赠官位，又没有制定绰号，遂上疏北周帝（三任武帝）宇文邕（本年二十九岁）申诉。宇文邕不准，杨素一连三次启奏，宇文邕大怒，命左右侍从诛杀杨素。杨素高声呐喊说：“当一个无道昏君的部属，死得其所。”宇文邕欣赏他的胆量，追赠杨敷大将军（勋官二级），绰号忠壮，任命杨素当仪同三司（勋官四级），从此，宇文邕对杨素逐渐礼遇。有一次，宇文邕命杨素撰写诏书，杨素提笔挥毫，立刻完成，辞藻内涵都十分优美。宇文邕说：“好好努力，不愁没有富贵。”杨素说：“我害怕富贵逼到我身上，我自己无心追求富贵。”

13 北齐太傅（上三公之二）斛律光，跟北周军在宜阳（河南省宜阳县西）城下会战，攻克北周所筑建安（今地不详）等四个城堡，俘虏一千余人，班师。大军还没有抵达邺城（北齐首都，河北省临漳县西南邺城镇），北齐帝（五任）高纬（本年十五岁）下令解散，斛律光因官兵们很多人立有战功，还没有得奖励，因此呈递密奏，请高纬派使节到军中传达皇帝慰劳之意。在密奏发出后，大军照常前进，而中央耽误了很久还没有派出使节，以致大军快要抵达紫陌（邺城西），使节还没

六世纪·五七〇年十二月至五七一年六月
周齐宜阳汾北之战

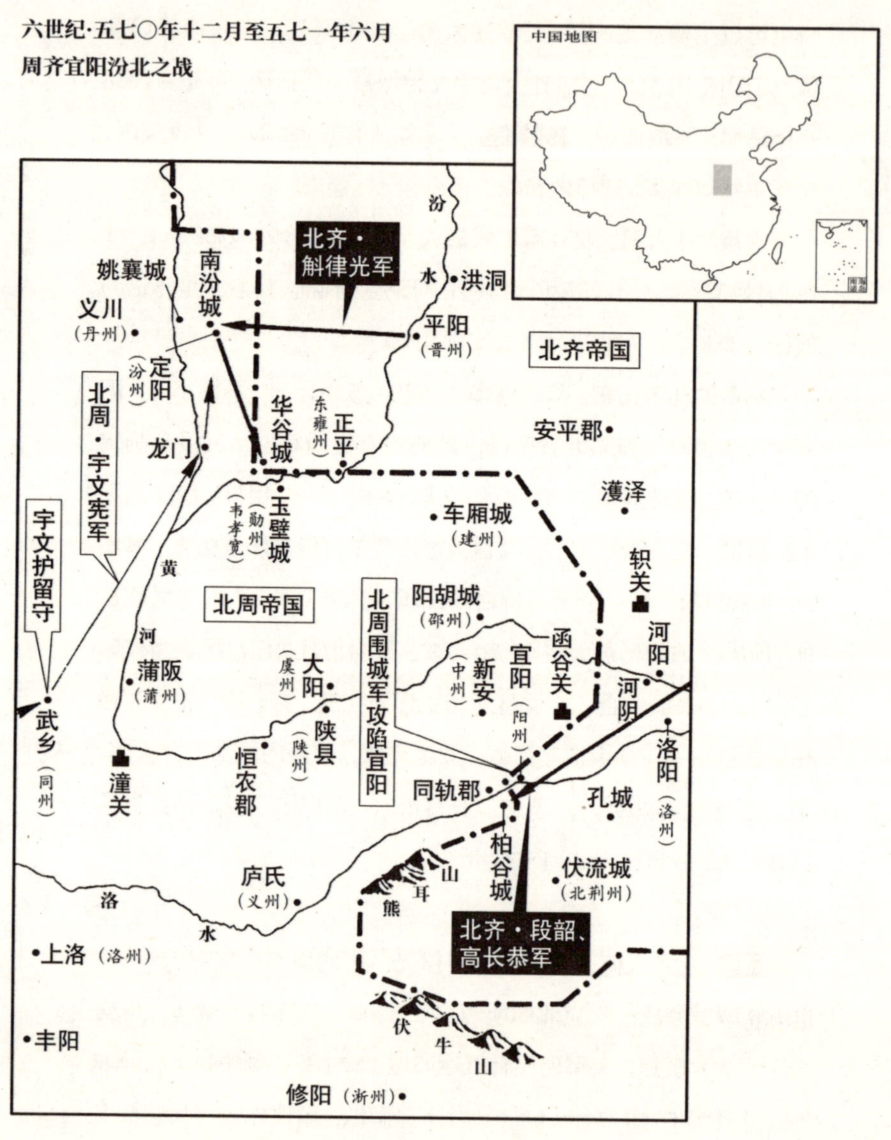

有来到，斛律光不得不驻军等候。高纬听到斛律光把大军带到门口相逼，心里大起反感，急命立法院立法官（舍人）召唤斛律光入宫相见，然后宣布慰劳解散。

琅邪王高俨，因和士开、穆提婆（骆提婆）等专权蛮横，骄傲奢侈，心里愤愤不平；和士开、穆提婆（骆提婆）商量说："高俨目光炯炯有神，几步之外，就如利箭射人，前些时跟他面对面，不知不觉出了一身大汗，我们见天子奏事，还没有这个样子。"因此对高俨开始猜忌，于是，想办法教高俨搬出南宫（高纬所居），入居北宫，每五天朝见皇帝一次，而且不准随时晋见娘亲胡太后。

高俨被任命当太保（上三公之三）时，其他官职全都解除，但仍保持总监察官（御史中丞）及京畿总司令官（京畿大都督）。和士开等认为北宫有军械库，打算把高俨再贬逐到地方政府，然后剥夺兵权。诉讼监察官（治书侍御史）王子宜，跟高俨的亲信、开府仪同三司（宰相级）高舍洛、寝殿侍奉宦官（中常侍）刘辟彊，游说高俨："殿下受到疏远，都是和士开从中挑拨离间，你怎么可以迁出北宫，住到寻常民间？"高俨问总监督长（侍中）冯子琮说："和士开罪大恶极，孩儿（自称）打算杀掉他，怎么样？"（冯子琮是胡太后的妹夫，所以高俨自称"孩儿"。）冯子琮心里正想罢黜高纬，拥护高俨登极，遂极力鼓励促成。

高俨命王子宜上疏弹劾和士开犯罪，请求逮捕审讯。冯子琮把它掺杂在其他普通文件中，呈送高纬，高纬没有仔细阅读，统统批准。高俨告诉中央禁军总监（领军）库狄伏连（库狄，复姓）说："皇上训令，要你逮捕和士开。"库狄伏连报告冯子琮，并请向皇帝再作奏报证实，冯子琮说："琅邪王（高俨）亲自接到训令，何必再奏。"库狄伏连相信，遂指挥京畿总司令部（京畿）军队，埋伏神虎门（端门内西门）外，警告守门官不准和士开进去。

秋季，七月二十五日凌晨，和士开依照常例，入宫参加朝会，库狄伏连上前，握住和士开的手，说："今天有一件妙事。"王子宜把一封信交给和士开，说："皇上有旨，命大王（和士开封淮阳王）到国务院（台）。"遂派军队押送。高俨派司令官（都督）冯永洛前往国务院（台），斩和士开（年四十八岁）。

高俨的意思只不过诛杀和士开一人，但他的党羽却施加压力，警告高俨说："事情既然发动，不可中止。"高俨遂率京畿总司令部部队三千余人，进驻千秋门（宫中永巷北）。北齐帝高纬派刘桃枝率禁卫军八十人，召唤高俨，刘桃枝远远的叩拜，高俨命反绑他的双手，打算斩首，禁卫军一哄而散。高纬又命冯子琮召唤高俨，高俨拒绝说："和士开早就应该万死，他阴谋罢黜至尊，剃掉家家的头发（北齐皇家呼娘亲为"家家"），使她当尼姑，因此我才假传圣旨杀掉他。俺哥如果要杀我，我不敢逃避。如果能饶我一命，盼望姐姐前来迎接（呼乳娘为"姐姐"），我就随她入宫。"姐姐，指陆令萱，高俨打算诱她出来诛杀，陆令萱手拿佩刀，站在高纬身后，听到这段话，浑身颤抖。

高纬再派韩长鸾召唤高俨，高俨打算入宫，刘辟彊拉住他的衣角，劝阻说："如果不杀穆提婆（骆提婆）母子，殿下不可进去。"广宁王高孝珩、安德王高延宗，从西方赶来，问高俨说："为什么不入宫？"刘辟彊说："兵力太少。"高延宗环顾一下部队，说："孝昭皇帝（四任帝高湛）杀杨愔（参考五六〇年二月），只不过八十人。今天有数千人，怎么算少？"

高纬向胡太后哭泣说："有缘分，我还会再看到家家（娘亲）；没有缘分，从此永别。"于是，十万火急召唤斛律光，而高俨也派人召唤。斛律光听到高俨诛杀和士开消息，鼓掌大笑说：“龙子做出的事，毕竟不同凡响。”（中国皇帝一向被认和自认是真龙化身，皇帝之子因称“龙子”。）遂进宫，在永巷晋见高纬。高纬集结禁卫军步骑兵四百人，发给每人盔甲，打算出击。斛律光说：“小娃儿玩弄兵器，一旦交手，可能大乱。俗话说：‘家奴见到家主，心就先死。’（一个人长时间〔甚至终身，甚至几代〕的屈辱生活，容易产生一种奴性，见到主人，身不由己的自我作贱。）陛下最好亲往千秋门，琅邪王（高俨）决不敢动。”高纬接受。

斛律光遂步行前导，派人出来宣布：“皇上驾到。”高俨的部属惊骇四散逃走，高纬骑马，站在桥上远远呼唤高俨，高俨仍然不动，斛律光走过去，说：“天子的老弟杀一个匹夫，有什么害怕的！”拉住高俨的手，强拖着他前进，向高纬求情说：“琅邪王（高俨）年纪还小，吃得太饱，脑满肠肥，行动轻率。以后年纪稍大，自然不会再犯，请宽恕他的罪行。”高纬拔出高俨的佩刀，用刀柄铁环乱捣高俨头上辫发，很久才把他放掉；接着逮捕库狄伏连、高舍洛、王子宜、刘辟彊、司令官（都督）翟显贵，绑到后园用酷刑肢解，然后把被切开了的尸体，拖到大街上任人参观。高纬打算把高俨总部所有文武官员，全都屠杀，斛律光说：“他们都是功臣或皇亲的子弟，如果屠杀，恐怕人心不安。”赵彦深也说：“《春秋》规定，只责备统帅。”（《左传》前五九七年：韩厥对荀林父说：“你是统帅，军队不听命令，是谁的责任？”）于是按照他们过失的轻重，分别处罚。

胡太后盘问高俨，高俨说：“冯子琮教孩儿这么做。”胡太后大怒，派人就在监督院（门下省）用弓弦绞死冯子琮，命宦官用运货车把尸首装载，送回他家。自此，胡太后常留高俨住在宫中，高俨每吃东西时，胡太后一定先尝（预防下毒）。

八月二十四日，高纬前往晋阳（山西省太原市）。

九月六日，北齐政府任命任城王高湝当太宰（上公）、冯翊王高润当太师（上三公之一）。

九月十四日，平原王（忠武王）段韶逝世。段韶富于谋略，能使将领士卒为他拼死。出京（首都邺城）统率军队作战，入京参与国家机密，功劳大、声望高，而性情温和谨慎，有宰相的风范。对继母很是孝顺，闺门之内，肃穆严正，北齐所有权贵家庭，没有人能够相比。

皇家图书馆长（秘书监）祖珽，说服陆令萱，贬赵彦深出去当兖州（西兖州，州政府设左城〔山东省菏泽市定陶区西〕）州长（刺史）。北齐帝高纬任命祖珽当总监督长（侍中）。

陆令萱警告高纬说："人们都称赞琅邪王（高俨）聪明勇敢，当今没有人可以跟他匹敌。仅只看他的外表，就不是一个当臣属的相貌。自从和士开事件以来，心里一直恐惧不安，应该早一点掌握情况。"亲信弄臣何洪珍等，也请诛杀高俨。高纬犹豫，不能决定，于是用运菜车把祖珽秘密接进皇宫，向他请教。祖珽说："姬旦（周公）诛杀姬鲜（周王朝初年，姬旦命老弟、管国国君姬鲜，监视商王朝后裔的殷国，而姬鲜竟联合殷国国君子武庚叛变，最后姬旦诛杀姬鲜；参考四二六年二月注），姬友毒死姬庆父（参考一三三年六月注）。"高纬遂把高俨带到晋阳（山西省太原市），命右卫大将军赵元侃下手擒拿，赵元侃说："我曾经事奉先帝（四任帝高湛），亲眼看到他对琅邪王（高俨）的怜爱。今天，我宁愿一死，也不忍心做出这种事。"高纬贬赵元侃当豫州（州政府设悬瓠〔河南省汝南县〕）州长（刺史）。

九月二十五日，高纬对胡太后说："明天一早，我打算跟高俨一块出去打猎。"午夜之后，更敲四鼓，高纬派人呼唤高俨，高俨心中起疑，陆令萱在旁催促说："老哥叫你，孩儿怎么可以不去！"高俨只好前往，走到永巷，刘桃枝反绑他的双手，高俨喊叫说："求你带我见家家（娘亲胡太后）、俺哥。"刘桃枝用衣袖掩住他的嘴，把高俨身上穿的长袍，翻到上面，蒙住高俨的头，一路背出，背到大明宫，高俨鼻孔出血，流满脸面，遂被扼死，年十四岁。有关人员用草席把他的小尸体裹住，就埋葬在大明宫中。高纬派人报告胡太后，胡太后赶到现场大哭，但只哭了十几声，就被宫女拥回内殿。高俨有遗腹子四人，全在囚禁中诛杀。

冬季，十月，北齐政府撤销京畿总司令部（京畿府），并入中央禁军总监部（领军府。高俨死，所以撤销）。

14 十月八日，北周冀公爵宇文通（宇文泰的儿子）逝世。

15 十月十日，陈帝陈顼前往皇家祖庙，祭祀祖先。

16 十月二十一日，北周政府派国防部西翼警备司长（夏官右武伯中大夫）谷会琨（谷会，复姓）等，前往北齐帝国聘问。

17 北齐胡太后淫荡，不知道节制，跟佛教总监（沙门统）昙献上床，以致很多和尚有时甚至戏称昙献是"太上皇"。高纬听到有关他娘亲偷人的消息，但他不肯相信。后来有一天，他去朝见胡太后，看见两位漂亮的"尼姑"，大为动情，召唤"她们"陪宿，发现竟是男人。于是昙献等的奸情也被发觉，全都诛杀。高纬对娘亲的行为，认为是奇耻大辱。

十月二十五日，高纬陪胡太后自晋阳（山西省太原市）返首都邺城（河北省临漳县西南邺城镇），抵达紫陌（邺城西），遇到大风。立法院立法官（舍人）魏僧伽，深通气象占卜，警告说："立刻就有暴动叛逆事件！"高纬遂宣称："邺城发生变故。"弓上弦，刀出鞘，在武装部队保护下，奔回南宫，而派宦官邓长颙，把胡太后强行押送到北宫软禁，下令任何皇亲国戚，都不准与胡太后见面。胡太后有时候给儿子送点食物，高纬从不敢入口。

十一月六日（原文误置于十月，据《北齐书》改），北齐政府派总监督长（侍中）赫连子悦，前往北周帝国聘问。

18 十一月十三日，北周帝宇文邕前往散关（陕西省宝鸡市西南）。

19 十一月二十二日，北齐政府任命中央派驻徐州（州政府设彭城〔江苏省徐州市〕）特遣政府总监（行台）广宁王高孝珩，主管政府机要（录尚书事）。

十一月二十六日，再命高孝珩当宰相（司徒）。

十一月二十九日，任命斛律光当左丞相。

20 十二月十六日，北周帝宇文邕返首都长安（陕西省西安市）。

21 十二月十九日，陈帝国最高监察长（司空）、邵陵公爵章昭达逝世（年五十四岁）。

22 本年（五七一），南梁帝国（首都江陵〔湖北省江陵县〕）最高监察长（司空）华皎，前往北周（首都长安），中途经过襄阳（湖北省襄阳市），向北周襄州军区（总部襄阳）总司令（总管）卫公爵宇文直说："梁国（南梁帝国）江南（长江以南）各郡，都已丧失，人民稀少，国家贫苦，政府（北周政府）一向使灭亡了的国家复活，使断绝了的香火继续。对于他们，理应救济补助，希望能借给他们几个州的土地。"宇文直认为对极，派使节上奏中央，北周帝宇文邕下诏，把基州（州政府设丰乡〔湖北省荆门市东南〕）、平州（州政府设当阳〔湖北省当阳市〕）、鄀州（州政府设乐乡〔湖北省钟祥市西北〕）等三州，拨付南梁。

五七二年 壬辰

南梁	天保	十一年
陈	太建	四年
北齐	武平	三年
北周	天和	七年
	建德	元年

1 春季，正月三日，陈帝国（首都建康〔江苏省南京市〕）任命国务院执行长（尚书仆射）徐陵当国务院左执行长（左仆射），立法院总立法长（中书监）王劢当国务院右执行长（右仆射）。

2 正月二十六日，北齐帝国（首都邺城〔河北省临漳县西南邺城镇〕）皇帝（五任）高纬（本年十六岁）前往首都邺城南郊，祭祀天神。

3 正月二十七日，陈帝（四任宣帝）陈顼（本年四十五岁）前往皇家祖庙，祭祀祖先。

4 正月二十八日，北齐帝高纬追赠胞弟琅邪王高俨绰号：楚恭哀帝（高俨之死，参考去年〔五七一〕九月），用以安慰胡太后的悲伤，又尊称高俨的正妻李女士当楚帝后。

5 二月一日，北周帝国（首都长安〔陕西省西安市〕）派大将军（勋官二级）昌城公爵宇文深，前往突厥汗国（瀚海沙漠群）聘问。司法部礼宾司长（秋官司宾中大夫）李除、副司长（小宾部下大夫）贺遂礼，前往北齐帝国（首都邺城）聘问。宇文深，是晋公爵宇文护的儿子。

6 二月七日，北齐政府任命卫菩萨当全国武装部队总司令（太尉）。

二月九日，任命国务院并州分院文官部长（并省吏部尚书）高元海当国务院左执行长（尚书左仆射）。

7 二月十三日，陈帝国封皇子陈叔卿当建安王。

8 二月十八日，北齐政府擢升国务院左执行长（尚书左仆射）唐邕当国务院总理（尚书令），任命总监督长（侍中）祖珽当国务院左执行长（左仆射）。

最初，胡太后被儿子软禁北宫（参考去年〔五七一〕十月），祖珽计划由陆令萱当太后，遂替陆令萱找出理论根据：北魏帝国就曾经有乳娘当“保太后”的前例（参考四二五年三月、四三二年正月），并且见人就强调:“陆令萱虽然是一个女子，但事实上更是女中豪杰，自从女娲氏以来，从来没有出现过这样女性。”(女娲氏，中国神话时代的五氏之一〔五氏:有巢氏、燧人氏、伏羲氏、女娲氏、神农氏〕。女娲氏被称为“女帝”〔但也有人认为她是一位男士〕，在神话中，她法力无边，当青天崩裂一个窟窿的时候，女娲氏烧炼石头，把窟窿补住，这正是天上所以有虹霞的原因。)陆令萱为了回报，也誓言祖珽是“国师”“国宝”，因此，祖珽得以升到国务院执行长(仆射)高位。

9 三月一日，日蚀。

10 最初，宇文泰当西魏帝国丞相时，建立左右十二军，隶属丞相府；宇文泰逝世后，军权转移到晋公爵宇文护之手(建立十二军事，参考五五〇年十二月。五五六年十月，宇文泰逝世，宇文护接管军权。五五九年正月，宇文护曾经归政二任帝宇文毓，但仍握军权。次年〔五六〇〕四月，宇文护毒死宇文毓，选立三任帝宇文邕，宇文护再度集军政大权于一身)，无论征调发遣，非有宇文护的命令，不能施行。宇文护私宅四周的警卫，威武森严，超过皇宫。宇文护的几个儿子，和他的僚属，一个个贪污凶暴、横行霸道，无论知识分子或普通平民，对他们都深为痛恨，而又无可奈何。北周帝(三任武帝)宇文邕不多说话，对宇文护所作所为，更不干涉，高阶层官员不了解皇上内心有什么想法。

宇文护问内政部户籍司远畿总管理官(地官稍伯中大夫)庾季才说:“近来天象如何?”庾季才回答说:“你对我有深厚的恩惠，所以不敢有半句隐瞒。就在这几天，三台六星(象征人间“三公”高官)发生变化，你最好把军政大权奉还天子，请求退休，回到自己私宅养老，这样做的话，保证你可以愉快的活到一百岁，受到像姬旦(周公）、姬奭（召公）所受到的美好声誉，子孙也永远担任皇家屏藩。不这样做的话，结局我就不知道了。”宇文护沉吟很久，说：“我的本意也是如此，不过辞职没有获得批准。你既是天子的官属，自可依照政府惯例，直接朝见天子，不必再来我这里拜谒。”自此，宇文护渐渐疏远庾季才。

卫公爵宇文直，是北周帝宇文邕的同胞亲弟；但他跟宇文护的感情，却十分亲昵；可是沌口之败（参考五六七年九月），宇文直受到撤职处分，从此深恨宇文护，劝宇文邕对宇文护下手，希望得到宇文护的官位。宇文邕（本年三十岁）遂跟宇文直、国务院右宫廷司长（天官右宫伯中大夫）宇文神举、教育部秘书司总秘书官（春官内史下大夫）太原郡（山西省太原市）人王轨、国务院右宫廷司麟刀侍从官（天官右侍上士，正三命）宇文孝伯，秘密策划诛杀宇文护。宇文神举，是宇文显和的儿子（宇文显和，参考五三四年六月）。宇文孝伯，是安化公爵宇文深的儿子（此宇文深是宇文泰族侄，参考五三七年正月。至于本年〔五七二〕二月出使突厥的宇文深，是宇文护的儿子）。

宇文邕在皇宫跟宇文护见面时，常常使用家庭礼节：皇太后叱奴女士上座，命宇文护也落座，而宇文邕反而以堂弟的身份，站在一旁。

三月十四日，宇文护从同州（州政府设武乡〔陕西省大荔县〕）返京（首都长安），宇文邕在文安殿接见，公事已毕，宇文邕引导宇文护到含仁殿晋见叱奴太后，中途，对宇文护说：“太后年纪渐老，却喜爱饮酒，虽然不断规劝，她从不肯听从，所以乘老哥今天入朝，请你也进言规劝。”从怀里掏出《酒诰》一文交给他（《酒诰》，周王朝二任王姬诵写的一篇戒酒文告），嘱咐说：“用这篇文章，警告太后。”宇文护走到含仁殿，依照宇文邕的要求，向叱奴太后宣读《酒诰》，还没有读完，宇文邕在他身后，使用玉珽（玉圭）猛击他的后脑，宇文护跌倒在地。宇文邕命宦官何泉用御刀砍死，何泉惊慌恐惧，举刀砍下，竟砍不中。卫公爵宇文直早藏在内室，这时一跳而出，砍下宇文护人头（年六十岁）。当时，宇文神举等还在宫外，没有其他的人知道。

宇文邕召唤国务院宫廷司长（天官宫伯中大夫）长孙览（长孙，复姓）等，告诉他们宇文护已被诛杀，命逮捕宇文护的儿子：柱国（勋官一级）谭公爵宇文会、大将军（勋官二级）莒公爵宇文至、崇业公爵宇文静、正平公爵宇文乾嘉，以及宇文护的老弟：宇文乾基、宇文乾光、宇文乾蔚、宇文乾祖、宇文乾威，以及柱国（勋官一级）北地郡（甘肃省宁县西北）人侯龙恩、侯龙恩的老弟大将军（勋官二级）侯万寿、大将军（勋官二级）刘勇、全国各军区总司令部审理官（中外府司录）尹公正、袁杰、国务院御厨司副司长（天官膳部下大夫）李安等，就在殿中全部诛杀。长孙览，是长孙稚的孙儿（长孙稚事，参考五二一年七月）。

最初，宇文护诛杀赵贵等（参考五五七年二月），侯龙恩是宇文护的亲信，他的堂弟开府仪同三司（勋官三级）侯植，对侯龙恩说："主上（一任帝宇文觉）年纪仍小，国家安危握在几位当权高官之手，如果用血腥手段，建立个人的权威，岂仅政府危如一层层堆起来的鸡蛋，恐怕我们家族，也会因此残破败散，老哥，你怎么可以明知道会如此，而不提高警觉！"侯龙恩不能接受。侯植又找一个机会，对宇文护说："你是皇上的骨肉至亲，承受帝国的重托，但愿效忠主上，媲美伊尹、姬旦，那才是帝国最大的幸运。"宇文护说："我发誓以身报国，听你的话，好像认为我有别的企图！"不久，听说侯植对侯龙恩说过那段话，暗中记恨在心。侯植忧郁而死。等到宇文护失败，侯龙恩兄弟全被处死，宇文邕认为侯植忠心，特别赦免他的子孙。

国防部长（大司马）兼国务院副总理（兼小冢宰）、京畿总卫戍司令（雍州牧）、齐公爵宇文宪，一向是宇文护的亲信，宇文护所作赏罚，宇文宪都参与决定，权势烜赫。宇文护对皇帝有所陈述时，总是命宇文宪代为奏报，如果宇文邕有什么意见，宇文宪恐怕君臣之间发生摩擦，总是委曲婉转，协调沟通，宇文邕也深知他的苦心。等到宇文护死，宇文邕征召宇文宪入宫，宇文宪脱下冠帽，请求处罚，宇文邕对他安慰勉励，派他前往宇文护总部，接收武装部队印信及档案。卫公爵宇文直一向忌恨宇文宪，一再请求斩宇文宪，宇文邕不准。

宇文护的世子宇文训，是蒲州（州政府设蒲阪〔山西省永济市〕）州长（刺史），当天（三月十四日）夜晚，宇文邕派柱国（勋官一级）越公爵宇文盛乘政府驿马车前往征召宇文训返京（首都长安），走到同州（州政府设武乡〔陕西省大荔县〕），宇文邕下诏命宇文训自杀。宇文护的另一儿子、昌城公爵宇文深，正充当使节在突厥汗国（瀚海沙漠群）聘问（参考本年〔五七二〕二月），还没有回来，于是，宇文邕派开府仪同三司（勋官三级）宇文德，携带皇帝的正式公文，前往突厥汗国，就地诛杀宇文深。宇文护的秘书长（长史）鲜卑（代郡）人叱罗协（叱罗，复姓）、审理官（司录）弘农郡（河南省灵宝市东北）人冯迁，以及所有亲信，一律免职，褫夺公权。

三月十五日（诛杀宇文护次日），北周政府大赦，改年号（之前是天和七年，之后是建德元年）。

宇文邕任命宇文孝伯当车骑大将军，跟王轨同时加授开府仪同三司（勋官三级）。最初，宇文孝伯跟宇文邕同一天出生，宇文泰对他十分喜爱，收养在家中，从小跟宇文邕一起读书。宇文邕登极后，打算把宇文孝伯安置在自己左右，于是对外宣称，只希望跟宇文孝伯在一起温习从前读过的儒家学派经典，因此宇文护丝毫没有怀疑。宇文邕遂任命宇文孝伯当国务院宫廷司麟刀侍从官（天官宫伯右侍上士），出入宇文邕卧室，参与机密。宇文孝伯为人忠厚正直，政府行政的得失，以及外面发生的琐碎小事，全都奏报宇文邕得知。

宇文邕查阅宇文护的信件档案，凡是假托神秘预言书、祥瑞预兆，愚妄的鼓励篡夺帝位的人，统统诛杀。只有庾季才写了两张纸的一封信，详细分析天象变异、灾难祥瑞，建议宇文护把军政大权归还皇帝。宇文邕赏赐庾季才粟米三百石、绸缎一百匹，升任中级国务官（太中大夫，散官，从七命）。

三月二十一日，宇文邕任命尉迟迥当太师（三公级），柱国（勋官一级）窦炽当太傅（三公级），安武公爵李穆当太保（三公级）；齐公爵宇文宪当宫廷部长（大冢宰），卫公爵宇文直当内政部长（大司徒），陆通当国防部长（大司马），柱国（勋官一级）辛威当司法部长（大司寇），赵公爵宇文招当农工部长（大司空）。

当时，宇文邕刚刚亲自主持国政，对很多事情使用严刑峻法，即令是皇亲国戚，也不宽容。齐公爵宇文宪虽然高升宫廷部长（大冢宰），实际上是剥夺他的权力（如果“六官总于大冢宰”，大冢宰才是国务院总理，如果没有这项附加令，大冢宰跟其他五部平等，只能译作宫廷部，专为皇帝一人服务。宇文宪没有这项附加令，所以无权），宇文邕对宇文宪的王府讲师（侍读）裴文举说：“从前，魏国（西魏帝国）末年，帝王不能主持政府，由太祖（宇文泰）辅佐天子（西魏帝）；等周国（北周帝国）建立，晋公爵（宇文护）又掌握国家权柄；大家习以为常，愚昧的人就认为宰相大权在握，理所当然。试想一想，岂有三十岁的天子，而仍被人控制的怪事（本年，宇文邕恰三十岁）！《诗经》上说：‘日夜都不敢懈怠／为的是事奉一人。’（《烝民》：“夙夜匪懈／以事一人。”）一人是谁？就是天子。你虽然陪伴齐公爵（宇文宪），但你不是他的臣属，不必为他尽忠效死。应该用正大道理，做他的辅佐；用正义原则，做他的引导。使我们君臣和睦，兄弟亲爱，不要使宇文宪心生怀疑。”裴文举把这段话告诉宇文宪，宇文宪手指心头，按住茶几，说：“我平生志愿，你岂不知道！只有尽忠报国而已，你怎么还说这种话！”

卫公爵宇文直浮躁诡谲，贪得无厌，性情暴戾，原来盼望接替宇文护的位置当国务院总理（大冢宰）；既得不到，心里愤愤不平，于是请求当国防部长（大司马），打算取得军权。宇文邕知道他的用意，告诉他说：“兄弟长幼有一定的顺序，你身为老哥，怎么可以排在老弟之后！”遂命他当内政部长（大司徒）。

夏季，四月，北周政府派农工部建筑司长（冬官工部中大夫）成公爵宇文建、教育部法令副司长（春官小礼部上士）辛彦之，前往北齐帝国报聘。

四月十九日，宇文邕追尊一任帝宇文觉绰号孝闵皇帝（宇文觉被罢黜事，参考五五七年九月）。

四月二十二日，封皇子鲁公爵宇文赟（本年十四岁）当皇太子；大赦。

11 五月二日，陈帝国国务院右执行长（尚书右仆射）王劢逝世（年六十七岁）。

12 北齐国务院右执行长（尚书右仆射）祖珽，权势倾动天下，左丞相、咸阳王斛律光对他十分厌恶，远远看见，往往忍不住诟骂说："惹是生非的小瘪三，不知又在打什么坏主意！"曾经对各将领说："过去，边境消息，兵马调动，在赵彦深时代，总是跟我们讨论，自从瞎子掌管机密以来（祖珽目盲，参考五六七年十二月），对我们全都不理，我恐怕他会耽误帝国大事！"斛律光曾经在国务院办公厅垂下帘子休息，祖珽并不知道，在厅前经过，没有下马（古代规矩，经过尊长之前，要下马示敬），斛律光大怒，说："小瘪三，竟敢这样！"后来，祖珽在监督院（内省）高谈阔论，声震屋瓦，斛律光正巧从那里经过，听到耳朵里，更怒不可遏。祖珽察觉到斛律光的敌意，贿赂斛律光的跟班家奴，暗中探听消息，家奴说："自从你当权，相王（丞相兼王爵斛律光）每天晚上都抱着膝盖长叹：'瞎子执政，家破国亡！'"

开府仪同三司（宰相级）、武卫大将军穆提婆（骆提婆），请求娶斛律光的庶女（小老婆生的女儿），斛律光不答应。北齐帝高纬把晋阳（山西省太原市）公田赏赐给穆提婆（骆提婆），斛律光在朝会时公开反对，说："晋阳公田，神武皇帝（高欢）以来，一直种植牧草，喂养战马数千匹，用以拒抗敌寇。而今赏赐给穆提婆（骆提婆），岂不是严重伤害军务！"因此，祖珽、穆提婆（骆提婆）都痛恨斛律光。

斛律皇后得不到高纬的宠爱，祖珽遂再从中挑拨离间，扩大冲突。斛律光的老弟斛律羡，当司令官（都督）、幽州（州政府设蓟城〔北京市〕）州长（刺史）、中央特遣政府国务分院总执行长（行台尚书令），精通军事，兵强马壮，沿边要塞关卡，戒备森严，突厥汗国（瀚海沙漠群）对他十分敬畏，称之为"南可汗"。斛律光的长子斛律武都，当开府仪同三司（宰相级）、梁州（州政府设大梁城〔河南省开封市〕）及兖州（州政府设瑕丘〔山东省济宁市兖州区〕）二州州长（刺史）。

匈奴人赞扬李广，称之为“飞将军”，游牧民族豪迈爽朗，敬重英雄，心理状态可以理解。而突厥人赞扬斛律羡，称之为“南可汗”，便难以使人相信。世界上从没有一个有自尊心的民族会把敌国的一个将领，推崇到“君”“父”地位。用作贱自己去烘托对方的谄媚手段，是中国官场文化中所独有的一种精密伎俩。把这种伎俩反过来，就不得不作贱敌国来抬高自己的身价。宋王朝知识分子更是此中能手，坚称金帝国百战百胜大军，尊称岳飞先生为“岳爷爷”！

解律光的尊贵虽然达到人臣的巅峰（他已无级可升，再升就是皇帝宝座），但性情节俭，不喜爱音乐女色，很少会见宾客，更不接受别人馈赠，不贪图权势。政府每次举行会议，斛律光往往最后一个发言，但所谈的问题，都十分中肯。有时候呈递奏章，全用口述，命助理执笔记录，要求文章切实简单。作战行军，仿效他老爹斛律金的兵法，在全军营帐没有完全搭建完成之前，他自己从不先进营帐休息。有时甚至一天都没有坐下来，也不肯脱下铠甲，经常身先士卒。官兵有罪，只用粗大军棍捶击脊背，从来不随便诛杀，所以部属都愿为他拼死。自从少年时投入军旅，没有打过一次败仗，无论敌国邻国，对他都十分畏惧。

北周帝国勋州（州政府设玉壁〔山西省稷山县〕）州长（刺史）韦孝宽，决定在北齐帝国内部制造冤狱，铲除强大对手，于是秘密创作歌谣说：“百升飞上天／明月照长安（斛律光别名斛律明月）。”另一歌谣说：“高山不推自己崩／槲木不扶自己挺！”派间谍到邺城（北齐首都，河北省临漳县西南邺城镇）传播，邺城孩童遂在路上边玩边唱，祖珽因而接续两句：“盲老公背受大斧／多嘴老母说不出话。”然后命他的妻兄郑道盖奏报。北齐帝高纬询问祖珽，祖珽跟陆令萱都说：“确实听见有这种歌谣。”祖珽并进一步解释说：“一百升，就是一斛（依此可以确定，“斛”“石”相同，不了解的是，既然有“石”，为什么又要用“斛”）。盲老公，明显的指的是我，与国家同担忧患。多嘴老母，好像是指宫中女监督官（女侍中）陆令萱。况且，斛律家几代以来，都当大将，斛律光的声望，震动关西（北周帝国），斛律羡的威严，远播突厥（突厥汗国）。女儿当皇后，男儿娶公主，这项歌谣，使人畏惧。”高纬又问韩长鸾，韩长鸾认为不可对斛律光猜忌，事情遂暂时搁置。

但祖珽不肯放弃，要求单独晋见高纬密奏，当时仅何洪珍在场，高纬问：“前些时接到你的报告，就要采取行动，但韩长鸾认为斛律光绝不会叛变。”祖珽还没有回答，何洪珍警告说：“如果本来就没有排除斛律光的意思，则不采取行动，当然很好。主上（高纬）既然早有排除斛律光的意思，却不采取行动，万一消息走漏，将如何收拾？”高纬说：“何洪珍的话很对！”但仍犹豫不敢决定。正巧，丞相府职员封士让密奏（祖珽密奏），说：“斛律光上次西征班师时（参考去年〔五七一〕六月），陛下训令他解散大军，斛律光不但不立即解散，反而率军进逼京师（首都邺城），准备发动政变，事情虽然中途停止，没有结果。可是，斛律光家中私藏弓箭盔甲，而奴仆武士，有千人之多，每次派人到斛律羡、斛律武都那里，都暗中来往。如果不早下手，恐怕失去控制。”高纬遂完全相信，对何洪珍说：“人真有一种心电感应，我前些时曾经疑心他要叛变，果然如此。”高纬胆小如鼠，唯恐怕变乱立即就在脚下爆发，所以迫不及待命何洪珍飞马召唤祖珽，告诉他情势紧迫，打算马上召唤斛律光，却又担心斛律光抗命拒绝，祖珽建议：“陛下最好派使节赏赐他一匹骏马，告诉他：‘明天将出游东山（邺城东方山群），大王可以骑它一块前往！’斛律光一定进宫叩谢，就在那时候把他逮捕。”高纬照他的话行事。

秋季，七月二十八日（原文误置于六月，据《北齐书》改），斛律光进宫，走到凉风堂，刘桃枝从背后扑上来，斛律光没有跌倒，回头说：“刘桃枝，你常干这种事，我不辜负国家。”刘桃枝跟其他三位力士，用弓弦套住斛律光的脖颈，把他勒死（年五十八岁），血流满地，以后无论怎么洗涤、铲磨，血迹历历，都不消灭（碧血丹心，使人落泪）。高纬下诏，宣布斛律光谋反，并斩他的儿子开府仪同三司（宰相级）斛律世雄、仪同三司（宰相级）斛律恒伽。

祖珽命国务院法务部畿外巡察司长（二千石郎）邢祖信，没收斛律光家产。祖珽在国务院（都省）查问没收到什么武器，邢祖信说：“弓十五张，宴会时用的箭一百支、刀七把，皇上赏赐的长矛两支。”祖珽厉声大喝：“还有什么武器？”邢祖信说：“还有枣木军棍二十捆，凡斛律家奴仆跟外人打架，不管错在何方，先打一百军棍！”祖珽大为惭愧，压低声调说：“政府已经判处重刑，你竭力替他昭雪，有什么用？”说罢才走。有人责怪邢祖信太正直，邢祖信感慨万千，说：“贤明的宰相已被诛杀，我何必珍惜残余的生命。”

高纬派使节前往梁（州政府大梁城）、兖（州政府瑕丘）二州，就在州政府斩斛律武都（不知道斛律武都身在梁州〔大梁城〕还是兖州〔瑕丘〕），又派中央禁军总监（中领军）贺拔伏恩，乘政府驿马车前往幽州（州政府蓟城），逮捕斛律羡，命中央驻洛州（州政府洛阳）特遣政府国务分院执行长（洛州行台仆射）中山（河北省定州市）人独孤永业（时在邺城），接替斛律羡，会同最高统帅（大将军）鲜于桃枝，动员定州（州政府中山）骑兵，在后追随前进。贺拔伏恩等抵达幽州（蓟城），幽州斥候报告斛律羡说：

“中央使节外罩官袍，内穿铠甲，马身有汗，应先行关闭城门！”斛律羡说：“对中央使节怎么可以怀疑拒抗！”遂出来接见，贺拔伏恩把斛律羡逮捕，斩首。最初，斛律羡对家门权势鼎盛，时常感到恐惧，上疏请求辞职，皇帝不准。临死时，叹息说：“富贵到如此程度，女儿当皇后，公主满家门，仅只供打杂的正式军队，就有三百人，怎么能够不破败！”他的五个儿子：斛律伏护、斛律世达、斛律世迁、斛律世辨、斛律世酋，全都处死。

北周帝（首都长安）宇文邕，听到斛律光被诛杀，大喜过望，大赦。

解律光是上将之子，天质沉稳刚毅，无论指挥作战及统御大军，都暗合兵法。面对敌人，争取胜利，有无穷变化。自从齐周两国，以函谷关（河南省新安县）、黄河（指山西省及陕西省界河）为界，东西分割，已历四纪（一纪十二年。此自北魏帝国分裂时计算起。自五三四年十月迄今〔五七二〕，已三十九年），当高欢竭力开创霸主事业（东魏帝国）之际，也正是宇文泰帝国（西魏帝国）草创之日。高欢出军西征，屡次受到挫折。而自五六一年之后，北齐更逐渐衰弱，北周则收服巴蜀（四川省），攻陷江陵（湖北省江陵县），形成吞并北齐的气势。但斛律家诸将领，训练军队，誓死效忠，沿边遏阻敌人入侵。守卫时使敌人没有完整的阵营，攻击时使敌人没有完整的城池，北齐严阵以待，北周永没有能力闯开大门。然而，政治混乱，谗言陷害，加上斛律家权威太重，早使君王内心猜忌；领袖昏庸，时局艰难，遂自己动手拆毁坚固的篱笆。从前，李牧当赵王国的大将，北方剪除匈奴，南方击退秦王国军队（参考前二四四年），而郭开暗下毒手，李牧处死，赵王国灭亡（参考前二二九年、前二二二年）。北齐诛杀斛律光，莫

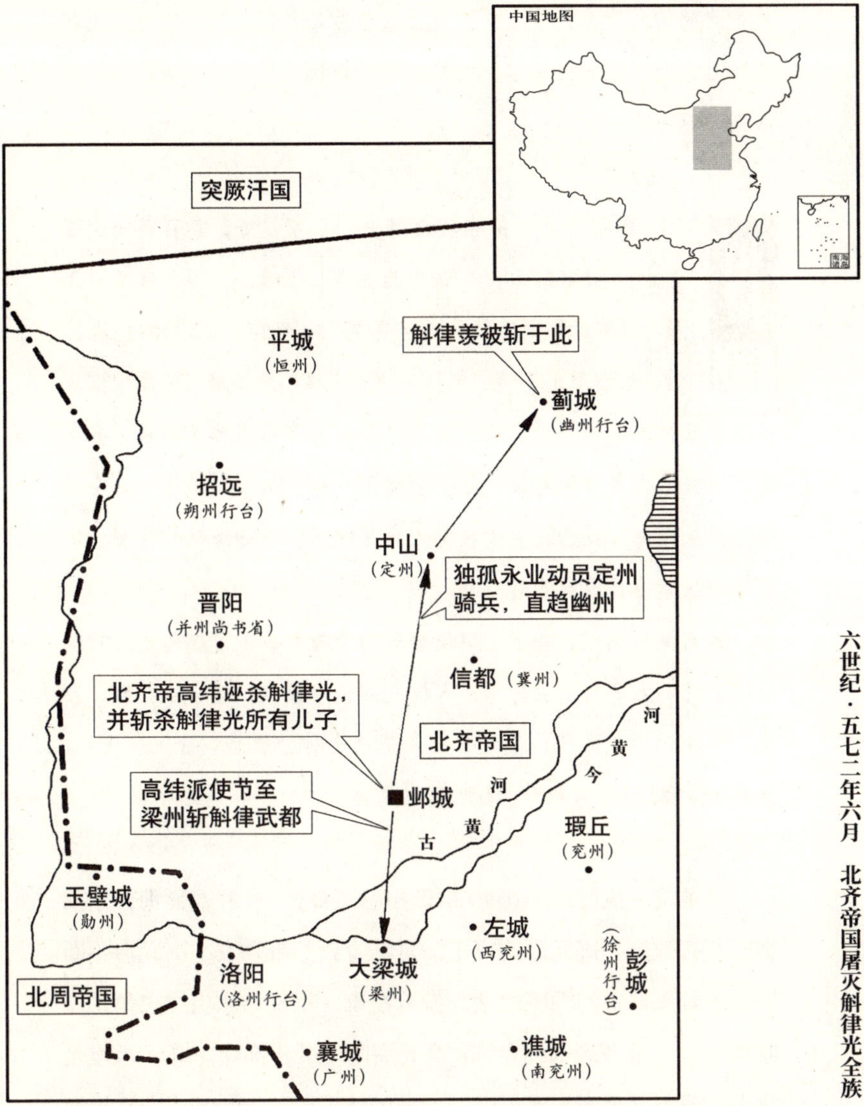

六世纪·五七二年六月　北齐帝国屠灭斛律光全族

中国地图

突厥汗国

平城
（恒州）

斛律羡被斩于此

蓟城
（幽州行台）

招远
（朔州行台）

中山
（定州）

独孤永业动员定州
骑兵，直趋幽州

晋阳
（并州尚书省）

信都（冀州）

北齐帝高纬诬杀斛律光，
并斩杀斛律光所有儿子

北齐帝国

河
黄
今

高纬派使节至
梁州斩斛律武都

邺城

河
黄
古

瑕丘
（兖州）

玉壁城
（勋州）

左城
（西兖州）

（徐州行台）
彭城

洛阳
（洛州行台）

大梁城
（梁州）

北周帝国

襄城
（广州）

谯城
（南兖州）

非是北周的间谍奇计得逞？为什么诬害方法相同，灭亡的速度也相同！对内使将领离心解体，对外替强敌报仇。苍天，以后的人，应该作为鉴戒！

解律光先生陷在鲨鱼群中，全家被屠，李百药先生警告说："以后的人，应该作为鉴戒！"然而，不久就又有张雕、崔季舒等更可怖的千古奇冤（参考明年〔五七三〕十月）。在以后，越发层出不穷，包括岳飞、于谦、袁崇焕，构成中国历史上最悲惨的冤狱系列，后世当权分子没有多少人作为鉴戒，甚至全国人民也丧失伸冤辩诬、维护法律正义尊严的执着能力，只会对事件摇头叹息，或许还讥笑被害人真是傻瓜，不知道明哲保身，因而暗中庆幸自己没有卷进旋涡。

政府制造冤狱，并不一定使政府马上覆亡，但可削弱人民对政府的支持。太多的千古奇冤，人权受到长期摧残，对中国社会的影响，既深远而又凶恶，使大多数人都患上神经质恐惧症——恍惚、反复、狡狯，只崇拜权势，不敢明辨是非。

国务院左执行长（左仆射）祖珽和总监督长（侍中）高元海，共同掌管北齐政府。高元海的妻子，是陆令萱的外甥女，高元海不断把陆令萱平常说的隐秘的话，告诉祖珽。祖珽请求当中央禁军总监（中领军），北齐帝高纬允许。高元海暗中警告高纬，说："祖珽是汉人，两眼又全盲，怎么可以当中央禁军总监（中领军）！"遂揭发祖珽跟广宁王高孝珩结交情形，因此高纬打消原意。祖珽请求晋见，为自己辩护说："我跟高元海一向不和睦，定是他对我陷害！"高纬脸皮薄，不能硬嘴巴否认，只好把实情告诉祖珽。祖珽遂也把高元海跟农林部长（司农卿）尹子华等结党营私的事，报告高纬；又把高元海所泄漏的陆令萱隐秘谈话，告诉陆令萱，陆令萱大怒，把高元海贬出当郑州（州政府设颍阴〔河南省临颍县西北〕）州长（刺史），尹子华等都被免职。

自此之后，祖珽独断专权，掌握中枢机要，直接控制隶属于丞相府的骑兵司（骑兵曹）及地方军事司（外兵曹）；家族亲戚，纷纷擢升高位。高纬时常命最宠信的宦官，扶持他出入皇宫，一直走到永巷；往往登上皇帝专坐的御席，跟高纬坐在一起密谈，裁决军国大事；高纬对祖珽的信任依靠，政府中没有一个官员可比。

13 七月，陈政府（首都建康）派使节前往北周帝国（首都长安）聘问。

14 八月一日，北齐帝高纬罢黜斛律皇后，贬作平民（老爹斛律光冤死，女儿自不能独保），命任城王高湝当右丞相、冯翊王高润当全国武装部队总司令（太尉）、兰陵王高长恭当最高指挥官（大司马）、广宁王高孝珩当最高统帅（大将军）、安德王高延宗当宰相（大司徒）。

北齐政府派中央禁军总监（领军）封辅相，前往北周聘问。

15 八月二日，北周政府派农工部建筑司长（冬官司城中大夫）杜杲，前往陈帝国报聘。陈帝陈顼对他说："贵国如有意结盟，共同对付齐国（北齐帝国），盼望把樊城（湖北省襄阳市汉水北岸）、邓城（襄阳市东北）相赠。"杜杲回答说："两国结盟，图谋齐国（北齐帝国），难道只有我们独享成果？贵国一定需要城池的话，应该向齐国（北齐帝国）夺取。先开口向我们索取汉南（汉水以南）土地，我不敢奉命。”

16 最初，北齐帝国胡太后对自己通奸行为，深感惭愧，所以竭力讨儿子皇帝高纬的欢心，就把老哥胡长仁的女儿，盛装打扮，接到宫中同住，故意让高纬看到；而高纬果然看到，大为喜爱，立即就封昭仪（小老婆群第一级）。等斛律皇后罢黜，陆令萱打算教穆黄花当皇后；而胡太后却打算教自己的侄女当皇后，可是力量不够，只好低声下气，送给陆令萱厚重礼物，又跟她结拜成姐妹，求她帮助。陆令萱也因胡女士正受高纬的宠信，万不得已，就跟祖珽联合奏报高纬，请封胡女士当皇后。

八月十九日，高纬下诏封胡女士当皇后。

八月二十日，高纬任命北平王高仁坚当国务院总理（尚书令），“特进”（朝会时位置仅次于三公）许季良当国务院左执行长（左仆射），彭城王高宝德当国务院右执行长（右仆射）。

八月二十四日，高纬前往晋阳（山西省太原市）。

17 九月一日，日蚀。

18 九月十二日，陈帝国大赦。

19 冬季，十月二日，北周政府下令：“凡是江陵（南梁首都，湖北省江陵县）的俘虏，被没收作为家奴、婢女的，一律恢复自由，成为平民。”（江陵于五五四年十二月陷落，为奴为婢已十九年）

十月三日，北周派农工部劳工副司长（冬官小匠师下大夫）杨勰等前往陈帝国聘问。

绥德公爵陆通逝世。

20 十月十七日，陈帝陈顼前往皇家祖庙，祭祀祖先。

21 北齐帝高纬的奶娘陆令萱，一直念念不忘使昭仪（小老婆群第一级）穆黄花当皇后，私下对高纬说："哪有儿子当皇太子，娘亲当婢女小老婆的事！"可是胡皇后正受高纬宠爱，无法挑拨离间。陆令萱遂命巫法师使用妖术谋害胡皇后，不到一个月的时间，胡皇后就开始精神恍惚，失去常态，一会喃喃自语，一会笑个不停，高纬由恐惧而渐渐厌恶。陆令萱特别制作一种绸缎宝帐，以及一种特别枕席和器物玩具，都是盖世稀奇的宝物。然后，有一天，陆令萱忽然命穆黄花穿上皇后的衣裳，坐在宝帐之中，告诉高纬说："有一位圣女出世，我带你去看看。"等高纬发现是穆黄花时，陆令萱说："像这样天生丽质的美女不当皇后，还有谁配当皇后！"高纬同意她的话。

十月二十六日，高纬封穆黄花当右皇后、胡皇后当左皇后。

22 十一月十二日，北周帝宇文邕，前往羌桥（首都长安城东），召集首都长安（陕西省西安市）以东各都督（勋官七级）以上军官，按照等级颁发赏赐。

十一月十七日，宇文邕回宫。任命赵公爵宇文招当国防部长（大司马）。

十二月四日（原文误置于十一月，据《周书》改），宇文邕前往斜谷（陕西省眉县南），召集长安以西各都督（勋官七级）以上军官，按照等级，颁发赏赐。

十二月十八日，回宫。

十二月二十二日，宇文邕游逛道会苑，看到上善殿雄壮华丽，下令纵火烧毁。

闰十二月四日（原文“辛巳”，即十二月十三日，误，据《周书》《北史》改），宇文邕前往首都长安南郊，祭祀天神（古礼，帝王都在正月上旬南郊祭天，十二月祭天不合古礼，皆因南北历法不同。闰十二月四日是陈历〔《资治通鉴》视南朝历法为正统〕；转换为北周历，则变成明年〔五七三〕正月四日）。

23 北齐帝国胡皇后得以册立当皇后，本不是陆令萱的原意，现在，陆令萱再使毒计。有一天，陆令萱在胡太后面前，脸色大变，义愤填膺，说：“什么东西！还是亲侄女哩，竟说出那种话！”胡太后查问，陆令萱拒绝说：“不能出口！”胡太后坚持要听，陆令萱说：“你侄女告诉皇上：‘太后的行为不合道德规范，不可以当作榜样！’”这句话击中胡太后的要害，胡太后立刻被刺激得发疯，命胡皇后出来，当场把她的头发剃光，送回娘家。

闰十二月四日（原文据北齐历，置于十二月，今据陈历改），罢黜胡皇后，贬作平民。然而，高纬仍思念她，不时送东西给她致意。

从此，陆令萱跟儿子、总监督长（侍中）穆提婆（骆提婆），权势倾动中外，出卖官爵，干涉司法，看对方贿赂多寡来作判决；收受贿赂，永不嫌多。高纬每次对她赏赐，都能把仓库掏空。宫廷中自胡太后以下所有宫人，都受陆令萱支配。政府中则包括国务院总理（尚书令）唐邕在内所有官员，对穆提婆（骆提婆）都十分畏惧，连脚都不敢动，气都不敢喘。陆令萱母子要教谁活，要教谁死，要赏赐谁，要剥夺谁，只看自己高兴不高兴，想怎么干就怎么干，不受约束。

24 闰十二月八日（原文误置于十二月，据《周书》转换陈历〔《资治通鉴》使用之正统历法〕改），北周政府任命柱国（勋官一级）田弘，当农工部长（大司空）。

闰十二月十八日（陈历），北周帝宇文邕前往皇家祖庙，祭祀祖先。

25 本年（五七二），突厥汗国（瀚海沙漠群）可汗（三任木杆可汗）阿史那俟斤逝世，没有传位给儿子阿史那大逻便，而传位给老弟（名不详），称佗钵可汗（四任）。佗钵可汗任命侄儿阿史那摄图（二任乙息记可汗阿史那科罗的儿子）当尔伏可汗，统治东方疆土；又任命老弟褥但可汗（名不详）的儿子（名不详）当步离可汗，统治西方疆土（尔伏可汗、褥但可汗、步离可汗，都是小可汗〔犹如中国的亲王〕）。北周跟突厥和解，北周每年向突厥进贡绸缎棉布十万匹。突厥使节前往长安（北周首都，陕西省西安市），穿锦绣衣裳，吃山珍海味，经常维持数千人。北齐帝国也畏惧突厥南下，跟北周帝国更争着献出金银财宝。佗钵可汗更是骄傲，曾经洋洋得意的告诉部属说："只要南方两个娃儿（北齐及北周）始终孝顺，我们怕什么穷！"

北周帝宇文邕，并不喜爱阿史那皇后。神武公爵窦毅娶襄阳公主，生下一个女儿，年纪还小，有一天，这个小女儿暗中警告宇文邕，说："而今，我们跟齐国（北齐帝国）、陈国（陈帝国），像鼎的三只脚一样，互相牵制（没把南梁帝国当一回事），而突厥（突厥汗国）的力量正强，舅父应该克制自己的感情，对阿史那皇后安抚慰问，应为全国人民的幸福着想。"宇文邕完全接纳。

五七三年 癸巳

南梁	天保	十二年
陈	太建	五年
北齐	武平	四年
北周	建德	二年

1 春季，正月六日，陈帝国（首都建康〔江苏省南京市〕）擢升国务院文官部长（吏部尚书）沈君理当国务院右执行长（右仆射）。

2 正月十一日，北齐帝国（首都邺城〔河北省临漳县西南邺城镇〕）擢升国务院并州（州政府设晋阳〔山西省太原市〕）分院总执行长（并省尚书令）高阿那肱，主管中央政府机要（录尚书事），直接控制丞相府地方军事司（外兵曹）及国务院（内省）机密事务，与总监督长（侍中）城阳王穆提婆（骆提婆）、中央禁军总监（领军大将军）昌黎王韩长鸾，位居中枢，共同主持国政，世人称他们"三贵"，误国害民，一天比一天严重。

韩长鸾的老弟韩万岁，韩万岁的儿子韩宝行、韩宝信，都当开府仪同三司（宰相级）；而韩万岁仍兼任总监督长（兼侍中），韩宝行、韩宝信都娶公主。每天早朝，北齐帝（五任）高纬（本年十七岁）总是先召唤韩长鸾进去询问或听取报告，等韩长鸾出来后，高纬才命奏事的官员进去。高纬如果不出席金銮宝殿，一旦国务院（监督院）有紧急奏章，都夹在韩长鸾的普通奏章中呈递，军国大事及最高机密，没有一件不经韩长鸾之手。韩长鸾对知识分子最为痛恨；早晚陪同高纬饮宴，专门说别人坏话。经常身带佩刀，骑马奔驰，从不肯心情安闲的慢慢走一段路，每天都瞪大眼睛，挥动拳头，凶暴的神态像要吞食别人。政府官员跟他咨商公事，连头都不敢抬，动不动就受到呵责。韩长鸾经常诟骂说："汉狗，真教人受不了，只有诛杀！"

3 正月十三日，北齐政府派兼任总顾问长（兼散骑常侍）崔象前往陈帝国聘问。

4 正月十四日，陈帝国（首都建康〔江苏省南京市〕）皇帝（四任宣帝）陈顼（本年四十六岁），前往建康南郊，祭祀天神。

正月二十七日，陈顼再往皇家祖庙祭祀祖先。

二月五日，陈顼再往皇家大会堂（明堂）祭祀。

5 二月九日，北齐帝高纬封右皇后穆黄花当皇后。穆黄花的娘亲名穆轻霄，本是穆家的婢女，脸上有刺青（穆轻霄身世堪怜，她是穆子伦的婢女，后来辗转卖到宋钦道家，宋钦道的正妻嫉妒，在穆轻霄脸上刺出“宋”字），穆黄花既把陆令萱当娘亲，又把穆提婆（骆提婆）当作亲兄，尊称陆令萱为“太姬”。太姬，在北齐帝国，是皇后娘亲的称号，位比第一品（“视一品”），在长公主之上。从此，穆黄花不再理会娘亲穆轻霄。穆轻霄认为女儿嫌自己丑，想办法把脸上刺青除去，要求晋见女儿，陆令萱把穆轻霄囚禁，穆轻霄竟无法跟女儿见面。

高纬很喜爱文学。二月十日，国务院左执行长（尚书左仆射）祖珽，奏准设立文林馆，大量介绍文学上有造诣的知识分子充实文林馆，称他们“待诏”（“待诏”，等待皇帝诏书下达之意，好像一个交保被告，要保证随传随到），命立法院主任立法官（中书侍郎）博陵郡（河北省安平县）人李德林、宫廷监督官（黄门侍郎）琅邪郡（山东省临沂市）人颜之推，同时担任馆长（判馆事），命所有“待诏”，共同撰写《修文殿御览》。

6 二月十八日，北周帝国（首都长安〔陕西省西安市〕）太子宇文赟，巡视西部疆土。

7 二月十九日，北齐政府命北平王高仁坚主管政府机要（录尚书事）。

二月二十一日，北齐帝高纬前往晋阳（山西省太原市）。

8 二月二十六日，北周宫廷部财政司长（天官司会中大夫）侯莫陈凯等，前往北齐帝国聘问。

9 二月庚辰日（二月丁酉朔，没有庚辰），北齐帝高纬返首都邺城（河北省临漳县西南邺城镇）。

10 三月十三日，北周太子宇文赟，在岐州（州政府设雍县〔陕西省宝鸡市凤翔区〕）捕获两只白鹿，呈献老爹皇帝（四任武帝）宇文邕（本年三十一岁）。宇文邕下诏说："治理国家，只在恩德，不在祥瑞。"

11 陈帝陈顼，积极准备攻击北齐帝国，三公及部长级高官，议论纷纷，各有见解，只有镇前将军吴明彻请求早日出动。陈顼对高级官员们说："我已经下定决心，你们要做的是，共同推选一位元帅。"大家认为中权将军淳于量在军中的地位最高，联名推举他担任。只国务院左执行长（尚书左仆射）徐陵反对，说："吴明彻家住淮南（淮河以南。吴明彻是秦郡〔江苏省南京市六合区〕人），熟悉齐国（北齐帝国）风俗习惯；大将应有的谋略，和指挥大军的才干，当世没有人能超过他。"国务院法务部长（都官尚书）河东郡（侨郡，湖北省松滋市西北）人裴忌说："我同意徐陵的意见。"徐陵应声回答，说："不仅吴明彻是优秀的元帅，裴忌更是优秀的副元帅。"

三月十六日，陈顼下令各军动员集结，命吴明彻当北伐军司令长官（都督征讨诸军事），裴忌当监军官（监军事），率大军十万人，北上攻击北齐。吴明彻攻击秦郡（北齐秦州，江苏省南京市六合区），司令官（都督）黄法𣰰（南豫州〔州政府姑孰〕州长）攻击历阳（北齐和州，安徽省和县）。

12 夏季，四月四日，北周帝宇文邕，前往皇家祖庙祭祀祖先。

13 四月八日，陈帝国北伐军将领、前巴州（州政府设巴陵〔湖南省岳阳市〕）州长（刺史）鲁广达，跟北齐军在大岘（安徽省含山县东北）会战，大破北齐军。

四月十三日，北齐政府任命兰陵王高长恭当太保（上三公之三），南阳王高绰当最高指挥官（大司马），安德王高延宗当全国武装部队总司令（太尉），武兴王高普当宰相（司徒），开府仪同三司（宰相级）宜阳王赵彦深当最高监察长（司空）。

北齐政府在秦郡（江苏省南京市六合区）设置秦州；涂水（滁河）经过秦州（州政府秦郡），南注长江；北齐军用巨大木材在涂水中设立栅栏。

四月十六日，吴明彻派豫章郡（江西省南昌市）郡长（内史）程文季率敢死队攻击，拔掉栅栏，攻克。程文季，是程灵洗的儿子（程灵洗擒周迪，参考五六五年七月）。

北齐政府讨论抵御陈帝国北伐军，开府仪同三司（宰相级）王纮说："我国军队最近不断失败，人心骚动不安；如果再在长江、淮河一带用兵，恐怕北方夷狄（突厥汗国）、西方盗寇（北周帝国），乘机侵犯，则大势就难挽回。最好是减少租税，节省差役，使民间和军队都得到休养，政府内部和睦，人民远近归心，则天下之大，都会肃清，岂止抵御一个陈国（陈帝国）而已。"北齐帝高纬不肯接受，于是，派军增援历阳（安徽省和县）。

四月二十五日，黄法𣰰击破北齐援军。北齐政府再派开府仪同三司（宰相级）尉破胡、长孙洪略，继续增援秦州（秦郡）。

北齐最高监察长（司空）赵彦深，私下请教皇家图书馆长（秘书监）源文宗对时局的看法，说："东吴（陈帝国）嚣张，竟到如此地步！你曾经当过秦州（州政府秦郡）、泾州（州政府设石梁城〔安徽省天长市西〕）二州州长（刺史），熟悉长江、淮河间的事务，现在有什么方法抵御？”源文宗说：“国家的精锐部队，当权人士一定不肯多交给出征将领。如果只出动几千人，不过像鱼饵一样，只供东吴（陈帝国）吞食。尉破胡的人品，大王（赵彦深封宜阳王）深知，怎么可能取胜！沙场战败，不在早晨，就在晚上。政府对待淮南（淮河以南，侯景之乱后夺取南梁帝国的土地），好像一支草箭（“草箭”，六世纪时谚语，意思是丢掉也不觉可惜）。如果问我的意见，我建议最好是授给王琳全权，命他招募淮南（南梁帝国故土）士卒三四万人，王琳跟他们风俗相同，心灵相通，可以得到他们的效力；我们的将领，可以驻军淮北（淮河以北）。要知道，王琳对于陈顼，绝对不可能面向北方，事奉他当君王，事理至为明显。我认为这是最上等的策略。如果不能够诚心对待王琳，甚至更派人监视牵制，将使大祸加速来临，绝对不可以做。”赵彦深叹息说：“你的这项计划，足可以在千里之外，克敌制胜，但我费尽口舌，竭力争取，已十天之久，没有人听得进去。事情已到这种地步，还有什么可说。”相对流泪。源文宗，本名源彪，但对外使用别名，是源子恭的儿子（源子恭事，参考五一八年七月）。

柏杨曰

当一艘满载客人的巨轮，迷失航道，即将撞向冰山之时，船舵却握在一个毫无航海知识的恶徒之手。全船静悄悄的，大多数人都进入甜蜜梦乡；只有几个乘客，发现危险，他们奔向舰桥，想警告舵手改道，可是舰桥紧闭，他们再奔向船长室，船长室也紧闭，任他们擂动门户，哭号哀求，所得到的只是不理不睬，甚至黑暗中闯出打手，把他们捆绑囚禁。

这就是无力感，自己有方法救巨轮，却瞪眼看着巨轮沉没，而

源文宗的儿子源师，当丞相府河南军事司长（左外兵郎中），摄理国务院内政部职务（摄祠部），曾经报告国务院总理（尚书令）高阿那肱："有龙出现，应该祭神求雨。"高阿那肱大惊，说："龙在什么地方出现，什么颜色？"源师说："不是地上真龙出现，而是天上龙星出现，依照古礼，应该祭祀，求神降雨。"高阿那肱生气说："你们汉人可真是多事，自以为连天上星宿都知道。"一口拒绝。源师出来，私下叹息说："礼仪都已废除，齐国（北齐帝国）岂能长久！"（源师祖先本姓秃发，是南凉王国皇家的后裔〔参考四一四年七月〕，也是鲜卑人，并非汉人。）

北齐帝国挑选身材高大、孔武有力的勇士当前锋，分别编成"苍头""犀角""大力"等队，锐不可当；又有一个来自西域（新疆及中亚东部）的胡人，精于射击，箭无虚发，陈帝国北伐军对他尤其惊恐。

四月二十六日，两国大军在石梁（安徽省天长市西）相遇，大会战即将开始，陈军统帅吴明彻对巴山郡（江西省丰城市）郡长萧摩诃说："如果能歼灭这个西域射手，他们就会破胆，你的才干，不亚于关羽。"萧摩诃说："告诉我他的长相，当为你把他铲除。"吴明彻命投降过来的北齐官兵中，有认识西域射手的人，告诉萧摩诃该西域射手的特征，吴明彻亲自斟酒，向萧摩诃致敬，萧摩诃一饮而尽，纵马驰出，冲向北齐阵营。西域射手走出阵前十余步，拉满弓弦，箭还没有射出，萧摩诃远远掷出飞镖，恰好击中西域射手的前额，立刻栽倒在地毙命。北齐"大力"队十余人迎战，萧摩诃又把他们击斩。于是北齐军大败，统帅尉破胡下令撤退，长孙洪略阵亡（西域射手，射得再准，不过一人而已，大军会战，岂可命他单独出阵，看情形，北齐统帅尉破胡想靠西域射手一人，赢得这场战争。如此将领，无怪赵彦深、源文宗为国家前途流泪）。

尉破胡出发时，北齐政府派总监督长（侍中）王琳跟他同行。王琳对尉破胡说："东吴（陈帝国）军队战志昂扬，应该有长程谋略，才能克制，无论如何，不要轻易在沙场上厮杀。"尉破胡不能接受，结果失败。王琳单人匹马逃走，仅逃出一命。王琳北返，走到彭城（江苏省徐州市），北齐政府命他前往寿阳（安徽省寿县），招兵买马，抗拒陈军；又任命卢潜当中央驻扬州（州政府寿阳）特遣政府执行官（扬州道行台尚书。卢潜跟王琳不睦，参考五六一年正月；而又命卢潜配合，目的在于监视，王琳如何可以成功）。

四月二十九日，陈帝国南谯郡（侨郡）郡长徐槾，攻克石梁城（此非北齐泾州所在之石梁，当在今安徽省巢湖以南附近）。

五月四日，北齐瓦梁城（江苏省南京市六合区境）向陈军投降。

五月八日，北齐阳平郡（江苏省淮安市洪泽区）也投降。

五月九日，徐槾攻克庐江城（安徽省庐江县）。北齐历阳（安徽省和县）守军抵抗不住，请求投降；但等到陈军司令官（都督）黄法氍的攻势稍缓，则又继续拒守。黄法氍大怒，率军猛烈攻击。

五月十一日，攻克历阳，把守城的北齐军队，全部屠杀；遂进军合肥（安徽省合肥市）。合肥守军望见陈军，即行投降，黄法氍禁止士卒抢夺劫掠，安抚慰问北齐士卒，跟他们盟誓，然后送他们回国。

14 五月十二日，北周政府任命柱国（勋官一级）侯莫陈琼当教育部长（大宗伯），荥阳公爵司马消难当司法部长（大司寇），江陵（南梁首都，湖北省江陵县）协防司令（江陵总管）陆腾当农工部长（大司空）。侯莫陈琼，是侯莫陈崇的老弟（侯莫陈崇被逼自杀事，参考五六三年正月）。

15 五月十四日，北齐高唐郡（北高唐，安徽省宿松县）向陈军投降。

五月十六日，陈帝陈顼下诏命南豫州（州政府设姑孰〔安徽省当涂县〕）州长（刺史）黄法𣰰，把州政府迁到历阳（安徽省和县）。

五月二十日，陈帝国南齐昌郡（湖北省蕲春县）郡长（空头官衔）黄咏，攻克北齐齐昌郡（此是北齐之齐昌〔湖北省蕲春县东北〕，北齐罗州所在）外城。

五月二十一日，陈帝国庐陵郡（江西省吉水县）郡长（内史）任忠进军东关（安徽省含山县西南），攻克东西二城（东吴帝国时诸葛恪所筑，参考二五二年十月），又攻克蕲城（安徽省巢湖市）。

五月二十三日，任忠又攻克谯郡城（巢湖市东南）；仍在北齐军固守中的秦州（州政府设秦郡〔江苏省南京市六合区〕）向陈军投降。

五月二十八日，北齐瓜步（江苏省南京市六合区南长江渡口）、胡墅（石头城长江对岸）二城，也向陈军投降。陈帝陈顼因秦郡（江苏省南京市六合区）是吴明彻的故乡，下诏准备太牢（牛猪羊各一），命吴明彻回家，到祖先祠堂、坟墓祭拜，文武仪队十分盛大，乡里人士都感到荣耀。

16 北齐帝国自从和士开执政以来，政治迅速腐败（参考五六三年六月）。等到祖珽执政，竭力振作，稍稍物色推举有才智声望人士，无论中央及地方，一致赞美。祖珽雄心勃勃，想裁并职责重叠的机关，淘汰多余的官员；恢复传统的官位名号、衣服佩饰；甚至更想罢黜一些宦官，和一些当权的卑劣人物，用来改革政治，整肃纪律。陆令萱跟儿子穆提婆（骆提婆）母子，却不同意。祖珽遂教唆总监察官（御史中丞）丽伯律，弹劾文书助理官（主书）王子冲收受贿赂。但祖珽知道，只要追究王子冲，一定牵连出穆提婆（骆提婆）。祖珽希望使赃物罪跟刑事罪结合，打击面扩大到陆令萱头上。祖珽担心北齐帝高纬溺爱左右亲信，不肯整顿，打算结交胡皇后家人，作为后援，乃请胡皇后的老哥胡君瑜当总监督长（侍中）、中央禁军总监（中领军）；又征召胡君瑜的老哥梁州（州政府设大梁城〔河南省开封市〕）州长（刺史）胡君璧，打算命他当总监察官（御史中丞）。陆令萱得到消息，记恨在心，千方百计排斥，贬胡君璧当特级资政官（金紫光禄大夫），仍回梁州（大梁城）任职；解除胡君瑜的中央禁军总监（中领军）兼职。胡皇后之被罢黜，多少跟这件事也有关系。对王子冲贪赃枉法，则不加追问。

于是，祖珽开始受到疏远，各宦官更众口一词说他的坏话。北齐帝高纬询问陆令萱的意见，陆令萱面部立刻露出怜惜的神色，显示心情至为沉重，默不回答。高纬一连问了三次，陆令萱才走下坐榻，叩头说："我这个老年婢女，实在该死。当初，是和士开告诉我祖珽学问渊博，能力超群，认为他是一个善良之辈，所以竭力保荐。从他最近所作所为观察，真是大大的奸邪。了解一个人，实在太难，我应该死一万次。"高纬命韩长鸾调查，而韩长鸾一向痛恨祖珽，于是查出祖珽假传圣旨和接受贿赂等十余条罪状。高纬因为曾经跟祖珽立过重誓，所以饶祖珽一死，只免除祖珽的总监督长（侍中）、国务院执行长（仆射）等官职，贬出当北徐州（州政府设琅邪〔山东省临沂市〕）州长（刺史）。祖珽请求晋见高纬，韩长鸾不准，派人把祖珽强行推出总监察署（柏阁），祖珽坐在那里不肯走，韩长鸾命人把他拖出。

五月二十八日，高纬命中央禁军总监（领军）穆提婆（骆提婆）当 752
国务院左执行长（尚书左仆射）；另命总监督长（侍中）、立法院总立法长（中书监）段孝言当国务院右执行长（尚书右仆射）。段孝言，是段韶的老弟（段韶去世，参考前年〔五七一〕九月）。最初，祖珽当权，推荐段孝言当国务院文官部长（吏部尚书），用以增加自己的政治资本。段孝言所作的推荐或擢升，对方如果不是用金钱贿赂，也因为是从前的亲戚朋友。盼望得到官职的人，有时甚至在大庭广众之中，向段孝言下跪叩头，用膝盖往前爬，公开求情；段孝言不但不觉得羞耻，反而得意洋洋，满口应承，把对方的请求包在自己身上，根据不同的事件，一一应酬，作不同的许诺。工程部主任秘书（将作丞）崔成，有一天忍无可忍，当着大家的面，大声谴责说："部长（尚书）是帝国的部长，不是段家的部长！"段孝言张口结舌，回答不出，只好板起面孔，把他赶走！不久，段孝言跟韩长鸾勾结，秘密陷害祖珽，终于把祖珽排斥出中央政府，而由段孝言代替祖珽的职位。

兰陵王（武王）高长恭（高纬的堂兄），相貌英俊，作战勇敢，自从邙山大捷（参考五六四年十二月），威名震动全国，军中武士歌颂他的英勇，谱出《兰陵王入阵曲》，然而，也正因为英名远播，北齐帝高纬对他既嫉妒又畏惧。后来，高长恭接替段韶的位置，率各军进攻定阳（山西省吉县。参考前年〔五七一〕六月），多多少少向人民勒索搜刮。他的亲信尉相愿问说："大王身负帝国安危，怎么可以这样？"高长恭还没有回答，尉相愿悟过来说："莫非因为邙山那次大捷，用来自污？"（用贪污的方法表示自己品格卑贱，没有大志，解除君王的猜忌，自王翦、萧何以来，成为官场中的一种安全履带。）高长恭说："不错。"尉相愿说："中央如果要铲除大王，大王所作所为，正好供给他们借口，岂不是为了避祸，反而使它加速来临！”高长恭流下眼泪，向尉相愿请教如何因应。尉相愿说：“大王从前曾建过大功，而今又第二次传出大捷，威望太高，名声太大。最好是声称有病，退休回家，不再参与政治。”高长恭认为他说得对，但不能照办。后来，陈帝国攻击江淮平原（长江淮河间），高长恭恐怕再当统帅，叹息说：“我去年曾害病，脸部发肿，今年为什么不再发病！”从此，任凭病情自由发展，不请医生治疗。但高纬对他仍不放心，派使节把他毒死。

17 六月六日，陈帝国郢州（州政府设夏口〔湖北省武汉市〕）州长（刺史）李综，攻克北齐滠口城（湖北省武汉市黄陂区西南）。

六月十一日，陈帝国庐陵郡（江西省吉水县）郡长（内史）任忠，攻克北齐合州（州政府设合肥〔安徽省合肥市〕）外城。

六月十六日，北齐淮阳郡（江苏省淮安市淮阴区西）、沭阳郡（江苏省沭阳县）守军，全都放弃城池，逃走。

18 六月十八日，北周帝国皇孙宇文衍诞生。

19 北齐帝高纬游逛南苑，随从官员被逼自杀的有六十人（《北齐书·后主纪》记载为中暑而死的六十人）；任命高阿那肱当宰相（司徒）。

20 六月十九日，陈帝国豫章郡（江西省南昌市）郡长（内史）程文季，进攻北齐泾州（州政府设石梁城〔安徽省天长市西〕），攻克。

六月二十一日，陈帝国宣毅将军府军政官（宣毅司马）湛陀，攻克新蔡城（南新蔡，湖北省黄梅县西南。湛陀当是从江州〔州政府湓城〕出军）。

21 六月二十二日，北齐政府派开府仪同三司（宰相级）王纮前往北周帝国聘问。

22 六月二十九日，陈帝国南豫州（州政府设历阳〔安徽省和县〕）州长（刺史）黄法氍，攻克合州（州政府设合肥〔安徽省合肥市〕）；吴明彻攻击仁州（州政府设临淮〔安徽省怀远县西北〕）。

六月三十日，吴明彻攻克仁州（州政府临淮）。

23 陈政府兴建皇家大会堂（明堂）。

24 秋季，七月四日，北齐政府派国务院左秘书长（尚书左丞）陆骞，率军二万人，增援齐昌（南齐昌，湖北省蕲春县），从巴水、蕲水之间进军，跟陈帝国西阳郡（湖北省黄冈市黄州区）郡长（空头官衔。此时西阳属北齐）、汝南郡（侨郡）人周炅猝然相遇（时周炅应与黄咏一起攻击南齐昌）。周炅留下老弱残兵拒守，布置疑阵跟陆骞大军对抗，而亲自率精锐部队，由小路包抄到北齐军背后，大破北齐军。

七月五日，陈北伐军统帅吴明彻，率军抵达硖石口（安徽省凤台县西南），攻克淮河北岸城，淮河南岸城北齐守军得到消息，放弃城池，逃走。周炅也攻克巴州（州政府设西阳〔湖北省黄冈市黄州区〕）。淮北（淮河以北）、绛城（即虹城，安徽省五河县西北）以及谷阳（安徽省固镇县）的住民及知识分子，都起兵诛杀北齐驻军司令（戍主），献出城池，投降陈北伐军。

北齐巴陵王王琳，与扬州（州政府设寿阳〔安徽省寿县〕）州长（刺史）王贵显，联合守卫寿阳外城；吴明彻认为，王琳刚进驻不久，军民还不能团结一心，这是一个契机。

七月二十二日，夜晚，吴明彻发动攻击，寿阳外城崩溃；北齐军退守相国城（晋帝国相国刘裕驻寿阳时〔参考四一九年八月〕所建）及中城。

八月二日，山阳城（江苏省淮安市）北齐守军向陈帝国投降。

八月九日，盱眙（江苏省盱眙县）北齐守军向陈帝国投降。

八月十九日，陈帝国戎昭将军徐敬辩，攻克北齐海安城（江苏省涟水县）；青州（南梁时代青州）东海城（郁洲，江苏省连云港市东沉积小岛）北齐守军也向陈帝国投降。

八月二十五日，陈帝国平固侯陈敬泰等，攻克晋州（北齐政府称江州，州政府设晋熙〔安徽省潜山市〕。陈敬泰应从江州〔州政府湓城〕进军）。

九月一日，阳平郡（谷阳，安徽省固镇县）北齐守军向陈帝国投降。

九月九日，陈帝国高阳郡（侨郡）郡长沈善庆攻克马头城（安徽省蚌埠市西马城镇。应从寿阳围城军分道出击）。

九月十一日，齐安城（北齐衡州，湖北省麻城市西南）北齐守军向陈帝国投降。

九月十三日，陈帝国首都东区卫戍司令（左卫将军）樊毅，攻克广陵郡楚子城（河南省新蔡县境。樊毅应从吴明彻军分道出击）。

25 九月十九日，北周帝国皇太子宇文赟（本年十五岁）娶太子妃杨丽华。杨丽华，是大将军（勋官二级）随公爵杨坚的女儿（杨坚是杨忠的儿子，参考五六八年七月）。

宇文赟喜爱亲近品德恶劣的下等人物，太子宫总管（左宫正）宇文孝伯，警告北周帝宇文邕说："皇太子（宇文赟）受到四海之内的注目，但他的道德学问，仍没有显示给国人知道，我身为宫廷官员，应负责任。皇太子年纪还小，不到建立勋业的时候，请陛下慎重的挑选正人君子，当他的教师或朋友，由他们培育神圣（指宇文赟）的品格，但仍然需要月复一月，日复一日。如果现在还不开始，后悔已来不及。”宇文邕严肃的说：“你们家世代都出骾直之士，尽忠职守，听你这段话，正是你的家风。”宇文孝伯叩拜道谢说：“建议并不难，接受建议才难！”宇文邕说：“还有谁比你更正人君子！”于是命尉迟运当太子宫副总管（右宫正）。尉迟运，是太师（三公级）尉迟迥的侄儿。

宇文邕曾经问万年县（首都长安东半城）主任秘书（丞）、南阳郡（河南省南阳市）人乐运说：“你说说看，太子（宇文赟）是个什么样的人？”乐运说：“中等人！”宇文邕回头问齐公爵宇文宪说：“文武百官拍我的马屁，都坚持说太子（宇文赟）聪明智慧！只有乐运一人忠心正直。”遂命乐运描述中等人的特征。乐运说：“像姜小白（齐桓公）就是。管仲当宰相则成为霸主，竖刁当宰相则天下大乱（参考四九三年七月注）。他可以在正人君子辅佐下行善，也可以在卑劣人物辅佐下作恶。”宇文邕说：“我完全了解。”乃慎重的选择宫廷官员，辅佐宇文赟成长。擢升乐运当首都长安市政府主任秘书（京兆丞）。宇文赟听到这些消息，大不高兴。

26 九月二十日，陈帝国国务院右执行长（尚书右仆射）沈君理逝世（年四十九岁）。

27 九月二十九日，傍晚，陈帝国前鄱阳郡（江西省鄱阳县）郡长（内史）鲁天念，攻克北齐黄城（北齐南司州，湖北省武汉市黄陂区东）。

冬季，十月二日，郭默城（湖北省黄梅县南）北齐守军向陈帝国投降。

28 十月七日，陈政府任命“特进”（朝会时位置仅次于三公）、兼国立大学校长（领国子祭酒）周弘正，当国务院右执行长（尚书右仆射）。

29 北齐帝国国立贵族大学校长（国子祭酒）张雕，当过北齐帝高纬的教师，教导高纬研读儒家学派经书，高纬对他十分尊敬。张雕跟受高纬宠爱的匈奴人何洪珍，情谊密切；于是引起穆提婆（骆提婆）、韩长鸾等的厌恶。何洪珍推荐张雕当总监督长（侍中），加授开府仪同三司（宰相级），主管国务院财政部职务（奏度支事）；张雕自到职后，高纬对他很是信任，看见他总是称呼他“教授”。张雕知道自己来自寒微的民间，而竟被擢升到政府高阶层，内心感激，一直打算多作贡献，用以报答皇家恩德，所以无论评论人物，或讨论时政，都放胆直言，没有顾忌，主张宫内不必要的开支，应尽量节省；皇帝身旁骄傲放纵的臣属，应制裁约束。张雕不断讥刺当权的贵人，提出重要方案；高纬对他非常依靠。张雕为了回报知遇之恩，以澄清官场作为自己的一种使命，志气甚为轩昂。受皇帝宠爱的另一派摇尾分子，却恶意相向，阴谋陷害。

国务院左秘书长（尚书左丞）封孝琰，是封隆之的侄儿（封隆之，参考五三一年二月），跟总监督长（侍中）崔季舒，都受祖珽厚待。封孝琰曾经恭维祖珽说：“你是书香世家的宰相，跟别的宰相不同（暗示其他都是蛮夷宰相）。”高纬左右亲信听到这些话，十分痛恨。

正巧，高纬打算前往晋阳（山西省太原市），崔季舒跟张雕商议，认为：“寿阳（安徽省寿县）正陷重围，大军出动作战，信差来往，事事要请皇上裁决，沿路小民可能惊慌过度，认为圣驾（高纬）逃向并州（州政府晋阳），为的是要躲避南方贼寇（指陈帝国）。我们如果不上疏规劝，深怕人心震动。”于是跟随驾文官，联名上疏劝阻。当时，权贵赵彦深、唐邕、段孝言等，则另有不同的意见。崔季舒跟他们争执辩论，事情不能决定。韩长鸾警告高纬说：“汉人官员竟然采取一致行动，联名上奏，表面上看是劝阻陛下前往并州（州政府晋阳），事实上未必不是暗中谋反，应该诛杀。”高纬同意。

十月九日，高纬召集全体签名的官员，在含章殿集合，包括崔季舒、张雕（年五十五岁）、封孝琰（年五十一岁）、总顾问长（散骑常侍）刘逖、宫廷监督官（黄门侍郎）裴泽、郭遵等，就在殿前大庭，高纬下令把他们全部斩首；家属放逐到北方边境，妇女配给宫女管训署（奚官），男孩送手术室（蚕室）割掉生殖器，财产全部没收。

十月十一日，高纬前往晋阳（山西省太原市）。

柏杨曰

崔季舒等的遭遇，跟斛律光等的遭遇，同属六世纪七〇年代奇冤，高纬本年十七岁，这个少年对他一向尊敬的教师和前辈，突然翻脸，说明他已杀滑了手，认为别人的生命跟蝼蚁一样。但对崔季舒等的家属，成年男子充军，幼年男子割掉生殖器，妇女罚做奴工，怨毒何以如此之深？实在难解。一群禽兽组成的北齐帝国政府，不过一个恐怖剧场。

假如历史可以提供教训的话，崔季舒等这场千古奇冤，至少可以告诉我们一件事：中国人必须对“进谏”的功能，予以重估。尤其有些人认为：进谏人只要态度谦恭，理由充分，忠诚十足，君王就不会不听；君王所以不听，只不过因为进谏人态度不够谦恭，理由不够充分，忠诚不够十足。崔季舒等的血，淹没了这种奴才神话，直到今天，中国人追求的将不再是婢膝奴颜、诚惶诚恐的向英明领袖进谏，而是庄严肃穆的陈述自己的意见、义正词严的指责他们的过失。

30 陈帝国北伐军统帅吴明彻，攻击寿阳（安徽省寿县），在淝水（东淝河，流经寿阳城东）兴筑堤坝，引水灌城，城中军民差不多都身肿腹泻，死亡十分之六七。北齐中央特遣政府右执行长（行台右仆射）、琅邪（山东省临沂市）人皮景和等，率军南下增援。但皮景和因尉破胡刚受到挫败，心中畏怯，不敢前进，逗留淮口（即颍口，颍水注入淮河处，安徽省寿县西正阳关镇）。北齐帝高纬不断下令催促，皮景和不得已，才渡过淮河，大军数十万人，距寿阳三十华里，安营扎寨，但不敢再进。陈军各将领大为恐惧，说："坚城没有攻破，庞大援军却已到达，我们怎么办？"吴明彻说："军事行动，最重要的是要迅速，可是他们却在那里扎营，不前进一步，用来打击自己的士气，我知道他们不敢挑战，情况十分清楚。"

十月十三日，吴明彻头戴铁盔，身穿铠甲，亲自指挥大军，从四面八方，向寿阳猛烈攻击，在第一波的战鼓声中，即把寿阳攻克，生擒王琳、王贵显、卢潜，及扶风王可朱浑道裕、国务院左秘书长（尚书左丞）李騊駼（騊，音táo〔逃〕；駼，音tú〔途〕），押送建康（陈首都，江苏省南京市）。皮景和拔营向北逃走，陈军掳获他所遗留下来的骆驼战马，和其他军用物资。

王琳面貌神态，安详文雅，喜怒从不在脸上表达，反应敏捷，记忆力强，总部官员数千人，王琳都能叫出他们的姓名，刑罚公正，轻视金钱，敬爱人才，官兵对他一片忠心，虽然没有立锥之地，流亡邺城（北齐首都，河北省临漳县西南邺城镇），但北齐官民，都推崇王琳的忠义。寿阳陷落后，王琳被俘，他过去的部属，很多人在吴明彻军中任职，看到统帅受难，都悲痛叹息，不忍心抬头，争着向吴明彻请求宽恕王琳性命，又纷纷赠送给他路费行装。吴明彻恐怕发生变化，派使节追赶，在寿阳东二十华里处追上，斩首（年四十八岁）。消息传出，民间一片哭声，远听像是响雷。有一个老汉提着一壶酒和一块干肉到尸体旁祭奠，放声大哭，哀痛欲绝，把流在地上的血刮起来带走。田野间农夫或乡村父老，不论见过王琳没有，听到王琳被杀，没有人不流泪哭泣。

王琳先生是中国历史上第一流英雄人物，因为民间对他敬爱！

在晋阳（山西省太原市）的穆提婆（骆提婆）、韩长鸾，正“握槊”赌博，听到寿阳（安徽省寿县）陷落消息，并不停止，只平淡的说：“本来就是他们的土地，随他们拿回去（东魏帝国〔北齐帝国前身〕乘侯景之乱，夺取南梁帝国长江以北领土，参考五四八年八月）。”北齐帝高纬接到报告，深为忧虑。穆提婆（骆提婆）等说：“不要说丧失了淮南（淮河以南），纵然丧失了河南（黄河以南），我们仍可以当一个龟兹国（新疆库车市）。真正可惜的是，人生好像寄住世间，应该把握这短暂的时间，竭力追求快乐，何必去为一个寿阳（安徽省寿县）心烦？”左右一些受宠信的弄臣家奴，一致赞赏这种洒脱的见解。高纬转愁为喜，就更大肆饮酒狂舞，但仍下令黎阳（河南省浚县）沿河（黄河）兴筑阵地城垒（真要尽弃河南〔黄河以南〕土地自保）。

十月十五日，北齐帝国派军一万人抵达颍口（颍水注入淮河处，安徽省寿县西正阳关镇），陈帝国将领樊毅把他们击退。

十月十九日，北齐派军增援苍陵（寿阳、颍口之间），樊毅再把他们击退。北齐帝高纬认为皮景和全军而归，特别赏赐，任命他当国务院总理（尚书令）。

31 十月二十四日，陈帝陈顼下诏：寿阳（安徽省寿县）仍称豫州（北齐称扬州），而在黄城（湖北省武汉市黄陂区东）设立司州（南朝政府之豫州一直设寿阳，参考五四七年七月）。任命吴明彻当豫合等六州军区（安徽省中部）司令长官（都督豫合等六州诸军事。六州：豫、合、建、光、朔、北徐）、车骑大将军、豫州（州政府寿阳）州长（刺史）；派皇家礼宾官（谒者）萧淳风前往寿阳发布人事命令，在寿阳城南兴建高台，武装部队二十万人在台前集合，旗帜迎风招展，战鼓铁甲、刀枪剑戟等武器，全部展现，极为盛大庄严。吴明彻登台接受官职，仪式完毕后退下，各将领及士卒都为他感到荣耀。陈顼在建康（陈首都，江苏省南京市）摆下御宴，举杯向徐陵说："敬你有知人之明。"徐陵急忙离开座位，说："一切由陛下裁定，不是我的力量。"陈顼任命黄法𣰰当征西大将军、合州（州政府设合肥〔安徽省合肥市〕）州长（刺史）。

十月二十六日，陈帝国将领湛陀，攻克北齐帝国齐昌城（北齐昌，北齐罗州，湖北省蕲春县东北）。

十一月十二日，淮阴城（北齐淮州，江苏省淮安市淮阴区）北齐守军，向陈帝国投降。

十一月十八日，陈帝国威虏将军刘桃枝（非北齐杀手刘桃枝）攻克朐山城（北齐海州，江苏省连云港市。当是从郁洲〔连云港市东沉积小岛〕进军）。

十一月十九日，樊毅攻克济阴城（此是淮南的济阴郡，安徽省明光市东北）。

十一月二十七日，鲁广达进攻北齐南徐州（此时应称西楚州，州政府设钟离〔安徽省凤阳县东北临淮关镇〕），攻克。陈政府任命鲁广达当北徐州

(以北齐西楚州改)州长(刺史),镇守该地。

北齐北徐州(州政府设琅邪〔山东省临沂市〕)变民,聚众起兵,响应陈军北伐,变民军逐渐逼近州城(琅邪),州长(刺史)祖珽下令大开城门,不准行人走到街上,城中一片死寂,变民军不知道发生什么事情,怀疑可能是居民逃走,只留下一座空城,戒备顿时松懈。就在此时,祖珽一声令下,战鼓擂动,杀声震天,变民军惊惧,四散逃走。但不久再度集结,向州城进逼,祖珽命机要军事参议官(录事参军)王君植率军抗拒,自己骑马亲自出城督战,首先向左右作威力射击。变民军早听说祖珽双目已盲,认为他绝对不可能出现,忽然间看到他,大吃一惊。穆提婆(骆提婆)全心盼望变民军攻陷州城(盼望诛杀祖珽,代自己报仇),所以不肯派出援军。祖珽只好孤军奋战,一面出击,一面固守,僵持十余天,变民军竟四散逃走。

32 陈帝陈顼下诏把王琳的人头,悬挂首都建康(江苏省南京市)街头。王琳旧部属、骠骑将军府粮秣军事参议官(骠骑仓曹参军)朱玚,写信给国务院左执行长(尚书左仆射)徐陵,要求发还王琳的人头,说:"从前,司马家将要灭亡,徐广愿做晋帝国的遗老(参考四二〇年六月);曹家已经凋谢,司马孚仍自称是曹魏帝国的忠臣(参考二六五年十二月)。梁国(南梁帝国)故建宁公爵王琳,生在天下分崩离析的时代,负责主持地方政府,独当一面,虽然上天已唾弃梁国(南梁帝国),但王琳忠心耿耿,仍力图拯救(指拥立萧庄称帝,参考五五八年三月),空怀申包胥的大志(参考三二四年七月注),却终于受到苌弘被杀的命运(苌弘是前五世纪周王朝三十任王〔敬王〕姬匄的国务官〔大夫〕。前四九七年,晋国六大家族内斗,范家、荀家覆亡,苌弘被指控为两家策划,晋国向姬匄抗议,姬匄诛杀苌弘)，以致身躯死九泉，人头走万里，岂不可悲！盼望圣明君王厚恩高德，颁发诏书，赦免悲哭王经的向雄(参考二六〇年五月)，允许田横的朋友安葬田横(参考前二〇二年五月)。寿春(安徽省寿县)城下，不使诸葛诞部下的义行，独享美名(司马昭破寿春，反抗军领袖诸葛诞的部属，不降而死，极为悲壮；参考二五七年二月)；而让沧洲岛上，独有哀悼田横的宾客。”徐陵特别为他奏报陈顼。

十二月一日，陈顼下诏，命把王琳以及熊昙朗的人头，同时发还他们的亲属(熊昙朗被杀，参考五六〇年三月)，朱玚把王琳人头暂埋在八公山(安徽省寿县北)旁，朋友部属前来参加葬礼的，多达数千人。朱玚从小路前往北齐帝国(首都邺城)，另行商议迎葬事宜。不久，寿阳(安徽省寿县)人茅智胜等五人，把王琳灵柩掘出，秘密送到北齐。北齐政府追赠王琳：开府仪同三司(宰相级)、主管政府机要(录尚书事)，封忠武王，特别准许使用皇帝才可以使用的灵车送葬。

33 十二月二日，北周帝宇文邕，集合文武百官，以及佛教和尚、道教道士；宇文邕自己登上高座，命与会人士辩论三教的先后秩序。认为：儒教最先，道教第二，佛教最后。

儒家学派忽然被称、同时也自称“儒教”，在《资治通鉴》上首次出现，只不过是为了对抗佛教、道教，所作的一种弹性反应。儒家看起来相信鬼神，祭祀和丧礼，几乎是儒家的命脉，但事实上，儒家又不相信鬼神，从皇家祖庙“亲尽则毁”的规定上，可发现在儒家设计下，祖先的灵魂最后一定全被子孙饿死。因此，儒家虽披上宗教的外衣，却始终不能升华成为宗教，而只能扮演尘世间人伦规范角色。与其称儒家是一个宗教，不如称儒家是一个思想上的宗派，到了后世，更沦为一个争权夺利的党派。

34 十二月四日，北齐帝国谯城（南谯城，北齐南谯州，安徽省蒙城县）守军，向陈帝国投降。

35 十二月十四日，陈帝国封皇子陈叔明当宜都王、陈叔献当河东王。

十二月壬午日（十二月壬辰朔，没有壬午），庐陵郡（江西省吉水县）郡长任忠攻克北齐霍州（州政府设岳安〔安徽省霍山县〕）。

陈帝陈顼下诏征召安州（侨州，州政府设武昌〔湖北省鄂州市〕）州长（刺史）周炅前往京师（首都建康）。最初，南梁帝国定州（州政府设蒙笼城〔湖北省麻城市北〕）州长（刺史）田龙升，献出城池投降陈帝国，陈政府命他留任。等到周炅调回中央，田龙升献出江北（长江以北）六个州（安、蕲、北江、衡、司、定）、七个镇，投降北齐，北齐政府派历阳王高景安率军增援。陈顼下诏命周炅当长江以北军区总司令官（江北道大都督），统率各军讨伐，斩田龙升。高景安撤退，陈帝国把江北（长江以北）失地，全部收复。

36 本年（五七三），突厥汗国（瀚海沙漠群）向北齐帝国请求通婚。

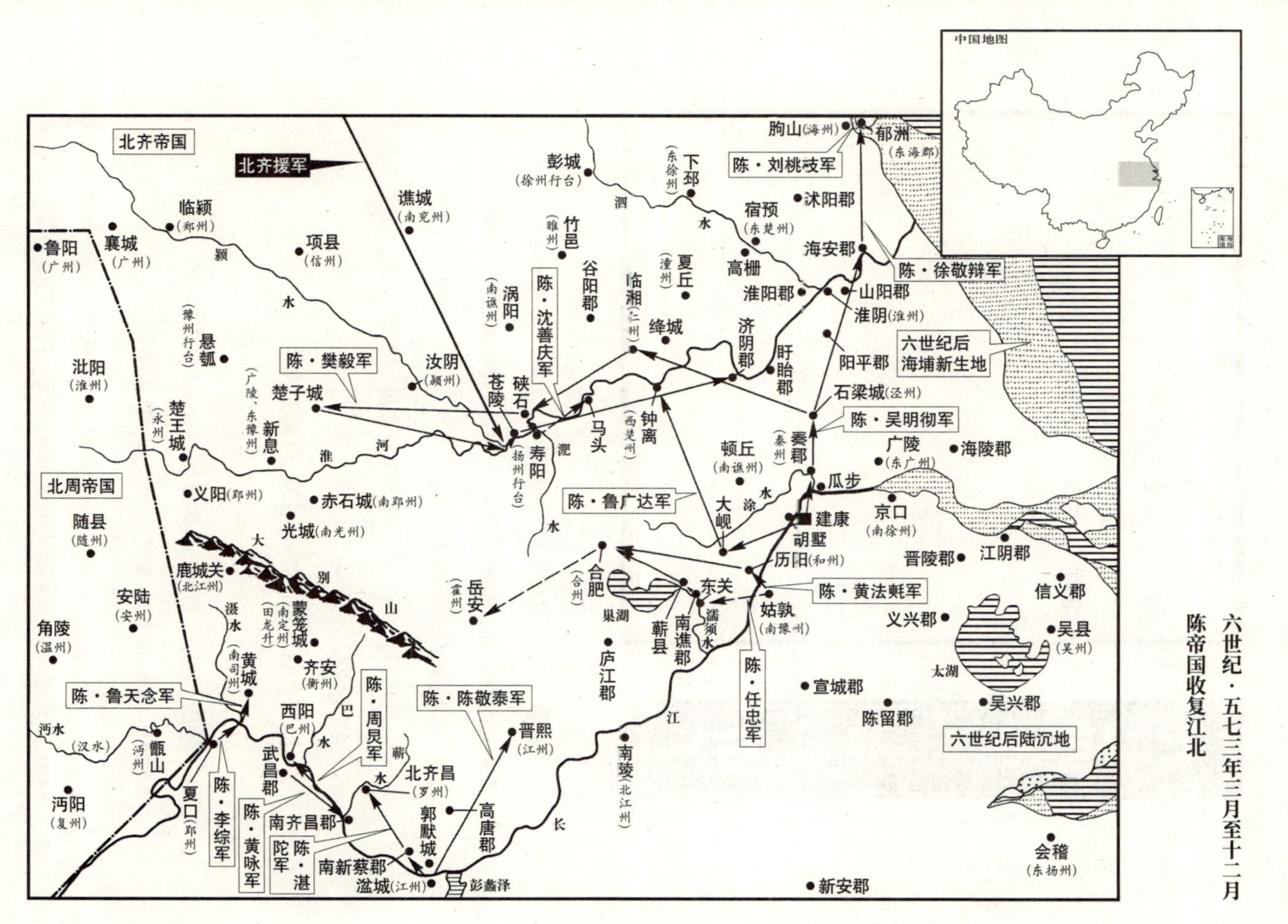

六世纪·五七三年三月至十二月
陈帝国收复江北

五七四年 甲午

南梁	天保	十三年
陈	太建	六年
北齐	武平	五年
北周	建德	三年

1 春季，正月一日，北周帝国（首都长安〔陕西省西安市〕）将齐公爵宇文宪等七人，全都晋封亲王（在此之前，北周封爵中，最高级的是国级公爵，如今才开始封王）。

正月八日，北周帝（三任武帝）宇文邕（本年三十二岁），前往皇家祖庙，祭祀祖先。

正月十四日，宇文邕主持亲自耕田典礼。

2 正月二十一日，陈帝国（首都建康〔江苏省南京市〕）皇帝（四任宣帝）陈顼（本年四十七岁）前往皇家祖庙，祭祀祖先。

正月二十三日，北齐帝国（首都邺城〔河北省临漳县西南邺城镇〕）广陵（新息，北齐东豫州，河南省息县）内城（金城）守军，向陈帝国投降。

3 二月二日，日蚀。

4 二月五日，北齐帝国（首都邺城）皇帝（五任）高纬（本年十八岁），自晋阳（山西省太原市）返首都邺城（河北省临漳县西南邺城镇）。

5 二月七日，北周帝国把纪公爵宇文贤等六人，晋封亲王。

6 二月二十一日，陈帝陈顼，主持亲自耕田典礼。

7 北齐帝国朔州（州政府设招远〔山西省朔州市〕）中央特遣政府总监（行台）、南安王高思好，本是高家养子，骁勇善战，边疆军民对他都十分敬爱。北齐帝高纬派弄臣家奴斫骨光弁（斫骨，复姓），前往朔州（招远）。斫骨光弁态度傲慢，对高思好没有礼貌。高思好大怒，起兵叛变，宣称："打算率军前往京师（首都邺城），肃清皇上身旁奸佞！"率军南下，抵达阳曲（山西省太原市北），自称大丞相。武卫将军赵海，正驻防晋阳（山西省太原市），事情紧急，来不及奏报，就假传圣旨，动员武装部队抵抗。高纬于接到兵变报告后，命国务院总理（尚书令）唐邕等，骑马直奔晋阳（山西省太原市）。

二月十一日，高纬率大军继续进发，还没有到达，高思好战败，投水自杀。他的部下二千人，刘桃枝率军四面围住，一面杀一面劝他们投降，二千人拒绝，终于全死。

之前，有人检举高思好阴谋叛变，韩长鸾的女儿嫁给高思好的儿子，遂上奏说："该民竟敢诬告尊贵高官，如果不把他诛杀，不能止息歪风。"于是斩检举人。高思好败死后，检举人的老弟前往宫门请求追赠检举人一个官位，韩长鸾不肯转呈。

二月十七日，高纬返首都邺城（河北省临漳县西南邺城镇）。

二月二十四日，高纬命唐邕主管政府机要（录尚书事）。

8 二月二十五日，北周帝宇文邕，前往云阳宫（陕西省泾阳县西北）。

二月二十六日，北周政府大赦。

二月三十日，北周皇太后叱奴女士染病。

三月一日，宇文邕从云阳宫返首都长安（陕西省西安市）。

三月十三日，叱奴太后逝世。宇文邕移住“倚庐”（专为守丧儿子搭建的草屋），早晚只吃二十两的米饭。文武百官纷纷上疏规劝，这样一直连续几十日之后，宇文邕才肯恢复正常饮食；命太子宇文赟主持军国大事。

卫王宇文直，在宇文邕面前，陷害齐王宇文宪，说：“宇文宪既饮酒又吃肉，跟平常日子一样。”宇文邕说：“我跟齐王（宇文宪）本不是一母同胞，而且也都不是嫡子。他只是为了叱奴太后是我的娘亲之故，也赤露臂膀，用麻绳束发（服丧装束）；你应该感激惭愧才对，怎么可以说他的是非！你，可是太后的亲生之子，受到多少特别的关心！你应该勉励自己，不要评论别人。”

9 夏季，四月二十五日，北齐政府派总监督长（侍中）薛孤康买（薛孤，复姓），前往北周帝国，祭奠叱奴太后，参加葬礼。

最初，北齐四任帝（武成帝）高湛，给他的正妻胡皇后编织珍珠裙裤，费用之多，无法计数，后来在一场大火中烧掉。现在，高纬再给皇后穆黄花重新编织，命外国商人携带绸缎三万匹，跟随使节，一同前往北周帝国购买珍珠。北周政府拒绝，高纬就自己制造。后来，穆黄花的宠爱衰退，可是她的婢女冯小怜，却使高纬如痴如狂，封她当淑妃（小老婆群第一级），跟高纬恩爱异常，坐则坐在一张草席上，出则两匹马紧紧相并；向天盟誓：生则一同生，死则一同死。

10 五月一日，北周政府把叱奴太后（文宣皇后）安葬在永固陵（今地不详）；北周帝宇文邕赤着双脚，走到墓地。

五月二日，宇文邕下诏，说："父母死亡，子女守三年之丧，连天子都不例外。只是军国大事，责任太重，必须亲自处理；此外，'衰''麻'丧服的样式，哀悼礼节，一律遵照古人规矩，以表达我无限哀痛。文武百官则应该遵照太后遗令，安葬之后，丧服即行解除。"三公部长级官员一再请求依照变通办法，宇文邕不同意，最后终于守丧三年。"五服"以内亲属，都依照礼教规定，分别守丧。

11 五月十一日，北齐帝国大赦。

北齐政府恐怕陈军渡淮河北进，派皮景和驻军西兖州（州政府设左城〔山东省菏泽市定陶区西〕）戒备。

12 五月十七日，北周政府查禁佛、道二教，所有二教的经书和神像，全部销毁；废除和尚、道士，命他们一律恢复原来的世俗身份。北周政府同时下令查禁各种荒唐繁多的祭祀，凡是没有在政府备案的庙宇，全部拆除（佛教的"三武之祸"的第二祸）。

13 六月三日，陈帝国国务院右执行长（尚书右仆射）周弘正逝世（年七十九岁）。

丧事五服表

<table>
<tr><th>等级</th><th>丧服名称</th><th>丧服质料</th><th>服丧时间</th><th>死者</th><th>备注</th></tr>
<tr><td>最重</td><td>斩衰</td><td>粗生麻布
不缝边</td><td>三年</td><td>父母　公婆
丈夫　皇帝</td><td></td></tr>
<tr><td rowspan="4">次重</td><td rowspan="4">齐衰</td><td rowspan="4">粗生麻布缝边</td><td>三年</td><td>继母</td><td rowspan="4"></td></tr>
<tr><td>一年</td><td>祖父母</td></tr>
<tr><td>五月</td><td>曾祖父母</td></tr>
<tr><td>三月</td><td>高祖父母</td></tr>
<tr><td>中等</td><td>大功</td><td>粗熟麻布</td><td>九月</td><td>堂兄弟
已婚姑母</td><td></td></tr>
<tr><td>次轻</td><td>小功</td><td>较细熟麻布</td><td>五月</td><td>祖父的兄弟
父亲的堂兄弟
同祖父的
堂兄弟</td><td></td></tr>
<tr><td>最轻</td><td>缌麻</td><td>细麻布</td><td>三月</td><td>高祖父母
外祖父母
表兄弟</td><td></td></tr>
</table>

14 六月二十三日，北周政府再铸造“五行大布钱”，新钱一钱值旧钱十钱，跟“布泉”同时流通（“布泉”，参考五六一年七月）。

六月二十九日，宇文邕命兴建通道观，为神圣的儒教教义，提供统一解释。

秋季，七月二日，宇文邕前往云阳宫（陕西省泾阳县西北），命太子宫副总管（右宫正）尉迟运，兼任国防部次长（兼司武），跟薛公爵长孙览，共同辅佐太子宇文赟，留守首都长安（陕西省西安市）。

最初，宇文邕选择卫王宇文直的家宅，作为东宫（五七二年四月，封宇文赟当太子，才建东宫〔太子宫〕），命宇文直自己另行选择新居。宇文直看遍了所有公私府舍，没有一处中意，最后选定颓废了的陟屺寺（屺，音qǐ〔起〕），打算住下，齐王宇文宪对他说：“你的子孙众多，这地方岂不嫌小了点？”宇文直说：“我自己尚且不被包容，还谈什么子孙？”宇文直曾经跟随宇文邕围猎，却走乱行列，宇文邕在文武百官面前，对他鞭打，宇文直心中积压怨恨愤怒。现在，乘宇文邕前往云阳（陕西省泾阳县西北），他认为时机已到，于是，发动政变。

七月二十七日，宇文直率他的党羽部众，袭击肃章门（宫城西门），长孙览恐惧，逃走，投奔云阳宫（陕西省泾阳县西北）。尉迟运碰巧当时正在肃章门里，宇文直政变军突然出现，尉迟运紧急行动，亲自关门，政变军攻击，砍伤尉迟运手指，尉迟运勉强把门关闭。宇文直不能进去，纵火烧门。尉迟运恐怕火熄之后，政变军势将乘机冲入，就搜刮宫中木材，以及桌椅床榻，使大火继续燃烧，并用油脂浇灌，使大火更转炽烈。这样僵持很久，宇文直不能前进，向后撤退。尉迟运率领留守部队，利用政变军撤退，冲出追击，宇文直大败，率一百余骑兵逃向荆州（州政府设穰城〔河南省邓州市〕；意图投奔陈帝国〔首都建康〕）。

七月三十日，宇文邕返长安。

八月三日，政府军捕获宇文直。宇文邕免除他所有官爵，贬作平民，囚禁在别处宫殿；不久，仍把宇文直诛杀。擢升尉迟运当大将军（勋官二级），赏赐十分优厚。

八月八日，宇文邕再往云阳（陕西省泾阳县西北）。

15 八月二十五日，北齐帝高纬前往晋阳（山西省太原市）。

八月二十六日，高纬任命高劢当国务院右执行长（尚书右仆射）。

16 九月三日，北周帝宇文邕前往同州（州政府设武乡〔陕西省大荔县〕）。

冬季，十月九日，北周政府派宫廷部立法司长（天官御正上大夫）、弘农郡（河南省灵宝市东北）人杨尚希，教育部法令司长（春官礼部下大夫）卢恺，前往陈帝国聘问。卢恺，是卢柔的儿子（卢柔事，参考五三四年六月）。

十月二十七日，宇文邕前往蒲州（州政府设蒲阪〔山西省永济市〕）。

十月二十九日，宇文邕返同州（州政府武乡）。

十一月十八日，宇文邕返首都长安（陕西省西安市）。

17 十二月十二日，陈帝陈顼任命国务院文官部长（吏部尚书）王玚当国务院右执行长（右仆射），财政部长（度支尚书）孔奂当文官部长（吏部尚书）。王玚，是王冲的儿子（王冲，参考五四九年四月十九日）。

当时，陈帝国刚收复淮河以南及泗水流域，对有战功的官员以及归附的降人，封赏铨叙，千头万绪。孔奂见解精辟，做事条理分明，不接受私情请托，所以工作进行得十分顺利，人都心悦诚服。湘州（州政府设临湘〔湖南省长沙市〕）州长（刺史）、始兴王陈叔陵（陈顼的次子），不断提醒有关官员，希望推荐他当三公。孔奂说：“三公人选，要靠德行，不一定非皇亲国戚不可。”遂报告陈顼，陈顼说：“始兴王（陈叔陵）怎么忽然想到当三公！而且，即令当三公，我的儿子也应在鄱阳王（陈伯山，二任帝陈蒨的儿子）之后。”孔奂说：“我的看法，跟陛下相同。”

18 北齐定州（州政府设中山〔河北省定州市〕）州长（刺史）、南阳王高绰（北齐帝高纬的庶兄），喜爱对人暴虐残害。曾经有一次，在路上遇到怀抱娃儿的女子，高绰下令把娃儿抢过来喂他的狗，女子号啕大哭，高绰怒不可遏，把娃儿的血涂到那女子身上，纵狗扑上去把她撕碎吞食。高绰常说：“我效法文宣伯父（一任帝高洋）的为人！”高纬听到他凶暴的消息，命用铁链锁住，押解行宫。高绰到后，高纬下令赦免释放，问说：“你在定州（州政府中山），干什么最快乐？”高绰说：“挖一个土坑，聚集很多毒蝎在里面，再放猕猴进去观赏，最是快乐！”高纬立即下令：捕捉毒蝎一斗，捕捉了一夜，等到天亮，才捕捉到两三升，放到浴盆里，找一个人来，命他脱光衣服，裸体卧下去，那人翻腾辗转，痛苦悲号！高纬与高绰亲自莅临观看，啧啧称奇，乐不可支，高纬责备高绰说：“有这么刺激的事，为什么不用驿马车奏报我知！”因此，对高绰十分宠爱，并擢升高绰当最高统帅（大将军），早晚都在一起胡闹作乐，引起韩长鸾的妒恨。本年（五七四），任命高绰当齐州（州政府设历城〔山东省济南市〕）州长（刺史）；高绰就要动身赴任，韩长鸾命人诬告高绰谋反，韩长鸾上疏说：“高绰犯的是国法，不可赦免。”高纬不忍心公开诛杀，而使弄臣胡人何猥萨跟高绰徒手搏斗，把高绰扼死。

五七五年

乙未

南梁	天保	十四年
陈	太建	七年
北齐	武平	六年
北周	建德	四年

1 春季，正月十六日，陈帝国（首都建康〔江苏省南京市〕）皇帝（四任宣帝）陈顼（本年四十八岁），前往首都建康南郊，祭祀天神。

2 正月十八日，北周帝国（首都长安〔陕西省西安市〕）皇帝（三任武帝）宇文邕（本年三十三岁），前往同州（州政府设武乡〔陕西省大荔县〕）。

3 正月二十日，陈帝国首都东区卫戍司令（左卫将军）樊毅，攻克北齐军占领的潼州（州政府设夏丘〔安徽省泗县〕）。

4 北齐帝国（首都邺城〔河北省临漳县西南邺城镇〕）皇帝（五任）高纬（本年十九岁），返首都邺城。

5 正月二十六日，陈帝陈顼到首都建康（江苏省南京市）北郊，祭祀地神。

6 二月一日，日蚀。

7 二月二十三日，陈帝国将领樊毅，攻克北齐下邳（北齐东徐州，江苏省睢宁县北古邳镇）、高栅（江苏省宿迁市西）等六城。

8 北齐帝高纬口舌拙笨，言语不清，有很深的自卑感，不喜爱接见政府官员，除非是宠爱的弄臣家奴，对其他人，从来不说一句话。性情懦弱，最怕有人向他注视；即令是三公高位，或国务院总理（令）、主管政府机要（录）口头报告时，都不准抬头看他，以致官员们只能略略作一段简报，就神魂不定的惊慌退出。高纬继承他老爹高湛奢侈豪华的积习，认为帝王生活，天经地义就是如此。宫中妇女宦官，都穿锦绣绸缎，吃山珍海味。缝制一条裙子，花费甚至要一万匹；每人钩心斗角，比赛新奇巧妙；早晨才制成的新衣，晚上已被认为破旧；大肆修筑宫殿花园，极尽雄壮华丽。可是高纬的喜爱不能持久，于是，所有建筑，都拆了再建，建了再拆。各种工匠及土木工程，没有一分钟休息。深夜则燃起火炬，照常进行；天寒则用煮热的水搅拌泥土（冷水立刻结冰，所以北方入冬之后，就没有人再筑墙盖屋）。为了雕刻晋阳（山西省太原市）西山（西方山群）佛像，一夜之间，燃起万盏灯火，火光照耀晋阳宫，如同白昼。每遇到天灾、星象变异、变民起兵，高纬从不责备自己，只知道到处摆设斋席，大宴和尚道士，认为可以增加功德，渡过难关。高纬喜爱琵琶，自弹自唱，作《无愁曲》，左右侍从合唱的有数百人，民间称他"无愁天子"。高纬在华林园设立"贫儿村"，他身穿破烂衣服，在村子里向人乞讨，认为是最大快乐（邺城华林园，建于后赵帝国三任帝石虎时代，参考三四七年八月）。又模仿西部各重要边城，另行兴筑；命人穿黑色军服，假扮北周军（首都长安）进攻，高纬在城中率宦官们抵抗。

最受宠爱的家奴弄臣陆令萱、穆提婆（骆提婆）、高阿那肱、韩长鸾等，把持政府；宦官邓长颙、陈德信、匈奴人何洪珍等，也都参与机要。各人引进各人的亲友，超级越阶，人人都到显要高位。官员升迁，全看贿赂多少，有钱者升，无钱者降；法官判决，只在红包大小，有钱者生，无钱者死。竞争着对下贪赃枉法，对上摇尾献媚，政治凶暴，苦害人民。家奴刘桃枝等，都高升到开府仪同三司（宰相级），晋封王爵。其他像宦官、匈奴人、歌手、舞女、巫法师（见鬼人）、奴隶、婢女等，侥幸得到富贵的，几乎将近一万人；非皇族封王爵的，以百为单位计算，开府（宰相级）有一千余人，仪同（我们也称他宰相级）数也数不完，中央禁军总监（领军）一时之间竟有二十人，总监督长（侍中）、寝殿侍奉宦官（中常侍）数十人。甚至狗、马，以及猎鹰，分别都有"仪同""郡侯"（郡君）官位；斗鸡称"开府"；狗、马、鹰、鸡，都享受俸禄。所有家奴弄臣日夜侍候在高纬左右，千方百计使高纬欢娱。有时一场戏唱下来，费用动不动都超过亿万。

后来，国库一空，高纬索性把郡县当作礼物，每次赏赐两三郡，或六七县，由家奴弄臣拍卖郡长县长，把拍卖得来的钱，抵作奖金。因此，所有郡长县长大多数都是富商，竞赛着搜刮敲诈，人民难以生存。

9 北周帝宇文邕策划吞并北齐帝国，下令沿边各城镇储备辎重，增加兵力。北齐政府得到消息，也加强防御措施。北周柱国（勋官一级）于翼，警告宇文邕说：“战场上互相侵扰，有胜有负，只不过消耗兵员财力，对全局来说，没有益处。不如解除戒严，继续敦睦邦交，使他们懈怠，不再戒备，然后抓住机会，出其不意，一次攻击，就可夺取。”宇文邕接受。

勋州（州政府设玉壁〔山西省稷山县〕）州长（刺史）韦孝宽，上疏提出三个方案：

其一：

“我在边陲多年，自信可以看出敌人（北齐帝国）的弱点，我们任何攻击，如果没有天赐良机，都很难成功。所以往年出军，徒然劳师伤财，却不能建立功业（五六三年九月，周突联军攻晋阳、平阳失败；五六四年十月，北周攻洛阳、悬瓠、轵关失败；五六九年九月至五七一年六月，北周再争宜阳、汾北失败），都是因为丧失良机之故。何以见得？长江、淮河以南，原是一片肥沃土地，陈国（陈帝国）继承破烂败亡的局面，收拾残余火烬，竟然能在一次军事行动中，获得完全胜利。齐国（北齐帝国）连年增援，丧师覆败，狼狈撤退。现在，他们内部军民离心，外部叛乱时起（指高思好），谋略已尽，力量已竭。斗伯比说：‘敌人内斗，我们不可放过。’（《左传》：“仇敌有衅，不可失也。”）而今，我们出动大军，穿过轵关（河南省济源市西北太行山隘口）之后，道路平坦，直到邺城（北齐首都，河北省临漳县西南邺城镇)，战车可以并肩前进；跟陈国(陈帝国)合作，像捕捉野鹿一样，一人抓住它的角，一人抓住它的脚。再命广州(州政府设鲁阳〔河南省鲁山县〕)人民志愿军从三鸦(河南省鲁山县西南)出发，又在山南(秦岭以南)招募骁勇精兵，顺黄河东下。另行调遣北山(长安以北群山)稽胡部落军(稽胡，匈奴后裔，散住在山西省西部及陕西省北部山区)，切断并州(州政府设晋阳〔山西省太原市〕)、晋州(北齐晋州，州政府设平阳〔山西省临汾市〕)之间的交通。除了这些战斗主力，仍命他们各自招募齐国(北齐帝国)境内的勇士，赏赐高官贵爵，使他们担任前锋。山岳震动，河川沸腾，雷声惊天，闪电裂地，四面八方同时发动攻击，目标直指蛮虏(北齐帝国)王庭(首都邺城)。敌人一定会望见旗帜，即逃奔溃散；我们大军所向，势如摧枯拉朽。一举成功，现在正是时候！”

其二：

“如果政府不马上出兵，而作长期打算，则最好是跟陈国(陈帝国)结盟，分散齐国(北齐帝国)的兵力。三鸦(河南省鲁山县西南)以北、万春(山西省河津市东北)以南(也就是沿两国边界)，大举开田垦荒，储备军用物资，招募骁勇壮士，组成新军。齐国(北齐帝国)东南疆域，既有强敌(陈帝国)，战事僵持；我就出军奇袭，在沙场上把他们击败。他们如果动员大军增援，我们就撤退原野所有居民，坚守城池；等他们回军远走，我们再发动攻击。一直用我们的边防部队，牵制他们的野战军主力。我们作战，不必在境外过夜，早上出发，晚上便回；可是他们却来往驰骋，疲于奔命。只要一两年的时间，他们内部就会众叛亲离。而且，齐国(北齐帝国)上上下下，一团昏暴，政令不能统一，人人都可以做主，家奴弄臣公然出售官爵，更大肆包揽诉讼。什么都看不见，只看见钱！高纬自己沉沦在美酒、美女的荒淫生活之中，嫉妒忠良，加以杀害，全国人民哀愁呼唤，已不堪忍受。由此观察，他们覆亡的日子，我们可以站在这里等待。然后，利用时机，发动闪电突击，就像是摧毁朽屋、拉倒枯木。”

其三：

“从前，姒勾践（越王国一任王）灭亡吴王国，准备工作还用了十年。姬发（武王）攻击子受辛（纣帝），也曾两次出军。而今，陛下如果希望继续培养齐国（北齐帝国）君王的罪恶，使他激起人民更大的愤怒，那么，我认为最好是恢复两国的友好邦交，重申盟誓，安定人民大众生活，贸易通商，工匠来往无阻，储蓄精锐，增长声威，再乘机而动，这是长程谋略，坐在那里就可以把对方兼并。”

奏章呈上去后，宇文邕召唤开府仪同三司（勋官三级）伊娄谦（伊娄，复姓）到内殿，心平气和的问他：“我打算出动大军，你看应先攻击哪国？”伊娄谦说：“齐国（北齐帝国）君王受家奴弄臣的摆布，酗酒昏淫，迷恋声色，他的常胜将军斛律光，已死在鲨鱼群之口；上下离心，人民在道路上相遇，只敢互相交换眼神，而不敢说话，恐怖气氛如此，极容易击破。”宇文邕纵声大笑。

三月二日，宇文邕命伊娄谦跟司法部副部长（小司寇）元卫，前往北齐（首都邺城）聘问，评估时局。

三月十二日，宇文邕自同州（州政府设武乡〔陕西省大荔县〕）返首都长安（陕西省西安市）。

10 夏季，四月十日，陈帝陈顼前往皇家祖庙，祭祀祖先。

豫州（州政府设寿阳〔安徽省寿县〕）总部执行官（监豫州）陈桃根，得到

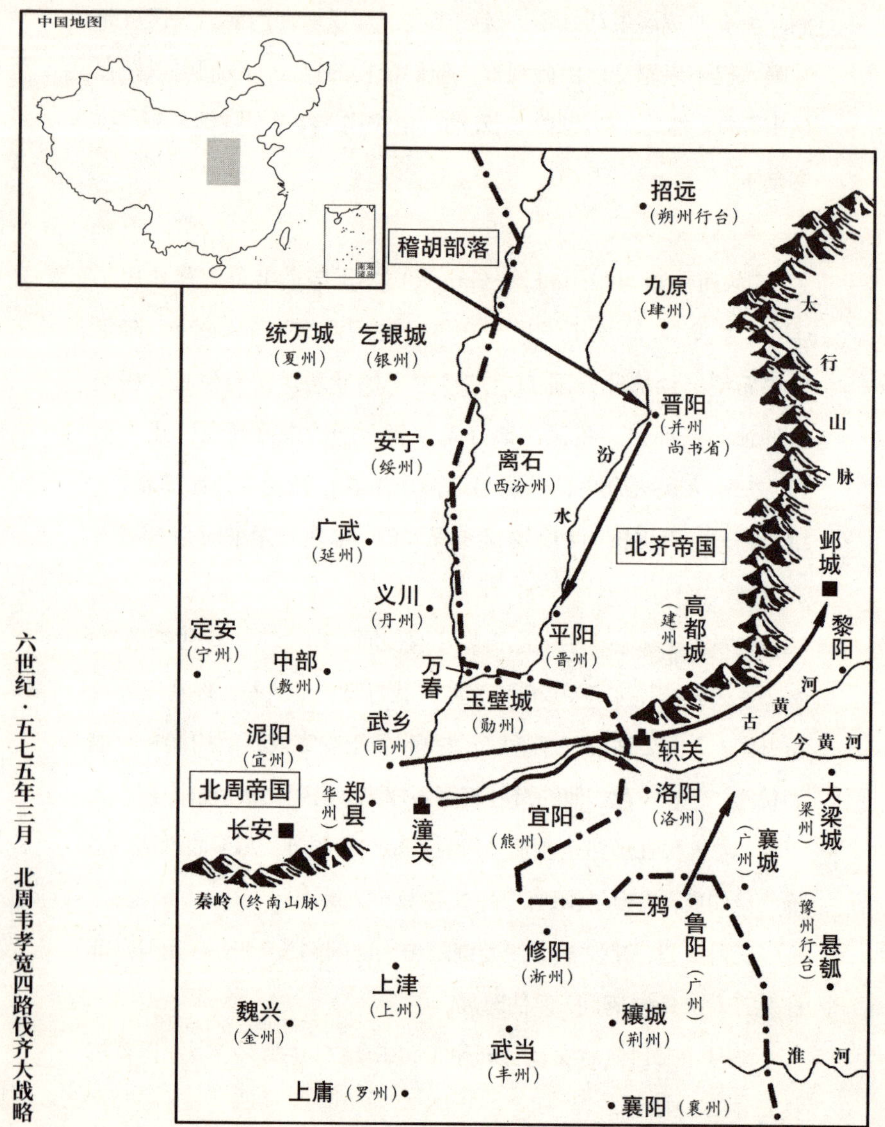

六世纪·五七五年三月 北周韦孝宽四路伐齐大战略

一头青毛牛，呈献皇帝，陈顼命他把青毛牛还给农民。陈桃根又上疏呈献织有美丽纹理的棉被和皮袍，各二百件，陈顼命拿到云龙门（建康宫城东门）外烧毁。

11 四月十六日，北齐政府任命立法院总立法长（中书监）阳休之当国务院右执行长（尚书右仆射）。

12 六月九日，陈政府任命国务院右执行长（尚书右仆射）王玚当左执行长（左仆射）。

13 秋季，七月二十二日（原文误置于六月，据《北齐书》改），北齐帝高纬前往晋阳（山西省太原市）。

14 七月四日（原文“丙戌”，据《周书》改），北周帝宇文邕前往云阳宫（陕西省泾阳县西北）。

大将军（勋官二级）杨坚，身材魁梧，相貌奇特。内政部户籍司外郊副总管理官（地官民部小畿伯下大夫）、长安（首都长安西半城）人来和（来，姓）曾经警告杨坚说：“你眼睛神采外射，犹如两颗晨星，普照大地，有一天会当天下之主。但愿你多多忍耐，不要随便杀人。”宇文邕对杨坚一向厚待，齐王宇文宪也曾经警告宇文邕说：“普六茹坚的相貌不同平凡（普六茹，是宇文泰赏赐的鲜卑三字姓；参考五五四年正月），我每次看到他，不知不觉的手足失措；恐怕他不能长久的当人臣属，请早日诛杀。”宇文邕也深感怀疑，遂询问来和。来和诡诈，回答说：“随公爵（杨坚封随公爵）是一个遵守节操的人，最多当一个地方政府首长；如果用他当将领，没有一个敌阵不被他攻破。”

七月十五日，宇文邕返首都长安（陕西省西安市）。

之前，宇文邕单独跟齐王宇文宪，以及教育部秘书司长（春官内史上大夫）王谊，密谋讨伐北齐帝国；又派宫廷部侍从司长（天官纳言中大夫）卢韫，乘驿马车三次前往安州（州政府设安陆〔湖北省安陆市〕），向安州军区（总部设安陆）总司令（安州总管）于翼，询问攻击北齐策略。除了这几个人外，其他的人全不知道一项大的战略，正在秘密进行。

七月二十四日，宇文邕才在大德殿召集大将军（勋官二级）以上高级将领，向他们宣布东征计划。

七月二十五日，宇文邕下达讨伐北齐帝国诏书，命柱国（勋官一级）陈王宇文纯、荥阳公爵司马消难、郑公爵达奚震，分别当前锋三军总司令；越王宇文盛、周昌公爵侯莫陈崇（此非五六三年正月逝世的侯莫陈崇）、赵王宇文招，分别当后卫三军总司令；齐王宇文宪率军二万人，进向黎阳（河南省浚县）；随公爵杨坚、广宁公爵薛迥，率水军舰队三万人，自渭水进入黄河；梁公爵侯莫陈芮率军二万人，封锁太行陉（太行八陉之二，河南省博爱县西北）；申公爵李穆率军三万人，封锁河阳（河南省孟州市）交通线。常山公爵于翼率军二万人，北上攻击陈郡（河南省周口市淮阳区）、汝州（州政府设襄城〔河南省襄城县〕。此时应称广州，至北齐亡国后，才称汝州。《周书·于翼传》：于翼自宛县〔河南省南阳市〕、叶县〔河南省叶县西南〕进攻襄城）。王谊，是王盟的侄孙（王盟，参考五四五年五月）。达奚震，是达奚武的儿子（达奚武去世，参考五七〇年十月）。

宇文邕准备直接攻击河阳（河南省孟州市），教育部秘书司秘书官（春官小内史上士）宇文弢说："齐国（北齐帝国）建立，已历数代，君王虽然残暴昏庸，但镇守军事据点的将领，还有人才。我们这次出击，一定要选择地点。河阳地居要冲，是敌人精锐部队聚集的地方，我们即令用全力攻击，也不见得能够如愿以偿。如果允许我建议，应该放弃这项计划，改为北上进攻汾曲（汾水弯曲地带，山西省侯马市），那里敌人的基地都比较小，而山势也比较平坦，容易攻克。对我们最有利的战场，没有比那里更好。”内政部户籍司长（地官民部中大夫）、天水郡（甘肃省天水市）人赵煚（音jiǒng〔窘〕）说：“河南（黄河以南）洛阳（河南省洛阳市东白马寺东），一片平原，敌人可从四面八方进攻，纵然把它夺到手，也很难守卫，我建议大军进入河北（黄河以北），直接攻击太原（晋阳，山西省太原市），把他们的巢穴捣毁，可以靠一次战役，平定天下。”内政部户籍司近郊副总管理官（地官遂伯下大夫）鲍宏说：“我们强，敌人弱，我们治理，敌人混乱，不必担心不获胜利。但从前先帝（宇文泰）屡次都是直接攻击洛阳，他们也屡次都有戒备，所以不能传出捷报（自北魏帝国分裂为东西后，故都洛阳数度易手。刚分裂时属东魏，五三七年十月西魏夺取，五三八年八月东魏重夺，五三八年十二月又被西魏所得，至五四三年四月，东魏再占洛阳，之后便一直成为东魏〔以及北齐〕版图）。如果要我献计，最好是进攻汾川（山西省西南部）、潞川（山西省东南部），直接突击晋阳（山西省太原市），大出他们意料之外，这似乎才是上策。”宇文邕不肯接受。鲍宏，是鲍泉的老弟（鲍泉，参考五四九年七月）。

七月三十日，宇文邕亲率大军六万人，攻击河阴（河南省洛阳市孟津区北）。杨素请求率他老爹杨敷的旧部，担任前锋（杨敷城陷被俘事，参考五七一年五月），宇文邕准许。

15 八月二十一日，北周帝国派使节前往陈帝国聘问。

16 北周大军进入北齐领土，宇文邕严禁士卒砍伐人民树木，践踏庄稼，违犯这项命令的，一律处斩。

八月二十五日，宇文邕攻击河阴大城（河南省洛阳市孟津区北），攻克。齐王宇文宪攻击武济（河南省洛阳市孟津区），攻克。于是，进军包围洛口（洛水注入黄河处，河南省巩义市东北），攻克洛口东西二城，纵火烧黄河大桥，黄河南北交通中断。北齐帝国永桥（河南省武陟县）总司令官（大都督）、太安郡（内蒙古固阳县）人傅伏，乘夜自永桥增援中潬（河阳〔河南省孟州市〕有南中北三城，中城称中潬。潬，音tān〔滩〕）。北周军既攻克南城，遂包围中潬，二十天不能攻克。北齐洛州（州政府洛阳）州长（刺史）独孤永业，固守金墉（洛阳城西北角），北周帝宇文邕亲自攻击，不能攻克。独孤永业连夜制造马槽两千具，北周军得到情报，认为北齐援军将大量涌到，感到惊恐。

九月，北齐右丞相高阿那肱，自晋阳（山西省太原市）率军南下，抵抗北周军，抵达河阳（河南省孟州市）；正巧，宇文邕患病。

九月九日，夜晚，宇文邕率军撤退，水军纵火焚烧船舰。北齐总司令官（大都督）傅伏向中央特遣政府总监（行台）乞伏贵和请求，说："周军（北周帝国军）已经疲惫不堪，盼望给我精锐骑兵二千人追击，一定可以把他们击败。"乞伏贵和不准。

北周齐王宇文宪、于翼、李穆，大军所到之处，一连取得胜利，攻克及接受投降的有三十余个城池，全部放弃，不再保守。只有王药城（河南省济源市境），是要害之地，派仪同三司（勋官四级）韩正镇守；可是韩正不久就连同城池，投降北齐。

九月二十六日，宇文邕返首都长安（陕西省西安市）。

17 九月二十八日，北齐政府任命赵彦深当宰相（司徒），斛阿列罗当最高监察长（司空。斛阿列，三字姓）。

18 闰九月，陈帝国车骑大将军吴明彻，率军攻击北齐帝国彭城（江苏省徐州市）。

闰九月十一日，在吕梁（徐州市东南）击败北齐军数万人。

19 闰九月十三日，北周帝宇文邕前往同州（州政府设武乡〔陕西省大荔县〕）。

20 冬季，十月十八日，陈帝国封皇子陈叔齐当新蔡王、陈叔文当晋熙王。

21 十二月一日，日蚀。

22 十二月十二日，陈政府任命王玚当国务院左执行长（尚书左仆射）、太子宫总管（太子詹事）吴郡（江苏省苏州市）人陆缮当国务院右执行长（右仆射）。

23 十二月二十日，北周帝宇文邕自同州（州政府设武乡〔陕西省大荔县〕）返首都长安（陕西省西安市）。

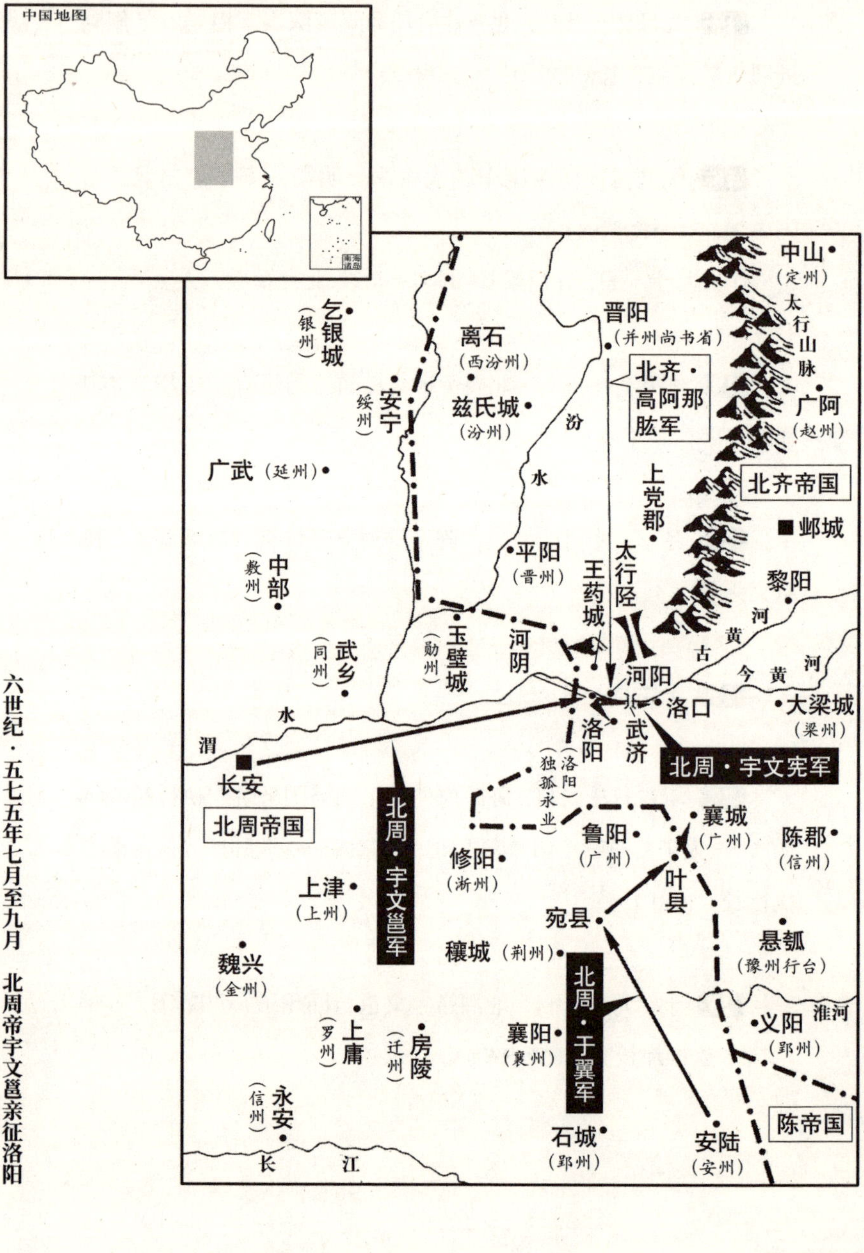

六世纪·五七五年七月至九月

北周帝宇文邕亲征洛阳

中国地图

中山（定州）
太行山脉
广阿（赵州）
北齐帝国
邺城
晋阳（并州尚书省）
北齐·高阿那肱军
离石（西汾州）
兹氏城（汾州）
汾水
乞银城（银州）
安宁（绥州）
广武（延州）
中部（敷州）
上党郡
太行陉
平阳（晋州）
王药城
黎阳
古黄河
今黄河
玉壁城（勋州）
河阴
武乡（同州）
河阳
洛口
大梁城（梁州）
渭水
长安
洛阳（洛阳）
武济
北周·宇文宪军
北周帝国
独孤永业
北周·宇文邕军
鲁阳（广州）
襄城（广州）
陈郡（信州）
修阳（淅州）
上津（上州）
叶县
宛县
悬瓠（豫州行台）
穰城（荆州）
北周·于翼军
魏兴（金州）
淮河
义阳（郢州）
上庸（罗州）
房陵（迁州）
襄阳（襄州）
永安（信州）
陈帝国
石城（郢州）
安陆（安州）
长江